ISBN 978-0-428-21253-7
PIBN 10332464

FB &c Ltd, Dalton House, 60 Windsor Avenue, London, SW19 2RR.
Company number 08720141. Registered in England and Wales.

For support please visit www.forgottenbooks.com

ALBRECHT VON GRÆFE'S

ARCHIV

FÜR

OPHTHALMOLOGIE

HERAUSGEGEBEN VON

PROF. TH. LEBER
IN HEIDELBERG

PROF. H. SATTLER
IN LEIPZIG

UND

PROF. H. SNELLEN
IN UTRECHT

REDIGIERT VON

PROF. TH. LEBER UND **PROF. A. WAGENMANN**
IN HEIDELBERG — IN JENA

LXVII. BAND

MIT 25 TAFELN, 28 FIGUREN IM TEXT
UND EINEM PORTRÄT IN HELIOGRAVÜRE.

LEIPZIG
VERLAG VON WILHELM ENGELMANN
1908

Inhalt des siebenundsechzigsten Bandes.

Erstes Heft.

Ausgegeben am 19. November 1907.

Zweites Heft.

Ausgegeben am 21. Januar 1908.

1266

Drittes Heft.

Ausgegeben am 18. Februar 1908.

(Aus dem Laboratorium der Augenklinik des Professors E. Fuchs in Wien.)

Über die pathologische Anatomie und die Pathologie des Keratoconus.

Von

Prof. Dr. Maximilian Salzmann

in Wien.

Mit Taf. I und II, Fig. 1—15.

Das Auge, dessen anatomischer Befund in den folgenden Zeilen niedergelegt ist, erhielt ich von meinem Freunde Dr. E. Praun in Darmstadt. Nach seiner Angabe gehörte es einem 20jährigen, epileptischen, blödsinnigen Mädchen an und zeigte im Leben ausser dem blasig aussehenden, leicht grau getrübten Keratoconus eine mittelweite, reaktionslose Pupille, normale Iris und hypermature Katarakt. Die Spannung war normal; es bestand Amaurose.

Das Auge war mir unmittelbar nach der Enucleation in verdünnter Formollösung zugesendet worden und war bei seiner Ankunft noch so frisch, dass man die tieferen Teile wie am Lebenden sehen konnte; nur einige Epithelbläschen schienen mir postmortal zu sein. Es ist ein linkes Auge von normaler Grösse und bis auf die Hornhaut auch von normaler Gestalt.

In der Profilansicht (Taf. I, Fig. 1) zeigt sich die konische Gestalt der Hornhaut sehr deutlich; der Conusgipfel liegt etwas nach unten und nasalwärts von der Hornhautmitte. An den Abhängen des Conus, besonders auf einer Seite zeigt sich eine ganz seichte Furche, die die eigentliche (zentrale) Ektasie von den weniger veränderten Randteilen der Hornhaut abzugrenzen scheint. So würde sich die eigentliche Ektasie etwa über $^3/_7$ eines Hornhautmeridianes erstrecken, während je $^2/_7$ beiderseits auf die Randpartien entfallen. Der Scheitel des Conus zeigt eine leichte, fleckige, bläulichgraue Trübung, sonst ist die Hornhaut völlig durchsichtig. Die Kammer ist sehr tief, die Iris normal, die Linse weissgrau getrübt und liegt merklich hinter der Pupille.

Das Auge wurde zu weiterer Härtung in Müller-Formollösung übertragen; leider kam es in dieser Lösung zu einer starken Schrumpfung der Hornhaut. Durch Auswässern gelang es zwar, der Hornhaut wieder etwas bessere Wölbung zu geben; aber der Conus selbst blieb noch immer stark gefaltet. Das Auge blieb dann noch etwa 8 Monate in reiner Müllerscher Flüssigkeit und wurde endlich durch Abtragung einer oberen Kalotte eröffnet und in Celloidin eingebettet. Erst das fertig eingebettete Auge wurde in einen vorderen und hinteren Abschnitt geteilt und in der Richtung der ursprünglichen Schnittfläche in Stufenserien geschnitten.

Die Stufenserie des vorderen Abschnittes hat eine Höhe von 3,6 mm und begreift die ganze Ektasie in sich; die Stufenhöhe beträgt 0,1 mm. Die Serie des hinteren Abschnittes ist nur etwas über 2 mm hoch und bricht am unteren Papillenrande ab. Die abgeschnittene Kalotte diente zur Herstellung einiger Flachpräparate vom Ligamentum pectinatum und dem Rande der Descemetschen Membran, sowie von der Grenzschicht des Glaskörpers.

Nachträglich stellte sich heraus, dass die ursprüngliche Schnittfläche nicht völlig horizontal ist, sondern eine Neigung von ungefähr 25° von oben innen nach aussen unten besitzt.

Zur Illustration der groben anatomischen Verhältnisse dient Fig. 2, Taf. I, die nach den fertigen Schnitten mit dem Projektionsapparate gezeichnet ist. Der sagittale Durchmesser des Auges beträgt jetzt 22 mm (leider hatte ich es versäumt, die Dimensionen des frischtoten Auges zu messen), der äquatoriale Durchmesser 21,5 mm (dieses Mass ist genau, da das Auge, vom Conusgipfel abgesehen, sehr gut konserviert ist); der Durchmesser der vorderen Kammer ist 10,6 mm, der der Pupille 4,3 mm.

Das Auge ist also entschieden etwas klein und es überrascht daher, am hinteren Abschnitte eine Andeutung der myopischen Form zu finden, die sich besonders auch in der Veränderung der Skleraldicke ausspricht. Endlich fällt noch ein auffallend kurzer (4 mm langer) Ciliarkörper und die stark geschrumpfte, scharf kantige, an der Vorderfläche gerunzelte Linse auf; die Ablösung der Netzhaut ist postmortal.

Mikroskopischer Befund.

Die Dicke der Hornhaut im Bereiche der Ektasie lässt sich leider nicht mit voller Sicherheit bestimmen, da der Gipfel des Conus gerade am stärksten gefaltet ist; dazu kommt noch die später zu beschreibende Zerklüftung des Hornhautstroma. Sieht man von dieser ab, so ergibt sich ein Minimum der Hornhautdicke im Betrage von 0,17 mm. Diese Dicke wurde an einer Stelle gemessen, die etwa 0,5 mm unter der Pupillenmitte liegt, was mit der etwas excentrischen Lage des Conus übereinstimmt.

Die Ektasie scheint sich ziemlich scharf von den peripheren Teilen der Hornhaut abzugrenzen, wie schon aus der Krümmung der vorderen Hornhautfläche erschlossen werden konnte. So sieht man in der temporalen Hornhauthälfte innerhalb einer 0,7 mm breiten Zone die Dicke der Hornhaut auf die Hälfte sinken. Demnach kann man an dieser Hornhaut eine zentrale, ektatische Partie und eine periphere, nicht ektatische Partie unterscheiden. Die letztere ist in ihren Dickenverhältnissen normal, nur ihre Krümmung scheint etwas verändert zu sein.

Ich beginne mit der Beschreibung der histologischen Veränderungen in der ektatischen Partie.

Über das Epithel ist nicht viel zu sagen; seine Dicke ist jedenfalls nicht erheblich verändert, die oberflächlichen Schichten sind offenbar durch die Härtung verändert, bräunlich gefärbt und verquollen. Mehrere Blasen sind am oberen Rande des Conus vorhanden, und zwar ist das Epithel teils in seiner ganzen Dicke abgehoben, teils liegen die Blasen im Epithel selbst; sie sind, wie schon erwähnt, auch als Leichenerscheinung aufzufassen.

Die Bowmansche Membran zeigt vielfache Unterbrechungen; oft sind nur ganz kleine Stückchen vorhanden. Eine merkliche Verdünnung ist dabei nicht wahrnehmbar, wenn man von den hie und da zugeschärften Rändern absieht. Nur am temporalen Abhange des Conus findet man Stücke der Bowmanschen Membran, die auch merklich verdünnt sind.

Die Lücken in der Bowmanschen Membran sind von einer Art Narbengewebe ausgefüllt, aber dieses erstreckt sich auch über und unter die Ränder der Lücken, so dass viele Stückchen von Bowmanscher Membran gefunden werden, die ganz in dieses Narbengewebe eingebettet sind (siehe Taf. I, Fig. 3).

Vom normalen Hornhautstroma unterscheidet sich dieses Narbengewebe zunächst durch grösseren Reichtum an Kernen und dichteres Gefüge. Die Kerne sind teils den Stromakernen ähnlich, teils gehören sie Leukocyten an, die hier reichlicher als im normalen Stroma vorkommen. Das dichtere Gefüge ist an dem Mangel jeglicher Spaltbarkeit und an stärkerer Färbbarkeit der Intercellularsubstanz zu erkennen. Die Richtung der Elemente ist so ziemlich der Oberfläche parallel, was sich aber freilich nur an wenigen Stellen (der Faltung wegen) erkennen lässt.

Endlich ist dieses Narbengewebe noch durch das Vorkommen unzweifelhafter elastoider Fasern ausgezeichnet. Diese Fasern sind zart und sehr fein gekräuselt (doch das letztere wohl nur infolge der Schrumpfung des Gewebes), stellenweise scheinen sie nur in kleinen Bruchstücken vorhanden zu sein. Doch geben sie die charakteristischen Färbungen mit Orcein und Resorcinsäurefuchsin, während sich sonst in der Hornhaut absolut nichts damit färbt. Übrigens findet man diese neugebildeten elastoiden Fasern (die also Ähnlichkeit mit den in der Pinguecula vorkommenden haben) nicht überall, wo man nach dem sonstigen Aussehen des Gewebes und nach den Lücken in der Bowmanschen Membran das Narbengewebe vermuten möchte.

Nirgends ist in diesem Narbengewebe eine Spur von Blutgefässen zu erkennen.

Die Dicke der ganzen Narbenschicht beträgt auf dem Scheitel des Conus wohl nicht mehr als 0,03 bis 0,04 mm; an den seitlichen Abhängen wird sie dicker, besonders am nasalen.

In den tieferen Lagen des Hornhautstromas ist im Bereiche des Conusscheitels zunächst eine Spaltung in mehrere Schichten wahrnehmbar (siehe Taf. I, Fig. 4). Diese Spalten sind bedeutend länger als die normalen Saftlücken, so zwar, dass man noch innerhalb einer solchen Schicht die fortschreitende Verdünnung gegen den Scheitel des Conus hin erkennen kann. Hier und da werden diese Spalten von sehr zarten Häutchen (Taf. I, Fig. 4 *L*) überbrückt. Wenn dies die elementaren Lamellen des Hornhautstromas sind, dann sind sie jedenfalls erheblich verdünnt. Diese stärkere Spaltbarkeit dehnt sich über ein Areal von ungefähr 0,9 mm Durchmesser aus und fällt mit der stärksten Verdünnung zusammen.

Im Hornhautstroma selbst bemerkt man ausser einer leichten Unregelmässigkeit in der Lamellierung auch eine ungleichmässige Verteilung der Zellkerne, so dass diese stellenweise sogar dichter liegen als in einer normalen Hornhaut. Diese lokale Anhäufung von Zellkernen ist teils durch das Auftreten von Wanderzellen bedingt, teils sind es Zellen mit deutlichem, spindelförmigem Protoplasmaleibe.

Die Descemetsche Membran zeigt als einzige pathologische Veränderung im Bereiche des Conus eine klaffende Lücke, die fast genau im Zentrum der Hornhaut liegt (siehe Taf. I, Fig. 5 *L*). Ihre grösste Breite in der Schnittrichtung beträgt 0,66 mm, ihre Höhe (senkrecht auf die Schnittrichtung an der Zahl der Schnitte gemessen) zwischen 0,6 und 0,7 mm. Aber diese Dimensionen geben keine richtige Vorstellung von der Gestalt und Grösse der Lücke, da ihre Ränder sichtlich schief verlaufen. Berücksichtigt man diese Richtung und die Lage der Lücke in den aufeinander folgenden Stufen, so ergibt sich, dass sie die Gestalt einer Spalte besitzt, deren Länge ungefähr 1,2, deren Breite 0,3 mm beträgt, und dass die Achse der Lücke einen flachen horizontal liegenden Bogen bildet, der seine Konkavität nach unten kehrt.

Die Ränder der Lücke (siehe Taf. I, Fig. 6) sind zumeist unterminiert, d. h. die Descemetsche Membran ist eine Strecke weit vom Hornhautstroma abgelöst, und ein krümliger Niederschlag, der auch in der vorderen Kammer vorhanden ist, füllt den Raum zwischen beiden aus. Wo der Schnitt den Lochrand senkrecht getroffen hat, erscheint dieser glatt durchtrennt, ohne Zuschärfung und ohne Treppen. Es ist ausser der Kontinuitätstrennung absolut nichts pathologisches an der Descemetschen Membran zu sehen.

Auch das Endothel hat normales Aussehen; nur hart am Rande der Lücke sind seine Zellen etwas grösser (20—22 μ mit 10—12 μ grossen Kernen); es biegt sodann um den Rand der Lücke herum und überzieht die abgelöste Vorderfläche der Descemetschen Membran. Hier sind die Zellen noch grösser, unregelmässiger und reicher an Protoplasma. Die weiter unten beschriebenen Granula sind auch in diesen neugebildeten Endothelzellen vorhanden.

Das blossliegende Hornhautstroma entbehrt des Endothelüberzuges; nur dem Rande der Lücke entsprechend sieht man stellenweise einzelne Endothelzellen am Hornhautstroma kleben. Man muss also wohl annehmen, dass im Leben der freie Rand der Membran selbst wieder dem Hornhautstroma anlag und durch das regenerierte Endothel dort angelötet wurde, ein Verhältnis, das übrigens immer noch an manchen Stellen zu sehen ist, trotz aller durch die Schrumpfung herbeigeführten Verlagerungen der einzelnen Teile.

Eine Neubildung von Glashautsubstanz ist nirgends sichtbar.

Die von der Descemetschen Membran entblössten Hornhautschichten zeigen keine auffallenden Veränderungen. Etwas mehr Leukocyten sind im Stroma vorhanden, einige solche haften der Innenfläche an, und hier und da sind grössere, protoplasmareiche Spindelzellen in den hintersten Schichten vorhanden.

Ausser diesen dem eigentlichen Keratoconus angehörenden Veränderungen zeigt das vorliegende Auge noch eine ganze Reihe teils mehr, teils weniger vom Normalen abweichender Befunde.

Die Randpartien der Hornhaut zeigen fast normale Dicke (0,8 mm, nasale Seite). Das Epithel ist eher etwas dicker als gewöhnlich (0,06 mm), bietet aber sonst nichts pathologisches, und nur solche postmortale Veränderungen dar, wie sie auch im Bereiche der Ektasie gefunden worden sind.

Die Bowmansche Membran hat eine Dicke von 9,5 μ; nasalwärts und etwas nach oben vom Conus sind mehrere kleine Rupturstellen [im Sinne Wintersteiners (1)] anzutreffen. Sie sind durchwegs klein und undeutlich begrenzt; eine der grösseren misst 0,05 mm; ihre Ränder sind oft von hinten nach vorne zugeschärft, ganz wie es Wintersteiner beschreibt. Die Lücken sind von einem undeutlich faserigen Gewebe ausgefüllt, das zahlreiche, denen der fixen Hornhautzellen ähnliche Kerne und zum Teil auch Leukocyten, aber keine Blutgefässe enthält. Die Epithelgrenze zieht glatt darüber hinweg.

Anders sieht es auf der temporalen Seite der Hornhaut aus. Hier fehlt in vielen Schnitten die Bowmansche Membran fast ganz. An ihrer Stelle ist eine sehr dünne Lage eines faserigen, kernreichen Gewebes vorhanden, so dass man auf den ersten Blick einen ganz dünnen Pannus vor sich zu haben glaubt. Indessen sind in dieser kernreichen Schicht, obwohl sie bis an den Limbus heranreicht, keine Blutgefässe sichtbar. Im Grunde genommen aber ist es genau dasselbe Gewebe, das die kleinen Rupturstellen der nasalen Seite ausfüllt, nur dass es sich auf der temporalen Seite über ein viel grösseres Areal erstreckt. Die Ähnlichkeit wird noch dadurch gesteigert, dass man hier und da verdünnte Reste der Bowmanschen Membran findet, die vor dieser Schicht, also zwischen ihr und dem Epithel liegen, so dass wir also auch hier die von hinten nach vorne zugeschärften Ränder antreffen.

Vor diesen Resten der Bowmanschen Membran und der kernreichen Schicht, also unmittelbar unter dem Epithel, liegt eine sehr dünne (2 μ) homogene Membran, die sich scharf von den darunter liegenden Teilen, besonders auch von den Resten der Bowmanschen Membran abgrenzt; sie zeigt die Farbenreaktionen des fibrillären Bindegewebes, färbt sich aber etwas schwächer als die Bowmansche Membran.

Mustert man die ganze Schnittserie durch, so ergibt sich, dass dieser Defekt der Bowmanschen Membran nicht ganz 0,5 mm über der Mitte der Pupille mit einem geraden in die Schnittrichtung fallenden Rande beginnt und über die Serie hinaus reicht. Seine Höhe beträgt also mehr als 2,2 mm, denn der letzte Schnitt der Serie liegt 1,7 mm unter der

Mitte der Pupille. In der Breitenrichtung reicht der Defekt vom Rande des Conus bis zum Limbus.

Das Stroma der Hornhaut erweist sich als normal. Auch die Descemetsche Membran zeigt im allgemeinen ganz normales Aussehen. Ihre Dicke beträgt in der Nähe des Conus 8 μ und steigt am Rande auf 13 μ. Sie zeigt eine völlig homogene Beschaffenheit und normale Färbbarkeit. Nur bei manchen Färbungen treten leichte Verschiedenheiten zwischen den vorderen und hinteren Schichten hervor, wie man sie gelegentlich auch an ganz normalen Augen antrifft.

Nur der Rand der Descemetschen Membran zeigt eine Abnormität (siehe Taf. I, Fig. 7). Zunächst ist das vollständige Fehlen der Warzen bemerkenswert; zwar sind diese an jugendlichen Augen immer schwächer entwickelt und in geringerer Zahl vorhanden als an denen alter Leute, aber ich wüsste nicht, dass ich jemals bei einem jugendlichen Erwachsenen eine so glatte Innenfläche der Descemetschen Membran gesehen hätte.

Weit auffallender ist aber das Auftreten einer dünnen Bindegewebsschicht auf der Innenfläche der Descemetschen Membran (Taf. I, Fig. 7 *B*). Diese Schicht beginnt vielleicht 0,5 mm oder weiter vom Rande der Descemetschen Membran entfernt und ist anfangs so zart, dass man ihre Grenze überhaupt nicht genau angeben kann. Gegen den Rand der Descemetschen Membran selbst nimmt sie an Dicke zu und erreicht schliesslich $^1/_4$ bis $^1/_3$ der Dicke der ganzen Membran. An diesen Stellen sieht man auch ganz deutlich, dass nach hinten von der Bindegewebsschicht, also zwischen ihr und dem Endothel, wieder Glashautsubstanz liegt, so dass das Bindegewebe hart am Rande etwa in die Mitte der Descemetschen Membran gerückt ist. Wahrscheinlich grenzt auch die übrigen Teile der beschriebenen Schicht noch eine dünne Lage von Glashaut vom Endothel ab.

Ein derbes fibrilläres Bindegewebe ohne Zellkerne und Blutgefässe bildet diese Schicht; die Richtung der Fibrillen ist zumeist schief, wechselt aber an verschiedenen Stellen desselben Schnittes; hier und da kommen auch Unterbrechungen vor. Die Erklärung dafür liefert das Flachpräparat (siehe Taf. II, Fig. 8): die Fibrillen verlaufen in Bündelchen vereint in schiefer Richtung und in Bögen, so dass eigentümliche wurmartige Streifen entstehen; stellenweise weichen die Bündelchen zu rundlichen oder spaltförmigen Lücken auseinander. Gegen den freien Rand der Descemetschen Membran hin wird der Verlauf mehr cirkulär. Einzelne feine elastische Fasern lassen sich durch Resorcinsäurefuchsinfärbung nachweisen.

Die eben beschriebene Schicht darf nicht etwa als Schwalbes vorderer Grenzring angesprochen werden. Dieses Gebilde ist gleichfalls vorhanden (Taf. I, Fig. 7 *G*), liegt wie gewöhnlich an der vorderen Fläche der Descemetschen Membran, also in einem andern Niveau, besteht aus rein cirkulären Bindegewebsfasern und enthält viel mehr elastische Fasern. Aber es besteht hier und da eine Verbindung zwischen dem vorderen Grenzring und der abnormen Bindegewebsschicht durch ganz feine Bindegewebsfibrillen. Die vorstehende Schilderung ist, wo nicht anders bemerkt, nach van Gieson-Schnitten entworfen, denn nur bei dieser Färbung tritt der Unterschied zwischen Bindegewebe und Glashautsubstanz prägnant hervor.

Das Endothel zeigt in der Nähe des Conus (Taf. II, Fig. 8 *A*) normale Verhältnisse in bezug auf Grösse und Gestalt der Zellen: sie sind etwa 4—5 μ hoch, und ihr Durchmesser beträgt 14—18 μ. Ihre Gestalt ist ziemlich regelmässig sechseckig, daher die Kerne auch ziemlich gleichmässige Abstände einhalten. Die Kerne sind in der Flächenansicht nahezu kreisrund, in der Kantenansicht elliptisch mit einem längeren Durchmesser von 9 μ. Das Protoplasma ist von zahlreichen Vakuolen durchsetzt, die oft vom Kerne bis zum Rande der Zelle reichen und nur ein grobes Netzwerk von Protoplasmasträngen übrig lassen. Die Zellgrenzen gehen in diesem Netzwerk auf.

Eigentümlich ist das Verhalten bei Eisenhämatoxylinfärbung (siehe Taf. II, Fig. 9). Da treten in diesen Protoplasmasträngen intensiv blauschwarz gefärbte Körnchen hervor; die Färbung dieser Körnchen ist trotz ihrer Kleinheit merklich dunkler als die des Zellkernes. In ihrer Grösse stimmen sie etwa mit den Granulationen der Mastzellen überein, ohne indessen so regelmässig und scharf begrenzt zu sein wie diese. Übrigens treten diese Granulationen auch in den meisten andern protoplasmatischen Gebilden des Augeninneren auf; anderseits aber sind sie nur bei dieser Färbung sichtbar und es ist mir nicht gelungen, in andern normalen oder pathologischen Präparaten durch Eisenhämatoxylin etwas ähnliches darzustellen.

Dort, wo die abnorme Bindegewebsschicht auf der Innenseite der Descemetschen Membran auftritt, verändert das Endothel plötzlich sein Aussehen. Die Höhe der Zellen (Taf. I, Fig. 7 *E*) sinkt unter 2 μ, dafür vergrössert sich ihr Durchmesser ganz bedeutend, die Gestalt der Zellen wird sehr unregelmässig und die Zellgrenzen verschwinden (Taf. II, Fig. 8 *B*). Die Verteilung der Kerne wird äusserst unregelmässig, sie rücken zu Gruppen zusammen, die durch weite Abstände getrennt sind; besonders in der Flächenansicht ist dies auffallend. Gleichzeitig werden die Kerne grösser und elliptisch (bei 9—13 μ Breite werden sie 14 bis 25 μ lang); sie erscheinen auch, von der Fläche gesehen, heller gefärbt, weil sie ja nur mehr halb so dick sind wie früher. Auch in dieser Zone enthalten die Zellen Granula, aber keine Vakuolen.

Eine solche Veränderung des Endothels gehört zwar in das Bereich des physiologischen (sie tritt regelmässig in der Warzenzone auf), doch ist sie in unserem Falle weit mehr ausgesprochen: Die ganze Zone ist viel breiter (0,3—0,5 mm), die Grenze gegen das regelmässige Endothel ist schärfer, die Unterschiede beider Zellformen sind schärfer ausgesprochen als sonst.

Die Bindegewebsschicht auf der Innenfläche der Descemetschen Membran substituiert also gewissermassen die physiologische Warzenzone.

Am Trabeculum sclero-corneale[1]) fällt vor allem eine Veränderung

[1]) Diese Benennung, die ohne Zweifel richtiger und zutreffender ist als der allgemein übliche Name Ligamentum pectinatum, rührt von Rochon-

in den Dimensionen auf: es ist auffallend kurz und an seiner Basis auffallend breit (siehe Taf. II, Fig. 10).

An einem mittleren Schnitte gemessen, ergibt sich nämlich als Länge dieses Gebildes, d. h. als Abstand des Randes der Descemetschen Membran vom hinteren Rande des Schlemmschen Kanales, 0,55 mm.

Im Gegensatze hierzu erscheint die Dicke des Trabeculum am hinteren Rande mit 0,22 mm auffallend gross. Die Verkürzung wird noch dadurch gesteigert, dass der hintere Rand der Skleralrinne (Schwalbe) auffallend stark überhängt, d. h. dass der Ansatzpunkt der meridionalen Fasern des Ciliarmuskels merklich weiter vorne liegt als der hintere Rand des Schlemmschen Kanales.

In seinem feineren Aufbaue ist keine auffallende Abnormität zu erkennen. Der vordere Grenzring (Schwalbe) wird auf der nasalen Seite von dem Rande der Descemetschen Membran bedeckt; er ist nur auf dieser Seite deutlich abgegrenzt, auf der temporalen Seite ist er minder deutlich.

Duvigneaud (2) her und wurde schon von Leopold Müller (3) gebraucht. Czermak (4) nennt es Trabeculum corneo-sclerale und ich habe in meinem Durchschnitte durch das menschliche Auge (5) diese Bezeichnung von ihm entlehnt, habe sie aber in späteren Arbeiten wieder fallen gelassen, weil es mir schien, dass sie keinen rechten Anklang finde.

Um so mehr freut es mich, dass Seefelder und Wolfrum (6) den Rochon-Duvigneaudschen Namen wieder aufgenommen und einen Befund bestätigt haben, der mir schon lange bekannt ist, und den ich auch an anderem Orte (7) hervorgehoben habe: er betrifft das Vorkommen elastischer Fasern.

Das Balkenwerk des Iriswinkels besteht nämlich aus zwei Teilen, die in mehrfacher Hinsicht verschieden sind. Der äussere Teil, die Hauptmasse, das Trabeculum sclero-corneale nach Seefelder und Wolfrum, verbindet die hinteren Hornhautschichten mit den inneren Sklerallagen und der äusseren (meridionalen) Portion des Ciliarmuskels, seine Balken sind breit und flach, die Lücken stehen mit den langen Durchmessern cirkulär und die Balken enthalten reichlich elastische Fasern.

Der innere Teil, auf den Seefelder und Wolfrum den Namen Ligamentum pectinatum beschränken (Rochon-Duvigneaud rechnet das auch noch zu seinem Système trabeculaire sclero-cornéen), bildet eine zarte Lage, die der Wand des Iriswinkels entlang zur Iriswurzel zieht. Man kann sie am leichtesten isolieren, indem man die Iris vom Ciliarkörper abreisst, dann bleibt wenigstens die hintere Hälfte dieser Lage am Ciliarrande der Iris hängen; so ist auch das Präparat, von dem Taf. II, Fig. 11 entnommen ist, hergestellt worden. Diese Lage ist nun durch zarte, rundliche Balken, weite unregelmässig polygonale Lücken von vorwiegend meridionaler Erstreckung und Mangel der elastischen Fasern in den Balken charakterisiert.

Diesen Teil Irisfortsätze zu nennen, wie es Asayama (8) tut, geht nicht an, denn Irisfortsätze im Sinne von Iwanoff und Rollet (9) sind Stränge, die den Iriswinkel mehr oder weniger überbrücken und in ihrem histologischen Aufbaue mit dem Irisstroma übereinstimmen. Das eigentliche Ligamentum pectinatum Huecks im Auge des Rindes besteht aus solchen Irisfortsätzen.

Hingegen zeigt sich eine ausgesprochene Abnormität im Aufbau des Ligamentum pectinatum sensu strictiore (vgl. die Anmerkung). Dieser sonst äusserst zart gebaute Teil zeigt im vorliegenden Falle bedeutend stärkere Balken und engere Lücken; Taf. II, Fig. 11 stellt die Flächenansicht dar, denn auf dem Meridionalschnitte ist diese Lage, wie gewöhnlich, kaum sichtbar.

Der Schlemmsche Kanal weist an den meisten Schnitten eine grössere Zahl von Lichtungen auf als unter gewöhnlichen Verhältnissen. Man sieht nämlich ausser den 2—3 Lücken, die an normaler Stelle, d. h. auf dem Grunde der Skleralrinne nebeneinander liegen, noch etliche Lumina tiefer in der Sklera, gerade nach aussen von den vorigen.

Die Berechtigung, diese Lumina auch noch zum Schlemmschen Kanal zu rechnen, schöpfe ich aus ihrem Aussehen, aus dem Mangel an Inhalt, aus den plexusartigen Verbindungen, die sie untereinander eingehen, und aus ihrem mit der Innenfläche der Sklera parallelen Verlaufe. Wir hätten demnach eine reichere Gliederung des Circulus venosus sclerae vor uns.

Ein sonderbares Verhalten zeigt die Dicke der Sklera (siehe Taf. I, Fig. 2); sie ist überhaupt in der temporalen Hälfte dicker als in der nasalen. Das Minimum der Skleraldicke (sämtliche Messungen sind mit Ausschluss des episkleralen Gewebes gemacht) entspricht etwa der Mitte der Corona ciliaris (auf beiden Seiten 0,46 mm). Von da an nimmt die Skleraldicke bis zum Äquator allmählich zu und erreicht dort ihr Maximum (temporal 0,98 mm, nasal 0,78 mm). Weiter hinten sinkt sie abermals auf ein zweites Minimum (temp. 0,6 mm, nasal 0,48 mm), das etwa halbwegs zwischen Äquator und Sehnerv liegt, um sodann gegen den Sehnerven hin wieder anzusteigen, bis sie, etwa dem hinteren Rande des Tenonschen Raumes entsprechend, ein zweites Maximum (temp. 0,78 mm, nasal 0,68 mm) erreicht.

Die starke Verdickung der Äquatorialzone beruht hauptsächlich auf einer Vermehrung der cirkulären Bündel; sonst ist aber in dem feineren Gefüge der Sklera keine Abweichung vom normalen bemerkbar.

Die Iris zeigt die Eigentümlichkeiten einer dunkelbraunen Iris, d. h. eine stark entwickelte vordere Grenzschicht und starke Pigmentierung der Stromazellen. Die vordere Grenzschicht setzt sich ziemlich weit auf die Innenfläche des Ligamentum pectinatum fort, und löst sich dabei in netzförmig verbundene Stränge auf, die die Balken des Ligamentum pectinatum bedecken oder umscheiden. Der Iriswinkel erscheint völlig frei und weit klaffend.

Der Ciliarmuskel zeigt den myopischen Typus: Die innere Kante ist stark abgerundet, die grösste Dicke des Muskels (temporal 0,45 mm, nasal 0,52 mm) entspricht etwa der Mitte der Corona ciliaris, die Länge des Muskels beträgt beiderseits etwa 3 mm. Die Ciliarfortsätze sind relativ hoch (0,94 mm) und kurz (1,46 mm) und erscheinen im Meridionalschnitte fast dreieckig. An der temporalen Seite ist ein Ciliarfortsatz der Iris breit angewachsen.

Das Pigmentepithel ist in den Tälern sehr stark, auf den Firsten der Forsätze weniger stark, aber immer noch stärker pigmentiert, als man es gewöhnlich findet. Die innere, farblose Zellenschicht an der Pars ciliaris retinae ist schön und regelmässig entwickelt; das Protoplasma dieser Zellen enthält dieselben Granula, nur grösser und regelmässiger, wie sie im Endothel der Hornhauthinterfläche vorkommen. Doch beschränken sich diese Granula hauptsächlich auf die inneren Hälften der Zellen, während die äusseren Hälften und die Umgebung der Kerne fast frei von solchen sind. Die innere Glashaut der Pars ciliaris haftet fest an den Zellen; die sonst so reichlich vorhandenen arkadenförmigen Abhebungen fehlen gänzlich.

Chorioidea und Zonula bieten keine Abnormität dar.

Die Linse ist kataraktös und geschrumpft; ihre Dicke beträgt 1,88 mm, wovon 0,52 mm auf eine mächtige Kapselkatarakt kommen, die die vordere Fläche der Linse fast ganz bedeckt (siehe Taf. I, Fig. 2 *Cc*); der Äquator lentis bildet eine scharfe Schneide.

An der Linsensubstanz ist nur hier und da eine Andeutung von konzentrischer Schichtung zu sehen, und auch diese entbehrt der Regelmässigkeit; im ganzen ist sie in eine Masse verwandelt, die von zahlreichen Lücken durchsetzt ist und von diesen abgesehen bald mehr homogen, bald mehr körnig aussieht. Nur in der Gegend des Linsenwirbels sieht man noch Linsenfasern (offenbar jüngster Bildung), und auch diese sind oft unförmlich aufgequollen oder von Vakuolen durchsetzt.

Das Linsenkapselepithel ist in der Gegend des Äquators ziemlich normal, in der Nähe der Kapselkatarakt werden seine Zellen grösser und unregelmässig und ziehen in dieser Gestalt ziemlich weit auf die Innenfläche des genannten Gebildes hinüber. Hier finden sich auch Haufen gewucherter Epithelzellen ohne Zwischensubstanz, selbst Riesenzellen (epithelialer Natur) sind vorhanden.

Die Kapselkatarakt zeigt im ganzen das gewöhnliche Aussehen; die vordere Kapsel selbst ist in ihrem Bereiche stark wellenförmig gefaltet und die vordersten Schichten der Kapselkatarakt nehmen an dieser Faltung mehr oder weniger teil, die hinteren hingegen verlaufen gerade und straff. Die Kapselkatarakt enthält zunächst zahlreiche längliche und ziemlich platte Zellen von epithelialem Aussehen mit länglichen Kernen. Sie sind häufig in kleine Gruppen oder Reihen vereint, und die Grundsubstanz grenzt sich gegen die Zellen mit einer dunkleren, offenbar dichteren Schicht ab. Die Grundsubstanz ist bald mehr homogen, bald mehr streifig, bald von grobkörnigem Aussehen; die homogenen und die streifigen Partien färben sich nach v. Gieson rein fuchsinrot, wie gewöhnliches, fibrilläres Bindegewebe, die körnigen Partien hingegen gelblich.

Ausserdem sieht man in der Grundsubstanz stärkere, auffallend lichtbrechende und stärker (nach v. Gieson tief fuchsinrot) färbbare Fasern, die sich, wirr durcheinander laufend und geknickt, zu rundlichen Knäueln formen. Sie erinnern teils an Pilzhyphen, teils an Fibrinfäden, teils an die elastoiden Fasern der Pinguecula, stimmen aber doch mit keinem dieser Gebilde genau überein; übrigens kommen dieselben Knäuel auch in der zerfallenen Linsensubstanz selbst vor.

Werncke (10) hat solche Gebilde in einer völlig degenerierten, in den Glaskörper luxierten Linse gefunden und fasst sie als Umwandlungsprodukte der degenerierten Kapselkatarakt auf. Ich habe sie kürzlich unter ganz ähnlichen Verhältnissen wie Werncke wieder gefunden (Fall von komplizierter Katarakt mit Iridocyclitis und Sekundärglaukom).

An einer kleinen Stelle enthält die Grundsubstanz der Kapselkatarakt auch die für Cholesterinkrystalle charakteristischen schmalen, scharfkonturierten Spalten. Die Zellen des Kapselepithels enthalten endlich dieselben Granula wie die Hornhautendothelzellen, ja sogar in den jüngsten Linsenfasern kommen noch zerstreute Granula vor.

Mit Rücksicht auf den inneren Zusammenhang der Veränderungen ziehe ich es vor, die Beschreibung der nervösen Gebilde des Auges mit dem Sehnerven zu beginnen.

Die Duralscheide ist an der nasalen Seite ziemlich dünn (0,4 mm), an der temporalen Seite verbreitert sie sich gegen die Sklera hin dreieckig, spaltet sich dabei in drei Blätter, von denen das mittlere, aus lockerem Bindegewebe bestehende einige grosse Gefässe der Sklera zuleitet (siehe Taf. I, Fig. 2 *V*). Diese Gefässe sind wie alle andern in der Gegend des Sehnerveneintrittes maximal erweitert, mit Blut oder anderem Inhalte gefüllt und stark geschlängelt, so dass man fast nur Querschnitte zu Gesicht bekommt und daher über die Zahl der Gefässe getäuscht wird.

Die in der Duralscheide verlaufenden Gefässe sind sowohl Arterien als Venen. An der unteren temporalen Seite tritt eine die A. centralis retinae an Kaliber bedeutend übertreffende Arterie in die Duralscheide ein und teilt sich innerhalb dieser Scheide, etwa 1,5 mm hinter dem Ende des Intervaginalraumes, in zwei immer noch sehr starke Äste.

Diese verlaufen untereinander und mit der Sehnervenachse parallel nach vorne fast bis zum Ende des Intervaginalraumes und biegen dort, gerade dem Ansatze der Duralscheide entlang, in die cirkuläre Richtung nach oben und unten um, umgreifen auf diese Weise etwa die halbe Circumferenz des Sehnerven, geben Äste an den Circulus arteriosus nervi optici ab und gehen schliesslich selber in diesen Gefässkranz ein. Die Venen begleiten und umspinnen die Arterien, doch ist es unmöglich herauszubekommen, wie viele solcher Venen vorhanden sind. Auch sonst sieht man in dieser Gegend der Sklera auffallend viele kleinere Venenquerschnitte in Begleitung der Arterien und Nerven.

Der Intervaginalraum ist der Sitz einer entschieden pathologischen Wucherung, die sich zwischen den normalen Balken im Lumen des genannten Raumes entwickelt hat.

Diese Wucherung besteht aus Endothelzellen und Bindegewebe; die gewucherten Endothelien weichen von den normalen Elementen dieser Gegend sehr wenig ab, vielleicht sind die Zellkerne etwas rundlicher. Stellenweise liegen die Kerne so dicht gehäuft wie in einer Riesenzelle, bleiben dabei aber doch nur in einer Fläche angeordnet. Diese Endothelwucherung ist hauptsächlich nur in den äusseren Teilen des Intervaginalraumes und vorne vorhanden und hat grösstenteils zu einer Obliteration des Subduralraumes geführt; die Wucherung scheint daher vorwiegend von der eigentlichen Arachnoidalscheide ausgegangen zu sein.

Das pathologische Bindegewebe besteht aus feinen, stark gekräuselten

Bindegewebs- und elastischen Fasern von unregelmässiger Anordnung. Es umschliesst nur wenige Zellkerne und auch diese scheinen Endothelzellen anzugehören. Dieses offenbar neugebildete Bindegewebe ist von dem des normalen Balkenwerkes leicht zu unterscheiden (ausser den angeführten Eigenschaften auch durch geringere Färbbarkeit und zartere Konturen) und scharf von diesem abgegrenzt. Es bildet in den äusseren Teilen des Intervaginalraumes zarte Streifen und Züge, die sich mit den normalen Balken und den gewucherten Endothelien zu einem dichten Maschenwerke vereinigen. In den inneren Teilen des Intervaginalraumes, im Bereiche der stärkeren subarachnoidalen Balken, bildet dieses Bindegewebe grössere Massen, die sich an die normalen Balken und die Pialscheide anschliessen und die Zwischenräume derart ausfüllen, dass nur vereinzelte unregelmässige, cystenartige Räume übrig bleiben. Eine kontinuierliche Endothelauskleidung ist an diesen Räumen nicht erkennbar.

Die Pialscheide zeigt nichts besonderes. Der Durchmesser des Sehnerven beträgt, soweit man nach dem kurzen, bei der Enucleation zurückgelassenen Stumpfe beurteilen kann, im orbitalen Teile etwa 2,5 mm. Er zeigt nur an der temporalen Seite gut erhaltene Nervenfaserbündel, im übrigen ist er atrophisch.

Aber auch in diesen anscheinend gut erhaltenen Nervenfaserbündeln ist nach dem Ergebnisse der Weigertschen Markscheidenfärbung ein gewisser Grad von Atrophie vorhanden. Die Zahl der erhaltenen Nervenfasern ist relativ gering und es fehlt nicht an zerfallenen Markscheiden. Unmittelbar hinter der Lamina cribrosa sind überhaupt keine Markscheiden vorhanden, erst 0,5—1 mm hinter der Lamina cribrosa treten diese, anfangs nur spärlich, weiterhin reichlicher auf.

Der relativ normale Teil enthält die von Siegrist zuerst beschriebenen Artefacte, im atrophischen Teile sind die Nervenfaserbündel stark verschmälert und gleichmässig von Kernen durchsetzt. Die Septen sind überhaupt etwas dicker als sonst und im atrophischen Teile nur wenig verbreitert. Hingegen ist eine auffallende Verdickung der Balken der Lamina cribrosa vorhanden, so dass man an vielen Schnitten breite Flächen des Sehnerven ganz von der queren Faserung der Lamina cribrosa erfüllt sieht.

Der Durchtrittskanal des Sehnerven ist mässig schief, seine temporale Wand bildet mit der Innenfläche der Chorioidea einen ungefähr rechten Winkel, die nasale einen solchen von etwa 30°. Die innere Öffnung dieses Kanales ist auffallend eng; sie misst sowohl in der Schnittrichtung als in der darauf senkrechten nur 1 mm (siehe Taf. II, Fig. 12 *P*).

Der Rand der Glashaut der Chorioidea erscheint auf der temporalen Seite deutlich retrahiert; er ist gestreckt, unscharf und hat das Papillengewebe spornartig verzogen, wie man es oft bei temporaler Sichel sieht. Der nasale Rand der Glashaut biegt hakenförmig nach innen um, aber auch hier bleibt ein schmaler Streifen des Bindegewebsringes unbedeckt, so dass also bei der ophthalmoskopischen Untersuchung ein deutlicher, besonders an der temporalen Seite verbreiterter Skleralring sichtbar gewesen wäre (siehe Taf. II, Fig. 12 *S*). An diesen Skleralring schliesst sich ringsum eine Zone, in deren Bereiche das Pigmentepithel fehlt und die des Neuroepithels entbehrende Netzhaut der Innenfläche der Chorioidea angewachsen ist — eine circumpapilläre Atrophie von ungefähr 0,2 mm Breite (Taf. II, Fig. 12 *X*). Eine Grenze zwischen Skleralring und atrophischer Zone wäre ophthalmoskopisch schwerlich sichtbar gewesen, nur an der temporalen Seite ist diese Grenze auf eine kurze Strecke durch einen Streifen stark pigmentierter Epithelzellen markiert.

Die atrophische Zone grenzt sich an der temporalen Seite scharf gegen die normale Netzhaut ab, an der nasalen Seite aber ist auch diese Grenze verwischt. Das benachbarte Pigmentepithel zeigt unregelmässige Pigmentierung, die Netzhaut darüber ist zwar nicht angewachsen, enthält aber keine Stäbchen und Zapfen, und die äussere Körnerschicht ist stark rarefiziert (Taf. II, Fig. 12 *R*). Erst in einer Entfernung von 0,5 mm vom nasalen Papillenrande treten die äusseren Netzhautschichten in voller Ausbildung auf.

Die Papille selbst ist flach und zeigt kaum eine Andeutung des Gefässtrichters. Ihr Gewebe lässt an mittleren Schnitten sehr deutlich den Unterschied zwischen der atrophischen nasalen und der fast normalen temporalen Hälfte hervortreten. In der letzteren sind die Kernsäulen und die longitudinale Streifung der Nervenfaserbündel noch deutlich zu sehen, wenn auch hier schon die quere Faserung des Papillengerüstes mehr als zulässig hervortritt; in der merklich verkleinerten nasalen Hälfte sind die Kerne ganz unregelmässig zerstreut und vermehrt, und es ist nur mehr transversale Faserung erkennbar. Die Zentralgefässe zeigen, von einer starken Blutfüllung abgesehen, keine Abweichung von der Norm.

Die Netzhaut ist leicht (kadaverös) abgelöst, ihre Schichtung ist erhalten. Stäbchen und Zapfen zeigen wohl nur postmortale Veränderungen, die Körnerschichten sind rarefiziert, die plexiformen Schichten auffallend dünn und von verworrener Textur. Die Ganglienzellenschicht fehlt, die Nervenfaserschicht ist rarefiziert und verliert sich vorn ganz, die Müllerschen Stützfasern treten bedeutend stärker hervor.

Eine Ausnahme hiervon macht nur die Maculagegend, die auffallend gut erhalten ist. Hier zeigt die Netzhaut nur einige kadaveröse Veränderungen, wie Aufquellung der äusseren (Henleschen) Faserschicht. Die Fovea ist ziemlich klein und steilrandig; sie ist 3 mm vom nasalen Papillenrand entfernt. Der Wall um die Fovea enthält normale Ganglienzellen und Nervenfasern.

Zu diesem Bilde einer diffusen Netzhautatrophie kommt in den peripheren Partien dieser Membran noch eine ganz eigentümliche Wucherung der Stützsubstanz in den Glaskörper hinein. Trotz der ziemlich erheblichen Differenzen, die in der Ausbildung dieser Wucherung an verschiedenen Stellen bestehen, lässt sich im allgemeinen folgender Aufbau erkennen.

Die Wucherung besteht aus einem unregelmässigen flächenhaften Netzwerk, das sich in der Grenzschicht des Glaskörpers in einigem Abstand von der Netzhaut und parallel mit ihr ausbreitet. Dieses Netzwerk ist gewissermassen durch Säulchen, die aus der Netzhaut hervorwachsen, gestützt.

Ein Flachpräparat der Grenzschicht des Glaskörpers (von der oberen Kalotte gewonnen) zeigt dieses bald plumpe, bald feine Netzwerk am besten (Taf. II, Fig. 13). Aber auch an einzelnen Schnitten kann man dank der Faltung der Netzhaut infolge der Ablösung die Flächenansicht bekommen. Da zeigen sich denn bald Faserzellen mit länglichen Kernen und schmalen Ausläufern, bald vielfach verzweigte und mit ihren Ausläufern selbst wieder ein Netz bildende Elemente, alle bedeutend stärker färbbar als der Glaskörper und scharf begrenzt, aber ohne dunklere Konturen. Die Färbung nach van Gieson verleiht ihnen einen gelblichen Ton.

Die Säulchen (siehe Taf. II, Fig. 14) sind zumeist (an der nasalen Seite) gestreckte kernlose Gebilde, die durch kurze Verzweigungen und knotige Verdickungen ein stalaktiten- oder moosartiges Aussehen erhalten. Sie sind gewöhnlich nach vorn geneigt oder gebogen und zeigen sich an manchen Stellen röhrenartig hohl. An einem Schnitte ist eine ganze Gruppe dieser Säulchen im Querschnitte zu sehen (Tafel II, Fig. 15 *S*). An andern Stellen, namentlich im temporalen Abschnitte, sind die Säulchen spärlicher, dicker und bestehen aus Bündelchen von Faserzellen wie das Netzwerk selbst.

Alle diese Säulchen erheben sich von der Innenfläche der Netzhaut, die sonst in normaler Weise mit der Limitans interna abschliesst. Ob diese Membran den Ansätzen der Säulchen entsprechende Lücken besitzt, wie man von vornherein erwarten möchte, ob also die Säulchen aus dem Stützgewebe der Netzhaut herausgewachsen sind, konnte ich trotz aller darauf verwendeten Mühe nicht mit Sicherheit ermitteln. Nur an einigen wenigen Stellen glaubte ich sie in die Stützfasern der Netzhaut verfolgen zu können. Gleichwohl lässt diese völlig gefässlose Bildung keine andere Deutung als die einer Wucherung der Stützsubstanz der Netzhaut zu.

Die beschriebene Wucherung (siehe Taf. I, Fig. 2 *XX'*) beginnt mit ganz schüchternen Anfängen etwa 4 mm nasenwärts und 7 mm schläfenwärts von der Papille, erreicht ihre höchste Ausbildung in den äquatorialen Partien der Netzhaut, und erstreckt sich nach vorn stellenweise bis zur Ora serrata, zumeist aber nimmt sie nach vorn zu wieder ab.

An der temporalen Seite sind die Henle-Blessigschen Hohlräume ausgebildet, aber im übrigen zeigt sich die Netzhaut bis zur Ora serrata gut erhalten und abgelöst.

Die Grenzschicht des Glaskörpers zeigt im übrigen normales Aussehen. Sie ist natürlich durch die gewucherten Stützfasern fest mit der Innenfläche der Netzhaut verwachsen, haftet aber auch den hinteren Teilen der Netzhaut, wo diese Wucherung nicht besteht, innig an. Auf die Grenzschicht folgt ein Raum, der eine geringe Menge krümligen Niederschlages enthält; der übrige Glaskörper hat sich fast bis zum Äquator zurückgezogen.

Literatur über die Anatomie des Keratoconus.

Ich führe hier in chronologischer Reihenfolge die anatomischen Untersuchungen ganzer Augen mit Keratoconus auf.

1. Jaeger in Erlangen (1830).

Der Fall wurde von J. beobachtet, von Rudolf Wagner seziert und von C. Schmidt (11) veröffentlicht; ein ausführliches Referat darüber bringt v. Ammon (12), an das ich mich im folgenden halte, da ich die Originalabhandlung nicht auftreiben kann.

39jähriger Mann, von Geburt aus blind. Die rechte Hornhaut mehr kuglig ausgedehnt mit dem Scheitel unter der Mitte, einer leichten Trübung von oben nach unten, an den Seiten vollkommen durchsichtig. Pupille nicht völlig schwarz, nach künstlicher Erweiterung in der Tiefe schiefe weisse Streifen sichtbar.

Die linke Hornhaut ist mehr konisch, der Gipfel etwas über der Mitte; unterhalb dieses eine Trübung vom Aussehen eines Lapisschorfes in der Pupille keine Streifen.

Keratonyxis auf dem linken Auge; viel Kammerwasser floss aus, aber die Hornhaut erwies sich weder dick noch besonders resistent. 3 Monate später hatte sich die Linse bis auf ein kleines Stückchen resorbiert, aber die Pupille war eng, angewachsen und nach hinten gezogen. 5 Monate nach dieser für den Visus erfolglosen Operation starb der Kranke an Phthisis.

Anatomischer Befund. Rechtes Auge: das mittlere Drittel der Hornhaut hatte nur den 3. Teil der gewöhnlichen Dicke, die beiden äusseren Drittel waren verdickt. Die Veränderung hatte ihren Sitz in den mittleren Lamellen (womit wohl das Hornhautstroma gemeint ist, Ref.), die Descemetsche Membran war nicht verdickt. Der Bau des ganzen Augapfels, die Einmündungsstelle des Sehnerven, die Chorioidea, der gelbe Fleck und die Ciliarnerven sind normal. Hingegen fanden sich auf der äusseren Seite der Netzhaut, wie auf der inneren der Chorioidea schwarzbraune Flecken (Chorioiditis? Ref.).

Linkes (operiertes) Auge: Mitte der Hornhaut auf die Hälfte verdünnt; Iriswurzel mit der Hornhaut, Pupillarrand mit der Linsenkapsel verwachsen, Linse trüb, klein und weich. Befund an Netzhaut und Chorioidea wie am andern Auge.

Eine histologische Untersuchung scheint nicht gemacht worden zu sein.

2. Gescheidt (13) (1831).

Bei einem Fötus von ungefähr 2 Monaten, der tags vorher abgegangen und noch ganz frisch war, zeigte die Hornhaut eine konische Wölbung bei gleichmässiger Dicke. Weitere Details über den Fall sind nicht angegeben.

3. Walker (14) (1834). Dieses Werk ist mir nicht zugänglich. Der Befund soll nach Stellwag (15a) mit Jaegers Befunden übereinstimmen.

4. Hulke (1860). Über diese Untersuchung berichtet Bowman (16). Ein ausführliches Referat über diesen Artikel mit Abbildungen ist in Annales d'Oculistique (17) zu finden; in Ermangelung der Originalarbeit schöpfe ich aus dieser Quelle.

Bei einer jungen Dame entwickelte sich im Alter von 13 Jahren ein Exophthalmus und gleichzeitig bestand Keratoconus mit Trübung der Spitze. Schliesslich erblindete das Auge durch Kompression des Sehnerven und wurde gleichzeitig mit der Geschwulst exstirpiert. Die letztere erwies sich als eine Balggeschwulst (wahrscheinlich Dermoidcyste), die in der Tiefe der Orbita festsass.

Die Untersuchung des exstirpierten Auges ergab eine auf die zentralen Partien der Hornhaut beschränkte Ektasie mit nebeliger Trübung an der Spitze; Iris und Linse waren normal. Angaben über die übrigen Teile des Auges fehlen.

Die mikroskopische Untersuchung der getrockneten Hornhaut ergab: Verdünnung auf $^1/_3$, die Lamina elastica anterior kontinuierlich, aber aut dem Scheitel des Conus dünner und gerunzelt, darunter eine Lage von länglichen Kernen und noch tiefer ein Netzwerk von Fasern, dessen Maschen grosse ovale und spindelförmige Zellen einschliessen (die Abbildung zeigt kurze, an den Enden fein zugespitzte, etwas variköse Fäserchen); die peripheren Partien der Hornhaut und die Descemetsche Membran und ihr Endothel durchaus normal.

5. Rampoldi (18) (1887). 60jähriger Priester, einseitiger Keratoconus des linken Auges, an der Spitze eine kleine weisse Trübung vom Aussehen einer Narbe. Am rechten Auge Myopie 2 D. Sehstörung seit der Studienzeit. Tod an Gangrän.

Das kranke (linke) Auge war 25 mm lang. Chorioidea, Glaskörper, Sehnerv und Sklera waren normal. Die Dicke am Hornhautscheitel betrug $^1/_4$ der Dicke an der Basis.

Aus der etwas unklaren Beschreibung des histologischen Befundes ist zu entnehmen, dass der Conusscheitel an der Oberfläche zunächst eine Lage flacher Zellen zeigte, darunter grosse Zellen mit körnigen Leibern und grossen Kernen (diese beiden Lagen gehören wohl dem Epithel an? Ref.). Darauf folgt ein fibröses Gewebe mit Spaltungen, in denen verschieden gestaltete Zellen und Nester von Rundzellen liegen; die beiden Basalmembranen fehlen.

Die Iris zeigt die Zeichen überstandener Entzündung: Hyperplasie des Bindegewebsgerüstes und der Kerne; an der Hinterfläche das Pigmentblatt in einiger Ausdehnung abgestossen. Der Limbus ist hypertrophisch und sein Epithel verdickt; viel Pigment in der Umgebung der abführenden Lymphwege. Das Linsenkapselepithel fehlt, Eiweisstropfen liegen zwischen den Linsenfasern, die Peripherie der Netzhaut enthält Hohlräume.

Der Autor schliesst auf einen vorausgegangenen Entzündungsprozess in der ektatischen Partie und es ist daher einigermassen zweifelhaft, ob hier ein primärer Keratoconus vorliegt, zumal Rampoldi sonst auch exquisite Fälle von sekundären Keratektasien (z. B. nach Keratitis parenchymatosa) in das Bereich seiner Untersuchungen zieht.

Der Arbeit Rampoldis sind einige Tafeln beigegeben (gezeichnet von Predieri), die aber sehr undeutlich und weich gehalten sind; die Übersichtszeichnung des ganzen Bulbus zeigt eine im Verhältnisse zur Sklera auffallend grosse Hornhaut und eine im ganzen gleichmässig dicke

Sklera, die nur in der Nähe des Hornhautrandes dicker wird. Nach dieser Abbildung zu schliessen, wäre die Gestalt dieses Auges von der normalen sehr abweichend gewesen.

6. Uhthoff (19) (1902). 20jähriger Mann, Entwicklung des Keratoconus im 11. Lebensjahre; links sehr typischer Keratoconus mit streifen- und netzförmigen Trübungen an der Spitze, rechts leichte strichförmige Trübungen an der Spitze.

Partielle Excision des Conus am linken Auge. Tod an interkurrenter Pneumonie.

Das vom linken Auge excidierte Stück zeigt erhebliche Verdünnung, bindegewebige Degeneration in verschiedenen Partien mit Kernvermehrung und partieller Infiltration. An zwei Stellen Defekte der Descemetschen Membran, an die sich besonders starke Veränderungen des Hornhautstromas anschliessen; über dem einen Defekt das Endothel erhalten, über dem andern fehlt es.

Das rechte (nicht operierte) Auge zeigte allmählich zunehmende Verdünnung der Hornhaut vom Rande (0,9 mm) bis zum Scheitel (0,5 mm), Defekte in der Bowmanschen Membran, von Epithel ausgefüllt. Das Hornhautstroma zeigte im Zentrum zum Teile eine wellig fibrilläre Struktur mit vermehrten und unregelmässig angeordneten Kernen; Descemetsche Membran und Endothel waren gut erhalten.

Sonst wurden keine krankhaften Veränderungen gefunden. Auf meine Anfrage hin hatte Prof. Uhthoff die Freundlichkeit, mir mitzuteilen, dass die Sklera in den äquatorialen Partien etwas abnorm dünn gefunden wurde.

7. Fleischer (20) (1906). Mann, 23 Jahre, links hochgradiger Keratoconus mit Trübung der Kegelspitze, rechts beginnender Keratoconus mit excentrisch gelegenen Hornhautnarben; Tod an Wirbelcaries.

Die anatomische Untersuchung ergab am linken Auge stark konische Vorwölbung und erhebliche Verdünnung an der Spitze. Das Epithel ist an der Spitze etwas verdünnt, die Bowmansche Membran zeigt in den Randpartien der stärksten Ektasie kleine Defekte, und stellenweise liegen unter ihr feine Gefässe. Die Trübungen an der Kegelspitze sind durch bindegewebig entartete Stellen mit kleinen platten Kernen hervorgerufen. Das Stroma zeigt unregelmässige Lagerung der Hornhautkörperchen; in der Descemetschen Membran und im Endothel wurde keine Veränderung gefunden.

Auf dem rechten Auge bestanden ausgedehnte Defekte der Bowmanschen Membran (Maculae corneae) und eine gewisse Unregelmässigkeit in der Stellung der Hornhautkörperchen. In beiden Augen wurde ferner (nach der Enucleation) ein brauner Ring, auf Hämosiderin beruhend, das in den tiefsten Epithelschichten abgelagert war, gefunden.

Ausser diesen Sektionen liegt noch eine Reihe von Untersuchungen ausgeschnittener Stücke vor [Brailey (21), Remy und Barraqueur (22), Alt (23), Plaut (24), Stoewer (25)]. Ich finde keine Veranlassung auf diese Befunde hier einzugehen, da sie den leitenden Gedanken dieser Arbeit weder zu stützen noch zu widerlegen vermögen. Soweit sie für die Beurteilung des anatomischen Befundes von Wichtigkeit sind, komme ich an entsprechender Stelle darauf zurück.

Epikrise des anatomischen Befundes und Pathogenese des Keratoconus.

In meinem Falle beschränkt sich die Ektasie auf die mittleren Partien der Hornhaut und dehnt sich etwa über jenen Teil der Hornhaut aus, den man nach Aubert u. A. als die optische Zone bezeichnet. In dieser Zone scheint die Hornhautdicke allmählich abzunehmen und sinkt auf dem Scheitel des Conus auf weniger als $^1/_4$ der normalen Dicke; die Verdünnung ist somit erheblicher, als sie gewöhnlich angegeben wird ($^1/_3$). Die Randpartien der Hornhaut sind nicht eigentlich ektatisch, sondern haben nur eine Aufrichtung im Sinne der allgemeinen kegelförmigen Wölbung erfahren.

Ganz analoge Verhältnisse haben, der Abbildung nach zu schliessen, im Falle Bowman-Hulke (16) bestanden, vielleicht auch in Jaegers (11) Falle, obwohl hier von einer Verdickung der Randteile die Rede ist. Ich wüsste wenigstens für diesen, sonst ganz vereinzelt dastehenden Befund keine Erklärung, es wäre denn, dass hier eine Täuschung durch das Gefühl vorliegt (denn die Dickenverhältnisse der Hornhaut wurden festgestellt, indem die Hornhaut zwischen die Finger genommen wurde), oder eine Beeinflussung durch die bis dahin herrschend gewesene Ansicht, dass das Wesen der Krankheit in einer Verdickung (Hyperkeratosis) bestehe.

Im Zusammenhange mit der Beschränkung der Ektasie auf die optische Zone steht die Ausbildung einer seichten Furche an der Grenze der Ektasie, wie dies in meinem Falle am frischtoten Auge gut zu erkennen war.

Einen andern Typus, die vom Rande bis zum Scheitel des Conus gleichmässig abnehmende Dicke, verbunden mit kegelförmiger oder, genauer ausgedrückt, hyperboloidischer Wölbung, würden die Fälle Rampoldis (18) und Uhthoffs (19) repräsentieren. Ich beurteile die Zugehörigkeit zu dieser Gruppe im ersteren Falle nach der Abbildung (loc. cit. Fig. 1), im letzteren Falle nach einem Mikrophotogramm, das einzusehen mir der Autor freundlichst gestattet hat.

Noch schärfer müsste sich der Unterschied der beiden Typen bei Betrachtung der Hornhautinnenfläche ausprägen. Man wäre versucht, die Wölbung im 2. Typus mit der gewöhnlichen Form des

Staphyloma posticum Scarpae, im 1. Typus hingegen mit jenen scharf abgesetzten hinteren Skleralektasien zu vergleichen, die man ganz ungerechtfertigterweise mit dem Namen Staphyloma posticum verum belegt hat.

Ich muss übrigens Robert Sattler (26) die Priorität zugestehen, diese beiden Typen unterschieden zu haben, obwohl die Gründe klinischer, nicht anatomischer Natur sind. Es ist wohl anzunehmen, dass diese beiden Typen nicht strenge voneinander geschieden sind, so wie es auch Fälle gibt, wo sich die Ektasie über einen grösseren Abschnitt der Hornhaut erstreckt, z. B. Mauthners (27) Fall II (die stärkere Wölbung dehnte sich über mindestens $^3/_5$ des Hornhautmeridianes aus).

Wie bei allen mit Verdünnung der Bulbuswand einhergehenden Prozessen, haben wir uns auch hier zunächst die Frage vorzulegen Handelt es sich bei dem Keratoconus um einfache Ektasie, oder besteht gleichzeitig ein Gewebsdefekt im weitesten Sinne des Wortes?

Die einfache Ektasie setzt voraus, dass das Volumen der ektatischen Partie normal geblieben ist, also die Abnahme der Dicke der Vergrösserung der Oberfläche entspricht. Der Defekt hingegen, sei er nun von vornherein vorhanden oder erst im Verlaufe der Ektasierung eingetreten, würde eine Verminderung des Volumens der ektatischen Partie zur Folge haben.

Der unmittelbare Eindruck, den die Untersuchung eines Schnittes durch eine ektatische Partie der Bulbuswand macht, ist nun der eines Gewebsdefektes. Aber wir haben im mikroskopischen Präparate nur eine (lineare) Dimension der ektatischen Partie vor uns; die Vergrösserung der Oberfläche ist (gleichmässige Dehnung vorausgesetzt) dem Quadrate der Vergrösserung dieser linearen Dimension gleich. Wenn wir nun, da es auf mathematische Genauigkeit in diesem Falle nicht ankommt, das Volumen der ektatischen Partie dem Produkte von Oberfläche und Dicke gleichsetzen, so ist es klar, dass die Verdünnung dem Quadrate der Verlängerung des Aussenkonturs der ektatischen Partie proportional sein muss. Ist also z. B. die ektatische Partie auf das doppelte ihrer ursprünglichen Länge gedehnt, so wird die Dicke nur den vierten Teil der normalen betragen. Doch das gilt strenge genommen nur für ebene Oberflächen; infolge der Krümmung der Bulbuswand muss die Verdünnung sogar noch erheblicher ausfallen.

Wir dürfen demnach für ein Flächenelement auf dem Scheitel unseres Conus eine Dehnung auf das doppelte seines ursprünglichen

Durchmessers annehmen. Für die Seitenflächen des Conus gilt dies freilich nicht mehr; hier ist die Dehnung in cirkulärer Richtung grösser als in der meridionalen.

Die allerdings auffallende Verdünnung auf dem Conusscheitel ist bei ihrer relativ geringen Ausdehnung also noch kein Beweis für einen Verlust (oder primären Mangel) an Substanz, um so mehr, als in meinem Falle durch die bei der Härtung entstandene Schrumpfung der Eindruck der Ektasie wieder ganz verwischt worden ist. Anderseits aber kann man mit Rücksicht auf die vielen Fehlerquellen es nicht für ausgeschlossen ansehen, ob nicht die Hornhaut von vornherein etwas dünner im Zentrum war als sonst.

Insofern aber die Ektasie als solche in Betracht kommt, haben wir in Hinsicht auf die feineren Vorgänge zwei Möglichkeiten zu erwägen.

Entweder sind die einzelnen Strukturelemente (in diesem Falle die elementaren Hornhautlamellen) selbst im Sinne der Ektasie der ganzen Haut gedehnt (d. h. in oberflächenparalleler Richtung vergrössert und entsprechend verdünnt), oder sie haben ihre normalen Dimensionen behalten und nur ihre Lage zueinander derart verändert, dass die Oberfläche grösser und die Dicke der ganzen Hornhaut geringer geworden ist.

Im ersten Falle würde die Zahl der Lamellen im Dickendurchmesser der Hornhaut normal, aber die einzelnen Lamellen selbst erheblich dünner sein. Im zweiten Falle müssten in einem Dickendurchmesser weniger Lamellen vorkommen, aber die einzelnen Lamellen ihre normale Dicke behalten haben. Aber eine Untersuchung in dieser Richtung stösst auf mehrere Hindernisse. Wir wissen nämlich weder über die Zahl der Lamellen noch über ihre Dicke in der normalen Hornhaut etwas sicheres. Von Henle wird die Zahl der Lamellen auf 300, von Pes (28) aber auf 600, und die Dicke einer elementaren Lamelle von letzterem nur auf 1 μ geschätzt. Auch Hans Virchow (29) spricht sich über diesen Punkt nicht bestimmt aus. Unter solchen Verhältnissen erscheint es aussichtslos, die Lamellen zählen oder ihre Dicke mikrometrisch messen zu wollen.

Aller Wahrscheinlichkeit nach konkurrieren beide Vorgänge. Zunächst ist auf die grössere Spaltbarkeit des Hornhautstromas im Bereiche des Conusscheitels hinzuweisen. Es müssen die Verbindungen der Lamellen untereinander seltener sein, wenn sich Spalten von grösserer Ausdehnung bilden können; und das würde wieder auf eine Verschiebung der Lamellen in oberflächenparalleler Richtung hindeuten. Anderseits erscheinen die Lamellen auf dem Scheitel sichtlich dünner als in den Randpartien, und es ist in den durch die Spalten entstandenen Lamellengruppen noch die fortschreitende Verdünnung gegen den Conusscheitel zu erkennen.

Nur die Veränderungen in den vorderen Schichten weisen mit Sicherheit auf eine Verlagerung der Strukturelemente und dadurch entstandene Dehiscenzen oder Rupturen hin.

Die Bowmansche Membran zeigt nur auf einer Seite und gerade nicht auf dem Gipfel des Conus eine leichte Verdünnung; sonst hat sie ihre normale Dicke behalten, ist aber in ihrer Kontinuität vielfach unterbrochen. Die homogenen Membranen im Auge haben ja infolge ihrer Festigkeit überhaupt eine Neigung zur Bildung von Lücken, sobald die Dehnung ein gewisses Mass überschreitet; und solche Lücken sind auch viel leichter nachweisbar als die Dehiscenzen eines von vornherein diskontinuierlichen Gewebes.

Ich bin zwar im allgemeinen nicht davon überzeugt, dass alle Lücken, die man an ektatischen Hornhäuten in der Bowmanschen Membran sieht, als reine Rupturen im Sinne Wintersteiners (1) zu deuten sind; aber für den Keratoconusgipfel scheint mir diese Deutung zutreffend zu sein.

Wenn man bedenkt, dass der Conusgipfel in meinem Falle eine Dehnung um mindestens das doppelte in linearer Richtung erfahren hat, so ist begreiflich, dass die Bowmansche Membran darauf mit der Bildung von Lücken reagiert hat. Freilich der grosse Defekt der Bowmanschen Membran in der temporalen Randpartie der Hornhaut kann nicht durch die Dehnung im Conusscheitel erklärt werden.

Aber nicht bloss die Bowmansche Membran, sondern auch die angrenzenden oberflächlichen Schichten des Hornhautstromas mussten von dieser Zerreissung betroffen werden, sind sie doch innig mit der Bowmanschen Membran verbunden und überhaupt dichter gefügt als die hinteren.

Wie bei den ulcerösen Zerstörungen der Bowmanschen Membran kommt es auch hier nicht zu einer Regeneration dieser Membran, sondern die Lücken bleiben infolge der Einschaltung eines anders gearteten Gewebes dauernd sichtbar. Nur unmittelbar unter dem Hornhautepithel kommt es streckenweise zur Bildung einer neuen Basalmembran, die aber wesentlich dünner bleibt als die normale Bowmansche Membran und die auch die stehen gebliebenen Reste der letzteren bedeckt.

Im übrigen bildet sich in den Lücken ein nicht deutlich lamelliertes, aber aus oberflächenparallelen Fibrillen zusammengesetztes Bindegewebe, dessen fixe Zellen den Hornhautzellen ähnlich sind, soweit die gewöhnlichen Färbungen beurteilen lassen. Dieses Gewebe ist offenbar das Resultat eines Reparationsvorganges, dessen Ausbreitung einen Schluss auf die durch den Ektasierungsprozess entstandenen Dehiscenzen gestattet.

Ohne Zweifel bildet sich dieses Gewebe auch, wenn andere Ursachen nicht traumatischer Natur zur Zerreissung der Bowmanschen Membran führen, so z. B. bei Keratektasien infolge von Neuroepithelioma retinae [Wintersteiner(1)], bei Hydrophthalmus [Seefelder(30)] und bei so vielen andern Fällen von altem Glaukom; ferner bei gürtelförmiger Hornhauttrübung zwischen den Fragmenten der verkalkten und geschrumpften Bowmanschen Membran und dem Epithel. Es ist wohl auch identisch mit jenem Narbengewebe, das bei der Verheilung kleiner Geschwürchen oder traumatischer Substanzverluste entsteht, wenn es nicht zur Gefässbildung vom Limbus her kommt.

Denn in dem Fehlen von Blutgefässen liegt eines der Hauptkennzeichen dieser Bildung: es ist ein gefässloses Ersatzgewebe.

Elschnig(31) will es als regeneriertes Hornhautgewebe aufgefasst wissen. Nun in dem Sinne hat er sicher recht, als die Bildung dieses Gewebes nur von den fixen Hornhautzellen aus geht; woher sollte es auch sonst wohl kommen? Aber doch ist dieses Ersatzgewebe kein Hornhautgewebe, weder im physikalischen noch im histologischen Sinne des Wortes — in physikalischem Sinne deshalb nicht, weil es trüb bleibt; ist es doch eine bekannte Tatsache, dass ein Keratoconus, der einmal auf dem Scheitel trübe geworden ist, nicht wieder hell wird, auch wenn das Leiden weiter keine Fortschritte macht.

In histologischem Sinne ist dieses Ersatzgewebe deshalb kein Hornhautgewebe, weil es nicht dieselbe Textur besitzt und weil es Strukturelemente enthalten kann, die dem normalen Hornhautgewebe völlig abgehen, nämlich elastoide Fasern [im Sinne von Fuss(32)]. Zwar hat Tartuferi(33) in neuerer Zeit elastische Fasern in der Hornhaut beschrieben; aber was dieser Autor beschreibt, ist nicht identisch mit dem, was man sonst elastische Fasern nennt. Seine Fasern mögen elastisch sein, sie mögen ein ähnliches Verhältnis zum Bindegewebe haben, aber gewöhnliche elastische Fasern sind es sicher nicht, denn dazu gehören ausser den physikalischen Eigenschaften auch noch etliche morphologische und tinktorielle, die den Fasern Tartuferis abgehen.

Die Fasern, die nun in unserem Narbengewebe vorkommen, sind allerdings auch nicht völlig identisch mit den elastischen Fasern des normalen Bindegewebes. Sie haben zwar dieselben tinktoriellen Eigentümlichkeiten, die Färbbarkeit mit Orcein und Resorcin-Säurefuchsin, aber sie haben nicht dasselbe Aussehen, sie sind kurz und unregelmässig, ähnlich jenen der Pinguecula. Deshalb habe ich sie eben als elastoide Fasern im Sinne von Fuss bezeichnet. Mögen nun diese Fasern durch Umwandlung aus gewöhnlichen Bindegewebsfibrillen entstanden sein (wie es Fuss für die Pinguecula annimmt) oder nicht, sie stellen bei meinem Falle einen leicht nachweisbaren histologischen Unterschied zwischen dem Narbengewebe und dem normalen Hornhautgewebe dar[1]).

Wenn man nun unter Regeneration, wie ich es für richtig halte, die Bildung eines Gewebes versteht, das in jeder Hinsicht, funktionell und morphologisch, dem verloren gegangenen gleichwertig ist, dann ist dies keine Regeneration, sondern nur eine Reparation, d. h. die Bildung eines funktionell minderwertigen und histologisch differenten Gewebes.

Doch das ganze ist vielleicht nur ein Streit um Begriffe; worauf es hauptsächlich ankommt, darin glaube ich mit Elschnig ganz in Übereinstimmung zu sein: dass die Bildung dieses Gewebes von den fixen Hornhautzellen ausgeht, dass es ohne Beteiligung von Blutgefässen entsteht, und dass es dazu bestimmt ist, die Lücken auszufüllen, die durch das Auseinanderweichen der normalen Strukturelemente entstanden sind, also dass es eine direkte Folge des Ektasierungsprozesses selbst ist.

Der klinische Ausdruck für dieses Narbengewebe sind die zarten, fleckigen, streifigen oder verästelten Trübungen, die sich ganz allmählich bei höheren Graden von Keratoconus auf dem Scheitel bilden, also die chronische Trübung der Kegelspitze.

Es ist kein Zweifel, dass dieses Narbengewebe schon von vielen Untersuchern gesehen worden ist. Schon die älteste histologische Untersuchung [Hulke (16)] ergab Veränderungen in den oberflächlichen Stromaschichten, die in diese Kategorie gehören dürften; ja es scheint mir fast, als ob auch Hulke schon (nach der Abbildung zu schliessen) elastoide Fasern gesehen habe.

---

[1]) Ich erinnere mich auch in Fällen von gewöhnlichen Hornhautnarben derartiges gesehen zu haben; doch sind systematische Untersuchungen über dieses Vorkommnis noch ausständig.

Die Descemetsche Membran zeigt in unserem Falle eine klaffende Lücke, die zwar nicht genau der dünnsten Stelle des Conus entspricht, aber doch ganz im Bereiche des Conusscheitels liegt. Auch diese Lücke kann nur als ein Folgezustand der Ektasie angesehen werden.

Man könnte zunächst vielleicht vermuten, dass diese Lücke nur ein Artefakt, hervorgerufen durch die Faltung der Hornhaut sei. Aber diese Meinung wird dadurch widerlegt, dass es zur Wucherung des Endothels, also zu einer unzweifelhaften vitalen Reaktionserscheinung gekommen ist.

Die vitale Reaktion gibt uns zugleich einen Fingerzeig, wie alt ungefähr die Ruptur sein kann. Bei sehr alten Rupturen findet man gewöhnlich eine neugebildete Glashaut über der Lücke und den stehengebliebenen Rändern der ursprünglichen Glashaut. Von einer solchen Neubildung von Glashautsubstanz ist aber in unserem Falle keine Spur sichtbar; die Lücke kann also nicht sehr alt sein. Sie kann aber auch nicht ganz rezent sein. Denn von der Trübung und Aufquellung des Hornhautstromas (infolge der Imbibition mit Kammerwasser), die sich nach solchen Rupturen der Descemetschen Membran alsbald einzustellen pflegt, ist auch nichts zu sehen. Da wir nun durch klinische Beobachtung wissen, dass solche akute Imbibitionstrübungen bei Keratoconus zumeist nach einigen Wochen wieder verschwinden, so muss also im vorliegenden Falle mindestens soviel Zeit seit der Entstehung der Ruptur verflossen sein.

Wäre in unserem Falle eine Imbibition des Hornhautstromas vorhanden gewesen, so hätte sich diese schon am frischtoten Auge durch stärkere Trübung des Conus zeigen müssen. Wenn wir anderseits jene Fälle zum Vergleiche heranziehen, wo bei nichtinfizierten, perforierenden Hornhautwunden Aufquellung des Hornhautstromas vorhanden ist, so sehen wir Bilder, die den von Hans Virchow (29) durch parenchymatöse Injektion hervorgerufenen sehr ähnlich sind, oder doch wenigstens Verbreiterung der Lamellen und stärkeres Hervortreten ihrer Grenzen. Nichts von alledem ist in unserem Falle zu sehen.

Die anatomischen Untersuchungen über solche Imbibitionstrübungen bei Keratoconus sind sehr spärlich. Plaut (24) war der erste, der darauf hinwies, dass gelegentlich eine Verdickung der Hornhaut im Bereiche des Conus durch Aufquellung zu stande kommen könne, und bezog diese auf Grund der Experimente am Tiere auf eine spontane Ruptur der Descemetschen Membran. Doch musste er sich darauf beschränken, die Verdickung anatomisch nachgewiesen zu haben; der übrige histologische Befund konnte nicht erhoben werden, auch die Ruptur der Descemetschen Membran blieb zunächst nur Hypothese [die übrigens schon von Hirschberg (34) aufgestellt worden war]. Erst Axenfeld (35) gelang es, die Ruptur im Verlaufe eines Keratoconus am Lebenden nachzuweisen.

Vielleicht darf man auch den Fall von Stoewer (25) hierher rechnen; der klinische Befund wenigstens scheint mir entschieden für eine Imbibitionstrübung zu sprechen. Bei der Operation floss nur etwas Flüssigkeit ab, die vordere Kammer hob sich aber nicht auf, weil, wie die Untersuchung des ausgeschnittenen Stückes zeigte, die hinteren Hornhautschichten und die Descemetsche Membran zurückgeblieben waren. Ein solcher Operationserfolg ist wohl nur bei Verdickung des Conusscheitels möglich. Das Gewebe des Conus war von Spalten und Lücken durchsetzt, deren eine eben während der Operation angeschnitten worden war. Der Zustand der Descemetschen Membran blieb unbekannt.

Der anatomische Nachweis der Ruptur der Descemetschen Membran wurde meines Wissens erst von Uhthoff (19) an dem excidierten Stücke vom linken Auge seines Falles erbracht. Welcher Art die Veränderungen im Hornhautstroma waren, die sich an die Rupturstellen anschlossen, ist aus der kurzen Mitteilung, die bisher über den Fall vorliegt, nicht zu ersehen.

Auch die Ruptur der Descemetschen Membran ist nur als eine Folge der Ektasie anzusehen, denn sie ist in unserem Falle sicher jünger als der Keratoconus selbst. Somit bestätigt die anatomische Untersuchung nur, was Axenfeld (35) aus klinischer Beobachtung gefolgert hat: „Die Ruptur der Descemetschen Membran hat nichts mit der ersten Entstehung des Keratoconus zu thun“ — ebensowenig als die Veränderungen in den vorderen Hornhautschichten, wie ich, der Meinung Stoewers (25) widersprechend, hinzufügen muss.

Aber die Descemetsche Membran und das Endothel nehmen auch noch deshalb unsere Aufmerksamkeit in Anspruch, weil Elschnig (36) in einer chronischen Erkrankung dieser Schichten die Ursache des Keratoconus sucht. Es muss deshalb besonders hervorgehoben werden, dass im vorliegenden Falle ausser der Ruptur absolut nichts pathologisches in der Descemetschen Membran zu finden ist. Wenn wir also nicht annehmen wollen, dass die von Elschnig supponierte Erkrankung auf anatomischem Wege nicht nachweisbar sei, so bleibt nichts übrig, als dieses ätiologische Moment für unsern Fall auszuschliessen.

Die Ursache des Keratoconus könnte aber auch bloss im Endothel liegen, da schon Läsionen des Endothels genügen, um Imbibition des Hornhautgewebes, wenn auch in schwächerem Grade zu erzeugen. Das Endothel zeigt nun allerdings in unserem Falle eine Veränderung, die auffallend ist, und an Kontrollpräparaten der verschiedensten Art nicht nachgewiesen werden konnte, nämlich das Vorkommen eigentümlicher Granula im Protoplasma der sonst völlig normal aussehenden Zellen. Aber diese Granula kommen auch in andern protoplasmatischen Gebilden dieser Gegend vor, so in Epithelien (der Linse, des Ciliarkörpers) und in den Fasern des Ciliarmuskels.

Das ausgedehnte Vorkommen dieser Granula lässt schon daran denken, dass wir nur einen besonderen Härtungs- und Färbungseffekt vor uns haben. Eine direkte Beziehung zum Keratoconus erscheint schon deshalb ausgeschlossen, weil das ganze Hornhautendothel, nicht bloss die zentralen Partien, diese Veränderung aufweist. Ich kann also auch in dieser Granulation kein ätiologisches Moment, etwa im Sinne Elschnigs, erblicken.

Dieser Befund könnte aber eventuell für die Theorie Rampoldis (18) verwertet werden. Dieser Autor sucht die Ursache des Keratoconus in einer Sekretionsanomalie des Ciliarkörpers, die zu Ernährungsstörungen im Endothel und in den hinteren Hornhautschichten und so zur Ektasie führt. Wie Rampoldi zu dieser Ansicht gekommen ist, erkennt man aus der Art der Fälle, die er zur Stütze seiner Theorie macht. Es sind nämlich ausser primärem Keratoconus auch sekundäre Ektasien, zumeist nach Keratitis parenchymatosa; Rampoldi überträgt also die Ätiologie dieser sekundären Keratektasien auf den primären Keratoconus, was sicher nicht gerechtfertigt ist. Die anatomische Untersuchung eines Auges mit Keratoconus (siehe oben S. 16) bringt natürlich eine Bestätigung seiner Theorie, da diese schon vorher aufgestellt war.

So wenig ich also auch von einem kausalen Zusammenhang dieser Granula mit dem Keratoconus überzeugt bin, kann ich doch nicht umhin, die Aufmerksamkeit späterer Untersucher auf diesen Befund zu lenken. Vorläufig freilich halte ich dafür, dass eine zufällige Koinzidenz vorliege.

Wenn uns also auch das Endothel in Hinsicht auf die Ätiologie des Keratoconus im Stiche lässt, so müssen wir wohl wieder auf das

Hornhautstroma selbst als den primären Sitz der Erkrankung zurückgreifen. Aber ehe wir auf diesen Punkt näher eingehen, müssen wir uns mit den sonstigen Veränderungen im untersuchten Auge und ihrer Bedeutung befassen.

Der vorliegende Fall zeigt nämlich ausser dem Keratoconus eine ganze Reihe von Abweichungen von der Norm, die sich zunächst in zwei Gruppen scheiden lassen, in erworbene pathologische Veränderungen und in Anomalien der Bildung oder des Wachstums.

Zu den erworbenen pathologischen Veränderungen gehören zunächst die am Sehnerven und seinen Scheiden gefundenen. Im Intervaginalraume besteht nämlich eine Bindegewebswucherung, die offenbar das Resultat einer Entzündung ist. Der Sehnerv selbst zeigt eine weit vorgeschrittene Atrophie, die unmittelbar hinter der Lamina cribrosa komplett ist; erst weiter hinten treten in einem Teile des Querschnittes wieder markhaltige Fasern auf. Wir gehen also wohl nicht fehl, wenn wir den ganzen Prozess als eine neuritische Atrophie auffassen, und nicht mit dem Keratoconus, sondern mit einem Gehirnleiden in Zusammenhang bringen, dessen klinischer Ausdruck nach den Angaben der Krankengeschichte Idiotie und Epilepsie waren.

Welche Bedeutung die eigentümliche Wucherung des Stützgewebes der Netzhaut hat, muss ich dahingestellt lassen; ich habe nie etwas ähnliches gesehen. Ziemlich unentschieden bleibt auch die Bedeutung der Katarakt, die jedenfalls sehr alten Datums ist. Am wahrscheinlichsten ist eine Abhängigkeit von den Veränderungen des Glaskörpers und der Netzhaut, denn der Ciliarkörper weist keine für die Erklärung der Katarakt genügenden Veränderungen auf.

Nach Abzug dieser Veränderungen bleiben noch einige leichtere Abnormitäten übrig, die zwar nicht als Missbildungen im eigentlichen Sinne des Wortes, wohl aber als Abweichungen von der normalen Gestalt und Grösse der betreffenden Teile, also als das Resultat fehlerhafter Anlage oder fehlerhaften Wachstums bezeichnet werden müssen.

Da ist in erster Linie die Skleraldicke anzuführen: gerade entgegengesetzt dem normalen Verhalten hat die Sklera das Maximum ihrer Dicke in der Gegend des Äquators, und dieses Maximum ist durch besonders starke Entwicklung der cirkulären Faserbündel hervorgerufen. Die Dicke ist an dieser Stelle nicht bloss relativ, sondern auch absolut genommen zu gross.

An zweiter Stelle wäre das Trabeculum sclero-corneale zu nennen, das auffallend kurz und breit ist; besonders auffallend ist seine Kürze, freilich bei blosser Betrachtung mehr als durch Anführung der Masse.

Zur Kontrolle wurden 24 Augen im Meridionalschnitte durchgemessen; es sind dies teils normale Leichenaugen, teils sind sie mit Katarakt oder andern leichteren pathologischen Veränderungen behaftet, die erfahrungsgemäss das Trabeculum sclero-corneale nicht in Mitleidenschaft ziehen. Da es nicht gar so leicht ist, die Länge des Trabeculum sclero-corneale exakt zu bestimmen, so habe ich durchwegs vom Rande der Descemetschen Membran zum hinteren Rande des Schlemmschen Kanales gemessen. Aber die Lage des Schlemmschen Kanales im Vergleiche zur Iriswurzel ist manchem Wechsel unterworfen, so dass dieses Mass doch kein völlig richtiges Bild von den Dimensionen des Trabeculum gibt. 40 Messungen an diesen 24 Augen (zum Teil an beiden Seiten) ergaben Längen, die zwischen 0,57 und 0,91 mm schwanken, und einen Mittelwert von 0,7 mm. In unserem Falle ist also das Trabeculum nicht bloss relativ, sondern auch absolut genommen auffallend kurz, denn seine Länge beträgt nur 0,55 mm.

Die Kontrollmessungen in bezug auf die Dicke des Bandes an seinem hinteren Rande (gegen den Ciliarkörper hin) ergaben Grenzwerte von 0,09 bis 0,18 mm, und einen Mittelwert von 0,14 mm. Im Vergleiche hiermit muss die Dicke im vorliegenden Falle (0,22 mm) als auffallend gross bezeichnet werden.

Merkliche Abweichungen im feineren Baue wurden in dem als Ligamentum pectinatum im engeren Sinne zu bezeichnenden Teile gefunden. Dazu kommt noch eine Bildung an der Descemetschen Membran, die ich gleichfalls als eine ausgesprochene Abweichung vom normalen ansehen muss: es ist das Auftreten einer Bindegewebsschicht auf der Innenfläche dieser Membran zwischen ihr und dem Endothel.

Auch hierbei haben die erwähnten 24 Augen und noch zahlreiche andere Präparate zum Vergleiche gedient. Nur in zwei Augen fand ich etwas, das dieser Bindegewebsbildung einigermassen ähnlich ist. Das eine Auge, von dem ich nur Meridionalschnitte durch eine Hälfte besitze, ist bis auf eine hintere Corticalkatarakt normal. Es zeigt neben einem schön entwickelten und besonders langen Trabeculum gerade auf dem Rande der Descemetschen Membran eine wulstartige, aus derbem Bindegewebe bestehende Auflagerung. Von dem andern gleichfalls mit Katarakt behafteten Auge liegt mir nur ein Flachpräparat des Trabeculum mit dem Rande der Descemetschen Membran vor. Da sieht man auf der Innenfläche der Descemetschen Membran die oben beschriebenen wurmartigen Streifen — aber ob sie aus Bindegewebe oder aus Glashautsubstanz bestehen, lässt sich in Ermangelung von Schnittpräparaten nicht entscheiden.

Es braucht wohl nicht hervorgehoben zu werden, dass plastische Entzündung im Bereiche der vorderen Kammer als Ursache dieser Bindegewebsbildung völlig ausgeschlossen werden kann; es müsste ja sonst noch irgend ein Anzeichen von Entzündung vorhanden sein.

Als eine ziemlich sichere Bildungsanomalie möchte ich auch die auffallende Kleinheit der Papille auffassen (Durchmesser 1 mm). Ein einziges Kinderauge meiner Sammlung (14 Tage alt) weist eine kleinere Papille auf (0,9 mm), und bei den Kontrollpräparaten mit genuiner und neuritischer Atrophie fand ich Durchmesser von 1,22 bis 1,43 mm.

Im Anschlusse an diese Wachstums- bzw. Bildungsanomalien möchte ich noch das Vorkommen grosser Arterien und Venen in der Duralscheide erwähnen. Ich hatte in diesem Befunde früher eine ausgesprochene Bildungsanomalie zu finden geglaubt, und ich habe dieser Meinung auch bei der Demonstration der Präparate in der Wiener ophthalmologischen Gesellschaft (37) Ausdruck gegeben; ich bin aber dann durch Elschnig eines besseren belehrt worden, und seiner Freundlichkeit verdanke ich den Hinweis darauf, dass er dieses Vorkommnis bereits beschrieben und als sehr häufig erkannt habe (38); in der Tat zeigt seine Taf. V, Fig. 1 genau die gleiche Bildung.

Ich habe daraufhin eine Anzahl von Papillenserien aus meiner eigenen Sammlung durchgesehen (im ganzen 29 Serien); es sind freilich zumeist pathologische Papillen, aber das kommt in diesem Falle gar nicht in Betracht, da derartig grobe anatomische Verhältnisse nicht leicht durch einen pathologischen Zustand unkenntlich gemacht werden. Da ergaben sich denn 12 positive und 17 negative Befunde. Das Vorkommen einer grossen Arterie (mit Venen) in der Duralscheide ist also keine Bildungsanomalie, sondern höchstens eine Variante, da es beinahe in der Hälfte der Fälle gefunden wird.

Da aber auch eine so massgebende Autorität wie Leber (39) diesen Befund nicht erwähnt, und auch weder Elschnig noch mir etwas darüber bekannt ist, dass dieser Befund sonstwo in der Literatur niedergelegt wäre, so ist es vielleicht nicht überflüssig, den Verlauf dieser Gefässe, wie er sich nach Elschnigs Angaben und nach meinen Präparaten darstellt, kurz zu beschreiben.

Die Eintrittsstelle dieser grossen Arterie liegt durchwegs an der temporalen Seite und zumeist etwas tiefer als der horizontale Meridian der Papille; in 3 Fällen sah ich sie in den temporalen oberen Quadranten der Duralscheide eintreten. Die Entfernung der Eintrittsstelle vom Ende des Intervaginalraumes beträgt 2—3 mm. Die Duralscheide ist, wie schon Elschnig angibt, an dieser Stelle in zwei Blätter gespalten, zwischen denen die Arterie und die sie eventuell begleitenden Venen, in lockeres Bindegewebe eingehüllt, liegen; auch grenzen sich die äusseren Lagen der Sklera in solchen Augen scharf gegen die Scheide ab (Elschnig).

Oft teilt sich die Arterie gleich nach ihrem Eintritte in diese Spalte in zwei gleichstarke Äste. Im weiteren Verlaufe biegt die Arterie oder der eine ihrer Äste in die cirkuläre Richtung (gewöhnlich noch oben) um und hält sich hierbei an die Ansatzstelle der Duralscheide an die Sklera, diese gewissermassen konturierend. Das Gefäss mag auf diese Weise $^1/_3$ oder mehr des Papillenumfanges umgreifen und teilt sich schliesslich in feinere Äste, die entweder in den Zinnschen Gefässkranz oder direkt in die Chorioidea einstrahlen.

Der Zinnsche Kranz fehlt nach Elschnig an den Stellen, wo die Arterie cirkulär in der Duralscheide verläuft, ich fand indessen in manchen Fällen den genannten Kranz auch noch an normaler Stelle. Zu bemerken wäre ferner, dass ich in einigen Fällen auch 1—2 Äste gefunden habe, die rückläufig in die innere Scheide eingehen.

Die Lage dieser Arterie im temporalen unteren Quadranten der Duralscheide bringt es mit sich, dass man an Horizontalschnitten durch die Mitte der Papille, die man gewöhnlich untersucht, die Arterie nicht findet. Dies ist der Grund, warum ich den Befund bisher übersehen hatte, und so ist es sicher auch andern Untersuchern ergangen.

Wir haben also in unserem Falle ein in mehrfacher Hinsicht abnorm gebildetes oder abnorm gewachsenes Auge vor uns, und es entsteht die Frage, ob das Vorkommen solcher Anomalien in Verbindung mit Keratoconus nicht etwas mehr als eine blosse Koinzidenz sei, ob nicht in diesen Anomalien irgend ein Hinweis auf die Ätiologie des Keratoconus zu finden wäre.

Der Keratoconus ist ohne Zweifel eine Ektasie der Hornhaut. Eine solche kann aber nur das Resultat eines Missverhältnisses zwischen dem intraokularen Drucke und der Resistenz der Bulbuswand sein, und dieses Missverhältnis kann in zweierlei Weise zu stande kommen: einmal durch pathologische Steigerung des intraokularen Druckes, das anderemal durch pathologische Verminderung der Resistenz der Bulbuswand.

Der erstere Faktor, die pathologische Steigerung des intraokularen Druckes, kann wohl für den Keratoconus ausgeschlossen werden. Wir vermissen bei der grossen Mehrzahl der Fälle von Keratoconus durchaus jenen Symptomenkomplex, der für die pathologische Steigerung des intraokularen Druckes charakteristisch ist, auch wenn der Keratoconus schon lange bestanden hat. Die wenigen Fälle, wo tatsächlich in späterer Zeit glaukomatöse Veränderungen aufgetreten sind, müssen daher unbedingt als komplizierte aufgefasst werden, oder sind von vornherein in die Kategorie der sekundären Keratektasien zu verweisen. Und nur solche Folgezustände könnten beweisend für die glaukomatöse Natur des Leidens sein, nicht aber die vielfach widersprechenden und von der subjektiven Auffassung beeinflussten Ergebnisse der Betastung des kranken Augapfels.

Somit kommt nur die zweite Möglichkeit, pathologische Verminderung der Resistenz der Bulbuswand (d. i. des Hornhautzentrums) in Betracht.

Welcher Art dieser Zustand auch sein mag, er wird zunächst zur Folge haben, dass das Hornhautzentrum den normalen intraokularen Druck mit seinen vorübergehenden, noch ins Bereich des physiologischen fallenden Steigerungen nicht mehr zu tragen vermag. Gibt das Hornhautzentrum zunächst auch nur um ein geringes nach, so wird eine Verdünnung des Hornhautzentrums eintreten, die an und für sich wiederum die Resistenz vermindert, das Missverhältnis steigert, und so den Prozess zu einem Circulus vitiosus gestaltet. Nur die Annahme eines Circulus vitiosus hilft uns hier, wie bei so vielen andern Prozessen, über das Missverhältnis hinweg, das zwischen Ursache und Wirkung besteht.

Dass der Prozess dennoch schliesslich stille steht, erklärt Bowman durch die vermehrte Filtration an der Conusspitze. Ein Teil dieser erhöhten Filtration könnte vielleicht auf Rechnung der Zerreissung der Descemetschen Membran gesetzt werden, die in den späteren Stadien des Leidens, wie es scheint, nicht selten auftritt. Die unmittelbare Folge ist freilich eine Verschlechterung des Zustandes: starke Hornhauttrübung und Vorwölbung der Vorderfläche der Hornhaut. In manchen Fällen wurde dabei Verminderung der Bulbusspannung gefunden, so besonders stark und anhaltend in dem klassischen Falle von „akutem“ Keratoconus Pflügers (40). Aber nach der Rückbildung der Imbibitionstrübung könnte sich der günstige Einfluss der Lücke in der Descemetschen Membran in der von Bowman angenommenen Weise geltend machen.

Vielleicht hat auch die Narbenbildung in den vorderen Schichten (die Hornhautregeneration im Sinne Elschnigs) insofern eine günstige Wirkung, als dadurch ein anders gefügtes und bis zu einem gewissen Grade widerstandsfähigeres Gewebe gebildet wird, das auch durch eine gewisse Neigung zur Hyperplasie geeignet ist, die Verdünnung der Hornhaut zum Teile wieder wettzumachen.

So mag also schliesslich ein Ausgleich zwischen intraokularem Druck und Resistenz der Conuswand zu stande kommen, der dem weiteren Fortschreiten ein Ziel setzt. Aber auch nur diesem; eine Rückbildung des Conus kann auf diese Weise nicht erzielt werden, dazu ist nur die kräftigere Narbenbildung befähigt, die durch Kauterisation und Vaskularisation des jungen Narbengewebes hervorgerufen wird, wie die schönen Erfolge der Methode Elschnigs zeigen.

Soweit könnte man sich also eine befriedigende Vorstellung von dem Verlaufe und den Ausgängen des Prozesses machen — die Ätiologie bleibt trotz alledem in ein rätselhaftes Dunkel gehüllt. Denn wir dürfen uns nicht verhehlen, dass die bisherigen anatomischen Untersuchungen und speziell die vorliegende Studie in ätiologischer Beziehung keinen positiven und sicheren Anhaltspunkt ergibt. Immerhin können wir prüfen, welche der bestehenden Ansichten durch die anatomischen Untersuchungen, wie durch die klinischen Beobachtungen gestützt oder doch wenigstens nicht widerlegt wird, und vielleicht gelingt es, auf dem Wege der Exklusion der Lösung des Rätsels von der Ätiologie des Keratoconus einigermassen näher zu kommen.

Gehen wir von der Tatsache aus, dass wir eine verminderte Resistenz des Hornhautzentrums als unmittelbare Ursache des Keratoconus annehmen müssen, so kann diese Resistenzverminderung entweder eine erworbene oder eine angeborene sein.

Erworben im strengen Sinne des Wortes sind alle jene pathologischen Zustände, die als Folgen äusserer Schädlichkeiten eintreten, sei es dass diese direkt auf das Auge wirken, oder es mittelbar dadurch beeinflussen, dass sie Erkrankungen anderer Körperteile hervorrufen. Als erworben sind aber auch Folgen von solchen physiologischen Vorgängen aufzufassen, die nicht notwendiger Weise im Leben des Individuums eintreten müssen, wie die Gravidität. Die Erwerbung ist keineswegs an die Zeit nach der Geburt gebunden: Blennorrhoea conjunctivae kann auch in utero erworben werden.

Aus dieser Definition ergibt sich ohne weiteres, was als angeboren anzusehen ist: es sind alle jene Zustände, die sich als primäre Abweichungen von den den Organismen innewohnenden Bildungsgesetzen, dem Nisus formativus, oder wie man das sonst noch nennen mag, entwickeln. Auch die angeborenen Zustände sind in ihrer Entwicklung nicht an einen bestimmten Lebensabschnitt gebunden; viele freilich fallen in die Zeit des Embryonallebens, aber auch im extrauterinen Leben können sich solche entwickeln, besonders um die Zeit der Geschlechtsreife, die ja nichts anderes als der Höhepunkt der ganzen Individualentwicklung ist.

Lassen wir nun die verschiedenen ätiologischen Momente Revue passieren, die für die Erwerbung des Keratoconus verantwortlich gemacht worden sind, so gelten zunächst die rein lokalen Erkrankungen der Hornhautmitte, wie Geschwürsbildung und dergleichen, schon seit langer Zeit als ausgeschlossen, weil ja der Bildung des Keratoconus keine irgendwie wahrnehmbaren pathologischen Veränderungen der Hornhautmitte vorausgehen. Es bleiben also nur die entfernteren ätiologischen Momente übrig; soweit diese ihren Sitz im Auge selbst haben sollen, haben wir sie schon an der Hand des anatomischen Befundes auf ihre Zulässigkeit geprüft und nicht verwendbar gefunden. Aber auch von den andern Momenten, wie Verletzung, Überanstrengung der Augen, Refraktionsanomalien, Anämie, schwächliche Konstitution, Schwangerschaft usw., müssen wir sagen, dass keines von ihnen im stande ist, die Entstehung des Keratoconus in befriedigender Weise zu erklären. Denn erstens gibt es eine Menge Fälle, wo diese ätiologischen Momente fehlen, und anderseits gibt es noch viel mehr Fälle, wo diese ätiologischen Momente vorhanden sind, ohne dass es zur Entwicklung des Keratoconus kommt.

Man muss also zu dem Schlusse kommen, dass es einen in dem oben ausgesprochenen Sinne erworbenen Keratoconus nicht gibt; wenn die eben erwähnten Momente überhaupt wirksam sind, können sie höchstens den letzten Anstoss zur Entwicklung der Krankheit geben, ihre wahre Ursache aber muss anderswo liegen.

Folglich kann diese Ursache nur in die Kategorie jener Störungen gehören, die, gemäss der oben gegebenen Definition, als angeboren im weitesten Sinne des Wortes zu bezeichnen sind. Unsere nächste Aufgabe wäre dann zu untersuchen, in welche Phase der

Entwicklung des Organismus die Störung fällt, wobei natürlich die ganze Zeit von der Furchung des Eies bis zum völligen Abschluss des Körperwachstums in Rücksicht zu ziehen wäre.

Die Idee, dass der Keratoconus auch als angeborenes Leiden auftreten könnte, scheint zuerst von v. Ammon (41) 1828 geäussert worden zu sein, und zwar auf Grund familiären Vorkommens und der Kombination mit andern angeborenen Zuständen, wie Amaurose, Schädeldifformität und ähnliche. Die weiteren Mitteilungen dieses Autors und seiner Schüler bringen neue Belege für diese Auffassung, aber die Diagnose stützt sich immer nur auf dieselben Momente, hauptsächlich auf die Kombination mit einer gewissen Schädeldifformität (Spitzkopf). Erst 1831 gelang es Gescheidt (13), bei einem zweimonatlichen Fötus eine konische Gestalt der Hornhaut aufzufinden, indessen ist dieser Befund seither, soviel ich weiss, völlig vereinzelt geblieben.

Von diesem letzten Falle abgesehen, erscheint es mir also nicht erwiesen, dass der Keratoconus als solcher — fertig — auf die Welt gebracht werde. Wohl aber mögen diese und ähnliche Fälle als Stütze für die Ansicht aufgeführt werden, dass sich der Keratoconus auf Grund einer Entwicklungsstörung ausbilde. Einer solchen Annahme fügen sich aber auch die übrigen, nicht familiär auftretenden, unkomplizierten Fälle ohne Zwang ein. Von dieser Idee ausgehend hat Tweedy (42) den Keratoconus mit der fötalen Entwicklung der Hornhaut in Zusammenhang zu bringen gesucht.

Nach Tweedy wäre es denkbar, dass bei der Abschnürung des Linsenbläschens ein Defekt im Ektoderm zurückbleibe, oder dass die Mesodermlage, die die Anlage der späteren Hornhaut bildet und sich vom Rande gegen die Mitte zu entwickelt, in der Mitte unvollständig bleibe.

Auf jeden Fall greift also die Hypothese Tweedys auf ein sehr frühes Stadium der Embryonalentwicklung zurück, und darin liegt meines Erachtens ihre schwache Seite. Wenn wir bedenken, dass Entwicklungsstörungen in der Regel um so schwerer ausfallen, je früher sie einsetzen, so wird es sehr unwahrscheinlich, dass eine in die ersten Phasen der Augenentwicklung fallende Störung nicht bloss während der Embryonalentwicklung, sondern auch noch im späteren Kindesalter latent bleiben und erst im Pubertätsalter zu sichtbaren Veränderungen führen sollte.

Von diesem Gesichtspunkte aus erscheint es logischer, nicht die Embryonalentwicklung, sondern die späteren, ins extrauterine Leben fallenden Phasen der Entwicklung für die Entstehung des Keratoconus verantwortlich zu machen.

Die extrauterine Entwicklung der Hornhaut (das Hornhautwachstum) vollzieht sich ziemlich rasch. Nach v. Reuss (43) hat die Hornhaut schon am Ende des ersten Lebensjahres ihre volle Grösse erreicht. Später treten nur mehr unbedeutende Veränderungen in der Krümmung der Hornhaut ein. Nach Fuchs (44) ist das Wachstum der Hornhaut ein interstitielles und vollzieht sich (wenigstens beim Kaninchen) in allen Teilen der Hornhaut in gleichem Masse.

Wenn nun auch das grobe Wachstum der Hornhaut mit Ende des ersten Lebensjahres als abgeschlossen anzusehen ist, so dürfen wir doch annehmen, dass auch noch später im Hornhautstroma Veränderungen vor sich gehen. Im allgemeinen besitzen die Gewebe der Bindesubstanz eine Tendenz zur Vermehrung und Verdichtung der fibrillären Intercellularsubstanz und zur Verminderung der Zellen; es wäre zu wundern, wenn die Hornhant eine Ausnahme von dieser Regel machte, wenn auch diese Zunahme nicht gerade mikrometrisch messbar ist. Es ist anzunehmen, dass mit dem Wachstum der übrigen Teile des Auges und des Körpers die Anforderungen an Festigkeit und Tragkraft der Hornhaut gesteigert werden, und dass sie unter normalen Verhältnissen sich diesen Anforderungen in gleichem Masse adaptiert.

Bleibt nun das Hornhautzentrum in irgend einer Phase dieser extrauterinen Entwicklung zurück, so wäre es denkbar, dass sich das Missverhältnis allmählich so steigert, dass endlich auch ohne besondere äussere Veranlassung jener Circulus vitiosus eingeleitet wird, der schliesslich im Keratoconus gipfelt.

Ob dabei eine leichte Verdünnung des Hornhautzentrums oder nur eine geringere Festigkeit vorhanden ist, lässt sich später, am entwickelten Keratoconus, nicht mehr entscheiden. Der anatomische Befund erweist nur die Ektasie; der Zustand kann also nicht lediglich eine Wachstumsstörung oder ein Bildungsmangel sein, aber anderseits kann ein leichter Grad von primärem Substanzmangel als Ausgangspunkt des Keratoconus nicht ausgeschlossen werden.

Es sei hierbei daran erinnert, dass auch bei der normalen Hornhaut das Zentrum geringere Dicke aufweist als die Peripherie, und dass diese Differenz sicherlich auf einer geringeren Zahl der Lamellen in den zentralen Partien beruht. Wenn man nämlich auf dem Meridionalschnitte einer normalen Hornhaut die hintersten Lamellen von der Peripherie gegen die Mitte verfolgt, so sieht man deutlich, wie sie eine nach der andern an der Descemetschen Membran auskeilen. Vielleicht ist also die Anlage zum Keratoconus nur graduell von der normalen Bildung der Hornhaut verschieden?

Wenn man nun auch über die Art dieser Entwicklungsstörung im Hornhautzentrum noch nichts bestimmtes aussagen kann, so darf man doch wohl sagen, dass das Bestehen einer Entwicklungsstörung an dieser Stelle überhaupt wahrscheinlicher wird, wenn auch andere Teile der äusseren Augenhaut abweichend gebildet sind.

Darin allein könnte die Bedeutung der verschiedenen Anomalien liegen, denen wir bei der Untersuchung unseres Falles begegnet sind. Ihre Beweiskraft wäre freilich nur eine beschränkte, aber soviel Wert als den Degenerationszeichen für die Auffassung von Psychosen kommt ihnen sicherlich auch zu. Allerdings sollte man dann auch noch fordern, dass diese Anomalien bei Keratoconus häufiger als sonst vorkommen.

Leider lassen uns in dieser Hinsicht die bisherigen anatomischen Untersuchungen fast völlig im Stich. Freilich ist die Zahl derartiger Untersuchungen, namentlich solcher, die mit modernen Mitteln der histologischen Technik ausgeführt sind, noch sehr klein; vielleicht hat man auch auf solche wenig in die Augen fallende Verhältnisse nicht geachtet. Im einem Falle [Rampoldi (18)] scheint allerdings ein positiver Befund in Hinsicht auf „Degenerationszeichen" vorhanden zu sein; aber auch dieser Fall ist insofern zweifelhaft, als Beschreibung und Abbildung einander widersprechen.

Nur von weiteren anatomischen Untersuchungen ganzer Bulbi mit Keratoconus kann eine Klärung dieser Beziehungen erwartet werden. Wie die Sache heute steht, muss man sich darauf beschränken, die Aufmerksamkeit späterer Untersucher auf einen möglichen Zusammenhang des Keratoconus mit Bildungs-(oder Wachstums-) anomalien an andern Stellen der äusseren Augenhaut zu lenken und sich ihrem Urteile zu unterwerfen. Ich sage, es wird anatomischer Untersuchungen bedürfen, denn jede der in unserem Falle aufgezeigten Abweichungen vom normalen Bau der Sklera und des Trabeculum sclero-corneale ist, an und für sich betrachtet, unscheinbar, funktionell bedeutungslos, und wäre vor allem durch klinische Untersuchung nicht nachweisbar gewesen.

An dem Punkte, wo wir jetzt auf der Suche nach der Ätiologie des Keratoconus angelangt sind, drängt sich unwillkürlich der Vergleich mit dem Staphyloma posticum auf [vgl. Schnabel (45)]. Auch dieses ist zur Zeit der Geburt nicht vorhanden, sondern entwickelt sich erst im Kindes- oder Pubertätsalter; auch bei diesem sind wir gezwungen, eine angeborene Anlage anzunehmen, wenn wir allen Tatsachen gerecht werden wollen. Auch dieses trägt die Charaktere einer Ektasie an sich und zeigt einen ähnlichen Verlauf.

Beide, der Keratoconus wie das Staphyloma posticum, haben endlich das miteinander gemein, dass sie sich an einem Pol des Auges lokalisieren und daher zu ähnlichen Funktionsstörungen führen. Es erscheint daher gerechtfertigt, diese beiden von den übrigen Ektasien der Tunica fibrosa oculi zu trennen und in eine besondere Gruppe zu vereinigen.

Das eine Charakteristikon dieser Gruppe wäre die Ätiologie: sie entwickeln sich ohne vorausgegangene Erkrankung (Entzündung oder Drucksteigerung) in Augen, die früher normale Gestalt und Funktion besassen. Das andere Charakteristikon ist die Lokalisation: sie entwickeln sich in der Gegend eines Poles, während die sekundären Ektasien zumeist andere Stellen bevorzugen. Keratoconus und Staphyloma posticum erscheinen demnach vom Standpunkte der Ätiologie als genuine, von dem der Lokalisation als polare Ektasien.

Verzeichnis der benutzten Literatur.

1) Wintersteiner, Über Hornhautveränderungen beim Neuroepithelioma (Glioma) retinae. Arch. f. Augenheilk. Bd. XXXII. S. 154.
2) Rochon-Duvigneaud, Recherches anatomiques sur l'angle de la chambre antérieure et le canal de Schlemm. Archives d'Ophtalm. XII, p. 732 und XIII, p. 20, 108. (1892 u. 1893)
3) Müller, Leop., Über Rupturen der Corneo-skleralkapsel durch stumpfe Verletzung. Leipzig und Wien. 1895.
4) Czermak, Die augenärztlichen Operationen. Wien 1893—1904.
5) Augenärztliche Unterrichtstafeln, herausgegeben von Magnus. Heft XVIII (1899).
6) Seefelder u. Wolfrum, Zur Entwicklung der vorderen Kammer und des Kammerwinkels beim Menschen . . . . . v. Graefe's Archiv, Bd. LXIII, S. 430 (1906).
7) Artikel Ligamentum pectinatum in Schwarz, Encyklopädie der Augenheilkunde, S. 513. — Die betreffende Lieferung erschien 1905, aber das Manuskript war schon Jahre vorher eingeliefert worden.
8) Asayama, Zur Anatomie des Ligamentum pectinatum. v. Graefe's Arch., Bd. LIII, S. 113 (1901).
9) Iwanoff u. Rollet, Bemerkungen zur Anatomie der Irisanheftung und des Annulus ciliaris. v. Graefe's Arch., Bd. XV, 1, S. 17 (1869).
10) Wernicke, Ein Beitrag zur pathologischen Anatomie der Linsenluxation und der Chorioretinitis nebst Bemerkungen über Kalkablagerung und epitheliale Fadenknäuel. Klin. Monatsbl. f. Augenheilk., 41. Jahrg., Beilageheft S. 283.
11) Carl Schmidt, Inauguralabhandlung über die Hyperkeratosis. Erlangen 1830.
12) v. Ammon in seiner Zeitschrift für Ophthalmologie, Bd I, S. 544 (1830).
13) Gescheidt, Cornea conica in einem Fötus von ungefähr 2 Monaten. v. Ammons Zeitschr. f. Ophth., Bd. II, S. 483 (1831).

14) Walker, Principles of ophthalmic surgery. London 1834.
15) Stellwag, Die Ophthalmologie vom naturwissenschaftlichen Standpunkte, Erlangen 1853.
16) Bowman in Ophthalmic Hospital Reports, II, p. 154 (1860).
17) Annales d'Oculistique, Bd. XLIV, p. 217 (1860).
18) Rampoldi, Contribuzione alla genesi ed eziologia delle ectasie pellucide della cornea. Annali di Ottalmologia, 16. Jahrg., fasc. 2 u. 3, p. 115 (1887).
19) Uhthoff, Über einen Fall von Keratoconus mit anatomischem Befunde. Ber. über d. Versamml. deutscher Naturforscher und Ärzte in Karlsbad, 1902. Zeitschr. f. Augenheilk., Bd. VIII, S. 571.
20) Fleischer, Über eigenartige Pigmentbildung in der Cornea und Keratoconus. Medizinisch-naturwissenschaftlicher Verein, Tübingen, Sitzung vom 11. XI. 1905. Münchener med. Wochenschr. 1906, Bd. I, S. 625.
21) Brailey, Curators pathological report. Ophthalmic Hospital Reports VIII, p. 286 (1875).
22) Nach Galezowski, Du traitement du staphylôme conique par une excision d'un lambeau semilunaire de la cornée. Gazette des Hôpitaux No. 69, p. 550 (1886).
23) Alt in der Diskussion zu einem Vortrage Bullards in American Journal of Ophthalmology 1897, p. 202; nach einem Referate in Hirschbergs Zentralblatt f. prakt. Augenheilk. 1897, S. 555.
24) Plaut, Über Verdickung der Hornhaut beim Keratoconus. Klin. Monatsbl. f. Augenheilk. 1900, S. 65.
25) Stoewer, Ein neues Operationsverfahren bei Keratoconus. Klin. Monatsbl. f. Augenheilk., 43 Jahrg. I, S. 474 (1905).
26) Sattler, Robert, The surgical treatment of conical cornea. Journal of American medical Association XXXV, p. 397 (1900).
27) Mauthner, Die optischen Fehler des Auges. Wien 1876, S. 804.
28) Pes, Über einige Besonderheiten in der Struktur der menschlichen Cornea. Arch. f. Augenheilk., Bd. LV, S. 293 (1906).
29) Virchow, Hans, Mikroskopische Anatomie der äusseren Augenhaut und des Lidapparates in Graefe-Saemisch, Handb. d. Augenheilk., 2. Aufl., I. Teil, Bd. I, Kap. II.
30) Seefelder, Über Hornhautveränderungen im kindlichen Auge infolge von Drucksteigerung. Klin. Monatsbl. f. Augenheilk., 43. Jahrg., Bd. I, S. 321 (1905).
31) Elschnig, Sitzung der Wiener ophthalmologischen Gesellschaft vom 14. Febr. 1906. Zeitschr. f. Augenheilk., Bd. XVI (Sitzungsber.).
32) Fuss, Der Lidspaltenfleck und sein Hyalin. Virchows Arch., Bd. CLXXXII, S. 194.
33) Tartuferi, Über das elastische Hornhautgewebe und über eine besondere Metallimprägnationsmethode. v. Graefe's Arch., Bd. LVI, S. 419 (1903).
34) Hirschberg, Zur Pathologie des Keratoconus pellucidus. Zentralbl. f. prakt. Augenheilk., IX. Jahrg, S. 26 (1885).
35) Axenfeld, Zur Kenntnis der isolierten Dehiscenzen der Membrana Descemetii. Klin. Monatsbl. f. Augenheilk., 43. Jahrg., Bd. I, S. 157 (1905).
36) Elschnig, Über den Keratoconus. Klin. Monatsbl. f. Augenheilk., 32. Jahrg., S. 25 (1894).
37) Sitzung vom 10. Jan. 1906. Zeitschr. f. Augenheilk, Bd. XVI.
38) Elschnig, Der normale Sehnerveneintritt des menschlichen Auges. Denkschriften der K. Akademie d. Wissenschaften in Wien, math.-naturw. Klasse, Bd. LXX, S. 47 (1900).
39) In Graefe-Saemisch, Handb. d. Augenheilk, 2. Aufl., I. Teil, Bd. II, Kap. XI: Die Cirkulations- und Ernährungsverhältnisse des Auges.
40) Pflüger, Augenklinik in Bern, Ber. f. d. Jahr 1877.
41) v. Ammon, Das Staphyloma pellucidum corneae als Morbus congenitus . . . Isis, Bd. XXI, p. 548 (1828).
42) Tweedy, The physical factor in conical cornea. Transactions of the ophthalmol. Society of the United Kingdom, Bd. XII, p. 67 (1892).
43) v. Reuss, Untersuchungen über den Einfluss des Lebensalters auf die Krümmung der Hornhaut . . . v. Graefe's Arch., Bd. XXVII, 1, S. 27 (1881).

44) Fuchs, Über Aufhellung von Hornhautnarben. Deutschmanns Beiträge zur Augenheilk., Bd. V, S. 405 (1900).
45) Schnabel, Angeborene Disposition zum erworbenen Staphyloma posticum. Wiener med. Wochenschr. 1876, Nr. 33—37.

Erklärung der Abbildungen auf Taf. I u. II, Fig. 1—15.

Fig. 1. Profilansicht der Hornhaut nach dem frischtoten Auge gezeichnet, sehr schwach vergrössert.

Fig. 2. Schnitt durch die Mitte der Pupille, etwa 25° gegen die Horizontalebene geneigt. Vergrösserung 4,18fach.
Cc Cataracta capsularis,
Mc Musculus ciliaris,
Pc Processus ciliaris,
V Gefässe in der Duralscheide,
XX' das Areal der Netzhaut, in dem die gewucherten Stützfasern vorkommen.

Fig. 3. Oberflächliche Hornhautschichten, etwas nasalwärts vom Conusgipfel. — Färbung: Lithioncarmin, Resorcin-Säurefuchsin. Vergrösserung 600fach.
E Epithel; die oberflächlichen Schichten sind weggelassen,
N Narbengewebe mit elastoiden Fasern,
B Fragmente der Bowmanschen Membran, vom Narbengewebe eingeschlossen,
C Hornhautstroma.

Fig. 4. Conusscheitel. Färbung: Hämalaun, Eosin. Vergrösserung 360fach.
E Epithel,
B Fragment der Bowmanschen Membran,
N Narbengewebe,
C Stroma der Hornhaut,
S Spalten darin; sie werden überbrückt von einigen
L elementaren Lamellen,
D Descemetsche Membran mit ihrem Endothel.

Fig. 5. Grundriss des Pupillarbereiches der Hornhaut; rekonstruiert aus der Schnittserie. Vergrösserung 10fach.
Pu Pupillarrand,
L Lücke in der Descemetschen Membran,
V Stelle der stärksten Verdünnung,
AA' erster,
BB' letzter Schnitt der Stufenserie.

Fig. 6. Lücke in der Descemetschen Membran, nasaler Rand. Färbung: Hämalaun, Eosin. Vergrösserung 416fach.

Fig. 7. Rand der Descemetschen Membran, nasale Seite. Färbung: Eisenhämatoxylin, van Gieson. Vergrösserung 400fach.
C Hornhautstroma,
D Descemetsche Membran,
B Bindegewebsschicht nach innen von der vorigen,
E Endothel,
G vorderer Grenzring,
T die tieferen Ursprungsbalken des Trabeculum sclero-corneale.

Fig. 8. Randteil der Descemetschen Membran, obere Seite, Flachpräparat. Färbung: Hämalaun. Vergrösserung 340fach.
A Zone des regulären Endothels; die Grenzen der ziemlich regelmässig sechseckigen Zellen sind durch zahlreiche Vakuolen verwischt,
B Randzone des Endothels; die Zellgrenzen sind verschwunden, die Zellkerne gruppenweise genähert; darunter sieht man die Faserung der Bindegewebsschicht (Fig. 7 *B*).

Fig. 9. Endothelzellen aus der Gegend des Conusrandes, Flächenansicht. Färbung: Eisenhämatoxylin, van Gieson. Vergrösserung 700fach. Das Protoplasma zeigt zahlreiche Vakuolen und in den Plasmabrücken dazwischen die blauschwärzlich gefärbten Granula.

Fig. 10. Iriswinkel, nasale Seite, Meridionalschnitt. Färbung: Hämalaun, Eosin. Vergrösserung 87 fach.

D Rand der Descemetschen Membran (stärker vergrössert in Fig. 7),
I Iriswurzel,
C Ciliarmuskel.

Fig. 11. Ligamentum pectinatum (innerste der Iriswurzel anhängende Lamellen). Färbung: Hämalaun. Flachpräparat. Vergrösserung 310 fach.

Fig. 12. Rekonstruktion der Gegend der Papille. Vergrösserung 10 fach.

XX Schnittrichtung,
F Fovea centralis,
P Papilla,
S Skleralring,
A circumpapilläre Atrophie,
R unvollständige Retinalatrophie.

Fig. 13. Grenzschicht des Glaskörpers vor dem Äquator bulbi; Flachpräparat, ungefärbt, Glycerin. Vergrösserung 100 fach.

Es ist nur die gewucherte Stützsubstanz gezeichnet, der fast ganz durchsichtige Glaskörper ist weggelassen; die kleinen dunklen Körnchen stellen die optischen Querschnitte der Säulchen dar, die bei etwas tieferer Einstellung hervortreten.

Fig. 14. Grenzschicht des Glaskörpers und Netzhaut, Äquatorialzone, nasale Seite, Meridionalschnitt. Färbung: Hämalaun, Eosin. Vergrösserung 330 fach.

G Grenzschicht des Glaskörpers,
S in Form von Säulchen gewucherte Stützfasern der Netzhaut, die sich bei
M zu dem tangentialen Maschenwerk (Flächenansicht in Fig. 13) vereinigen,
L Limitans interna retinae.

Fig. 15. Grenzschicht des Glaskörpers, Äquatorialzone, nasale Seite, Flachschnitt. Färbung: Hämalaun, Eosin. Vergrösserung 330 fach.

G Glaskörper,
S Säulchen (vgl. Fig. 14 *S*) im Querschnitte mit deutlichem Lumen.

Aus der K. K. II. Universitäts-Augenklinik in Wien.
(Vorstand: Hofrat Prof. E. Fuchs.)

Beiträge zum Krankheitsbild der „Phakokele".

Von

Dr. Richard Krämer,
Sekundararzt.

Im Jahre 1884 veröffentlichte A. Birnbacher (1) die Krankengeschichte und den anatomischen Befund eines Falles von partiellem Austritt der Linse aus dem Auge und schlug für dieses Bild die Benennung „Phakokele oder Hernia lentis" vor.

Kurz referiert handelte es sich um einen 45 jährigen Knecht, der im Anschluss an ein Trauma ein Ulcus corneae acquirierte, das allmählich zur Perforation unten aussen vom Hornhautzentrum führte. Durch die so entstandene Öffnung drängte die nach oben und hinten luxierte Linse mit ihrem unteren Ende vor, die hochgradig atrophische Iris vor sich herstülpend. Es kam jedoch nicht zum vollständigen Austritt der Linse, sondern sie wurde — und das ist das Charakteristische des Falles — von dem Rande des Geschwürs so eingeschnürt, dass der ausserhalb des Auges liegende Teil als längsovales, pilzförmig überhangendes Knöpfchen der Hornhaut aufsass bedeckt von atrophischem Irisgewebe. Die klinische Diagnose wurde durch die anatomische Untersuchung bestätigt.

Birnbacher wählte die Bezeichnung „Phakokele" wegen der in die Augen springenden Analogie mit den Darmbrüchen; werden doch auch hier die klassischen drei Postulate erfüllt:

Bruchpforte — Perforationsrand,
Bruchsack — Kapsel und Iris,
Bruchinhalt — Linsensubstanz.

Um allen Einwürfen von vornherein zu begegnen, bemerke ich, dass ich mir auch der wesentlichen Unterschiede gegenüber den typischen Hernien wohl bewusst bin. Die wichtigste Differenz besteht darin, dass die Linselkapsel, die gleichsam einen Bestandteil der Linse bildet, nicht ohne weiteres dem peritonealen Bruchsack zu vergleichen ist. Indessen möge daran erinnert sein, dass die Nomenklatur der pathologischen Anatomie den Begriff Hernie auch anderwärts (Meningocele, Lungenhernie) nicht allzustreng einhält.

Ein Analogon zu diesem Krankheitsfall konnte Birnbacher in der älteren Literatur nicht finden; er meint indessen, dass trotz der Seltenheit des Bildes derartige Fälle doch öfter gefunden würden, wenn man es sich zur Regel machte, jeden Irisprolaps zu durchleuchten, da sicherlich hinter so manchem eine Phakokele versteckt sei. — Trotz dieser Forderung fehlt der Krankheitsname auch in der folgenden Literatur fast vollständig. Der Grund mag vielleicht darin zu finden sein, dass in Birnbachers Arbeit der Begriff der Linsenhernie nicht genau genug präcisiert ist, insbesondere geht aus ihr nicht hervor, welches das ausschlaggebende Symptom ist. Daher will ich zunächst feststellen, dass wir — an unserer Klinik — das Charakteristische des Linsenbruches in der Abschnürung der Linse durch die Ränder der Perforationsöffnung sehen: jede Hernia lentis ist demnach gleichsam eine Hernia incarcerata; das Verhalten der Iris und ihre Beteiligung an der Bildung des Bruchsackes ist irrelevant.

Wenn ich nun im Anschluss an diese Feststellung darangehe, über einige Fälle von Phakokele, die in letzter Zeit an der II. Augenklinik zur Beobachtung kamen, zu berichten, muss ich zunächst darauf hinweisen, dass jene Fälle, bei denen Hernienbildung im Krankheitsverlauf eines Ulcus corneae erfolgt — wie im Falle Birnbachers — von der traumatischen Hernie streng zu sondern sind, da der Mechanismus der Entstehung wesentlich verschieden ist. Die Fälle der ersten Art sind die häufigeren.

I. Phakokele post ulcus[1]).

Fall I. Karl P., 19 Jahre alt, wird Ende Oktober 1903 wegen akuter Blennorrhoe aufgenommen. Neben den charakteristischen Veränderungen an der Conjunctiva findet sich schon bei der Aufnahme im Zentrum der Hornhaut ein über hanfkorngrosser Substanzverlust mit eitrig belegtem Grunde, der sich allmählich vertieft und in vier Tagen

---

[1]) Ich rechne in diese Gruppe auch jene Fälle ein, bei denen der Substanzverlust nicht infolge eines echten Geschwürsprozesses entstanden ist, sondern durch Operation (Trepanation) künstlich erzeugt wurde (Fall II u. III).

zur Perforation der Hornhaut und zum Irisvorfall führt. Der Prolaps wird excidiert: die Kammer bleibt aber andauernd aufgehoben. Am 14. Tage nach der Operation ragt aus der Öffnung ein prall gespanntes Bläschen mit überhangenden Rändern hervor — es ist eine typische Phakokele entstanden. Die Spannung des Auges ist erhöht. Nach weiteren zwei Tagen findet man den Bulbus collabiert, die Phakokele ist verschwunden, der Glaskörper vorgefallen. Jetzt erst tritt allmähliche Vernarbung ein.

Fall II. Helene R., 18 Jahre alt, wird am 5. X. 1898 wegen einer Hornhautnarbe aufgenommen. — In der mannigfach veränderten Cornea liegt aussen unten vom Zentrum eine linsengrosse, rundliche, leicht ektatische Narbe, die in der Mitte durch kolloide Auflagerungen etwas verdickt, in der Peripherie leicht durchscheinend ist. An diese Narbe ist die Iris adhärent; die Pupille ist entsprechend verzogen. Keine Drucksteigerung.

Bei der Operation wird die Narbe mit dem Hippelschen Trepan heraustrepaniert, die Adhäsion der Iris gelöst, in den Substanzverlust ein gleich grosses Stück Hornhaut von einem gleichzeitig enucleierten Auge implantiert. — Allein zwei Tage später findet man beim Verbandwechsel dieses Stück frei im Conjunctivalsack liegen. Patientin ist schmerzfrei, keine Drucksteigerung. Nach weiteren drei Tagen stellen sich heftige Schmerzen ein, der Bulbus ist stark gespannt und aus der runden Perforationsöffnung ragt über die Ränder überhangend „wie eine Hernie“ ein Teil der vollständig klaren Linse heraus. Zu ihrer Entbindung wird einfach die straff gespannte Kapsel mit einem spitzen Häkchen eingerissen, worauf sich die weichen Linsenmassen rasch entleeren. — Bei einer neuerlichen Drucksteigerung einige Tage später kommt es noch zu Glaskörpervorfall, worauf ein ungestörter Vernarbungsprozess beginnt.

Fall III. Leopold M., 16 Jahre alt, lag im Juni 1904 wegen akuter Blennorrhoe in der Klinik. Trotz energischer Behandlung kam es zu geschwürigem Zerfall der Hornhaut und zur Entwicklung eines Leukoms mit breiter vorderer Synechie. In diesem Zustande entlassen, kommt Patient nach wenigen Wochen neuerlich zur Aufnahme: Im unteren Anteil der Hornhaut hat sich eine cystische, stark ektatische Narbe entwickelt, an welcher die Iris adhärent ist. — Die Narbe wird abgetragen, über den so entstandenen Defekt ein Conjunctivallappen genäht. Nach acht Tagen zeigt sich aber, dass der Lappen nur unten angeheilt ist, während sein oberer Anteil eine buckelartige Vorwölbung bildet; hinter dieser liegt die in dem Hornhautdefekt eingezwängte, hernienartig vorgetriebene Linse. Drucksteigerung. Die Linse wird abgelassen (Operation wie im Falle II); wenige Tage später neuerlich Drucksteigerung (Iridektomie), dann normale Heilung.

Fassen wir diese drei Krankengeschichten zusammen, so handelt es sich immer um junge Leute, bei denen sich bei Vorhandensein eines zentralen Hornhautdefektes Drucksteigerung einstellte, unter deren Einwirkung die herniöse Vorwölbung der Linse zu stande kam. Drei Fälle stellen wohl nur ein sehr geringes Material vor, allein einerseits sind die Analogien im Verlauf so auffallend, dass ich es für erlaubt halte, aus ihnen allgemeine Schlüsse zu ziehen, anderseits bin ich in der Lage, diesen drei Fällen gleichsam „negative" gegenüber zu stellen, welche die Berechtigung dieser Schlüsse bestätigen mögen.

Ich glaube die Bedingungen für die Entstehung einer „Phakokele" im Gefolge einer rundlichen Perforation der Hornhaut in folgenden Punkten suchen zu müssen.

1. Zentrale Lage der Perforationsöffnung.

Im Momente des Durchbruchs der Hornhaut rücken Iris und Linse soweit nach vorne, dass die vordere Fläche der Linse der Hornhaut anliegt.

Die Fasern der Zonula sind dabei gleichmässig gespannt und ziehen offenbar die Randpartien der Linse nach hinten. Liegt nun die Öffnung vor dem Linsenpol oder in der nächsten Umgebung, so bleiben diese Spannungsverhältnisse im ganzen Umkreis gleich, der anatomisch schon am weitesten nach vorn gelegene Linsenscheitel tritt unter dem Einfluss der Vis a tergo zuerst in die Öffnung, während der rückwärts wirkende Gegenzug der gespannten Zonula das Austreten der Linse verhindert.

Tscherning (8) hat durch Versuche an Tieraugen festgestellt, dass bei Zug der Zonulafasern nach hinten und aussen die Gestalt der vorderen Linsenfläche derart verändert wird, dass die zentralen Linsenpartien stärker, die Randteile schwächer gekrümmt werden: aus der sphärischen Krümmung wird eine hyperboloide. Diese Erscheinung im Zusammenhang mit den ophthalmophakometrischen Messungen am accommodierten Auge, die ein ähnliches Resultat ergaben, hat ihn zur Aufstellung seiner Theorie der Accommodation geführt. Wenn diese Theorie auch unterdessen widerlegt wurde, können die anatomischen Veränderungen doch als feststehend gelten, und es hindert uns nichts anzunehmen, dass auch bei ringsum gleichmässigem Zonulazug die vordere Linsenfläche die gleichsam im Zentrum „zugespitzte" Form eines Rotationshyperboloids annimmt.

Dadurch kann der Hornhautscheitel um so leichter in die Perforationsöffnung eintreten. Es ist sogar möglich, dass dadurch eine festere Tamponade des Loches erfolgt, die den Binnendruck wieder ansteigen lässt, der seinerseits die nun folgenden Veränderungen bewirkt.

Liegt die Perforationsöffnung in der Nähe des Limbus, so wirkt natürlich der intraokulare Druck in dieser Richtung — nach dem Orte des kleinsten Widerstandes. Die Chancen für den Austritt der Linse liegen insoferne günstiger als bei zentraler Lage des Loches, als sich die um eine frontale Achse gedrehte Linse mit ihrem schmalen Randteil einstellt. Für den Austritt der Linse wohl, aber nicht für die Hernienbildung. Denn der intraokulare Druck lastet jetzt nicht mehr gleichmässig auf dem Zonulabogen, die Fasern reissen an der Stelle der stärksten Spannung. Ein Riss im Strahlenbändchen hat aber immer die Tendenz sich zu vergrössern. Intraokulärer Druck und Blepharospasmus infolge der Lichtscheu genügen. „Jede Subluxation — sagt Becker — wird schliesslich eine Luxation, wenn nur die Patienten alt genug werden." Gelegentlich seiner Versuche, die Linsenkapsel spontan zum Bersten zu bringen, konnte Meller (4) den Mechanismus des Linsenaustritts bei peripherer Lage der Bulbusöffnung deutlich sehen: „Die Linse" — sagt er — „verschiebt sich infolge des erhöhten Glaskörperdruckes im ganzen nach vorne und presst sich dicht an die Hornhaut an. Die sich anspannende Hornhaut hindert jedoch bald ein weiteres Vorrücken der Linse. Nur oben, entsprechend der frischen Operationswunde, ist der Widerstand der Hornhaut verringert. Demgemäss beginnt nun die Linse eine Drehung um eine frontale Achse zu machen in der Weise, dass der obere Linsenrand sich weiter nach vorne begibt, wobei der oberste an die Wunde angrenzende Teil der Hornhaut nach vorne aufgestellt wird. Die Wunde klafft infolgedessen stark und in ihr erscheint der Äquator der Linse." Und später: „Liegt der Linsenrand in der Skleralwunde bloss, so ist die Linsenkapsel an dieser Stelle nunmehr ihrer wichtigsten Stütze, des gleichmässig auf ihr lastenden intraokulären Druckes beraubt; sie vermag dem Bestreben der Linsensubstanz, dem Drucke zu entweichen, nicht mehr genügend standzuhalten. Es kommt an der entblössten Stelle zur Vorbauchung der Kapsel („Phakokele"), welche schliesslich platzt."

Mit diesen Auseinandersetzungen scheint Meller allerdings im Gegensatz zu mir auch bei peripherer Bulbusöffnung der Phakokelenbildung die grössere Wahrscheinlichkeit gegenüber dem Linsenaustritt zuzusprechen; allein die Vorbauchung ist nur ein Vorstadium der rasch folgenden Kapselberstung; niemals kann man es soweit bringen, dass die Vorwölbung stehen bleibt und sich um diese ein Schnürring bildet, wie mir eigene Versuche an Schweinsaugen bewiesen haben; dies ist ja auch begreiflich, da im Äquator gerade der schwächste Teil der Linsenkapsel die grösste Spannung auszuhalten hätte. Übrigens hat mir Meller in persönlicher Rücksprache zugestanden, dass seine für die Druck- und Spannungsverhältnisse an der Linsenkapsel aufgestellten Behauptungen ohne weiteres auch für die Zonula gelten, so dass es bei diesem Mechanismus sicherlich auch zu einer Zerreissung dieser im Bereich der grössten Spannung kommt, wie ich es oben vorausgesetzt habe. Mit dem Einreissen der Zonula, bzw. der Vergrösserung des Risses wird nun die Beweglichkeit der Linse grösser. Gleichgültig ob die Kapsel erhalten bleibt oder platzt; der Widerstand, der die Linse am Ausschlüpfen hindert, wird immer kleiner und die Linse tritt schliesslich aus. Das Verhältnis der Phakokele zur Luxation wird unten näher besprochen werden. Soviel sei hier vorweggenommen, dass die Luxation bei der allmählichen Entstehung der Phakokele nicht Bedingung ist, sie vielmehr verhindert, indem sie den Austritt der ganzen Linse begünstigt. Warum kam es im Falle Birnbachers trotz der peripheren Lage des Ulcus und trotz der anatomisch nachgewiesenen Luxation nicht zum Linsenaustritt, sondern zur Hernie? Dies hängt mit andern Momenten zusammen, die ich sofort besprechen will.

2. Grösse der Perforationsöffnung im Verhältnisse zur Grösse und Beschaffenheit der Linse.

Ich habe oben erwähnt, dass alle jene Momente, die den Austritt der Linse begünstigen, das Entstehen der Hernie hindern; umgekehrt gilt dasselbe: jeder Widerstand, den die austretende Linse zu überwinden hat, fördert die Bruchbildung. Neben dem besprochenen Gegenzug der Zonula kommt in erster Linie der Druck der Linse gegen den Geschwürsrand in Betracht, dessen Circumferenz jedenfalls kleiner sein muss als der äquatoriale Durchmesser der Linse. Bei Prozessen, die grössere Hornhautpartien zur eitrigen Einschmelzung bringen, werden wir also unser Krankheitsbild nicht erwarten dürfen. Anderseits darf die Öffnung natürlich auch nicht zu klein sein (Hornhautfistel).

Das Optimum werden wir in einer Perforationsöffnung von 3 bis 4 mm Durchmesser zu suchen haben. Legt sich nun die Linse eng an die hintere Hornhautfläche an, oder noch besser tritt der Linsenscheitel in die Perforationsöffnung ein, so ist die Möglichkeit zur Entstehung des Sekundärglaukoms um so eher gegeben, als durch die Einklemmung der Iris zwischen Hornhaut und Linse eine Art Seclusio pupillae herbeigeführt wird. Nunmehr wird der Linsenkapselsack allmählich durch die Öffnung geschoben, die durchgepressten Linsenmassen legen sich pilzförmig über den Geschwürsrand; Kapsel und Zonula sind gespannt: die Phakokele ist fertig. Schliesslich kommt es dazu, dass eines von beiden, Kapsel oder Zonula, die Spannung nicht aushält; dann treten die Linsenmassen, bzw. die Linse in der Kapsel aus. Meller hält den ersten Fall für den häufigeren. Der einzige nicht operierte unserer drei Fälle (I) gehört in die zweite Gruppe, denn der Glaskörpervorfall beweist, dass die Zonula zerrissen war. Keinesfalls braucht man eine Luxation anzunehmen, solange die Phakokele besteht.

Stets aber ist bisher vorausgesetzt gewesen, dass wir in der Linse einen gleichmässig elastischen, einem Gummiball vergleichbaren Körper vor uns haben. Ganz anders werden also die Verhältnisse, sobald durch Sklerosierung die Linsensubstanz in einen harten Kern und die mehr oder weniger weiche Rinde zerfallen ist. Dass bei vollständiger Sklerosierung eine wirkliche Phakokele entstehen kann, ist unmöglich, ausgeschlossen nach einem Ulcus ebenso wie nach einer Ruptur, denn es gibt nichts Plastisches mehr, das sich vorwölben könnte. Ein dem äusseren Anblick nach ähnliches Bild hat Wagenmann (9) auf dem Heidelberger Kongress 1905 vorgestellt und später Spehr (8) ausführlich beschrieben.

Ein 71 jähriger Mann, an Glaukom links vollständig erblindet, acquirierte an diesem Auge ein „serpiginöses“ Hornhautgeschwür, das trotz der Behandlung schon nach zwei Tagen unter plötzlichen, sehr heftigen Schmerzen zur Perforation führte mit gleichzeitiger Luxation und Einklemmung der prolabierten Linse in den Geschwürsring — also anscheinend Phakokelenbildung. Die anatomische Untersuchung bewies aber, dass von einer Hernie nicht die Rede sein darf. Fehlt doch eine der Hauptbedingungen, der Bruchsack. Die Kapsel ist geplatzt, die luxierte Linse mit dem temporalen Anteil des Äquators vorgefallen, und durch die Vis a tergo haben sich die vollständig sklerosierten, spröden Linsenfasern aufgeblättert, und dadurch die pilzförmige Verbreiterung bedingt und die halsartige Einschnürung vorgetäuscht. Denn es handelt sich um keine tatsächliche Einschnürung, sondern um eine Knickung jener Teile der Linsenfasern, die ausserhalb des Auges liegen. Dass es trotz der ziemlich zentralen Lage des Geschwürs zur Luxation kam, kann uns nicht wundern, da wir doch ausgedehnte Atrophien im Augeninnern, also auch der Zonula, als Folgen des absoluten Glaukoms voraussetzen dürfen.

Die Entstehung einer Phakokele ist also an das Vorhandensein einer weichen, plastischen Linsensubstanz gebunden, sie wird um so eher eintreten, je mehr von dieser vorhanden ist. Das günstigste Alter ist also das kindliche und jugendliche, wo die Kernbildung noch nicht begonnen oder noch nicht weit vorgeschritten ist. Mit Hess können wir die obere Altersgrenze etwa mit dem 5. Jahrzehnt annehmen. Nach dem 40. Lebensjahr wird die Wahrscheinlichkeit der Hernie immer kleiner, mit 70 Jahren ist sie null. Und in demselben Masse nimmt auch die Grösse eines eventuell entstandenen Bruches ab, und damit die Möglichkeit zu, dass eine Phakokele spontan zurückgeht.

Die von uns beobachteten Fälle betrafen stets jugendliche Individuen, alle drei standen im zweiten Jahrzehnt ihres Lebens, die Linsen waren also kernlos, es konnte die Hernie entstehen und anderseits die ganze Linsensubstanz durch die wenngleich enge Öffnung passieren. Nach dem 40. Lebensjahr ist ein mehr oder weniger grosser Teil der Linse so hart, dass er sich durch den engen Hals des Bruchsackes nicht mehr in diesen hineinzwängen kann: die in diesem Alter entstandenen Hernien bleiben klein und können beim Sinken des intraokularen Druckes vielleicht zurückgehen. Ein Fall, den wir in jüngster Zeit beobachteten, bestätigt dies und sei gleichzeitig als Gegensatz zu den drei oben citierten hier eingefügt.

Karl G., ein 55jähriger Schlosser, wird am 23. I. 1907 mit Ulcus corn. perforatum o. d. und Ectropium palpebrae inferioris aufgenommen. Der am gleichen Tag aufgenommene Status praesens ergibt:

R. A.: Bulbus lebhaft conjunctival und ciliar injiziert. Nahe dem unteren Limbus liegt in der Hornhaut ein Substanzverlust, dessen Zentrum perforiert ist, während die Ränder noch infiltriert sind, daneben aber schon Reparationsprozesse im Sinne der Narbenbildung zeigen. Reichliche Vaskularisation vom Limbus unten aus. Aus der Perforationsöffnung ragt ein durchscheinendes, glänzendes, gespanntes Bläschen von kaum Hanfkorngrösse (Phakokele). Die Tiefe der Kammer und die tieferen Teile sind nicht zu beurteilen, da hinter der Hornhaut eine dunkle, schwarzrote Blutmasse liegt, Tension etwas herabgesetzt. $V=$ Lichtempfindung auf 6 m, richtige Projektion. — Therapie, Atropin, warme Umschläge.

25. I. Patient gibt an, in der Nacht aus dem Auge geblutet zu haben. — Das Bläschen ist verschwunden, das Blut in der Kammer hat sich gesenkt und tritt teilweise aus der Perforationsöffnung zutage. Tension herabgesetzt.

Von da ab geht die Narbenbildung anstandslos vor sich; gegen das Ektropium wird die Operation nach Kuhnt-Dimmer ausgeführt; Patient wird am 10. II. geheilt entlassen.

Legen wir uns diesen Fall mit Bezugnahme auf die erörterten Verhältnisse zurecht, so müssen wir unser ganzes Augenmerk darauf richten, dass bei der ersten Untersuchung die Spannung des Bulbus schon herabgesetzt war. Dies beweist zunächst, dass die Vorwölbung im Bereich des Geschwürsgrundes tatsächlich eine Phakokele war und nicht etwa eine Keratokele, die bei T. doch hätte zusammenfallen müssen. (Da die Kammer mit Blut gefüllt war, ihre Tiefe also nicht beurteilt werden konnte, wäre diese Meinung nicht a priori abzuweisen gewesen.) Die Perforation des Ulcus — offenbar Keratitis e lagophthalmo — war schon früher eingetreten, und der hohe Druck hatte den Teil der Linse aus dem Auge gepresst, der noch plastisch war, die Corticalis. Dass also diese Phakokele nur sehr klein sein konnte, ist bei dem Alter des Patienten (55 Jahre) selbstverständlich. Die Perforation hatte nun auch hier, wie so oft, therapeutische Wirkung, und es begann jetzt die Vernarbung. Mit der allmählichen Verengerung des Narbenringes konnte nun zweierlei eintreten: Das Bläschen konnte immer stärker gespannt werden und schliesslich platzen (spontane Berstung) oder der enger werdende Ring zog sich allmählich über die Vorwölbung zurück, d. h. die Linse trat mehr und mehr an ihre alte Stelle[1]). Dieser zweite Prozess vollzog sich in unserem Falle, und wir verstehen ihn um so leichter, als die Vorwölbung nur klein, der intraokulare Druck andauernd herabgesetzt war. Ja vielleicht war diese Hypotonie sogar die Folge einer nicht ganz hermetischen Einschnürung. Denn bei vollständigem Verschluss der Perforationsöffnung, bei der Anlagerung der Iris an die Hornhauthinterfläche infolge des vorgerückten Linsenkernes und bei der an sich drucksteigernden Wirkung des angewendeten Atropins hätte man eher ein neuerliches Einsetzen des Sekundärglaukoms erwarten dürfen.

Kurzum, was für unsere Frage in Betracht kommt, ist der durch diesen Krankheitsfall gegebene Beweis, dass bei kernhaltigen Linsen die Grösse einer entstehenden Linsenhernie der Menge der noch vorhandenen, plastisch-weichen Corticalis proportional ist, und dass unter günstigen Umständen eine solche Hernie spontan zurückgehen kann, während es bei jugendlichen Linsen stets zum Austritt der Linsensubstanz kommt, sei es in der Kapsel, sei es nach Spontanberstung derselben.

---

[1]) Bei einer nach Monaten vorgenommenen Untersuchung wurde die Linse kataraktös befunden.

3. Andere Momente, die die Linse in ihrer Lage fixieren, und so die Chance der Phakokelenbildung gegenüber dem Linsenaustritt erhöhen.

Bezüglich dieses Punktes kann ich mich kurz fassen. Ich habe ihn überhaupt nur erwähnt, weil Mitvalsky (5) zwei Momenten grosse Bedeutung beizulegen scheint: dem Widerstand der knöchernen Orbitalwand im Moment des Linsenaustrittes, und dem Vorhandensein von hinteren Synechien. Mitvalskys Fall ist allerdings eine traumatische Ruptur mit Luxation und partiellem Linsenaustritt, ich erwähne ihn aber schon an dieser Stelle, weil hintere Synechien auch für die in Frage stehende Entstehungsart als Widerstand aufgefasst werden könnten. Dies ist gewiss nicht der Fall; liegt die Synechie im Bereich der Perforationsöffnung, so wird die Iris an dieser Stelle eben mit vorgebaucht und bildet dann einen Teil des Bruchsackes. Der Widerstand der Orbitalwand kommt aber bei der zentralen Lage des Ulcus nicht in Frage.

4. Intraokularer Druck.

Bisher haben wir stets von jenen Momenten gesprochen, die als „Widerstand" dem Austritt der gesamten Linsensubstanz entgegenwirken. Es erübrigt noch einige Worte über die treibende Kraft zu sagen. Diese ist einzig und allein in dem gesteigerten Binnendruck im Auge gegeben. Wir haben diesen als eine langsam aber andauernd wirkende Kraft anzusehen, die die resultierenden Veränderungen allmählich vollzieht und den beteiligten Elementen Zeit lässt, sich den jeweilig gegebenen Verhältnissen anzupassen.

In der Regel hört natürlich die Drucksteigerung im Moment der Perforation auf und macht einer Hypotonie Platz. Die vordere Linsenkapsel liegt dann einfach der Hinterfläche der Hornhaut an, die Linse bildet als glänzender, schwärzlich durchscheinender Körper den Boden des Geschwürs. Mit fortschreitender Narbenbildung wird endlich die Öffnung verschlossen, die Kammer stellt sich wieder her, die Linse kehrt an ihren Platz zurück. Wenn ich hier auch einen derartigen Fall citiere, so geschieht dies einerseits der Vollständigkeit wegen, anderseits weil wir diese Fälle von länger dauernder Anlagerung der Linse an die Hornhaut gar nicht so oft beobachten, wie ihre Folgezustände (Cataracta polaris anterior), aus denen wir erst den Rückschluss auf das ursprüngliche Krankheitsbild machen.

Emma B., 28 Jahre alt, hat in ihrer Jugend das linke Auge durch einen „skrofulösen" Prozess eingebüsst, so dass dieses Auge endlich entfernt werden musste. Im Februar 1905 acquirierte sie am rechten Auge ein Ulcus corneae ekzematosum, das trotz monatelanger Behandlung schliesslich durchbrach.

Bei der Aufnahme im August 1905 fand sich im Zentrum der allseits von einem Pannus überzogenen Hornhaut ein über stecknadelkopfgrosses perforiertes Geschwür, aus welchem ein schwarzes Klümpchen (Iris) herausragt. Der Boden des Geschwürs wird durch einen schwarzen, glänzenden Körper, die angelagerte Linse, gebildet. Die Spannung des Bulbus ist herabgesetzt (— 1). In den folgenden 12 Tagen vergrösserte sich das Geschwür allmählich, bei andauernder Hypotonie, ohne dass es je zur Vorbuchtung der Linse gekommen wäre.

Um die Öffnung zu schliessen, musste schliesslich eine Bindehautplastik mit nachfolgender Iridektomie gemacht werden. Einige Monate später wurde die kataraktös gewordene Linse extrahiert und die Patientin hat jetzt soviel Sehschärfe, dass sie sich ohne Hilfe auch in unbekannten Räumen bewegen kann.

Wenn aber bei angelagerter Linse Sekundärglaukom eintritt, so kann es unter den besprochenen Bedingungen geschehen, dass die Linse sich vorzubuchten beginnt und der ausgetretene Anteil schliesslich eingeschnürt wird — Phakokele.

Kehren wir nunmehr zu unserem Ausgangspunkt, dem Schulfalle Birnbachers zurück. In zwei Punkten unterscheidet sich sein Fall von den unseren:

1. Die Linse ist kernhaltig;
2. es besteht eine Luxation.

Dass diese schon im Momente des Traumas zu stande kam, schliesst Birnbacher aus der umschriebenen Zerreissung der Zonula. Dazu können wir noch auf die behandelten Spannungsverhältnisse bei der fast zentralen Lage der Perforationsstelle hinweisen, die eine Luxation erst gelegentlich des Durchbruches unwahrscheinlich machen. Birnbacher nimmt ferner an, dass der Geschwürsrand mit der Iris verwachsen gewesen sein müsse, und diese wieder mit der Linsenkapsel, „da sonst durch die vordringenden Geschwürsränder die prolabierte Linse wieder zurückgeschoben und nicht abgeschnürt worden wäre“. Birnbacher glaubt also anscheinend, dass man es ursprünglich mit einem einfachen Linsenprolaps zu tun hatte, und dass die Incarceration erst durch die Verkleinerung des Bruchringes infolge der Reparationsvorgänge an den Geschwürsrändern erfolgt ist. Dieser Ansicht kann ich nicht beitreten. Der hochgesteigerte Intraokulardruck genügt, um dem Bruchsack die Pilzhutform zu geben, wie ich dies oben auseinandergesetzt habe; ja noch mehr, der auf den Wundrändern lastende hohe Druck hat sicherlich nicht viel Narbenbildung aufkommen lassen. — Dass schliesslich die Linse unter dem Einfluss des weiter bestehenden Sekundärglaukoms trotz der Luxation den Bulbus nicht verliess, findet seine einfache Erklärung in dem Vorhandensein des Kerns, der wegen seiner Härte nicht in den Bruchsack gepresst werden konnte, daneben aber dadurch, dass er die Bruchpforte tamponierte, es verhinderte, dass nach und nach soviel Corticalismassen durchgepresst wurden, dass es endlich zur Spontanruptur der Kapsel hätte kommen müssen.

II. Phakokele post trauma.

Im Anschluss an traumatische Verletzungen der Corneoskleralkapsel sind Beteiligungen des Linsensystems sehr häufige Erscheinungen. Nichtsdestoweniger konnte ich trotz sorgfältiger Durchsuchung der Literatur keinen sicheren Fall finden, der als Phakokele anzusprechen wäre — der Name kommt überhaupt nicht vor. Ich habe deshalb mein Augenmerk besonders jenem Krankheitsbild zugewendet, das dem Ansehen nach die grösste Ähnlichkeit mit der Linsenhernie hat, dem partiellen Austritt der Linse aus dem Auge. In der älteren Literatur konnte ich nur zwei Fälle finden, die möglicherweise als Phakokelen gelten könnten, die von Fano[1]) und Mercanti[2]). Beide sind mir leider im Original nicht zugänglich, und aus dem Referate von Praun ist nichts über die Form der prolabierten Linse, dem einzig Ausschlaggebenden, gesagt, so dass ich sie nicht verwerten kann. Die andern Fälle (Sichel, Jäger, Lederle, Mitvalsky u. A.) sind gewöhnliche partielle subconjunctivale Luxationen. In neuerer Zeit haben sich vorzugsweise Müller (6) und Praun (7) mit den Verletzungen des Bulbus und implicite mit dieser Frage beschäftigt; einen hierher gehörigen Fall haben sie weder selbst gesehen, noch anscheinend anderwärts gefunden, trotzdem beide die Literatur mit grosser Sorgfalt zusammengestellt haben. Die Erwähnung der Phakokele überhaupt findet sich erst bei Hess[3]) wieder, und der citierte Fall ist — im Jahre 1905! — der Fall Birnbachers.

Als daher im Vorjahr, noch dazu ganz frisch, ein typischer Fall an der Klinik zur Beobachtung kam, mussten wir ihn gewissermassen

---

[1]) Fano, Lussazione sotto-congiuntivale del cristallino. Annali di Ottalm. IX, 3/4.

[2]) Mercanti, Un raro caso di lussazione sotto-congiuntivale del cristallino. Annali di Ottalm. XX.

[3]) Graefe-Saemisch, Handb. d. ges. Augenheilk. 2. Aufl. Bd. VI, 2.

als Unicum ansehen, und er hat die Veranlassung zu dieser Arbeit gegeben.

Therese G., 61 Jahre alt, stellt sich am 28. V. 1906 in der Klinik vor. Sie ist eine vollständig gesunde Frau, die niemals Augenleiden durchgemacht hat. Am Morgen dieses Tages war sie bei der häuslichen Arbeit von einem Stuhle gestürzt und dabei „auf das linke Auge aufgefallen“. Die nächste Folge war heftiges Nasenbluten, starke Schmerzen im linken Auge, dessen Sehkraft sogleich bedeutend herabgemindert war.

Die Untersuchung ergab folgendes:

R. A. Vollständig normal.

L. A. Der Bulbus in mässigem Grade gemischt injiziert. An der Corneoskleralgrenze oben liegt eine ungefähr 5 mm lange Ruptur, deren untere (corneale) Wundlippe etwas aufgestellt ist. Aus der Perforationsstelle ragt pilzförmig überhangend etwa 4 mm hoch ein querovales, gelbliches, durchscheinendes Knöpfchen, dessen horizontale längere Achse die Rupturstelle beiderseits etwas überragt[1]). Beim Senken des Oberlids wird das Knöpfchen etwas nach abwärts gedrückt, wobei hinter ihm auf der Sklera liegend braunes Irispigment sichtbar wird, beim Heben des Oberlids geht es von selbst in die frühere Lage zurück. Die Hornhaut ist leicht matt, nirgends getrübt, die Vorderkammer unten leicht, oben vollständig aufgehoben. Auf dem Boden ein 2 mm hohes Hyphäma. Die Iris zeigt nach oben anscheinend ein traumatisches Colobom mit scheinbar richtiger Schenkelstellung; genaueres darüber, sowie über die tieferen Bulbusteile lässt sich nicht aussagen, da Pupille und Colobom von einem ausgedehnten, frischen Blutcoagulum bedeckt sind. $T +$.

$V =$ Handbewegungen vor dem Auge, Lichtempfindung in 6 m, Projektion richtig.

Wir diagnostizierten eine Ruptur der Bulbushüllen entsprechend dem oberen Limbus, mit radiärer Zerreissung der Iris und partieller Luxation der Linse, wobei es zur Einklemmung derselben in die Wundränder kam (Phakokele).

Mit Rücksicht auf die bestehende Drucksteigerung wird die Operation sofort vorgenommen (Professor Fuchs):

Mit dem scharfen Häkchen wird die Linsenkapsel an der Vorderseite der Vorwölbung horizontal geschlitzt, worauf sich sofort ein grosser Teil der breiigen Corticalis entleert. Es gelingt aber weder die Iris zu fassen, noch den Kern zu entbinden. Daher wird die Wunde mit der krummen Schere nach innen verlängert. Nunmehr kann die Iris hinter dem etwas beweglich gewordenen Linsenkern gefasst und excidiert werden. Der auffallend spröde Kern wird stückweise entfernt, der Rest der Corticalis soweit als möglich herausmassiert. Reposition der Iris, Verband.

Der Operationsverlauf bestätigte demnach unsere Diagnose mit der einzigen Modifikation, dass wir an Stelle des Iriscoloboms einen einzigen

---

[1]) Dozent Hanke, der den Fall einige Stunden vorher zur Beobachtung bekam, teilte mit, dass sich die Vorwölbung gegenüber der ersten Untersuchung fast auf das dreifache vergrössert hatte.

Irisriss gefunden hatten, durch den die Linse ihren Weg gegen die Rupturstelle genommen haben musste.

Der weitere Krankheitsverlauf gestaltete sich folgendermassen:

30. V. Seichte Kammer, anscheinend regelrechtes Colobom nach oben, teilweise durch Blut und quellende Linsenreste verdeckt. — Atropin.

4. VI. Die Hauptmasse des Blutes resorbiert, tiefe Kammer, mässig viel Reste, auf denen noch zahlreiche Blutsprenkel liegen.

Der Heilungsprozess erfolgt ohne Störung, so dass Patientin am 11. VI. entlassen werden kann. — Über die Verhältnisse im Bulbusinneren lässt sich noch nichts bestimmtes aussagen, da die Vorderkammer fast vollständig mit quellenden Corticalismassen ausgefüllt ist. Keine Drucksteigerung.

Im Verlauf der folgenden Wochen kam Patientin des öfteren zur Beobachtung.

Mit der zunehmenden Resorption der Massen in der Kammer konnte man erkennen, dass hinter der Iris noch der Rest des Kapselsackes lag, der nur unten eine Lücke frei liess. Diese vergrösserte sich allmählich dadurch, dass der Sack immer mehr einschrumpfte und gleichzeitig dünner wurde, so dass er endlich nur mehr ein papierdünnes, zerknittertes graues Häutchen darstellte, dessen unterer freier Rand gerade mitten durch die Pupille zieht. Dieser Veränderung entsprechend hob sich die Sehschärfe. Bei mässigem Astigmatismus las Patientin schliesslich $^{6}/_{12}$ und Jäger Nr. III ohne Mühe (1. IX. 06).

Es kam also in diesem Krankheitsfall durch den bekannten Kompressionsmechanismus zu einer jener „kleinen Rupturen an der Corneoskleralgrenze“, die Fuchs (2) im Vorjahre ausführlich beschrieben und deren Charakteristica er festgelegt hat. Diese finden wir denn auch im vorliegenden Falle: Die Wundlinie, dem Limbus entprechend, verläuft rein cirkulär, ihre Länge übertrifft die angegebene (2—4 mm) nur um ganz weniges; desgleichen entspricht ihre Lage im vertikalen Meridian dem von Fuchs aufgestellten Typus. Zugleich mit der Berstung der Bulbuskapsel kam es zur Luxation der Linse durch Einreissen ihres Aufhängeapparates (innen-unten), und die Linse bewegte sich nun gegen die Öffnung, um auf diesem Wege den Bulbus zu verlassen. Müller (loc. cit.) fand als typisch den Weg zwischen Iris und Ciliarkörper mit Ablösung der Iris an ihrer Wurzel. In unserem Fall war es anders. Bei der vorgenommenen Iridektomie musste die Iris hinter dem Kern der Linse hervorgeholt werden. Der Weg, den die Linse nahm, führte also durch die vordere Kammer, ein Weg, den Müller für die typischen Rupturen verwirft, der durch den radiären, anscheinend bis an die Wurzel gehenden Irisriss aber leicht verständlich ist. Dem Austritt aus dem Bulbus stellte sich jedoch jetzt ein unüberwindliches Hindernis entgegen: der im Verhältnisse zur Grösse der Austrittsöffnung viel zu grosse, harte Kern stemmte sich an die Wundränder und verschloss die Öffnung. Damit scheinen mir alle Veränderungen im Moment des Berstens des Auges erschöpft. Wir hätten also zunächst nichts anderes vor uns als einen inkompletten Linsenprolaps. Was weiter folgte und die allmähliche Einklemmung hervorrief, ist das Werk der nunmehr zur Geltung kommenden Hypertonie. Diese trieb die weichen Corticalismassen um den Kern herum durch die Wunde in den Kapselsack, der sich allmählich vergrössern musste. (Diese Vergrösserung wurde durch die Mitteilung des Herrn Dozenten Hanke festgestellt.) Da die Linsenkapsel aber nur sehr wenig dehnbar ist, kann diese Vergrösserung nur so erfolgt sein, dass die zwischen Kern und Wundrand eingeklemmte Wand sich in gleichem Masse durchzwängte, mit andern Worten: Die Linse verschob sich immer mehr nach oben, während gleichzeitig in ihrem Gefüge eine Veränderung eintrat, derart, dass die Corticalis immer mehr nach oben, der Kern nach unten zu liegen kam. Ob für die Verschiebung die Beweglichkeit der Linse ausreichte, die durch den im Moment der Verletzung entstandenen Zonulariss geboten war, oder ob dieser sich entsprechend vergrösserte, will ich dahingestellt lassen; plausibler erscheint mir das letztere.

Was wäre ohne Operation weiter geschehen? Ein guter Teil der Corticalis lag noch hinter dem Kern. Ihre Wanderung um ihn herum in den Bruchsack wäre weiter gegangen und hätte theoretisch erst ein Ende gefunden, bis der Kern unten direkt der Linsenkapsel angelegen wäre. In Wirklichkeit aber kommt es wohl nie so weit. In der Wunde liegt ja der schwächste, äquatoriale Teil der Kapsel, der sicherlich früher platzt. Die Corticalis tritt aus, der Kern bleibt im Auge. Dabei bleibt er in der einheilenden Kapsel eingeschlossen, oder er schlüpft im Moment der Berstung (Hypotonie!) aus der Kapselwunde und erleidet dann frei im Bulbus liegend seine weiteren Veränderungen.

Der Mechanismus bei der Entstehung der traumatischen Phakokele ist daher von dem oben geschilderten gänzlich verschieden.

Für die Fälle der ersten Art haben wir als günstigste Bedingungen gefunden: kleine zentrale Perforation, weiche (jugendliche) Linse, Intaktheit der Zonula. Für die traumatische Hernie sind diese Verhältnisse die schlechtesten. Bei den Hornhautrupturen werden Phakokelen ebensowenig zu beobachten sein, wie Luxationen der Linse aus dem Auge. Bei peripherer Lage der Wundöffnung kommt aber der oben ausführlich besprochene Mechanismus der ungleichen

Belastung der Zonula um so mehr zur Geltung, als die Kraft der Propulsion eine vielmal grössere ist, als sie der intraokulare Druck je sein kann. Es kommt daher wohl immer (besonders bei indirekter Ruptur) zur Luxation in der Richtung des durch die Öffnung bedingten geringsten Widerstandes. Luxation der Linse ist also hier geradezu Bedingung.

Kleine Phakokelen sind vielleicht auch ohne Luxation denkbar. Ich verweise hier nochmals auf die Versuche Mellers. Beim Kaninchen ist es mir allerdings nicht gelungen, eine bleibende Hernie zu erhalten.

Ist die Linse vollständig weich, so wird sie, einmal subluxiert, leicht das Auge verlassen können, indem sie, jedes Haltes beraubt, unter entsprechender Formveränderung durch die Öffnung schlüpft. Soll das unmöglich sein, sondern eine Hernie entstehen, so muss sie wenig elastisch sein, aber doch noch plastische Substanz besitzen (höheres, aber nicht allzu hohes Alter des Kranken), der Durchmesser des Kerns muss grösser sein als die Wundöffnung, damit die Möglichkeit geboten sei, dass er sich gegen den Wundrand stemmt, das einzige wirkliche Hindernis, das sich dem Austritt der Linse in diesem Falle entgegenstellt.

Mitvalskys hintere Synechien spielen wohl auch hier keine Rolle; denn entweder reissen diese oder, sicher das Häufigere, es kommt zur Iridodialyse, die doch oft genug auch ohne Ruptur und Linsenluxation schon entsteht. Der Widerstand der knöchernen Orbitalwand aber kann höchstens bewirken, dass die austretende Linse in der klaffenden Wunde liegen bleibt, was gegenüber dem Freiliegen im Bindehautsack oder unter der Conjunctiva nur einen graduellen, aber keinen wesentlichen Unterschied macht.

Bei der traumatischen Phakokele ist endlich die treibende Kraft nicht allein der intraokulare Druck, sondern zunächst die von aussen wirkende Gewalt, die den Bulbus sprengt, die Linse luxiert und mittels des Kerns die Wunde so tamponiert, dass das nun einsetzende Sekundärglaukom die günstigen Voraussetzungen findet, um in allmählich wirkendem Druck die noch plastisch gebliebenen Linsenteile vorzuwölben.

Für die Anregung zu dieser Arbeit, sowie für die stets bereitwillige Unterstützung bin ich meinem verehrten Chef und Lehrer, Herrn Hofrat Prof. E. Fuchs, zu tiefstem Danke verpflichtet.

Literaturverzeichnis.

1) Birnbacher, Über Phakokele. v. Graefe's Arch. f. Augenheilk. Bd. XXX, 4.
2) Fuchs, Über kleine Rupturen an der Corneoskleralgrenze. Wiener klin. Wochenschr. Jahrg. XVIII. Nr. 38.
3) Meller, Über spontane Berstung der Linsenkapsel und Selbstentbindung des Linsenkerns aus dem Auge. Beitr. z. Augenheilk. Heft 47.
4) Mitvalsky, Remarques sur la luxation sousconj. du cristallin. Arch. d'Opht. XVII.
5) Müller, Über Rupturen der Corneoskleralkapsel durch stumpfe Verletzungen. Wien 1905, Deuticke.
6) Praun, Über die Verletzungen des Auges. Wiesbaden 1898.
7) Spehr, Über einen Fall von perfor. Ulcus corneae in einem glaukomatös entarteten Auge mit beginnendem Linsenaustritt. Inaug.-Diss. Jena 1905.
8) Tscherning, Arch. de physiol. 5me Série.
9) Wagenmann, Ber. über d. 32. Versammlung d. ophth. Gesellsch. Heidelberg 1905.

Der Zentralkanal des Glaskörpers.

Von

Dr. E. Schaaff,

Augenarzt in Strassburg i. E.

Im Jahre 1868 hat Stilling (1) den von ihm als Zentralkanal des Glaskörpers bezeichneten flüssigkeiterfüllten Raum im Menschen- und Tierauge entdeckt und ihm eine physiologische Bedeutung zugesprochen, ohne dieselbe zunächst genauer zu definieren. Er bediente sich zur Demonstration dieses Kanals zweier Methoden, indem er 1. auf die Retinalfläche des aus dem Auge herausgeschälten Glaskörpers, 2. auf die Schnittfläche des in der Äquatorialebene halbierten und vorher frei präparierten Glaskörpers eine Farblösung aufträufelte. Durch beide Methoden erhält man eine Füllung des Kanals, so dass man ihn als eine dunkle, mehr oder weniger breite Röhre durch die glashelle Substanz des Glaskörpers hindurchschimmern sieht.

Diese Methoden wurden von Schwalbe (2) und andern Anatomen mit Erfolg nachgeprüft. Schwalbe hat noch eine andere Methode in Anwendung gebracht, indem er gelöstes Berlinerblau unter die Pialscheide des Sehnerven einspritzte. Hierbei füllte sich ausser den Perivaskulärräumen der Netzhaut und den Perichorioidealräumen auch der Zentralkanal.

Auf Grund dieses Ergebnisses sprach sich Schwalbe und später auch Stilling infolge physiologischer Experimente genauer aus über die physiologische Bedeutung des Zentralkanals, den sie als Abzugskanal der Glaskörperflüssigkeit zum Lymphgefässsystem des Optikus ansahen. Diese Ansicht wurde dann auch von Leber (3), nachdem er sie jahrzehntelang bekämpft hatte, durch Injektionsversuche am lebenden Tier bestätigt.

Stilling vermisste den Kanal nur, wenn eine persistierende, eventuell blutgefüllte Arterie vorhanden war oder ein persistierender

Cloquetscher Kanal, so benannt, obwohl Cloquet keinen Kanal gesehen hat, sondern diesen Ausdruck als Umschreibung des von der Arterie ausgefüllten Raums gebrauchte.

Seitdem hat niemand das konstante Vorkommen des Zentralkanals bezweifelt. Erst in letzter Zeit hat sich eine Stimme dagegen erhoben. Wolfrum (4) behauptet in seiner Arbeit: „Zur Entwicklung der normalen Struktur des Glaskörpers" auf Grund einer neuen, besseren, von ihm angegebenen Methode das allgemeine Vorkommen des Zentralkanals in Abrede stellen zu können; ja das Vorkommen desselben sei beschränkt auf die Fälle, wo eine persistierende Arterie oder Reste davon vorhanden wären.

Da mich die Frage interessierte, habe ich mir vorgenommen, die Wolfrumsche Behauptung nachzuprüfen, zumal mir Stilling selbst mitteilte, dass er den Kanal bei vielen Hunderten von allen möglichen Tieraugen und auch bei Menschenaugen immer konstatiert habe, ausser wenn erhebliche, aus der Embryonalzeit persistierende Reste der Arterie vorhanden waren. Was die Methoden anlangt, so verdient nach Stilling die Injektion des Kanals in toto von der Retinalfläche aus den Vorzug vor der zweiten von ihm angegebenen Methode, welche vorzüglich zu dem Zwecke angegeben war, zugleich mit der Füllung des Zentralkanals den anatomischen Bau des Glaskörpers zu demonstrieren, wie dies in der Stillingschen Schrift aus dem Jahre 1869: „Eine Studie über den Bau des Glaskörpers" geschieht, welche Abhandlung einen gründlichen Einblick in die makroskopische Anatomie des Glaskörpers gewährt. Ich habe mich daher der ersten Methode zugewandt, weil sie ein Bild des ganzen Kanals liefert, obwohl mich Stilling darauf aufmerksam machte, dass ich bei dieser Methode öfters auf Schwierigkeiten stossen würde.

Bevor ich auf meine Untersuchungen zu sprechen komme, möchte ich nur kurz einen Vergleich anstellen zwischen der Wolfrumschen Methode und der zweiten Stillingschen Methode, von der sie eine Verbesserung darstellen soll.

Stilling verfuhr bei seiner Durchschnittsmethode so, dass er den frischen Glaskörper zwecks leichterer Manipulation in Zusammenhang mit Corpus ciliare, Iris, Linse aus dem Auge herauspräparierte und in eine wassergefüllte Porzellanschale legte. Hierauf wurde der Glaskörper in den Rahmen des von Stilling zu diesem Zwecke konstruierten Guillotinenmessers gebracht und das aufgezogene Beil fallen gelassen, so dass der Glaskörper in äquatorialer Richtung halbiert ward. Das Wasser wurde schnell abgegossen, um Quellung zu vermeiden und eine indifferente, keine Gerinnung erzeugende Farbflüssigkeit, wie Karmin oder Berlinerblau, auf die Schnittfläche aufgeträufelt, wodurch Füllung des Kanals erreicht wurde.

Diese Methode will Wolfrum verbessert haben. Er halbiert mit einem scharfen Mikrotommesser das unversehrt herausgenommene Auge in toto in einer Ebene, die bald durch den Äquator, bald davor oder dahinter verlief; auf die Schnittfläche träufelte er eine Lösung von Anilinwasserblau in physiologischer Kochsalzlösung und kommt zu dem Resultat, dass der Kanal in dem grössten Prozentsatz der Fälle fehlt.

Beim Schwein und Rind fand Wolfrum den Kanal in 20% der Fälle, beim Schaf unter 20 Fällen nur einmal, auch beim Kaninchen soll das Resultat meist negativ gewesen sein.

Wenn auch Wolfrum seine Methode als nicht ganz einwandfrei betrachtet, so hält er sie doch für eine Verbesserung der Stillingschen Fallmessermethode, weil sie das Auge mehr schone. Indessen muss man doch zugeben, dass bei der Wolfrumschen Methode eine viel grössere Gewalt angewendet werden muss, um zugleich mit dem Glaskörper die harte Sklera durchzutrennen, wodurch das Auge sicher gedrückt wird und jedenfalls Verschiebungen Platz greifen dürften. Die positiven Resultate Stillings dürfen bei der Beurteilung der Frage nicht ausser Acht gelassen werden; nur in den Fällen hatte Stilling Schwierigkeiten, den Kanal mit der Fallmessermethode zu finden, wenn der Schnitt nicht senkrecht, sondern schief zum Zentralkanal gefallen war. Das Wunderbarste ist, dass Wolfrum behauptet, nur in den Fällen habe er den Kanal injizieren können, wo eine Arteria hyaloidea persistens oder Reste davon sich nachweisen liessen, während doch Stilling gerade das Gegenteil angibt.

Meine Untersuchungen bezogen sich auf je 100 Schweins-, Rinds- und Schafsaugen.

Es handelte sich darum, den Glaskörper möglichst unversehrt in eine mit Wasser gefüllte Schale aus dem Auge herauszupräparieren. Die Augenhüllen wurden bis auf den Glaskörper durch Scherenschnitte in der Äquatorialebene durchtrennt und sodann der Glaskörper so herausgeschält, dass er mit Linse und Zonula in Zusammenhang blieb. Diese Herausschälung gelang leichter, wenn das Auge nicht ganz frisch, etwa 1 Tag alt war, oder wenn es nach Schwalbes Angabe vorerst in 50% Alkohol gelegen hatte. Doch auch an ganz frischen Augen gelang die Auslösung meist ohne erhebliche Schwierigkeiten, und solche wurden bei der Mehrzahl der

Fälle verwendet. Der Glaskörper wurde dann in eine mit Wasser gefüllte Schale gelegt und zwar so, dass die Linse nach oben lag; dieselbe wurde nach Einreissen der vorderen Linsenkapsel mittels zweier Pincetten entfernt und der Glaskörper umgelegt, damit die Retinalfläche nach oben zu liegen kam, und es wurde soviel Wasser abgegossen, dass das Flüssigkeitsniveau von der hinteren Glaskörperoberfläche eben überragt wurde.

Darauf wurde die Farbflüssigkeit, Methylviolett oder Karmin, aufgeträufelt. In vielen Fällen ergoss sie sich ohne weiteres in einen präformierten Raum, der von der Rückseite des Glaskörpers sich zur hinteren Linsenkapsel erstreckte. Öfter war der Anfang des Kanals als trichterförmige Einsenkung auch ohne Färbung deutlich erkennbar, so besonders beim Schwein, während beim Schaf eine Area Martegiani kaum oder nicht angedeutet ist, wie bereits Stilling angegeben hat. Beim Rind fällt der Glaskörper immer etwas zusammen und legt sich seine Oberfläche in Falten, so dass eine Area mitunter schwer gefunden wird und man manchmal lange nach dem Kanal suchen muss, zumal die Wände des Trichters oft fest aneinander lagern. Ausserdem wird, besonders wenn der Glaskörper nicht ganz frisch ist, die Area leicht mit den andern, durch Zusammenfallen der Substanz entstehenden Krypten verwechselt, so dass man auf der grossen welligen Oberfläche oft Mühe hat, den Kanal zu entdecken. Man findet ihn aber immer.

Beim Schwein genügt es meist, einen Tropfen Farblösung auf die hintere Glaskörperoberfläche aufzuträufeln, um sofort die Flüssigkeit den Kanal ausfüllen zu sehen. Auch beim Schaf und Rind gelingt dies öfter, beim Rind stösst man öfter auf die eben beschriebenen Schwierigkeiten, beim Schaf macht das Aufsuchen des Kanals oft Mühe wegen seiner Enge und des Fehlens einer Area. Zum leichteren Auffinden des Kanals gebrauchte ich daher bei diesen beiden Tierarten und überhaupt eine mit der Farblösung gefüllte Pipette und führte dieselbe unter sanftem Drucke mit der Spitze auf der hinteren Glaskörperfläche einher, indem ich konstant etwas Flüssigkeit ausfliessen liess. Der sanfte Druck der stumpfen Kanüle und der ausgepressten Flüssigkeit verhütete eine Verletzung des Glaskörpers, ermöglichte aber, die Area leichter aufzufinden und die Widerstände zu heben, die dem einfachen Einfliessen von Flüssigkeit galten. Alsbald füllte sich sehr schnell der Kanal, indem die Flüssigkeit gleichsam hineinstürzte. Wenn man trotzdem beim Rind manchmal doch ziemlich lange suchen muss, so war beim Schaf der

Kanal auf diese Weise meist leicht zu finden. Es kommt zu statten, dass die Netzhaut der Schafsaugen am Glaskörper festklebt und meist nur in der Gegend der Papille abreisst. Legt man den Glaskörper auf die Linsenfläche, so präsentiert sich uns ein ganz kleines, von Netzhaut entblösstes Feld, wo der Kanal sicher münden muss. Es genügt, unter stetem Ausspritzen von Farbe die Pipette auf der kleinen, von Netzhaut entblössten Fläche unter sanftem Drucke herumzureiben, um eine Injektion des Kanals zu erhalten.

Die Versuche waren nicht beeinträchtigt durch vorheriges Verweilen des Glaskörpers in dünner Formalinlösung; auch 50% Alkohol war belanglos, ebenso beginnende Fäulnis.

Im übrigen konnte ich die bereits von Stilling gemachte Angabe bestätigen, dass der Kanal desto schwerer gefunden wird, je jünger das zur Untersuchung gelangende Individuum ist, obwohl auch individuelle Schwankungen bei gleichaltrigen Individuen ein und derselben Gattung vorkommen.

Beim Kinde beträgt seine Weite nach Stilling $^1/_2$ mm, während er beim Erwachsenen 2 mm im Durchmesser misst. Beim Kalbe ist der Kanal ungleich schwerer zu finden als beim Ochsen, weil eben der Kanal gleichwie die andern Lymphräume wächst mit dem zunehmenden Alter des Individuums. An diesen Wachstumsvorgängen nimmt auch die Area Martegiani teil.

Die Area Martegiani stellt beim Schwein einen Trichter dar, dessen Öffnung 4—5 mm im Durchmesser beträgt; sie ist, wie schon Stilling festgestellt hat, um etwa 2 mm weiter als die Breite der Papille. Die innere Wand fällt steil ab in den Kanal, die äussere geht mehr flach in die Glaskörperoberfläche über. Beim Rind hat die Area individuell ziemlich verschiedene Grösse; sie ist meist weniger deutlich als beim Schwein, manchmal aber doch breiter in einem Durchmesser, während der andere viel schmäler ist, so dass die Area meist oval aussieht. Beim Schaf fand ich die Area kaum angedeutet. Im übrigen ist die Form der Area bei den einzelnen Tieren individuell schwankend; ihre Grösse ist im allgemeinen abhängig vom Alter des Individuums und entspricht der Weite des Kanals.

Beim Schwein, wo eine deutliche Area existiert, ist der Kanal 2 mm breit. Beim Schaf beträgt seine Weite nur etwa $^1/_2$ mm. Beim Rind ist er im allgemeinen etwas enger als beim Schwein. Bei den Schweinsaugen füllte sich der Kanal meist sofort beim Aufträufeln eines Tropfens von Farbflüssigkeit und stellte dann einen ziemlich gleichmässig breiten, manchmal in der Mitte etwas sackartig erweiterten Schlauch dar. Beim Schaf durchzog der Kanal den Glaskörper wie ein dünner Faden, der mitunter korkzieherförmig gewunden war, um gleichwie beim Schwein an der hinteren Linsenfläche sich etwas zu erweitern.

Der Verlauf des Kanals war, wie Stilling bereits nachgewiesen hat, sowohl hier wie beim näher zu besprechenden Rind immer excentrisch, parallel zur Sehachse, so dass das Ende des Kanals nach innen von der Linsenmitte zu suchen war. Auch von hier aus habe ich in manchen Fällen den Kanal füllen können, indem ich die hintere Linsenkapsel mit der Schere abtrug und dann Farblösung aufträufelte. Dies Verfahren leistete mir mitunter gute Dienste bei Rindsaugen, besonders bei Kalbsaugen, wenn ich Mühe hatte, von der Retinalfläche den Kanal zu finden. In andern Fällen war die Injektion des Kanals von der Fossa patellaris aus schwer, wahrscheinlich weil sich wegen schräger Schnittführung ein ventilartiger Verschluss des Kanals gebildet hatte.

Was den Zentralkanal des Ochsenauges betrifft, so zeigt er ziemlich erhebliche Verschiedenheiten und Übergänge der Form. Meist war er enger als beim Schwein, manchmal weiter und wurstförmig verdickt, indem er vor seinem Ende wieder enger wurde, um sich dann an der Platte der hinteren Linsenkapsel zu verbreitern. In mehreren Fällen gelang es uns, beim Ochsen das von Stilling beschriebene Phänomen darzustellen und eine Injektion des Lymphraums zu erhalten, der den Glaskörperkern von der Rinde trennt. Dieser wandungslose, von Glaskörpersubstanz begrenzte Raum verläuft schalenförmig vom hinteren Ende des Kanals bis zur Aussengrenze der Zonula, und ergibt seine Injektion das Bild einer roten Kugel innerhalb der glashellen Rindensubstanz. Dieses Phänomen kommt zu stande, wenn die Verbindung zwischen Rinde und Kern am Zentralkanal reisst, so dass ausser dem Zentralkanal auch dieser Lymphraum gefüllt wird.

Was die Wandungen des Kanals anbetrifft, so konnte ich einen gewissen Grad von Elastizität konstatieren. Wenn ich die Pipette in die Area bzw. den Anfangsteil des Kanals einführte, so dehnte die Flüssigkeit öfters den Kanal beinahe auf das Doppelte aus; wenn der Druck nachliess, sank nach kurzer Zeit der Kanal wieder zusammen. Hierbei blieb die Stelle, wo der Kanal in die Erweiterung an der hinteren Linsenkapsel übergeht, stets enger, so dass eine Pilzform zu stande kam. Besonders beim Ochsen ergaben sich die Wandungen als nachgiebig, dabei aber als weniger elastisch.

Ausser den Schweins-, Rinds- und Schafsaugen habe ich auch etliche Kaninchenaugen untersucht und auch hier stets den Zentralkanal mit Leichtigkeit gefunden.

Eine Arteria hyaloidea persistens habe ich nie gefunden; sie gehört ja, wie bekannt, zu den Seltenheiten. Doch habe ich öfters kleine Reste davon beobachtet in Form von zapfenartigen weisslichen Vorsprüngen, die, von der Papille ausgehend, die Area Martegiani ausfüllten. Diese können bekanntlich manchmal bis zur hinteren Linsenkapsel verfolgt werden und stellen dann den persistierenden Cloquetschen Kanal dar, in welchen Fällen Stilling den Kanal vermisst hat; aber auch dieser sogenannte persistierende Cloquetsche Kanal ist selten und ich habe ihn nicht beobachtet, trotzdem ich speziell darauf geachtet habe. Aber den Kanal habe ich nie vermisst.

Auf Grund unserer Untersuchungen müssen wir die Behauptungen Wolfrums als unrichtig erklären. Der Zentralkanal des Glaskörpers ist nicht an die Existenz von Resten der Arteria hyaloidea gebunden, da ich ihn immer gefunden habe, ob solche Reste vorhanden waren oder nicht. Im Gegenteil hat bereits Stilling in den seltenen Fällen einer persistierenden Arteria hyaloidea den Kanal vermisst. Ich habe den Kanal in allen 300 von mir untersuchten Augen gefunden. Es ergibt sich aus meinen Untersuchungen, dass die Behauptung Stillings, die bisher von keinem Anatomen angezweifelt ist, zu Recht besteht, dass der Zentralkanal des Glaskörpers integrierender Bestandteil des ausgewachsenen Auges ist.

Literaturverzeichnis.

1) Stilling, Zur Theorie des Glaukoms. v. Graefe's Arch. Bd. XIV. S 259. Eine Studie über den Bau des Glaskörpers. v. Graefe's Arch. Bd. XV. S. 399.
2) Schwalbe, Anatomie der Sinnesorgane. S. 138. Graefe-Saemisch, Handb. d. gesamten Augenheilk. S. 468.
3) Leber, Die Cirkulations- und Ernährungsverhältnisse des Auges. Handb. d. gesamten Augenheilk. von Graefe-Saemisch.
4) Wolfrum, Zur Entwicklung der normalen Struktur des Glaskörpers. v. Graefe's Arch. Bd. LXV, 2.

Über einen Fall von subconjunctivalem Staphylocokkenabscess.

Von

Dr. C. Pascheff
in Sofia (Bulgarien).

Mit 2 Figuren im Text.

Der Abscess der Bindehaut ist eine sehr seltene Augenkrankheit. Saemisch (1) spricht von ihr als einer der allerseltensten Erkrankungen des Auges. Bei allen bis jetzt bekannten Fällen ist der Abscess immer an der Augapfelbindehaut beobachtet worden. Er kann auf verschiedene Weise entstehen:

1. Er kann ganz oberflächlich und begrenzt unter der Augapfelbindehaut sich entwickeln entweder als idiopathisch [Burnets (2)], oder durch Eintreten von Cilien unter der Bindehaut (Saemisch).

2. Er kann auftreten infolge einer Scleritis ulcerosa; solche Fälle nennt uns Sachsalber (3).

3. Er kann nach einer Tenonitis entstehen; solche Fälle sind von Natanson (4) und Rollet (5) beschrieben worden.

4. Er kann auch metastatisch entstehen nach einer Iridochorioiditis [Fall von Adler (6)].

In letzter Zeit habe ich im Alexanderspital in Sofia einen Fall subconjunctivalen Abscesses des Augapfels beobachtet, welcher nach Hautfurunkeln sich entwickelt hat. Im folgenden werde ich die klinischen Symptome, die Hämatologie, die pathologisch-anatomischen Veränderungen und die Bakteriologie dieses Falles ausführlich mitteilen.

Es handelt sich um einen 22jährigen Bauern, welcher früher an Malaria und kurz vor dem Auftreten der Augenkrankheit an Furunkeln am Nacken und Körper gelitten hat.

14 Tage vor der Erkrankung hatte der Patient Schmerzen in der rechten Augenbraue und der rechten Hälfte des Kopfes verspürt. Zugleich

trat Verstopfung der Nase und Niessen ein. Der ihn behandelnde Arzt diagnostizierte Influenza und verschrieb ihm Chinin. Trotzdem verschwanden die Schmerzen nicht, sondern nahmen von Tag zu Tag zu. 3 Tage nach der Konsultation hat der Patient ein geringes Ödem der Lider, zuerst auf dem unteren Lid und nach kurzer Zeit auf dem oberen. Um diese Zeit hat er eine bedeutende Rötung der nasalen Hälfte der Sklera seines rechten Auges bemerkt, welche von allgemeinem Unwohlsein, Fieber und Appetitlosigkeit begleitet war.

Die lokalen Symptome wurden schlimmer und das Auge schloss sich fast ganz. Nun entschloss sich der Kranke ins Spital nach Sofia zu gehen.

Status praesens: Der Patient ist von mittlerer Körpergestalt und gut entwickelt.

Die Untersuchung der inneren Organe, welche von unserer inneren Abteilung vorgenommen wurde, ergab eine Hypertrophie der Milz. Diejenige des Blutes ergab:

Polynucleäre Leukocyten	58%
Lymphocyten (kleine)	18%
„ (grosse)	8%
Übergangsformen	8%
Eosinophile Leukocyten	9,3%
Farblose Zellen	9,09 in cc. c.
Hämoglobin	90%.

Der Urin ist normal.

Die präauriculäre Drüse ist nicht hypertropisch auf beiden Seiten. Die Nase zeigt eine unbedeutende Rhinitis hypertrophica auf beiden Seiten.

Am Nacken und am Körper sah man mehrere Narben früherer Blutgeschwüre.

Das linke Auge ist normal.

Das rechte Auge: Der lacrymale Apparat ist normal.

Die Haut der Lider, besonders die obere, ist gerötet, verdickt und gedehnt. Die Lider sind etwas nach vorne getreten und das obere hat sich so gesenkt, dass es den ganzen Augapfel bedeckt. Trotzdem war es dem Patienten möglich, das Auge zur Hälfte zu öffnen.

Auf den Cilien und den Rändern der Lider bemerkt man eine dicke, gelblichweisse Absonderung, welche sich um die Augapfelbindehaut in etwas grösserer Menge vorfindet.

Die Bindehaut der Lider ist sehr injiziert und mässig verdickt.

Die Beweglichkeit des Bulbus ist, besonders gegen die Nase, stark beschränkt. Der Augapfel ist etwas nach vorne und nach aussen getrieben; die Augapfelbindehaut ist am stärksten auf der nasalen Hälfte des Bulbus und besonders zwischen dem Limbus corneae internus und der Insertion des Musculus rectus internus gerötet. In dieser Gegend sieht man eine merkbare, begrenzte Erhebung der Bindehaut, und in deren Zentrum einige gelbe Fleckchen. Die Oberfläche dieser Erhebung ist etwas glänzend und ohne Geschwürbildung. Tn.

Die Hornhaut und die andern Teile des Auges sind normal, die Venen um die Papille etwas überfüllt.

Der Abscess wurde sofort geöffnet und heisse Sublimatumschläge wurden angeordet.

Die Öffnung des Abscesses ergab einen sehr geringen Eiterausfluss. Unter der Bindehaut fand man ein Granulationsgewebe, welches sich ziemlich weit über die Oberfläche der Sklera ausbreitete. In der Gegend der gelben Fleckchen erschienen diese Gewebe wie geschmolzen.

Es war keine Durchbohrung der Sklera zu bemerken, infolgedessen keine Verbindung mit dem Inneren des Auges vorhanden.

Während seines Aufenthaltes im Spital hat der Patient nie mehr als 37,7° Temperatur aufgewiesen.

Zwei Wochen nach der Öffnung des Abscesses waren die Absonderung und die Bindehautentzündung verschwunden und an Stelle des Abscesses sah man eine linsengrosse Narbe 3 mm von dem Limbus internus entfernt. Um diese Zeit bestand noch ein geringer Strabismus divergens, infolgedessen eine gekreuzte Diplopie, welche sich später bedeutend verminderte.

Bei dem Austritt aus dem Spital betrug die Sehschärfe $^6/_{15}$? c. sph. + 1,50 D = $^6/_6$?

Histologischer Befund.

Die interessantesten Veränderungen sind diejenigen der Bindehaut.

Nach der Öffnung des Abscesses habe ich ein kleines Stück der Bindehaut des Abscesses herausgeschnitten, welches in Alkohol fixiert und in Celloidin eingebettet wurde. Die Schnitte waren mit Giemsa (R.), Polychrome Methylenblau, Pyronin Methylengrün, Gram und diejenigen für die Photographie mit Hämatoxylin gefärbt. Letztere wurden mit Salzsäure und Kalilauge differenziert.

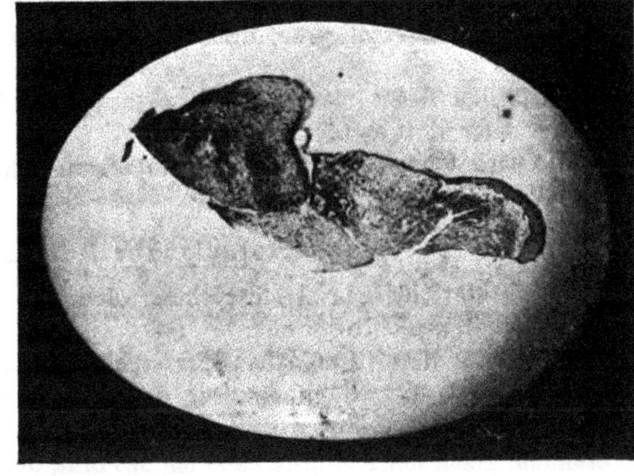

Fig. I. Senkrechter Schnitt der Oberfläche der Conjunctiva des Abscesses. Vergrösserung 10:1. *Am*, links die Bindehautinfiltration in der Gegend des Abscesses.

Die histologische Untersuchung ergab folgenden Befund (siehe Fig. 1 und 2).

Das Epithel der Bindehaut zeigt sich in verschiedener Weise: An einigen Stellen ist es verdickt und hat mehrere karyokinetische Figuren; an andern — ist es ganz abgeplattet, fusiform, bedeckt oder ersetzt durch eine stark gefärbte, verdickte Zone von polynucleären Leukocyten.

Im allgemeinen ist das Epithel mehr oder weniger infiltriert von vielen Lymphocyten und polynucleären Leukocyten. Im Epithel habe ich auch viel Pigment gefunden, aber die Pigmentzellen, welche ich bei Conjunctivitis vernalis (7) entdeckte, waren hier sehr undeutlich zu unterscheiden.

Das Bindegewebe unter dem Epithel ist sehr verdickt und besteht aus Fibroblasten und vielen neuen Gefässen. Es ist stark infiltriert von Lymphocyten und vielen polynucleären Leukocyten. Die Bindegewebsfasern sind stark gelockert.

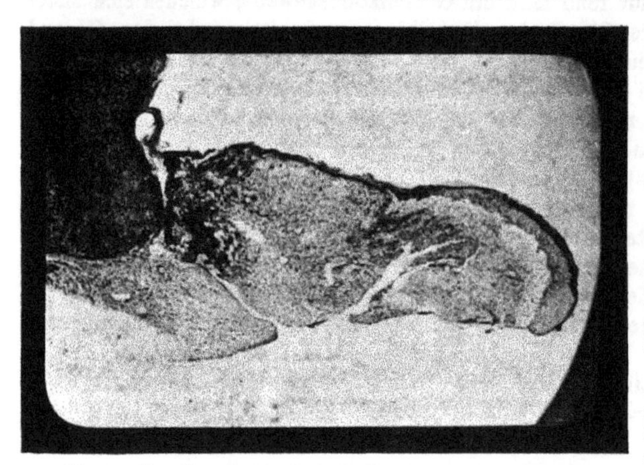

Fig. 2. Derselbe Schnitt wie in Fig. 1. Vergrösserung 20:1.

In der Gegend des Zentrums des Abscesses befindet sich das Gewebe in nekrotischem Zustande und die polynucleären Leukocyten sind in grösserer Zahl vorhanden.

Merkwürdig ist es, dass die polynucleären eosinophilen Leukocyten in ebenso reichlichem Masse zu finden sind bei dieser Bindehautentzündung, wie im Frühjahrskatarrh. Wie für die Conjunctivitis vernalis bemerke ich hier, dass nach diesem Reichtum von eosinophilen Leukocyten und nach ihrer mitotischen Teilung zu schliessen, dieselben sehr wahrscheinlich in situ entstehen.

Mastzellen findet man auch oft, aber nur einzelne Plasmazellen kann man hier oder dort entdecken.

Die nach Gram gefärbten Schnitte zeigen mehrere Cokken im Epithel und im Gewebe.

Bakteriologischer Befund.

Die bakteriologische Untersuchung des dem Abscess entnommenen Eiters ergab Staphylococcus.

Die Kultur dieses Staphylococcus ergab Staphylococcus pyogenes aureus. 5 ccm der Bouillonkultur injiziert in das Peritoneum eines Meerschweinchen von 350 g Gewicht bewirkte Eintreten des Todes nach 20 Stunden. Nach der Autopsie habe ich das Blut, den Eiter und das Exsudat bakteriologisch untersucht, und überall fand ich denselben Staphylococcus. Eiter war wenig vorhanden, und in den Nieren waren keine Abscesse zu bemerken. Die Kultur ergab denselben Staphylococcus.

Durch Impfung der Hornhaut eines Meerschweinchen hat sich rasch ein grosser Abscess entwickelt, welcher denselben Staphylococcus ergab und in drei Wochen ganz verschwand.

Im Schnitte der Granulationsgewebe fand ich, wie oben gesagt, Cokken.

Meine Untersuchungen und Tierexperimente mit dem Granulationsgewebe für Kochbacillus blieben erfolglos.

Alle Untersuchungen und Experimente habe ich in unserem Bakteriologischen Institut in Sofia vorgenommen.

Aus dem Gesagten geht ohne Zweifel hervor, dass wir es mit einem subconjunctivalen Abscess zu tun haben, welcher sich in der Nähe der Insertion des Musculus rectus internus entwickelt hat. Dagegen handelt es sich nicht um einen ganz begrenzten, oberflächlichen Bindehautabscess, weil er von Exophthalmus und Strabismus divergens begleitet war. Nach der Öffnung des Abscesses konnte man nicht feststellen, wie weit die Veränderungen gingen, weil der ganze Raum mit Granulationsgewebe gefüllt war, aber um diese Stelle war die Tenonsche Kapsel sicher zerstört, so dass die Sklera direkt von dem Granulationsgewebe bedeckt war, und sehr wahrscheinlich hat sich die Entzündung in dem benachbarten orbitalen Zellgewebe verbreitet. Die Entzündung des letzteren scheint mir jedenfalls gering und begrenzt zu sein, ganz besonders in der Nähe der Intertion des Musculus rectus internus.

Wie ist dieser Abscess entstanden?

Schon aus den klinischen Symptomen und der Bakteriologie sieht man, dass es sich um nichts anderes als einen Staphylocokkenabscess der subconjunctivalen Gewebe handelt, welcher sehr wahrscheinlich infolge der Nackenfurunkel sich entwickelt hat. Da kein Trauma vorhanden war, ist zu erwägen, wie der Staphylococcus des Hautfurunkels unter die Bindehaut eingedrungen ist.

Experimente, welche ich bei mehreren Tieren mit dem Zweck, den Staphylococcus unter die gesunde Bindehaut durch gewöhnliche Massage des Auges einzuführen, unternommen habe, sind erfolglos geblieben. Was ich erhielt, war eine mässige conjunctivale Entzündung.

Daher scheint mir der wahrscheinlichste Weg der Übertragung des Staphylococcus vom Nacken unter die Bindehaut derjenige der Blutgefässe oder Lymphgefässe des Gesichtes zu sein.

Man hat in der medizinischen Literatur derartige Fälle (8) von Staphylocokkensepsis beschrieben, wo z. B. ein Nackenfurunkel durch Thrombophlebitis der Vena facialis, ophthalmica und Sinus cavernosus eine letale Meningitis verursacht, oder ein Nasenfurunkel durch die Lymphgefässe, Phlegmone der Orbita und Meningitis hervorgerufen hat. So glaube ich, dass man dieselben Bahnen auch hier als Wege der Überführung des Staphylococcus bezeichnen kann. Jedoch muss ich sagen, dass keine merkbare Lymphangitis oder Phlebitis der rechten Wange vorhanden war ausser dem geringen Ödem des unteren Lides, mit welchem die Augenkrankheit angefangen hatte. Die Blutuntersuchung ergab auch keine Mikroben.

Jedenfalls scheint mir der Patient eine grosse „Disposition" zum Staphylococcus zu haben, wofür sein früheres Leiden an Furunkeln deutlich spricht.

Aus dem Vorhergehenden können wir schliessen, dass es, neben den vier oben erwähnten Arten der Entstehung des Augapfelbindehautabscesses, noch eine weitere gibt, welche infolge Hautfurunkeln unter der Bindehaut hervorgerufen wird.

Bei dieser akuten Staphylocokkenbindehautentzündung ist es auch interessant zu wissen, dass die Histologie uns einen Reichtum von Mastzellen und besonders von Eosinophilen zeigt. Diese Vermehrung der Eosinophilen im Gewebe trifft mit einer solchen des Blutes zusammen, welche wahrscheinlich durch die Hautfurunkel verursacht ist; weil wir heute wissen, dass bei vielen Hautentzündungen (Ekzema und anderen) man oft eine Vermehrung der Eosinophilen des Blutes findet.

Literaturverzeichnis.

1) Saemisch, Die Krankheiten der Conjunctiva, Cornea und Sklera. Graefe-Saemisch, Handb. d. gesamten Augenheilk. Bd. V, 1, S. 561.
2) Burnett, System of Diseases of the Eye by Norris and Oliver. Bd. III. p. 239.
3) Sachsalber, cit. in: Die Wirkungen von Arzneimitteln und Giften auf das Auge von Dr. Lewin und Guillery. Bd. II, S. 121. 1905.
4) Natanson, Lewin und Guillery, loc. cit.
5) Rollet, Lewin und Guillery, loc. cit.
6) Adler, Ein Fall von metastat. Abscess der Conjunct. Bulbi. Wiener med. Presse. Nr. 15, S. 607. 1889.
7) Pascheff, La Clinique et l'anatomie pathologique du Catarrhe printanier. Arch. d'opht. 1907, Mars, p. 148.
8) Lenhartz, Die septischen Erkrankungen. 1903. S. 262.

Ein Fall von hämorrhagischer Adenie mit symmetrischen Lymphomen der Bindehaut.

Von
Prof. Dr. W. Goldzieher
in Budapest.

Ein Fall von symmetrischem Lymphom der Bindehäute, der sowohl von den mir aus eigener Erfahrung bekannten, als auch von den in der Literatur beschriebenen in vielen und wesentlichen Stücken abwich, möge hier in Kürze beschrieben werden.

Lymphomatöse Wucherung der Bindehaut im Verein mit weitverbreiteter Hyperplasie von Lymphdrüsen wird in der Regel mit einer der leukämischen oder pseudoleukämischen Allgemeinerkrankungen in Verbindung gebracht. In dem zu beschreibenden Falle kann trotz mancher äusserer Ähnlichkeiten keine der beiden Annahmen aufrecht erhalten werden; wir finden im Gegenteil eine Reihe von Merkmalen, die ihn zu einem neuen, bisher noch unbekannten Krankheitsbilde stempeln.

Krankengeschichte.

Es handelt sich um einen 45jährigen Fuhrmann, V. S. aus Also-Róna in Ungarn, der bis vor vier Jahren vollkommen gesund war. Er stammt aus gesunder Familie, ist verheiratet, hat fünf lebende, vollkommen gesunde Kinder. Er behauptet immer mässig gewesen zu sein und niemals an einer Geschlechtskrankheit gelitten zu haben.

Vor vier Jahren will er durch einige Tage Augenschmerzen gehabt haben. Seit ungefähr zwei Jahren soll die Verhärtung um die Augen bestehen; vor 8 Monaten soll das rechte Auge beträchtlich angeschwollen sein.

Schon auf den ersten Anblick bietet der Kranke ein eigentümliches Bild. Die Gesichtshaut ist mässig cyanotisch, von zahlreichen ausgedehnten und geschlängelten Hautvenen durchsetzt. Der Kranke macht den Eindruck eines Schläfrigen, da die Augenlider halb geschlossen sind und auch auf Aufforderung nicht weit geöffnet werden können. Die Haut der Augenlider, namentlich rechterseits, ist straff gespannt, die Falten wie ausgeglichen machen den Eindruck, wie wenn sie von innen her nach vorne gepresst wären. In der Tat sehen wir auch Anschwellungen rechterseits längs des oberen und unteren Orbitalrandes, linkerseits nur längs des unteren Orbitalrandes.

Die genauere Untersuchung der Augen ergibt folgendes:

Linkes Auge: Das obere Lid ist leicht umzustülpen. Die Conjunctiva tarsi ist in hohem Grade gerötet, wie himbeergeleefarbig, das Gefässnetz prall gefüllt, mit deutlich sichtbaren ausgedehnten und geschlängelten Gefässen. Die Bindehaut ist sonst glatt, zeigt weder eine papilläre noch follikuläre Schwellung. Die obere Übergangsfalte ist normal. Das untere Lid ist jedoch nur mit einiger Gewalt nach unten zu rollen, nach der Abziehung springt die untere Übergangsfalte in ihrer ganzen Länge in Gestalt einer mächtigen, walzenförmigen, auf der Oberfläche glatten, tief dunkelroten Geschwulst hervor. Die Conjunctiva tarsi ist abgesehen von der hochgradigen Injektion normal. Conjunctiva bulbi oberflächlich injiziert; Hornhaut klar; vordere Kammer von normaler Tiefe; die Vorderfläche der Iris von normalem Gefüge; Pupille eng, winklig, zahlreiche hintere Synechien, durch Atropin nicht zu erweitern, im Pupillargebiete eine zarte, hauchförmige Pseudomembran. Linse scheint von normaler Durchsichtigkeit zu sein; aus dem Augenhintergrund ist nur rotes Licht zu bekommen. V. ungefähr 0,1 (Analphabet!).

Rechtes Auge: Das obere Lid ist stark gespannt, ein wenig ödematös. Längs des oberen Orbitalrandes ist eine unter dem Lide zu fühlende harte, walzenförmige Geschwulst, die in transversaler Richtung ein wenig hin- und hergeschoben werden kann. Das obere Lid kann nur mit Mühe umgestülpt werden, und auch dann nicht vollkommen, worauf man den unteren Rand der erwähnten Geschwulst zu Gesichte bekommt. Das untere Lid kann jedoch vollständig abgerollt werden, worauf, wie linkerseits, der in eine dunkelrote Geschwulst verwandelte untere Fornix vorspringt. Die übrige Bindehaut wie links. Am Bulbus bis auf einige punktförmige hintere Synechien nichts abnormes zu sehen. Augenhintergrund normal. Sehschärfe (Zeichentafel) gut.

Die prä- und retroaurikulären Lymphdrüsen sind beiderseits, jedoch in grösserem Masse rechts, zu grossen Paketen angeschwollen. Die Parotis scheint beiderseits normal zu sein. Die Achseldrüsen sind nicht vergrössert; in der linken Leistenbeuge wölbt sich eine ungefähr gänseeigrosse, harte, gut verschiebliche Geschwulst hervor; in der rechten Leistengegend sind zahlreiche kleinere, mit einander nicht verwachsene Drüsengeschwülste zu fühlen.

Am Brustkorbe ist weder durch Perkussion, noch durch Auskultation eine Abweichung von der Norm wahrzunehmen. Höchstens dass in der rechten Paravertebrallinie, neben den IV. bis VI. Wirbeln, der Perkussionsschall in geringem Grade gedämpft ist.

Bauchorgane normal. Keine Milz- und Lebervergrösserung.

Die Röntgenuntersuchung, die hauptsächlich wegen der Dämpfung in der rechten Paravertebrallinie vorgenommen wurde, ergibt nichts erwähnenswertes.

Blutuntersuchung: Rote Bl. 4350000,
weisse Bl. 4000.

Im gefärbten Präparate sind sehr wenig Lymphocyten, in etwas grösserer Menge polynucleare Leukocyten zu sehen.

Therapie und Verlauf: Innerlich wird Solutio arsenic. Fowl. gegeben. Am 11. XI. 1906 wird die Geschwulst der linken unteren Übergangsfalte entfernt. Nach maximaler Abrollung des unteren Lides wurde die vorspringende Geschwulst mit der Hakenpincette gefasst und mit der krummen Schere rein abgetragen. Nach der Abtragung wird durch sorgfältiges Tasten festgestellt, dass im retroconjunctivalen Gewebe weder Stränge, noch Geschwulstknoten vorhanden sind. Naht unnötig. Einfacher Verband.

14. XI. 1906. Mit Einwilligung des Patienten wird hauptsächlich zur histologischen Untersuchung die Lymphdrüsengeschwulst der linken Leistenbeuge unter Schleichscher Anästhesie glatt und leicht ausgelöst. Heilung vollkommen. Die Fäden werden am 21. XI. entfernt.

24. XI. 1906. Da die freie Bewegung der rechtsseitigen Lider wegen der Fornixgeschwülste sehr behindert ist, so wird die Exstirpation vorgeschlagen. Der Kranke gestattet jedoch keinen grösseren Eingriff mehr (wegen der Spannung des Oberlides hätte zur Entfernung der grossen oberen Fornixgeschwulst eine ausgiebige Erweiterung der Lidspalte gemacht werden müssen), und gibt schliesslich die Erlaubnis zur Entfernung der unteren Fornixgeschwulst, die ebenso wie an der linken Seite leicht gemacht werden konnte.

29. XI. Die Wunde der unteren Übergangsfalte linkerseits ist vollkommen, mit geringer Verkürzung des Bindehauttractus geheilt. Auch rechterseits vollzieht sich die Heilung ohne Zwischenfall.

Die Geschwulst des rechten oberen Fornix, sowie der Lymphdrüsen ist trotz des Arsengebrauchs unverändert geblieben.

Blutuntersuchung vor der Entlassung am 29. XI.: Hämoglobingehalt 67, rote Bl. 3400000, weisse Bl. 6400. Die beträchtliche Abnahme der Erythrocyten wird damit erklärt, dass der Kranke, der als Fuhrmann in einer Gebirgsgegend lebt und an andere als die Spitalskost gewöhnt war, sich im Spitale sehr elend fühlte und seine Esslust verlor.

Über sein weiteres Schicksal unterrichtet mich ein anfangs Juli d. J. eingelaufener Brief, wonach er sich sehr wohl befindet und sein Geschäft ohne Störung versieht. Leider wird in dem von fremder Hand geschriebenen Berichte nichts über den Zustand der Lymphdrüsen gesagt.

Untersuchung der exstirpierten Geschwülste.

Die ausgeschälte Inguinaldrüse, ungefähr von der Grösse eines Gänseeies, fiel schon dem freien Auge dadurch auf, dass ihre Oberfläche tief dunkelrot gefärbt war, ihre Konsistenz war prall elastisch, ihre Schnittfläche succulent, gesprenkelt, indem Stellen von hellerem Rot mit augenscheinlich hämorrhagischen abwechselten.

Ein ähnliches Bild boten die entfernten Fornixgeschwülste, indem auch bei ihnen der hyperämisch-hämorrhagische Charakter auf der Durchschnittsfläche ersichtlich war.

Was die Inguinaldrüse anbelangt, so liessen sich mikroskopisch vor allem äusserst zahlreiche Blutungen im Drüsenparenchym nachweisen, die durch ihr fleckweises Auftreten das gesprenkelte Aussehen der Schnittfläche hervorriefen.

Das Drüsenparenchym selbst besteht fast ausschliesslich aus kleinen, runden, mononucleären Leukocyten, zwischen denen Lymphocyten mit noch kleineren dunkler gefärbten Kernen und spärlichem Protoplasma nur vereinzelt vorkamen. Auffallend sind im histologischen Bilde stellenweise auftretende Herde wechselnder Grösse, die schon bei schwacher Vergrösserung durch ihre homogene Beschaffenheit in die Augen fallen. Diese Herde sind nun, wie stärkere Systeme zeigen, aus einer sich schwach mit Eosin, nicht mit Fuchsin S. färbenden Masse gebildet, in der sich zahlreiche epitheloide Zellkerne von teils ovaler, teils rundlicher oder gelappter Form vorfinden. Sie färben sich äusserst schwach und lassen in der sie umgebenden homogenen Masse nur undeutlich ihren Zellleib erkennen.

Diese Zellherde sind meist von rundlicher, knötchenartiger Form, liegen streng umschrieben im Drüsenparenchym zerstreut und sind von dicht gedrängten Parenchymzellen wie von einer Kapsel begrenzt.

Ein weiterer wichtiger Befund sind vereinzelte Riesenzellen typischer Langhansscher Art mit randständigen Kernen und krümeligen, wie verkästem zentralen Protoplasma. Dieser Befund konnte jedoch nur an zweien unter den zahlreichen andern Schnitten erhoben werden, trotz sorgfältigen Nachsuchens. Beide Male lagen die Riesenzellen ganz frei im Drüsenparenchym und standen in keinerlei nachweisbarer Beziehung zu den in der Nähe befindlichen Anhäufungen von Epitheloidzellen.

Was das histologische Bild der Conjunctivalgeschwülste betrifft, so ist es für beide Augen identisch und zeigt auch im wesentlichen — wenn man die Verschiedenheit des Grundgewebes berücksichtigt — viele Übereinstimmung mit dem Befund des Inguinallymphoms. Unter den wenig veränderten, nicht in die Tiefe gewucherten Epithelien des Fornix finden wir eine, die Hauptmasse der Geschwulst ausmachende dichte Anhäufung von meistens mononucleären Leukocyten, mit zahlreich eingestreuten Lymphocyten, in der strotzend gefüllte Gefässe sowie reichliche Blutergüsse anzutreffen sind. Dagegen konnten keine Epitheloidzellenknötchen gefunden werden, wenn auch einzelne Epitheloidzellen häufig vorkommen. Riesenzellen waren in keinem einzigen Präparate zu finden.

Die Untersuchung auf Tuberkelbacillen blieb negativ.

Das Studium der mikroskopischen Präparate ergab demnach mit Bestimmtheit, dass eine Adenie von hämorrhagischem Charakter vorliegt. Über die Natur des Krankheitserregers jedoch kann keine positive Angabe gemacht werden.

Man könnte nach dem Befunde versucht sein, eine Form von tuberkulöser Entzündung anzunehmen; dafür scheinen die Anhäufungen epitheloider Zellen, oft in Knötchenform, ferner die, wenn auch äusserst spärlichen typischen Riesenzellen zu sprechen. Dagegen aber sprechen, bei der langen Dauer des Prozesses, der Mangel der regressiven Veränderungen, ferner der Umstand, dass nirgends Verkäsung zu finden und die

Drüsengewebshyperplasie sehr stark ausgeprägt ist, sowie der riesige Blutreichtum und die ausgedehnten Blutungen, einigermassen ferner noch der eminent gutartige Verlauf.

Wenn wir nun vom klinischen Standpunkte die Hauptmerkmale des vorliegenden Krankheitsfalles zusammenfassen, so muss auf folgende besonderes Gewicht gelegt werden:

1. Die Spuren vorangegangener Iritis, die rechterseits mit wenig Synechien geendet, linkerseits aber Pupillenverlötung erzeugt hat.
2. Weitverbreitete lymphomatöse Geschwülste bei völligem Freibleiben der Leber und Milz.
3. Lymphomatöse Verbildung beider Übergangsfalten der Conjunctiva am rechten Auge und der unteren Übergangsfalte links, bei vollkommener Intaktheit des Orbitalgewebes und speziell der Tränendrüse.

Was den ersten Punkt anbelangt, so wissen wir allerdings nicht, ob die Iritis zur Adenopathie in irgend einer ursächlichen Verbindung steht, oder ob es sich um ein zufälliges Zusammentreffen handelt. Diese Iritis, über deren Verlauf wir vollkommen im unklaren sind, deren Beginn wir nur vermutungsweise auf vier Jahre vor der Beobachtungszeit setzen können, muss jedenfalls sehr schleichend und ohne viel Schmerzen zu machen verlaufen sein. Da aber weder für Syphilis, Gonorrhoe, Rheumatismus Anhaltspunkte vorhanden sind, so liegt der Gedanke nahe, dass derselbe Krankheitserreger, der die Iritis verursachte, auch für das Drüsenleiden verantwortlich zu machen ist.

Betreffs der Drüsengeschwülste ist zu bemerken, dass ein wesentliches Merkmal vorhanden ist, welches sie streng von den leukämischen und pseudoleukämischen unterscheidet. Es ist dies ihr hyperämisch-hämorrhagischer Charakter. Die Drüsengeschwülste leukämischer und pseudoleukämischer Herkunft haben, wie die pathologische Anatomie lehrt, eine weisse oder grauweisse, nur sehr selten eine graurote Schnittfläche[1]). Harte Lymphome sind direkt von gelblicher Farbe, von derber, trockener Schnittfläche. Von dieser Schilderung sticht lebhaft die hier beschriebene, auf der Oberfläche dunkelrote, auf der Schnittfläche succulente und hämorrhagische Inguinaldrüsengeschwulst ab. Ich stehe nicht an, zur Kennzeichnung der vorliegenden Geschwulst den Vergleich mit dem Pestbubo heranzuziehen, der sich bekanntlich durch seinen exquisit hämorrhagischen

---

[1]) Ziegler, Lehrb. d. allgem. Pathol. u. pathol. Anat. 1906, S. 146.

Charakter ausgezeichnet. Auf diesen etwas überraschenden, aber treffenden Vergleich wurde ich durch Professor E. Krompecher aufmerksam gemacht, dem ich die frisch exstirpierte Drüse zeigte. Er ermächtigte mich auch, hier anzuführen, dass diese Drüse durchaus jenen gleiche, die von Professor O. Pertik auf einer Studienreise zur Erforschung der Bubonenpest für das Budapester pathol.-anat. Museum gesammelt und in vorzüglichen farbigen Abbildungen zu Lehrzwecken reproduziert wurden. Ebenso wie der Inguinaltumor, so besassen auch denselben hämorrhagischen Charakter, wie oben geschildert, die exstirpierten Fornixgeschwülste.

Was diese betrifft, möchte ich, um die vorliegenden Veränderungen so scharf als möglich hervorzuheben, betonen, dass sie durchaus von andern, in der Literatur beschriebenen, mit Lymphomen der Halsdrüsen sich komplizierenden verschieden sind. Es bedarf vor allem kaum einer besonderen Erwähnung, dass es sich hier nicht um eine Conjunctivitis mit Lymphomen[1]) (von mir als „Lymphom-Conjunctivitis", zumeist aber als Parinaudsche Krankheit bezeichnet) handelt. Diese Krankheit ist einseitig, betrifft die gesamte Lidbindehaut und zeigt sich in der Form sehr üppig wachsender Granula und hahnenkammähnlichen Excrescenzen, gleichsam ein ins riesenmässige entwickelte Trachom vortäuschend. Auch ist mir kein Fall bekannt, wo bei dieser Krankheit ausser den Halsdrüsen an der Seite des affizierten Auges noch andere Lymphdrüsen ergriffen worden wären. Im vorliegenden Falle war auf der Bindehaut keine Spur einer entzündlichen Veränderung vorhanden, ausschliesslich die Übergangsfalten waren geschwulstartig degeneriert.

Die lymphomatöse Erkrankung der Bindehaut, wie sie, wenn auch nicht sehr häufig, bei Pseudoleukämie beobachtet wird, von der ein klassischer Fall von Axenfeld[2]) beschrieben wurde, stellt sich ebenfalls unter einem andern Bilde dar. In dem Axenfeldschen Falle war die Oberfläche der Conjunctivalgeschwülste graugelblich, glasig, speckig. Die linke obere Übergangsfalte glich einem kolossalen sulzigen Trachomwulst; auch waren in der Orbita ähnliche Knoten zu fühlen. In meinem Falle ist trotz mehrjährigem Bestehen der Fornixtumoren die Conjunctiva tarsi normal und das Orbitalgewebe von Tumormassen vollkommen frei geblieben. Auch der Fall V. Berls[3]), der zweifellos zur pseudoleukämischen Gruppe gehört,

---

[1]) Zentralbl. f. prakt. Augenheilk. 1905, S. 1.

[2]) Axenfeld, Arch. f. Ophth. Bd. XXXVII, 4, S. 102—124.

[3]) Beitr. zur Augenheilk. 1899. Heft XXXVII, S. 32—46.

unterscheidet sich wesentlich von dem vorliegenden. In jenem waren die Geschwülste subconjunctival gelegen und die Übergangsfalten, wenn auch stellenweise mit ihnen verwachsen, nur sulzig degeneriert. In einem neueren Falle von O. Napp[1]), wo es sich um eine Art Mikuliczscher Erkrankung handelt — eine Krankheitsgruppe die übrigens erst durch die übersichtliche Arbeit J. Mellers[2]) ihre richtige Beleuchtung erfahren hat —, befanden sich miliare Knötchen und Excrescenzen im Bindehauttractus, die sich bei der Untersuchung als tuberkulös erwiesen. Ähnlichkeit mit meinem Falle scheint eine Beobachtung Guaitas aus dem Jahre 1890 zu haben, den ich leider nur unvollständig aus einem Referate des Zentralbl. f. prakt. Augenheilk. (Bd. XIV, S. 557) kenne. Hier war neben weit verbreiteten Lymphdrüsenschwellungen noch Milzschwellung und eine Verdickung der Übergangsfalten vorhanden. Die Conjunctiva blutete beim Umstülpen leicht, sie war aber glatt und blass. Ausgeschnittene Stückchen der Geschwulst zeigen reichliche Lymphzelleninfiltration. Ein hämorrhagischer Charakter der Bindehautgeschwulst scheint jedoch nicht vorhanden gewesen zu sein, sonst müsste, so sollte man meinen, die histologische Beschreibung auch im Referate doch eine Andeutung hiervon enthalten. Eben dieser hämorrhagische Charakter, der gleichmässig im Lymphdrüsentumor als auch in den Conjunctivallymphomen herrortritt, ist es, was den beschriebenen Fall einer besonderen Beachtung für wert erscheinen lässt.

---

[1]) Napp, Zeitschr. f. Augenheilk. 1907, Juni-Heft, S. 513.

[2]) J. Meller, Über die Beziehungen der Mikuliczschen Erkrankung zu den lymphom. u. chron. entzündl. Prozessen. Klin. Monatsbl. f. Augenheilk. 1906, Sept. Siehe ferner die Arbeit desselben Autors über: Die lymphom. Geschwulstbildungen in der Orbita und im Auge. Arch. f. Ophth. Bd. LXII, 1, wo die Literatur zusammengestellt ist. Da ich mich hier nur auf das notwendige beschränke, so sei ausdrücklich auf diese wichtige Arbeit aufmerksam gemacht.

Zur Kenntnis der Guddenschen Kommissur.

Von

St. Bernheimer
in Innsbruck.

Mit Taf. III, Fig. 1—8.

Im vergangenen Jahre hatte ich Gelegenheit (v. Graefe's Arch., Bd. LXV, 1) über Untersuchungen zu berichten, die ich an Gehirnen von weissen Ratten mit einseitigem Anophthalmus vorgenommen und welche geeignet waren, manche Frage hinsichtlich der feineren Verhältnisse im Gebiete der Sehbahnen bestimmter als bisher zu beantworten. In meiner vorjährigen Mitteilung konnte ich an Gehirnen mit einseitigem Anophthalmus und vollständigem Mangel des entsprechenden Sehnerven namentlich den Verlauf der ungekreuzten Sehfasern bis in die Endkerne und alle Einzelverhältnisse über Anordnung und Vermischung der Faserarten feststellen.

Unter den Tieren fanden sich im Verlaufe der Züchtungen auch einige Exemplare mit beiderseitigem Anophthalmus.

In der Augenhöhle der Ratten mit beiderseitigem sogenannten Anophthalmus fanden sich, wie bei den Tieren mit einseitigem Anophthalmus, kleine cystenartige Gebilde, an denen (siehe v. Graefe's Arch., Bd. LXV, 1, Taf. IV, Fig. 1) nur einzelne Teile des Bulbus mehr oder weniger deutlich entwickelt waren. Es fehlte aber vollkommen jegliche Differenzierung der Netzhaut. Die Entwicklung der Ganglienzellenschicht, oder besser gesagt deren Differenzierung vom Anlagematerial der Netzhaut hatte nicht stattgefunden. Dementsprechend war die Entwicklung der ganzen Sehbahn ausgeblieben. Die betreffenden Gehirne entsprechen somit einer von Geburt an bestehenden beiderseitigen Sehnervenatrophie. Mit dem Unterschiede jedoch, dass jedes atrophische Gewebe fehlt und dass der sonst störende Einfluss der Degeneration und Atrophie des Sehapparates auf das Wachstum der Nachbargebilde wegfällt. Diese Gehirne bieten daher für alle entwickelten, in natürlicher Isolierung vorhandenen Nachbarfaserzüge der Sehbahnen das reinste, anatomische Präparat.

Es schien mir daher angezeigt, diese Gehirne für das Studium der Commissura inferior, der Guddenschen Kommissur zu verwerten, welche bisher, gerade wegen der Schwierigkeit der Isolierung von den übrigen Sehfasern, nur an Degenerationspräparaten studiert werden konnte.

So wertvoll die Degenerationsmethode an sich ist, so haften ihr doch in Anbetracht der durch den degenerativen Prozess folgenden Schrumpfung des Gewebes Fehlerquellen an, die bei angeborenem Defekt bestimmter Bahnen selbstredend fehlen. Ich habe, wie ich schon im Vorjahre bemerkt, gerade deswegen seit geraumer Zeit entsprechendes Material mit ein- und beiderseitigem Anophthalmus gesammelt und den Bestand derartiger Defekte durch Züchtung für längere Zeit gesichert.

Bekanntlich hat von Gudden zuerst die Commissura inferior genauer beschrieben. Allerdings hatte v. Kölliker schon vorher quere Kommissurenfasern der Sehhügel am Chiasma gesehen, ohne näher auf dieselben einzugehen, welche wohl zweifellos mit der späteren v. Guddenschen Kommissur identisch zu sein scheinen.

v. Gudden konnte an neugeborenen Kaninchen, denen er beide Augen enucleierte und dadurch Sehnerven und Sehstiele zur Atrophie beziehentlich letztere zu mangelhafter Ausbildung brachte, den Verlauf seiner Kommissur verfolgen und zum ersten Male die Tatsache feststellen, dass dieselbe wohl anatomisch mit dem Chiasma eng verknüpft ist, mit den Sehfasern aber nichts zu tun habe.

Sehr gut entwickelt, makroskopisch erkennbar, findet sich diese Kommissur bei der Katze, dem Eichhörnchen, Fuchs und Iltis. Beim Maulwurf und bei der Blindmaus ist sie wegen der geringeren Entwicklung der Sehfaserung besonders deutlich hervortretend (v. Kölliker). Beim Menschen ist sie bekanntlich sehr schwer vom Chiasmakörper zu trennen, sie liegt dem dorsalen Anteile desselben dicht und unmittelbar an und zeigt nur seitlich eine eben merkliche Abgrenzung dadurch, dass sich zwischen beide Teile eine ganz dünne, aber auch nicht durchaus beständige Lage grauer Substanz einschiebt.

Die bisherigen genaueren Untersuchungen über den Verlauf der Commissura inferior (v. Gudden, v. Kölliker, v. Michel, Ganser, J. Stilling, ich u. A.) können nicht als abgeschlossen betrachtet werden. In mancher Hinsicht herrscht noch Unklarheit, namentlich über Ursprung und Endigung der Fasern, ganz im Dunkeln liegt noch die physiologische Bedeutung der Commissura inferior.

Alle Forscher nehmen ziemlich allgemein an, dass die Hauptmenge der Fasern im inneren Kniehöcker endige. Nach Guddens Experimenten (Ges. Abh. S. 134 u. ff.) am Kaninchen soll sich die Kommissur noch mit einer geringen Anzahl von Fasern zwischen den Hirnschenkelfuss in den Sehhügel einsenken und sogar mit dem äusseren Kniehöcker in Beziehung treten.

Darkschewitsch und Prybitkow (Neur. Zentralbl. 1891, S. 427) behaupten, die Kommissur stehe auch mit dem Linsenkern in Verbindung, und zwar soll diese Verbindung beider Linsenkerne kreuzweise zustandekommen.

Schon nach meinen früheren Untersuchungen müsste ich dieser Angabe entgegentreten, da ich niemals derartige Faserzüge erkennen konnte. Auch v. Kölliker sagt, er könne bloss für eine Verbindung mit dem Thalamus und dem Corpus geniculatum mediale einstehen.

v. Gudden und Ganser konnten an der Wanderratte und einzelnen Mäusearten die Commissura inferior etwas genauer studieren, da dieselbe bei diesen Tieren, hinter dem Chiasma auf eine kurze Strecke als äusserlich ziemlich gut abgegrenztes Bündel zu erkennen ist. Ebenso vorteilhaft konnte das Maulwurfsgehirn verwertet werden. Nach Ganser soll hier, wie schon erwähnt, der Sehstiel zum grösseren Teile von der unteren Kommissur gebildet werden. Sie verläuft danach als zusammengehöriges Bündel über die medialen zwei Dritteile des Hirnschenkelfusses, im lateralen Dritteile soll sie Fasern in denselben hineinsenden, die ihn in Felder teilen. Der grössere Teil des Tractus, welcher in zarten Bögen um den seitlichen Rand des Hirnstieles sich herumschlägt und in die Gitterschicht des Sehhügels und in diesen selbst einstrahlt, soll nach Ganser auch der Hauptmasse nach der Guddenschen Kommissur, zum Teil vielleicht der Sehfaserung angehören.

Ganser bezeichnet es aber fast als sicher, dass weiter rückwärts Fasern der unteren Kommissur in die beiden Kniehöcker übergehen.

Wie ziemlich allgemein angenommen wird (v. Kölliker, ich u. A.) ist der Tractus in seinem zentraleren Verlaufe um den Hirnschenkel mit diesem durch Gliaelemente und durch Anlagerung der Fasern der v. Guddenschen Kommissur ziemlich innig verbunden. Nachdem der Sehstiel den Hirnschenkel bogenförmig umgangen, spaltet er sich in einen vorderen und hinteren Anteil.

Der vordere Anteil, welcher bestimmt grösstenteils in den äusseren

Kniehöcker in der bekannten Weise einstrahlt, entsendet auch Züge zum vorderen Vierhügel und zu den einzelnen Teilen des Sehhügels. Alle diese Fasern entstammen zweifellos dem Optikus.

Der hintere Anteil des Tractus scheint seiner Hauptmasse nach in das Corpus geniculatum mediale einzuziehen und mit wenig Fasern die vorderen und hinteren Vierhügel zu erreichen.

Die Versuche v. Guddens am Kaninchen machen es sehr wahrscheinlich, dass eben dieser hintere Anteil des Tractus grösstenteils Fasern der v. Guddenschen Kommissur enthält.

Werden die beiden Optici bei jungen Tieren vollständig zerstört, so atrophiert der grössere Teil der Sehstiele, Teile der vorderen Vierhügel und des Sehhügels und die äusseren Kniehöcker vollständig. Die Fasern der v. Guddenschen Kommissur, die Meynertsche Kommissur, der innere Kniehöcker und die hinteren Vierhügel bleiben anscheinend unbeeinflusst.

Danach scheint der Beweis erbracht, dass diese Hirnteile mit dem Sehen unmittelbar nichts zu tun haben und dass sie mit den Fasern der Kommissuren in Beziehung gebracht werden müssen.

Meine Untersuchungen der Rattengehirne mit beiderseitigem angeborenem Anophthalmus sind nun besonders geeignet, diese Verhältnisse klarzustellen und die Beweiskraft der Experimente zu würdigen.

Da wie schon erwähnt, bei diesen Ratten die Sehbahnen wegen Nichtdifferenzierung der Netzhaut gar nicht zur Entwicklung gekommen sind, so bieten die in geeigneter Weise angelegten Schnitte rein anatomische Darstellungen des Verlaufes der Kommissurenfasern und der Beziehungen, welche dieselben mit benachbarten Hirnteilen eingehen.

Die äussere Betrachtung der Rattengehirne an ihrer Basis lehrt, dass von einer Sehnervenanlage gar nichts vorhanden ist. Chiasma und Optici fehlen vollständig. An Stelle des Chiasma sieht man einen zarten hellen Streifen quer verlaufen. Er liegt an der Stelle, an welcher sonst der Chiasmakörper nach hinten abgegrenzt ist, am hinteren Chiasmawinkel. Hebt man die Schläfelappen vom Hirnstamm etwas ab und entfernt man behutsam die zarten Gewebsteile, Piareste, welche der Gehirnbasis anhaften, so kann man bei Lupenvergrösserung sehr leicht den zarten hellen Querstreifen verfolgen, wie er den Hirnschenkel umgreifend der Gegend der Kniehöcker und des Seh- und Vierhügels zustrebt. Deutlich lässt er sich allerdings nicht so weit verfolgen, man sieht nur, dass er dieser Gegend zustrebt.

Während sonst beim Rattengehirne sich die Kniehöcker, der Sehhügel, die Vierhügel recht deutlich abheben und namentlich bei Lupenbetrachtung deutlich erkennbar sind, findet sich an diesen Gehirnen diese ganze Gegend, namentlich die der Kniehöcker und Thalamus, viel weniger plastisch entwickelt, alles erscheint flacher und abgerundeter, namentlich vermisst man die sonst sofort erkennbare punktförmige Vorwölbung des äusseren Kniehöckers. Diese sonst trotz ihrer Kleinheit so markante Vorwölbung fehlt vollständig. Man erkennt äusserlich nur den Thalamus und die Vierhügel. Der innere Kniehöcker hebt sich am normalen Rattengehirne kaum merklich ab. Auch hier scheint er in denselben Verhältnissen entwickelt zu sein.

Da die Grösse unserer Rattengehirne sehr verschieden ist und es sich hier um beiderseits gleichmässige Defekte handelt, so ist es auch nicht möglich ein Urteil darüber abzugeben, ob die erkennbaren Gebilde am Hirnstamm normal entwickelt sind.

Bemerkenswert und sichergestellt bleibt immerhin die nirgends erkennbare Entwicklung des äusseren Kniehöckers. Dagegen möchte ich mir darüber, ob auch an den andern den Sehnerv betreffenden Endkernen minder vollständige Entwicklung vorliege, kein Urteil erlauben. Es liesse sich dies auch nicht mit besonderer Wahrscheinlichkeit feststellen.

Nach alledem unterliegt es gar keinem Zweifel, dass der an der Stelle der hinteren Begrenzung des Chiasmakörpers erkennbare helle Streifen mit seinen nach hinten reichenden Ausläufern von den Fasern der Commissura inferior (v. Gudden) und zum Teil von jenen der Meynertschen Kommissur gebildet wird.

Ich habe mich nun bemüht, namentlich diesen Teil so in Serienschnitte zu zerlegen, dass die Kommissurenfasern mit ihrem sagittal verlaufenden Anteile und die in Betracht kommenden Stücke des Sehhügels und des inneren Kniehöckers in eine Ebene zu liegen kamen. Auf die Art war es möglich, die Fasern auf weiteren Strecken ununterbrochen zu verfolgen.

In 30 Schnitten der Serie waren Elemente dieser Faserung in mehr oder weniger ausgesprochener Weise zu finden. Nur in 15 Schnitten etwa war die Faserung länger ununterbrochen zu verfolgen.

In keinem der Schnitte konnte eine sichere Andeutung des äusseren Kniehöckers gefunden werden. Ausgeprägt fand ich nur Thalamus, inneren Kniehöcker und die Vierhügelpaare. Die vorherige Durchsicht ähnlicher Schnitte eines normalen, ziemlich gleichgrossen Rattengehirns und namentlich das Studium der früher beschriebenen

Gehirne mit einseitigem Anophthalmus ermöglichten es mir, diese Verhältnisse richtig zu beurteilen.

Normalerweise ist der äussere Kniehöcker ganz besonders gut entwickelt. Auf geeigneten Schnitten ist er an seiner ausgesprochen papillenartigen Ausbuchtung und daran, dass mächtige Züge des Sehstiels in denselben einziehen, erkennbar (siehe v. Graefe's Arch., Bd. LXV, 1, Taf. VI, Fig. 9—12).

Es scheint mir bemerkenswert, dass an unsern Gehirnen mit beiderseitigem Anophthalmus der äussere Kniehöcker nicht als solcher erkennbar ist, und dass der innere Kniehöcker dort, wo er nicht vom Sehhügel gedeckt wird, zutage liegt und auf den ersten Blick als verkümmerter äusserer Kniehöcker imponiert.

Wie ich schon vor Jahren ausführlich beschrieben, strahlen über $^2/_3$ aller Sehnervenfasern in den äusseren Kniehöcker ein und entspringt daselbst in entsprechender Weise die Hauptmasse der Sehstrahlung nach dem Hinterhaupt. Andere Faserzüge treten mit diesem Ganglion nicht in Beziehung. Danach ist es nicht zu verwundern, wenn bei vollständigem beiderseitigem Mangel der Sehnerven dieser Hauptendkern nicht zur Entwicklung kommt. Es deckt sich dieser Befund mit der jetzt allgemein vertretenen Ansicht der hervorragenden Bedeutung des äusseren Kniehöckers für die Sehbahn. Er ist somit tatsächlich der einzige, ausschliessliche Sehnervenendkern, denn alle übrigen enthalten auch andere Faserzüge.

Auffallend ist endlich an unsern Schnitten, bei Vergleich mit gleichwertigen einer normalen Serie, dass nur das Corpus geniculatum mediale und der hintere Vierhügel normal entwickelt sind, während Sehhügel und vorderer Vierhügel etwas schmächtiger als normal erscheinen.

Auch dieser Umstand würde der von mir und vielen Andern vertretenen Ansicht entsprechen, dass das restliche Drittel der Sehnervenfasern im Sehhügel und vorderen Vierhügel endigt.

Die genaue Durchsicht der Schnitte, welche Elemente der v. Guddenschen Faserung enthalten, geben Aufschluss über die Ausdehnung, die Mächtigkeit und den weiteren Verlauf dieser Faserung.

Im Bereiche der Querfaserung, die schon makroskopisch an der Gehirnbasis sichtbar war (Taf. III, Fig. 1), finden sich zunächst kürzere Faserzüge, die ihrem Verlaufe nach der von Meynert beschriebenen Kommissur entsprechen.

Peripher davon, diesen nicht ganz anliegend, ziehen in kompakterem, mächtigem Bündel, bogenförmig gegen den Pes pedunculi, sich an denselben ganz dicht anschmiegend, lange Fasern, welche bis vor dem lateralen Rand des Hirnstieles ganz kompakt beieinander liegen.

An diesem Teile erkennt man die Mächtigkeit der ganzen Faserung (siehe Taf. III, Fig. 7, auch 2, 3 und 5). Nahe dem hinteren Viertel des Hirnschenkels beginnen die diesem anliegenden Faserbündel auseinanderzutreten und einerseits in ganz dünnen Bündelchen, mitunter auch als Einzelfasern sich zwischen den Querschnitten des Hirnschenkels einzusenken (Taf. III, Fig. 7 u. 8, dann 3 u. 4).

Manche dieser Einzelbündel und -fasern lassen sich nach ihrem Durchtritt durch den Hirnschenkel auf lange Strecken weiter verfolgen bis weit in den Thalamus hinein, wo sie zu endigen scheinen. Einige davon verlieren sich schon in der Gitterschicht des Thalamus.

An denselben Schnitten sieht man mächtigere Züge sich um den dorsolateralen Rand des Hirnschenkels in mehr oder weniger ausgesprochenem Bogen schlingen und teils bald in der Gitterschicht des Thalamus, teils tiefer im Mark enden (Taf. III, Fig. 4, 5, 6, 7). An manchen Schnitten gelingt es, einzelne Bündelchen auch weiter in die Vierhügelgegend zu verfolgen.

Schätzungsweise verläuft höchstens ein Drittel und zwar der laterale, dem Hirnschenkel dicht anliegende Teil der v. Guddenschen Faserung, in dieser Weise.

Der übrige mächtigere Teil der Faserung tritt nicht in die bogenförmige Richtung ein, sondern sondert sich schon etwas früher ab, die ursprüngliche Richtung des Gesamtzuges beibehaltend.

Beiläufig dort, wo die früher besprochene Fasermenge den Hirnschenkel umschlingt, tritt das gestreckte Bündel fächerförmig auseinander und strahlt in Einzelbündelchen und -fäserchen aufgelöst in den inneren Kniehöcker ein (Taf. III, Fig. 2, 5, 6 u. 8).

An allen Schnitten, welche den inneren Kniehöcker getroffen haben, sieht man diese Einstrahlungsart der Fasern wiederkehren. Es werden dabei sowohl die Randteile als das Innere des Ganglions ziemlich gleichmässig von den einstrahlenden Fasern erreicht. Die in das Innere ausstrahlenden Fasern scheinen alle im Ganglion selbst zu enden. Die weniger zahlreichen, oberflächlich verlaufenden Fasern überschreiten in manchen Schnitten vereinzelt den Kniehöcker und reichen bis in die Vierhügelgegend hinein.

Danach ist es nach meinen Untersuchungen an diesen Rattengehirnen mit beiderseitigem Anophthalmus zweifellos, dass die Hauptmasse der v. Guddenschen Kommissur mit dem inneren Kniehöcker in Beziehung tritt; eine geringere Fasermenge trennt sich vorher vom Hauptzug ab und strahlt nach Umschlingung und Durchsetzung des Hirnschenkelfusses in die Gitterschicht des Sehhügels und in diesen selbst ein. — Nur ganz wenige Faserbündelchen dürften auf beiden Wegen vereinzelt die Vierhügelgegend erreichen.

Leider genügte das bis jetzt vorhandene Material nicht, um diesen Faserzug zur Feststellung des Ursprunges und der Endigung mit andern hierzu geeigneteren Methoden (Nissl, Golgi usw.) erschöpfend zu untersuchen. Dazu wird sich nun jedenfalls noch Gelegenheit bieten; denn ich zweifle nicht, dass die fortgesetzte Züchtung noch manchen beiderseitigen Anophthalmus zutage fördern wird.

So viel ich bis jetzt in dieser Richtung feststellen konnte, scheint es mir jedoch sicher, dass zum mindesten in den inneren Kniehöckern jeweils Fasern dieser Kommissur enden und ihren Ursprung nehmen. Dadurch wären namentlich die inneren Kniehöcker durch die Fasern der v. Guddenschen Kommissur nach beiden Richtungen, kreuzweise, miteinander verbunden.

Die physiologische Bedeutung dieser bei allen Säugern vorhandenen, bei manchen Tieren ganz besonders stark entwickelten, in doppelter Richtung verlaufenden Kommissur ist noch gar nicht erschlossen. Fest steht, dass sie mit dem Sehen gar nichts zu tun hat. Dagegen sind die durch die vorliegenden Untersuchungen anatomisch sicher gestellten Beziehungen zu den beiden inneren Kniehöckern namentlich deswegen bemerkenswert, weil es anderseits bekannt ist (v. Kölliker), dass der Nervus cochleae, der allein der eigentlichen Funktion des Hörens dient, in letzter Linie wesentlich mit den distalen Vierhügeln und dem Corpus geniculatum mediale in Verbindung steht. So liesse sich vielleicht v. Guddens Faserung, die trotz ihrer Anlagerung an das Chiasma und die Sehstiele in gar keine anatomische Beziehung zu den Sehfasern tritt, auf Grund ihrer anatomischen Anordnung, ihrer Verlaufsrichtung, der Urprungs- und Endigungsweise, als eine Art Gehörkommissur auffassen. Dann wäre es kein Zufall, dass gerade die Maus, die Ratte und ganz besonders der Maulwurf (Ganser) eine auffallend mächtige Commissura inferior besitzen.

Erklärung der Abbildungen auf Taf. III, Fig. 1—8.

Fig. 1. Gehirnbasis von einer weissen Ratte (Vergr. $1^1/_2$) mit angeborenem, beiderseitigem Anophthalmus.

Die beiden Sehnerven und das Chiasma fehlen vollständig. Man sieht nur die Querfasern der Commissura inferior (v. Gudden).

Fig. 2. Schräger Frontalschnitt in der Höhe der Querfasern der v. Guddenschen Kommissur (siehe Fig. 1).

Man sieht die Fasern d. C. G. in den inneren Kniehöcker einstrahlen. Weigert-Färbung. Vergr. Apochr. 16 mm. Comp. Oc. 4.

Fig. 3 u. 4. Dieselbe Schnittrichtung und Färbung (Vergr. Apochr. 16 mm u. 8 mm. Comp. Oc. 4).

Man erkennt die Fasern der G. C. zwischen den Querschnitten des Hirnschenkelfusses.

Fig. 5, 6, 7 u. 8. Dieselbe Schnittrichtung und Färbung (Vergr. bei Fig. 7. Apochr. 4 mm u. Comp. Oc. 4).

In Fig. 5, 6, 7 sieht man die Hauptmasse der v. Guddenschen Fasern in den inneren Kniehöcker einstrahlen.

Ausserdem sieht man in diesen Figuren und in Fig. 8 jenes Faserbündel der Kommissur, welches zum Teil zwischen den Querschnitten des Hirnschenkels durchtritt, zum Teil diesen bogenförmig umschlingt und in den Thalamus einzieht.

Die permanente Drainage der Tränenabflusswege.

Von

Prof. Dr. W. Koster Gzn.
in Leiden.

Mit 2 Figuren im Text.

Die Heilung der Krankheiten des Tränensackes und des Tränennasenganges hat in den letzten Jahrzehnten nicht viel Fortschritte zu verzeichnen. Der beste Beweis hierfür ist wohl, dass die Exstirpation des Sackes und die völlige Verödung der Abfuhrwege, an den meisten Kliniken, wenn auch nicht mit Begeisterung aufgenommen, dennoch oftmals ausgeführt wird. Praktische Überlegungen führen eben dazu, den chronischen Prozess der Eiterung oder des Reizzustandes der Bindehaut in dieser drastischen Weise Herr zu werden. Der Laie, oder sogar der unserem Spezialfache nicht kundige Arzt, möge ironisch darüber lächeln, der Sachverständige weiss, dass er hierdurch das Tränenträufeln beträchtlich zu vermindern vermag und, was die Hauptsache ist, dass er die Gefahr für eine Infektion der Hornhaut von dieser Stelle aus beseitigen kann.

Wiewohl nun verschiedene Ophthalmologen über die Resultate der Exstirpation des Tränensackes sehr zufrieden sind, natürlich am meisten mit Rücksicht auf ihrer früheren Erfahrung bei diesem hartnäckigen Leiden, so muss es dennoch, wie jeder zugeben wird, unser Bestreben bleiben, eine eigentliche Heilmethode zu gewinnen, welche die normale Tränenabfuhr wieder herstellt.

Die Krankheiten, welche am meisten zur Exstirpation des Sackes führen, sind wohl die chronische rezidivierende Blennorrhoea sacci lacrymalis, die Dakryo-cystitis mit Tränenfistel, die Abscesse und Schleimcysten der Tränensackwand, und die rezidivierende Stenose und die Obliteration des Ductus.

Wenn man sich fragt, warum diese Leiden so oft nicht heilbar sind, so wird es bald klar, dass nicht in der Virulenz oder der Art der dabei gefundenen Pilze die Ursache zu suchen ist, sondern dass die mechanischen Verhältnisse hier die Hauptrolle spielen. Gleichartiger Prozesse in der Conjunctiva können wir Herr werden, meistens in kurzer Zeit, und ohne Beschädigung des normalen Zustandes; der gewundene Abfuhrweg der Tränen dagegen, mit seinem von Knochen umschlossenen Ende und seiner schwer zugänglichen Mündung in der Nase, lässt den regelmässigen Abfluss von Schleim und Eiter nicht zu und ist für unsere Heilmittel schwer zugänglich. Sehr bald bildet sich hier ein Circulus vitiosus, woraus nicht mehr herauszukommen ist.

Die Behandlung der genannten Leiden hat sich wohl immer darauf gerichtet, den Abfluss des Eiters und des Schleimes zu erleichtern, und den verlegten Tränennasengang wieder wegsam zu machen. Durch die Schlitzung der Canaliculi nach Bowman und durch die alte Methode des Sondierens des Ductus suchte man das Ziel zu erreichen. Allein nach oben fliesst der Inhalt des Sackes nur ab, wenn derselbe von der Aussenseite gedrückt wird, und nach unten verhütet die Schwellung der Schleimhaut im knöchernen Kanal den Abfluss, auch wenn keine eigentliche Stenose besteht; sondieren hilft daher in solchen Fällen meist nichts, indem die Reizung der Schleimhaut dadurch nur noch gesteigert wird. Wiederholtes Ausdrücken des Schleimes und Einspritzen von kleinen Mengen Arzneien in den Sack lieferten mir bei den chronischen Katarrhen noch den besten Erfolg, aber eine Atonie des Sackes war auch in dieser Weise öfters nicht zu umgehen.

Eine permanente Drainage der kranken Tränenabflusswege schien mir schon längst das einzige Mittel, um bessere Resultate zu erzielen. Mit den bekannten dafür angegebenen Hohlsonden aus Blei habe ich nie Versuche gemacht, da dieselben fortwährend reizen müssen; überdies ist das Abfliessen von Tränenflüssigkeit aus dem Conjunctivalraum durch die obere Öffnung, wenn es überhaupt geschieht, ganz nebensächlich; das Sekret der kranken Schleimhaut im Sacke dagegen kann mit Hilfe dieser Sonden nicht hinausbefördert werden. Besser eignen sich zu dem Zwecke die goldenen Sonden à demeure von Schweigger. Jedoch auch mit diesen erzielte ich wenig Erfolg, und für die meisten Fälle war ich längst von dem Gebrauch derselben zurückgekommen. Auch die dünneren Sorten reizen meiner Erfahrung nach noch zu viel und die Öffnung des Ductus in der Nase bleibt offenbar nicht offen.

Es schien mir seit längerer Zeit am besten, einen gewöhnlichen Seidenfaden durch den ganzen Abfuhrweg hindurchzuführen und liegen zu lassen. Derselbe konnte, wie ich mir vorstellte, den Weg nach unten fortwährend freihalten, ohne dabei durch Druck zu reizen, und er würde sich der Form des Weges leicht anpassen.

Längere Zeit habe ich warten müssen, bis ein geeigneter Fall sich darbot, um diese Therapie zu versuchen. Im Februar 1906 bin ich dazu gekommen, und von Anfang an mit gutem Erfolg. Bei den ersten Fällen hat der damalige Privatdocent der Oto-Rhino-Laryngologie an der hiesigen Universität, der jetzige Professor Dr. Kan, mir in sehr wertvoller Weise geholfen, die Fäden aus der Nase herauszubefördern, was anfangs durchaus nicht leicht war; auch bei der weiteren Ausbildung der Methode hat Herr Professor Dr. Kan mir sehr wesentliche Hilfe geleistet, um die Schwierigkeiten zu überwinden. Wenn sich dennoch die Methode am Ende so entwickelt hat, dass der Rhinologe dabei meistens entbehrt werden kann, so findet das erstens darin seinen Grund, dass es mir erschien, dass ein einziger Arzt die Technik muss beherrschen können, und zweitens, dass die Lage der Mündung des Ductus hinter der unteren Concha so vielen individuellen Verschiedenheiten unterliegt, dass es sehr oft nicht möglich ist, das Ende der Sonde mit Hilfe des Speculum und Reflektor zu Gesicht zu bekommen, wiewohl das oben eingespritzte Wasser durch eine Hohlsonde in richtiger Weise aus der Nase herausfliesst; auch das leichte Bluten der Nasenschleimhaut erschwert das Aufsuchen der Sonde mit dem Auge beträchtlich. Da nun die Sonde in solchen Fällen mit einem Häkchen in tastender Weise gesucht werden musste, war es angezeigt, die Ausführung der Behandlung wieder ganz dem Ophthalmologen zuzuweisen. Damit ist aber nicht gesagt, dass es nicht erwünscht sei, in vielen Fällen von Tränenleiden die Nase vom Rhinologen genau untersuchen zu lassen.

Überdies bin ich der Meinung, dass es sich empfehlen würde, wenn der Rhinologe sich in dem Sondieren des Tränenweges von oben her fleissig übte, damit er in jenen Fällen, wo die Ursache der Erkrankung gänzlich in der Nase gelegen ist, von Anfang an die ganze Behandlung leiten könne. Es besteht dann zwar einigermassen die Gefahr, dass Tränenträufeln aus ganz andern Ursachen vom Rhinologen für ein Leiden des Tränenabfuhrweges gehalten werden könnte, aber dagegen kann er auf seiner Hut sein, indem er immer die Einspritzung mit der Anelschen Spritze zur Diagnose heranzieht. Gegenseitige Hilfe wird aber natürlich in einigen Fällen nicht entbehrt werden können.

Bevor ich zu der Beschreibung der Methode der permanenten

Drainage übergehe, muss ich kurz erwähnen, dass im Anfang des vorigen Jahrhunderts schon etwas in dieser Richtung geschehen ist, wiewohl die Ausführung einer solchen Behandlung für den Tränenabfuhrapparat damals weniger schonend war. Letzteres ist wohl die Ursache gewesen, dass diese Therapie niemals in grösserem Kreise aufgenommen wurde und jetzt völlig vergessen worden ist. Auch mir war sie unbekannt, bis ich vor einigen Monaten zufällig darauf stiess. Man findet eine übersichtliche Darstellung der älteren Literatur über das Einführen von Charpie- oder Baumwollfäden, von Meschen, Darmsaiten und seidenen Fäden in den Ductus lacrymalis in der Operationslehre von Arlt (Graefe und Saemisch, Hdb. der ges. Augenheilk. Bd. III, S. 492, Leipzig 1874). Es wurde dabei immer der Tränensack von der vorderen Wand aus eröffnet. Die Namen von Petit, Desault, Giraud, Walther, Richter, Rau, Ad. Schmidt, Schmalz, Fischer und Martini sind mit diesen Verfahren verbunden. Der Zweck dieser Behandlung war, sowohl den Ductus zu dilatieren, als den geschlossenen Kanal durch langes Verweilen der Fäden wieder wegsam zu machen. Da aber diese Methoden sozusagen den Weg vom Tränenpunkte zur tiefsten Stelle des Sackes vernachlässigten, könnte der bleibende Effekt dieser Therapie wohl selten befriedigen. Es mag wohl an der Schwierigkeit der Einführung eines Fadens durch den ganzen Tränenabfuhrweg gelegen haben, dass über ein solches Verfahren keine Mitteilungen vorliegen.

Die von mir befolgte Methode der permanenten Drainage der Tränenabfuhrwege schliesst sich den ebengenannten Heilungsversuchen direkt an, nur ist dabei der Tränensack intakt gelassen, und ich habe von der Bowmanschen Sondierung und von der Einführung von Hohlsonden nach de Wecker Gebrauch machen können, um einen Seidenfaden vom Tränenpunkt bis zur Valvula Hafsneri in der Nasenschleimhaut durchzuführen.

Bevor ich an der Hand der behandelten Fälle die technische Ausführung bespreche, will ich hier eine kurze Beschreibung geben von dem benutzten Instrumentarium.

Als Tränensonden habe ich mich seit längerer Zeit der gebogenen cylindrischen Stifte bedient, d. h. also solcher, welche wie die Bowmanschen überall gleich dick sind, dabei aber die Krümmung haben von den Williamsschen Sonden. Die geraden Sonden sind bekanntlich bei etwas vorspringenden Augenbrauen nicht so leicht einzuführen und zerren überdies den oberen Teil des Tränensackes zu sehr, wenn sie im Ductus liegen; die gekrümmten Sonden umgehen diesen Nachteil, dagegen scheint mir die konische Form und die olivenartige Anschwellung am Ende kein Vorteil, da dadurch der obere Teil der Abfuhrwege zu sehr gedehnt und der eigentliche Ductus nicht in gleichmässiger Weise erweitert wird. Wenn die Olive in die Nase gelangt ist, muss der Ductus natürlich wohl einen Augenblick überall dieselbe Dehnung erfahren haben, es wirkt dann aber die Anwesenheit der Sonde, welche man wenigstens so zehn Minuten liegen lässt, in dem unteren Abschnitt des Ductus in viel geringerem Masse als in dem oberen; und eben durch den sanften gleichmässigen Druck der geschwollenen Schleimhaut auf dem Metalle kann der Kanal einigermassen geglättet und wegsamer gemacht werden. Bei den Sonden mit olivenförmigem Ende reizt auch das Zurückziehen des Instrumentes in unnötiger Weise die um den engeren Teil angeschwollene Schleimhaut.

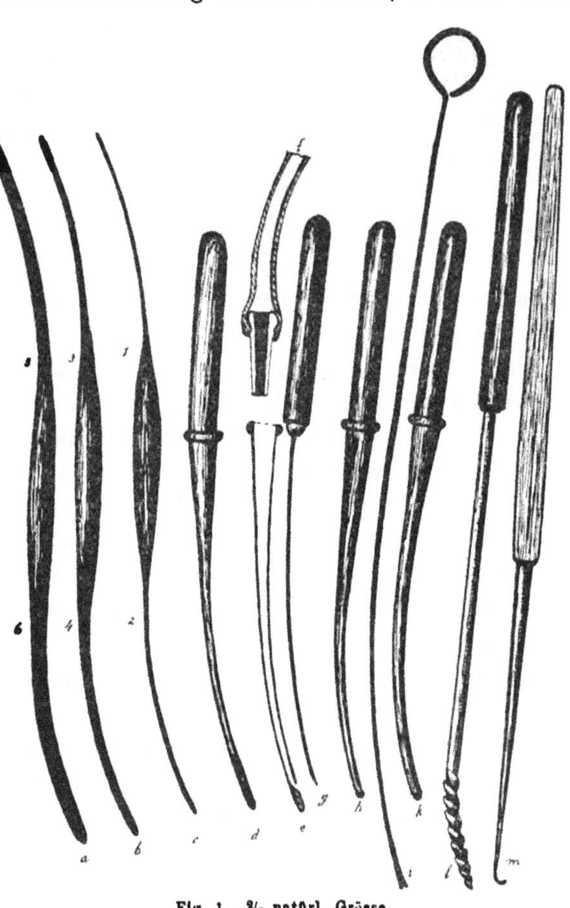

Fig. 1. $^2/_3$ natürl. Grösse.

Von diesen gebogenen Sonden besitze ich drei Stück, mit sechs verschiedenen Nummern, und zwar von 3, 2, 1,5, 1, 0,75 und 0,5 mm Durchmesser (siehe Fig. 1, *a*, *b* und *c*). Für die meisten Fälle benutze ich nur Nr. 3 und 4. Die dünnen Nummern 1 und 2 finden bei inpermeablen Strikturen Verwendung, die dickeren Nr. 5 und 6 in einigen Fällen von rezidivierenden Stenosen.

Auch den Hohlsonden von de Wecker habe ich dieselbe Krümmung gegeben, und den Mandrin zum leichteren Einführen der ganzen Sonde mit einem längeren cylindrischen Griff versehen lassen. Den konischen Ansatz der Weckerschen Spritze habe ich beibehalten und mit einem kleinen Gummischlauch verbunden; nur benutze ich lieber die Anelsche Spritze, welche in das Gummiröhrchen geschoben wird, zur Kontrolle, ob die Öffnung der Hohlsonde richtig in der Nase liegt; mit der Gummibirne von de Wecker kann man leicht zuviel Druck beim Spritzversuche ausüben; mit der gewöhnlichen Spritze besteht diese Gefahr nicht, da die konische Kanüle dann aus dem Schlauch herausschlüpft.

Von diesen Hohlsonden besitze ich vier Stück. Drei haben dieselbe Dicke wie Nr. 3 der massiven Sonden; die eine hat ihre Öffnung in der gewöhnlichen Weise unten (*d*); die zweite aber an der konkaven vorderen Seite und zwar ganz unten (*h*); die dritte ebenso nach vorn nur in 0,75 cm vom Ende (*e*). Die vierte hat die Dicke von der massiven Sonde Nr. 4, mit der Öffnung unten (*k*). Bei den Hohlsonden mit der nach vorn gekehrten Öffnung ist das Ende massiv, und das Lumen des Rohres geht allmählich in die Öffnung über. Die Mandrinen sind dementsprechend zugespitzt, so dass die Öffnung dieser Hohlsonden beim Einführen ebenfalls ganz verschlossen ist (*g*). Die verschiedene Lage der Öffnungen bei *e* und *h* dient dazu, einen dünnen Kupferdraht aus der Sonde in die Nase nach vorn führen zu können. In dem einen oder dem andern Falle eignet sich die eine oder die andere dazu besser. Die drei dünneren Nummern werden in der Regel benutzt; die dickere findet nur bei sehr weiten Kanälen Verwendung.

Zu den Hohlsonden mit der Öffnung unten gehören noch zwei längere Mandrins (von der Form *i*), welche eine gespaltene Öse an ihrem Ende haben; diese dienen dazu einen doppelten Faden in das Rohr einzuführen.

Ein sehr kleines stumpfes Häkchen (*m*) wird gebraucht zum Palpieren in der Nasenhöhle und zum Fassen des Seidenfadens oder des dünnen Kupferdrahtes. In *l* ist ein geknicktes Wattestäbchen abgebildet, wie sie in gerader Form in der Rhinologie gebraucht werden. Es dient dazu, eine 5 % Kokain-Lösung in der Nasenhöhle, besonders zwischen der unteren Concha und der lateralen Nasenwandung, einzustreichen.

Der Kupferdraht, welcher in der Hohlsonde doppelt eingeführt wird, ist sehr dünn; man bekommt denselben am besten, wenn man von den gewöhnlichen biegsamen elektrischen Fadenschnüren die Bekleidung abstreift.

Als Seidenfaden wird das gewöhnliche chirurgische Nähmaterial von mittlerer Dicke benutzt.

Die folgenden Fälle sind bis jetzt von mir mit der permanenten Drainage behandelt worden.

Patient A. (Nr. 30, 1906), ungefähr 50 Jahre alter Herr, konsultierte mich am 6. II. 1906 für eine Dakryo-blennorrhoea purulenta des rechten Auges, welche seit mehr als 5 Jahren bestand; das andere Auge war völlig gesund. Sein Augenarzt teilte mir mit, dass er als letztes Mittel die Exstirpation des Tränensackes geraten hatte. Die gewöhnliche Behandlung war durchgemacht worden; auch die Nase war vom Rhinologen untersucht worden. Der untere Canaliculus war geschlitzt.

Bei Druck auf den Saccus trat Eiter nach oben zum Vorschein; es bestand keine Dakryocystitis, nur Blennorrhoea. Bei Einführung der Sonde wurde keine Stenose gefunden; eine ziemlich dicke Sonde zeigte die normale Lage des Ductus. Bei der Untersuchung mit der Hohlsonde konnte aber keine Flüssigkeit aus der Nase herausbefördert werden. Der Pat. teilte jetzt noch mit, dass er schon seit längerer Zeit viel Eiter aus dem inneren Augenwinkel hinauszupressen vermochte, wenn er bei geschlossenem Munde und zugehaltener Nase auszuatmen versuchte; bei der Vorführung dieser Eigentümlichkeit floss wohl mehr als 3 ccm Eiter aus den Canaliculi hinaus. Daraus schloss ich, dass entweder ein falscher Weg beim Sondieren entstanden war, der die Oberkieferhöhle mit dem Saccus in Verbindung gebracht hatte, und dass nun der Eiter eines Empyem der Highmorshöhle durch den Atemdruck nach aussen geführt wurde, oder wohl, dass sich am Ende des verschlossenen Ductus lacrymalis, in der Nasenhöhle also, ein grosses Divertikel gebildet haben musste, das nun durch den an der Aussenseite auf ihn lastenden Luftdruck entleert wurde. Für die nähere Untersuchung zog ich Herrn Prof. Kan zu Rate, der bei der Durchleuchtung feststellen konnte, dass die erste Möglichkeit auszuschliessen war; es wurde also die zweite Unterstellung sehr wahrscheinlich, besonders da die Erscheinung nach Einspritzung von Kochsalzlösung in den Saccus sich immer wiederholte. Dem Arzte des Patienten wurde die Sachlage mitgeteilt und ihm eröffnet, dass die Exstirpation des Tränensackes hier keinen Nutzen bringen konnte; die Freilegung der Ausmündung des Ductus in die Nase wurde als die einzige Therapie angeraten.

Am 23. II. begab sich der Pat., den Rat seines Arztes befolgend, in unsere Behandlung. Es wurde meine Hohlsonde Nr. 2 eingeführt; das Ende derselben konnte von Herrn Prof. Kan nicht in der Nase gesehen werden. Der Mandrin wurde dann entfernt und ein dünner Stahldraht von der Form *i* (Fig. 1), mit einer Öse am Ende, in der Sonde eingeführt und hin- und herbewegt. Unter der Schleimhaut waren die Bewegungen jetzt zu sehen, und Prof. Kan konnte die Schleimhaut an der betreffenden Stelle einschneiden; es wurde der Stahldraht mit einem Seidenfaden mittlerer Dicke bewaffnet und wieder eingeführt. Es gelang jetzt, den doppelten Faden mit einer Pincette aus der Nase zum Vorschein zu bringen. Der Draht und die Hohlsonde wurden entfernt, und die Enden des doppelten Fadens aus der Nase und aus dem unteren Canaliculus aneinander geknüpft. Zum Reinhalten wurde eine 3% Kalium chloricum-Lösung verordnet.

Der Pat. ging nach Hause, und war sofort von allen seinen Beschwerden befreit; es bestand kein Eiterfluss und sogar keine Epiphora mehr; der Eiter floss in vollkommener Weise nach der Nase ab und verursachte dort keine Beschwerde. Beim Pressen mit verschlossener Nase kam auch niemals mehr etwas zum Vorschein. Der Faden verursachte bei diesem Patienten nicht im geringsten Beschwerden, weder an der Bindehaut des Auges, noch am Lide. Der Arbeit konnte nachgekommen werden, und als nach 7 Tagen der Faden entfernt wurde, war der Kranke tatsächlich völlig genesen. Der Tränenweg blieb auch ferner völlig offen, bei einer Untersuchung im Mai 1906 waren keine Beschwerden zu verzeichnen und wurde alles normal befunden. Auch im nächsten Jahre hielt die Heilung stand.

Der wunderbare Erfolg der neuen Behandlungsweise bei diesem Patienten veranlasste Herrn Professor Kan und mich, sofort andere Fälle in ähnlicher Weise zu behandeln. Zwar waren wir nicht blind für die besonders günstigen Verhältnisse, welche bei diesem ersten Patienten vorgefunden worden waren, da der eigentliche Ductus hier so weit war, und die eigentliche Stenose nur in der Nase angetroffen wurde, aber es waren demgegenüber auch weniger günstige Faktoren vorhanden, nämlich die grosse Eiteranhäufung und die Divertikelbildung unter der Nasenschleimhaut, welche unsere Prognose anfänglich viel weniger günstig gestaltet hatten. Wir suchten nun an erster Stelle nach rezidivierenden Stenosen ohne Dakryocystitis oder Blennorrhoea sacci. Derartige Fälle sind bekanntlich nicht so zahlreich, da auch bei primärer Stenose oft bald ein Katarrh sich dem Leiden zugesellt, und bei sekundärer Stenose, welche einem primären Leiden des Sackes sich anschliesst, der ursprüngliche Katarrh nur selten zur Heilung kommt. Wir haben daher schon bald auch Fälle von chronischen rezidivierenden Blennorrhöen mit Stenose des Ductus und auch Fälle von Dakryocystitis, mit oder ohne Fistelbildung, in unsern Behandlungskreis gezogen. Den ersten Fall habe ich etwas ausführlicher beschrieben, da derselbe die Anleitung zur Ausbildung der neuen Methode bildete. Die folgenden Fälle werden nur kurz erwähnt werden, und hauptsächlich die Änderungen in der Behandlungsweise sollen angedeutet werden.

Patientin B. (Nr. 23, 1905/06), 44 jährige Frau, litt seit 1902 an Schleim- und Tränenfluss aus dem linken Auge; sie wurde seit 1904 auf meiner Poliklinik behandelt. Es bestand damals links Dakryoblennorrhoea. Die Blennorrhoea heilte mit Hinterlassung einer Stenose des Ductus lacrymalis. Die Sondenbehandlung hatte keinen dauernden Erfolg.

3. III. 06 wurde meine Hohlsonde Nr. 1 eingeführt; nach Entfernung des Mandrin wurde ein Stahldraht von der Form *i* (Fig. 1), aber mit geschlossener Öse, welcher mit einem doppelten Seidenfaden bewaffnet war, in die Hohlsonde eingeführt, und dann der Faden durch Herrn Prof. Kan mit der Pincette bei Anwendung von Reflektor und Nasenspeculum zum Vorschein gebracht. Der Mandrin und dann die Hohlsonde wurden zurückgezogen und die doppelten Enden des Fadens aneinander geknüpft. In den folgenden Tagen wurde Gefühl von Unwohlsein, Kopfschmerzen u. dgl. verzeichnet. Es war nicht klar, inwieweit das Kokain daran schuld war. Das Auge und die Nase wurden zu Hause mit 2 % Kalium chloricum gereinigt. Nach Verlauf von einer Woche wurde die Drainage gut vertragen. Nach 2 Wochen war der untere gespaltene Canaliculus etwas gereizt. Der Faden wurde dann entfernt. Derselbe lag ganz lose im Ductus und war ganz von klarem Schleim eingehüllt.

Am 5. IV. bestand keine Epiphora mehr.

3. V. Die Patientin hatte keine Beschwerde, überhaupt kein Tränenträufeln mehr. Alles sah ganz ruhig aus. Mit Anels Spritze war eine Borsäurelösung zwar nicht ganz leicht durchzuspritzen.

Am 13. IX. 06 war alles in Ordnung. Bis heute kein Rezidiv.

Patientin C. (Nr. 1515, 1905/06), 38 jährige Frau; wurde seit 5 Jahren von Tränenträufeln des rechten Auges belästigt, und seit 2 Jahren auch links. Beiderseits wurde seit 2 Jahren sondiert; das linke Auge war dann geheilt.

Am 8. I. 06 meldete sich Patientin wegen Dakryoblennorrhoea des rechten Auges. Da mit der Sonde entblösster Knochen zu fühlen war, wurde selten sondiert, und die Behandlung bestand meistens in Einspritzungen von Argentum nitricum 2 % in den Saccus mit einer silbernen Spritze. Die muco-purulente Sekretion besserte sich wohl, verschwand aber nicht und der Knochen heilte nicht. Mit Rücksicht auf die Nekrose zur permanenten Drainage geschritten.

3. III. 06. Die Hohlsonde Nr. 2 wird eingeführt; beim Durchspritzen fliesst die Flüssigkeit leicht aus der Nase. In derselben Weise wie bei Pat. B. wird der Doppelfaden durchgeführt.

6. III. Es besteht wenig Reizung; in der Nase wird geringer Schmerz verspürt.

10. III. Der Faden wird entfernt, da derselbe etwas zu stark gespannt ist. Die Pat. wäscht das Auge mit Kal. chloricum 2 %.

17. III. Die Dakryoblennorrhoea ist völlig geheilt; es besteht noch geringe Epiphora.

27. III. Mit der Spritze von Anel zeigt sich der Ductus leicht durchgängig; die Epiphora hat völlig aufgehört.

1. V. Die Patientin hatte beiderseits etwas Tränenträufeln. Die Hohlsonde Nr. 2 kann beiderseits leicht eingeführt werden; beiderseits fliesst beim Durchspritzen die Flüssigkeit leicht aus der Nase. Es ist auch an der rechten Seite jetzt mit der Sonde kein blossliegender Knochen mehr zu fühlen.

18. VII. Es bestehen keine Beschwerden mehr. Bis heute kein Rezidiv.

Patient D. (Nr. 1963, 1905/06), 41jähriger Mann. Seit einem Jahre Dakryoblennorrhoea des rechten Auges, welche mit Sonden längere Zeit behandelt wurde. Der untere Canalicus wurde gespalten.

13. III. 06. Der Patient wird in der Klinik aufgenommen, und die Hohlsonde Nr. 1 eingeführt. Ein Mandrin von der Form *i* (Fig. 1), mit einem doppelten Seidenfaden bewaffnet, wird durch die Sonde geführt, und der Faden von Herrn Prof. Kan mit einem Haken und der Pincette nach Einführung des Nasenspeculum gefasst. Die Enden werden aneinander geknüpft.

14. III. Es besteht keine Epiphora; es ist sehr wenig Schleim aus dem Saccus nach oben zu drücken; der Patient hat sehr wenig Beschwerde.

16. III. Es entwickelt sich eine Erysipelas an der Haargrenze mit hohem Fieber, welches nachher auf die Haut des Gesichtes übergreift. Es ist überhaupt kein Zusammenhang mit der Behandlung des Tränenleidens zu finden.

21. III. Um Verwickelungen beim weiteren Verlauf der Erysipelas zu vermeiden, wird der Faden entfernt.

7. IV. Der Patient ist von seiner Krankheit genesen. Es besteht keine Dakryoblennorrhoea mehr, und keine Epiphora; auch ist keine Stenose mehr vorhanden. Es ist eine leichte Atonie des Sackes nachzuweisen, indem bei Druck auf denselben dann und wann etwas klare Flüssigkeit nach dem Auge abfliesst. Am 9. IV. wird der Patient entlassen; die Behandlung soll weiter bestehen in Reinigung des Auges und öfters Ausdrücken des Sackes. Der Patient hat sich nicht mehr gemeldet.

Patientin E. (Nr. 172, 1905/06), 37jährige Frau, leidet seit 1894 an beiderseitiger Epiphora. Im Jahre 1900 wurde sie sondiert. Im Sept. 1904 wurde sie in Leiden wegen beiderseitiger Dakryoblennorrhoea mit Einspritzungen von Arzneien in den Sack und mit der Sonde behandelt. Es besserte sich der Zustand allmählich, es blieb aber eine linksseitige Stenose des Ductus lacrymalis zurück.

17. III. 06. Nachdem die Stenose mit den Sonden Nr. 3 und 4 überwunden ist, wird die Hohlsonde Nr. 1 eingeführt. Ebenso wie bei dem Patienten D. wird ein doppelter Seidenfaden eingeführt und von Herrn Prof. Kan mit einem Häkchen gefasst. Der Faden wird geknüpft. Da die Patientin sich nicht öfters zeigen kann, wird ihr geraten, den rein gewaschenen Faden aus der Nase zum Vorschein zu ziehen, diesen Teil ebenfalls tüchtig zu reinigen und dann denselben wieder in die erste Lage zurückzuführen.

23. III. Der Faden wird gut vertragen; es besteht wenig Epiphora.

31. III. Der Faden wird entfernt.

7. IV. Es besteht beiderseits etwas Tränenträufeln; links entwickelt sich ein Hordeolum. Es kann weder Schleim noch Flüssigkeit nach oben aus dem Saccus gedrückt werden.

12. V. Die Patientin hat sehr wenig Beschwerde; mit der Spritze von Anel ist die rechte Seite leicht durchgängig; links aber nicht. Im Jahre 1906 und 1907 bei gelegentlichem Besuche immer derselbe Befund.

Mai 1907. Es besteht jetzt rechts eine schleimige Dakryoblennorrhoea, welche mit Augenwasser behandelt wird.

Patientin F. (Nr. 1514, 1905/06), 35jährige Frau, leidet seit einem halben Jahre an Epiphora und Schwellung an der Stelle des Tränensackes auf der linken Seite. Vor 2 Wochen verschlimmerte sich der Zustand.

8. I. 06. Es besteht linksseitige Dakryocystitis mit Abscessbildung und drohender Perforation. Beim Einschneiden an der Aussenseite fliesst viel Eiter ab. Es findet sich auch schon eine alte Fistel. Die Behandlung besteht in Priessnitz-Verband mit 1 zu 3000 Sublimatlösung und Waschung mit derselben Lösung.

22. I. Nach anfänglicher Besserung hat sich wieder ein Abscess gebildet; er wird geöffnet und mit Jodoformgaze tamponiert.

26. I. Bei der Sondenuntersuchung durch die Fistel zeigt es sich, dass beim Eingang des Ductus entblösster Knochen liegt.

16. III. Der Zustand ist sehr viel gebessert unter Behandlung mit dem scharfen Löffel und mit Jodoformpulver, Perubalsam, Argentum nitricum usw. Die Fistelöffnung secerniert aber fortwährend. Es wird zur permanenten Drainage geschritten.

17. III. Wiewohl die Sonde Nr. 4 passiert, kann die Hohlsonde Nr. 1 nicht eingeführt werden.

19. III. Es gelingt die Hohlsonde Nr. 1 einzuführen; beim Durchspritzen fliesst das Wasser leicht aus der Nase ab. Es gelingt Herrn Prof. Kan aber dennoch nicht, den Mandrin *i* (Fig. 1) in der Nase zu Gesicht zu bekommen oder zu fühlen.

24. III. Die Hohlsonde Nr. 1 wird von neuem eingeführt; ein sehr dünner, doppelter, ineinandergedrehter Kupferdraht wird in die Sonde geschoben; die Sonde wird dann etwas zurückgezogen, der Draht weiter geschoben und die Sonde wieder völlig eingeführt; es gelingt Herrn Prof. Kan jetzt, den Draht mit dem Häkchen *m* zu fassen und aus der Nase hervorzuziehen. Durch die Öse des Drahtes wird ein Seidenfaden geführt und der Draht zurückgezogen aus der Sonde. Nach Entfernung derselben wird der Faden geknüpft, und zwar wird demselben so viel Länge gegeben, dass die Schlinge mit einem Stückchen englischem Heftpflaster auf der Nase im inneren Augenwinkel festgehalten werden kann.

14. IV. Der Doppelfaden wurde gut vertragen; es besteht wenig Reizung und keine Rötung des Auges. Es hält aber eine Ausscheidung von Schleim und Eiter aus den Canaliculi immer noch an. Die Fistelöffnungen sind geschlossen, und da keine Schwellung mehr besteht, wird der Faden entfernt.

28. IV. Es besteht noch Dakryoblennorrhoea. Mit der Spritze von Anel tritt keine Flüssigkeit aus der Nase.

12. V. Die Dakryoblennorrhoea hat sich bedeutend gebessert; der Ductus ist aber nicht durchzuspritzen mit der Spritze von Anel. Es wird der Patientin geraten in Behandlung zu bleiben; sie hat sich aber nicht mehr gezeigt.

Patient G. (Nr. 1670, 1905/06), 20jähriger Mann, leidet seit dem 12. Jahr an rechtsseitiger Epiphora. Am 22. I. 1906 wurde der rechte innere Augenwinkel durch einen Stoss mit einem Stock in geringem Masse verletzt; es trat dann Schwellung auf.

30. I. 06. Es besteht Dakryocystitis am rechten Auge. Die Behandlung besteht in Priessnitz-Verband mit 1 zu 3000 Sublimatlösung.

1. II. Incision eines Abscesses über dem Tränensack. In den folgenden Tagen Behandlung mit Jodoform, Tamponade des Sackes durch die Fistelöffnung; Perubalsam in die Fistel; Sublimatwaschungen $^1/_{3000}$.

16. II. Die Dakryocystitis ist geheilt; es besteht aber immer noch eine beträchtliche eitrige Blennorrhoea. Bis 29. III. wird dann und wann vorsichtig sondiert und mit Einspritzung von Argent. nitr. 2% behandelt. Da der Zustand stationär bleibt, wird zur Drainage geschritten.

29. III. Einführung der Hohlsonde Nr. 1; guter Abfluss von Flüssigkeit durch die Nase. Der Mandrin von der Form *i* (Fig. 1) wird eingeführt, mit doppeltem Seidenfaden. Herrn Prof. Kan gelingt es, den Faden mit dem Häkchen zu fassen; beim Zurückziehen des Mandrin zerreisst der Faden. Es wird dann wie bei der Patientin F. ein dünner Kupferdraht eingeführt, der mit dem Häkchen nach aussen gezogen werden kann. Mit demselben wird wieder ein doppelter Seidenfaden zurückgezogen und die Enden geknüpft.

14. IV. Der Faden wurde gut vertragen; derselbe ist aber gebrochen und wird jetzt entfernt; es besteht noch immer Blennorrhoea. Es wird die Waschung mit Kalium chlorium fortgesetzt. Bis 7. V. war der Zustand viel gebessert.

29. V. Rezidiv der Blennorrhoea sacci und der Dakryocystitis. Es wird die Sonde Nr. 3 und dann eine Hohlsonde von der Form *h*, mit der Öffnung nach vorn, eingeführt; ein doppelter, sehr dünner Kupferdraht wird in die Sonde geschoben und von mir mit dem Häkchen zum Vorschein geholt, nachdem der Raum zwischen der unteren Concha und der lateralen Nasenwand mit 5% Kokainlösung bestrichen worden war; es wird wieder ein doppelter Seidenfaden durchgezogen mit dem Entschluss, diesen jetzt sehr lange liegen zu lassen. Zu Hause Waschungen mit Kalium chloricum 3% und Herumziehen des gereinigten Fadens. In der Poliklinik oftmals, meistens täglich, Einsaugen von Argentum nitricum 2% im Saccus, mittels des Fadens.

21. VII. Faden entfernt.

4. VIII. Völlig geheilt.

8. X. Der Patient hat keine Beschwerde mehr gehabt. Bis heute ist auch kein Rezidiv aufgetreten.

Patient H. (Nr. 1717, 1905/06), 14jähriger Knabe, ist am 26. XII. 1905 beim Radfahren auf seine Nase gefallen und hat dieselbe beträchtlich verwundet; er blutete auch bedeutend aus der Nase. Nach der Heilung wurde er belästigt von Tränenträufeln des linken Auges.

7. II. 06. Es besteht linksseitige Dakryoblennorrhoea. Mit der Spritze von Anel zeigt sich der Ductus unwegsam. Mit der Sonde zeigt es sich, dass der Knochen beim Tränensack bloss liegt. Bis 18. III. wird der Knabe in der gewöhnlichen Weise behandelt. Die Schleimsekretion ist beinahe geheilt, aber es besteht eine Stenose. Die Hohlsonde kann eingeführt werden, liegt aber abnorm, und es fliesst keine Flüssigkeit aus der Nase beim Durchspritzen. Die Nase war beim Fall augenscheinlich gebrochen.

18. III. Es wird versucht, durch die Hohlsonde Nr. 1 einen Faden einzuführen; es kann das Ende der Sonde von Herrn Prof. Kan aber in der Nase weder gesehen noch gefühlt werden.

24. III. Die Hohlsonde liegt jetzt derart, dass Flüssigkeit aus der Nase abfliesst; mit den verschiedenen Mandrinen gelingt es aber nicht, einen Faden durchzuführen. Es wird dann versucht, einen sehr dünnen Seidenfaden, der in der Hohlsonde zusammengeballt liegt, und dessen Ende zwischen der Sonde und dem Ansatz der Spritze festgehalten wird, mit dem Wasserstrome beim Spritzen mitzuführen; auch dieses misslingt aber. Ebensowenig gelingt es, die Öse einer Nähnadel von 2—3 mm Länge, woran ein sehr feiner Seidenfaden befestigt worden ist, mit dem Wasser mitzuführen. Auch mit dem Haab'schen Magneten gelingt es nicht, die Öse, welche durch die Sonde bis in die Nase geschoben worden ist, hervorzuziehen; auch ein eiserner Stab, der in die Nase eingeführt wird und der mit dem Riesenmagneten verbunden wird, fördert die Öse nicht zutage. Es besteht hier zweifelsohne ein falscher Weg, der nicht direkt in die Nase führt. In den folgenden Tagen wird von neuem sondiert mit den Sonden Nr. 1 und Nr. 2; es wird ein Weg gefunden und derselbe dilatiert.

2. IV. Die Hohlsonde Nr. 1 kann eingeführt werden, und der Weg ist gut durchgängig, Ein dünner, ineinander gedrehter doppelter Kupferdraht wird eingeführt und kann jetzt von Herrn Prof. Kan mit dem Häkchen gefasst werden; ein doppelter Seidenfaden wird zurückgezogen und geknüpft. In den folgenden Tagen wird der Faden gut vertragen; die Schleimsekretion nimmt schnell ab. Der Knabe wäscht das Auge mit 3% Kalium chloricum und zieht den gereinigten Faden täglich durch den Kanal.

4. V. Der Faden wird entfernt; es bestehen keine Beschwerden mehr. Es wird die Waschung fortgesetzt.

18. V. Mit Anels Spritze zeigt sich der Weg leicht durchgängig. Weder Schleimsekretion noch Epiphora.

Juli. Wieder einigermassen Tränenträufeln. Bis Sept. Erscheinungen von Atonie des Sackes.

Okt. Rezidiv der Dakryoblennorrhoea, welche aber bald heilt.

Febr. 1907. Nochmaliges Rezidiv, ebenfalls bald geheilt.

29. IV. Keine Beschwerden.

Patientin I. (Nr. 9, 1906), 35jähriges Fräulein, leidet so lange sie sich zu erinnern vermag an beiderseitiger Epiphora, am meisten links, ohne jegliche Schleimabsonderung. Sie wurde niemals in direkter Weise deshalb behandelt.

4. IV. 1905. Es bestehen (Versuch mit der Spritze von Anel) linksseitige Stenose des Weges und rechtsseitige beträchtliche Verengerung. Beim Sondieren zeigt es sich, dass die Ursache in dem Ductus lacrymalis gelegen ist. Die Sonde Nr. 1 von Williams passiert nur mühsam. Nach 8maliger rechtsseitiger Sondierung mit den Sonden von Williams bis Nr. 4 bleibt die rechte Seite gut wegsam, und die Epiphora ist hier geheilt; nach 13maliger Sondierung links, bis April 1906, tritt immer wieder Rezidiv ein; anfangs wurde jede zweite Woche sondiert; die Hohlsonde Nr. 1 führte die Flüssigkeit links nie frei durch die Nase. Es wurde dann zur permanenten Drainage geraten.

11. IV. 1906. Die Hohlsonde mit der Öffnung nach vorn (*h*) wird eingeführt, und ein dünner, doppelter, ineinander gedrehter Kupferdraht eingeschoben, welcher nach einiger Mühe von Herrn Prof. Kan mit dem Häkchen gefasst wird. Ein doppelter Seidenfaden wird zurückgezogen und die Enden geknüpft. Die weite Schlinge wird auf der Nase mit Pflaster befestigt. Es wird geraten, die Nase mit Kalium chloricum 3% durchzuspülen und den Faden zu waschen.

2. V. Patientin hat sich bis heute nicht gemeldet. In den ersten Tagen litt sie etwas an Kopfschmerzen; die Epiphora hörte bald auf, und der Faden verursachte wenig Beschwerde. Keine Schleimabsonderung. Das Augenwasser wurde in der Nase verspürt. Der Faden wird entfernt. Die Patientin war mit der Behandlung sehr zufrieden.

Sept. 1906. Linksseitige katarrhalische Conjunctivitis; dieselbe heilte schnell. Der Tränenweg war leicht zu sondieren. Die Behandlung ist dann eingestellt worden.

Patient J. (Nr. 2153, 1905/06), 57jähriger Mann, leidet seit 2 Jahren an Epiphora am rechten Auge. Im Dez. 05 trat Schwellung im inneren Augenwinkel ein, und wurde Eiter verspürt.

14. IV. 06. Rechtsseitige Dakryoblennorrhoea und Fistula sacci lacrymalis. Es wird sondiert und die Hohlsonde Nr. 1 (mit Öffnung nach vorn) eingeführt; Flüssigkeit fliesst leicht aus der Nase. Ein doppelter, dünner Kupferdraht wird eingeführt, so weit wie möglich vorgeschoben und von mir mit dem Häkchen in tastender Weise nach aussen gezogen. Ein doppelter Seidenfaden wird zurückgezogen und geknüpft. Der Patient wird, wenn alles gut geht, nur nach 14 Tagen zurückkommen und zu Hause den Faden täglich reinigen mit Kalium chloricum 3% und denselben herumziehen.

28. IV. Der Faden verursachte keine Beschwerden. Es bestand wenig Epiphora, keine Schleimabsonderung. Aus der Fistel ist noch etwas Schleim herauszudrücken. Der Faden wird entfernt. Die Waschung des Auges wird fortgesetzt.

28. IV. 07. Es ist noch eine kleine Fistel da, die aber nicht se-

cerniert, aus derselben ist etwas Schleim zu drücken. Der Zustand befriedigt sehr.

Der Patient hat sich dann nicht mehr gemeldet.

Patientin K. (Nr. 2044, 1905/06), 68jährige Frau. Nach den Blattern, welche sie 1866 durchmachte, litt sie fortwährend an Tränenträufeln und Schleimabsonderungen aus den Augen. Sie wurde wiederholt deshalb behandelt.

27. III. 06 wird die Patientin in der Klinik aufgenommen. Es besteht beiderseitige Dakryoblennorrhoea, weiter Blepharitis ulcerosa, mucopurulente Conjunctivitis, Tylosis und Madarosis; beiderseits Reste von Iritis, Cataractae maturae complicatae und am linken Auge ein Leukoma adhaerens.

Es wird Ung. flavum und Sublimatwaschung verschrieben.

28. III. Links wird die Sonde Nr. 4 eingeführt, ebenso rechts und dann die Hohlsonde Nr. 1; Flüssigkeit fliesst frei aus der Nase. Der doppelte, dünne Kupferdraht kann nicht mit dem Häkchen gefasst werden. Ebensowenig gelingt es, einen dünnen Seidenfaden durch die Sonde zu spritzen oder die Nähnadelöse mit dem Magneten aus der Nase hervorzubringen, wie dies beim Patienten H. angegeben wurde. In den nächsten Tagen wird dann und wann beiderseits sondiert und mit der Hohlsonde durchgespritzt. Die Augen sondern viel Schleim ab.

19. IV. Die Hohlsonde Nr. 1 (mit der Öffnung nach vorn) wird rechts eingeführt und nach viel Mühe von Herrn Prof. Kan bei der einigermassen dementen widerspenstigen Patientin der dünne Kupferdraht mit dem Häkchen aus der Nase zum Vorschein gebracht und ein doppelter Seidenfaden zurückgezogen. Täglich Waschung und Herumziehung des Fadens; Behandlung mit Argentum nitricum 2%.

28. IV. Die Patientin lässt die tägliche Behandlung des Fadens nicht gut zu; derselbe wird jetzt entfernt. Es besteht noch Dakryoblennorrhoea, aber keine Irritation oder Zeichen einer Dakryocystitis. Links ebenfalls noch hartnäckige Dakryoblennorrhoea.

7. V. Die Schleimabsonderung ist rechts nur noch gering, viel geringer wie links.

5. VI. Der Zustand ist rechts sehr befriedigend; links besteht noch Dakryoblennorrhoea, wiewohl in viel geringerem Masse wie früher.

Am 13. VI. ist die Patientin entlassen. Sie konnte sich nicht mehr zur Untersuchung vorstellen.

Patientin L. (Nr. 1857, 1905/06), 17jähriges Mädchen. 1901 wurde sie schon in unserer Poliklinik behandelt wegen linksseitiger chronischer Dakryoblennorrhoea. Sie hat jetzt dieselben Beschwerden.

26. II. 06. Es besteht jetzt beiderseits chronische Blepharitis ulcerosa und rechts Dakryoblennorrhoea. Maculae corneae beiderseits. Bis Mai wurde die gewöhnliche Behandlung versucht.

5. V. Mit der Hohlsonde Nr. 1 und dem dünnsten doppelten Kupferdraht und dem Häkchen wird von mir ein doppelter Faden durch den rechten Tränenweg gezogen und geknüpft. Zu Hause Waschung mit Kal. chloricum 3%.

12. V. Es besteht etwas katarrhalische Conjunctivitis. Die Patientin reinigt ungenau.

19. V. Es besteht nur wenig Blennorrhoea.

2. VI. Da die Patientin nur selten in die Poliklinik kommen kann und sie der Behandlung zu Hause nicht mit Sorgfalt nachkommt, wird der Faden entfernt. Es hat sich wieder Bindehautkatarrh entwickelt. Mit Anels Spritze zeigt sich der Ductus rechts in normaler Weise wegsam. Es wird zur Behandlung mit Einspritzung von 2% Argentum nitricum im Sack übergegangen.

Am 28. VII. hat die Patientin sich das letzte Mal vorgestellt. Es bestand dann beiderseits Dakryoblennorrhoea.

Patient M. (Nr. 2227, 1905/06), 65jähriger Mann, leidet seit 10 Monaten an Epiphora des linken Auges; seit 5 Monaten besteht Eiterabsonderung. Er wurde behandelt mit Sondierung und Waschung. Er hat seit frühester Jugend schlecht gesehen.

28. IV. 1906. Patient wird in der Klinik aufgenommen. Es besteht links Dakryoblennorrhoea. Er hat eine kongenitale Amblyopie mit beiderseits 10 D. Hypermetropie.

30. IV. Die Sonde Nr. 3 passiert links leicht, sie liegt aber zu viel nach hinten. Mit der Hohlsonde fliesst die Flüssigkeit leicht aus der Nase.

2. V. Die Hohlsonde Nr. 1 (Öffnung nach vorn) wird eingeführt und der doppelte dünne Kupferdraht eingeschoben. Wiewohl die Flüssigkeit wieder leicht abfliesst, ist der Draht nicht mit dem Häkchen zu finden. Dennoch war eine grosse Länge des Drahtes eingeführt; es muss wohl 3—4 cm Draht ausserhalb der Sonde gelegen haben. Auch das Ende der Hohlsonde kann mit dem Häkchen nicht in der Nase gefühlt werden.

10. V. Es wurde in den letzten Tagen ein neuer Weg gesucht und gefunden. Die Lage der Sonde erscheint jetzt normal, und das Ende kann mit dem Häkchen hinter der unteren Concha gefühlt werden; es gelingt jetzt die doppelte Kupferdrahtschlinge mit dem Häkchen hervorzubringen und einen Faden zurückzuziehen. Derselbe wird geknüpft.

28. V. Die Absonderung von Eiter und Schleim hat völlig aufgehört; es wurde der Sack mit Argentum nitricum behandelt, durch Herumziehen des Fadens. Keine Epiphora mehr. Mit Rücksicht auf den nach hinten verlaufenden falschen Wege (der sehr wahrscheinlich in den Sinus maxillaris führt) wird beschlossen, den Faden lange liegen zu lassen.

2. VI. Der Mann hat keine Beschwerden; der Faden bleibt noch liegen.

8. VI. Der Faden wird entfernt. Am 12. VI. wurde der Patient entlassen. Er hat sich nachher nicht mehr vorgestellt.

Patient N. (Nr. 2127, 1905/06), 30jähriger Mann, leidet seit zwei Wochen an Tränenträufeln des linken Auges. Er wurde bis jetzt nicht behandelt.

9. IV. 06. Es besteht Bindehautkatarrh, welcher behandelt wird.

23. IV. Mit Anels Spritze zeigt es sich, dass eine linksseitige Stenose des Tränenweges besteht; die kranke Stelle liegt im Ductus. Bis 12. V. wird sondiert; es besteht dann auch eine leichte Blennorrhoea.

12. V. Mit der Hohlsonde Nr. 1 (Öffnung nach vorn), dem dünnen Kupferdraht und dem Häkchen wird ein doppelter Faden durch den Tränenweg geführt und derselbe geknüpft.

14. V. Der Faden hindert; das Auge ist etwas gerötet; es besteht etwas Dakryoblennorrhoea.

16. V. Der Patient teilt mit, dass der Faden zerrissen ist und dass er denselben entfernt hat.

21. V. In derselben Weise, wie das erste Mal, wird am linken Auge wieder eine Fadenschlinge eingeführt. Es wird Kalium chloricum 2% als Augenwasser mitgegeben.

29. V. Das Auge verhält sich jetzt ruhig und der Patient hat wenig Beschwerden.

7. VII. Es waren alle Beschwerden verschwunden; der Faden soll dann wieder zerrissen sein und ist vom Patienten selber entfernt. Am 16. VII. war alles ruhig; die Behandlung wurde dann eingestellt.

Patient O. (Nr. 890, 1906/07), 48jähriger Mann, leidet seit Mai 1905 an Tränenträufeln beider Augen. Er wird 25. IX. 06 in die Klinik aufgenommen. Er war seit Juni 06 anderswo sondiert worden. Es besteht beiderseits Dakryoblennorrhoea und links eine Fistula sacci. Es wird mit der gewöhnlichen Behandlung angefangen.

1. X. 06. Es wird mit Hohlsonde Nr. 1, dem dünnen Kupferdraht und dem Häkchen links eine Fadenschlinge angelegt.

4. X. In derselben Weise an dem rechten Auge. Es werden die Faden täglich gereinigt, oben aus den Tränenpunkten hervorgezogen und mit dem Lapisstift eingerieben; dann werden dieselben wieder in die erste Lage zurückgeführt. Bald alles ruhig.

6. XI. Der rechte Faden wird entfernt.

7. XI. Der linke Faden wird ebenfalls entfernt. Keine Schleimabsonderung mehr, weder Epiphora.

9. XI. Der Patient wird entlassen und hat sich nicht mehr vorgestellt.

Patient P. (Nr. 2466, 1906/07), 32jähriger Mann, leidet an rechtsseitiger Dakryoblennorrhoea seit mehreren Jahren. Es besteht rechts auch eine Cataracta traumatica (perforierende Verwundung). Er wird am 19. IV. in die Klinik aufgenommen und erst in der gewöhnlichen Weise behandelt.

12. V. 07. Mit der Hohlsonde Nr. 1 (unten offen) und dem Häkchen wird der dünne Kupferdraht doppelt durchgeführt und mit dem Seidenfaden zurückgezogen, und zwar durch den oberen Tränenpunkt. Patient wird entlassen, um ambulant behandelt zu werden.

25. V. Der Faden soll gebrochen sein; derselbe ist entfernt. Patient ist nicht mehr zurückgekommen. Der Zustand hatte sich bedeutend gebessert.

Patientin Q. (Nr. 67, 1906/07), 45jährige Frau, leidet seit 7 Jahren an linksseitiger Epiphora, nachher auch Eiteransammlung im Augenwinkel. Seit 2 Jahren ist auch das rechte Auge in derselben Weise erkrankt. Sie wurde in meiner Poliklinik längere Zeit behandelt.

10. V. 07. Es besteht jetzt beiderseits Dakryoblennorrhoea und Cystitis mit Fistelbildung. Behandlung mit Priessnitzverbänden von Sublimatlösung 1 : 3000.

5. VI. Es werden beiderseits Seidenfadenschlingen eingelegt mit Hilfe der Hohlsonde Nr. 1 (Öffnung nach vorn und unten), des dünnen Kupferdrahtes und des Häkchens. Zweimal wöchentlich wird der Faden mit dem Höllensteinstift eingerieben und in den Tränenweg zurückgeschoben. Zu Hause Waschung mit Kalium chloricum 3%. Der Zustand bessert sich allmählich.

2. VII. Keine Blennorrhoea mehr und keine Epiphora. Da die Fistelöffnungen noch nicht ganz geschlossen sind, werden die Faden noch in situ gelassen.

23. IX. Die Fisteln sind geschlossen; die Fäden werden entfernt. Die Patientin ist ganz zufrieden, keine Epiphora, keine Sekretion.

Patientin R. (Nr. 1930, 1906/07), 40jähriges Mädchen, leidet seit 3 Jahren an rechtsseitiger Dakryocystitis und Dakryoblennorrhoea. Starke Schwellung über dem Tränensack.

6. II. Abscess im Sack von innen aus geöffnet, nach Schlitzung des unteren Kanälchens. Es zeigt sich in den folgenden Wochen, dass in der Wand des Sackes auch Cystenbildung stattgefunden hat. Die Cysten werden öfters von innen aus mit dem dünnen Bistouri geöffnet. Der Zustand wechselt. Zuweilen kommen enorme Schleimmassen aus dem stark dilatierten Sack. Die Sonde Nr. 4 passiert richtig.

12. IV. Da sonst zur Exstirpation des Sackes geschritten werden musste, wird ein Versuch mit der permanenten Drainage vorgeschlagen. Die Hohlsonde Nr. 1 wird durch den oberen Tränenpunkt eingeführt und es gelingt, einen doppelten Seidenfaden mit dem dünnen Kupferdraht und das Häkchen in den Tränenweg zu legen. In den ersten Tagen fliesst viel Eiter ab. Es wird der Faden mit dem Höllensteinstift jeden Tag anfänglich eingerieben; nachher zweimal wöchentlich. Der Zustand bessert sich dann bald und ist im Mai sehr befriedigend.

26. VI. Der Faden wird entfernt, da das Auge längere Zeit ganz ruhig ist und keine Blennorrhoea oder Epiphora mehr besteht. Patientin wird aus der Behandlung entlassen.

Aus diesen Krankheitsfällen ist zu ersehen, dass im Anfang der Faden mittels des langen Mandrins, welcher mit einer geschlossenen Öse versehen war, durch die Hohlsonde in die Nase geführt wurde, wo sie mit Hilfe des Hartmann-Killianschen Speculums[1]) und Reflektors gesehen und mit der Pincette gefasst werden konnte. Die untere Nasenmuschel musste dabei mit dem Speculum ziemlich viel

[1]) Dieses ist ein Hartmannsches Speculum, wobei die halben Trichter stark verlängert worden sind; dasselbe wurde von Killian angegeben zur Ausführung seiner Rhinoscopia media.

von der lateralen Wand abgebogen werden, wobei gewiss dann und wann eine kleine Infraktion stattfand. Nachher gelang die Einführung in dieser Weise öfters nicht, da Blutung und abweichende Lage der Öffnung des Ductus die Besichtigung desselben verhinderten. Versuche, um eine stark gebogene dünne Stahlfeder durch die Hohlsonde nach vorn zu führen, nach dem Prinzip der Bellockschen Nasen-Rachensonde, gaben keine befriedigenden Resultate. Ebensowenig gelang es, sehr dünne Seidenfäden, an deren Ende ein kleiner Knoten gelegen war, mit dem Wasserstrom aus dem Nasenloch nach aussen zu führen, wiewohl bei Versuchen an einem Phantom der Faden regelmässig nach aussen trat, und zwar in seiner ganzen Länge, soweit die Befestigung dies zuliess. Es verhüten wahrscheinlich Schleimhautfalten, oder wohl die bedeckende Concha das Hervortreten des Fadens beim Patienten. Auch Seidenfäden, welche mit dem langen, von einer halben Öse versehenen Mandrin in die Nase gebracht waren, konnten mit dem Häkchen beim Tasten nicht immer gefasst werden. Es gelang auch nicht, die abgebrochene Öse einer gewöhnlichen Nähnadel, welche mit einem sehr dünnen Seidenfaden verbunden wurde, nachdem dieselbe durch die Hohlsonde bis in die Nase vorgeschoben worden war, mit einem starken Magneten in der Nase zu fassen und so hervorzuziehen; der Riesenmagnet von Haab, mit kurzen und längeren Ansätzen, welche in die Nase eingeführt werden konnten, wurden dabei ebenfalls verwendet. Wiewohl diese Versuche in zwei Fällen scheiterten, kommt es mir vor, dass die Idee von Herrn Professor Kan, das Stückchen Nähnadel mit dem Magneten hervorzuziehen, in einigen Fällen wohl noch Verwendung wird finden können. Auch Versuche mit in Eiweiss getränkten und dann getrockneten steifen Seidenfäden befriedigten nicht; ebensowenig einige mit Paraffin von 35° Schmelzpunkt imbibierte Fäden. Der Zweck derselben war natürlich, eine Sonde zu erhalten, welche, nachdem sie in situ lag, wieder ganz erweichen konnte. Ich stellte mir vor, entweder solche Sonden liegen zu lassen und dann und wann zu erneuern, oder wohl zu versuchen, das Ende mit dem Häkchen in der Nase zu fassen, um dann die Enden zu knüpfen. Dieselben waren aber nicht stark genug; sie knickten, sobald etwas Widerstand empfunden wurde.

Dagegen gelang die Einführung der Seidenfäden durch den Tränenweg in ziemlich sicherer Weise mit Hilfe der sehr dünnen doppelten Kupferdrähte, welche mit dem kleinen Häkchen entweder direkt an der Öffnung der Hohlsonde gefühlt, oder sonst jedenfalls hinter der unteren Concha verhakt und nach aussen gezogen werden konnten. Indem dann durch die Öse des doppelten Drahtes ein Seidenfaden geführt wurde, konnte dieser mit demselben, zusammen mit der Hohlsonde, nach oben zurückgezogen werden.

Anfänglich drehte ich den doppelten dünnen Kupferdraht ineinander, um ihn mehr widerstandsfähig zu machen; das Häkchen fasst dann aber nicht so leicht das Ende desselben. Bei dem einfachen doppelten Draht kann man auch das eine Ende oben an der Sondenöffnung etwas anziehen, damit in der Nase eine Öse gebildet wird zum Fassen mit dem Häkchen.

Es wäre am angenehmsten, wenn der in der Hohlsonde eingeführte Kupferdraht seinen Weg ohne weiteres nach der Nasenöffnung nehmen wollte. Bei der Hohlsonde mit der Öffnung unten am Ende ist davon nie die Rede, da die Richtung des Ductus lacrymalis im günstigsten Falle senkrecht zum Boden des Nasenganges steht, und meistens mehr nach hinten geneigt ist. Es nimmt der Kupferdraht daher wohl dann und wann seinen Weg zum Rachen, wo der Patient die Anwesenheit desselben fühlt, aber nach vorn kommt er nicht. In den Fällen, in denen man mit dem Häkchen das Ende der Hohlsonde nicht zu fühlen vermag, da es zu tief in der geschwollenen Schleimhaut eingebettet liegt, kann man in folgender Weise den Kupferdraht über eine gewisse Länge aus der Sonde hervorkommen lassen, damit das Häkchen denselben leichter fassen kann. Man führt dazu den Draht soweit wie möglich ein und zieht dann die Hohlsonde ungefähr 1 cm zurück; der Draht wird womöglich noch etwas weitergeschoben, dann aber die Sonde mit dem Draht zusammen wieder so tief wie möglich eingeführt. Der Draht knickt dann auf dem Boden der Nasenhöhle um, so weit derselbe aus der Sonde hervorragte. Indem man diese Handlung einige Male wiederholt, liegt ein kleiner Knäuel von Kupferdraht frei in der Nase, in dem das Häkchen leicht halten kann. Der Nachteil dieser Massnahme ist, dass man, wenn es dennoch nicht gelingt den Draht zu fassen, beim Zurückziehen des Drahtes und der Sonde etwas Schwierigkeit empfindet.

Um den Kupferdraht nach vorn zu richten, habe ich die beiden Sonden *e* und *h* herstellen lassen (Fig. 1). Bei *e* liegt die Öffnung 0,75 cm vom Ende entfernt und an der konkaven Seite der Sonde. Da die Öffnung des Ductus lacrymalis ungefähr 1 cm oberhalb des Bodens der Nasenhöhle in der lateralen Nasenwand gelegen ist, liegt die Öffnung der Sonde dann eben frei in der Nase, wenn die Sonde auf den Boden des Nasenganges stösst. Durch diese Anordnung besteht die Wahrscheinlichkeit, dass der nach vorn gerichtete Draht seinen Weg unter dem Concharande hindurch nach aussen nehmen kann. Jedenfalls ist der Draht dann leichter durchzuschieben. In einigen Fällen liegt die Öffnung des Ductus wahrscheinlich aber niedriger, denn dann und wann gelingt die Behandlung besser, wenn die Öffnung der Sonde zwar nach vorn, aber ganz am Ende gelegen ist. Schliesslich habe ich die drei Formen *d*, *e* und *h* alle beibehalten, da die Einführung des Fadens dann mit der einen, und ein anderes Mal mit der andern Sonde wieder leichter gelingt. Ohne Hilfe des Häkchens habe ich den Kupferdraht aber noch nicht aus der Nasenöffnung hervortreten sehen.

Da der Faden längere Zeit liegen bleiben muss, ist es angezeigt, besondere Sorgfalt auf das Knüpfen der beiden Enden aneinander zu verwenden; man legt am besten einen sogenannten flachen Knoten an, wie ich ihn auch bei meiner Ptosisoperation gebrauche[1]): derselbe bleibt beim straffen Anziehen dort liegen, wo man ihn anlegt, und löst sich dann auch nachher nicht. Es würde natürlich misslich sein, wenn der Faden herauskäme, ehe die Behandlung abgelaufen wäre. Man muss die Fadenschlinge ferner so weit machen, dass dieselbe bei der Behandlung leicht durch den Tränenweg hindurchgezogen werden kann. Absichtlich habe ich den Faden auch doppelt — öfters auch vierfach nebeneinander — durchgeführt, damit die Drainage noch besser stattfinden könne; die Fäden drehen sich nämlich umeinander und bilden auf diese Weise einen spiralförmigen Kanal nach aussen.

Dass der Seidenfaden die Drainage wirklich erfüllt, geht daraus hervor, dass sich erstens bei nicht atonischen Tränensäcken kein Sekret anhäuft, und zweitens aus der Angabe von einigen Patienten, dass sie die Augenwaschungen in der Nase spüren.

Unter den ersteren Fällen gibt es einige, bei denen man den Erfolg der Behandlung noch etwas besser gewünscht hätte. Bei diesen hat, wie die spätere Erfahrung lehrte, der Faden nicht lange genug im Tränenweg gelegen; man muss denselben nicht entfernen, bevor alle Erscheinungen von Tränenträufeln, von Schleim- oder Eitersekretion oder von Irritation der Haut oder sogar von Rötung verschwunden sind. Dann sind Rezidive am wenigsten zu befürchten. Die Dauer wird dann das eine Mal kurz, das andere viel länger ausfallen. Bei dem Versuche A. wurde die völlige Heilung in 10 Tagen erreicht; dies bildet aber gewiss eine Ausnahme. Anfänglich fürchtete ich, dass die Anwesenheit des Fadens eine Reizung der Bindehaut hervorrufen könnte, und sobald etwas Rötung derselben da war, entfernte

---

[1]) Eine neue Ptosisoperation. Zeitschr. f. Augenheilk. Bd. I, 1899, S. 543.

ich den Faden. Nachher gewann ich die Überzeugung, dass, wenn das Auge nur gut rein gehalten wird, am besten mit Kalium chloricum-Lösung 3 %, dass keine Reizung eintritt. Im Gegenteil das Auge wird immer ruhiger. Ich rechne jetzt als Durchschnitt 4 Wochen für eine Kur; wenn Nekrose der Knochen besteht, ist es natürlich angezeigt zu versuchen, den Faden 2 bis 3 Monate liegen zu lassen; der Patient wird aber, wenn alles gut geht, oft ungeduldig und dringt dann auf Entfernung des Fadens.

Die Behandlung des Patienten seitens des Arztes geschieht anfänglich am besten täglich, nachher jeden dritten Tag usw. Jede Arznei, mit welcher man die kranke Schleimhaut behandeln will, kann entweder in den Faden eingerieben und mit demselben in den Tränenweg gezogen werden, oder man kann dieselbe im inneren Lidwinkel einträufeln und dann durch Anziehen des Fadens aus der Nase in den Tränensack hineinsaugen. Es versteht sich, dass der Faden immer vorher gründlich gereinigt werden muss, und zwar erst an der äusseren Seite, worauf derselbe aus der Nase gezogen und von Krusten, Schleim usw. gesäubert wird. Bei eitrigen und katarrhalischen Prozessen gefällt mir am besten die Behandlung mit Argentum nitricum; man zieht dazu den Teil des Fadens, der wieder in den Tränenweg zu liegen kommen muss, hervor, reibt denselben tüchtig mit dem Lapis-Stifte ein und bringt ihn wieder zurück. In jenen Fällen, in denen der Faden eingeführt worden war, um frische traumatische Stenosen oder alte narbige Verlegungen des Weges zu heilen, genügt natürlich meistens die einfache Reinigung des Fadens.

Dem Patienten kann man, wenn er einigermassen vernünftig ist, sehr bald einen grossen Teil der Behandlung überlassen. Er kann den Faden dreimal täglich gründlich reinigen und dann Adstringentien im inneren Augenwinkel einträufeln. Er sondiert dann sozusagen sich selbst. Bei furchtsamen Patienten kommt es wohl vor, dass sie es nicht wagen den Faden zu verschieben; dann muss der Arzt alles machen, und die Heilung schreitet nicht so schnell weiter.

Einen Nachteil der Methode bildet die Tatsache, dass der Faden äusserlich sichtbar ist. Anfangs überlegte ich, ob nicht die Befestigung einer Glasperle oben und unten am Faden vorzuziehen wäre, allein ich kam davon zurück, da die Perle oben eine kleine gangränöse Stelle verursachen würde, und überdies bei gespaltenen Kanälchen Verwickelungen mit Einschlüpfen der Perle in den Tränensack auftreten könnten. Auch müsste die untere Perle etwas aus der Nase heraushängen, um genügend Raum zu haben für die

Verschiebung bei der medikamentösen Behandlung, was auch unangenehm aussieht. Aus allen diesen Gründen zog ich das einfache Knüpfen der Fadenenden vor. Ich habe auch zu meiner Beruhigung erfahren, dass sogar die besseren Patienten nicht allzusehr von der Sichtbarkeit des Fadens belästigt werden. Bei einem Patienten, wo die Drainage doppelseitig ausgeführt wurde, vereinigte ich versuchsweise die Faden, welche aus der Nase hervorgezogen waren, miteinander, und ebenso diejenigen aus den Tränenpunkten über dem Nasenrücken. Allein dies erschwerte die Behandlung sehr und war in kosmetischer Hinsicht nicht viel besser. Die einfache Schlinge allein verbürgt die regelmässige gründliche Reinigung und die permanente Drainage der Abfuhrwege.

Fig 2.

Die Sichtbarkeit des Fadens ist natürlich nicht angenehm, aber man kann viele Patienten beruhigen, wenn man sie daran erinnert, dass das Hervortreten von Eiter aus den Augenwinkeln noch unangenehmer war. Man stelle sich überdies die Entstellung des Gesichts nicht zu schlimm vor; das nebenstehende Photogramm von Patient O. gibt den Sachverhalt richtig wieder. Die Faden sind hier schwarz durch die Lapis-Behandlung; dieselben lagen schon mehr als einen Monat. Der Überschuss der Schlinge ist ineinander gedreht. Anfänglich legte ich die Schlinge mit einem Stückchen englischen Pflaster auf die Nase, aber dies entstellte gewiss mehr. Drucknekrose habe ich durch das Hängen des Fadens nie auftreten sehen. Einige Patienten verstehen es, die Schlinge, wenn dieselbe noch feucht ist, nach dem Waschen einfach auf die Nase zu legen und in die Nasenwangenfurche, wo dieselbe dann liegen bleibt, wenn sie getrocknet ist. Dies ist am meisten zu empfehlen.

Verschiedene Formen von Tränenleiden eignen sich zu dieser Behandlung:

1. Die chronische Blennorrhoea des Sackes und des Ductus. Wenn dieselbe schon oft ohne bleibenden Erfolg behandelt worden ist und man sich sonst zur Exstirpation des Sackes entschliessen würde, ist die permanente Drainage angezeigt. Ganz veraltete Fälle wurden damit geheilt.

2. Die Dakryocystitis mit Fistelbildung, wenn es sich um ältere Fälle handelt. Sobald unter der Behandlung mit feuchtwarmen Sublimatverbänden von 1 : 3000 die starke Schwellung abgenommen hat, wird der Faden eingeführt. Sehr hartnäckige Fälle, wo immer wieder Infiltration der Umgebung des Sackes und Abscessbildung in der Wand, bei anderweitiger Behandlung, auftrat, sah ich mit dem Faden bald ruhig werden und heilen. Bei diesen Fällen würde man fürchten können, durch den Faden die Irritation zu verstärken; dies ist jedoch nicht der Fall; offenbar wird mit der Abfuhr des infektiösen Inhaltes des Sackes die stetig wirkende Ursache der Cystitis entfernt. Da zur Einführung des Fadens jedoch die Sondierung notwendig ist, kann man nicht bei straffgespanntem Gewebe die Behandlung ausführen.

3. Die rezidivierenden Cysten des Tränensackes. Diese Cysten öffne ich von der inneren Seite aus, indem ich entweder ein gerades Webersches Messerchen oder ein kleines Bistouri wie eine Sonde in den Sack führe, worauf die Cyste mit dem Finger auf die Schneide des Messers gedrückt wird; das Messer wird dabei nur etwas auf und nieder bewegt, aber nicht nach vorn gebracht. In dieser Weise kann die Cyste oder der Abscess, der meistens von der vorderen Wand des Sackes ausgeht, über eine grosse Strecke seitlich geöffnet werden, und dadurch tritt schon öfters Heilung ein. Wenn man den Canaliculus spaltet und mit einem Bistouri von oben aus in die Cyste dringt, bleibt viel öfters ein sackförmiger toter Raum zurück, und grössere Gefahr besteht für Rezidive. Wenn ungeachtet der genannten Fürsorge immer wieder Cysten auftreten, deutet dies darauf hin, dass die Schleimhaut chronisch erkrankt ist; eine gründliche Behandlung mit Argentum nitricum mittels des Seidenfadens bringt die erwünschte Heilung.

4. Die alten Stenosen in einem Teile der Abfuhrwege. Es kommen hier hauptsächlich wohl diejenigen im Ductus in Betracht. Die Verengerungen in den Kanälchen und beim Übergang derselben in den Saccus heilen wohl meistens beim gewöhnlichen Sondieren. Zwar wird wohl eine eigentümliche Stenose beim Übergange im Tränensacke eben-

als Folge des Sondierens angesehen, aber ich glaube dass diese mehr die Folge ist von ungeschickter Einführung der Sonde. Wenn ich solche Fälle zu Gesicht bekomme, meine ich oft mit der Sonde oberhalb der Kuppe des Sackes eine Art Divertikel zu fühlen, worin man sich verfängt, da die Öffnung des Canaliculus etwas mehr zurückliegt. Da dieser Zustand bei öfters sondierten Patienten angetroffen wird, liegt es auf der Hand anzunehmen, dass bei der horizontalen Einführung der Sonde dieses kleine Divertikel entstanden ist, da das untere Augenlid beim Einführen und beim Aufrichten der Sonde nicht genügend angespannt gehalten wurde. Ich meine von diesen Verengerungen hier weiter absehen zu dürfen.

Bei den Verengerungen im Ductus bringt eine vernünftig eingeleitete Sondenbehandlung ebenfalls oft Heilung. Es gibt aber bekanntlich Fälle genug, wo man auf diesem Wege nicht zum Ziele kommt, da mit der Sonde die Schleimhaut zuviel gereizt und das narbige Gewebe jedesmal zuviel verletzt wird, was einer bleibenden Erweiterung im Wege steht. Auch haben viele Patienten nicht die Zeit oder die Gelegenheit, sich einer langwierigen Sondenbehandlung zu unterwerfen. In solchen Fällen kann der Seidenfaden den Weg fortwährend offen halten während der Heilung, wobei der Kanal auch gewiss regelmässiger und die Bekleidung mit Epithel viel gleichmässiger sich gestalten wird, als bei der Sondenbehandlung.

5. Die traumatischen Stenosen, die kongenitalen und andere impermeabele Strikturen und Stenosen. Bei Verletzungen durch Fall oder Schlag und auch bei solchen mit scharfen Gegenständen kommt bekanntlich öfters eine Verlegung der Tränenabfuhrwege vor, welche für die Sondenbehandlung hoffnungslos ist, da der abgerissene Weg teilweise praktisch fehlt und beim Sondieren künstlich gemacht worden ist; nach Entfernung der metallenen Sonde ist nichts anderes zu erwarten, als dass der Kanal wieder verwächst. Auch bei narbigen Stenosen nach Entzündungen, welche für meine Sonde Nr. 3 nicht durchgängig sind und wo nur mit der sehr dünnen Sonde Nr. 1 ein Weg durch den Ductus gefunden werden kann, wobei derselbe wahrscheinlich wohl teilweise ausserhalb der alten Bahn liegen mag, ist die Aussicht, einen bleibenden Erfolg mit der Sondenbehandlung zu erzielen, ebenfalls sehr gering. Nachdem hier die Erweiterung bis zur Sonde Nr. 4 geführt worden ist, wird der Seidenfaden den Weg offen halten und Gelegenheit zur Auskleidung des Kanales mit Schleimhaut bieten. Der Seidenfaden muss dann sehr lange liegen bleiben. In meinem Falle H. waren 32 Tage gewiss noch

nicht lange genug, wiewohl der Erfolg sehr befriedigend war. Ich wagte es damals aber noch nicht, die Faden sehr lange liegen zu lassen.

Bei den kongenitalen Stenosen kann sozusagen nur von der Behandlung mit Sonden à demeure Heilung erwartet werden. Denn hier muss der Weg gewaltsam dilatiert werden mit den metallenen Sonden, und wenn der neugeschaffene Raum nicht fortwährend offen gehalten wird, kann von einer gleichmässigen Auskleidung des Kanales mit Epithel nicht die Rede sein. Der seidene Faden, der bald mit Schleim imprägniert wird, bildet hier die gewünschte weiche Sonde à demeure, welche jeden Augenblick, ohne Reizung der Schleimhaut, gereinigt werden kann.

6. Die Knochennekrose im Ductus oder am Tränenbein. Sobald bei Dakryoblennorrhoea oder bei Epiphora mit der Sonde auf nekrotischen Knochen gestossen wird, ist der einzige rationelle Weg zur Behandlung die permanente Drainage. Das Sondieren ist hier ausgeschlossen, denn oft ist der Weg geräumig genug, nur verlegen Krankheitsprodukte die Tränenabfuhr. Der Faden ist notwendig, um bei der Heilung womöglich einen Kanal offen zu halten und dann ausheilen zu lassen; derselbe kann auch ausgezeichnete Dienste leisten zur Einführung von Jodoform in Pulver oder Salbenform. Natürlich bleibt es ebenso angezeigt, die Ursache der Periostitis aufzuspüren und dieselbe auch in anderer Weise zu behandeln. Auch hier muss der Faden sehr lange liegen bleiben.

7. Bei Epiphora, wo die Ursache in der Nase gesucht werden muss, und wo durch Behandlung des Nasenleidens die Obstruktion nicht aufgehoben wird. So z. B. bei Polypen in der Nase oder bei chronischem Katarrh oder bei Ulcera der Schleimhaut. Wenn diese Krankheiten geheilt sind und das Tränenträufeln fortbesteht, so beweist dies, dass der Ausgang in der Nase verändert oder verlegt ist. Wenn das gewöhnliche Sondieren hier nicht hilft, kann nur die permanente Drainage den Ductus in seinem Ausgange wieder wegsam machen.

8. Bei Rezidiven von Stenosen und Strikturen, entstanden nach Tränenwegleiden verschiedener Art, ist es angezeigt, einen Versuch zu machen mit der permanenten Drainage und dann den Faden lange liegen zu lassen.

Für diejenigen Augenärzte, welche nicht oft mit der Untersuchung der Nase sich persönlich beschäftigen, will ich noch mit wenigen Worten angeben, wie die Anästhesie der Schleimhaut hinter der Concha am besten erreicht wird. Wenn nötig kann man anfangen, mit einem Ballonzerstäuber die ganze Schleimhaut der Nase mittels einer 10% Kokainlösung einigermassen unempfindlich zu machen. Es genügt aber meistens, ein Wattebäuschchen mit 5% Lösung einige Sekunden zwischen der unteren Concha und der lateralen Nasenwand liegen zu lassen. Dazu wird das geknickte Wattestäbchen (*l*, Fig. 1) mit nur sehr wenig Watte montiert und mit der Spitze nach aussen am Boden der Nase eingeführt; man drückt es dann ziemlich kräftig gegen die laterale Wand und dreht die Spitze dabei nach oben; wenn man fühlt, dass man hinter die untere Muschel gelangt ist, dreht man den Griff noch weiter, bis derselbe nach der entgegengesetzten Seite hinweist. Um mit dem Häkchen hinter die untere Concha zu kommen, muss man sich gegenwärtig halten, dass dieselbe bedeutend mehr lateralwärts gelegen ist als das Nasenloch.

Die nasale Öffnung des Ductus lacrymalis ist meiner Erfahrung nach nicht so leicht zu erreichen als dies in der älteren Literatur wohl angegeben wird. Die Sondierung von der Nase aus wurde früher ziemlich viel geübt, aber Arlt und auch Rüte haben mit Nachdruck darauf gewiesen, dass dabei sehr oft Verwundungen auftraten. Die Methode scheint nie viel Erfolg gehabt zu haben und wurde völlig verlassen. In den letzten Jahren ist die Sondierung des Ductus von der Nase aus in der Rhinologie wieder aufgenommen worden. Pollyak[1]) hat die Methode ausgebildet und ein grosses Instrumentarium dafür angegeben. Es ist nach ihm beinahe immer notwendig, erst den vorderen Teil der Concha inferior zu amputieren, ehe die Sonde eingeführt werden kann. Dies beweist, dass die Öffnung des Ductus naso-lacrymalis nicht so leicht zugänglich ist.

Die Ausmündungsweise des Ductus in der Nasenschleimhaut unterliegt gewiss auch manchen Variationen; ob dieselben Folge oder Ursache des Tränenleidens sind, ist schwer zu entscheiden. Auch ist nicht ausgeschlossen, dass die Sonde in einigen Fällen die Schleimhaut an einer andern Stelle als an der ursprünglichen Mündung des Ductus durchbohrt hat. Tatsächlich fühlte man mit dem Häkchen die Sonde oft vielmehr nach vorn, dann wieder zu hoch, und zuweilen mehr neben der Einpflanzung der Muschel an der lateralen Wandung; auch wohl sehr weit nach hinten. Die Lage mehr nach vorn oder nach hinten muss mit einer individuell verschiedenen Rich-

---

[1]) Pollyak, Sondierung des Ductus naso-lacrymalis. Arch. f. Laryngologie u. Rhinologie. Bd. XII. S. 379.

tung des Ductus zusammenhängen, denn diese Richtung könnte schwerlich durch die Sonde geändert werden. Zuweilen findet man die Sonde beim Palpieren mit dem Häkchen überhaupt nicht, bis der dünne Kupferdraht angehakt worden ist; folgt man dann demselben mit dem Häkchen, so stellt sich heraus, dass die Sonde an der normalen Stelle lag, jedoch ganz in der geschwollenen Schleimhaut eingebettet war.

Im allgemeinen ist es nicht zweifelhaft, wenn man mit dem Häkchen die Sonde berührt. Dennoch kommt es vor, dass in der Nase entblösster Knochen liegt, dass man jetzt darauf stösst und meint die Sonde zu treffen. Hält man die Sonde mit der andern Hand, so fühlt man schon besser, ob dieselbe berührt wird; am besten ist es, bei vorhandenem Zweifel eine andere Person die Sonde zwischen zwei Fingern festhalten zu lassen und dann mit dem Häkchen zu tasten. Sobald die Sonde berührt wird, gibt der Assistent dies sofort an.

Ein paarmal ist es vorgekommen, dass beim Durchspritzen der Hohlsonde das Wasser aus der Nase herauslief und zwar ziemlich gut, und dass es dennoch nicht gelingen wollte, den Kupferdraht hervorzubringen. Der Patient gab dabei an, dass er den Draht an seinen Backenzähnen fühle. Es muss hier wohl die Sonde die Seite des Ductus durchbohrt haben und in die Highmorshöhle gelangt sein; das Wasser ist dann wohl aus der natürlichen Öffnung derselben abgeflossen. Nach erneuter Sondierung wurde dann der normale Weg eröffnet. Üble Folgen habe ich in diesen Fällen davon nicht gesehen. Um über solche Fälle und auch über die abnormen Lagen der Sonden etwas näheres zu erfahren, beabsichtige ich nächstens von der Röntgenphotographie Gebrauch zu machen. Dieselbe kann hier wahrscheinlich noch manches aufklären.

Die falschen Wege sind gewiss nicht so selten, wie ich früher meinte; ob sie allein dem Sondieren zugeschrieben werden müssen oder ob Knochenkrankheiten mit daran schuld sind, ist schwierig zu entscheiden. In einigen Fällen, wie bei dem Patienten H., ist das letztere sehr wahrscheinlich. In andern Fällen zeigt sich von Nekrose aber nichts. So sah ich z. B. einen Fall von Stenose des rechten Ductus lacrymalis, wo die Sonde einen falschen Weg genommen hatte oberhalb der unteren Concha; dieselbe war mit dem Nasenspeculum im mittleren Nasengang leicht zu sehen. Diese Patientin war öfters sondiert worden an meiner Poliklinik sowohl wie anderweitig. Wo der falsche Weg gemacht worden ist, ist nicht bekannt, es muss aber ohne viel Schmerz geschehen sein, denn die Frau wusste sich an nichts zu erinnern. Es bestand immer noch Epiphora an der betreffenden Seite. Die Öffnung im unteren Teile des Sackes war also nicht immer offen, genügte jedenfalls nicht, die Tränen abzuführen. Ich war bei dieser Patientin eben im Begriff einen Faden einzulegen, als der falsche Weg entdeckt wurde. Es bestand die Eigentümlichkeit, dass die Hohlsonde leicht einzuführen war, aber nicht durchzuspritzen. Es zeigte sich dann nachher, dass dies dadurch verursacht wurde, dass das Ende der Sonde in der oberen Seite der unteren Concha eingedrückt lag, wodurch die Öffnung völlig verlegt war. Als der Sachverhalt klar wurde, habe ich mit dünneren Sonden den wahren Weg gesucht und dann dilatiert, wodurch die permanente Drainage unnötig war. Der Fall ist meines Erachtens von Bedeutung, da daraus hervorgeht, dass es nicht schwierig ist, aus der tiefsten Stelle des Tränensackes eine Verbindung mit der Nasenhöhle oberhalb der unteren Concha herzustellen. Und wenn mit Hilfe einiger Seidenfäden, welche hier mit der Hohlsonde gewiss ohne Schwierigkeit durchgeführt werden können, eine mit Epithel ausgekleidete Öffnung gebildet worden ist, wird sehr wahrscheinlich die regelmässige Abfuhr von Tränen wieder stattfinden können. Ganz sicher ist dies wohl noch nicht, da bei der physiologischen Entleerung des Sackes die Schwere der Flüssigkeitssäule im Ductus nach einigen Autoren auch eine Rolle spielt, aber sehr gross kann der letztere Einfluss wohl nicht sein. Bei horizontaler Lage des Körpers beobachtet man nicht besonders häufig Epiphora, was sonst der Fall sein müsste. Die andern Faktoren zur Weiterbeförderung der Flüssigkeit, nämlich die elastische Spannung des Sackes und die Saugwirkung zufolge der Luftverdünnung bei der Inspiration, bleiben auch bei dieser veränderten Lage der Öffnung in Kraft. Ein Nachteil derselben würde sein das Fehlen eines ventilartigen Verschlusses, wie dieser von der sogenannten Valvula Hasneri gebildet wird, und weiter der geringere Schutz gegen Staub usw., da die Öffnung direkt dem Atmungsluftstrom ausgesetzt sein würde. Ich erachte diese Beschwerde gross genug, um auch in schwierigen Fällen immer noch zu versuchen, den alten normalen Weg herzustellen. Aber wo dies nicht gelingt, wäre es meiner Ansicht nach angezeigt, in der angegebenen Weise zu versuchen, eine neue Öffnung zu schaffen.

Auch früher hat man schon versucht, an dieser Stelle eine neue Kommunikation herzustellen; man wählte dazu aber das Mittel einer plastischen Operation, welche wieder ziemlich umständlich war[1]) und darum auch gewiss keinen Anhang gefunden hat. Die Operation besteht darin, dass nach einem Hautschnitt auf der Nase, parallel dem medialen Orbitalrande, das Periost mit Tränensack und Haut zurückgeklappt wird, worauf der Knochen in der Fossa lacrymalis völlig entfernt wird. Es wird dann an entsprechenden Stellen ein Loch in der Nasenschleimhaut — im mittleren Nasengang also — gemacht, und ebenfalls in dem Tränensacke, und die zwei Löcher werden miteinander verbunden. Dies ist eine Operation, welche ziemlich eingreifend wird. Für das von mir angegebene Verfahren braucht man nur die Hohlsonde, mit der unteren Öffnung, mit einem zugespitzten Mandrin zu versehen, um mit derselben unten im Tränensack die mediale Wand desselben zu durchbohren. Nach Einspritzung von einigen Tropfen einer 2% Kokainlösung in den Sack wird dies auch nicht viel Schmerz machen, denn die Gewebe sind hier sehr dünn. Wo nötig könnte man auch eine halbe Pravazspritze einer 0,5% Lösung unten am Tränenbein subcutan injizieren. Ein doppelter Seidenfaden müsste auch hierbei ziemlich lange liegen bleiben, um einen gut gebahnten Weg zu bekommen; ich denke mir so ungefähr zwei Monate.

Auch Passow hat das untere Ende des Tränensackes mit der Nase in Verbindung bringen wollen. Er entfernt dazu, von der Nase aus, nach Einführung einer Sonde im Tränenweg von oben her, die knöcherne Wand des Ductus in den mittleren Nasengang.

Strazza[2]) führt eine ähnliche Operation aus, schiebt aber von der Nase aus eine Sonde in den Ductus lacrymalis.

Aubert[3]) operiert ungefähr wie Toti, verfolgt aber nicht mehr den Zweck, die Tränenabfuhr in Ordnung zu bringen, da der Sack exstirpiert wird. Es handelt sich also mehr um eine Wunddrainage nach der Nase. Diese Operationen sind aber alle viel schwieriger auszuführen als die permanente Drainage und werden gewiss von den Ophthalmologen nicht so bald aufgenommen werden.

Schliesslich muss ich noch einen wichtigen Punkt besprechen, nämlich ob die permanente Drainage keine Gefahr liefert für Infek-

---

[1]) Toti, Dr. A., Nouvelle méthode conservatrice de traitement radical des suppurations chroniques du sac lacrymal (Dakryocystorhinostomie). Service de rhino-laryngologie et d'otologie de l'Hôp. principal de S. M. Nuova de Florence. Note preliminaire parue en italien dans la clinica moderna, Florence 1904, Nr. 33.

[2]) Int. Zentralbl. f. Laryngologie. Bd. XXI. S. 458.

[3]) Aubert, Ann. d'Oculistique, Aug. 1904.

tion der Tränenwege von der Nase her. Gewiss würde man in einem völlig normalen Abfuhrapparat nicht gern die Anwesenheit eines solchen Fremdkörpers sehen, und mit Recht würde man fürchten, dass derselbe durch Überführung von Keimen aus der Nase einen Katarrh im Ductus und noch höher hervorrufen könnte. Bei dem kranken Apparat liegt die Sache aber anders. Erstens ist die Schleimhaut des Tränensackes meistens schon erkrankt und zwar öfters von der Nase aus; in solchen Fällen kommt es nicht darauf an, ob nun noch etwas mehr Pilze dazu treten können; und auch ohne Faden wird dies bei den meisten Kranken schon geschehen. Aber zweitens ist die Gefahr für eine rückläufige Bewegung von Pilzen aus der Nase viel grösser bei verlegtem Abfluss durch Schwellung oder Sekretionsprodukte, als bei permanenter Drainage durch den Faden. Und bei einer überwundenen Stenose, welche in Narbenbildung und Bindegewebeneubildung ihre Ursache fand, ist die Gefahr eines neuen Katarrhs wohl nicht ausgeschlossen, aber in dem veränderten Gewebe dennoch unwahrscheinlich. Am meisten wäre das Auftauchen eines Katarrhs zu befürchten bei der Behandlung einer kongenitalen Stenose, wo die Schleimhaut meistens noch ganz gesund ist; aber auch hier sehe ich darin keine Kontraindikation, denn der verstärkte Flüssigkeitsstrom wird unzweifelhaft der erhöhten Gefahr der direkten Überleitung durch den Faden wohl das Gleichgewicht halten. Überdies würde man in Fällen der letzteren Art nicht zur Behandlung übergehen, ehe man sich von dem normalen Zustande der Nasenschleimhaut überzeugt hat, wie man im allgemeinen nicht zu der Behandlung mit der permanenten Drainage seine Zuflucht nehmen wird, ehe chronische Katarrhe und Prozesse in dem unteren Teile der Nase nach Möglichkeit behandelt und gereinigt worden sind. Alles zusammen genommen, sehe ich also in der Anwesenheit der Seidenfäden keine Gefahr für Verbreitung von Krankheitsprozessen, wie die Erfahrung denn auch schon wohl genügend bestätigt hat.

Die hier mitgeteilten Fälle bilden natürlich noch eine viel zu kleine Zahl, um über den Wert der Methode, besonders auch über die Indikationen zur Anwendung derselben und über ihre Wirkungsgebiete, ein endgültiges Urteil zu bilden. Ich bin jedoch überzeugt, dass in vielen Fällen, wo jetzt aus so verschiedenen Gründen zur Exstirpation des Tränensackes geschritten wird oder wo der Patient, ohne geheilt zu sein, sich selbst überlassen wird, die Anwendung der permanenten Drainage Hilfe bringen kann. Ich habe daher gemeint, nicht länger mit der Veröffentlichung dieser Resultate warten zu müssen, wenn ich auch selber mit der weiteren Ausarbeitung dieser Behandlungsweise wahrscheinlich noch längere Zeit werde beschäftigt sein. Ich hoffe dann nachher auch mit der Erfahrung anderer meine Erfolge dartun zu können.

Als ich mit der Veröffentlichung dieser Therapie beschäftigt war, erschien von der Hand des Herrn J. Burdon Cooper[1]) ein Aufsatz, worin eine ähnliche Behandlungsweise beschrieben wird. Die Ausführung der Methode ist aber ganz verschieden und geht in der Richtung meiner Versuche mit temporär gehärteten Seidensonden. Es kommt mir vor, dass es nicht so leicht sein wird, in Fällen von wirklichen Stenosen diese Silkwormsonden einzuführen. Wenn es aber auch nur in einer gewissen Anzahl von Fällen gelingt, mit Hilfe derselben einen Seidenfaden durch den Tränenweg zu legen, ist diese Behandlungsweise jedenfalls schon ein nicht zu unterschätzendes Hilfsmittel bei der Therapie der permanenten Drainage.

---

[1]) Ophthalmic Review, Jan. 1907: a silkworm-gut lachrymal style.

(Aus der Kgl. Universitätsaugenklinik zu Göttingen.)

Über die Hyalin- und Amyloiderkrankung der Conjunctiva.

Ein Beitrag zur Lehre von dem lokalen Hyalin und Amyloid nebst Bemerkungen über die Beziehungen des lokalen Amyloids zur allgemeinen Amyloidose.

Von

Prof. Dr. Franz Schieck,
Oberarzt der Klinik.

Hyalin und Amyloid können am Auge in zwei verschiedenen Formen auftreten. Einmal werden die eigentümlichen glasigen Substanzen als zufällige Einlagerungen in krankhaft veränderten Organteilen (Cornea, Muskeln, Gefässen usw.) gefunden, ohne dass sie makroskopisch nachweisbar werden und das klinische Bild der Erkrankungen wesentlich beeinflussen. Zum andern handelt es sich um eine wirkliche Hyalin- oder Amyloiderkrankung eigener Art und wir begegnen dann der glasigen Substanz in dem Gewebe der Conjunctiva in Gestalt einer umfangreichen Masse, die zu erheblichen Verdickungen und Geschwulstbildungen im Bereiche des Bindehautsackes Anlass geben und durch das homogene Aussehen der Wucherungen schon klinisch diagnostiziert werden kann.

Im Gegensatze zu der ersten Form erfordert die letztgenannte Art eine besondere Therapie, die nach Lage der Dinge vor allem eine chirurgische sein muss, und es ist aus diesem Grunde verständlich, dass trotz der grossen Seltenheit der Affektion schon relativ zahlreiche pathologisch-anatomische Untersuchungsbefunde über diese Erkrankung vorliegen.

Dessen ungeachtet sind wir noch weit davon entfernt, einen befriedigenden Einblick in das Wesen der seltsamen Wucherungen erhalten zu haben, und schon das Studium der einschlägigen Literatur überzeugt uns davon, dass kaum ein anderes Kapitel der Ophthalmologie an Widersprüchen der Ansichten und Differenzen der Untersuchungsresultate dem vorliegenden gleichkommt.

Die Verwirrung, welche hier herrscht, hat nicht an letzter Stelle ihren Grund darin, dass man sich allzu ängstlich an die mikrochemischen Reaktionen der in den Geweben liegenden glasigen Gebilde geklammert und sich dadurch der Gefahr ausgesetzt hat, über Nebensächlichkeiten die Hauptfragen aus dem Auge zu verlieren; tritt doch unverkennbar immer mehr und mehr die Erscheinung zutage, dass die mikrochemischen Methoden wohl ein nicht zu unterschätzendes Hilfsmittel darstellen, aber wegen ihrer Unzuverlässigkeit und ihrer Abhängigkeit von zufälligen Einflüssen (Härtung, Dauer des Verweilens der Präparate in Alkohol usw.) nicht die souveräne Bedeutung haben, die man ihnen beigemessen hat.

Wenn ich daher im folgenden eigene Untersuchungen eines Falles von sogenannten Amyloidtumoren der Bindehaut veröffentliche, so geschieht es in der Absicht, einen Beitrag zu der sich anbahnenden einheitlichen Auffassung der geschilderten Veränderungen zu liefern. Nicht zum wenigsten fühle ich mich dazu gedrängt, weil meine Ergebnisse in tinktorieller Hinsicht sogar zwischen lokalem und allgemeinem Amyloid tiefgreifende Unterschiede aufdecken und ich der Ansicht bin, dass eine noch weiter gehende Spezialisierung uns ad absurdum führen würde.

Klinische Beobachtung.

Georg F., 19 Jahre, Zigarrenmacher aus M.

25. V. 06. Patient bemerkt seit Anfang April des Jahres ein rotes Gewächs im Weissen seines rechten Auges. Die Geschwulst wurde immer grösser und belästigte den Patienten schliesslich so, dass er klinische Hilfe in Anspruch nahm. Früher will er nicht an den Augen gelitten haben.

Status: Kräftig gebauter junger Mann von auffallend blassem Aussehen. Fühlt sich körperlich vollkommen wohl.

Das rechte Auge ist im allgemeinen reizlos, doch erscheint die rechte Lidspalte etwas enger als die linke. Nahe dem inneren Augenwinkel befindet sich eine hellrote harte Geschwulst, die von der Karunkel ihren Ursprung nimmt, die ganze Partie der Conjunctiva sclerae von der Karunkel bis zum inneren Limbus ergriffen hat und ungefähr 1 cm Prominenz zeigt. Nach unten zu lässt sich der Tumor bis zur Übergangsfalte verfolgen, in die er sich allmählich unter Abflachung verliert. Da das obere Lid nicht völlig ektropioniert werden kann, ist es unmöglich, die Geschwulst nach oben hin abzugrenzen. Die Conjunctiva scheint in die Neubildung hier aufgegangen und dadurch eine Verwachsung des Fornix zu stande gekommen zu sein. Durch Palpation mit dem Finger kann man sich davon überzeugen, dass eine harte knollige Verdickung unter dem oberen Lide sitzt.

Der sichtbare Teil des Tumors hat eine rötlichgelbe, eigentümlich durchscheinende Oberfläche, die leicht höckerig gestaltet ist und die Zeichen beginnender Ulceration an sich trägt. An den Seiten zieht das Conjunctivalepithel kontinuierlich auf die Geschwulst hinauf, so dass die Wucherung an den Randpartien spiegelt. Beim Versuche, die Oberfläche der Neubildung mit einem Tupfer zu reinigen, blutet dieselbe sofort. Die Konsistenz des Tumors ist überall eine ausgesprochen derbe.

Die Wucherung beteiligt sich an den Exkursionen des Bulbus nur wenig und ist auf der Sklera verschieblich. Beim Blicke nach innen verschwindet die Cornea ungefähr bis zur Hälfte hinter derselben. Der übrige Teil der Conjunctiva tarsi und bulbi ist normal, insonderheit finden sich keine Anzeichen für Trachom. Bulbus selbst normal. — 7,0 D S = 0,3 bis 0,4.

Linkes Auge: Die Bindehaut der Lider zeigt eine gelbrötliche Verfärbung und Aufquellung, doch sind eigentliche Wucherungen nicht vorhanden. Ausser zentraler Macula corneae ist der Bulbus normal. S = 0,1.

30. V. 06. In Narkose wird der Tumor des rechten Auges zunächst vom Limbus her abgelöst. Es gelingt dies ohne Schwierigkeit, da sich herausstellt, dass keine Verwachsungen mit der Sklera vorhanden sind. Dann wird die Neubildung behutsam von der Innenfläche des oberen Lides abgeschält, auch unten der Tumor von dem Tarsus losgelöst und nasalwärts die ganze Conjunctiva bis zur Karunkel weggenommen. Die ausgedehnten Defekte werden mit Lippenschleimhaut gedeckt.

12. VI. 06. Entlassung nach glattem Heilungsverlauf. Man fühlt oben unter dem Lide noch eine harte Anschwellung, da es unmöglich war, die Wucherung hier in toto zu entfernen. Wegen partieller Verwachsung des Fornix ist eine Ektropionierung des oberen Lides nicht möglich.

5. XII. 06. Wiederaufnahme. Seit ungefähr 3 Wochen bemerkt Patient die Entstehung einer neuen Geschwulst an seinem rechten Auge.

Status: Das rechte Auge kann nicht völlig geöffnet werden, da beide Lider ödematös geschwollen sind. Das Unterlid ist durch eine dicke sulzige Wucherung der Bindehaut des Tarsus von dem Bulbus abgedrängt und leicht ektropioniert. Nur das temporale Drittel der Conjunctiva tarsi ist noch normal. Der übrige Teil ist von einer gelbrötlichen glasigen Masse eingenommen, die sich bis in den Fornix erstreckt und mit dem freien Lidrande glatt abschneidet. Bei der Betrachtung mit dem Zeissschen Hornhautmikroskop sieht man eine Unmenge feinster Gefässe, die senkrecht zur Conjunctivaloberfläche emporstreben und in eine durchsichtige Substanz eingebettet sind, so dass man den Verlauf der Äderchen ein gutes Stück weit in das Gewebe hinein verfolgen kann. Die Farbe der Masse zwischen den Gefässen ist rein gelb. Die Conjunctiva bulbi ist in ihrem unteren inneren Abschnitte ödematös gequollen, ohne direkt krankhafte Veränderungen zu zeigen, während die implantierte Lippenschleimhaut zwar etwas geschrumpft aber von Wucherungen frei geblieben ist. Der stehen gebliebene Tumorrest unter dem oberen Lid hat sich eher verkleinert anstatt vergrössert.

Am linken Auge findet sich eine verdächtige Auflockerung und Verfärbung in der Gegend der Plica semilunaris, auch macht sich eine Neubildung von Blutgefässen auf der Conjunctiva tarsi bemerkbar.

8. XII. 06. Exstirpation der erkrankten Partie der rechten Conjunctiva tarsi inf. und Deckung durch Lippenschleimhaut, die mit einigen feinen Suturen fixiert wird. Guter Heilungsverlauf.

4. I. 07. Lippenschleimhaut glatt angewachsen. Keine Zeichen von Tumorbildung mehr an dem Unterlide. Entlassung.

3. V. 07. Zustand unverändert.

Pathologisch-anatomischer Befund.

Die excidierten Partien wurden teils in Alkohol, teils in Formol, teils in Flemmingscher Lösung gehärtet und in Paraffin, sowie in Celloidin eingebettet.

Es zeigte sich bei der Untersuchung, dass die Stücke von der Conjunctiva bulbi und tarsi genau den gleichen Befund darboten, und es ist daher angängig, eine zusammenfassende Beschreibung zu geben.

An allen Stellen tritt zunächst mit einer gewissen Gesetzmässigkeit die Erscheinung auf, dass unbeschadet einzelner Übergänge 3 verschiedene Zonen innerhalb der Wucherungen wohl zu unterscheiden sind. Mustern wir die Schnitte in der Richtung von der Oberfläche zur Unterlage der Bindehaut durch, so finden wir, direkt unter dem Conjunctivalepithel beginnend, die Zone der glasigen Einlagerungen, die dadurch gekennzeichnet ist, dass hier im Verhältnis zu der Masse der homogenen Substanz das Zwischengewebe gänzlich in den Hintergrund tritt. Daran schliesst sich die Zone der zelligen Infiltration, welche im Hinblick auf die glasig degenerierte Schicht nur einen schmalen Streifen darstellt, nicht kontinuierlich an der Unterfläche der scholligen Lage anzutreffen ist, aber doch in allen Schnitten so regelmässig wiederkehrt, dass ihr eine besondere Rolle nicht abgesprochen werden kann. Auf sie folgt schliesslich das Gebiet des nur wenig veränderten Conjunctivalstromas resp. der Unterlage des letzteren.

Betrachten wir zunächst das Epithel selbst, so finden wir dasselbe teilweise verdickt und mit Sprossen versehen, welche mehr oder weniger tief in das darunter liegende Gewebe eindringen, teilweise aber auch bis auf wenige Zellagen verdünnt. An einigen Stellen ist es ganz verloren gegangen und arrodiert. Becherzellen sind nicht häufiger als unter normalen Bedingungen. Die einzelnen Zellelemente enthalten wohl reichliche Mengen Glykogen (Färbungsmethode von Best), aber sie sind völlig frei von Einlagerungen glasigen Materiales oder von krankhaften Veränderungen. Wie man in Fällen von partiellen Epithelverdickungen der Bindehaut fast immer beobachten kann, zeichnen sich die basalen Zellreihen auch hier durch den Gehalt an hohen Cylinderzellen aus.

Die nun folgende Zone der glasigen Degeneration studieren wir am besten an Präparaten, welche der vorerwähnten Bestschen Glykogenreaktion unterworfen worden sind; denn eigentümlicherweise sättigt sich das ganze glasige Material mit dem in der Lösung enthaltenen Kaliumkarmin so, dass wir die Substanz bis in die feinsten Ausläufer hinein in leuchtend roter Farbe vor uns haben, während die vorausgeschickte Hämalaunfärbung mit nachfolgender Differenzierung eine gleichzeitige gute Übersicht über die Beziehungen zu den Zellen gewährleistet.

Wir sehen da, dass nahezu das ganze die eigentümliche Verdickung der Bindehaut umfassende Gebiet von massenhaft aufgetretenen Einlagerungen eingenommen ist, woraus resultiert, dass man schon mit unbewaffnetem Auge an den Schnitten das Vorhandensein eines breiten roten Bandes wahrnehmen kann. Im mikroskopischen Bilde hat die Verteilung der Substanz in ihrem Verhältnis zu den Resten des Mutterbodens eine auffallende Ähnlichkeit mit Knochenleisten, indem das glasige Material in Sprossen treibenden Inseln zutage tritt, und anderseits lakunäre Einbuchtungen darbietet, in welche ein kernreiches Gewebe hineinreicht.

Dabei sind die glasigen Massen selbst keineswegs frei von zelligen Elementen, sondern es kann als Regel gelten, dass inmitten der einzelnen Schollen noch isolierte Zellen oder Gruppen solcher vorzufinden sind. Im Vergleiche zu den Zellen innerhalb des die Zwischenräume ausfüllenden Gewebes sind diejenigen in der homogenen Substanz allerdings von einem beträchtlich schmäleren Protoplasmasaum umgeben, so dass die nach Best rot gefärbten Massen direkt bis an den Zellkern heran zu reichen scheinen.

Indessen lässt sich an der Mehrzahl der Gebilde nicht allein der Kern, sondern auch die feinere Struktur des Protoplasmas noch zur Darstellung bringen, wenn man die Schnitte nach der Vorschrift von Unna-Pappenheim mit Methylgrün-Pyronin behandelt; denn dann werden neben dem Kerne die leuchtend roten Kügelchen sichtbar, die für die Plasmazellen charakteristisch sind. Bei einigen Vertretern dieses Typus sind freilich diese Körnchen nicht mehr distinkt anzutreffen, sondern es findet sich der rote Farbstoff diffus an das ganze Protoplasma oder sogar an das angrenzende glasige Gewebe abgegeben, so dass hier eine Auflösung der körnigen Substanz vor sich gegangen zu sein scheint. Auch die Zellkerne nehmen an den regressiven Metamorphosen Anteil, indem sie Karyolyse und Zertrümmerung aufweisen.

Manche der in den Schollen eingeschlossenen Kernhaufen verraten durch ihre gegenseitige Lage, dass sie ehemals zu Riesenzellen gehört haben müssen, wie auch intakte aber offenbar zusammengepresste Riesenzellen in der glasigen Substanz hie und da noch zu finden sind.

Untersucht man die näheren Einzelheiten an Hämalaun-Eosin-Präparaten, die das glasige Material nicht so intensiv gefärbt beherbergen, dass weniger stark tingierte Zellelemente in den Massen verdeckt werden, so begegnen wir auch mannigfach Schatten von zugrunde gegangenen Zellen, welche durch die schollige Substanz eben noch hindurch schimmern.

Was die in so eigentümlicher Weise verglasten Bezirke selbst anlangt, so verdienen sie die Bezeichnung als homogen nur insofern, als die einzelnen Komponenten sich durch ein abnormes Lichtbrechungsvermögen auszeichnen und gequollen erscheinen; denn als Ganzes genommen sind die Schollen keineswegs ohne Struktur. Schon die van Giesonsche Flüssigkeit, noch besser die Weigertsche Modifikation derselben mit vorausgegangener Kernfärbung durch Eisenhämatoxylin deckt in den Massen ein System sich vielfach durchkreuzender Fibrillen auf, deren einzelne sogar noch die karmoisinrote Farbe des Bindegewebes bewahrt haben. Auch die Methode von Fränkel demonstriert noch wohl erhaltene Reste von Bindegewebe, indem innerhalb der gelblich gefärbten Schollen grüne Fasern sichtbar werden. Nicht anders steht es mit der Weigertschen Fuchsinlösung; denn es treten an den so behandelten Schnitten intensiv blau tingierte feine Fasern in die Erscheinung, die Reste des dem bindegewebigen Gerüst folgenden elastischen Materiales darstellen. Sie sind als Bruchstücke scheinbar ohne Aufquellung oder Auflösung in kugelige Gebilde wahrnehmbar, wie sie bei andern Affektionen der Conjunctiva ebenfalls degenerieren können, ohne dass die mit dem Fuchsin färbbare elastische Substanz besondere regressive Metamorphosen eingeht, sondern einfach verschwindet.

Die Prüfung der verschiedenen Farbreaktionen hatte an dem glasigen Materiale folgendes Ergebnis.

I. Für Hyalin charakteristische Methoden:

1. Van Gieson-Ernst: Je nach Härtung des Materiales in Alkohol, Formol oder Flemmingscher Lösung variiert die Farbe zwischen einem Hellgelb und Bräunlichrosa. Das von Ernst betonte Grellrot ist nirgends nachweisbar.
2. Eosin tingiert die scholligen Massen nicht anders wie das Bindegewebe. Eine besondere Affinität zu dem Farbstoff ist nicht nachweisbar.
3. Karmin färbt als Lithionkarmin die Substanz dunkelrosa. In der Bestschen Kaliumkarminlösung (Reagens auf Glykogen) erscheint dieselbe leuchtend rot, ähnlich dem Glykogen.
4. Die von Kamocki geforderte Behandlung der Schnitte mit Gram, Weigerts Fibrinmethode (auch bei Ersatz des Gentianaviolett durch Fuchsin), sowie die Fuchsinfärbung nach Ziehl-Neelsen erweist sich als negativ.

II. Für Amyloid charakteristische Methoden:

1. Verdünnte Jodjodkaliumlösung ruft sofort eine sehr intensive dunkelbraune Färbung hervor. Der erzielte Farbton kann jedoch nicht als mahagonibraun bezeichnet werden, sondern entspricht mehr einem dunklen Rehbraun. Es muss ferner hervorgehoben werden, dass nicht das ganze homogene Material sich braun färbt, sondern dass im Vergleich zu den nach Best behandelten Schnitten in den Schollen zahlreiche Lücken sichtbar sind und ihr Rand wie angenagt aussieht. Mit dem Kaliumkarmin erscheinen die Konturen rundlicher.
2. Setzt man verdünnte Schwefelsäure zu, so ist das Verhalten ein verschiedenes. Zunächst tritt an allen jodierten Schnitten eine dunklere Färbung des Brauns ein, das bei einigen Präparaten allmählich einem Schwarz, bei andern wieder einem Dunkelblaugrün Platz macht. Bei vorsichtigem Zusatz von stark verdünnter Schwefelsäure gelang es mir einmal, nach

längerer Einwirkung ein ausgesprochenes Lila zu erzielen. Wirkliche Blaufärbung konnte ich nicht beobachten.

3. Die Jodfärbung gelingt auch nach langem Verweilen (36 Stunden im Brütofen) der Schnitte in Speichel.
4. Färbung mit Methylviolett und Differenzierung mit Essigsäure bewirkt an der Hauptmasse der glasigen Substanz intensive Blaufärbung. Doch tritt anderseits an vielen regellos verstreuten kleinen Bezirken die für die Anwesenheit von Amyloid typische Rotfärbung prägnant in die Erscheinung.

Betrachten wir nun die Übergänge des an die Schollen angrenzenden Gewebes in dieselben, so sehen wir, dass das retikuläre Bindegewebe sich gegen die amyloiden Massen nicht scharf absetzt, sondern sich direkt in dieselben auffasert. Namentlich die nach der Weigertschen Modifikation der van Giesonschen Methode gefärbten Schnitte von in Flemmingscher Lösung gehärteten Stücken ermöglichen ein genaueres Studium des Zusammenhanges insofern, als die intakte Bindegewebsfaser hier karmoisinrot aufleuchtet, während die Flemmingsche Lösung den Schollen ein schmutzig-gelbes Aussehen verleiht.

Als einleitender Prozess der Degeneration tritt eine Aufquellung und Verbreiterung der noch rot gefärbten Fasern zutage, die immer mehr zunimmt, so dass zuletzt die einzelnen Fibrillen voneinander nicht mehr zu trennen sind und ineinander geflossen erscheinen. Mit der fortschreitenden Verglasung verliert sich aber auch ganz allmählich die rote Farbe der faserigen Elemente, an deren Stelle dann die gelbliche Masse des Amyloids tritt.

Inwieweit auch Zellen an dem Aufbau der Schollen beteiligt sind, werden wir weiter unten noch kennen lernen.

Vorerst müssen wir uns mit der Struktur der zwischen den Amyloidmassen sichtbaren Lücken und den dort liegenden Zelltypen eingehender beschäftigen.

Die degenerierten Bezirke sind in ein Gewebe eingebettet, das ausgesprochen adenoiden Habitus aufweist. In ein lockeres Maschennetz von Bindegewebsfibrillen eingelagert treffen wir hier eine Menge von Zellen an, die einen grossen epitheloid geformten Kern und einen ausgiebigen Protoplasmasaum besitzen und welche in der Hauptmasse eine so deutliche Färbung mit dem Unna-Pappenheimschen Methylgrün-Pyroningemisch geben, dass wir an ihrer Natur als Plasmazellen nicht zweifeln können.

Dazwischen ziehen sich zahlreiche neugebildete Gefässe mit stark verdickten und glasig degenerierten Wandungen entlang, deren pathologischer Kernreichtum auf sklerotische Prozesse schliessen lässt. Das homogene Material der Arterien und Venen geht oft in die Amyloidschollen über, doch wird auch eine streng isolierte Erkrankung der Gefässe beobachtet.

Neben den Bindegewebszellen und Plasmazellen kommen in verhältnismässig spärlicher Anzahl auch Leukocyten in den Resten des Mutterbodens vor, ohne dass man sie hier gerade um die Gefässe herum in Schwärmen antrifft.

Bedeutend wichtiger für das Gesamtbild sind dagegen die Riesenzellen, an denen namentlich die von der Tarsalbindehaut stammenden Excisionsstücke auffallend reich sind. Ihre Gestalt ist je nach dem Orte, an dem sie gefunden werden, eine verschiedene. Wo infolge stärkerer Ausdehnung der scholligen Massen die Überbleibsel des conjunctivalen Gewebes zu schmalen Zügen zusammengepresst sind, sind die Riesenzellen ebenfalls zu in die Länge gezogenen Gebilden umgewandelt, so dass ihr kernreicher Protoplasmaleib zu grossen schlanken Zellen umgeformt ist, die sich den Konturen der Schollen oft innig anschmiegen. Auch die in den Zellen sichtbaren Kerne haben anscheinend unter dem Drucke ihrer Umgebung eine spindelige Form angenommen. Hingegen bieten die Riesenzellen dort, wo die glasige Substanz noch keine grosse Ausdehnung gewonnen hat und geräumigere Lücken vorhanden sind, eine mehr rundliche Gestalt dar und schliessen in ihrem Protoplasmaleibe epitheloide Kernformen ein. Verraten schon die Zellen auf diese Weise ihre Verwandtschaft mit den Plasmazellen des Stromas, so wird durch die Tatsache, dass sich in ihrem Protoplasma mit dem Methylgrün-Pyroningemisch zahlreiche rotgefärbte Einlagerungen darstellen lassen, dieser Zusammenhang direkt bewiesen.

Von besonderem Interesse erscheint aber die Wahrnehmung, dass an Schnitten, die mit dem Bestschen Kaliumkarmin tingiert sind, sich innerhalb der Riesenzellen deutliche Einschlüsse der glasigen Substanz nachweisen lassen. Auch gehört hierher die Beobachtung, dass einige isolierte Plasmazellen in gleicher Weise färbbare Körnchen und Tröpfchen enthalten, welche von Glykogeneinschlüssen ebensowohl durch ihre Form wie durch ihre Resistenz gegenüber der Einwirkung von Speichel leicht zu trennen sind.

Schliesslich kommen unter den Zellmassen auch noch Vertreter des Typus der Mastzellen mit ihren grobkugligen Granula vor.

Es bleibt nun noch die Frage zu entscheiden, ob die scholligen Gebilde einen Zellbelag aufweisen, der sie einer Kapsel gleich überzieht, und es lässt sich nicht leugnen, dass auf den ersten Blick eine solche Annahme viel Wahrscheinlichkeit für sich hat; kann man sich doch oft genug davon überzeugen, dass in scheinbar regelmässigen Abständen schmale endothelähnliche Kerne mit dünnem Protoplasmaleib an ihrer Oberfläche vorhanden sind. Indessen belehren uns die vielfachen Übergangsformen zu den Plasmazellen, ebenso wie ihre charakteristische Reaktion auf die Unna-Pappenheimsche Färbeflüssigkeit, dass es nur an die Wand angepresste modifizierte Zellen des Zwischengewebes sind.

Wir wenden uns nun der zweiten Zone, derjenigen der kleinzelligen Infiltration zu, von der wir schon oben kennen gelernt haben, dass sie das Gebiet der vorwiegend Schollen enthaltenden tumorartig gewucherten Partie gegenüber dem wenig oder gar nicht veränderten Stroma nach der Tiefe zu abgrenzt und nicht als ein kontinuierlicher Streifen in die Erscheinung tritt. Erblicken wir auch an einigen Stellen die Lage der scholligen Gebilde in unmittelbarer Berührung mit dem noch intakten darunter liegenden Gewebe, so schiebt sich doch an wieder andern Partien eine Schicht kleinzellig infiltrierten Gewebes mit einer solchen Regelmässigkeit dazwischen, dass man mit Recht von einer besonderen Zone sprechen kann, der eine eigene Bedeutung zukommt. Nicht selten tritt diese in mehrfachen Lagen auf, so dass wir übereinander geschichtete und von Gewebslamellen getrennte längliche Schwärme von kleinen Rundzellen an der Unterfläche der scholligen Massen erblicken, wie überhaupt die Grenze zum gesunden Gewebe nicht mit völliger Schärfe zu ziehen ist.

Das Charakteristikum der Zone bilden Haufen mononucleärer Leukocyten, welche dicht gedrängt die Gewebsspalten bevölkern und den Eindruck einer entzündlichen Reaktion des Gewebes hervorrufen. Sie umschwärmen ebensowohl die zu den scholligen Zonen führenden Gefässe als auch kleine in Bildung begriffene Schollen, welche an den nach Best gefärbten Schnitten als undeutlich begrenzte und durch die Masse der ausgewanderten Zellen nahezu verdeckte rote Inseln hervorleuchten. Auch Plasma und Riesenzellen finden sich unter den Zellhaufen, ohne jedoch in den Vordergrund zu treten.

Mit der intermediären Zone der zelligen Infiltration werden wir zu der letzten Zone übergeleitet, in der wir ein verhältnismässig wenig alteriertes Stroma vor uns haben, welches nur hier und da von kleinen Rundzellanhäufungen und neugebildeten Gefässen durchsetzt erscheint. Auch spärliche Anfänge von glasiger Degeneration sind regellos verstreut zu bemerken, und zwar begegnen wir einer solchen vor allen Dingen an den Wandungen der Blutgefässe, wie an den Umhüllungen der wenigen in den Präparaten sichtbaren Muskelfasern. Die Leukocytenschwärme wiederum stehen in einer unverkennbaren Beziehung zu den zahlreichen teils normalen, teils in glasiger Degeneration befindlichen Gefässlumina.

Zu erwähnen ist noch, dass einige Bindegewebsbündel in der Nähe von quergetroffenen Drüsenläppchen und Ausführungsgängen mit der van Giesonschen Lösung ein intensiv leuchtendes Feuerrot annehmen, welches für die hyaline Degeneration charakteristisch ist. Das Bindegewebe in der Nähe der glasig degenerierten Inseln zeigt diese Reaktion jedoch nicht.

Der im vorstehenden geschilderte Fall bietet in mehrfacher Hinsicht Interesse.

Zunächst reiht er sich denjenigen Beobachtungen von Amyloidgeschwülsten der Bindehaut an, bei denen Trachom eine ätiologische Rolle nicht spielt, und bestätigt damit von neuem die zuerst von Saemisch (60) aufgestellte These von der Unabhängigkeit der einen Erkrankung von der andern. Indessen vermag ich Saemisch nicht in der Annahme zu folgen, dass man das häufige Nebeneinander von Amyloid und Trachom als ein rein kasuistisches betrachten muss, weil die meisten Fälle von Amyloid zufällig gerade in den Ländern zur Kenntnis gelangt sind, in welchen die ägyptische Augenerkrankung endemisch ist. Vielmehr glaube ich den letzteren Umstand in dem Sinne auslegen zu müssen, dass zweifellos die mit der Granulose einhergehende andauernde und intensive Reizung der Bindehaut einen günstigen Boden für die Entwicklung des Amyloids abgibt, wenn schon auch andere langwierige Conjunctivalaffektionen von den gleichen Folgen begleitet sein können.

Ferner beweist unsere Beobachtung die schon von Raehlmann (12) und Kubli (6) gemachte Erfahrung als zutreffend, dass es nicht notwendig ist, die Tumoren in ihrer ganzen Ausdehnung zu entfernen, da das Amyloid zu spontaner Resorption neigt und sich nach partiellen Excisionen zurückbilden kann. Allerdings machte sich nach der ersten Operation geraume Zeit später noch eine zweite notwendig; doch ist darauf hinzuweisen, dass es sich hier nicht um ein eigentliches lokales Rezidiv in dem Sinne gehandelt hat, dass auf dem Boden der Narbe ein neuer Tumor entstanden wäre. Vielmehr war der Prozess der amyloiden Einlagerung nur dank der entschieden vorhandenen Disposition der Bindehaut auf die vorher gesunden Partien des Conjunctivalsackes übergegangen, während sich an den stehen gebliebenen Resten des ehemaligen Tumors deutliche Rückbildungserscheinungen geltend machten.

Fordert auch das ganze Krankheitsbild der lokalen Amyloidablagerungen unwillkürlich zu einem Vergleiche mit den echten Tumorbildungen heraus, so bestehen doch tiefgreifende Unterschiede zwischen beiden Affektionen, und ich möchte Poscharisky (11) widersprechen, wenn er annimmt, dass gewisse Formen der Amyloidtumoren der Bindehaut endotheliale Geschwülste darstellen. Waren die von Poscharisky beobachteten Bildungen wirklich Tumoren endothelialer Herkunft, so gehören sie nicht hierher, auch wenn sie zufällig eine amyloide Degeneration aufwiesen; denn man muss in dieser Frage scharf diejenigen Fälle, bei denen das Hyalin oder Amyloid das ausschliessliche Charakteristikum der Wucherungen abgibt, von der andern Kategorie trennen, bei der sich in primären echten Tumoren eine sekundäre amyloide oder hyaline Entartung einstellt.

Wichtig ist dabei, dass unter den wirklichen lokalen Amyloidtumoren der Conjunctiva kein Fall bekannt geworden ist, der zu Metastasen in andern Organen Anlass gegeben hätte, während allerdings in der Literatur eine Beobachtung verzeichnet ist, die einen angeblich echten Amyloidtumor der Schilddrüse betrifft und das Auftreten von Metastasen ausgehend von diesem Tumor wahrscheinlich macht. Immerhin ist dieser von Burk (43) mitgeteilte Fall zweifelhaft, da der betreffende Autor von einem direkt malignen Geschwulstknoten mit amyloiden Einlagerungen spricht und das Bild von dem der gewöhnlichen Amyloidtumoren erheblich abweicht.

Was die Frage anbelangt, ob die Amyloidtumoren nur Teilerscheinung einer allgemeinen Amyloidose darstellen oder eine rein lokale Affektion bilden, so ist mir kein Fall in der Literatur bekannt geworden, der für die Bindehautgeschwülste einen Zusammenhang mit allgemeinem Amyloid ergeben hätte. Auch bei unserer Beobachtung handelte es sich um einen sonst gesunden Mann, bei dem ein zu Amyloidose prädisponierendes chronisches Leiden ausgeschlossen werden konnte. Auch für die Fälle von lokalem Amyloid der Zunge [M. B. Schmidt (49)] und der Luftwege [Glockner (44), Herxheimer (45), Johanni (46) und Saltykow (47)] gilt das Gleiche, während Edens (31) einen merkwürdigen Fall von tumorförmigem Amyloid des Knochenmarks beschreibt, der mit allgemeiner Amyloidose gepaart war. Ein solche Beobachtung dürfte sehr selten sein, ohne dass übrigens der genannte vereinzelte Fall für den Zusammenhang des lokalen und allgemeinen Amyloids irgend etwas beweist; denn hier kann ebensowohl der Zufall obgewaltet haben.

Wenden wir uns nunmehr dem pathologisch-anatomischen Befunde zu, den wir an unserer Beobachtung erheben konnten, so ist zunächst zu prüfen, ob wir einen amyloiden oder einen hyalinen Tumor mit amyloiden Inseln vor uns haben, wobei wir die grundsätzliche Frage zu entscheiden haben werden, ob Hyalin in Amyloid übergehen kann oder nicht. Diese Betrachtungen müssen aber wiederum ausgehen von der Erörterung der Histologie und Genese der glasigen Umwandlung, insonderheit der Beteiligung des Bindegewebes, der Zellen usw., während die unsern Fall auszeichnende überraschend exakte Färbbarkeit der Massen mit dem Bestschen Reagens auf Glykogen uns zwingt, einen Blick darauf zu werfen, ob aus dieser Reaktion irgend welche Schlüsse betreffend die Mitwirkung von Glykogen erlaubt sind.

Wir werden daher gut tun, unsere Untersuchungen zunächst auf die Histologie und Genese der glasigen Substanz zu richten, dann die Beziehungen zwischen Amyloid und Hyalin zu erörtern und schliesslich die Frage zu entscheiden, ob wirklich eine Beimengung von Glykogen vorliegt.

Die Histologie und Genese der glasigen Umwandlung.

Wir haben an den Präparaten kennen gelernt, dass der glasig degenerative Prozess nicht regellos von dem Conjunctivalgewebe Besitz ergriffen hat, sondern vor allem an eine Schicht gebunden ist, welche sich direkt unter dem Epithel hinzieht und nach dem Gesunden zu durch eine schmale kleinzellig infiltrierte Zone abgegrenzt wird. Darüber hinaus finden sich glasige Umwandlungen nur an den Wandungen der zahlreichen neu gebildeten Gefässe und in der Nachbarschaft von Muskelfasern.

Eine solche mehr oder weniger scharf ausgesprochene Schichtung des Prozesses ist nicht ungewöhnlich; doch habe ich die weitest gehende Analogie in dem von Leber (55) veröffentlichten Fall von Conjunctivitis petrificans (Beobachtung 1) gefunden, die ja in struktureller und tinktorieller Hinsicht mannigfache Anklänge an die hyaline und amyloide Bindehautdegeneration aufweist.

Wir haben ferner gesehen, dass auch dort, wo der glasige Prozess grosse Ausdehnung gewonnen hat, sich reichlich Züge einer zellreichen Zwischensubstanz finden, welche als die pathologisch veränderten Reste des eigentlichen Conjunctivalstromas aufzufassen sind. Ihre abnorme Beschaffenheit geht aus dem Gehalt an neu gebildeten Gefässen und aus der zelligen Infiltration hervor, während das bindegewebige Reticulum ganz charakteristische Modifikationen eingeht, die uns die Genese der glasigen Schollen vor Augen führen.

Es kann nämlich keinem Zweifel unterliegen, dass an dem Aufbau der amyloiden Substanz die Fasern des Stützgewebes der Conjunctiva in ganz hervorragender Weise beteiligt sind, da an Präparaten, die nach van Gieson gefärbt sind und deswegen die normale Bindegewebsfaser in roter Farbe zur Darstellung bringen, der Nachweis geführt werden kann, dass die einzelnen Fasern zunächst zu dickeren Gebilden aufquellen, sich dann zu glasigen Klumpen von roter Farbe verschmelzen und erst so vorbereitet allmählich in das Graugelb der Schollen sich verlieren. In gleicher Weise sehen wir die glasige Metamorphose an den Wandungen der zahlreichen neugebildeten Gefässe Platz greifen und zu erheblichen Verdickungen Anlass geben, während ein ähnlicher Vorgang sich an den glatten Muskelfasern geltend macht. Die letztere Veränderung ist schon von Vossius (19) an den Fasern des Müllerschen Lidmuskels gefunden und von einer Anzahl späterer Untersucher bestätigt worden.

Mit der Feststellung, dass in der Substanz des Bindegewebes ein Hauptfaktor für die Genese der homogenen Massen in den Amyloidtumoren der Conjunctiva zu suchen ist, deckt sich völlig das Ergebnis der Arbeit A. v. Hippels (1) aus dem Jahre 1879, der im Gegensatz zu der damals aufgestellten cytogenen Theorie seine Ansicht so formulierte, dass die amyloide Degeneration ihren Ausgangspunkt im Bindegewebe nimmt und zwar nicht als Ablagerung zwischen die Fibrillen, sondern als Umwandlnng dieser selbst in homogene glasige Massen. Vossius (19, 29) hat dann später für das Amyloid und das Hyalin, Hübner (2) für das Amyloid allein dieselbe Anschauung vertreten, und in der Dissertation von Wild (41) finden wir eingehende Mitteilungen über den Modus dieser Metamorphose.

Auch Kamocki (3) hebt die führende Rolle des Bindegewebes hervor, da es ihm gelang, bei Anwendung von Unnas polychromen Methylenblau, Differenzierung mit Essigsäure und nachfolgender Behandlung nach van Gieson in der homogenen Substanz ein Netzwerk verfilzter Fasern darzustellen, die er mit Recht als die Reste des Mutterbodens auffasst. Wie wir gesehen haben, ist die Sichtbarmachung dieses Faserwerks auch nach Vorfärbung mit Eisenhämatoxylin durch die van Giesonsche Lösung und ebenso mit der Bestschen Glykogenreaktion möglich, doch scheint mir in der Tatsache der Existenz dieses Netzwerkes kein zwingender Beweis dafür gegeben zu sein, dass die Schollen aus degeneriertem Bindegewebe entstanden sind. Es kann ja zwischen die Fasern abgeschiedenes Amyloid genau die gleichen Bilder erzeugen, und ich halte daher den Nachweis des direkten Übergangs gesunder Fasern in amyloid degenerierte für einwandsfreier.

Indessen bildet die genannte Metamorphose des Bindegewebes keineswegs die ausschliessliche Bildungsart des glasigen Materials, sondern es muss auch als erwiesen gelten, dass neben der Degeneration präexistenter Gewebselemente eine Abscheidung von Amyloid in die Gewebsinterstitien vorkommt.

Allerdings ist damit ein anderer Modus der Abscheidung gemeint als derjenige, den Leber in seinen ersten Arbeiten (8, 9) als Grundlage seiner cytogenen Theorie annahm, indem er die Genese des Amyloids an die sekretorische Tätigkeit einer die Schollen umgebenden Zellhülle im Sinne einer Cuticularbildung knüpfte; denn diese Theorie kann heute als verlassen gelten und Leber selbst nimmt jetzt zu der Frage einen andern Standpunkt ein, von dem aus er die amyloiden Gebilde der Bindehaut nicht mehr als Produkt einer Proliferation, sondern einer Degeneration betrachtet (55).

Was Leber seinerzeit zu der Annahme einer Membran um die Schollen herum bewogen hat, erscheint zweifelhaft. A. v. Hippel (1), Vossius (19) und Kamocki (3) glauben, dass es sich bei der fraglichen Cuticula um nichts anderes gehandelt hat, als um den Ausdruck der Kompression des Zwischengewebes durch die Volumenzunahme der Amyloidmassen, durch welche die benachbarten zelligen Elemente verschmälert und gleich Endothelien den Konturen der Schollen angeschmiegt werden. Auch an unsern Präparaten liess sich derselbe Befund erheben und der positive Ausfall der Färbung mit dem Methylgrün-Pyroningemisch ergab zur Evidenz, dass die Zellen Vertreter des Typus der Plasmazellen waren.

Dann ist aber auch von anderer Seite das Vorhandensein eines Häutchens um einen Teil der Schollen herum bestätigt worden, wenn auch in anderem Zusammenhange. So hat Herxheimer (45) dergleichen Bilder an einem Amyloidtumor des Kehlkopfes genauer studiert und den Nachweis geliefert, dass in diesem Falle die glasigen Massen sich in dem Lymphgefässsystem vorwärts geschoben hatten, und M. B. Schmidt (39) betont, dass „es als Regel, vielleicht als Gesetz gelten kann, dass in den Amyloidgeschwülsten die pathologische Substanz in grossem Umfange in den Lymphbahnen abgelagert wird, ja dass in manchen Fällen die Volumenzunahme der erkrankten Teile überhaupt nur auf der Füllung und Dehnung dieses Kanalsystems beruht". Bei einem Amyloidtumor der Zunge war der gesamte Lymphapparat des Gewebes mit Amyloid ausgegossen. Ebenso fand Ischreyt (29a) in einer Hyalingeschwulst des Oberlides mit Hyalin angefüllte Lymphgefässe.

In ähnlicher Weise konstatierte Johanni (46) das Auftreten von amyloiden Schollen in Blutkapillaren, glaubte jedoch weniger an den Einbruch amyloider Massen in die Blutbahn als vielmehr an eine Metamorphose von roten Blutkörperchen zu Amyloid, wie auch E. v. Hippel (59) innerhalb einer intraokularen Blutung neugebildetes Amyloid antraf.

Halten wir aber das Vorkommen von Amyloid innerhalb von Blut- und Lymphgefässen für erwiesen — und es besteht kein Grund daran zu zweifeln —, so müssen wir notwendigerweise zugeben, dass ausser der direkten Metamorphose des präexistenten Bindegewebes noch eine Abscheidung von Amyloid in die Gewebslücken hinein stattfinden kann; nur dürfen wir nicht so weit gehen, diese letztere Entstehungsart der Schollen als die alleinige hinzustellen, wie es von einigen Seiten geschehen ist.

Insonderheit war es Wiechmann (42), der eine sogenannte Juxtapositionstheorie daraus ableiten wollte, das er „bei seinen zahlreichen Untersuchungen aller Gewebe des menschlichen Körpers weder die Gewebszellen noch das Bindegewebe umgewandelt sah, sondern die amyloide Substanz zwischen den Zellen und zwischen den Bindegewebsfasern fand", eine Beobachtung, die sich mit der Mehrzahl der in der Literatur niedergelegten Befunde durchaus nicht in Einklang bringen lässt und auf allgemeine Gültigkeit keinen Anspruch machen kann.

Das experimentell erzeugte Amyloid scheint sich allerdings, wie schon Lubarsch hervorgehoben hat, anders zu verhalten, da bislang nur interstitielle Ablagerungen beschrieben worden sind. Wenigstens kommt Maximow (37) auf Grund seiner eingehenden Versuche an Kaninchen und Hühnern, bei denen er durch subcutane Injektion von Bouillonkulturen von Staphylococcus pyogenes aureus allgemeine Amyloidose erzeugte, zu dem Schlusse, dass die Entartung in der Ablagerung einer besonderen pathologischen Substanz zwischen die Elemente des Gewebes bestehe, ohne dass die Gewebsteile oder die Zellen mit Amyloid durchtränkt werden. Diese letzteren sollen vielmehr unter dem Einflusse giftiger Stoffwechselprodukte, die zum grössten Teile von den pathogenen Mikroorganismen geliefert werden, allmählich atrophieren und die Amyloidsubstanz dabei als Endprodukt des pathologischen Stoffwechsels erscheinen, während unter den gleichen pathologischen Bedingungen auch andern Gewebselementen, so vor allem dem kollagenen Bindegewebe, den Membranae propriae der Drüsen usw. dieselbe Abscheidungsfähigkeit zukomme. Krakow (33) und Nowak (38) kamen zu ähnlichen Ergebnissen.

Was die Rolle der Zellen anbelangt, so kann es keinem Zweifel unterliegen, dass die Mehrzahl derselben innerhalb der sie einschliessenden homogenen Massen abstirbt und sekundär zugrunde geht. Doch fehlt es anderseits auch nicht an Bildern, die eine intracelluläre Entstehung des glasigen Materials wahrscheinlich machen, und zwar sind es hier vor allen Dingen die Plasmazellen, die an dem Aufbau der scholligen Gebilde beteiligt sind. Mustert man nämlich Schnitte durch, die nach Best mit Kaliumkarmin gefärbt sind, so begegnet man rot tingierten Zelleinschlüssen, die sich durch den Farbton als Ablagerungen darstellen, welche mit den scholligen Massen identisch sind und sich durch ihre Widerstandskraft gegenüber der Einwirkung von Speichel von Glykogenkugeln wohl unterscheiden. Sie erscheinen innerhalb sonst normaler Plasmazellen als halbmondförmige und kuglige Einschlüsse, geben aber mit Jod und den Anilinfarbstoffen keine Reaktion auf Amyloid. Da, wie wir gesehen haben, auch ein Teil der scholligen Substanz diese Reaktion verweigert, liegt hierin kein Grund, an der

Gleichartigkeit der Einlagerungen und der glasigen Massen ausserhalb der Zellen zu zweifeln.

Vergleichen wir dieses Untersuchungsresultat mit demjenigen anderer Fälle, so sei darauf hingewiesen, dass auch Dimmer in seinem Fall von Hyalin der Conjunctiva (23) das Material nicht nur in den veränderten Bindegewebsfibrillen, sondern auch intracellulär angetroffen hat, und dass Kamocki (25) innerhalb von Lymphoidzellen glasige Körner beschreibt, denen dieselben tinktoriellen Eigenschaften wie dem Hyalin zukommen, während v. Krüdener (4) in einem Falle von Amyloidtumor der Bindehaut Zelleinschlüsse mit amyloider Reaktion feststellte. Unsern eigenen Beobachtungen kommt aber wohl am nächsten der Befund, welcher an einem von Johanni (46) bearbeiteten Fall von Amyloidtumor des Kehlkopfs erhoben worden ist, insofern dort ein Teil der Plasmazellen glasiges Material, allerdings ebenfalls amyloider Natur, enthielt.

In der Abhandlung von Raehlmann (14), auf die wir später noch zurückkommen werden, findet sich sogar eine eingehende Studie über das Zustandekommen der intracellulären Amyloidbildung mit dem Ergebnis, dass die Nucleoalbumine der Zellkerne für sich allein degenerieren können oder die Stoffe des Zellprotoplasmas oder auch die Albuminoide der Bindesubstanzen für sich an dem Prozesse Anteil nehmen. Dabei wird an den Zellen (auch Epithelien) die Degeneration durch einen Zerfall in kleine Körner eingeleitet; diese Gebilde können dann frei werden und im Gewebe wandern, schliessen sich zu grösseren Konkrementen zusammen und geben dann die charakteristische Amyloidreaktion. Auch ganz homogen gewordene Zellen mit den Eigenschaften des Amyloids werden beschrieben.

Auf Grund dieser in der Literatur niedergelegten Befunde und unserer Untersuchungsresultate können wir es also wohl als bewiesen ansehen, dass das glasige Material auch intracellulär vorkommt, resp. dass es innerhalb von Zellen zur Entstehung oder zum mindesten Ablagerung gelangt, und es erübrigt nur noch, die fast stets vorhandenen Riesenzellen einer Besprechung zu würdigen.

Augenscheinlich sind die in den lokalen Hyalin- und Amyloidtumoren anzutreffenden Riesenzellen nicht ein und derselben Abkunft; denn während z. B. in unserem Falle aus dem positiven Ausfall der Färbung mit dem Methylgrün-Pyroningemisch ihre Abstammung aus Plasmazellen wahrscheinlich gemacht wird, schildert Herxheimer (45) Riesenzellen innerhalb des Endothelzellbelages der von Amyloid ausgegossenen Lymphgefässe.

Auch die Bedeutung dieser Gebilde ist verschieden ausgelegt worden; denn Leber (8, 9) hielt sie anfänglich für Entwicklungsstätten des Amyloids, weil sie in nicht zu verkennender Weise grössere und kleinere Mengen Amyloid in ihrem Innern beherbergen können. Mit der fortschreitenden Kenntnis der phagocytären Rolle der Riesenzellen ist man aber später zu der jetzt wohl allgemein angenommenen Überzeugung gelangt, dass sie Organe des Abbaus sind. Namentlich durch das Ergebnis der Versuche von Grigorieff (32) ist dies sehr wahrscheinlich gemacht worden; fand der genannte Autor doch gelegentlich seiner Studien über die Resorptionsfähigkeit des Amyloids an in die Bauchhöhle von Tieren implantiertem Materiale die Aufsaugung durch ein an Riesenzellen reiches Granulationsgewebe vor sich gehen und die Riesenzellen genau so mit Amyloid beladen wie in den Amyloidtumoren.

Angesichts der von Raehlmann (9) und Kubli (5) betonten und auch von uns bestätigten klinischen Erfahrung, dass eine teilweise Resorption von Amyloidtumoren möglich ist, erscheint diese Rolle der Riesenzellen wohl verständlich.

Überblicken wir noch einmal die Untersuchungsergebnisse, soweit aus den morphologischen Verhältnissen ein Schluss auf die Genese des Amyloids gezogen werden kann, so erkennen wir, dass sowohl das Hyalin wie das Amyloid in seiner Entstehung durchaus nicht an bestimmte Gewebselemente, wie Zellen oder Bindegewebsfibrillen geknüpft ist, sondern dass ein Vorkommen der glasigen Substanzen ebenso gut extracellulär und interstitiell beobachtet werden kann und dass sogar im Innern von Lymph- und Blutgefässen eine Abscheidung von scholligem Material erwiesen ist. Es ergibt sich hieraus, dass die von Raehlmann (14) vertretene Anschauung zu Recht besteht, wenn er den Satz aufstellt, dass die Degeneration von allen Teilen des Gewebes ihren Ursprung nehmen, in speziellen Fällen sich aber auf einen bestimmten Teil beschränken kann.

Die chemische Analyse der an verschiedenen Orten gefundenen Amyloidarten bestätigt eine solche Annahme insofern, als aus der Zusammenstellung von Fränkel (58) mit aller Deutlichkeit hervorgeht, dass die einzelnen Komponenten des Amyloids ganz regelmässigen Schwankungen unterworfen sind, je nachdem das homogene Material in zellreichen oder in zellarmen bzw. an Stützsubstanz reichen Organen zur Entwicklung gelangt.

Die Art und Weise aber, wie man sich die letzten Ursachen der glasigen Umwandlung resp. Abscheidung zu denken hat, und die biologischen Prozesse des Zustandekommens der Degeneration können wir unmöglich aus dem morphologischen Bilde ablesen, wie es durch das Mikroskop an dem pathologisch-anatomischen Präparate aufgedeckt wird, und man hat deswegen teils zu reiner Spekulation, teils zur Chemie und zum Tierexperiment seine Zuflucht genommen.

Schon zur Zeit der Anfänge unserer Kenntnisse von Amyloid sehen wir zwei Theorien einander gegenüberstehen: die von Rindfleisch von der Infiltration des Gewebes mit Amyloid und die von Cohnheim von der autochthonen Entstehung des Amyloids aus dem präexistenten Eiweiss der Gewebe.

Mit dieser letzteren Auffassung steht nicht in Einklang, dass Tschermak (40) auf dem Wege der chemischen Forschung zu dem Resultat gelangt ist, dass das Hyalin wie das Amyloid als eine besonders modifizierte Koagulationsform nicht des lokalen, sondern des cirkulierenden Eiweisses, und zwar des Serumalbumins anzusehen sei, während die oben schon erwähnte Zusammenstellung von Fränkel wiederum beweist, dass das cirkulierende Eiweiss unmöglich die alleinige Quelle der homogenen Massen abgeben kann, da sonst die verschiedenen Daten der chemischen Analyse in ihrer Abhängigkeit vom Mutterboden keine genügende Erklärung finden.

Dagegen haben uns die Untersuchungen von Krakow (33, 34) insofern einen bedeutenden Fortschritt gebracht, als wir nunmehr wissen, dass für das Amyloid der Gehalt der Schollen an Chondroitinschwefelsäure charakteristisch ist und dass wir in dem Amyloid eine Verbindung dieses Körpers mit einem Eiweissstoff zu sehen haben. Wir werden auf die Krakowschen Resultate noch gelegentlich der Beziehungen des Hyalins zum Amyloid zurückkommen müssen.

In einer Hinsicht hat allerdings auch Krakow entschieden Unrecht; denn seine Anschauung, dass „das Amyloid ein Produkt der vitalen Funktionen von Mikroben sei, welche kontinuierlich den Körper vergiften und erschöpfen“, scheitert an den Versuchsresultaten von Nowak (38), dem es gelang, auch nach subcutanen Injektionen von Terpentin- und Crotonöl experimentelle Amyloidose zu erzeugen.

Damit ist auch die von Maximow (37) betonte Rolle der giftigen Stoffwechselprodukte pathogener Mikroorganismen, zum mindesten in ihrer allgemeinen Gültigkeit, gefallen.

Wenn wir oben erfahren haben, dass weder das präexistente Gewebseiweiss allein noch das cirkulierende Eiweiss für sich die Bedingungen zur Genese des glasigen Materials zu liefern vermögen, so trägt die Theorie von Lubarsch und die von Raehlmann den Voraussetzungen besser Rechnung.

Lubarsch hält zwar auch einen Gerinnungsprozess für das Wahrscheinlichste, nimmt aber als die Komponenten ebensowohl die Elemente der Gewebe wie der Körperflüssigkeiten an, und er begründet seinen Standpunkt damit, dass die Bedeutung der Gewebe für die Bildung des Amyloids sich bereits aus der Tatsache ergebe, dass die amyloiden Ablagerungen nur im Bereiche gewisser Gewebe, vor allem des Bindegewebes und der glatten Muskulatur vorkommen, während die Umspülung mit Blut- und Gewebsflüssigkeit bei der Entstehung des Amyloids eine erhebliche Rolle spiele, da gerade die Gefässe in erster Linie befallen seien.

Raehlmann (14) geht auf Grund ultramikroskopischer Untersuchungen noch einen Schritt weiter, indem er für das Zustandekommen der glasigen Degeneration die Mitwirkung eines Fermentes voraussetzt. Nach ihm sollen sich nämlich die histologischen Prozesse der Eiweissumlagerung, durch welche die Umwandlungen der Eiweissstoffe des normalen Gewebes zu Kolloid, Hyalin und Amyloid entstehen, ausschliesslich unter der Zuwanderung fermentativer Stoffe vollziehen, d. h. anderer dem Gewebe fremder Eiweissarten, die nicht gelöst sind, sondern als geformte Gebilde zugeführt werden und durch Verbindung mit den örtlichen Eiweissstoffen neue allotrope Körper von einer andern chemischen Zusammensetzung und mit andern chemischen Eigenschaften (Reaktionen) liefern. Den Übergang des einen Eiweisskörpers in einen andern will Raehlmann bei Einwirkung von Fermenten mit dem Ultramikroskop direkt beobachtet haben, und er hat speziell für das dem Amyloid nahestehende Glykogen bei diesem Übergehen den molekularen stofflichen Abbau, durch welchen das Glykogen zu Dextrin wird, direkt demonstrieren können. Es ist nicht ausgeschlossen, dass dabei Bakterien eine Rolle in der Weise spielen, dass deren Stoffwechselprodukte fermentative Wirkungen auf das Gewebe hervorbringen, wodurch Stoffe entstehen, die mit bestimmten Proteinsubstanzen sich zu Amyloid verbinden.

Amyloid und Hyalin.

Wie bei den glasigen Metamorphosen der inneren Organe, so ist auch betreffs des homogenen Materials in den lokalen Hyalin- und Amyloidtumoren die Frage, ob sich Amyloid aus Hyalin bilden kann, verschieden beantwortet worden.

So stehen Raehlmann (13) und Rumschewitz (15) auf dem Standpunkte, dass in den meisten Fällen der eigentlichen Amyloidentartung eine hyaline Degeneration vorausgeht, während Kamocki (3, 25) sich dafür entscheidet, dass ein solcher Zusammenhang zum mindesten zweifelhaft sei. Auch Vossius (19, 29), der Fälle von Hyalin und Amyloid der Conjunctiva eingehend studieren konnte, vermochte sich nicht davon zu überzeugen, dass Übergänge zwischen Amyloid und Hyalin existieren, und Guth (24) formuliert seine Ansicht in dem apodiktischen Ausspruche, dass es „fest stehe, dass die hyaline und die amyloide Degeneration zwei voneinander völlig zu trennende Prozesse seien“, wenn schon die letztere Behauptung angesichts der Tatsache nicht viel sagen will, dass Guth selbst zur Stützung seiner These nur anführen kann, dass in seinem Falle von Hyalin sich nirgends Amyloidreaktion feststellen liess.

So klar, wie Guth meint, liegen die Verhältnisse aber doch noch nicht, und man kann vorläufig nur als feststehend ansehen, dass glasige Tumoren der Bindehaut vorkommen, die nur hyaliner Natur sind (Vossius, Dimmer, Kamocki, Ballaban u. A.), dass ferner reine Amyloidtumoren beobachtet worden sind (Leber, A. v. Hippel, Vossius, Kamocki u. A.), und dass schliesslich Geschwülste bekannt sind, welche nur zum Teil die Amyloidreaktion annehmen, während ein anderer Teil die Eigenschaften des Hyalin darbietet (Raehlmann, Rumschewitz, unsere Beobachtung).

Auch M. B. Schmidt (39) hebt in seinem Referat hervor, dass Hyalin und Amyloid nebeneinander vorkommen und unter gleichen Verhältnissen entstehen, und Saemisch (60) erkennt die drei oben genannten Varietäten ebenfalls an.

Schmidt schliesst sich ausserdem der Ansicht von Klebs an, dass es ein morphologisch fertiges und chemisch unvollkommenes Amyloid (achromatisches Amyloid) gibt, das sich als Hyalin darstellt.

Die schon oben erwähnten Versuche Grigorieffs (32) lassen hierüber keinen Zweifel; denn das in die Bauchhöhle von Tieren eingebrachte Amyloid geht auf der Bahn der Resorption vorerst in eine nicht jodophile Substanz über, die sich von dem Hyalin weder morphologisch noch tinktoriell unterscheidet.

Ja, man kann, nachdem Krakow (34) als das eigentliche Charakteristikum des Amyloids den Gehalt an Chondroitinschwefelsäure nachgewiesen hat, sagen, dass das Amyloid ein Hyalin ist, welches Chondroitinschwefelsäure wenigstens in mikrochemisch nachweisbarer Form enthält (Schmidt).

Demnach spitzt sich die Frage darauf zu, ob zu dem fertigen Hyalin sich die Chondroitinschwefelsäure noch hinzugesellen und damit aus dem Hyalin das Amyloid entstehen kann, oder ob beide Substanzen nebeneinander in statu nascendi fertig ausgebildet zur Entwicklung gelangen.

Meiner Ansicht nach ist diese Frage nicht durch Studium von mikroskopischen Präparaten amyloid oder hyalin degenerierter Organe oder von Hyalin- und Amyloidgeschwülsten zu entscheiden; denn der Versuch, aus der gegenseitigen Lagebeziehung der amyloid und der nicht amyloid degenerierten Partien einen Schluss auf die Aufeinanderfolge der chemischen Prozesse zu ziehen, wird immer an dem Einwand scheitern müssen, dass hier der Zufall eine Rolle spielen kann.

Selbst der auf experimentellem Wege geführte Beweis von Lubarsch (35) hält solchen Einwürfen nicht stand, wie Schmidt richtig hervorhebt; denn wenn es auch Lubarsch gelang, bei Versuchen mit subcutanen Terpentinölinjektionen an Hunden durch Probeexcisionen von Milzpartikeln nachzuweisen, dass bei einem und demselben Tiere nach 17 Wochen eine hyaline Degeneration der Follikelarterien zu konstatieren war, während vier Wochen später neben Hyalin auch Amyloid gefunden wurde, so geht daraus höchstens hervor, dass das Amyloid zu seiner Entwicklung längere Zeit gebraucht, nicht aber dass das Hyalin die Vorstufe des Amyloids ist.

Nach diesen Auseinandersetzungen wird man daher auch den an Schnittpäparaten erhobenen Befunden und den daran geknüpften Vermutungen in den Fällen von Ziegler (61), Raehlmann (13), Rumschewitz (15), Johanni (46), Glockner (44) und Andern keine Beweiskraft zusprechen können, und ich glaube auch, dass wir zum Verständnisse der an den glasigen Geschwülsten der Bindehaut vorkommenden Varietäten den Beweis, dass Amyloid aus Hyalin entsteht, nicht sonderlich nötig haben, wie weiter unten erörtert werden soll.

Vorerst ist es notwendig, einen Einwurf zu entkräften, den Kamocki (25) erhoben hat und der darin gipfelt, dass es noch gar nicht als richtig erwiesen sei, wenn man die nicht amyloiden Stellen in den Amyloidgeschwülsten kurzerhand als hyaline Inseln ansehe.

Kamocki geht dabei von der Wahrnehmung aus, dass in seinen Fällen von Hyalin der Conjunctiva die scholligen Massen sich durch ganz bestimmte Reaktionen auszeichneten (Karbolfuchsin von Ziehl-Neelsen, Färbung nach Gram und nach Weigerts Fibrinmethode), und glaubt daher die Forderung aufstellen zu dürfen, dass man die

Diagnose von Hyalin nur für gerechtfertigt halten könne, wenn die fragliche Substanz gewisse tinktorielle Eigenschaften besitze.

Gehen wir aber auf v. Recklinghausen (56) zurück als auf den Schöpfer des Begriffes Hyalin, so stellt derselbe „als das wichtigste Moment die hyaline Beschaffenheit des Balkenwerkes hin, das sich nicht mehr wie die groben Fibrinbalken noch in feinere Fäserchen auflösen lässt", und er schreibt nur von einer auffällig starken Färbbarkeit mit Karmin, Pikrokarmin, Eosin und Säurefuchsin. Daneben findet sich der Satz, dass „die physikalischen und chemischen Eigenschaften des Hyalins nicht geeignet seien, dasselbe als einen richtigen organischen Körper im chemischen Sinne zu charakterisieren, und dass es vielmehr ungewiss sei, ob nicht Zusammensetzungen, Mischungen verschiedener Körper vorliegen und ob die geschilderte Substanz in allen Fällen identisch sei". Und an einer andern Stelle drückt sich v. Recklinghausen über das Verhältnis des Hyalin zum Amyloid selbst präcise wie folgt aus: „Eine scharfe Grenze zwischen dem Amyloid und dem Hyalin lässt sich nicht ziehen. Nicht nur teilen beide Substanzen viele morphologische Eigenschaften, sondern sie kommen auch nebeneinander vor. Ausserdem sind die Reaktionen des Amyloids wie des Hyalins in einem gewissen Grade variabel. Alle diese Momente weisen wohl darauf hin, dass das Hyalin und das Amyloid nur verschiedene Stufen einer gleichartigen Umwandlung der Gewebselemente repräsentieren, nicht Produkte von Degenerationen sind, die sich im Wesen von einander trennen."

Würde man sich nur auf die Farbreaktionen bei der Diagnose der hyalinen Ablagerungen stützen, so genügt schon ein Blick auf die Literatur der Hyalingeschwülste der Bindehaut, um einzusehen, was für ein Chaos verschiedener Tumoren aus einer auf Grund der tinktoriellen Eigenschaften aufgebauten Einteilung entstehen würde. Unterziehen wir uns nämlich der Mühe, die einzelnen Ergebnisse zusammenzustellen, so erhalten wir immer und immer wieder nur ein konstantes Resultat, auf das alle Autoren vor allem hinweisen: den negativen Ausfall der Amyloidreaktion. Von den positiven Reaktionen scheint die von Ernst mit der van Giesonschen Flüssigkeit am wenigsten massgebend zu sein, während nur in dem Falle von Rogman (28) die Angabe von Kamocki bestätigt wird, dass das Material sich mit Karbolfuchsin intensiv imprägniert, und der positive Ausfall der Gramschen und der Weigertschen Fibrinmethode wenigstens in prägnanter Weise nirgends Bekräftigung erfahren hat.

Der Eindruck des Inkonstanten der Farbreaktionen

wird noch dadurch bedeutend erhöht, dass selbst das nahe verwandte und chemisch weit besser bekannte Amyloid in bezug auf seine tinktoriellen Eigenschaften erheblichen Schwankungen unterworfen ist und dass heutzutage gar keine Rede mehr davon sein kann, dass man die Diagnose des Amyloids von dem Zusammentreffen der drei charakteristischen Reaktionen (Jod, Anilinfarbstoffe, Jodschwefelsäure) abhängig macht. Allgemein gibt man Davidsohn (30) recht, wenn er in dem positiven Ausfall der Anilinfarbstoffe, Jod und Jodschwefelsäurereaktion verschiedene Stufen eines und desselben Prozesses sieht, dessen höchste Ausbildung dann erreicht ist, wenn die Jodschwefelsäureprobe die Blaufärbung hervorruft, und Lubarsch steht deswegen auf dem Standpunkte, dass schon diejenigen Ablagerungen als echtes Amyloid angesehen werden müssen, die nur die Methylviolettreaktion geben, insofern die optischen und morphologischen Eigenschaften des Amyloids ihnen zukommen.

Wie Hübner (2) nachzuweisen vermochte, spielen für die Farbreaktionen des Amyloids auch die Härtungsflüssigkeiten, vor allen Dingen die längere Aufbewahrung in Alkohol eine nicht zu unterschätzende Rolle, und es wird sich nicht von der Hand weisen lassen, dass für das Hyalin die gleichen Bedingungen Geltung haben.

Aus alledem sieht man, dass die tinktoriellen Eigenschaften des Hyalins nicht im mindesten eine solche Konstanz haben, dass man sich unbedingt auf dieselben verlassen kann, und dass die optischen und morphologischen Momente zur Stellung der Diagnose in erster Linie massgebend sind, eine Erkenntnis, welche den Einwurf Kamockis hinfällig macht.

Sind wir aber davon überzeugt, dass die nicht amyloiden Inseln in den Amyloidtumoren hyaline Massen beherbergen, so geht mit einer gewissen Wahrscheinlichkeit aus unsern Präparaten hervor, dass den scholligen Massen in ihrer ganzen Ausdehnung eine hyaline Substanz zugrunde liegt; denn mit dem Bestschen Kaliumkarmin färbt sich alles glasige Material, auch die jodophile Masse, gleichmässig leuchtend rot, während mit Jod und noch ausgesprochener mit Methylviolett sich lange nicht alles darstellen lässt, was das Kaliumkarmin annimmt. Hierin liegt eine Rechtfertigung des Satzes, dass das Amyloid ein Hyalin ist, das Chondroitinschwefelsäure in mikrochemisch nachweisbarer Form enthält; denn die Anwesenheit der Chondroitinschwefelsäure ist für den positiven Ausfall der Amyloidreaktion massgebend.

Fragen wir uns aber, woher diese Säure kommt, so hat schon M. B. Schmidt (16) und nach ihm Glockner (44) darauf die Antwort gegeben, dass sich an den Stellen, an welchen die Amyloidtumoren sich zu entwickeln pflegen, das Gewebe reich an elastischen Fasern ist und deswegen die Chondroitinschwefelsäure in loco schon vorgebildet enthält.

Dass die Morphologie der Hyalingeschwülste in bezug auf die Beteiligung der Gefässe, die Umwandlung der Zellen und des Bindegewebes und in bezug auf das ganze Aussehen der Tumoren derjenigen der Amyloidgeschwülste aber völlig gleicht, beweist schon der Umstand, dass man ohne Heranziehung der Amyloidreaktionen die Differentialdiagnose zwischen Hyalin- und Amyloidtumoren gar nicht zu stellen vermag.

Es ist daher widersinnig, zwischen den beiden Varietäten künstliche Schranken aufrichten zu wollen, und wir kommen so zu dem Schlusse, dass beide Geschwülste klinisch und pathologisch-anatomisch dasselbe sind, mit dem einzigen Unterschiede, dass in dem einen Falle die bereits an Ort und Stelle vorgebildete Chondroitinschwefelsäure sich mit dem glasigen Materiale chemisch nachweisbar gebunden vorfindet, während in dem andern Falle aus irgend einem uns nicht näher bekannten Grunde diese Verbindung ausgeblieben ist.

Amyloid und Glykogen.

Wie wir feststellen konnten, ist das Amyloid in unserem Falle dadurch besonders gekennzeichnet, dass es sich mit dem Bestschen Kaliumkarmin leuchtend rot färbt, also eine Farbreaktion annimmt, die eigentlich auf Glykogen gemünzt ist. Allerdings behält an stark differenzierten Präparaten das echte Glykogen, wie es sich in den Epithelzellen uns darbietet, einen intensiveren gelbroten Ton, während die homogenen Schollen blasser werden und sich in ihrer Tinktion dem Rosa nähern. Indessen sind das nur graduelle Unterschiede, und es wäre nicht ausgeschlossen, dass beide Substanzen, die ja auch die Jodreaktion gemeinsam haben, in dem ähnlichen Verhalten gegenüber dem Kaliumkarmin eine enge Verwandtschaft an den Tag legen.

In der Tat finden wir in der Literatur eine Arbeit Czernys (51), die sich mit diesen Beziehungen näher beschäftigt und zu dem Resultat gelangt, dass in dem Glykogen ein Vorläufer des Amyloids zu erblicken sei, und zwar wurde Czerny zu dieser Ansicht durch folgende Beobachtung geführt.

Setzt man den Körper von Versuchstieren (Hunden) durch starke Abkühlung oder durch künstlich erzeugte Dyspnoe (doppelseitige Vagusdurchschneidung) Schädigungen aus, so tritt nach einer bestimmten Zeit in den Leukocyten eine positive Jodreaktion auf, während bekannt ist, dass bei Herabsetzung der Temperatur das Glykogen in der Leber abnimmt (Külz). In gleicher Weise gelang es Czerny, nach subcutanen Injektionen von Terpentinöl und Argentum nitricum Hautabscesse hervorzurufen, wonach am dritten Tage ein grosser Teil der Leukocyten und der Eiterkörperchen mit Körnchen und Schollen beladen erschien, die sich mit Jod intensiv bräunen. Wurde bei den Hunden aber der geschilderte Blutbefund zehn Wochen lang unterhalten, so zeigte sich bei der Sektion das typische Bild der Sagomilz und mikroskopisch in den inneren Organen Amyloid. Czerny wollte nun dabei beobachtet haben, dass die von weissen Blutkörperchen transportierte Substanz nicht einfach Glykogen, sondern ein Zwischending zwischen Glykogen und Amyloid sein müsse; denn die Körnchen gaben mit Jod und Schwefelsäure Blaufärbung, somit eine für Amyloid charakteristische Reaktion, lösten sich aber bei Zusatz von Speichel auf, was für Glykogen spricht. Auf Grund dieses eigentümlichen Verhaltens stellte Czerny dann die Behauptung auf, dass in den Leukocyten ein verändertes Glykogen enthalten sei, welches erst bei der Ablagerung in den einzelnen Organen in echtes Amyloid überginge.

Indessen haben die Resultate Czernys sich bei Nachprüfungen nicht als stichhaltig herausgestellt, insofern die Blaufärbung mit Jodschwefelsäure ausblieb (Zollikofer u. A.) und sich das im Blute kreisende Material damit als einfaches Glykogen entpuppte. Gierke (53) bemerkt daher, dass heutzutage die Ansicht Czernys nur noch historische Bedeutung habe, und in der Tat ist auch gelegentlich der ausführlichen Verhandlungen über die Chemie und Pathologie des Amyloids bei der Tagung der deutschen pathologischen Gesellschaft im Jahre 1904 die Möglichkeit des Zusammenhanges zwischen Amyloid und Glykogen überhaupt nicht mehr erwähnt worden.

Anderseits finden wir bei Gierke selbst die Schilderung eines Falles von menschlicher Amyloidniere, die gleichzeitig massenhaft Glykogen darbot; doch muss man Gierke beistimmen, dass bei dieser speziellen Beobachtung kein Schluss auf die Zusammengehörigkeit der Prozesse erlaubt ist, weil ausserdem noch eine Nierenvenenthrombose vorlag.

Auch Lubarsch (54) konnte sich nicht für einen Zusammenhang zwischen Amyloidentartung und Glykogenablagerung entscheiden, obwohl bei seinen Versuchen über experimentelle Amyloidose in den degenerierten Organen nie Glykogen gänzlich vermisst wurde, in einem Falle von Amyloidmilz sogar in grosser Menge zum Nachweis gelangte.

Dass es sich in unserem Falle sicher neben Hyalin auch um Amyloid handelt, ist auf Grund der Farbreaktionen oben dargelegt worden, und schon die Tatsache, dass auch nach 36 stündiger Einwirkung von Speichel die Jodreaktion ebensowohl wie die Rotfärbung mit Kaliumkarmin in voller Ausdehnung zu erzielen war, beweist, dass wir es nicht mit Glykogen zu tun haben können. Indessen bleibt immer noch die Möglichkeit bestehen, dass das lokale Amyloid unserer Beobachtung ein Zwischenprodukt zwischen Glykogen und Amyloid sein kann, das im Gegensatz zu dem allgemeinen Amyloid noch die Farbreaktion des Glykogens gibt, aber dem gewöhnlichen Amyloid doch schon so nahe steht, dass es sämtliche Amyloidreaktionen ebenfalls darbietet und von Speichel nicht mehr angegriffen wird, wie sonst das Glykogen.

Zunächst ist gegen eine derartige Annahme geltend zu machen, dass Glykogen ein Kohlehydrat ist, während nach den Untersuchungen von Krakow (33) das Amyloid eine Verbindung von Chondroitinschwefelsäure mit einem Eiweisskörper darstellt. Das mit den bekannten Farbreaktionen darstellbare Glykogen ist aber gar kein chemisch reines Glykogen; denn ein solches würde nach den Feststellungen von Best (50) in den Geweben nicht vertragen werden, da es positiv chemotaktisch wirkt und Eiterung erzeugt. Vielmehr ist anzunehmen, dass die Substanz eine Verbindung des Glykogens mit eiweisshaltigen Stoffen repräsentiert, eine logische Folgerung, die von Best bereits gezogen und später durch Fichera (52) auf Grund von Versuchen über die Verteilung des Glykogens bei den verschiedenen Arten der experimentellen Glykosurie eine weitere Bestätigung gefunden hat. Der letztere Autor konnte nämlich folgendes konstatieren: „Nach Entfernung des Glykogens aus den Schnittpräparaten mittels Auswaschung in Wasser kommt in den Leberzellen eine glänzende glasartige Substanz zum Vorschein, deren Menge parallel mit derjenigen des Glykogens variiert. Stellt man Färbungsversuche auf

Hyalin an, so findet man, dass sie ausser ihren besonderen optischen Eigenschaften auch, wie die echte Hyalinsubstanz, besondere Farben bevorzugt, nämlich Karmin, Pikrinsäure und Fuchsin. Sie ist der Gruppe der Hyalinsubstanzen einzureihen." Und an einer andern Stelle lesen wir: „Das glasartige, homogene glänzende Aussehen der glykogenreichen Elemente, unter der Benennung hyaline Degeneration bekannt, hängt mit dem Vorhandensein einer spezifischen hyalinen Substanz zusammen, welche in Begleitung des Glykogen auftritt und die man ihrer besonderen Eigenschaft zufolge „Proglykogen" nennen dürfte."

Es wird also hier direkt ausgesprochen, dass Glykogen nahe Beziehungen zu Hyalin einzugehen pflegt, und wenn wir uns auf den meiner Meinung nach richtigen Standpunkt stellen, dass das Hyalin die Grundlage des Amyloids ist, so liegt kein Hinderungsgrund vor, die Möglichkeit eines engeren Verhältnisses des Glykogen zur Amyloidsubstanz in das Bereich unserer Erwägungen zu ziehen. Eventuell könnte die Bindung ja so fest sein, dass sie der Einwirkung des Speichels Widerstand zu leisten vermag.

Unser Gedankengang würde uns also dazu führen, dass nicht wie Czerny seinerzeit wollte, das Glykogen die Vorstufe des Amyloids ist, sondern dass möglicherweise Glykogen an Amyloid gebunden vorkommt und dass wir diesem Umstande in unserem Falle von lokalem Amyloid vielleicht den positiven Ausfall der Glykogenreaktion verdanken.

Anderseits wissen wir, dass Hyalin eine grosse Affinität zu Karmin hat, und wir haben selbst gesehen, dass auch Lithionkarmin die Substanz rot färbt, wenn auch nicht in dem Masse, wie das Bestsche Kaliumkarmin. Unter Umständen kann daher die Färbung eine höchst einfache Erklärung dadurch finden, dass das dem Amyloid zugrunde liegende Hyalin die Rotfärbung verursacht und daher nur zufällig eine dem Glykogen zukommende Tinktion nachgeahmt wird.

Mag der Grund für die positive Reaktion des Amyloids auf das für die Anwesenheit von Glykogen charakteristische Färbungsmittel von Best auch sein wie er will, auf alle Fälle bleibt die Tatsache bestehen, dass wir in unserem Falle einen lokal gebildeten Amyloidkörper kennen gelernt haben, der alle typischen Merkmale des Amyloids an sich trägt und trotzdem auf die Bestsche Glykogenfärbung reagiert.

Dem gegenüber verhält sich das allgemeine Amyloid bei Behandlung mit der Bestschen Lösung durchaus refraktär, wie Best selbst bereits betont hat und von Herrn Dr. Schultze im hiesigen pathologischen Institute auf meine Veranlassung gütigst vorgenommene Nachuntersuchungen auch bestätigt haben.

Sollten sich künftighin noch bei andern Fällen von lokalem Amyloid dieselben Eigentümlichkeiten herausstellen, so würde damit der Beweis erbracht sein, dass es verschiedene Arten von Amyloid gibt, die zwar die Methylviolettreaktion und die Jodprobe, sowie ihr morphologisches Verhalten eint, die differente Reaktion auf Kaliumkarmin z. B. aber als verschiedene Verbindungen der Chondroitinschwefelsäure erscheinen lässt.

Nun hat aber schon M. B. Schmidt (16) darauf aufmerksam gemacht, dass „die lokalen Amyloidtumoren nur an solchen Stellen gefunden werden, welche reich an knorpliger und elastischer Substanz und durch den Gehalt an Chondroitinschwefelsäure dem Amyloid chemisch verwandt sind, so besonders in den Luftwegen, den Augenlidern und in der Harnblase. Bei der allgemeinen Amyloiddegeneration des Körpers dagegen sind andere Momente für die Ablagerung der durch eine allgemeine Stoffwechselstörung erzeugten Substanz massgebend, und die in chemischer Beziehung zum Amyloid stehenden Gewebe werden davon nicht nur nicht bevorzugt, sondern in der Regel sogar verschont".

Hieraus geht hervor, dass das Amyloid der Conjunctiva eine ganz andere Bedeutung hat als das allgemeine, und die positive Reaktion des ersteren auf die Bestsche Glykogenmethode würde diese Unterschiede in dem Wesen der beiden Amyloidformen nur noch schärfer in die Erscheinung treten lassen.

Literaturverzeichnis.

(Eine ausführliche Zusammenstellung der Literatur über Amyloid und Hyalin der Conjunctiva findet sich bei Ballaban, Arch. f. Augenheilk. Bd. LII. S 205. Im folgenden sind nur die in vorstehender Arbeit citierten Veröffentlichungen aufgeführt.)

1) A. v. Hippel, Über amyloide Degeneration der Lider. v. Graefe's Arch. Bd. XXV, 2. S. 1. 1879.
2) Hübner, Zur amyloiden Erkrankung der Conjunctiva. Deutschmanns Beitr. zur Augenheilk. Heft 38. 1899.
3) V. Kamocki, Über amyloide Bindehautentartung. Ibid. Bd. III. S. 118. 1896.
4) H. Baron Krüdener, Ein Beitrag zur pathologischen Anatomie der Amyloidtumoren. Inaug.-Dissert. Dorpat 1892.
5) G. Kruch et Fumagalli, Dégénérescence amyloide de la conjonctive. Ann. d'ocul. CXII. p. 39. 1894.

6) Th. Kubli, Die klinische Bedeutung der sog. Amyloidtumoren der Conjunctiva. Arch. f. Augenheilk. Bd. X. S. 430. 1881.
7) P. Kyll, Die amyloide Degeneration der Conjunctiva. Inaug.-Diss. Bonn 1876.
8) Th. Leber, Über die amyloide Degeneration der Bindehaut des Auges. v. Graefe's Arch. Bd. XIX. S. 162. 1873.
9) — Über die Entstehung der Amyloidentartung usw. Ibid. Bd. XXV. S. 257. 1879.
10) v. Oettingen, Die ophthalmologische Klinik Dorpats. Dorpater med. Zeitschr. Bd. II. 1871.
11) Poscharisky, Über amyloide Geschwülste der Conjunctiva bulbi. Medic. Obosr. 1903. 19 (Nagels Jahresbericht).
12) E. Raehlmann, Zur Lehre von der Amyloiddegeneration der Conjunctiva. Arch. f. Augenheilk. Bd. X. S. 128. 1881.
13) — Über hyaline und amyloide Degeneration der Conjunctiva des Auges. Virchows Arch. Bd. LXXXVII. S. 325. 1882.
14) — Über amyloide Degeneration der Lider und der Conjunctiva. Klin. Monatsbl. f. Augenheilk. Bd. XLIII, 2. S. 485. 1905.
15) K. Rumschewitz, Über die hyaline und amyloide Entartung der Bindehaut. Arch. f. Augenheilk. Bd. XXV. S. 563 1892.
16) M. B. Schmidt, Über die Beteiligung des Auges bei der allgemeinen Amyloiddegeneration Zentralbl. f. allgem. Pathol. u. pathol. Anat. 1905. 49.
17) L. Steiner, Ein Fall von amyloider Bindehautdegeneration bei einem Malayen. Zentralbl. f. prakt. Augenheilk. Febr. 1904.
18) Stroehmberg, Ein Beitrag zur Kasuistik der amyloiden Degeneration an den Augenlidern. Inaug.-Diss. Dorpat 1877.
19) A. Vossius, Über amyloide Degeneration der Conjunctiva. Zieglers Beitr. zur pathol Anat. Bd. IV. S. 335. 1889.
20) G. Wagner, Über amyloide Degeneration der Conjunctiva. Inaug.-Diss. Berlin 1891.
21) L. Zwingmann, Die Amyloidtumoren der Conjunctiva. Inaug.-Diss. Dorpat 1879.

---

22) Ballaban, Beiträge zur hyalinen Degeneration der Augapfelbindehaut. Arch. f. Augenkrankh. Bd. LII. S. 205. 1905.
23) Dimmer, Ein Fall von hyaliner Degeneration der Lider usw. Zeitschr. f. Augenheilk. Bd. IX. S. 474. 1903.
24) E. Guth, Ein Fall von hyaliner Entartung der Bindehaut. Zentralbl. f. prakt. Augenheilk. Bd. XXXII. S. 386. 1902.
25) V. Kamocki, Ein Beitrag zur Kenntnis der hyalinen Bindehautentzündung. Ibid. Bd. X. S. 68. 1886
26) — Über hyaline Bindehautentartung. Ber. d. 20. Vers. d. ophth. Gesellsch. Heidelberg 1889. S. 108.
27) — Untersuchungen über hyaline Bindehautentartung. Deutschmanns Beitr. z. Augenheilk. Heft 7. 1893.
28) Rogman, Un cas de dégénérescence hyaline des paupières. Annales d'ocul. CXX. p. 89. 1898.
29) A. Vossius, Über hyaline Degeneration der Conjunctiva. Zieglers Beitr. z. pathol. Anat. Bd. V. S. 921. 1889
29a) G. Ischreyt, Über hyaline Degeneration der Conjunctiva. Arch. f. Augenheilk. Bd. LIV. S. 400. 1906.

---

30) C. Davidsohn, Über experimentelle Erzeugung von Amyloid. Virchows Arch. Bd. CL. S. 16. 1897.
31) Edens, Über lokales u. allgemeines Amyloid. Virchows Arch. Bd. CLXXXIV. S. 137. 1906.
32) Grigorieff, Zur Frage von der Resorptionsfähigkeit des Amyloids. Ziegler Beiträge z. pathol. Anat. Bd. XXXVIII. S. 37. 1895.

33) N. P. Krakow, De la dégénérescence amyloide et des altérations cirrhotiques usw. Arch. de médicine expérimentale et d'anat. path. Bd. VIII. S. 106. 1806.
34) — 132 Beiträge zur Chemie der Amyloidentartung. Arch f. experim. Pathol. und Pharm Bd. XL. S. 195. 1898.
35) O. Lubarsch, Zur Frage der Erzeugung von experimentellem Amyloid. Virchows Arch. Bd. CL. S. 471. 1897.
36) — Hyaline und amyloide Degeneration. Ergebnisse der pathol. Anatomie. Bd IV. S. 449. 1897.
37) Maximow, Über die experimentell hervorgerufene Amyloiderkrankung der Leber. Virchows Arch. Bd. CLIII. S. 353. 1898.
38) I. Nowak, Experimentelle Untersuchung über die Ätiologie der Amyloidosis. Virchows Arch. Bd. CLII. S. 353. 1898.
39) M. B. Schmidt, Referat über Amyloid. Verhandl. d. deutschen pathol. Gesellsch. 7. Tagung 1904.
40) A. Tschermak, Über die Stellung der amyloiden Substanz unter den Eiweisskörpern. Zeitschr. f physik. Chemie. Bd. XX. Heft 4. 1895.
41) C. Wild, Beitrag zur Kenntnis der amyloiden und der hyalinen Degeneration des Bindegewebes. Inaug.-Diss. Jena 1885.
42) G. Wichmann, Über Amyloiderkrankung. Zieglers Beiträge zur pathol. Anatomie. Bd. XII. S. 487. 1895.

---

43) W. Burk, Über einen Amyloidtumor mit Metastasen. Inaug.-Diss. Tübingen 1901.
44) Glockner, Über lokales tumorförmiges Amyloid des Larynx, der Trachea usw. Virchows Arch. Bd. CLX. S. 583. 1900.
45) Herxheimer, Über multiple Amyloidtumoren des Kehlkopfs und der Lunge. Virchows Arch. Bd. CLXXIV. S. 130. 1903.
46) Johanni, Über einen Amyloidtumor des Kehlkopfs und der Trachea. Arch. f. Laryngologie. Bd. XIV, 2. 1903.
48) Saltykow, Über die sog. Amyloidtumoren der Luftwege und des Anfangsteils des Verdauungskanals. Arch. f. Laryngol. Bd. XIV, 2. 1903.
49) M. B. Schmidt, Über die lokalen Amyloidtumoren der Zunge. Virchows Arch. Bd. CXLIII. S. 369. 1896.

---

50) Best, Über Glykogen, insbesondere seine Bedeutung bei Entzündung und Eiterung. Zieglers Beiträge z. pathol. Anat. Bd. XXXVIII. S. 585. 1903.
51) Czerny, Zur Kenntnis der glykogenen und amyloiden Entartung. Arch. f. experim. Pathol. Bd. XXXI. S. 190. 1893.
52) G. Fichera, Über die Verteilung des Glykogens in den verschied. Arten experim. Glykosurie. Zieglers Beiträge z. pathol. Anat. Bd. XXXVI. S. 273. 1904.
53) Gierke, Das Glykogen in der Morphologie des Zellstoffwechsels. Zieglers Beiträge z. pathol. Anat. Bd. XXXVII. S. 502. 1905.
54) O. Lubarsch, Über die Bedeutung der pathologischen Glykogenablagerungen. Virchows Arch. Bd. CLXXXIII. S. 188. 1906.

---

55) Leber, Die Conjunctivitis petrificans. v. Graefe's Arch. Bd. LI. S. 1. 1900.
56) v. Recklinghausen, Handbuch der allgemeinen Pathologie des Kreislaufs usw. Deutsche Chirurgie. Lieferung 2 und 3. S. 404. 1883.
57) Fuchs, Zur Anatomie der Pinguecula. v. Graefe's Arch. Bd. XXXVII, 3. S. 143. 1891.
58) Siegmund Fränkel, Descriptive Biologie. S. 395. 1907.
59) E. v. Hippel, Über rezidivierende intraokulare Blutungen usw. v. Graefe's Arch. Bd. XL, 4 S. 266. 1894.
60) Th. Saemisch, Die Krankheiten der Conjunctiva. Handbuch d. gesamten Augenheilk. Bd. V. Teil 1. 1904.
61) E. Ziegler, Allgemeine Pathologie. Jena 1898. S. 229.

(Aus dem Physiologischen Institut der Universität Leipzig.)

Über die Verschmelzungsfrequenz bei periodischer Netzhautreizung durch Licht oder elektrische Ströme.

Von

Dr. med. Richard Cords
in Cöln.

Mit Taf. IV, Fig. 1—3.

Schon im Jahre 1875 hat S. Exner[1]) einige Versuche über die Anzahl faradischer Reize angestellt, welche das Auge in der Zeiteinheit noch als getrennt, d. h. als nicht kontinuierliche Lichterscheinung, wahrzunehmen vermag. Er verwandte zu seinen Versuchen einen „grossen Schlittenapparat", der durch ein grosses Daniellsches Element getrieben wurde, wobei die „sekundäre Rolle wenig über die primäre geschoben" war. Die eine der mit Schwamm bekleideten und mit Kochsalzlösung getränkten Elektroden wurde auf den Nacken, die andere an den äusseren Winkel des geschlossenen und nasenwärts blickenden Auges aufgesetzt. Bei der Reizung trat eine flackernde Lichterscheinung auf, die „sich strahlenförmig um die Projektion der Stelle, welcher die Elektrode zunächst aufliegt, ausbreitet". Es zeigte sich nun, dass selbst bei 60 Unterbrechungen in der Sekunde „das Flackern immer noch deutlich" war. Da, wie sich bei langsamer Schlagfolge experimentell ergab, nur der Öffnungsstrom einen Lichtblitz erzeugte, so vermochte also die Retina noch 60 elektrische Reize in der Sekunde getrennt wahrzunehmen oder eine Zeitdifferenz zwischen zwei Reizen von 0,0166 Sekunden noch aufzufassen. Mit einer noch grösseren Anzahl von Unterbrechungen hat Exner keine Versuche angestellt, da sein Apparat eine solche nicht zuliess.

Exner erörterte die Frage, wie sich diese Zahl elektrischer Reize in der Zeiteinheit, bei welcher der Eindruck noch ein diskontinuierlicher ist, zu der maximalen Zahl periodischer Lichtreize ver-

---

[1]) Exner, S., Experimentelle Untersuchung der einfachsten psychischen Prozesse. III. Abhandlung. Pflügers Arch. Bd. XI, 1875, S. 406 (siehe S. 414).

halte, die noch eben den Eindruck des Flimmerns machen. Da ihm der Lichteindruck bei faradischer Reizung ein verhältnismässig schwacher zu sein schien — eine Beobachtung, die ich bestätigen kann —, so glaubt er diese Reizversuche nur mit solchen Lichtreizungen vergleichen zu dürfen, bei denen die Lichtstärke auch nur eine geringe ist. Er fand, dass eine abwechselnd in schwarze und weisse Sektoren geteilte, rotierende Scheibe, deren durchschnittliche Helligkeit „schätzungsweise grösser war als die faradischen Lichterscheinungen", schon gleichmässig grau aussah, wenn eine Netzhautstelle „24 mal in der Sekunde vom Reize des Weiss getroffen wurde".

Diese Tatsachen, sowie der Umstand, dass er keine Nachwirkung der elektrischen Reize beobachten konnte, veranlasste Exner zu der Behauptung, dass dieselben auf die Optikusfasern und nicht auf die lichtperzipierenden Retinaelemente einwirkten. Eben weil bei der elektrischen Reizung „jene Trägheit in den Netzhautempfindungen, als deren Ausdruck wir anderseits das positive Nachbild kennen", fehle, sei die Frequenz der zu einem kontinuierlichen Gesichtseindruck führenden faradischen Reize eine so grosse[1]). Für seine Ansicht führt Exner[2]) später noch folgende Beobachtung an: Das Flimmern, welches man bei Betrachtung von Sektorenscheiben bei einer Rotationsgeschwindigkeit beobachtet, bei der der Lichteindruck eben noch nicht in einen kontinuierlichen übergeht, verschwindet bei einem Druck auf den Bulbus und macht einem gleichmässigen Grau Platz. Eine solche Blindheit durch Druck konnte indes bei Reizung durch Induktionsströme auch dann nicht erzielt werden, wenn die Reizung so schwach gewählt wurde, dass ein Flimmern nur eben noch bemerklich war; der Eindruck des Flimmerns blieb unverändert, selbst wenn nach der Reizung das Auge noch druckblind gefunden wurde. Es geht nach Exner daraus hervor, „dass die Nervenfasern der Optikusschicht durch Druck auf den Bulbus nicht an ihrem Vermögen verlieren, intermittierende Eindrücke zu leiten". Dieser Satz wurde indes durch spätere Beobachtungen von Finkelstein (1894), auf die ich weiter unten zurückkommen werde, in Frage gestellt.

Die Exnerschen Beobachtungen über die Grösse der zur Erzeugung eines kontinuierlichen Eindrucks notwendigen Frequenz elek-

---

[1]) Hierzu auch Exner, Über die Funktionsweise der Netzhautperipherie und den Sitz der Nachbilder. v. Graefe's Arch. f. Ophth. Bd. XXXII, 1, 1886, S. 247.

[2]) Exner, Weitere Untersuchungen über die Regeneration in der Netzhaut und über Druckblindheit. Pflügers Arch. Bd. XX, 1879, S. 614, Anmerkung.

trischer Reize wurde, soweit mir ersichtlich, bisher nur von Filehne[1]) nachgeprüft. Derselbe verwandte indes nicht faradische Reize, sondern ganz kurz dauernde galvanische Ströme, die durch Unterbrechung eines von 36 Elementen erzeugten Stromes mittels eines Zahnrades erhalten wurden. Er fand, dass die Lichterscheinung bei ihm selbst und drei andern Versuchspersonen erst bei 60—70 Reizen in der Sekunde kontinuierlich zu werden begann.

Bei meinen Versuchen stellte ich mir die Aufgabe, die oben angeführten Beobachtungen womöglich mit einer noch exakteren Versuchsanordnung nachzuprüfen und genauere Werte für die Grösse der „Verschmelzungsfrequenz“ [v. Kries[2])] durch elektrische Reize erzeugter Lichteindrücke zu gewinnen. Der Versuchsanordnung von Exner gegenüber liesse sich zunächst der methodische Einwand machen, dass die Grösse der Verschmelzungsfrequenz durch Unregelmässigkeiten in den reizerzeugenden Apparaten bedingt sein könnte. Besonders der Neefsche Hammer scheint infolge der Unregelmässigkeit der überspringenden Funken eine nicht zu vernachlässigende Fehlerquelle abzugeben. Um diese bei meinen Versuchen auszuschalten, benutzte ich zwei Apparate, die es mir gestatteten, regelmässige Wechselströme beliebiger Frequenz zu verwenden. Bei allen meinen Versuchen setzte ich eine rechteckige, 8 × 10 cm grosse Elektrode auf den Nacken oder die Wange der nicht gereizten Seite und benutzte als Reizelektrode einen mit hydrophiler Watte und Gaze umwundenen, brillenförmigen Drahtring, der sich dem äusseren Orbitalrande anpasste und dem Lide dicht anlag. Die Öffnung des Ringes war so gross, dass das Gesichtsfeld dadurch nur in seinen peripheren Teilen beschränkt wurde und die Lichterscheinungen bei geöffnetem Auge auf einer gleichmässigen, dunkelgrauen Fläche beobachtet werden konnten. Meine Vorversuche hatten mir nämlich gezeigt, dass hierdurch für mich günstigere Bedingungen für die Wahrnehmung des Flimmerns gegeben waren, als bei geschlossenem Auge. Diese brillenförmige Elektrode wurde durch ein locker um den Kopf gelegtes breites Gummiband so gehalten, dass sie keinen zur Erzeugung von Phosphenen ausreichenden Druck auf den Bulbus ausübte. Beide Elektroden wurden vor jedem Versuche stets frisch mit Kochsalzlösung getränkt. Vorausschicken möchte ich noch, dass die Beobach-

[1]) Filehne, Über den Entstehungsort des Lichtstaubes, der Starrblindheit und der Nachbilder. v. Graefe's Arch. Bd. XXXI, 2, 1885, S. 1.

[2]) Nagels Handbuch der Physiologie. Bd. III, S. 230.

tung der Lichterscheinungen, besonders die Bestimmung der Grenze zwischen kontinuierlicher und diskontinuierlicher Empfindung, nicht leicht ist, dass eine gewisse Übung dazu gehört und auch bei geübten Versuchspersonen die gefundenen Zahlenwerte verhältnismässig grosse Schwankungen zeigen. Es sind somit die von mir gefundenen Zahlen aus diesem Gesichtspunkte zu betrachten. Auf eine Bestimmung von Mittelwerten wollte ich mich schon deshalb nicht einlassen, weil wir über den Einfluss so lange und intensiv fortgesetzter Reizung auf das Auge, wie sie dazu erforderlich war, noch keine Erfahrungen besitzen.

Eine Nachprüfung der Exnerschen Versuche ergab auch mit dieser ringförmigen Elektrode eine Bestätigung seines Resultates. Ich verwandte ein Daniellsches Element und einen kleinen Schlitten-Induktionsapparat. Die Unterbrechungszahl wurde durch einen elektromagnetischen Reizmarkierer und eine Jaquetsche Fünftelsekunden-Uhr durch Aufzeichnung auf eine berusste Trommel festgestellt. Bei der grössten Unterbrechungszahl des Neefschen Hammers, die 58 bis 64 in der Sekunde betrug, hatte ich noch eine deutlich flimmernde Lichterscheinung. Auch die Beobachtungen von Filehne prüfte ich nach. Meine Versuchsbedingungen waren nur insofern andere, als ich nicht ein einfaches Zahnrad benutzte, sondern ein solches, welches in genau gleichen Zwischenzeiten abwechselnd je eine Schliessung und eine Öffnung des Stromes bewirkte. Verband ich meine Reizelektrode unter Zwischenschaltung dieses Unterbrechungsrades mit der Kathode zweier hintereinander geschalteten Daniellschen Elemente, so erhielt ich eine Verschmelzungsfrequenz der schon recht lebhaften Lichterscheinungen von 102 in der Sekunde. Es war nämlich zu berücksichtigen, dass sowohl die Öffnung als auch die Schliessung des Stromes einen Lichtblitz erzeugt, wovon ich mich wiederholt überzeugen konnte. Indes war die Helligkeit der Lichterscheinung bei Stromschliessung wesentlich schwächer wie bei Öffnung. Durch diese Aufeinanderfolge zweier verschieden hellen Lichtblitze werden die Bedingungen so verwickelt, dass eine derartige Verwendung galvanischer Ströme für die Bestimmung der Verschmelzungsfrequenz zu verwerfen ist.

Ich gehe nun dazu über, die von mir verwandten Apparate zu beschreiben. Der erste derselben ist ein magnetischer Sinusinduktor. Der ringförmige Magnet desselben wurde mittels knotenloser Schnur durch einen Elektromotor angetrieben, dessen Rotationsfrequenz durch vorgeschaltete Widerstände beliebig abgestuft werden konnte und durch eine am Triebrade des Motors befestigte Schreibspitze und eine Jaquetsche Fünftelsekunden-Uhr auf einer berussten Trommel markiert wurde. Je schneller der Apparat rotiert, um so höher und steiler ist der Anstieg und Abfall des Stromes.

Ähnliche Verhältnisse liegen bei dem zweiten Apparate vor. Derselbe wurde nach dem Vorgange von v. Kries schon vor längeren Jahren im Leipziger Institute von v. Frey entworfen, aber nicht beschrieben. Zwischen dem einen Pole eines Elektromagneten und dem Drahtbündel einer Induktionsspirale rotiert mit ihrem peripheren Teile eine Messingscheibe, welche hier in 30 abwechselnd aus Messing und Eisen bestehende Sektoren geteilt ist. Bei jedem Vorbeigehen eines Eisensektors vor dem Magneten wird in der Induktionsrolle ein Wechselstrom erzeugt, welcher zur Reizung benutzt wurde. Dieser Apparat wurde ebenfalls durch einen Elektromotor getrieben, und seine Umdrehungsgeschwindigkeit auf die oben angegebene Weise festgestellt. Bei Anwendung dieses Apparates hatte ich zwei variable Faktoren zu berücksichtigen: einerseits konnte ich den Akkumulatorenstrom und damit den induzierenden Elektromagnetismus abstufen und anderseits die Rotationsgeschwindigkeit des Sektorenrades variieren. Bei erhöhter Spannung des Akkumulatorenstromes ist auch die Amplitude der induzierten Stromschwankung eine grössere. Die Steigerung der Tourenzahl wirkt auf den induzierten Strom ähnlich wie bei dem erstbeschriebenen Apparate, d. h. mit steigender Rotationsgeschwindigkeit ist ausser der Verkürzung der Periode eine Vergrösserung der Amplitude verbunden.

Um mir ein Bild von der Regelmässigkeit der Ströme zu machen, fertigte ich unter der liebenswürdigen Beihilfe von Herrn Professor Garten und Herrn Dr. von Brücke drei Kurven derselben mittels des Kapillarelektrometers an (Fig. 1).

Die erste der Kurven (*a*) ist mit dem Schlitteninduktor gewonnen. Es zeigt sich, der Verschiedenheit des Schliessungs- und Öffnungsstromes entsprechend, dass der Abfall der einzelnen Stromzacken bedeutend steiler ist, als ihr Anstieg. Nicht auffallend ist indes die Verschiedenheit, die ich als Folge des verschiedenartigen Überspringens der Unterbrechungsfunken am Neefschen Hammer annehmen zu müssen glaubte. An den beiden andern Kurven, der des Magnetinduktors (*b*) und der des v. Freyschen Apparates (*c*), sieht man im Gegensatz hierzu, dass die beiden entgegengesetzt gerichteten Ströme Kurven von fast gleicher Steilheit mit dem Kapillarelektrometer ergaben. Die Unregelmässigkeiten, die scheinbar in einer grösseren Verschiedenheit der Zackenhöhen in der Kurve *c* zum Vorschein kommen, rühren wenigstens zum Teil von Erschütterungsschwankungen des Quecksilbers in der Kapillare her, wie ein Vergleich der Spitze und Basis der einzelnen Zacken zeigt.

Ehe ich zu den Resultaten meiner Versuche übergehe, möchte ich ein paar Worte über die Art der Lichterscheinungen vorausschicken. Es war auffällig, dass diese fast nur in der Peripherie des Sehfeldes beobachtet wurden und nur bei starken Strömen und geringer Frequenz das ganze Sehfeld ausfüllten. Dies konnte einerseits darauf beruhen, dass die Elektrode auf dem peripheren Teile der Retina lag, und anderseits auf der Trägheit des Netzhautzentrums gegenüber so kurzdauernden Reizen. Ein Kontrollversuch zeigte mir, dass beide Ursachen in Betracht kamen. Setzte ich auf das maximal adduzierte Auge lateral vom temporalen Lidwinkel die eine Elektrode auf, während sich die andere medial vom nasalen Lidwinkel, also in der Gegend der Cornea befand, so sah ich folgendes: In der Nähe der Fovea befand sich ein kleiner lebhaft flimmernder Lichtfleck; während um ihn herum keine Lichterscheinung wahrnehmbar war, zeigte sich in der äussersten Peripherie das Flimmern rundum wieder sehr deutlich.

Abhängigkeit der Verschmelzungsfrequenz von der Reizstärke.

Noch einmal sei darauf hingewiesen, dass die von mir verwandten Apparate es mir nicht ermöglichten, die Reizfrequenz unabhängig von der Reizstärke zu variieren, sondern dass mit jeder Steigerung der Frequenz auch eine Verstärkung des Reizes verbunden war. Dadurch wird die Interpretation meiner gewonnenen Resultate eine etwas schwierigere.

Versuche mit dem Magnetinduktor. Eine grosse Anzahl Versuche, die ich an verschiedenen Tagen anstellte, zeigte, dass die Verschmelzungsfrequenz der elektrischen Lichterscheinungen an eine bestimmte Rotationsgeschwindigkeit dieses Apparates gebunden war. Die Zahl der zur Erzeugung eines kontinuierlichen Lichteindruckes notwendigen Reize lag zwischen 130 und 140 in der Sekunde. Die Reizung war derart, dass die Nebenwirkungen schon anfingen, unangenehm zu werden. Das Flimmern, welches am deutlichsten bei etwa 80 Reizen in der Sekunde war, wurde bei wachsender Rotationsgeschwindigkeit immer schwächer und verschwand bei der eben genannten Frequenz schliesslich ganz.

Versuche mit dem von Freyschen Apparate. Während der Magnetinduktor keine von der Geschwindigkeit unabhängig variable Reizstärke anzuwenden ermöglichte, vermochte ich mit dem von Freyschen Apparate von ganz schwachen bis zu relativ maximalen Reizen aufzusteigen, indem ich den Strom der grossen Akkumulatorenbatterie des Institutes zur Speisung des Elektromagneten benutzte. Dadurch konnte ich einwandsfrei feststellen, dass zwischen der Reizstärke und der Verschmelzungsfrequenz eine gewisse Beziehung besteht. Hatte ich für eine gewisse Stromstärke eine Geschwindigkeit eingestellt, bei der ein Flimmern eben nicht mehr sicher wahrzunehmen war, so trat dasselbe bei Verringerung des Widerstandes im Kreise des Akkumulatorenstromes und dadurch verstärktem Reize wieder ganz deutlich auf. Um es wieder zum Verschwinden zu bringen, musste ich eine grössere Geschwindigkeit anwenden, was aber wieder eine Veränderung der reizenden Ströme mit sich brachte. Die beifolgende Tabelle möge diese Verhältnisse veranschaulichen. Es wurde bei verschiedener Stromstärke die Geschwindigkeit stets bis zu dem Punkte beschleunigt, bei dem das Flimmern sicher verschwunden war.

Tabelle 1.

21. VI. 1907. Allmähliche Vergrösserung der Reizfrequenz, bis die Empfindung eben kontinuierlich ist. Verschiedene Reizstärke.

Reizzahl in einer Sekunde	Akkumulatorenstrom Ampère (ungefähr)	Anmerkungen
98	1,0	Bei Stromstärken von 1,2—4,0 Ampère wieder deutliches Flimmern.
112	1,5	
172	3,0	
167	2,0	Versuch wird wiederholt.
162	2,0	Bei 3,0 Ampère Flimmern wieder deutlich
141	5,0	Die Nebenwirkungen sind so unangenehm, dass ein genaues Aufmerken nicht möglich ist.

Mit einer Zahl von 160 Reizen in der Sekunde dürfte wohl das Maximum der Verschmelzungsfrequenz für elektrische Reize erreicht sein. Fand ich auch bei starken Strömen Werte bis zu 180, so müssen diese doch wegen der grossen Unsicherheit der Beobachtung unberücksichtigt bleiben. Wie bekannt, sind das Reizzahlen, welche die bei Lichtreizung bisher gefundenen im allgemeinen weit hinter sich lassen. Es ergibt sich daraus eine maximale, zeitliche Unterscheidungsfähigkeit von 0,0062 Sekunden.

Ist die Verschmelzungsfrequenz für elektrische Reize von der Adaptation abhängig?

G. E. Müller[1]) (1897) hat angegeben, dass eine Differenz der durch elektrische Reize erzeugten Lichterscheinungen bei hell- und dunkeladaptiertem Auge nicht besteht, und W. A. Nagel[2]) hat dies bestätigt. Müller reizte das Auge durch fünf in einem Intervalle von je 1 Sek. aufeinander folgende, aufsteigende Ströme von sehr kurzer Dauer. Durch Variation der Stromstärke wurde für das helladaptierte wie für das dunkeladaptierte Auge die Stärke bestimmt, bei welcher die fünf Lichterscheinungen eben noch wahrnehmbar und zählbar waren. Ein erheblicher Unterschied der erforderlichen Stromstärken für den verschiedenen Adaptationszustand fand sich nicht.

Infolge der bekannten Beziehung zwischen der Helligkeit der Lichteindrücke und der Verschmelzungsfrequenz schien hiernach auch bei elektrischer Reizung ein Einfluss der Adaptation auf diese Frequenz nicht wahrscheinlich. Ich machte zunächst einige Versuche im Dunkelzimmer mit länger als $^1/_2$ Stunde dunkeladaptiertem Auge und fand dabei nahezu dieselben Zahlen, wie bei helladaptiertem Auge unter den gleichen Bedingungen. Entscheidender war für mich indes ein direkter, im Dunkelraume angestellter Vergleich der Empfindungen, welche die gleichen Reize in meinen beiden, verschieden adaptierten Augen hervorriefen. Ich vermochte niemals eine erhebliche Differenz derselben festzustellen. Steigerte ich die Reizfrequenz so, dass ich mit dem dunkeladaptierten Auge nur noch eben ein schwaches Flimmern sah, so stand auch das Flimmern des mit demselben Strome gereizten helladaptierten Auges an der Grenze der Merklichkeit. Eine Wiederholung dieses Versuches im Hellraume unter Beobachtung der gleichmässig grauen Fläche mit einem vorher lange Zeit erhellten und einem $^1/_2$ Stunde lang verdunkelt gewesenen Auge führte zu demselben Ergebnisse.

Aus diesen Tatsachen lässt sich natürlich wegen der Schwierigkeit der Beobachtung nicht der Schluss ziehen, dass die Adaptation gar keinen Einfluss auf die Verschmelzungsfrequenz für elektrische Reize hat, sondern nur, dass dieser Einfluss, wenn er besteht, ein nur verhältnismässig kleiner sein kann.

---

[1]) Müller, G. E., Über die galvanischen Gesichtsempfindungen. Zeitschr. f. Psychol. u. Physiol. d. Sinnesorgane. Bd. XIV, 1897, S. 329.

[2]) Nagel, W. A., Einige Beobachtungen über die Wirkung des Druckes und des galvanischen Stromes auf das dunkeladaptierte Auge. Zeitschr. f. Psychol. Bd. XXXIV, 1904, S. 285.

Verschmelzungsfrequenz und Druckblindheit.

Ich komme nun auf die Angaben Exners (siehe S. 150) zurück, dass ein Einfluss eines auf das Auge ausgeübten Druckes auf die faradischen Lichterscheinungen nicht bestehe. Müller (loc. cit. S. 364) vermisst in dieser ja nur gelegentlichen Mitteilung eine Angabe über den Ort, wo die Elektrode aufgesetzt wurde, und weist auf die Schwierigkeit hin, ein eben merkliches Flimmern zu beobachten. Finkelstein[1]) hatte schon 1894 über Versuche berichtet, aus denen sich ein Einfluss des Druckes auf die elektrischen Lichterscheinungen tatsächlich ergab. Er verwandte zu seinen geradezu heroischen Versuchen den Strom von 10—13 Meidingerelementen, den er etwa 130—140mal in der Minute unterbrach. Er sah dabei eine lebhaft flimmernde Lichterscheinung. Übte er nun einen allmählich ansteigenden Druck auf den Bulbus aus, so kam ein Zeitpunkt, wo zuerst in der Peripherie und dann auch im Zentrum das Flimmern verschwand und nur ein ruhiges, mosaikartiges Bild sichtbar war.

Auch ich konnte die Beobachtung Exners nicht bestätigen. Ich verwandte zu meinen Versuchen Reize, die ein sehr deutliches Flimmern hervorriefen, also solche von verhältnismässig grosser Stärke und geringer Frequenz. Übte ich nun auf die ringförmige Elektrode oben und unten einen Druck aus, so dass der intraokulare Druck ein höherer, das Gesichtsfeld aber nicht beschränkt wurde, so beobachtete ich regelmässig, dass fast in demselben Augenblicke, in dem sich ein dunkler Schleier über alle Sehdinge legte, auch das Flimmern verschwand. Bei Nachlassen des Druckes trat gleichzeitig mit Erhellung des Sehfeldes auch das Flimmern wieder auf. Verwandte ich eine knopfförmige Elektrode und übte mit dieser lateral vom temporalen Lidwinkel auf das nasalwärts gerichtete, offene Auge einen Druck aus, so vermochte ich im Bereiche des Druckphosphens niemals ein Flimmern wahrzunehmen. In nächster Umgebung war dasselbe indes sehr deutlich. Steigerte ich den Druck, so trat auch hierbei die Verdunkelung des gesamten Sehfeldes auf mit gleichzeitigem Verschwinden der durch den elektrischen Reiz hervorgerufenen Lichterscheinung. Ähnliches beobachtete ich auch bei geschlossenem Auge. War jetzt bei dem festen Andrücken der Elektrode das Flimmern im Bereiche des ganzen Sehfeldes zunächst noch sehr lebhaft, so verschwand es nach einiger Zeit zuerst in der Peripherie, dann

---

[1]) Finkelstein, L., Über optische Phänomene bei elektrischer Reizung des Sehapparates. Arch. f. Psychiatrie. Bd. XXVI, 1894, S. 876.

im Zentrum vollkommen, um beim Nachlassen des Druckes in umgekehrter Reihenfolge wieder deutlich zu werden.

Dies führt mich noch einmal zu der in der Einleitung berührten Frage nach dem Orte der Reizwirkung des elektrischen Stromes. Es stehen sich hier verschiedene Ansichten gegenüber, zuerst die von Exner (1875 loc. cit.), welcher eine direkte Einwirkung auf die Optikusfaserschicht annimmt, dann die von Schwarz[1]), der die Zapfenfasern als Reizort betrachten zu müssen glaubt, und schliesslich die von G. E. Müller (loc. cit. S. 354f.), der in der Stäbchen- und Zapfenschicht den Ort der Reizwirkung sieht. Meine Beobachtungen sind nur insofern für die Lösung dieser Frage nicht ganz ohne Bedeutung, als durch sie zwei wichtige Stützpunkte der Exnerschen Anschauung in Wegfall kommen, nämlich erstens der, dass die Druckblindheit auf die elektrisch erzeugten Gesichtsempfindungen keinen Einfluss habe und zweitens die vermeintliche Verschiedenheit der Verschmelzungsfrequenz bei elektrischer und optischer Reizung (siehe unten S. 160).

Verschmelzungsfrequenz bei Lichtreizung.

Vergleicht man die von mir mittels der elektrischen Reizung gefundenen Verschmelzungsfrequenzen mit den bei Lichtreizung angegebenen, so zeigt sich eine beträchtliche Differenz. Eine Durchsicht der überaus umfassenden Literatur zeigt mir, dass grössere Reizfrequenzen als 75 in der Sekunde zur Verschmelzung von Lichteindrücken fast nie erforderlich waren[2]). Es fragt sich nun, ob hier eine ganz spezifische Eigenschaft der elektrischen Reizung vorliegt, die einen Vergleich mit der Lichtreizung nicht zulässt, wie Exner annahm, oder ob die bisher gewählten Bedingungen bei der Lichtreizung zu ungünstige waren und man bei anderer Versuchsanordnung noch zu höheren Zahlen gelangen kann.

Um möglichst kurze Lichtreize hoher Intensität benutzen zu können, stellte ich folgende Versuchsanordnung zusammen: Der Glühstab einer Nernstlampe von 110 Volt wurde durch eine Konvexlinse von 20 D verkleinert auf einer Episkotisterscheibe abgebildet,

---

[1]) Schwarz, O., Über die Wirkung des konstanten Stromes auf das normale Auge. Arch. f. Psychiatrie. Bd. XXI, 1890, S. 588.

[2]) Höhere Reizfrequenzen bis zu 121 werden nur von Filehne (loc. cit.) und Baader (Über die Empfindlichkeit des Auges für Lichtwechsel. Diss. Freiburg 1891) bei einer Anzahl Versuchen angegeben, bei denen sie Sektorenscheiben mit einer grossen Anzahl schwarzer und weisser Sektoren verwandten.

die in Abständen von 90° vier feine, spaltförmige, radiäre Einschnitte trug. Die Anordnung war so getroffen, dass das senkrechte Bild des Glühstabes auch radiär auf der Scheibe lag, so dass die von der ganzen Länge des Stabes ausgehenden Strahlen die Spalte passieren konnten. Letztere besassen an dieser Stelle eine Breite zwischen 20 und 30′. Zwischen Episkotister und Linse war in einem Abstande von wenigen Millimetern von ersterem eine zum Lichtbilde parallele, spaltförmige Blende angebracht, welche den mittleren, hellsten Teil des Glühstabbildes ausschnitt. Der Beobachter sah durch den Spalt mit möglichst entspannter Accommodation gerade in die Lichtquelle hinein, so dass das sich in Zerstreuungskreisen auf seiner Retina abbildende Spaltbild von ihm als eine helle, blendende Lichterscheinung empfunden wurde. Der Episkotister wurde durch einen mittels Widerständen beliebig zu verlangsamenden Elektromotor von sehr gleichmässigem Gange in Rotation versetzt. Zur Bestimmung seiner Umdrehungsgeschwindigkeit wurden zwei Mareysche Tambours verwendet. So oft gegen den einen ein an der Achse der Scheibe befindlicher Zapfen anstrich, verzeichnete der andere dies auf einer berussten Kymographiontrommel, deren Geschwindigkeit gleichzeitig durch die Markierung einer Jaquetschen Fünftelsekunden-Uhr festgestellt wurde. Die Beobachtungen wurden in einem Dunkelzimmer angestellt, das nur durch die nicht ganz abgedeckte Nernstlampe erleuchtet war. Zur Vermeidung aller störenden Gesichtsempfindungen war zwischen Episkotister und Auge ein Schirm mit einem Ausschnitte angebracht, der nur das in Betracht kommende Stück der Scheibe zur Beobachtung frei liess.

Die durch diese Versuchsanordnung erhaltenen Lichtempfindungen sind nun zwar in mehrfacher Hinsicht von den durch elektrische Reizung gewonnenen verschieden. Erstens füllen sie ein auch nicht nur annähernd so grosses Gesichtsfeld aus, wie die letzteren; und zweitens entsprechen sie der Mitte der Retina, während letztere fast nur in der Peripherie beobachtet wurden. Immerhin sind die erhaltenen Resultate recht bemerkenswert.

Ich halte es für zweckmässig, hier ein vollständiges Versuchsprotokoll zu geben, woraus einerseits hervorgeht, wie exakt die fragliche Frequenz festzustellen ist, und anderseits, dass sie für verschiedene Versuchspersonen annähernd denselben Wert hat. Den Herren Dr. von Brücke und Dr. Dittler, die sich in liebenswürdigster Weise zu einigen Beobachtungen erboten, sage ich hierdurch meinen besten Dank.

Tabelle 2.

Versuchsprotokoll vom 28. VI. 1907. Direkte Beobachtung des Leuchtstabbildes. Entspannte Accommodation. Entfernung des Auges vom Episkotisterspalte 10 cm. Zwischen Nernstlampe und Episkotister befindet sich eine Linse von + 20 D.

Versuchsperson	Reizzahl in einer Sekunde	Flimmern	Anmerkungen
C.	107	+	Sehr deutlich.
	122	+	Deutlich.
	173	—	
	178	—	
	130	+	Sehr deutlich.
	170	—	
	173	—	
	173	—	Wahrscheinlich nicht weit von der Grenze.
	152	+	Noch deutlich.
	136	+	Deutlich.
	157	—	? Grenzwert.
	137	+	Deutlich.
	148	+	Noch vorhanden.
	157	+	Grenzwert.
29. VI. 07. B.	151	+	
	185	—	
	165	—	
	157	—	? Grenzfall.
	143	+	
	125	+	
D.	138	+	?
	163	—	
	132	+	

Aus der Tabelle ergibt sich, dass unter den genannten Bedingungen die Verschmelzungsfrequenz bei 157 Reizen in einer Sekunde liegt. Es dürfte damit wohl das Maximum der zeitlichen Unterscheidungsfähigkeit erreicht sein. Zwei Versuchsreihen mit noch viermal grösseren Lichtstärken durch noch stärkere Verkleinerung des Glühstabbildes führte mich zu annähernd denselben Werten (zwischen 153 und 156). Berechnen wir für einen Wert, bei dem sicher und regelmässig noch Flimmern wahrgenommen wurde, also etwa 150, wie gross das Intervall zwischen zwei Reizen ist, so ergibt sich als Grenzwert für das zeitliche Unterscheidungsvermögen des Lichtsinnes 0,006 Sekunden.

Dieser Wert ist in mehr als einer Hinsicht bemerkenswert. Er ist gerade halb so gross, wie der bisher angenommene. Sodann stimmt er in geradezu überraschender Weise mit dem bei elektrischer Reizung gefundenen Grenzwerte (siehe oben S. 155) überein. Es spricht das, wie schon oben erwähnt, gegen die Annahme, dass Licht und elektrischer Strom in bezug auf ihre Reizwirkung auf das Auge ganz verschiedene Bedingungen darbieten. Zwar könnte man gegen diesen Schluss einwenden, dass die Lichterscheinungen bei elektrischer Reizung durchaus nicht so hell waren, wie die bei den geschilderten Versuchen mit hohen Lichtstärken. Das ist in der Tat der Fall; doch ist dagegen zu sagen, dass bei beiden Versuchsreihen Reize von hoher Intensität angewandt wurden und in beiden Fällen noch grössere Reizstärken kein weiteres Ansteigen der Verschmelzungsfrequenz bewirkten. Da fernerhin bei der Lichtreizung nur im zentralen Gesichtsfelde beobachtet wurde, so liesse sich nach früheren Untersuchungen erwarten, dass bei Beobachtung mit peripheren Retinapartien die Verschmelzungsfrequenz eher eine noch grössere sei, wenn es mir auch nie gelang, unter diesen Umständen aufeinanderfolgende Reize von noch grösserer Frequenz diskontinuierlich zu sehen.

Wäre somit die zeitliche Unterscheidungsfähigkeit optischer Eindrücke eine viel feinere, als man nach früheren Untersuchungen annahm, so stände sie doch noch weit zurück hinter den bei intermittierenden Tastreizen gefundenen Werten. Gibt doch Schwaner[1]) an, dass die Empfindung des Schwirrens, das man bei einer auf die Haut aufgesetzten, tönenden Stimmgabel hat, erst in eine stetige Empfindung übergeht, wenn die Schwingungszahl 800—1000 in einer Sekunde beträgt.

Zusammenfassung.

Die Verschmelzungsfrequenz elektrischer, das Sehorgan treffenden, intermittierenden Reize war nicht nachweisbar verschieden von der bei Lichtreizung unter analogen Bedingungen gefundenen.

Wie bei Lichtreizung die Verschmelzungsfrequenz bei Wechsel zwischen Finsternis und Licht mit der Stärke des letzteren ansteigt, so wuchs sie auch bei elektrischen Reizen mit der Stärke derselben.

Bei Reizung des Auges mit möglichst momentanen Lichtreizen wurde die Verschmelzungsfrequenz ebenso wie bei elektrischen Reizen erst bei 160 Reizen in einer Sekunde erreicht, woraus sich eine zeitliche Unterscheidungsfähigkeit von beiläufig 0,006 Sekunden ergab.

Eine Abhängigkeit der Verschmelzungsfrequenz elektrischer Reize von der Adaptation wurde nicht gefunden.

Die Druckblindheit wirkte auf die durch intermittierende elektrische Reize erzeugten Empfindungen ebenso wie auf die durch Lichtreize hervorgerufenen.

---

[1]) Schwaner, Die Prüfung der Hautsensibilität mittels Stimmgabeln. Diss. Marburg 1890.

(Aus der Universitäts-Augenklinik zu Heidelberg.)

Beitrag zur pathologischen Anatomie der Conjunctivaldiphtherie.

Von

Dr. J. Igersheimer,
Assistenten der Klinik.

Mit Taf. V, Fig. 1 und 2.

Die Conjunctivaldiphtherie gehört an sich nicht zu den häufigen Augenaffektionen — in manchen Gegenden scheint sie sogar direkt selten vorzukommen —, immerhin liegen sehr viele bakteriologische Untersuchungen des Bindehautsekretes und auch reichliche Untersuchungen über den Bau der Krupmembranen vor; sehr spärlich sind dagegen die histologischen Detailangaben über die Veränderungen in den ergriffenen Geweben selbst, Conjunctiva, Lidern und Bulbus. Aus der Klinik v. Graefe's, welcher zuerst die Conjunct. diphther. als selbständiges Krankheitsbild erkannt hat, veröffentlichte Hirschberg[1]) als erster drei anatomisch untersuchte Fälle und kommt zu dem noch heute gültigen Schluss, dass das Wesen der diphtheritischen Entzündung auf der Tendenz zur Nekrose beruhe. Sehr viel später, nachdem inzwischen der Erreger der Diphtherie entdeckt war, stellte Sourdille[2]) auf experimentellem Wege durch Ätzen der Conjunctiva mit Ammoniak krupöse und diphtheritische Entzündung her und konnte nun, da er sich von der identischen Wirkung des Ammoniaks und der Injektion von Diphtheriekulturen überzeugt hatte, die Entwicklung der einzelnen Stadien verfolgen. Der Prozess begann mit einer Koagulationsnekrose des Epithels, dann traten Vakuolen zwischen den Epithelien auf, die sich mit einer fädigen Flüssigkeit füllten, und so entstand dann eine fibrinöse Schicht zwischen dem degene-

---

[1]) Hirschberg, Prof. A. v. Graefe's klin. Vortr. über Augenheilk. Berlin 1871. S. 111—159.

[2]) Sourdille, Arch. d'opht. 1894. Bd. XIV. S. 246.

rierten Epithel und der Mucosa. Der Periode der Membranbildung folgte die der Infiltration der Schleimhaut mit Fibrin und corpusculären Blutelementen. — 1896 demonstrierte sodann Uhthoff[1]) Präparate einer Scharlachdiphtherie mit ausgedehnter oberflächlicher Nekrose der Conjunctiva, einer tiefen entzündlichen Infiltration und Exsudation in das Conjunctivalgewebe, dabei keine Pseudomembranbildung. — Der einzige, in seinen Einzelheiten genau beschriebene Fall menschlicher Conjunctivaldiphtherie ist von Becker[2]) veröffentlicht, doch wurde von ihm ein bei der Conjunct. diphth. sehr wichtiger Augenbestandteil, die Lider, nicht untersucht. Es ist bei dem Beckerschen Fall interessant zu sehen, welche Tiefenwirkung die diphtheritische Entzündung haben kann; die Iris war reichlich mit Leukocyten und Fibrin durchsetzt und hatte ein Exsudat in die Vorderkammer abgeschieden.

Recht stiefmütterlich ist die pathologische Anatomie der Conjunctivaldiphtherie auch in den neueren Lehrbüchern [Greeff[3]), Parsons[4])] behandelt.

Es dürfte deshalb von Interesse sein, wenn ich einen anatomisch untersuchten Fall von echter Conjunctivaldiphtherie etwas eingehender beschreibe und diesem einen zweiten Fall anreihe, der klinisch und histologisch unter dem Bild einer mässig schweren diphtheritischen Entzündung verlief, bei dem aber sichere Diphtheriebacillen nicht nachgewiesen werden konnten. Die beiden Fälle, die ich in der Heidelberger Kinderklinik zu beobachten Gelegenheit hatte, ergänzen sich dadurch sehr gut, dass in beiden der Prozess verschieden weit vorgeschritten war.

Fall I. L. W. aus Sandhausen, 1 Jahr. Aufgenommen in der Kinderklinik am 13. III. 07.

Befund bei der Aufnahme: Rauher Stridor, geringgradige Einziehungen im Epigastrium. Ziemlich trockener Husten. Keine Cyanose. Beiderseits Conjunctivitis. Schnupfen. Rachen leicht gerötet. Temp. 37,3°. Therap.: Prophylakt. Injektion von Diphtherieheilserum Nr. IV (2000 J. E.).

Die Temperatur blieb niedrig bis zum 29. III.; der Rachen war nur leicht gerötet; keine Beläge. Dagegen bestand starke eitrige Sekretion aus der Nase. Vom 29. III. an stieg die Körperwärme und vom 3. IV. an nahm die Temperatur einen hochgradig febrilen Charakter an.

---

[1]) Uhthoff, Verhandl. d. Gesellsch. deutscher Naturf. u. Ärzte. Frankfurt a. M. 1896. Bd. II. S. 325.

[2]) Becker, Beitrag zur Kenntnis der Bindehautdiphtherie. Inaug.-Diss. Jena 1897.

[3]) Greeff, Pathol. Anatomie der Sehorgane. Berlin 1902. Bd. I. S. 26.

[4]) J. H. Parsons, The pathol. of the eye. London 1904. Vol. I. P. I. S. 58.

Am 5. IV. traten zuerst alarmierende Erscheinungen am Auge auf. Als ich das Kind zum erstenmal sah, waren beide Augen ziemlich stark geschwollen, ohne dass man aber von einer prallen Konsistenz sprechen konnte. Keine hochgradige Hitze der Lidhaut. Beiderseits hing das Oberlid über das untere Lid herab und auf der Conjunctiva liessen sich dicke Membranen leicht abziehen; links war die Conjunctivaloberfläche unter den Membranen ganz intakt, rechts erschien besonders am Unterlid das Parenchym bereits ergriffen. Absonderung gelblicher, seröser Flüssigkeit. Therap.: Heilserum Nr. IV, Abziehen der Membranen, Abtupfungen mit $^1/_2$ ‰ Sublimatlösung, Eisumschläge mit hypermangans. Kali.

6. IV. Allgemeinbefinden schlechter. Sehr grosse Atemfrequenz. Schwellung der Augen eher etwas zurückgegangen. Nur hie und da noch kleines Membranfetzchen. Beiderseits Oberfläche des Ober- und Unterlids von schmutzig-grauröltlicher Farbe; hochgradige Anämie der Conjunct. palp. und bulbi; einzelne Blutpunkte. Im Conjunctivalsack abgestossene Epithelien. Beiderseits rauchige Trübung der Cornea, links kleines Infiltrat am unteren Limbus. Therap.: Heilserum Nr. III. Jetzt lauwarme Umschläge. Spülen mit Borwasser, Atropin.

7. IV. Status idem. — Nachmittags Exitus.

Anatomische Diagnose laut Sektionsprotokoll: Diphtherie des Zungengrunds, des Anfangsteils des Ösophagus, des Kehlkopfeingangs, der Augen. Entzündliches Ödem des hinteren Kehlkopfeinganges. Multiple zerstreute Bronchopneumonien des linken Oberlappens, des rechten Ober- und Unterlappens. Konfluierende Bronchopneumonien des rechten Mittel- und linken Unterlappens. Bronchitis purulenta. Tracheitis. Septischer Milztumor. Rhachit. Rosenkranz.

Die am 5. IV. sofort vorgenommene bakteriologische Untersuchung ergab im Nasensekret Reinkultur von Diphtheriebacillen, im Conjunctivalsekret Cokken und typische Diphtheriebacillen.

Es stellte sich also schliesslich doch heraus, dass es sich im vorliegenden Falle um eine diphtheritische Erkrankung septischen Charakters handelte. Die Beteiligung der Augen kann man wohl mit grösster Wahrscheinlichkeit auf Infektion mit Nasensekret zurückführen. — Zur Evidenz lässt sich an diesem Fall die Identität der krupösen und diphtheritischen Entzündung beweisen; am ersten Tag bestand am einen Auge noch krupöses Stadium, am andern bereits beginnende diphtheritische Entzündung; am zweiten Tag war das diphtheritische Stadium beiderseits ausgebildet. —

Von praktischem Interesse ist noch, dass die am Anfang der Behandlung gegebene prophylaktische, hohe Serumdosis sicher bereits nach vierzehn Tagen ihre Schutzkraft eingebüsst hatte.

Die histologische Untersuchung, bei der mir das rechte Oberlid mit Ausnahme der bedeckenden Haut zur Verfügung stand, ergab folgendes:

Die Conjunctiva ist zum grössten Teil nekrotisch (Fig. 1). Vom Lidrand bis hinauf zur Übergangsfalte finden sich nur vereinzelte Reste völlig degenerierter Epithelien. Die Oberfläche ist viefach zerklüftet, aber ohne jegliche pseudomembranöse Auflagerung. Die nekrotische Zone ist charakterisiert durch den Mangel gefärbter Gewebskerne; stellenweise fehlen Kerne überhaupt, an andern Stellen sind Leukocyten infiltriert, deren Kerne nach der Oberfläche hin in kleinste Partikelchen zerfallen. Die Bindegewebsfibrillen dieser Zone sind gequollen, ihre Streifung ist undeutlich; das Gewebe hat mit van Giesonscher Lösung keine rote, sondern gelbe Färbung angenommen. Sowohl in der nekrotischen Schicht wie an der tarsalen Grenze derselben findet sich grosser Gefässreichtum. Die Gefässlumina sind meist völlig verstopft und angefüllt mit krümlig-körnigen Massen, die sich nach van Gieson gelb färben und mit grosser Wahrscheinlichkeit als Degenerationsprodukte roter Blutkörperchen aufgefasst werden müssen. Fibrin lässt sich in den Gefässen nur hie und da in Spuren nachweisen, dagegen finden sich reichlich Leukocyten in ihnen. Je weiter nach der Hautoberfläche zu, desto normaler wird der Gefässinhalt wieder. — Die nach aussen zu sich an die nekrotische Zone anschliessende Partie der Conjunctiva, sowie das tarsale Bindegewebe sind dicht mit Leukocyten infiltriert, und diese Infiltration erstreckt sich in ziemlich gleicher Stärke bis unter die Haut. — Neben der leukocytären Infiltration besteht nun vor allem in der Partie oberhalb des Tarsus eine reichliche Exsudation von Fibrin zwischen die Maschen des Bindegewebes; dieselbe reicht ebenfalls bis unter die Haut, lässt dazwischen nur die schmale Muskel- und Fettregion frei. Fibrinlos ist die nekrotische Zone und der ganze Tarsus; weder im tarsalen Bindegewebe noch in den Meibomschen Drüsen lässt sich eine Spur Fibrin nachweisen. Dagegen ist das lockere Gewebe zwischen Tarsus und Haut wieder dicht mit Fibrinfäden angefüllt (Fig. 2).

Die Alveolen der Meibomschen Drüsen haben der Norm gegenüber ein recht verändertes Aussehen. Die normalerweise sich stark tingierende kubische Zelllage an der Peripherie des Alveolus ist entweder gar nicht mehr nachweisbar oder nur angedeutet. Die Kerne, die sich schlechter färben lassen, liegen regellos durcheinander. Ferner ist das sonst so klare wabenartige Protoplasmagerüst verwischt und das Protoplasma zu einer mehr homogenen, an manchen Stellen leicht gekörnt aussehenden Masse umgewandelt. Leukocyten sind wohl in die Drüsen infiltriert, aber in nicht erheblichem Grad.

Bakteriologisch findet sich an der conjunctivalen Oberfläche ein dichter Rasen von Staphylocokken, die stellenweise weit in die nekrotische Partie hinein vorgedrungen sind, aber auf diese Zone beschränkt bleiben. Stäbchen, insbesondere Diphtheriebacillen, sind nicht nachzuweisen.

Fall II. G. R., $6\frac{1}{2}$ Monate, Tagelöhnerskind. Aufgenommen in der Kinderklinik am 16. VII. 07.

Befund bei der Aufnahme: Pneumonie. Beginnende Masern (Koplikсhe Flecken). Pemphigus. Conjunctivitis.

Am 19. VII. 07, als ich das äusserst elende Kind zum erstenmal sah, wies die Haut der Wangen und der Stirn mehrere Exkoriationen, entstanden aus geplatzten Pemphigusblasen, auf; eine ulcerierte Stelle gleichen Ursprungs fand sich auf der Haut des linken Oberlids nahe dem inneren Lidwinkel. Das linke Oberlid war angeschwollen, aber nicht derb, leicht umdrehbar, fühlte sich auch nicht besonders heiss an. Lidränder durch eingetrocknetes serös-eitriges Sekret verklebt. Auf der Conjunctiva des Ober- und Unterlids Reste von Krupmembranen. Conjunctiva stark anämisch, Oberfläche von graurötlicher Farbe. Conjunct. bulbi von gallertartigem Aussehen, ebenfalls sehr anämisch, an einigen Stellen mit kleinen Hämorrhagien durchsetzt. Cornea leicht diffus getrübt. — Rechtes Auge normal. Therap.: Rechtes Auge: Schutzverband. — Linkes Auge: lauwarme Umschläge von Kal. hypermang. — 1500 J. E. Diphtherieheilserum.

20. VIII. Stat. idem. — Es lässt sich heute eine grössere Krupmembran ohne wesentliche Verletzung von der Conjunct. abziehen. Therap.: 3 × tägl. Atropin ($^1/_2$ %).

21. VIII. Links hochgradigste Anämie der Conjunctiven. Keine Membranbildung mehr. Cornea bedeutend stärker diffus getrübt ohne Substanzdefekt.

22. VIII. Exitus.

Abimpfungen von den Membranen und aus dem Bindehautsack ergaben die Anwesenheit reichlicher Cokken, vorwiegend Staphylocokken und vereinzelter Stäbchen, die jedoch nicht sicher als Diphtheriebacillen angesprochen werden konnten. Die Präparate konnte ich leider nicht mehr einsehen.

Anatomische Diagnose laut Sektionsprotokoll: Bronchopneumonische Herde im linken Oberlappen, konfluierende Bronchopneumonien des rechten Ober- und Unterlappens. Randemphysem. Bronchitis und Peribronchitis, Laryngo-Tracheitis catarrh. Ulcera an der vorderen Kommissur der wahren Stimmbänder. Subpleural. Hämorrhag. Trübung und Fettinfiltration der Leber. Leichte Rhachitis. Pemphigus.

Es handelte sich also in diesem Fall II um eine einseitige krupöse, schliesslich diphtheritische Conjunctivitis bei einem pneumonie- und masernkranken Kind, das ausserdem an Pemphigus litt. Aus der Literatur ist bekannt, dass bei Pemphigus der Haut krupöse Bindehautaffektionen vorkommen; ob im vorliegenden Fall ein Zusammenhang zwischen beiden Prozessen besteht, lässt sich kaum entscheiden.

Histologisch fand sich folgendes:

Der oberste Teil der Übergangsfalte zeigt ein nahezu normales Verhalten, gut geschichtetes und gut färbbares Epithel; auch die Krauseschen Drüsen sind ganz unverändert. Das Einzige, was auf einen pathologischen Prezess hindeutet, ist die mässige leukocytäre Infiltration in der Bindegewebs- und Epithelschicht. Weiter nach unten gegen die Conjunct. palpebr. zu lassen sich die Kerne der Epithelien schon schlechter färben. In fast schroffem Übergang folgt dann eine bis zum Lidrand reichende Nekrose des Epithels der Conj. palp. An einigen Stellen fehlt die epitheliale Schicht völlig, an andern liegen die Epithelien, isoliert oder im Verband, der Schleimhaut nur noch locker auf. Die Nekrose erstreckt sich noch auf eine schmale subepitheliale Zone, die sich nach van Gieson gelb färbt und mit Leukocyten und deren Zerfallsprodukten durchsetzt ist. Desgleichen Leukocyteninfiltration im bindegewebigen Teil des Lids, die aber nach der Hautoberfläche zu stark abnimmt. In dieser Partie, sowie in der hautwärts vom Tarsus gelegenen Lidzone lassen sich geringe Mengen Fibrin nachweisen; nekrotische Schicht und Tarsus sind fibrinfrei. Dagegen finden sich grössere Mengen von Fibrin in den Gefässen der nekrotischen Zone und deren Umgebung; hier und da sind die Gefässe auch mit Schollen (Hyalin?), die sich nach Weigert blauviolett färben, angefüllt. Bei wieder andern Gefässen bildet den Inhalt ein feinkörniger Detritus, der sich wohl am ehesten von zerfallenen roten Blutkörperchen herleitet. Die stärksten Inhaltsveränderungen zeigen die Gefässe der nekrotischen Schicht, bedeutend geringere die des sehr hyperämischen unteren Teils der Übergangsfalte. Nach der Haut zu zeigen die Gefässe selbst keine sichtbaren Veränderungen mehr; es bestehen jedoch ausgedehnte Hämorrhagien zwischen Haut und Tarsus.

In den Meibomschen Drüsen herrscht ein regelloses Durcheinander von Drüsenzellkernen und Leukocyten. Es besteht keine kubische Aussenzelllage mehr, und das Protoplasma ist zu einer homogenen Masse ohne jede Struktur umgewandelt. Die Hohlräume in den Alveolen, die zum Teil mit Sekret erfüllt sind, sind oft so sehr dilatiert, dass das Drüsenparenchym auf eine ganz schmale Zone beschränkt wird. Die Zellkerne sind schlechter färbbar und erscheinen der Norm gegenüber bedeutend vermehrt; Kernteilungsfiguren sind aber nicht oder selten nachweisbar.

Bakteriologisch ist nicht nur die ganze conjunctivale Oberfläche von dichten Staphylocokkenhaufen bedeckt, sondern im ganzen Lid finden sich bald hier bald dort, selbst noch zwischen Tarsus und Haut Bakterienanhäufungen. Die in der Tiefe des Gewebes sich findenden Mikroorganismen sind stets in Gefässlumina eingelagert; einzelne Gefässe sind vollständig mit Bakterien thrombosiert.

Bei Vergleichung des anatomischen Befundes in Fall I und II springt die ausserordentliche Ähnlichkeit sofort in die Augen. Die Verschiedenheiten sind meistens nur graduelle.

Als erste Reaktion auf den Entzündungsreiz kann man wohl die gesteigerte Blutzufuhr zur Conjunctiva erblicken, wie sie im Fall II an der sonst noch nahezu intakten Übergangsfalte deutlich zutage tritt. Das Stadium der Membranbildung ist in den beiden Fällen anatomisch nicht mehr zu konstatieren, war aber, wie sich aus der klinischen Beobachtung ersehen lässt, sicherlich vorhanden. Als nächste Etappe in der fortschreitenden Entzündung ergibt sich die im Fall II sichtbare oberflächliche Nekrose, und dieser folgt in Fall I die tiefere Nekrose verbunden mit ausgedehnter fibrinöser Exsudation. Der Reiz zur fibrinösen Ausschwitzung geht tief ins Gewebe hinein, bis unter die Haut, nur in dem straffen Bindegewebe des Tarsus scheinen, obgleich auch hier Gefässe bestehen, der Ausscheidung von Fibrin grosse Schwierigkeiten im Weg zu stehen.

In beiden Fällen lässt sich für die klinisch in Erscheinung getretene und auch sonst im allgemeinen für Conjunct. diphther. so charakteristische hochgradige Anämie anatomisch eine Erklärung finden. Die Gefässe der nekrotischen und der sie begrenzenden Schicht sind nahezu sämtlich thrombosiert; das Substrat, aus dem sich der Thrombus zusammensetzt, ist allerdings ein recht verschiedenes. Im Fall I finden sich vorwiegend Thromben aus zerfallenen roten Blutkörperchen, während im Fall II Blutkörperchenthromben, Fibrinthromben, hyaline Thromben und Bakterienthromben nebeneinander bestehen. Die Ursachen der schlechten Blutcirkulation können also mannigfaltige sein; es ist daher nicht angängig, nach dem Vorgang mancher Autoren den hyalinen Thromben allein oder, wie wieder andere Autoren wollen, allein der Kompression der Gefässe durch das fibrinöse Exsudat die Schuld an der Anämie beizumessen.

Die Meibomschen Drüsen zeigen beidesmal analoge Veränderungen sowohl des Protoplasmas wie der Zellkerne. Darüber, ob ähnliche Veränderungen schon beobachtet sind und ob sie häufiger bei Entzündungen der Conjunctiva oder des Tarsus auftreten, konnte ich in der Literatur keine Angaben finden. Die Regellosigkeit in der Lagerung der Kerne, ihre schlechte Färbbarkeit, sowie das eigenartige Aussehen des Protoplasmas lassen wohl am ehesten einen nekrotisierenden Vorgang im Innern der Drüsen vermuten. Bei der Abwesenheit färbbarer Mikroorganismen in den Drüsen dürften wohl eingedrungene Toxine als Ursache dieser pathologischen Umwandlung anzusehen sein.

Was nun endlich den bakteriologischen Befund angeht, so ist in beiden Fällen die conjunctivale Oberfläche von einem dichten Rasen von Staphylocokken eingesäumt, die mehr oder weniger tief in das Gewebe eingedrungen sind. Dass in dem Fall I, bei dem sich reichliche Diphtheriebacillen im Conjunctivalsack fanden, in den anatomischen Schnitten keine spezifischen Stäbchen mehr nachzuweisen waren, ist nicht allzuwunderbar. An sich geht der Diphtheriebacillus schon sehr rasch zugrunde, nach Salus[1]) ist sogar die To-

[1]) Salus, Med. Klinik 1907. Nr. 28. S. 847.

xinbildung an den Untergang des Bacillenleibs gebunden, ferner aber teilt schon Löffler[1]) in seiner ersten Veröffentlichung mit, dass sich der Diphtherieerreger nur in den Pseudomembranen aufhält, einen Befund, den Beck[2]) später in gleicher Weise erhebt. Mischinfektion gilt bei der Conjunct. diphther. als das Gewöhnliche; in den beiden vorliegenden Fällen treten nun die Cokken derart massenhaft auf und sind so tief in das Gewebe eingedrungen, dass ihnen für die Gestaltung des ganzen Krankheitsprozesses eine grosse Bedeutung zugesprochen werden muss. Ein eventueller Einwand musste jedoch geprüft werden; man könnte sich denken, dass die Bakterienwucherung ein postmortaler Vorgang ist. Gegen diesen Einwand spricht von vornherein die Tatsache, dass das Untersuchungsmaterial im Fall II bereits drei Stunden nach dem Tod entnommen und sofort zur Fixierung in Formol gebracht wurde. Zur näheren Prüfung und da die Frage auch ein gewisses allgemeines Interesse hat, schabte ich an einer frischen Kinderleiche das Epithel der normalen Conjunctiva ab und verrieb auf der entstandenen Wundfläche eine Öse Agarkultur des Falles II. Nach vier Stunden entnahm ich das Lid, und es zeigte sich, dass die Cokken zwar reichlich an der Oberfläche angesiedelt, aber nicht in die Schleimhaut eingedrungen waren. Mithin ist in den beiden vorliegenden Fällen anzunehmen, dass das Hineinwuchern der Bakterien ins Gewebe schon während des Lebens erfolgte, und es ist in hohem Grade wahrscheinlich, dass hier, wie wohl auch in vielen andern Fällen, das Fortschreiten und die Weiterentwicklung des entzündlichen Prozesses der Sekundärinfektion zur Last zu legen ist.

Die grosse Ähnlichkeit im klinischen und histologischen Verhalten bei Fall I und II macht es sehr wahrscheinlich, dass es sich auch im Fall II ursprünglich um einen echt diphtherischen Prozess handelte und dass die gefundenen Bacillen Diphtheriebacillen waren, wenn sie auch nicht sicher als solche erwiesen werden konnten. Diese Vermutung liegt um so näher, als eine schleimhautschädigende Noxe den Staphylocokken, die bekanntlich auf der normalen Schleimhaut keinen Schaden stiften, den Zutritt in die Conjunctiva gebahnt haben muss.

---

[1]) Löffler, Mitteil. aus dem Kaiserl. Gesundheitsamt. Bd. II. 1884.

[2]) Beck, Kolle-Wassermann, Handbuch d. pathol. Mikroorgan. 1903. Bd. II. S. 754.

Zum Schlusse sei es mir gestattet, meinem sehr verehrten Chef, Herrn Prof. Leber, auch an dieser Stelle für sein Interesse und die Unterstützung bei vorliegender Arbeit herzlich zu danken.

Erklärung der Abbildungen auf Taf. V, Fig. 1 und 2.

Fig. 1 und 2 wurden durch Kombination identischer Stellen eines Weigert- und van Giesonpräparates des Falles I gewonnen. Gelb gefärbt sind Epithel, rote Blutkörperchen, Muskeln und Drüsenparenchym, blau sind Fibrin und Bakterien, rot ist das Bindegewebe.

Fig. 1 stellt einen Durchschnitt durch das Lid oberhalb des Tarsus dar,

Fig. 2 einen Liddurchschnitt im Gebiet der Meibomschen Drüsen.

Ist bei Hydrophthalmus die Iridektomie oder die Sklerotomie als Normaloperation anzusehen?

Von

Dr. med. Stölting

in Hannover.

Im LXIII. Bande des Graefeschen Archivs hat Seefelder eine sehr sorgfältige Arbeit publiziert, welche den Titel trägt: Klinische und anatomische Untersuchungen zur Pathologie und Therapie des Hydrophthalmus. Es liegen der Arbeit die Erfahrungen der Leipziger Universitätsaugenklinik zugrunde, aber auch die übrigen Arbeiten auf diesem Gebiete werden darin gewürdigt. Ich möchte mich heute nur zu dem therapeutischen Teil der Arbeit äussern und eine etwas abweichende Anschauung zum Ausdruck bringen. Seefelder plädiert bei aller Anerkennung der Sklerotomieerfolge doch für die Iridektomie. Dieser Eingriff soll nach ihm die Normaloperation gegen Hydrophthalmie sein. Der Sklerotomie und Punktion der Vorderkammer, welch letztere er etwa auf die gleiche Stufe mit der Sklerotomie stellt, redet er nicht das Wort.

Könnte nicht die Seefeldersche Arbeit den Anschein erwecken, als ob die Sklerotomie in neuerer Zeit wieder verlassen sei, so wäre diese Veröffentlichung unterblieben.

Ich sollte meinen, dass in dieser Frage ganz allein die Resultate schliesslich das entscheidende Wort zu sprechen hätten, und deshalb will ich in folgendem die meinigen mitteilen. Einige sind zwar schon früher von mir bekannt gegeben[1]), da aber gerade bei dieser Krank-

---

[1]) Stölting, Die Heilung der Hydrophthalmie in zwei Fällen. v. Graefe's Arch. f. Ophth. Bd. XXXVI. 1890. — Stölting, Die Heilung der Hydrophthalmia congenita. Transact. of the 7th internation. Congress Edinburgh 1894.

heit auch die Dauer der Besserungen zu beobachten von Interesse ist, so führe ich die alten Fälle hier wieder mit auf.

Fall 1. Max B. Der jetzt 18jährige junge Mann kam 1888 als sieben Monate altes Kind in meine Behandlung. Damals wurde auf beiden Augen je eine Sklerotomie gemacht. Nach 14 Tagen hatte sich der Druck normalisiert. Am rechten Auge war ein halblinsengrosser Irisprolaps subconjunctival durch die nasale Ausstichöffnung entstanden. Derselbe besteht heute noch in gleicher Form. Beide Augen sind auch jetzt noch leicht vergrössert. Rechts ist die Sehschärfe bei emmetropischer Refraktion fast $^6/_4$, links mit $+ 1{,}0$ Dioptr. $\subset + 0{,}75$ Dioptr. Cyl. fast $^6/_8$. Der Patient konnte bis jetzt die Schule, durch die Augen nicht behindert, besuchen. Die Optici sind gut gefärbt und haben keine Excavation.

Fall 2. Alfred K. kam als 2jähriges Kind 1889 in meine Behandlung. Die Krankheit war weiter vorgeschritten als im Fall 1. Nach 2 Sklerotomien auf jedem Auge kam auch hier der Prozess zum Stillstand, jedoch behielten die Hornhäute einen Durchmesser von 14 mm, auch fanden sich Trübungen, die wir heute als Rupturen der Descemetschen Membran ansprechen würden. Excavation war später nicht nachzuweisen. Anno 1895 nach $6^1/_2$ Jahren fand die letzte Untersuchung statt. Rechts sah der Knabe mit $- 12$ Dioptr. $^6/_{36}$ der Norm links Handbewegungen. Der Grund für die Abnahme der Sehschärfe war Amotio retinae und beginnende Katarakt am linken Auge. Leider habe ich trotz vieler Mühe keine weiteren Nachrichten von dem Patienten erhalten können.

Fall 3. Karl F. Das damals 2jährige Kind stellte sich mir 1892 zuerst vor. Die Hydrophthalmie war weit vorgeschritten, die Corneae stark vergrössert. 2 Sklerotomien auf jedem Auge genügten die Drucksteigerung aufzuheben. Nach 11 Jahren war der Visus rechts mit $+ 3{,}0$ Dioptr. $= {}^3/_{60}$, links mit $- 3{,}0$ Diopt. $= {}^6/_{60}$.

Am 16. VIII. 1906 wurde mir dieser Patient, nunmehr 16 Jahre alt, aus der hiesigen Blindenanstalt zur Untersuchung vorgeführt. Er kam in Begleitung den weiten Weg gegangen, betrat aber das Sprechzimmer ohne Führung. Die beiden Augen machten einen erheblich vergrösserten Eindruck. Die Hornhautdurchmesser betrugen im horizontalen Meridian beiderseits 14 mm.

Sehr eigentümlich war auch hier wieder die Wirkung der Sklerotomie sichtbar, und zwar wie das auch früher schon beschrieben wurde, in dem Sinne, dass die Sklerosierung des Randes nach der Operation gerade da, wo die Sklerotomie stattgefunden hatte, am weitesten vorgeschritten war. Es erschien an dieser Stelle der Rand der Hornhaut völlig abgeschrägt, er hatte seinen kreisförmigen Kontur eingebüsst. Diese Abschrägung war jedoch nur nach oben, also bei der zuerst gemachten Sklerotomie, sichtbar, nach unten konnte das nicht konstatiert werden. Rupturen der Membr. Descemetii fanden sich nicht. Die Pupillen reagierten gut, wenn auch etwas langsam auf Licht.

Im Augenhintergrunde fiel an beiden Sehnerven die weisse Farbe ihrer äusseren Drittel auf, links war auch für diesen Teil eine schwache Excavation sichtbar, rechts nicht. Die nasalen Drittel lagen völlig im Niveau der Retina. Weitere Anomalien waren nicht zu erkennen, namentlich konnte eine Amotio retinae, wofür das Gesichtsfeld des rechten Auges sowie die etwas herabgesetzte Tension sprach, nicht gefunden werden, dagegen fiel auch der seit 3 Jahren sich immer gleich bleibende Visus dieses Auges von $^3/_{60}$ (mit + 2,0 Dioptr.) ins Gewicht. Am linken Auge wurde mit — 4,0 Dioptr. $S = {}^4/_{50}$ gefunden. Die Fixation geschah beiderseits leicht excentrisch, bei Einstellung der Augen ein wenig nach innen. Die Gesichtsfelder waren beiderseits eingeschränkt, rechts sehr wesentlich konzentrisch, links dagegen im Sinne der gewöhnlichen glaukomatösen Restriktion. Die Farben wurden sämtlich und ohne Zögern mit beiden Augen erkannt. Der junge Mensch beschäftigt sich mit Stuhlflechten.

Fall 4. Gottfried K. Der damals 10 monatliche Patient wurde mir am 9. VI. 1893 vorgestellt. Am linken Auge hatten die Eltern seit einigen Monaten die Veränderung bemerkt. Der Durchmesser der Hornhaut betrug schon 12,5 mm gegen 11 mm der rechten Seite.

Hier genügten 2 Sklerotomien, um den Druck zu normalisieren. Ich habe den Patienten regelmässig wieder gesehen, zuletzt am 22. VI. 1906, also 14 jährig; die Sehschärfe betrug am linken Auge fast $^6/_8$ mit — 3,0 Dioptr. Das rechte Auge ist gesund geblieben. Seine Sehschärfe mit ähnlicher Korrektion = 1. Patient ist Schüler einer höheren Schule.

Fall 5. Johann F., 11 Monate alt, aus Walsrode, einziges Kind seiner gesunden Eltern, wurde mir am 18. VIII. 1893 mit rechtsseitiger Buphthalmie gebracht. Es war von den Eltern die beginnende Vergrösserung des Auges bemerkt, als das Kind $^1/_4$ Jahr alt war. Der Prozess hatte danach bei der ersten Vorstellung mindestens 8 Monate gedauert, war allerdings nicht gänzlich unbeeinflusst geblieben, da schon einmal dem kleinen Patienten von anderer Seite Eserin verordnet wurde. Bei der Aufnahme zeigte die Hornhaut des rechten Auges einen Durchmesser von 11—12 mm, mindestens 1 mm mehr als die des linken. Die Randzone war noch nicht gedehnt, dagegen eine hochgradige, mit der parenchymatösen vergleichbare Hornhauttrübung vorhanden, welche die Membran fast gleichmässig, speziell aber in der Mitte trübte. Ein Einblick wurde durch dieselbe verhindert.

Noch am Tage der Aufnahme machte ich die erste Sklerotomie, worauf 2 Tage später sich die Hornhaut bis auf eine zentrale kleine Stelle aufgehellt erwies. Die Druckverhältnisse waren günstig. Einschwemmung der Iris in die Sklerotomiewunde bestand nicht, jedoch war schon am 6. Tage die Hornhaut wieder stärker getrübt nach aussen, oben begann sich auch die Uvea in der Einstichnarbe zu zeigen. Der Druck stieg, und als Eserin und warme Umschläge versagten, wurde am 27. VIII. eine zweite Sklerotomie, diesmal nach unten, ausgeführt. Auch nach dieser zweiten Operation war die Aufhellung der Cornea keine ganz vollkommene, ebensowenig konnte man sich mit der Herabsetzung des intraokularen Druckes befriedigt erklären. Schon bei dem ersten Verbandwechsel war derselbe nicht so gesunken, wie man hätte erwarten können. Immerhin zögerte ich bei fleissiger Applikation von warmen, den ganzen Tag über fortgesetzten Umschlägen und Eserin mit dem erneuten Eingriff in der Hoffnung, dass endlich die Normalisierung des Druckes eintreten sollte. Dem war jedoch nicht so; es blieb mir also nichts übrig, als am 17. IX. zur dritten Sklerotomie zu schreiten. Hiernach war dann zum ersten Male beim Verbandswechsel die Hornhaut völlig klar und der Druck sehr befriedigend. Vier Tage lang hielt sich dieser günstige Zustand, da zeigte sich wieder bei wenigstens während der Prüfung normalem Drucke die ominöse Hornhauttrübung. Das alte Spiel begann von neuem und am 3. X. musste wieder zum operativen Eingriff geschritten werden. Ich gestehe, dass schon ein festes Vertrauen dazu gehörte, um hier nicht zu verzweifeln, jedoch krönte der Erfolg die konsequent fortgesetzten Bestrebungen. Wenn auch in der ersten Zeit noch hauchige Trübungen, ja einmal sogar am 14. X. wieder eine deutlich palpabele Drucksteigerung nachweisbar war, so konnte doch die fortschreitende Besserung nicht mehr verkannt werden. Namentlich trat das darin hervor, dass das Kind völlig ungeniert sein Auge dem Licht exponierte, was um so bemerkenswerter war, als der dauernde Aufenthalt im verdunkelten Zimmer doch zu Lichtscheu genügend Veranlassung gegeben hätte. Ebenso liess das Tränen des Auges nach und ich konnte am 19. X. dem auf die Entlassung gerichteten Wunsche der Eltern nachgeben.

Warum in diesem Falle die Operation weniger Wirksamkeit entfaltete als in den andern, ist wohl kaum zu sagen. Vielleicht war der Prozess überall ein heftigerer, wogegen allerdings der Verlauf in den ersten acht Monaten spricht, vielleicht war das Verhalten des kleinen Patienten selbst nicht ganz ohne Schuld. Als einziges Kind seiner Eltern war es mit der Pflege ausserordentlich verwöhnt, namentlich hatte die Mutter das Kind bei jeder Gelegenheit herumgetragen. Es gelang in der Klinik in diesem Falle auch nur ungenügend und spät, den kleinen Patienten besser zu gewöhnen, und das Geschrei nahm oft kein Ende. Da eine sehr befriedigende Gewichtszunahme des Kindes während der ganzen Behandlungszeit festgestellt wurde, so habe ich keinen andern Grund als schlechte Gewöhnung für die Unruhe auffinden können. Leider starb der kleine Patient im Februar 1894. Das Auge war bis zum Tode völlig klar gewesen und hatte zu keinen Besorgnissen mehr Anlass gegeben. Der Bulbus war nicht erhältlich[1]).

Fall 6. Grete St. Die Patientin stellte sich mir im Juni 1893 als $2^1/_2$ jähriges Kind vor. Das linke Auge war schon von anderer Seite vorbehandelt, und zwar mit Iridektomie. Der Zustand dieses Auges war

---

[1]) Eversbusch demonstrierte auf der Nürnberger Naturforscherversammlung im Jahre 1893 einen Fall, wo vier rasch hintereinander folgende Sklerotomien bei einseitigem Hydrophthalmus Heilung brachten, und zwar mit so bedeutender Reduktion der Basis, dass ein Unterschied zwischen beiden Augen nicht mehr sichtbar war.

trostlos; nur um dem Kinde die Schmerzen zu nehmen, konnte hier noch von operativen Eingriffen die Rede sein. Auch sie konnten schliesslich den ungünstigen Endausgang, die Enucleation, nicht aufhalten. Ob an dem schlechten Erfolg der Iridektomie die mangelhafte Nachbehandlung schuld war — das Kind war nach Angabe der Eltern nur 3 Tage verbunden gewesen —, wird sich nicht entscheiden lassen, jedenfalls war der Prozess hier durch Iridektomie nicht zum Stillstand gekommen, und auch die Sklerotomien hatten keinen Erfolg. Aus der Statistik der Sklerotomien muss dieses Auge schon deswegen ausscheiden, weil von Anfang an kein anderes Ziel als die Beseitigung der Schmerzhaftigkeit vorgeschwebt hatte. Bei der Vorstellung befand sich jedoch auch das rechte Auge in so vorgeschrittenem Stadium der Hydrophthalmie, dass ein hinzugezogener Augenarzt, einer der angesehensten Deutschlands, erklärte, es sei nichts zu machen, jede Operation sei abzulehnen, da sie den definitiven Verfall beschleunigen würde. Auch an diesem Auge hat sich die Methode bewährt.

Nachdem infolge von zwei durch einen Zwischenraum von 11 Tagen getrennten Sklerotomien der Druck herabgesetzt war, blieb derselbe 120 Tage gut, dann allerdings ging er wieder in die Höhe und erforderte erneute Sklerotomie.

Ich sah das Kind zuletzt am 18. VI. 1906 wieder, es war 14jährig. Links wurde eine Prothese getragen. Der Durchmesser der rechten Hornhaut betrug 15 mm. Die Membran erschien durch die Narben zahlreicher Sklerotomien unregelmässig begrenzt. Die Mehrzahl der Narben zeigte noch in der Mitte eine dunkle Färbung, sonst fehlte die bläuliche Übergangszone zwischen Sklera und Cornea gänzlich. Central von diesen Narben war die Hornhaut völlig durchsichtig. Es bestand geringer Grad von Iridodonesis und Nystagmus. Der Optikus war excaviert und atrophisch. Mit — 5,0 Dioptr. wurden excentrisch Finger in 3 m erkannt. Das Gesichtsfeld war etwa auf $^1/_5$ des Normalumfangs reduziert. Der Vater, ein Lehrer, machte hinsichtlich der Leistungen des Auges die folgenden Angaben. Das Kind hat bis zum 9. Lebensjahr in der Schule nach der Fibel lesen und schreiben gelernt, von da an aber wegen mangelnder Sehschärfe damit aufgehört. Es besucht aber auch jetzt noch die Schule regelmässig und hat in allen Nummern seines Zeugnisses die Note 2. Es schreibt und liest jetzt Blindenschrift. Auf der Strasse wird das Kind geführt, im Hause bewegt es sich frei, es erkennt Karten zum Spielen, fängt Ball, trifft auch den vom Boden aufspringenden Ball und hilft der Mutter beim Reinigen der Zimmer.

Fall 7. Am 9. VI. 1897 wurde mir das 9 monatliche Kind, Otto H., gebracht. Beide Augen waren hydrophthalmisch, die Corneae diffus getrübt und sehr gross, Durchmesser leider nicht notiert. Ich machte die Sklerotomie auf beiden Augen, die Entlassung erfolgte am 7. Tage. Am 11. schon zeigte sich in der Sklerotomienarbe des linken Auges eine geringe Vordrängung der Iris. Der Druck hob sich wieder und am 44. Tage nach der Operation war ihre Wiederholung notwendig. Die Entlassung erfolgte dann nach 6 Tagen.

Im Alter von 4 Jahren wurde eine Myopie von 5 resp. 6 Dioptr. bestimmt, Excavation war nicht vorhanden, der Druck hatte sich dauernd normal gehalten, die Corneavergrösserung blieb deutlich. Mit 5 Jahren erkannte das Kind auf 4 m Entfernung vorgehaltene Gegenstände. Nach einjährigem Schulbesuch wurde eine Brille notwendig. Bei den sehr unsicheren Angaben des Kindes war Prüfung mit Atropin nicht zu umgehen. Dabei stellte sich heraus, dass beiderseits nur 4 Dioptr. Myopie vorhanden waren und dass rechts $^6/_{15}$, links $^6/_{20}$ der Norm erkannt wurde, ophthalmoskopisch war keine Andeutung von Excavation vorhanden.

Zuletzt sah ich das Kind am 20. VI. 1906, 10 jährig. Die Durchmesser der Hornhäute waren links 13, rechts 12—13 mm. Risse der Descemetschen Membran waren beiderseits noch deutlich sichtbar, ebenso die Sklerotomienarben. Visus betrug rechts mit — 4,5 Dioptr., links mit 6,0 Dioptr., fast $^6/_{18}$ der Norm Excavation nicht vorhanden.

Fall 8. Am 26. IX. 1901 wurde mir das damals 4 Monate alte Kind, Friedr. L., gebracht. Die Augen seien von der Geburt an besonders gross und schön gewesen, das rechte wäre seit 8 Tagen entzündet. An diesem Auge fand sich mässige pericorneale Injektion, rauchige Trübung der um 2—3 mm vergrösserten Hornhaut. Die Limbuszone war noch nicht namhaft verdünnt, die vordere Kammer tief, die Pupille eng; links war der Durchmesser der Hornhaut ebenso vergrössert, das Auge reizlos; die Cornea klar, Einblick war hier möglich, Details aber bei der Unruhe des Kindes nicht zu erkennen. Die beiderseits ausgeführte Sklerotomie hatte nur vorübergehend den gewünschten Erfolg, 22 Tage später musste sie wiederholt werden. Auch danach stieg für kurze Zeit der Druck wieder, bis er sich etwa 45 Tage nach diesem zweiten Eingriffe normalisiert hatte. Die inzwischen regelmässig vorgenommene Kontrolle hatte bald normalen, bald erhöhten Druck nachgewiesen. Eine Excavation war in diesem Falle nicht zu stande gekommen.

Ich habe das Kind wiederholt im Laufe der Jahre untersuchen können, niemals wieder gaben die Augen Anlass zur Sorge. Zuletzt stellte sich der kleine Patient 4jährig im Januar 1906 vor. Die Durchmesser der Hornhäute betrugen rechts 12, links 11 mm. Rechts waren Spuren von Zerreissung der Descemetschen Membran vorhanden, links nicht. Die Narben der Sklerotomie waren noch gut erkennbar, die Optici erschienen normal gefärbt und waren nicht excaviert. Bei Proben, mit der Hakentafel vorgenommen, ergab sich ohne Korrektion links eine Sehschärfe von $^6/_{15}$, rechts eine solche von $^6/_{60}$; dabei bestand rechts eine Myopie von 2 Dioptr., ausserdem noch ein Astigmatismus von 2 Dioptr.

Fall 9. Am 14. II. 1901 sah ich zum ersten Male das 10 wöchentliche Kind, Frieda G. Die Eltern hatten gleich nach der Geburt die Abnormität der Augen bemerkt. Die Corneae waren mässig vergrössert, matt, die vordere Kammer tief. Es wurden gleich auf beiden Augen nach oben und nach 11 Tagen beiderseits nach unten Sklerotomien gemacht. Das rechte Auge erwies sich jedoch den Eingriffen sehr wenig zugänglich und ich entschloss mich weitere 4 Wochen später zu einer Iridektomie nach oben, 12 Tage danach wurde das Kind entlassen. Als es 4 Wochen später wieder vorgestellt wurde, hatte die Hornhautektasie keinesfalls zugenommen, doch war die Membran noch so trübe, dass ein Einblick sich nicht gewinnen liess, dabei aber war wenigstens im Augenblick der Prüfung der Druck normal. Ich liess die Therapie durch Miotica und warme Umschläge fortsetzen und ordinierte Jodkali in geringen Dosen. Im Mai erwies sich der Druck ebenfalls normal, die Corneae waren aber auch da noch trübe. Eine Vergrösserung der Bulbi hatte nicht stattgefunden. Die Mutter glaubte das Kind sähe. Im September war bei der Wiedervorstellung die linke Hornhaut klar, die rechte vergrössert und trübe. Mit dem Augenspiegel konnte man den Fundus links gut sehen, rechts war das nicht möglich. Im Januar 1902 war ein ähnlicher Befund vorhanden. Die linke Cornea, völlig klar, hatte einen Durchmesser von 11—12 mm, die rechte, völlig trübe, einen solchen von 13 mm. Der innere Colobomschenkel, in die Narbe eingewachsen, bildete einen schwärzlichen Buckel. Eine Excavation war am linken Auge vorhanden, die nasale Hälfte der Papille erschien jedoch gut gefärbt. Es wurde nun nochmals am rechten Auge sklerotomiert mit dem Erfolg, dass bei einer Vorstellung 6 Wochen später der Druck sich normalisiert hatte. Die Trübung der rechten Cornea blieb aber auch da bestehen.

Im Oktober 1902 findet sich dann in der Krankengeschichte der Vermerk: Status glaucomatosus rechts, Zustand sehr gut links. Trotz verschiedener Aufforderungen kam das Kind nicht eher als am 23. XI. 1906 wieder. Die Mutter gab an, dass das jetzt 6jährige Kind für die Ferne schlecht, für die Nähe dagegen gut sähe, dass es sogar Nähnadeln einfädeln könne. Dass dieser Erfolg nur mit dem linken Auge erreicht wurde, war sofort klar. Seine Cornea war völlig diaphan, die Pupille, wenn auch durch einzelne Synechien etwas unregelmässig, reagierte auf Licht gut. Dagegen war der rechte Bulbus ektatisch, seine Cornea trüb, doch nicht so, dass nicht das Colobom durchgeschienen hätte. Die Sklera wies zahlreiche kleine staphylomatöse Ausbuchtungen der Limbuszone nach oben und innen oben auf. Links liess sich in beiden Meridianen Myopie nachweisen. Erst im Januar 1907 fand die proponierte Aufnahme statt. Beim Versuch am rechten Auge nach unten eine Iridektomie zu machen, trat heftige Blutung aus dem Innern des Bulbus ein. Es schoss tatsächlich das Blut im Strahl aus dem mit dem Graefeschen Messer gemachten Schnitte, so dass nichts anderes als die Enucleation übrig blieb.

Erneute Untersuchung fand am 19. III. 1907 statt. Die Mutter gab wieder an, dass die Sehschärfe für die Nähe gut sei. Von den Untersuchungsmethoden für Refraktion gelang in diesem Falle, da ich von Atropin absehen zu müssen glaubte, nur die im umgekehrten Bilde von Schmidt-Rimpler. Damit wurden 13 Dioptr. Myopie konstatiert. Leider kann man ja nicht sicher sagen, wieviel davon auf die Accommodation zu setzen sind, doch werden wir kaum fehlgehen, wenn wir annehmen, dass in diesem Falle eine etwas höhere als die gewöhnliche Myopie resultierte. Die temporale Hälfte des Sehnerven erwies sich als stark abgeblasst und vielleicht ein wenig excaviert. Sehprüfung konnte leider nicht gemacht werden, da das Kind zu scheu war. Jedenfalls muss der Fall unter die günstigen Resultate für das linke Auge aufgenommen werden.

Fall 10. Die erste Vorstellung des Patienten, Hermann B., fand am 14. IV. 1903 statt. Das Kind, damals $8\frac{1}{2}$ Jahre alt, wurde 2 Wochen vorher in sein linkes Auge geschlagen, welches, wie der Vater angab, von Geburt an mit einer Haut überzogen gewesen war. Wegen Tränens dieses Auges brachte man den kleinen Patienten zu mir. Es ergab sich, dass links Hydrophthalmie mit erheblicher Drucksteigerung bestand. Die Cornea war so trüb, dass nicht einmal genaues über die Vorderkammer ausgesagt werden konnte. Besonders undurchsichtig waren einzelne Partien der Membran, die wie stark trübe Bänder in den hinteren Abschnitten derselben hinzogen (Rupturen der Membrana Descemetii).

Die Sklerotomie wurde am 15. VI. 03 vorgenommen, am 16. VII. findet sich die Bemerkung: linkes Auge reizlos, weich, tränt wenig, nur noch lichtempfindlich. Am 28. VIII. Auge völlig reizlos. Eine Wiedervorstellung fand erst am 1. III. 07 statt. Das linke Auge war völlig geschrumpft, aber jetzt war am rechten Auge eine Vergrösserung und Tensionserhöhung nachzuweisen. Der Durchmesser der Hornhaut betrug 13 mm, nur ein leichter Hauch lag auf der Membran. Ruptur der Membrana Descemetii war nicht vorhanden. Die Papille erwies sich bei guter Färbung als excaviert und zwar randständig nach allen Seiten. Nasal unten war das Gesichtsfeld bis auf 18° eingezogen und die Sehschärfe liess sich nicht über $^6/_8$ steigern (— 1,0 Dioptr. cyl.). Ich muss es dahingestellt sein lassen, ob vielleicht vor 4 Jahren die ersten Spuren der Hydrophthalmie auf diesem Auge übersehen worden sind. Eine solche Deutlichkeit wie jetzt hatten sie keinenfalls.

Fall 11. Am 6. II. 1906 wurde mir die 3jährige Marie L. mit beiderseitiger Hydrophthalmie zugeführt. Nach Angabe der Eltern litt das Kind seit seiner Geburt an den Augen. Eine Anzahl von Augenärzten sei schon befragt, aber von Operationsmöglichkeit habe niemand gesprochen, vielmehr sei ihnen der Rat gegeben, das Kind einer Blindenanstalt zu überweisen. Dabei aber litt das Kind augenscheinlich an Glaukomschmerzen. Die Unruhe Tag und Nacht war für die Umgebung aufreibend, das Kind bildete eine schwere Last für die Familie. Beide Augen erschienen stark vergrössert, das linke noch erheblicher als das rechte, dabei waren die Hornhäute undurchsichtig. Noch am Tage der Aufnahme wurde an jedem Auge eine Sklerotomie ausgeführt, welche für das rechte Auge dauernd zur Normalisierung des Druckes genügte. Links war allerdings der Erfolg nur vorübergehend, am 20. II., am 7. III., am 19. III. wurden hier erneut Sklerotomien gemacht, und als auch dadurch keine dauernde Herabsetzung des Druckes erzielt wurde, so folgte am 6. IV. die Iridektomie. Hiernach trat völlige Beruhigung ein. Bei einer Wiedervorstellung im Mai war der Einblick in das rechte Auge ganz deutlich, der Optikus war excaviert, dennoch gut gefärbt, am linken Auge dagegen waren die mittleren Hornhautpartien durch Rupturen der Descemetii noch getrübt. Im August hatten sich die Trübungen auch hier soweit gelichtet, dass der Einblick möglich wurde. Eine Excavation war auch hier vorhanden, doch war noch keine Atrophie eingetreten.

Der weitere Verlauf war nicht so günstig wie ich gehofft hatte. Am 14. IV. 1906 war das Kind entlassen, am 25. IV. 1907 musste ich es wieder aufnehmen, denn der Druck am linken Auge hatte erneut zugenommen. Die Cornea war diffus trübe, im Zentrum erschien eine mehrere mm im Durchmesser haltende Partie grau bei unregelmässigem Epithel. Ich habe wieder eine Sklerotomie gemacht und das Kind nach 12 Tagen entlassen. Also hatte auch hier die Iridektomie versagt, wo die Sklerotomie Heilung nicht hatte bewirken können.

Am rechten Auge war dagegen der Zustand sehr befriedigend, Excavation und Abblassung der Papille waren nicht zu erkennen. Weitere Details konnte ich allerdings nicht untersuchen, da das Kind zu unruhig war. Wie mir die Mutter mitteilte, bewegt sich das Kind zu Hause völlig allein und macht seine Besuche in der Nachbarschaft ohne Begleitung.

Man wird auch in diesem Falle wohl annehmen dürfen, dass wenigstens das rechte Auge sich erhalten wird. Suchte doch das Kind schon in der Klinik kleine Gegenstände ohne Schwierigkeiten vom Boden auf. Wie es später mit dem linken wird, halte ich allerdings für fraglich. Erneut mache ich aber auf den andern Punkt aufmerksam, der hier sehr hervortrat, die Schmerzen der unglücklichen Kinder. Nach Aussage der Eltern war die kleine Patientin von der grössten Lichtscheu geplagt, die selbst nachts nicht aufhörte. Zusammengekrümmt und wachend lag sie in ihrem Bettchen und bedurfte der eingehendsten Pflege, dabei war sie im höchsten Grade unleidlich und unzugänglich. Dieses Bild änderte sich schon nach der ersten Sklerotomie. In den 69 Tagen des klinischen Aufenthalts war das Kind völlig ausgewechselt. Lichtbeständig schritt es mit erhobenem Kopf dahin, und von seiner Lebhaftigkeit erzählte das Pflegepersonal mit besonderer Vorliebe.

Die hier gefundenen Resultate stellen sich also wie folgt: In Betracht kommen 16 Augen, davon haben 8 einen Visus von $^6/_{60}$ und mehr. In den beiden Fällen 9 und 11 konnte nicht geprüft werden, weil die Kinder wegen ihrer Jugend noch nichts angaben, doch müssen von den drei in Frage kommenden Augen nach der Krankengeschichte zwei gewiss zu den guten Resultaten gerechnet werden. Wir hätten demnach von 16 Augen 10 mit einem guten Erfolg. Es kämen dann noch die beiden Augen von Fall 3 in Betracht mit $^5/_{60}$ resp. $^3/_{60}$ Sehschärfe, und vielleicht das eine Auge von Fall 11 mit Sehvermögen unter $^6/_{60}$. Ohne Erfolg waren schliesslich das eine Auge von Fall 9 und ein Auge von Fall 10. Bei Durchsicht der Krankengeschichten wird man sehen, dass in dem einen trotz Iridektomie das Resultat ein ungünstiges war, und in dem andern sich der

Verlauf unserer Kenntnis entzieht, da das Kind, dem es anfangs nicht schlecht ging, sich nicht wieder vorstellte, als bis es zur Schrumpfung des Auges gekommen war. Das eine Auge von Fall 6 ist in dieser Statistik nicht mitgerechnet, weil es von vornherein keine Aussicht mehr auf Erfolg bot und nur deshalb operiert wurde, weil die Beschwerden beseitigt werden sollten. Übrigens war gerade an diesem Auge eine Iridektomie von anderer Seite gemacht worden, ehe es in meine Behandlung kam.

Ähnlich sind ja auch die von Haab erreichten Erfolge, welcher bekanntlich im wesentlichen mit Sklerotomie und nur in ganz schwierigen Fällen mit Iridektomie 76% gute Resultate hatte. Dem gegenüber sind von den durch Seefelder berücksichtigten Augen unter 64 bis 49 so stark amblyopisch geworden, dass ihre Sehschärfe unter $^{6}/_{60}$ sank.

Die Vorteile der Sklerotomie gegenüber der Iridektomie treten durch diese Krankengeschichten in ein besonders helles Licht. Keine einzige Komplikation stellte sich nach Sklerotomie ein, wenn man nicht eine ektatische Narbe in Fall 1 (Visus $^{6}/_{4}$) als eine solche ansehen will. Dagegen bewiesen auch die Krankengeschichten der jüngsten Zeit, dass Iridektomie den üblen Ruf, welchen sie früher hatte, wenn auch nicht in dem alten Umfange, verdient.

Anscheinend angeregt durch die Freiburger Verhandlungen im Sommer 1894 hat Angelucci durch seinen Schüler Gaetano Lodato die von ihm gemachten Erfahrungen mit der Iridektomie veröffentlichen lassen. Zweimal gelang es bei ganz kleinen Kindern (14 und 16 Tage alt), durch genannte Operation den Prozess zur Heilung zu bringen, dreimal versagte die Operation bei älteren Individuen (21 Jahre — 14 Monate — 14 Monate). Er legt das Hauptgewicht auf frühzeitiges Eingreifen, womit er ja zweifellos im Recht ist. Für die Anhänger der Iridektomie möchte ich jedoch hier kurz die Konsequenzen der erfolglosen Iridektomie, wie sie Angelucci[1]) sah, anführen.

Bei dem Fall II (21 Jahre): „Appena praticato iridectomia la cornea andò soggetta ad un processo di cheratite parenchimatosa che durò due mesi.“ Bei Fall IV: „Prof. A. eseguisse l'iridectomia, nell'estrarre l'iride viene fuori un po di vitreo. La visione non peggiorò, la cornea restò opaca.“ Bei Fall V: „Anche questo Bambino fu sottoposto all' iridectomia nell' occhio destro eseguita all' esterno con taglio sclerale, non si ebbe miglioramento. Nel praticare l'iridecto-

[1]) Gaetano Lodato, L'iridectomia nell' idroftalmo congenito. Archivio di ottalmologia II, p. 187.

mia nell' altro occhio venne fuori l'umor vitreo e si dovette riunire con punti di sutura i margini della ferita."

Mit Hilfe von Chloroform und erstarrenden Verbänden kann man heute auch relativ sicher bei dem in Rede stehenden Leiden iridektomieren. Die Heilung wird meist ungestört zu stande kommen, aber Einwachsungen der Zonula in die Wunde werden nach wie vor eintreten. Dem gegenüber ist die Sklerotomie gefahrlos. Sie genügt bei fast allen Fällen und sollte immer zuerst versucht werden. Die Verhältnisse werden sich durch Sklerotomie stets bessern, und erst wenn Tensionserhöhungen wieder und wieder eintreten, greife man zur Iridektomie. Vielleicht hat man dann noch einen Erfolg, sicher aber hat man sich durch die vorhergegangene Sklerotomie günstigere Verhältnisse geschaffen, denn die Intervalle mit herabgesetztem Druck führen schnell zur Verkleinerung des Auges und zu Verdickung der Corneoskleralzone. Die Heilung einer Iridektomiewunde wird nach voraufgegangener Sklerotomie eine viel bessere und leichtere sein als ohne sie.

Dass man hier in der Klinik Komplikationen als Folge der Sklerotomie nicht mehr fürchtet, ist übrigens zum Teil auch der Nachbehandlung mit zuzuschreiben, in welcher während der ersten Woche die Narkose eine grosse Rolle spielt. Beim ersten und eventuell beim zweiten Verbandwechsel wird das Kind, wie ich das schon in meiner ersten Arbeit beschrieben habe, chloroformiert und so lange weiter narkotisiert, bis der Verband wieder liegt. Das Kind erwacht in seinem Bett, nicht auf dem Operationstisch. Die nachfolgende Unruhe ist eine geringe. Von den früher beschriebenen Verbandweisen ist hier nur insoweit abgewichen, als das Perlkollodium, welches von Wolffberg empfohlen wurde und sich sehr bewährt hat, für den unteren Verband und zwar ohne Heftpflaster verwandt wird. Darüber kommt der gewöhnliche Binoculus. Die Verbände liegen tagelang unberührt, eventuell wird nur der obere Verband gewechselt.

Ich glaube auf Grund der hiesigen Erfahrungen aussprechen zu können, dass frische Fälle von Hydrophthalmie, sofern die Degeneration noch nicht zu weite Fortschritte gemacht hat, im allgemeinen heilbar sind und zwar ausschliesslich durch Sklerotomie. Aber auch für veraltete Fälle genügt die Operation meistens. Keinesfalls möchte ich den negativen Standpunkt für berechtigt erklären, nach welchem jede Behandlung in den veralteten Fällen abgelehnt wird. Gerade das Gegenteil der früheren Anschauung ist richtig; die Fälle sind nur dann ein noli me tangere, wenn der Druck normal oder subnormal ist, aber so lange sich Drucksteigerungen finden, müssen sie operativ behandelt werden, sei es auch nur, um den unglücklichen Kindern ihre Qualen zu nehmen. Von diesem Standpunkte wird man sich auch nicht durch die theoretische Erwägung abziehen lassen dürfen, dass möglicherweise eine angeborene Obliteration der vorderen Lymphabfuhrwege der letzte Grund für die Bildung der Hydrophthalmie sein könne. Solche Fälle sind bislang klinisch nicht von den heilbaren zu unterscheiden, und die Erfahrungen lehren, dass selbst in sogenannten verzweifelten Fällen operativ noch sehr erhebliche Erfolge erzielt werden können.

Dass ich auf die statistisch gewonnenen Zahlen der Heilung nicht viel Gewicht lege, brauche ich wohl nicht hervorzuheben. Es kommt alles darauf an, in welchem Stadium die Kranken kommen. Da wird eine Klientel, welche lediglich aus Privatpatienten besteht, viel günstigere Verhältnisse darbieten, als eine Poliklinik mit ihrem oft vernachlässigt hereinkommenden Material; aber selbst wenn man diese Verhältnisse in Rechnung zieht, so wird man doch den Erfolgen, wie sie hier mitgeteilt sind, die Anerkennung nicht versagen. Natürlich bin ich weit davon entfernt, den Grund der relativ günstigen Erfolge in der Operationsmethode allein zu suchen, sondern gebe die Berechtigung der Seefelderschen Erklärung, dass man „mit seltener Ungunst der Leipziger Verhältnisse“ rechnen müsse, ohne weiteres zu, aber man kann doch aus den Resultaten nicht den Schluss ziehen, dass die Iridektomie der Sklerotomie überlegen sei.

Darüber, dass schon die Gefahren der Operation selbst bei der Iridektomie erheblich grösser sind als bei der Sklerotomie, kann doch kein Zweifel sein. Der Wundverschluss kann bei den verdünnten Häuten schwierig werden, die Zonula kann reissen und Glaskörper in die Wunde treten. Ferner finden Blutungen leichter statt und last not least wird beim Verbandwechsel die Wunde gelegentlich wieder eröffnet, einer der unerwünschtesten Zufälle.

Wären diese Einwürfe nicht berechtigt, wie käme es denn, dass die Iridektomie in solch schlechten Ruf geriet? Von Graefe liess eine Iridektomie nur da zu, „wo das Übel durch Druckzunahme rasche Fortschritte macht, in der unendlichen Mehrzahl der Fälle bleibt es ein noli me tangere“. Sehr deutlich erinnere ich mich noch, wie während meines Vortrags auf dem Edinburger Kongress der vor mir sitzende Ed. Meyer, bei meiner Empfehlung der Operation, wiederholt mit dem Kopfe schüttelte. Es war eben damals die Hydrophthalmie für die unendliche Mehrzahl der Augenärzte ein noli me tangere, wie v. Graefe das ausgesprochen hatte.

Aber wie schon aus dem oben Gesagten zu schliessen ist, treten die Gefahren der Iridektomie erst dann hervor, wenn das Übel vorgeschritten ist, leider das Stadium, in welchem wir die Patienten zumeist aufnehmen. So lange noch keine Dehnungserscheinungen an den Häuten vorhanden sind, ist die Iridektomie gefahrlos, sie ist aber auch dann erst recht unnötig, denn die Sklerotomie half in diesem Stadium bei meinen Fällen stets. Ich halte einen Menschen mit Iriscolobom nicht für verstümmelt, aber wenn man die Bildung des Coloboms vermeiden kann, soll man es doch tun. Blendungserscheinungen sind mit dem Colobom immer verbunden.

Noch möchte ich mich gegen die Ansicht wenden, dass Sklerotomie und Punktion oder Paracentese der Vorderkammer die gleiche Wirkung hätten. Führt man die Paracentese mit dem hierfür gebräuchlichen Instrument, der Paracentesennadel aus, so erhält man eine sehr schmale Wunde, die sich schon der Grösse wegen nicht mit der Sklerotomie vergleichen lässt. In der Grösse aber liegt meines Erachtens nicht einmal die Hauptsache, sondern darin, dass die Sklerotomie in der Limbuszone eine Region trifft, deren Durchschneidung, wie ich experimentell nachgewiesen habe, eine weit erheblichere Filtration ermöglicht, als eine Wunde an beliebiger Stelle näher der Hornhautmitte. Von einem Ödem der Cornea oder einzelner Teile derselben wird man allerdings nicht in allen Fällen von Hydrophthalmus sprechen können, und somit passt nicht immer die von mir gegebene Erklärung. Dafür tritt aber in den älteren Fällen die Verdünnung gerade dieser Zone ein, und auch sie wird eine länger anhaltende Filtration intraokularer Flüssigkeit nach aussen ermöglichen.

Noch sei mir gestattet, eine allgemeine Bemerkung hier anzufügen. Angesichts der günstigen Behandlungsresultate der Hydrophthalmie durch Sklerotomie kann ich mich nicht sehr dafür erwärmen, den letzten Grund für die Hydrophthalmie in einer angeborenen Obliteration des Kammerwinkels zu suchen. Es wäre doch gar nicht zu verstehen, dass dann so zahlreiche Augen auf den operativen Eingriff so überaus günstig reagierten.

Meine Erfahrungen hier stimmen auch in einem andern Punkte nicht ganz mit den Leipziger Mitteilungen überein.

Ich habe nicht konstatieren können, dass die afficierten Kinder aus besonders ärmlichen Verhältnissen stammten. Es fanden sich unter meinen Patienten ein Kind eines Oberlehrers, eines Kaufmanns, eines Volksschullehrers, eines Postboten, eines Wachtmeisters, eines Bauern, eines Fleischermeisters. Kein Kind stammte von eigentlich ganz unbemittelten Eltern. Die Beobachtung, dass die grösste Mehrzahl der Fälle Myopie aufweist, konnte auch ich bestätigen. Es fand sich bei den von mir behandelten Augen achtmal Myopie, einmal Emmetropie und dreimal Hyperopie, von den andern Augen sind keine Angaben über Refraktion gemacht resp. waren nicht zu machen möglich. Höhere Grade von Myopie, über 10 Dioptr., wurden dabei zweimal konstatiert, der eine davon aber auch nur nach der Methode von Schmidt-Rimpler, bei der bekanntlich ohne Anwendung von Atropin die accommodative Steigerung bei Kindern kaum zu vermeiden ist.

Über Mikrophthalmus und Anophthalmus congenitus mit serösen Orbitopalpebralcysten.

(Pathologische Anatomie u. Pathogenese dieser Missbildung.)

Von

Dr. Leo Natanson,
Moskau.

Mit Taf. VI u. VII, Fig. 1—28, und 18 schematischen Figuren im Text.

Die Frage über die Pathogenese und den Entwicklungsmechanismus dieser Anomalie ist bis jetzt noch ungelöst, genauere histologische Untersuchungen der Cysten im Zusammenhang mit den Bulbis sind selten angestellt worden, viele Fälle sind unvollständig untersucht. Neue Untersuchungen über diesen Gegenstand erscheinen wünschenswert und notwendig. Daher stellte ich mir, auf Veranlassung des Herrn Privatdozenten Dr. Alexander Natanson, die Aufgabe, vier Präparate von Mikrophthalmus mit Unterlidcysten, die 24 Stunden post mortem aus zwei Kinderleichen exstirpiert waren, sorgfältig auf Serienschnitten zu untersuchen, sowie genau die Literatur der in Rede stehenden Missbildung zu studieren. Ich schritt mit um so grösserem Interesse an dieses Thema, da selbst in den neuesten ausführlichen Handbüchern der Augenheilkunde, wie z. B. in der II. Auflage des Graefe-Saemisch und in der „Encyclopédie française d'ophtalmologie" von Lagrange und Valude, die Abschnitte, in welchen der betreffende Gegenstand abgehandelt wird, sehr knapp abgefasst sind, obschon sie so autoritative Kenner der Missbildungen des Auges wie E. v. Hippel und van Duyse zu Verfassern haben.

Die histologische Untersuchung der Cysten im Zusammenhang mit den missbildeten Augäpfeln wurde von mir im histologischen Institut der Universität Moskau (Direktor: Professor Dr. J. Ognew) ausgeführt. Die mikroskopische Beschreibung der untersuchten Präparate und die ausführliche Übersicht aller bisher veröffentlichten einschlägigen Beobachtungen habe ich in einer Monographie dargelegt, die zu Ende des vorigen Jahres als Doktordissertation in russischer Sprache in Moskau erschienen ist und in der, auf Grund der Literatur und der Ergebnisse der eigenen Untersuchungen, die Klinik, pathologische Anatomie, Pathogenese und Entwicklungsmodus dieser Missbildung ausführlich erörtert werden. Um die Darstellung des Gegenstandes nicht übermässig auszudehnen, muss ich an dieser Stelle auf eine detaillierte Wiedergabe der in der Literatur beschriebenen Fälle verzichten und mich auf eine kurze tabellarische Zusammenstellung derselben beschränken[1]). Die Beschreibung meiner eigenen Untersuchungen ist hier ausführlich wiedergegeben, über das Klinische, die pathologische Anatomie und Pathogenese werde ich mich kürzer fassen.

Die makroskopischen Präparate des I. Falles wurden von mir am 25. II. 1903 in der Moskauer augenärztlichen Gesellschaft demonstriert (66), die Präparate des II. Falles erhielt ich von Dr. A. Natanson, nachdem er sie am 29. X. 1902 in der genannten Gesellschaft vorgezeigt hatte (64). Ein Teil meiner mikroskopischen Präparate wurde von A. Natanson in der Versammlung der ophthalmologischen Gesellschaft in Heidelberg 1903 (65) und von mir in der Moskauer augenärztlichen Gesellschaft (3. X. 1906) demonstriert.

Die Präparate wurden 24 Stunden in 6% Formalin fixiert, in Alkohol steigender Konzentration gehärtet, in Celloidin eingebettet[2]) und in kontinuierliche Schnittserien zerlegt; untersucht wurde jeder 5. bis 10. Schnitt. Wo es nach Durchsicht der Präparate erwünscht schien, auch die intermediären Schnitte zu untersuchen, wurden alle Schnitte ohne Ausnahme gefärbt. Dicke der Schnitte meist 15 μ, bei grösseren Objekten 20, zuweilen 25 μ. Färbung mit Hämatoxylin-Eosin, nach v. Gieson, Hämatoxylin und Pikroindigokarmin nach Ramon y Cajal; zuweilen Heidenhains Eisenalaun-Hämatoxylin. Anwesenheit von Blutpigment

---

[1]) Die Übersicht der bis 1892 publizierten Fälle ist in der Arbeit von Mitvalsky (63) zusammengefasst. Ich stimme mit ihm in der Analyse dieser Fälle überein, mit Ausnahme desjenigen von Chlapowski (11), den ich nicht in die Reihe der hier besprochenen Anomalie zuzähle, sondern, entsprechend der histologischen Untersuchung von Biesiadecki (Epidermiszellen mit Fett gemischt), für eine Dermoidcyste halte. Die gleiche Ansicht ist bereits von Ewetzky ausgesprochen worden.

[2]) Bei der Anfertigung der Schnitte vom rechten Auge des II. Falles stiess das Messer bald auf Knochen, das Präparat musste daher vom Celloidin befreit und dekalciniert (in Phloroglucin und Salpetersäure) und darauf wieder in Celloidin eingebettet werden.

wurde vermittels der Perlsschen Reaktion festgestellt. Die Schnitte wurden successive in 35°, 60° und 97° Alkohol, Kreosot, Bergamottöl, Xylol gebracht und in Kanadabalsam eingeschlossen.

Fall I.

Die Präparate wurden der Leiche eines Mädchens von 1 Jahr 2 Mon. entnommen, welches ins St. Wladimir-Kinderhospital in Moskau wegen Masernpneumonie aufgenommen war und an komplizierender Miliartuberkulose zugrunde ging.

Status praesens (Tags vor dem Tode). An Stelle beider Augen — tiefe Gruben. Unterlid beiderseits ohne Wimpern; Oberlider ektropioniert. Lidspalte beiderseits verkürzt, links 13, rechts 15 mm lang. Lidränder entzündet; Conjunctiva gerötet, eitriges Sekret. Im linken Unterlid an der äusseren Kommissur einige vereiterte Meibomsche Drüsen. Augenhöhlen leer; in der Tiefe der rechten, im inneren hinteren Winkel, scheint leicht das Rudiment des Augapfels hindurch. Das linke untere Lid scheint bläulich durch und ist durch eine hinter demselben gelegene fluktuierende Cyste vorgedrängt. Das rechte Unterlid scheint gleichfalls in der Mitte in geringer Ausdehnung bläulich durch und ist leicht vorgewölbt, doch gelingt es hier nicht Fluktuation festzustellen.

Aus der Anamnese ergibt sich, dass das Leiden seit der Geburt besteht. Mutter und Vater sollen gesund sein; es sind noch 2 Kinder vorhanden, die vollkommen gesunde Augen haben. Das Mädchen selbst ist sehr erschöpft, hat aber keine sonstigen Missbildungen.

Die Präparate sind von mir, mit gütiger Erlaubnis des Direktors des Hospitals (damals Abteilungsvorstand), Herrn Dr. W. Dreyer, dem ich hierfür meinen herzlichen Dank ausspreche, 24 Stunden post mortem exstirpiert worden. Unmittelbar über dem Augenbrauenbogen wurde ein querer Hautschnitt angelegt und die Haut vom Ober- und Unterlid nach unten abpräpariert. Darauf wurde die obere Orbitalwand von der Schädelbasis aus abgetragen und der ganze Inhalt der Augenhöhle exstirpiert. — Beide Cysten erwiesen sich als sehr dünnwandig, blaurot durchscheinend. — Links war die Cyste fest mit dem Orbitalperiost verwachsen, so dass sie sich nur mit Mühe ablösen liess. Zum Schluss der Exstirpation riss die Cyste in geringer Ausdehnung ein und entleerte sich aus derselben eine gelblich-sanguinolente Flüssigkeit. Ähnlich beschaffene Flüssigkeit füllte auch die rechtsseitige Cyste aus. — In dem umgebenden Zellgewebe liess sich sofort nach der Exstirpation das Vorhandensein eines Augapfels nicht konstatieren. Aber schon nach der Härtung, beim Abpräparieren des Zellgewebes von den Präparaten, war es ersichtlich, dass jede der Cysten (Taf. VI, Fig. 1, *C*) im Zusammenhang stand mit einem kleinen, erbsengrossen derben Körper, offenbar dem rudimentären Bulbus (*B*); an denselben trat der dünne atrophische Sehnerv (*N. o.*) heran. Beide Cysten wurden an der dem Augapfel entgegengesetzten Seite eröffnet, worauf im Halsteil der Cyste ein ziemlich grosses linsenförmiges Gebilde (Taf. VI, Fig. 2, *3*) sichtbar wurde, dessen Natur erst bei der mikroskopischen Untersuchung klar wurde.

Nach Exstirpation der Präparate erwiesen sich an der Unterwand der Augenhöhlen, rechts besonders scharf ausgeprägt, grubenförmige Depressionen, in denen die Cysten, mit dem Periost verbacken, gelegen hatten.

Im Sektionsprotokoll (Priv.-Doz. Dr. W. Muratow) finden wir folgende Angaben über das Gehirn, welches in diesem Falle keine besonders ausgesprochenen Veränderungen zeigte: „Bei Besichtigung der Konvexität des Gehirnes bemerkt man eine etwas ungleichmässige Entwicklung beider Hemisphären: die linke ist, insbesondere im mittleren und hinteren Drittel, vom Gyrus centralis anterior an nach hinten, in der Entwicklung ein wenig gegen die rechte zurückgeblieben; dieses äussert sich in der Veränderung der Zeichnung der Furchen an der Konvexität: die Windungen sind kleiner und flacher; am meisten bemerkbar ist das im Bereich der Zentralwindungen und zum Teil im Hinterhauptslappen. An beiden Hemisphären sind die Occipitallappen in ihrer Entwicklung zurückgeblieben und zeichnen sich durch kleinere Windungen aus, im Vergleich zu den andern Partien. Solches betrifft in gleicher Weise sowohl die äussere, wie die innere Fläche. An der Gehirnbasis fällt eine hochgradige Atrophie des Chiasma, beider Sehnerven und Tractus auf.

Mikroskopische Untersuchung.

Rechtes Auge. Das Präparat (Auge samt der Cyste) wird in Celloidin eingebettet und in 600 Serienschnitte zerlegt, die horizontal durch das ganze Objekt, senkrecht zur Längsachse des linsenförmigen Körpers geführt werden und 15 μ dick sind.

Die ersten 270 Schnitte enthalten noch nicht den Bulbus. Die Schnitte gehen durch die Cyste, und an der Stelle, wo wir den Bulbus zu treffen erwarten, erweist sich ein von der Cyste isoliert gelegenes Gebilde in Form eines geschlossenen bindegewebigen Ringes, dessen innere Schicht dieselbe Struktur zeigt, wie die Innenschicht der Cyste. Dieser geschlossene Ring findet sich in sämtlichen 270 Schnitten, so dass es sich offenbar um ein cylinderförmiges, quergetroffenes Gebilde handelt. Wie aus dem Weiteren ersichtlich, stellt dasselbe eine zweite Cyste vor, welche makroskopisch nicht unterscheidbar war, und in einer zur Ebene der grossen Cyste senkrechten Ebene liegt.

Die Wand der grossen Cyste besteht aus zwei distinkten Schichten. Die Aussenschicht ist relativ schwach entwickelt, von geringer, nicht überall gleicher Dicke; ihre grösste Dicke beträgt 0,15 mm. Sie besteht aus parallel angeordneten welligen Fasern derben Bindegewebes mit spindelförmigen Kernen. Nach aussen ist sie nicht scharf von dem anliegenden orbitalen Zellgewebe abgegrenzt, und hier treffen wir in ziemlich grosser Anzahl Gefässe an, die in verschiedenen Richtungen durchschnitten sind. Stellenweise verschwindet die Aussenschicht vollkommen, und hier liegt das orbitale Zellgewebe unmittelbar der Innenschicht der Cyste an.

Die Innenschicht der Cyste liegt direkt der Aussenschicht an, übertrifft sie bedeutend an Dicke, die ungleichmässig ist: 0,3—0,5—0,7 mm.

An den mit Hämatoxylin-Eosin gefärbten Präparaten nimmt sie ausschliesslich Hämatoxylinfärbung an und tritt in ihrer violetten Tinktion scharf gegen die rosafarbige Aussenschicht hervor. Bei Färbung nach v. Gieson oder mit Pikroindigokarmin nimmt sie nur die gelbe Farbe der Pikrinsäure auf. Im grösseren Teil ihrer Ausdehnung präsentiert sie sich als mehr oder weniger dichtes Netz dünner zarter Fäserchen, in dem zahlreiche Zellen mit grossen intensiv gefärbten runden oder ovalen gekörnelten Kernen und einem sehr schmalen, kaum sichtbaren Protoplasmasaum eingelagert sind. Dieses charakteristische Gefüge des Gewebes, sowie dessen Verhalten zu den Farbstoffen beweisen zweifellos, dass es aus Neuroglia besteht[1]). In diesem Gewebe sind noch etwas kleinere und intensiver gefärbte Kerne eingestreut; an manchen Stellen sind die Kerne der letzteren Art dichter gestellt, hier und da bilden sie ganze Anhäufungen, welche ausserordentlich an die Kerne der Körnerschichten der Retina erinnern. An vielen Schnitten sind diese Kerne in mehr oder weniger regelmässige Schichten angeordnet, wobei diese Schichten näher zur Innenfläche der Cyste gelegen sind. Stellenweise gehen die schichtweise angeordneten Kerne auseinander und bilden 2 Reihen Kerne mit einer feingranulierten molekulären Zwischenschicht, welches Bild in hohem Grade an die Körnerschichten der Netzhaut erinnert (Taf. VI, Fig. 3). In diesen Partien ist die gegen die Cystenhöhle gerichtete freie Fläche der Innenschicht stellenweise durch eine M. limitans begrenzt, der zahlreiche, vortrefflich erkennbare rudimentäre Stäbchen und Zapfen aufsitzen (Taf. VI, Fig. 3). — Die Gliafasern bilden an diesen Stellen ganze Bündel, welche mit ihren breiteren Enden an der Aussenwand sitzen und in senkrechter Richtung die Gesamtdicke der Innenschicht durchsetzen, nach Art der Bündel der Müllerschen Fasern der Netzhaut.

Aus Obigem ist klar, dass die Innenschicht an den bezeichneten Stellen die Struktur einer in ihrer Entwicklung etwas zurückgebliebenen und dazu in einer gegen die Norm verkehrten Ordnung gelagerten Netzhaut besitzt. In dieser Netzhaut fehlen jedoch sowohl die Ganglienzellenschicht, wie die Nervenfaserschicht. — Stellenweise reduziert sich die Innenschicht der Cyste merklich und geht in eine einschichtige Lage eigenartigen Cylinderepithels über; dieses Epithel sitzt unmittelbar der äusseren bindegewebigen Schicht auf und besteht aus schmalen, hohen, palisadenartig dicht nebeneinander stehenden Zellen mit schmalem ausgezogenen Kern, der in dem der Cystenhöhle zugewandten Anteil der Zelle liegt (Taf. VI, Fig. 4). Dieses Epithel wird an einigen Stellen niedriger und etwas breiter und seine Kerne runder, infolgedessen es sich dem Typus des cylindrischen und kubischen Epithels nähert. Dann erinnert es in hohem Masse an das Epithel der Pars ciliaris retinae. An vielen Stellen ist deutlich zu sehen, wie in den Bezirken, welche den Bau der „perversen" Retina darbieten, beide Kernschichten zu einer konfluieren und hierauf die Netzhaut in das eben erwähnte hohe Cylinderepithel übergeht. Dieser Umstand zeigt deutlich, dass dieses Epithel

---

[1]) Spezialfärbung auf Neuroglia war nicht ausführbar, da hierzu das Präparat in anderer Weise hätte fixiert werden müssen.

die reduzierte Netzhaut ist, wie das Epithel der Pars ciliaris retinae, und zwar ein gegen die Norm verkehrt gelagertes, weil der Kern in dem der Cystenhöhle zugewandten Zellanteil liegt. Es kommen Stellen vor, wo unter dem Epithel grosse Maschen dünner Fäserchen mit varikösen Verdickungen vorhanden sind. — In der Cysteninnenschicht finden sich verstreute Häufchen braungoldigen Pigments, welches die Eisenreaktion gibt — Hämosiderin.

Die zweite (kleine) Cyste hat denselben Bau, wie die grosse, nur ist die äussere, bindegewebige Schicht hier beträchtlich dicker. Die Innenschicht zeigt auch hier vorwiegend den Charakter der Glia, jedoch überwiegen in zahlreichen Bezirken hauptsächlich Kerne vom Charakter der Körnerschichten der Netzhaut, dieselben sind meist in Reihen angeordnet. Stellenweise zeigt die Innenschicht deutlich das Verhalten einer „Retina perversa" mit beiden Körnerschichten und einer retikulären Zwischenschicht; an einzelnen Schnitten ist sogar eine Limitans ext. zu sehen, welche gegen das Lumen der Cyste gerichtet ist, sowie rudimentäre Stäbchen und Zapfen (Taf. VI, Fig. 5). In dieser „perversen" Retina fehlen aber die Nervenfaserschicht, die Ganglienzellenschicht und die Müllerschen Fasern. — Vom 130. Schnitte an erscheint die Innenschicht der kleinen Cyste stark gewuchert — dabei nimmt die Zahl der Elemente der Körnerschichten bedeutend ab — und füllt fast das ganze Lumen der Cyste aus; stellenweise dringen von der Bindegewebsschicht der Cyste in die Dicke der gliösen Masse bindegewebige Septa ein. Hier sind gleichfalls Häufchen von Hämosiderin anzutreffen.

Bis zum 210. Schnitte liegt die kleine Cyste vollkommen isoliert im Celloidin. Von diesem Schnitte an erscheint zwischen ihr und der grossen Cyste orbitales Zellgewebe.

Vom 270. Schnitte an findet sich in den Präparaten der linsenförmige Vorsprung, welcher bereits makroskopisch nach Eröffnung der grossen Cyste sichtbar war. Derselbe erweist sich als Auswuchs der Innenschicht der Cyste. Von demselben Schnitte an finden wir auch eine neue interessante Veränderung vor. In der kleinen Cyste, an der Grenze zwischen Aussen- und Innenschicht, findet sich an einer Seite ein kleiner, mit Pigment ausgekleideter Hohlraum (Taf. VI, Fig. 7, *1*). Auf einer Seite liegt derselbe direkt der fibrösen Schicht an, auf der andern — dem gliösen Gewebe. Zellen, in denen das Pigment gelegen wäre, lassen sich nicht unterscheiden, indem das schwarze Retinalpigment eine kompakte Masse bildete. Wie wir aus der weiteren Serie sehen werden, haben wir den Beginn der Bulbushöhle vor uns. — Nebenbei kommen wir auch auf eine unregelmässig geformte Höhle, welche mit pigmentlosem Cylinderepithel ausgekleidet ist (Taf. VI, Fig. 7, *2*) und alsbald sich zu verzweigen beginnt; man kann erkennen, dass das Pigmentepithel des Augapfelinnenraumes in dieses unpigmentierte Epithel übergeht.

In den folgenden Schnitten verschwindet das Orbitalzellgewebe zwischen der kleinen und grossen Cyste, und die Bindegewebsschicht der ersteren fliesst mit der gleichen Schicht der zweiten an der Stelle zusammen, wo letztere über den Auswuchs hinwegzieht (Taf. VI, Fig. 7). Hier stossen wir bald auf eine im Bindegewebe eingeschlossene ovale

Insel hyalinen Knorpels, von Perichondrium umgeben (Taf. VI, Fig. 7, *crt*). Dieselbe ist in 30 aufeinanderfolgenden Schnitten anzutreffen; ihre Dimensionen betragen 0,5 × 0,8 × 0,45 mm.

Was den Auswuchs betrifft, so hat er im Bereich der bisher besichtigten Schnitte annähernd den gleichen Bau, wie die Cysteninnenschicht. Er besteht aus gliösem Gewebe, innerhalb dessen zahlreiche grosse Kernanhäufungen, vom Charakter der Netzhautkörnerschichten, als Inseln oder Streifen liegen. — Zuweilen finden diese Kerne in mehreren Reihen angeordnet ringsum kleine mikroskopische Hohlräume verschiedener Grösse, die von einer der M. limit. ext. sehr ähnlichen dunklen Linie begrenzt sind (Taf. VI, Fig. 6). Die innerste Reihe der Kerne ist meist von der M. limit. durch eine protoplasmatische, gestreifte Zone getrennt. Der Hohlraum ist nie leer, sondern im Zentrum desselben liegen grosse Zellen mit Kern und reichlicher Menge Protoplasma. Der periphere Anteil des Hohlraums ist von radiären zarten Gliafibrillen ausgefüllt, welche durch die M. limit. hindurch in den Hohlraum eindringen. Zuweilen lässt sich die Limitans gar nicht, oder nur streckenweise unterscheiden. So entstehen Bildungen, die scharf im Gewebe des Auswuchses hervortreten und in den Schnitten sich bald als geschlossene, bald als nicht geschlossene Ringe präsentieren. Im allgemeinen bieten dieselben den Charakter der „Rosetten“, welche vollkommen den von Dötsch (17, Fig. 4), Ginsberg (29, Fig. 5) und Pichler (69, Fig. 4, 5) in Mikrophthalmen gefundenen Rosetten gleichen. Diese Rosetten unterscheiden sich von den von Wintersteiner in seiner Monographie über das Neuroepithelioma retinae (98) beschriebenen dadurch, dass die Zellen, welche die Wand des Hohlraums bilden, viel zahlreicher und in mehreren Reihen gelagert sind. — Jedenfalls sind die hier vorgefundenen Rosetten echte neuroepitheliale Herde. — Wenn wir diese Rosetten in den Serien verfolgen, so sehen wir, dass eine und dieselbe Rosette nur in einigen aufeinander folgenden Schnitten vorkommt; die Kombination der Schnitte zeigt, dass es sich um mehr oder weniger kugelförmige Gebilde handelt, die manchmal nicht geschlossen sind. Die im Lumen der Rosetten gelegenen Zellen sind — wie aus einigen Schnitten zu erschliessen — Gliazellen, welche aus dem Gewebe des Auswuchses dahin eingedrungen sind, obschon sie das Aussehen grösserer Zellen mit breitem Protoplasmaring haben[1]). — Von der bindegewebigen Wand geht an der Stelle, wo sie über dem Auswuchs hinwegzieht, in die Dicke des letzteren ein starker Bindegewebsstrang ab, der ungefähr bis zur Mitte des Auswuchses sich erstreckt (Taf. VI, Fig. 7, *t*).

In der Fortsetzung der Serie kommen wir auf den längsgetroffenen Sehnerven (Taf. VI, Fig. 7 u. 8, *N. o.*). Er tritt von hinten und seitwärts an die kleine Cyste heran, auf der dem Beginn der Bulbushöhle entgegengesetzten Seite, im Winkel zwischen der grossen und kleinen

---

[1]) Bezüglich der in den Zieglerschen Beiträgen 1905 (Festschrift für Arnold) veröffentlichten Arbeit E. v. Hippels (45), die mir erst nach Erscheinen meiner Arbeit in russischer Sprache bekannt geworden, muss ich hinzufügen, dass im Lumen der Rosetten keine Blutgefässe nachzuweisen sind.

Cyste. Er ist von einer dicken duralen, der arachnoidalen und Pialscheide umgeben; der subvaginale Raum ist gut ausgeprägt. Der Nerv selbst hat ungefähr 1 mm im Durchmesser, mit den Scheiden 1,9 mm, seine Bindegewebssepta sehr stark entwickelt. Er enthält viel Gliakerne. Nervenfasern lassen sich mit der üblichen Färbung nicht nachweisen. Zentralgefässe nicht aufzufinden. Der Nerv durchdringt die bindegewebige Schicht der kleinen Cyste, wobei eine Art Lam. cribrosa entsteht, und das eigentliche Gewebe des Nerven geht in die gliöse Masse dieser kleinen Cyste über; die Duralscheide (*d*) setzt sich rückwärts direkt in den hinteren Abschnitt der Aussenschicht der kleinen Cyste und vorwärts in die Aussenschicht der grossen Cyste fort. — In diesen Schnitten sehen wir bereits, dass an der Seite der Pigmenthöhle (des Beginns der Bulbushöhle), welche der Bindegewebsschicht der kleinen Cyste anliegt, zwischen der Pigmentschicht und der Bindegewebsschicht zahlreiche Gefässquerschnitte auftreten, welche von sternförmigen pigmentierten Bindegewebszellen umgeben sind (Taf. VI, Fig. 8, *ch*). In diesem Gewebe erkennen wir ohne weiteres die Chorioidea, in der keine gesonderten Schichten zu differenzieren sind. Nach aussen von der Chorioidea kommt ein Bezirk glatter Muskelfasern zum Vorschein; dieselben treten besonders scharf bei v. Gieson-Färbung hervor (Taf. VI, Fig. 8, *M*). Dieses Muskelgewebe, welches an sämtlichen Schnitten der Serie vorkommt, ist offenbar ein Analogon des Ciliarmuskels. — Auf der andern, der Gliamasse der kleinen Cyste anliegenden Seite ist die Pigmenthöhle eingefasst von einer unbedeutenden Lage derben Bindegewebes; in demselben sieht man einige von pigmentlosem Cylinderepithel eingesäumte Hohlräume (Taf. VI, Fig. 8, *2*). Der Bindegewebsstrang des Auswuchses nimmt beträchtlich an Dicke zu und occupiert die ganze rechte (in der Figur — obere) Hälfte des Auswuchses; innerhalb des Stranges finden wir schon einen neuen Bestandteil des Augapfels vor: Inseln von Linsenmassen (Taf. VI, Fig. 8, *L*), welche abnormen Bau zeigen: sie bestehen aus Anhäufungen zahlreicher grosser blasiger Gebilde von sehr mannigfacher Grösse und Form und mit homogenem Inhalt, der durch Eosin zum Teil schwach, zum Teil gut gefärbt wird; in vielen von diesen Gebilden, welche das Aussehen sehr grosser unregelmässiger Zellen haben, finden sich ovale Kerne; die genannten Inseln bestehen also aus sog. Bläschenzellen, in welche sich die Linsenfasern verwandelt haben. — Im Basalteil des Stranges, welcher von der Bindegewebswand abgeht, sind zahlreiche recht kräftige, quergetroffene Gefässe sichtbar.

In den weiteren Schnitten nehmen die Linsenfragmente an Grösse zu. Einige derselben erscheinen von einer homogenen Kapsel umgeben, welche mit Kapselepithel ausgekleidet ist. An einer Stelle ist die Kapsel abgelöst, verdickt und zu einem Knäuel eingerollt. An einigen Stellen finden sich in diesen Inseln Kalkablagerungen in Form von Häufchen, die sich intensiv mit Hämatoxylin färben. — Infolge Zunahme der Linsenmassen wird das dieselben umfassende periphere Ende des Bindegewebsstranges dünner, es nimmt vaskulären Bau an und bildet gleichsam eine dünne Mesodermhülle um die Linsenfragmente. An der Peripherie des Auswuchses löst sich das periphere Ende des Stranges in eine

Masse auf, in der mesodermale Embryonalzellen und embryonale Gefässe eingelagert sind (Taf. VI, Fig. 9, *5*). — Infolge Erscheinens der Linse und des Bindegewebes im Auswuchse, verändert sich letzterer in seinem Aussehen: die Elemente der „Körnerschichten der Retina" in Form von Anhäufungen und Rosetten kommen hauptsächlich in die Peripherie des Auswuchses, an dessen linker (in der Figur — unterer, siehe Taf. VI, Fig. 8 u. 9) Seite zu liegen; in der rechten (in der Figur — oberen) Seite geht das gliöse Gewebe in der hinteren Partie, nächst der Basis des Auswuchses, in einen Streifen retinaler Pigmentzellen über, welche stellenweise zu mehreren Lagen gewuchert sind.

Nach einigen weiteren Schnitten beginnt die Pigmenthöhle des Auges sich zu verästeln und werden im Schnitt einige Spalten sichtbar (Taf. VI, Fig. 8, u. 9, *1*). — Die Chorioidea nimmt merklich an Volumen zu, desgleichen die Partie der glatten Muskelfasern. Die Glia der kleinen Cyste nimmt stetig ab, die bindegewebige Wand zwischen Auswuchs und kleiner Cyste, resp. Augapfel verschwindet und das gliöse Gewebe der letzteren geht unmittelbar in das Gliagewebe des Auswuchses und die Innenschicht der grossen Cyste über (Taf. VI, Fig. 9, *C'*). Die spaltförmigen Pigmenträume des Auges treten näher an den Auswuchs heran und erscheinen auch in dem Auswuchse selbst (Taf. VI, Fig. 9, *1*); das Gleiche findet auch an den Hohlräumen statt, die mit unpigmentiertem Cylinderepithel ausgekleidet sind (Taf. VI, Fig. 9, *2*) (das Cylinderepithel dieser Höhlen wird stellenweise durch Gliagewebe ersetzt). Eine der Pigmentspalten mündet, im Winkel zwischen Innenschicht der grossen Cyste und Auswuchs, in die Cystenhöhle (Taf. VI, Fig. 8 u. 9), wobei das Pigmentepithel sich eine kurze Strecke unmittelbar auf die Peripherie des Auswuchses und die Cysteninnenschicht fortsetzt, wo es in deren Gliagewebe übergeht. — Die Linse präsentiert sich im Auswuchse nicht mehr in zerbröckeltem Zustande, sondern als kontinuierliche Masse von unregelmässiger Form, von der Kapsel umgeben (Durchmesser im Schnitt 1,5 und 0,9 mm; da die Linse nur in 90 Schnitten zu finden ist, beträgt der dritte Durchmesser $15\,\mu \times 90 = 1{,}35$ mm). In der näher zur Basis des Auswuchses gelegenen Partie ist die homogene Kapsel stark gewuchert und bildet zahlreiche Falten, innerhalb deren kleinere, durch Eosin gefärbte Bläschenzellen (einzelne — kernhaltig) und Morgagnische Tropfen liegen.

In der weiteren Folge der Serie sieht man, dass mit den Pigmenträumen auch die Chorioidea in den Auswuchs einzudringen beginnt; sie erreicht den Winkel zwischen Auswuchs und Innenschicht der grossen Cyste und ragt sogar in die Cystenhöhle hinein (Taf. VI, Fig. 9, *ch*). — Der Sehnerv verschwindet aus den Schnitten. Der Bindegewebsstrang des Auswuchses reduziert sich fast vollständig, indem er nur $^2/_3$ der Linse in der linken (in der Figur — oberen) Seite als schmaler Streifen umfasst. An der rechten (oberen) Seite liegt der Linse die in den Auswuchs eingedrungene Chorioidea an. Die Struktur der Linse ist stets die gleiche; nirgends sind irgendwelche Linsenfasern zu entdecken.

In den ferneren Schnitten verschwindet schon die Linse. Der Bindegewebsstrang ist wieder dicker geworden und hat von neuem den Charakter derben Bindegewebes angenommen. Die Gliafasern sind senkrecht zu demselben gestellt und die Kerne hauptsächlich näher zur Peripherie des Auswuchses gelagert. An der rechten (oberen) Peripherie des Auswuchses geht die Glia in eine Lage von Cylinderepithel über, welches den bindegewebigen Vorsprüngen des Stranges aufsitzt. Rosetten kommen hier nicht mehr vor. — Zwischen Auswuchs und eigentlichem Augapfel erscheint Bindegewebe, welches den Augapfel vollkommen abschliesst und von dem Auswuchse scheidet (Taf. VI, Fig. 10). Hier findet man über dem oberen Anteil der Sklera Conjunctivalgewebe, welches von mehrschichtigem Epithel ausgekleidet ist. — In den nächstfolgenden Schnitten ist der Bulbus vollkommen von der Cyste separiert, zwischen beiden liegt nur Orbitalzellgewebe. Die Form des Bulbus ist oval, seine Dimensionen sind 6 × 8 × 4 mm. Die Sklera (Taf. VI, Fig. 10, *sc*) stellt einen geschlossenen Ring dar; ihre Dicke beträgt 1,3 mm; ihre Struktur ist normal. Stellenweise kann man die Lamina fusca und die Suprachorioidea unterscheiden. Der Innenraum des Bulbus stellt sich als Spalt dar und ist mit Pigment ausgekleidet (Taf. VI, Fig. 10, *1*). Netzhaut ist in demselben nicht vorhanden. Nach aussen von der Pigmentmembran befindet sich eine undifferenzierte Chorioidea (*ch*), und im oberen Abschnitt — eine Schicht glatten Muskelgewebes (*M*). — Die Dimensionen des Auswuchses nehmen ab, das Bindegewebe verschwindet aus demselben, und er bietet dieselbe Struktur, wie die Cysteninnenschicht.

Die weiteren Schnitte gehen nur durch die Sklera als Flachschnitte. Im letzten Hundert fehlt der Bulbus vollständig; desgleichen der Auswuchs; die Schnitte gehen hier nur durch die grosse Cyste hindurch.

Wenn wir den angeführten mikroskopischen Befund zusammenfassen, so sehen wir, dass an dem Aufbau des eigentlichen Auges aus dessen ektodermaler Anlage nur dasjenige Blatt teilgenommen hat, aus welchem die Pigmentmembran entsteht; letztere kleidet in der Tat die Bulbushöhle aus. Netzhaut ist in der letzteren nicht vorhanden. Die Produkte jenes ektodermalen Blattes, aus dem sich die Retina entwickelt, liegen ausserhalb des Cavum bulbi und bilden den erwähnten „Auswuchs", sowie die Innenschicht beider Cysten.

Demnach ist hier die Entwicklung des Augapfels auf der Stufe der primären Augenblase stehen geblieben; Invagination und Verwandlung zur sekundären Blase sind ausgeblieben. — Dennoch, trotz des so frühzeitigen Stillstandes in der Ausbildung des Auges, sind Wachstum und Entwicklung der Wandungen der primären Augenblase weiter fortgeschritten: so hat denn der proximale Teil die Struktur des Pigmentepithels angenommen und um denselben haben sich aus dem umgebenden Mesoderm Sklera, Chorioidea und eine Partie Muskelgewebe entwickelt, welch letztere dem Ciliarmuskel entspricht; Cornea, Iris und Ciliarkörper sind jedoch gar nicht zur Ausbildung gekommen. Der nicht eingestülpte distale Teil der primären Augenblase ist im umgebenden Mesoderm liegen geblieben, ist gewuchert und hat sich weiter entwickelt, wodurch die Innenschicht der beiden Cysten und der „Auswuchs“ entstanden sind, wobei, wie wir gesehen haben, sich stellenweise ziemlich gut entwickelte Retina differenziert hat; die Schichten dieser Retina sind, wie vollkommen verständlich, in umgekehrter Reihenfolge angeordnet.

Dieses distale Blatt der primären Augenblase ist in zwei verschiedenen Richtungen ausgewachsen: nach vorn, wo es die Innenschicht der grossen Cyste und den Auswuchs geliefert hat, und seitwärts, wo es zur Entstehung der Innenschicht der kleinen Cyste geführt hat. Aus dem umgebenden Mesoderm sind die fibrösen Hüllen beider Cysten und der mesodermale Strang des Auswuchses entstanden. — Den Übergang des proximalen Blattes der primären Augenblase, resp. des Pigmentepithels, in das distale Blatt finden wir an der Stelle, wo die Pigmentspalten des Bulbus in die Cystenhöhle münden (Taf. VI, Fig. 8 u. 9). Hier setzt sich das die Spalten auskleidende Pigmentepithel unmittelbar in die Glia der Innenschicht der grossen Cyste und der Peripherie des Auswuchses fort. — Die Linse liegt innerhalb des Gewebes des nicht eingestülpten distalen Blattes[1]). — Der Sehnerv steht nicht mit dem Bulbus, sondern mit der Cyste in Verbindung.

Linkes Auge. Der Bulbus wurde mitsamt der Cyste und den angrenzenden Partien des Orbitalgewebes in Celloidin eingebettet. Hierauf wurde die periphere Partie der Cyste abgetragen und für sich in einer Serie von Frontalschnitten (260, Dicke 20 μ) untersucht. Der Bulbus samt proximaler Partie der Cyste wurde in 513 Horizontalschnitte von 15 μ, senkrecht zur Längsachse des linsenförmigen Körpers, zerlegt.

Die ersten 200 Schnitte enthalten noch nicht den Augapfel, da die Cyste nach oben bedeutend über den letzteren hervorragt. Ich vermutete, dass die Schnitte nur durch die Cystenwand gehen würden, aber schon bei Besichtigung der ersten Schnitte erwiesen sich im Celloidin 3 Gebilde: 1. Die Wand der grossen Cyste (Taf. VI, Fig. 11, *t. e.*, *t. i.*); 2. ein langer quergestreifter Muskel, 2 mm breit, sehr mächtig, längsdurchschnitten (Taf. VI, Fig. 11, *M*); 3. ein gesondert stehender geschlossener Bindegewebsring (*C*), innen ausgekleidet von einer Schicht derselben Struktur, wie die Innenschicht der Cyste; dieses Gebilde hat im Durchmesser 0,9 mm. In allen weiteren Schnitten kommt es in der

[1]) Die Einstülpung des Ektoderms behufs Bildung der Linse und die Invagination des distalen Blattes der primären Augenblase sind zwei voneinander unabhängige Vorgänge (s. u.).

gleichen Gestalt vor. Im 210. Schnitte erscheinen neben diesem Gebilde bereits die ersten Durchschnitte des Bulbus, welcher alsbald mit dem ersteren konfluiert; demnach muss dieses kleine Gebilde als zweite Cyste angesprochen werden, welche in einer zur grossen Cyste senkrechten Ebene gelegen ist. Folglich war hier eine vollkommene Analogie mit dem rechten Auge vorhanden. Wie wir weiter sehen werden, steht diese kleine Cyste im Zusammenhang mit der grossen.

Der quergestreifte Muskel (*M*) verläuft im Präparat seitwärts von der grossen Cyste, zwischen ihr und der kleinen Cyste, sehr nahe zur ersteren. Er kommt in 310 Schnitten vor. Die Insertionsstelle des Muskels lässt sich nicht eruieren. Er hat normale Struktur; in seiner Dicke finden sich lange Bündel markhaltiger Nerven, die meist der Länge nach getroffen sind.

Die Wand der grossen Cyste hat genau denselben Bau, wie im rechten Auge. Die Aussenschicht (*t. e.*) ist bis 0,3 mm dick, die Dicke der Innenschicht variiert zwischen 0,3 und 1,1 mm. Die Innenschicht zeigt nur an vereinzelten Stellen die Struktur der „perversen" Retina. In der Dicke der Innenschicht finden sich zahlreiche Schollen von Hämosiderin, meist in der Umgebung der Kapillaren, die von der bindegewebigen Hülle aus dorthin eindringen; zugleich mit Pigmentanhäufungen — zahlreiche Leukocyten.

Die kleine Cyste ist in ihrem Aufbau der grossen ähnlich, doch ist hier die Aussenwand kräftiger entwickelt und beträchtlich dicker, als in der grossen Cyste; sie besteht aus ringförmig angeordnetem derbem Bindegewebe. Die Innenschicht ist an einigen Stellen von der äusseren abgelöst und stellt sich stellenweise als schön ausgebildete perverse Netzhaut dar. Von seiten der Höhle ist die Innenschicht nicht scharf abgegrenzt. An einigen Stellen liegt in der Höhle eine geronnene Eiweissmasse. Stellenweise füllt die Innenschicht das ganze Lumen der Cyste aus; hier und da treten in die Dicke derselben aus der Aussenschicht Bindegewebssepta hinein.

Die nächstfolgenden Schnitte gehen bereits durch den Beginn des Augapfels hindurch. Er liegt näher zur kleinen Cyste, zwischen ihr und der grossen Cyste, zunächst vollkommen getrennt von beiden (Taf. VI, Fig. 11). Er hat eine etwas ausgezogene ovale Form (Durchmesser 6 × 3,6 mm). — Zuerst gehen die Schnitte nur durch die Sklera, als Flächenschnitte. Das in der Figur abwärts gerichtete Ende setzt sich in lockereres Bindegewebe — offenbar Conjunctiva — fort, da in einer Reihe von Schnitten ein Überzug aus mehrschichtigem Epithel sichtbar ist. In den nächsten Schnitten stellt sich die 1 mm dicke Sklera (*sc*) bereits als Ring dar, der eine Insel aus glatten Muskelfasern mit stäbchenförmigen Kernen umgibt. In den darauffolgenden Schnitten bleibt dieses Muskelgewebe nur an einem Rande der Sklera (Taf. VI, Fig. 11, *M*) bestehen, der ganze übrige Raum innerhalb des Skleralringes ist von einem Gewebe eingenommen, welches aus pigmentierten sternförmigen Bindegewebszellen und einer grossen Anzahl Gefässe besteht: Chorioidea (*ch*); im Zentrum dieses Gewebes liegt ein sternförmiger Spaltraum, ausgekleidet von charakteristischem schwarzem Retinalpigment (*1*); das ist der Beginn der Bulbushöhle. Diese letztere selbst ist leer, enthält keinen Glaskörper; auch Retina fehlt hier, wie im rechten Auge. Die oben erwähnte Muskelpartie verschwindet bald; sie repräsentiert unzweifelhaft ein Rudiment des Ciliarmuskels. In der Chorioidea sind zwei quergetroffene Nerven zu sehen.

In den ferneren Schnitten konfluiert die der kleinen Cyste zugewandte Partie der Sklera mit der bindegewebigen Hülle der ersteren (Taf. VI, Fig. 12), und sofort erscheint in diesem Bindegewebe eine unscharf abgegrenzte Insel hyalinen Knorpels, umgeben von ringförmig angeordneten Bindegewebsfasern. Sie kommt in 30 Schnitten vor. — Die Augapfelhöhle verzweigt sich, nimmt strahlige Form an (Taf. VI, Fig. 12, *1*). In der kleinen Cyste treten Hohlräume auf, die von Cylinderepithel ausgekleidet sind. Der Muskel verschwindet.

Die weiteren Schnitte enthalten auch schon den Auswuchs der grossen Cyste. Er hat eine aus den Fig. 12, 13, 14, 15 ersichtliche Gestalt und besteht aus 2 Lappen, einem grossen und einem kleinen, die durch eine tiefe Einschnürung getrennt sind. Seinem Bau nach ist der Auswuchs demjenigen des rechten Auges sehr ähnlich. Er besteht hauptsächlich aus Gliagewebe, innerhalb dessen in grosser Anzahl Zellanhäufungen liegen, die den Körnerschichten der Retina entsprechen. Im grossen Lappen, am Rande der Einkerbung, reduziert sich die Glia zu einem einzeiligen kubischen Epithel. Hier finden sich auch die am Präparat des rechten Auges beschriebenen Rosetten, aber in geringerer Anzahl.

In der kleinen Cyste treten in der Nachbarschaft des Bulbus einige von Pigment umsäumte Spalträume auf, und fast sogleich (Taf. VI, Fig. 13) verschwinden die Sklera und die Bindegewebshülle der Cyste an der Stelle, wo sie zusammengeflossen waren. An dieser Stelle liegt die Chorioidea unmittelbar den Gliamassen der kleinen Cyste an, nur stellenweise durch unbedeutende bindegewebige Septa von ihnen geschieden, und die fibröse Cystenwand setzt sich in die Sklera fort. In diesen Schnitten finden wir auch den Sehnerven im Transversalschnitt (Taf. VI, Fig. 12, *N. o.*). Er liegt zunächst isoliert im Celloidin, rückwärts von der kleinen Cyste, ist von der Pial-, Arachnoideal- und Duralscheide umgeben, die gut entwickelt sind. Der Subduralraum ist gleichfalls gut ausgeprägt. Der Nerv hat im Durchmesser mit den Scheiden 1,5 mm, ohne Scheiden 0,7 mm.

In der weiteren Reihenfolge der Serie konfluieren die Sklera des Augapfels und die Wand der kleinen Cyste mit der Aussenschicht der grossen Cyste an der Stelle, wo letztere über dem Auswuchs hinwegstreicht. Der Bulbus nimmt Dreiecksgestalt an, indem er sich in der Richtung gegen die grosse Cyste auszieht. Fast sogleich beginnen an der Stelle der Konfluenz im fibrösen Gewebe kleine Höhlen aufzutreten, welche mit unpigmentiertem Cylinderepithel ausgekleidet sind. Dieselben ziehen sich als Kette von dem Bulbus zur Einkerbungsfurche des Auswuchses (Taf. VI, Fig. 13, *2*). In den nächstfolgenden Schnitten vereinigen sich die der Bulbushöhle benachbarten Hohlräume mit derselben, wobei das

Pigmentepithel der letzteren ununterbrochen in das Pigmentepithel der ersteren übergeht. In diesen Höhlen selbst erscheinen, verstreut, Körnchen von Retinalpigment. In den weiteren Schnitten konfluieren diese von pigmentlosem Epithel ausgekleideten Hohlräume untereinander und öffnen sich in die Furche des Auswuchses. Derart entsteht eine Kommunikation zwischen dem Cavum bulbi und der Cystenhöhle. Die Chorioidea verschwindet an der Seite des Auges, welche dem Gliagewebe der kleinen Cyste anliegt (Taf. VI, Fig. 14). Der Sehnerv ist an den Winkel zwischen kleiner Cyste (*C*) und eigentlichem Auge herangetreten und seine Duralscheide setzt sich in die fibröse Wand der ersteren und die Bulbussklera fort (Taf. VI, Fig. 13 u. 14). Fast sogleich erscheint in dem grossen Lappen des Auswuchses der Beginn der Linse als Dreieck mit abgerundeten Ecken (Taf. VI, Fig. 14, *L*). Die Linse kommt in 170 Schnitten vor, demnach beträgt ihr Längsdurchmesser $15 \times 170\,\mu = 2{,}5$ mm. Die Linse in der Serie verfolgend, sehen wir, dass sie im weiteren an Umfang zunimmt. Zunächst erscheint sie zerbröckelt. In der ersten Hälfte der Schnitte hat sie eine unregelmässige Gestalt, darauf erscheint sie in den Schnitten eben in Linsenform. Ihre grössten Durchmesser betragen 3 und 2,1 mm. Auch in diesem Präparat hat sie keine normale Struktur; ihre Fasern sind, wie das schon im Präparat des rechten Auges der Fall war, in grosse Bläschenzellen verwandelt. Doch sind an einigen Stellen, vorwiegend an der Peripherie der Linse, einzelne Linsenfasern erhalten. Das Zentrum der Linse ist kataraktös verändert und von einer vollkommenen homogenen Masse eingenommen, welche durch Eosin intensiv gefärbt ist; in derselben finden sich zahlreiche Kalkablagerungen. Die Linse ist ringsum in ganzer Ausdehnung von der Kapsel bedeckt, in der ersten Hälfte der Schnitte ist diese im Basalteil des Auswuchses vielfach gefaltet. In einigen Partien ist Kapselepithel sichtbar. — Wie auch im rechten Auge, geht von dem Bindegewebe, welches die kleine Cyste vom Auswuchse scheidet, in die Dicke des letzteren ein Bindegewebsstrang ab, welcher sich peripherwärts verjüngt (Taf. VI, Fig. 14, *1*); dieser Strang umgibt die grössere Hälfte der Linse und verschwimmt an seinem Ende in eine homogene Masse, in welcher mesodermale Embryonalzellen und Embryonalgefässe liegen. In diesem Bindegewebsstrang tauchen alsbald ziemlich zahlreiche Gefässe und Kapillaren auf, so dass der Strang vaskulären Charakter annimmt. Die Furche des Auswuchses vertieft sich; die spaltförmige Pigmenthöhle des Auges tritt bis an die Furche heran und öffnet sich in diese, wobei das Pigmentepithel kontinuierlich in das Gliagewebe beider Lappen des Auswuchses übergeht (Taf. VI, Fig. 14). — Der Sehnerv tritt schon im Längsschnitt auf. In Dicke und Struktur entspricht er vollkommen demjenigen des rechten Auges. Zentralgefässe lassen sich nicht ausfindig machen. — Das fibröse Gewebe an der Grenze des Nerven und der kleinen Cyste verschwindet, und die Glia des Nerven setzt sich unmittelbar in das Gliagewebe der kleinen Cyste fort (Taf. VI, Fig. 14), während die Duralscheide (*d*) sich einerseits in die fibröse Hülle der kleinen Cyste, anderseits in die Sclera bulbi fortsetzt. Gleichzeitig verschwindet auch in einem kleinen Bezirk das fibröse Gewebe zwischen kleiner Cyste und

Auswuchs, und konfluiert die Gliamasse der ersteren (*C'*) direkt mit dem Gewebe des Auswuchses.

In der weiteren Folge der Serie sehen wir, dass die Linse stetig zunimmt. Der sie umgebende gefässreiche Bindegewebsstrang verjüngt sich successive, entsprechend der Grössenzunahme der Linse, und verschwindet bald gänzlich. — Die Chorioidea des Bulbus nimmt nach und nach an Menge ab; die spaltförmigen Pigmenträume des Auges treten immer näher an den Auswuchs mit den demselben anliegenden Resten von Chorioidealgewebe heran, so dass wir bald Reste des Augapfels an der Einkerbung des Auswuchses vorfinden als einige Pigmentepithelspalten und eine geringe Menge Chorioidea (Taf. VI, Fig. 15). Der Sehnerv ist bereits verschwunden. Die Glia der kleinen Cyste (*C'*) vereinigt sich mit dem Auswuchs, resp. mit der Innenschicht der grossen Cyste, und die bindegewebige Hülle beider Cysten, mit samt der früheren Sclera bulbi umfasst den Auswuchs und die Innenschicht der grossen Cyste als gemeinschaftlicher bindegewebiger Überzug (Taf. VI, Fig. 15, *t. s.*). — Die letzten 80 Schnitte gehen bereits nur durch die Cyste und den Auswuchs, in dem fast bis zum letzten Schnitt die Linse vorkommt. Endlich verschwindet auch diese aus den Schnitten.

Das ganze Präparat ist also fast identisch mit demjenigen aus der rechten Orbita. Auch hier ist die Formation des Auges im Stadium der primären Augenblase stehen geblieben, wobei an der Entstehung des eigentlichen Auges nur der proximale Teil derselben partizipierte; letzterer hat eben die Pigmentmembran geliefert. Netzhaut ist im Cavum bulbi nicht vorhanden. Der nicht eingestülpte distale Anteil der primären Augenblase hat die Innenschicht der beiden Cysten und den „Auswuchs" ergeben, wobei sich auch hier stellenweise eine recht gut ausgebildete „perverse" Retina differenziert hat. Den Übergang des proximalen Blattes der primären Augenblase, resp. des Pigmentepithels, in das distale Blatt finden wir an der Stelle, wo die Pigmentspalten des Auges sich in die Cystenhöhle eröffnen. Aus dem die Augenblase umgebenden Mesoderm sind Sklera, Chorioidea, die dem Ciliarmuskel entsprechende Muskelpartie, der mesodermale Strang des Auswuchses und die fibröse Hülle beider Cysten entstanden. — Die Linse liegt im Gewebe des nicht invaginierten distalen Blattes. — Der Sehnerv setzt sich direkt in die Glia der kleinen Cyste fort.

Beide beschriebenen Präparate entsprechen in ihren anatomischen Verhältnissen am meisten den Fällen von Mitvalsky (63) und Lapersonne (55), und zwar stehen sie, in der Differenzierung ihrer Bestandteile, in der Mitte zwischen beiden. Im Mitvalskyschen Falle war das Cavum bulbi grösser; aus dem umgebenden Mesoderm hatten sich Sklera, Cornea, Iris, Corpus ciliare, Chorioidea entwickelt, in unserem Falle aber nur — Sklera, Chorioidea und der Muskel des Ciliarkörpers. Die Linse ist bei Mitvalsky an der Grenze des distalen und des proximalen Blattes durchgetreten und liegt in der Sklera, im Gebiet des Ciliarkörpers, mit einem Ende in das Cavum bulbi eindringend. In unserem Falle liegt die Linse innerhalb des Auswuchses des distalen Blattes, wie auch im Lapersonneschen Falle, wobei, wie auch im letzteren, ein gefässlicher Bindegewebsstrang von der Cystenwand bis zur Linse zieht. Zum Unterschied von unserer Beobachtung ist im Lapersonneschen Falle der Augapfel als solcher gar nicht zur Ausbildung gekommen.

Ich habe im beschriebenen Falle Serienschnitte von den intrakraniellen Abschnitten beider Sehnerven, dem Chiasma und dem Hirnstamm nach Weigert-Pal angefertigt. Die Untersuchung ergab eine sehr hochgradige diffuse Atrophie der Fasern im intrakraniellen Abschnitt beider Nn. optici, im Chiasma und in den Tractus opt. In beiden Gangl. geniculat. later. erwies sich auch ein beträchtlicher Grad von Atrophie der Fasern.

Fall II.

Beide Präparate, die ich von Dr. A. Natanson erhalten habe, wurden von Herrn Kollegen B. Tscherno-Schwarz aus der Leiche eines 10jährigen, im St. Wladimir-Kinderhospital an Dysenterie verstorbenen, blindgeborenen Idioten enucleiert. Der Status ophthalmicus ist in der Krankheitsgeschichte leider nicht vermerkt. Aus dem Sektionsprotokoll (Priv.-Doz. Dr. W. Muratow) bringe ich folgende Angaben über das Gehirn: „Schädelknochen sehr verdünnt, durchscheinend. Gehirn in seinen Dimensionen vergrössert; Ventrikel ausgedehnt, deren Ependym verdickt und etwas uneben. Hydrocephalus internus chronicus. (Der Hydrocephalus hat keine Atrophie der Gehirnsubstanz hervorgerufen, da das Corpus callosum nicht verkleinert ist, desgleichen die weisse und graue Substanz der Hemisphären.) — Hirnrinde dünner als normal im Stirn- und Scheitellappen, und insbesondere im Hinterhauptslappen. Pulvinar thalami optici beiderseits abgeflacht und verstrichen; leicht abgeflacht sind auch die Corpora quadrigemina, insbesondere die oberen, Corpora geniculata atrophiert, insbesondere die inneren. An der Gehirnbasis ist das Chiasma nn. optic. graulich verfärbt und hochgradig verdünnt, es besteht aus einer geringen Anzahl von Fäden. In gleicher Weise verdünnt sind beide Sehnerven und Tractus optici. Nn. oculomotorii und trigemini bieten makroskopisch keine Abweichungen von der Norm."

Makroskopische Beschreibung.

Linkes Auge: An dem aus der linken Orbita exstirpierten Präparate (Taf. VI, Fig. 16) treten 4 Partien hervor: der Augapfel (*B*), eine hohle Cyste (*I*), ein solides Anhängsel (*II*, in der Abbildung aufgeschnitten) und der Sehnerv (*N. o.*).

Der Bulbus (*B*) hat das Aussehen und die Form einer in anteroposteriorer Richtung etwas abgeflachten kleinen Kirsche; Vertikaldurchmesser 12, Querdurchmesser 11, antero-posteriorer 10 mm. Durch die Bulbuswand scheint das Pigment bläulich hindurch. Bei äusserer Besichtigung sind keine einzelnen Teile, wie etwa Cornea, Iris usw. zu sehen.

Die Hohlcyste (*I*) hat die Gestalt eines leicht zusammengezogenen Tabaksbeutels; deren Hals steht im Zusammenhang mit dem reduzierten Augapfel. Dimensionen der Cyste: längste Achse an der Hinterfläche 21, an der Vorderfläche 16, grösste Breite 11, längster antero-posteriorer Durchmesser 9,5 mm. — Betreffs der gegenseitigen Lage der Cyste und des Augapfels ist, nach der Stellung des Sehnerven urteilend, anzunehmen, dass erstere nach unten-innen vom Bulbus sitzt. Mit der Pravazschen Spritze lassen sich aus der Cyste nur einige Tropfen einer durchsichtigen farblosen Flüssigkeit entleeren.

Das solide Anhängsel (*II*) hat Grösse und Gestalt einer Haselnuss und ist 15 mm lang, 15 mm breit und 11 mm dick. Seine Konsistenz ist eine sehr feste; an einem durch dieses Gebilde gelegten Schnitt kann man eine dicke, sehr feste Hülle und einen weicheren Inhalt unterscheiden.

An der Verbindungsstelle der genannten 3 Partien geht rückwärts der verdünnte Sehnerv (*N. o.*) ab, seine Scheide geht, offenbar ununterbrochen, einerseits auf den Bulbus, anderseits auf die Hinterwand der Hohlcyste über. Das solide Anhängsel steht augenscheinlich in keinem Zusammenhang mit dem Sehnerven, da die deutlich hervortretende, sichtbare Grenze des Anhängsels 5 mm weit vom Optikus beginnt.

Mikroskopische Untersuchung.

Behufs Herstellung möglichst dünner Schnitte werden vom Präparat der hervorstehende Teil des Sehnerven und die peripheren Partien des Bulbus und der beiden Cysten abgetragen und gesondert in kontinuierliche Schnittserien zerlegt. Die zentrale Partie des Präparats, welche die Verbindungsstelle des Bulbus, des Optikus und beider Cysten enthält, wird für sich in eine kontinuierliche Serie von Schnitten zerlegt, welche parallel zur Ebene der Figur (Taf. VI, Fig. 16), vom Sehnerven, d. h. von hinten beginnend geführt werden.

Zuerst sei eine Darstellung des Baues beider Cysten gegeben, wie er sich aus der Betrachtung der Schnitte vom zentralen Anteil des Präparates und von den abgetrennten peripheren Stücken ergab.

Die Hohlcyste (*I*) ist nur in ihrer abgetrennten peripheren Partie hohl; in der mit dem Bulbus in Verbindung stehenden aber ist die Höhle gänzlich von gewucherten Massen der Innenschicht ausgefüllt und kein Lumen vorhanden. Die Wand der Cyste besteht aus zwei in ihrem Bau gänzlich differenten Schichten. Die Aussenhülle ist zusammengesetzt aus festem faserigem Bindegewebe, hat eine verhältnismässig unbedeutende und ungleichmässige Dicke: 0,1—0,2 mm an verschiedenen Stellen. Nach aussen setzt sich diese Schicht nicht scharf von dem anliegenden Orbitalzellgewebe ab. Die Innenschicht hat den gleichen charakteristischen Bau der Neuroglia, wie in den Cysten des I. Falles. Durch Hämatoxylin-Eosin wird sie violett gefärbt, nach v. Gieson und durch Pikroindigokarmin gelb. Innerhalb dieses Gewebes liegen verstreute Kerne, welche den Kernen der Körnerschichten der Netzhaut analog sind. Partien vom Bau der Retina gibt es in der Cyste nicht.

Im Basalteil der Cyste, welcher gänzlich von gewucherter Glia ausgefüllt ist, wird letztere in verschiedenen Richtungen durchkreuzt von zahlreichen, nicht sehr dicken Bindegewebszügen, welche aus der äusseren bindegewebigen Schicht entspringen und in die innere eindringen.

In der peripheren Partie der Cyste, welche im eigentlichen Sinne hohl ist, hat die Innenschicht eine nicht sehr bedeutende und zwar ungleiche Dicke: höchstens 0,2 mm. Sie ist von seiten der Höhle unscharf begrenzt; an einigen Stellen reduziert sich die Innenschicht sehr beträchtlich und geht in einen Streifen einzeiligen eigenartigen hohen Cylinderepithels über, wie wir es in den Präparaten des I. Falles angetroffen haben; dieses Epithel sitzt unmittelbar auf der bindegewebigen Hülle und besteht aus hohen, schlanken, palisadenartig angeordneten Zellen mit schmalem oblongem Kern, der in dem gegen das Lumen gekehrten Anteil der Zelle gelegen ist. Stellenweise wird dieses Epithel niedriger, kubisch, mit rundem Kern. An der Übergangsstelle dieses Epithels in die Glia der kompakten Partie der Cyste dringt dasselbe hie und da in die äussere Bindegewebsschicht hinein und bildet hier kleine Höhlen und drüsenartige Komplexe. — Es ist noch zu erwähnen, dass in der peripheren hohlen Partie der Cyste die äussere Bindegewebshülle einen niederen sichelförmigen Kamm bildet, der in die Höhle vorragt und mit kubischem Epithel der Innenschicht ausgekleidet ist. Im Zentrum dieses Kammes verläuft in dessen Achse ein ziemlich kräftiges Gefäss.

Die zweite solide Cyste (*II*) hat eine sehr dicke Aussenschicht. Die Bindegewebsfasern sind sehr dicht und ziemlich regelmässig angeordnet, daher die Struktur sehr an die Sklera erinnert. Die ganze Höhle der Cyste, mit Ausnahme eines kleinen Spaltraums, ist von Gliagewebe ausgefüllt, welches in seiner Struktur vollkommen mit der Innenschicht der ersten, hohlen Cyste übereinstimmt und sich ebenso gegen Farben verhält. Von der Aussenschicht gehen in das Gewebe der Innenschicht recht dicke Bindegewebszüge ab, die viele hyalin-degenerierte Gefässe enthalten. Diese Züge sind sehr reichlich vorhanden und durchkreuzen sich in den verschiedensten Richtungen, insbesondere in dem Teil der Cyste, welcher näher zum Bulbus gelegen ist; dementsprechend ist hier das Gliagewebe in Form von Inseln zwischen diesen Zügen gelagert. Die letzteren sind an vielen Stellen der hyalinen Degeneration anheimgefallen. In der Dicke der bindegewebigen Aussenschicht sind sehr häufig Inseln von Gliagewebe anzutreffen, sowie auch mit Cylinderepithel ausgekleidete mikroskopische Hohlräume, welche in hohem Grade an Querschnitte tubulöser Drüsen erinnern. Man kann sich überzeugen, dass diese Inseln infolge Hineinwucherns der die Cyste ausfüllenden Gliamassen entstanden sind. Demnach ist dieses dasselbe Cylinderepithel, wie das in der ersten, hohlen Cyste enthaltene.

Nun folgt die Beschreibung der abgetrennten peripheren Partie des Bulbus. Dieselbe wurde in 290 Schnitte zerlegt, welche in der Ebene des Trennungsschnittes geführt wurden, der in dem aufgeklebten Präparat zu oberst lag. Es erwies sich, dass die Schnittebene genau an der Grenze der Cornea und Sklera gelegen war, so dass die erstere bereits in den Anfangsschnitten vorkommt. Aus der Zusammenstellung der Schnitte dieser peripheren Partie des Augapfels mit den Schnitten des zentralen Anteils des exstirpierten Präparates stellt sich heraus, dass die Hornhaut sich an der rechten Seite befindet, entsprechend dem * in Taf. VI, Fig. 16.

In der weiteren Folge der Serie sehen wir, dass die abgetrennte periphere Partie des Bulbus eine ziemlich reguläre halbkuglige Gestalt hat, in den Schnitten aber präsentiert sich der Bulbus als annähernd kreisförmig, mit einem grössten Durchmesser von 11 mm. Die Sklera ist bedeutend verdünnt, ihre Dicke beträgt 0,6 mm. Die Hornhaut (Taf. VI, Fig. 17, *c*) ist klein, 1,7 mm in der Vertikalen, ungefähr 1 mm dick. In ihrer Struktur unterscheidet sich die Cornea von der Sklera durch regelmässigere Anordnung der Fasern. In ihren oberflächlichen Schichten ist eine ziemlich beträchtliche Entwicklung von Kapillaren zu bemerken. Sie besitzt weder eine Bowmansche Membran, noch Hornhautepithel; die Substantia propria geht vorn direkt in eine Schicht lockeren Conjunctivalgewebes über, welche, vom 95. Schnitte an, festeres Gefüge annimmt und von mehrschichtigem Epithel bedeckt ist. Es ist eine deutlich ausgeprägte M. Descemeti vorhanden. Deren Epithel lässt sich nicht unterscheiden, da die Vorderkammer fehlt und die Iris (*I*) unmittelbar der M. Descemeti anliegt. Die Iris ist nur durch eine dünne Lage Uvea repräsentiert, welche an ihrer Hinterfläche einen Pigmentbelag trägt. Stellenweise reduziert sich das eigentliche Irisgewebe soweit, dass fast nur die auskleidende Pigmentschicht zu erkennen ist. Eine Pupillaröffnung fehlt. Die Chorioidea (*ch*) ist ziemlich gut entwickelt und pigmentreich; besonders deutlich ist an einzelnen Stellen die Schicht der grossen Gefässe ausgeprägt, ihre Dicke beträgt 0,05—0,2 mm. Stellenweise sind die Laminae chorioideae (und suprachorioideae) auseinander gedrängt. In einem grossen Teil ihrer Ausdehnung sind in der Chorioidea kleine Vorsprünge bemerkbar, die wie kurze Ciliarfortsätze aussehen. — Der Ciliarkörper (*c. c.*) ist auf der einen Seite stärker entwickelt und besitzt grosse Ciliarfortsätze (Taf. VII, Fig. 17); auf der andern ist er annähernd um die Hälfte kleiner und hat keine Ciliarfortsätze. Der Ciliarkörper ragt fast gar nicht in den Bulbusinnenraum vor, sondern bildet in der Fortsetzung der Chorioidea nur eine lokale Verdickung, mit starker Entwicklung glatter Muskelfasern — des Ciliarmuskels. Die Linse fehlt in dieser peripheren Partie des Auges. Die Pigmentmembran ist gut ausgebildet. [Vom Ciliarkörper aus (in der Figur — oben) dringt in einiger Ausdehnung eine abgespaltene Platte Pigmentepithel in den Innenraum des Auges ein.]

Die Netzhaut (*R*) besteht fast in ihrer gesamten Ausdehnung, mit Ausnahme des der Cornea gegenüber liegenden Anteils, ausschliesslich aus einer einzigen Lage platter oder kubischer Epithelzellen, welche unmittelbar der Pigmentschicht anliegen. In dem erwähnten, der Hornhaut gegenüber liegenden Bezirk ist die Retina von der Pigmentmembran abgelöst; in den Seitenpartien ist sie 0,1 mm dick und hat fast normale Struktur; es lassen sich nur keine Ganglienzellen und keine

Nervenfasern erkennen. In der Mitte dieses Bezirks verdickt sich die Retina erheblich (Taf. VII, Fig. 17), verliert ihren normalen Bau und nimmt, der Hauptsache nach, das Gefüge der Glia an. Übrigens kommt dieser gliöse Knoten nur in 75 Schnitten vor, darauf wird auch er durch normale Retina ersetzt. Vom 110. Schnitte an wird jedoch auch diese der Cornea gegenüberliegende Retinalpartie zu einer Lage platter resp. kubischer Epithelzellen reduziert. — Ausser diesem Bezirk treffen wir in den ersten 53 Schnitten noch eine Insel Gliagewebe an, und zwar oberhalb des Ciliarkörpers (*gl*): die Retina, aus einer Lage Epithel bestehend, geht, sobald sie den oberen Ciliarkörper erreicht hat, in die genannte Insel Gliagewebe über und setzt sich in das Epithel der Ciliarfortsätze fort. Vom 1. zum 55. Schnitte nimmt diese Insel stetig an Umfang ab, um schliesslich zu verschwinden. — Reste des Glaskörpers finden sich nur nächst der der Hornhaut gegenüberliegenden Netzhautpartie und dem Gliaknoten am oberen Corp. ciliare.

Wir gehen nun zur zentralen Partie des Präparates über. Wie erwähnt, wurden die Schnitte parallel zur Ebene der Fig. 16 vom Sehnerven an, gelegt, das Präparat war also derart aufgeklebt, dass die abphotographierte Seite nach oben gerichtet war[1]). Das Präparat wurde in 450 Schnitte zerlegt.

Da die beiden Cysten ungleiche Höhe haben, so gehen die Schnitte zuerst durch den Sehnerven, den Bulbus und die Hohlcyste, und erst weiter — vom 180. Schnitte ab — tritt in den Schnitten auch die solide Cyste auf. Die ersten Schnitte enthalten den Sehnerven, die hohle Cyste und die Sklera. Die Cyste ist vom Nerven und von der Sklera durch Orbitalzellgewebe getrennt. Der Sehnerv präsentiert sich im Querschnitt. Er ist von allen seinen Scheiden eingehüllt, leicht oval, mit den Hüllen 2,2—2,8, ohne diese 1,1—1,6 mm dick. In demselben sind die Bindegewebssepta sehr stark entwickelt. Nervenfasern lassen sich bei den üblichen Färbungen nicht nachweisen; dagegen ist das Gliagewebe sehr mächtig entwickelt. Man kann die Zentralgefässe unterscheiden, welche excentrisch liegen; im weiteren verschwinden sie aus den Schnitten. Der Nerv liegt zuerst nur der Sklera an, aber fast sogleich konfluiert seine Duralscheide mit der Sklera, so dass man den Eindruck erhält, als ob der Nerv in der Substanz der Sklera selbst liege, welche hier entsprechend verdickt erscheint (Taf. VII, Fig. 18, *N. o.*). Die Sklera weist normale Strukturverhältnisse auf.

Die folgenden Schnitte passieren bereits den Innenraum des Augapfels. Die Chorioidea ist sehr pigmentreich, es ist weder eine Lamina vitrea, noch eine ausgesprochene Schichtung vorhanden; sie ist verhältnis-

---

[1]) Da wir keine Auskunft haben über die Lage des Präparats in der Orbita, so müssen wir dieselbe nach der Richtung des Sehnerven und beider Cysten beurteilen. Daraufhin muss angenommen werden, dass das Präparat eben die Lage in der Orbita hatte, wie sie in Taf. VII, Fig. 16 (in der Rückansicht) dargestellt ist: das Auge ist nach oben gerichtet, die Cysten nach unten, und zwar die hohle nach rechts, d. h. nasal, die solide nach links, d. h. temporal. — Die Schnitte in der Ebene der Figur sind also Frontalschnitte.

mässig gefässarm, insbesondere an der linken Seite des Präparates. Die Pigmentmembran ist auf der rechten Seite gut ausgebildet und stellt sich als scharfer schwarzer Streifen dar; auf der linken Seite sind die Pigmentepithelzellen degeneriert, zum Teil gänzlich zerstört, in vielen liegen nur einzelne Pigmentkörnchen, in andern ist gar kein Pigment enthalten, an einigen Stellen ist das Pigmentepithel zu mehreren Lagen gewuchert. Die Netzhaut (*r*) ist auf der linken Seite des Auges von der Pigmentschicht abgelöst, zwischen ihnen ist in einiger Ausdehnung eine Eiweissmasse vorhanden, in der einzelne Pigmentepithelzellen, freies Pigment, sowie Leukocyten mit Körnchen von Netzhautpigment verstreut sind. Die Netzhaut besitzt hier nicht ihren normalen Bau: Auf der linken Seite des Präparates besteht sie ausschliesslich aus einer einzigen Lage kubischen Epithels, welches direkt dem Pigmentepithel angelagert ist; in der dem Sehnerven gegenüberliegenden Partie und auf der rechten Seite ist sie durch ein dickes Band Gliagewebe repräsentiert, innerhalb dessen in regellosem Durcheinander, aber mehr zur Peripherie hin, Elemente der „Körnerschichten" liegen. Stellenweise kommen in der Netzhaut zerstreute Inseln Retinalpigments vor. Sogleich tritt in den nächsten Schnitten, auf der rechten Seite des Präparates, im Zentrum des die Retina repräsentierenden Gliabandes ein Hohlraum auf, welcher in den weiteren Schnitten sich sehr rasch vergrössert. Derart kommen an Stelle eines Gliabandes zwei zu stande, von denen eines unmittelbar der Pigmentmembran anliegt, während das andere, von der Stelle abgehend, welche annähernd gegenüber dem Optikus liegt, als konvexer Bogen zum Rand des Präparates zieht [siehe Taf. VII, Fig. 18[1])] Die von den beiden Bändern begrenzte Höhle hat die Form eines Ovals und ist vom Glaskörper in Form einer feinfaserigen schwach gefärbten Masse ausgefüllt, in welcher sich verschiedenartig gestaltete Embryonalzellen und Kapillaren befinden. In beiden Bändern stehen die Fasern des Gliagewebes mehr oder weniger senkrecht zur Fläche der Retina; die Elemente vom Charakter der Körnerschichten gruppieren sich in dem ersten Bande hauptsächlich in dessen äusseren Anteil, der dem Pigmentepithel anliegt, und im zweiten Bande — in der gegen den Innenraum des Bulbus gerichteten Partie. — In dem Innenraum des Bulbus, nach innen von der Netzhaut, liegt gleichfalls eine unbedeutende Menge Glaskörpergewebe.

[1]) Da die jetzt zu beschreibende untere Hälfte des Auges an Frontalschnitten untersucht wurde, dagegen die oben beschriebene obere Hälfte an Horizontalschnitten, ist es zum Verständnis der allgemeinen Konstruktion des Bulbus, und insbesondere des weiteren Verlaufs der Retina nach vorn, notwendig, die Fig. 18—24 mit der Fig. 17 zusammenzuhalten. Das Niveau der in den Fig. 19 bis 24 dargestellten Schnitte ist in Fig. 17 durch entsprechende Linien angegeben. Aus der Zusammenstellung der Fig. 18 mit der Fig. 17 wird erklärlich, dass beide Bänder der Retina, welche am Rande des Präparats konfluieren, im abgetrennten oberen Teile des Auges in den gliösen Knoten übergehen, welcher oberhalb des Ciliarkörpers liegt (Taf. VII, Fig. 17) und, wie aus der Beschreibung ersichtlich, sich im weiteren in eine Lage kubischen Epithels fortsetzt (siehe oben, bei der Beschreibung der peripheren Bulbuspartie).

In den nächstfolgenden Schnitten konfluieren Sklera und Chorioidea an der dem Sehnerven gegenüberliegenden Stelle, so dass die Struktur der Sklera sich nicht mehr erkennen lässt, aber an den inneren Schichten derselben sind hier recht zahlreiche Gefässquerschnitte und sternförmige pigmentierte Zellen zu sehen. Ein wenig abseits von dieser Stelle dringt in die Dicke des zweiten Netzhautbandes, welches die innere Seite des Ovals ausmacht, ein sehr schmaler plattenförmiger Vorsprung der Chorioidea vor, welcher von beiden Seiten mit Pigmentepithel überzogen ist (Taf. VII, Fig. 18, *); daraus ist klar ersichtlich, dass das zweite Netzhautband aus zwei miteinander verlöteten Bändern besteht, welche nach vorn von diesem pigmentierten Vorsprung in ihrer Gesamtausdehnung verwachsen sind. Dieser Vorsprung verschwindet bald, nach 30 Schnitten. — Die Aussenschicht der hohlen Cyste konfluiert mit der Duralscheide des Sehnerven, resp. der Sklera des Auges (Taf. VII, Fig. 18). — Die Arachnoidea, die den Sehnerven umgibt, verschwindet allmählich und die Pia des Nerven verschmilzt mit der Duralscheide, resp. der Sklera.

In den weiteren Schnitten bildet sich an der Stelle, wo die Chorioidea mit der Sklera konfluiert, genau gegenüber dem Sehnerven, ein unbedeutender dreieckiger Bezirk, der mit der Spitze gegen den Sehnerven gerichtet ist (Taf. VII, Fig. 19); in demselben finden sich sehr zahlreiche Gefässe und eine kolossale Anhäufung von Pigmentepithelzellen, welche regellos gelagert sind und zuweilen kleine Spalten umsäumen. Die Retina, welche die rechte Hälfte des Auges auskleidet (d. h. die äussere Hälfte des Ovals), hat sich in einem grossen Teil ihrer Ausdehnung zu einer einzigen Schicht kubischen Epithels reduziert. An dieser Stelle bildet die Chorioidea kleine Erhebungen, die wie kleine Ciliarfortsätze ausschauen. — Die Netzhaut auf der linken Seite des Auges, die sich vorher als einfache Epithellage darstellte, besteht jetzt gleichfalls aus einem breiten Bande Gliagewebe, das alsbald, wie auf der linken Seite, sich in 2 Bänder trennt, die einen von Glaskörper ausgefüllten ovalen Hohlraum eingrenzen (Taf. VII, Fig. 20). Bei genauer Durchsicht der weiteren Schnitte kann man sich überzeugen, dass das zweite Band, ebenso wie auf der rechten Seite, aus zwei der Länge nach verschmolzenen Bändern besteht. — Der der Hohlcyste benachbarte Teil des Optikus präsentiert sich bereits im Schrägschnitt; bald verschwindet die Bindegewebshülle zwischen dem Nerven und der Hohlcyste, und das Gliagewebe des Nerven geht unmittelbar in die gliösen Massen der Hohlcyste über (Taf. VII, Fig. 19). Fast sogleich nimmt im dreieckigen, stark pigmentierten Bezirk, welcher dem Optikus gegenüberliegt, die Anzahl der Pigmentzellen und Gefässe bedeutend ab, und am linken Rande desselben entsteht in den Augenhüllen eine spaltförmige Öffnung, welche das Auge mit der anliegenden hohlen Cyste verbindet. Durch diesen Spalt hindurch geht die Netzhaut des Auges (offenbar nur die Bänder, welche das rechte Oval bilden) in die Gliamassen der hohlen Cyste über (Taf. VII, Fig. 20). Die eine Seite der Kommunikationsöffnung wird von dem genannten Bezirk der Sklera-Chorioidea begrenzt, in dessen Dicke zahlreiche Pigmentepithelzellen eingeschlossen sind; die andere Seite ist aber von Chorioidea und

Pigmentmembran ausgekleidet, welche, sich in sehr geringer Ausdehnung fortsetzend, dann gänzlich verschwinden.

Nach 20 Schnitten verschwindet auch die Bindegewebsbrücke zwischen den Resten des Optikus und dem Bulbus, und das Gliagewebe des Nerven setzt sich in der Netzhaut des Auges fort und zwar in die Bänder, welche das linke „Oval" konstituieren (Taf. VII, Fig. 21). Im Schnitt tritt bereits die zweite, solide Cyste auf (*II*); sie tritt an die Hinterseite der Duralscheide des Optikus heran, wobei ihre Aussenschicht auf der einen Seite mit der Sklera der linken Bulbushälfte konfluiert, auf der andern aber — mit der Abgangsstelle der hohlen Cyste. — In der Pforte der hohlen Cyste bilden deren Bindegewebsstränge, miteinander verschmolzen, einen bedeutenden Bindegewebsbezirk, der die Kommunikationsöffnung erheblich einengt. Dieser Bezirk konfluiert mit der Verbindungsstelle der fibrösen Hüllen beider Cysten, infolgedessen ein Vorsprung entsteht, der ein wenig zwischen den beiden Netzhautovalen ins Augeninnere vorragt (Taf. VII, Fig. 21, *). — In der Sklera der rechten Hälfte des Auges, neben der Kommunikationsöffnung, tritt eine kleine Insel Knochengewebe auf (Taf. VII, Fig. 22, *6*; dieselbe kommt noch in 50 Schnitten vor). Die Schnitte gehen bereits durch den Ciliarkörper (Taf. VII, Fig. 21). Der letztere besitzt grosse Ciliarfortsätze, an die sich eben das zweite Band des rechten Ovals anheftet (Taf. VII, Fig. 21). Der Ciliarmuskel ist gut ausgebildet.

Nach 15 Schnitten verschwindet das Bindegewebe zwischen den Resten des Optikus und der soliden Cyste, und das Gliagewebe des Nerven konfluiert mit den Gliamassen der soliden Cyste. Bald verschwinden die Reste des Optikus vollständig, und die Glia der soliden Cyste geht unmittelbar in die Netzhaut des Auges über, und zwar in die Bänder, die das linke Oval bilden (Taf. VII, Fig. 22).

In den nächsten Schnitten erscheint bereits die in mehrere Stücke zerbröckelte Linse; fast alle Teile derselben sind von der Kapsel umgeben, an vielen Stellen lässt sich deutlich das Kapselepithel unterscheiden. Linsenfasern sind in der Linse nicht vorhanden. Die Hauptmasse der Linse erscheint homogen, stark durch Eosin gefärbt; an der Peripherie jedoch finden sich Bläschenzellen verschiedener Grösse; in einigen derselben sind Kerne unterscheidbar. In der Linse kommen auch ziemlich umfangreiche Kalkablagerungen vor. — Der bindegewebige Vorsprung setzt sich unmittelbar in die Glaskörpersubstanz fort, die die Linsenmasse umgibt. Hier sind im Glaskörper zahlreiche Embryonalgefässe anzutreffen. Im Vorsprunge selbst finden wir auch ein Bündel querdurchschnittener, recht kräftiger Gefässe. — Auf der rechten Seite des Präparats reicht das Netzhautband, welches die Innenseite des Netzhautovals bildete, nicht mehr bis zum Ciliarkörper, es verkürzt sich und verschwindet bald gänzlich.

In den ferneren Schnitten verschwindet die Kommunikation zwischen Hohlcyste und Bulbus infolge vollkommenen Verschlusses der Verbindungsöffnung durch den bindegewebigen Vorsprung, und bald darauf verschwindet die hohle Cyste gänzlich aus den Schnitten. — Die Linsenmassen beginnen an Umfang abzunehmen; der Teil des ihnen angelagerten Glaskörpers, welcher im Zusammenhange steht mit dem Vorsprunge, wird fester, nimmt fibrilläres Gefüge an und wird mitsamt den Linsenbröckeln (Taf. VII, Fig. 23, *L*) von einer gemeinschaftlichen zickzackförmigen homogenen Kapsel umschlossen. Derart nimmt die Linse eine ganz eigenartige Struktur an, indem sie hauptsächlich aus einer feinen Fasermasse von bindegewebigem Charakter (durch v. Gieson rosa gefärbt) mit sehr spärlichen Zellen besteht; in diesem Gewebe liegen, ausser den Inseln von Linsenmassen, einzelne Kapselepithelzellen, vereinzelte Pigmentepithelzellen, zarte Körnchen freien Netzhautpigments und zahlreiche Kalkablagerungen. — Auf der rechten Seite des Präparats ist schon keine Netzhaut mehr zu sehen, wohl aber eine Doppellage von Pigmentepithel. Auf der linken Seite ist das Netzhautband, welches die innere Seite des Ovals bildet, verkürzt und verschwindet bald vollkommen. Das äussere Band der Netzhaut, näher zum Rande des Präparats, nimmt schon typische Netzhautstruktur an (Taf. VII, Fig. 23 u. 24); in derselben lassen sich aber weder Ganglienzellen, noch die Nervenfaserschicht, noch Stäbchen und Zapfen nachweisen.

In den weiteren Schnitten verschliesst sich die Kommunikationsöffnung zwischen Auge und solider Cyste. So wird die Sklera wieder abgeschlossen. Das gleiche betrifft die Chorioidea und die Pigmentmembran. Die, wie oben erwähnt, veränderte Linse trennt sich von der Bulbuswand ab (Taf. VII, Fig. 24, *L*) und verschwindet bald aus den Schnitten. Die Retina ist nur auf der linken Seite des Auges vorhanden; auf der rechten liegt anstatt der Retina, dem Pigmentepithel, eine zweite Lage Pigmentepithel[1]) an, welch letztere sich in die Netzhaut der linken Seite fortsetzt.

In den weiteren Schnitten ist die solide Cyste bereits durch Zellgewebe vom Bulbus getrennt. In 80 Schnitten bleibt das Bild unverändert, und in den allerletzten 70 Schnitten reduziert sich die Netzhaut auf der linken Seite des Auges in eine Lage kubischen Epithels; eine gleiche Lage kubischen Epithels hat auch die zweite Pigmentepithelschicht in dem übrigen Bereich des Auges ersetzt.

Eine Zusammenfassung des obigen Befundes ergibt folgendes:

Der Bulbus hat annähernd normale Kugelform. Die Sklera ist normal entwickelt. Die Chorioidea ist in einigen Bezirken gefässarm und wie sklerosiert. Die Hornhaut befindet sich nicht an ihrem üblichen Ort, sondern in der rechten Seitenpartie des Auges. Sie unterscheidet sich in ihrer Struktur wenig von der Sklera, lässt weder eine Bowmansche, noch den Epithelbelag, wohl aber eine Descemetsche Membran erkennen. Die Vorderkammer fehlt. Eine schwach entwickelte imperforierte Iris liegt unmittelbar der Vorderkammer an. Der Ciliarkörper ist auf der einen Seite gut ausgebildet und mit

[1]) Eine derartige Verdoppelung der Pigmentepithelschicht ist auch in der citierten Arbeit v. Hippels (Festschrift für Arnold) erwähnt.

langen Ciliarfortsätzen versehen, auf der andern ist er weit weniger entwickelt und besitzt keine Ciliarfortsätze. Im hinteren-unteren Bulbusabschnitt ist in der Sklera, Chorioidea und Pigmentmembran eine breite Spalte vorhanden, vermittels deren der Bulbus mit beiden Cysten kommuniziert. Diese Spalte entspricht ihrer Lage nach der embryonalen Augenspalte. Das Mesoderm, welches behufs Bildung des Glaskörpers in die embryonale Spalte hineinwächst, hat zur Entwicklung des in den Bulbusinnenraum vorragenden Vorsprungs geführt. Die den Bulbusraum auskleidende Netzhaut ist im grössten Teil ihrer Ausdehnung nur durch eine Schicht Cylinderepithel repräsentiert; auf der linken Seite hat sie in einem begrenzten Bezirk annähernd normale Struktur. Im unteren Bulbusabschnitt besteht sie aus einem breiten Bande Gliagewebe. Nachdem sie die Spalte erreicht hat, bildet sie zu beiden Seiten des mesodermalen Vorsprunges je eine Duplikatur und wächst in den Bulbusraum hinein, in Form der beschriebenen inneren Bänder der „Ovale", welche aus zwei miteinander verlöteten Netzhautstreifen bestehen. Ihre Endstücke sind mit der der Pigmentmembran anliegenden Netzhaut zusammengebacken, rechts — neben dem Ciliarkörper, links — im Niveau, welches annähernd der horizontalen Halbierungsebene des Bulbus entspricht; derart sind die Innenseiten der vom Glaskörper ausgefüllten Ovale entstanden. Aber abgesehen davon ist die verdoppelte Netzhaut auch in der Richtung des den embryonalen Bulbus umgebenden Mesoderms zu beiden Seiten des bindegewebigen Vorsprunges hineingewachsen, was zur Entstehung zweier Cysten geführt hat: einer soliden und einer zur Hälfte hohlen. Das umgebende Mesoderm hat die fibröse Hülle dieser Cysten geliefert (siehe Schema 1). Der Sehnerv tritt von hinten heran, aber nicht in den Augapfel hinein: sein Gliagewebe steht im Zusammenhange mit der Glia beider Cysten und der Netzhaut der linken Bulbushälfte. Die im hinteren-unteren Bulbusabschnitt liegende Linse weist hier sehr bedeutende Veränderungen auf: Linsenfasern fehlen vollständig, es sind nur einzelne Inseln veränderter Linsenmassen gefunden worden; in ihrer Hauptmasse besteht die Linse aus eigenartigem Bindegewebe mit sehr spärlichen Zellen, welches mit dem bindegewebigen Vorsprunge des Auges und dem die Linse umgebenden fibrillären Glaskörper in Verbindung steht[1]).

[1]) Ungefähr dieselbe Struktur hatte die Linse in dem Rogmanschen Falle (76). Ich habe in der Literatur noch 2 Fälle gefunden, wo der Zustand der Linse dem hier beschriebenen ähnlich war: den von Hess in seiner Arbeit vom J. 1888 beschriebenen III. Fall und den Mikrophthalmus c. cataracta con-

Das Bestehen dieses eigenartigen Bindegewebes in unserem Falle muss, wie ich glaube, in folgender Weise erklärt werden: die starke Schlängelung der Kapsel der kataraktös veränderten Linse weist darauf hin, dass dieselbe früher grössere Dimensionen hatte. Ein grosser Teil der Linse ist der Verflüssigung anheimgefallen und durch Bindegewebe ersetzt worden, welches dahin durch einen Kapselriss aus dem mesodermalen Vorsprung eingedrungen ist, der den Verschluss des embryonalen Augenspalts verhindert hat. Darauf deutet der Zusammenhang des Bindegewebes der Linse mit diesem Vorsprung hin[1]).

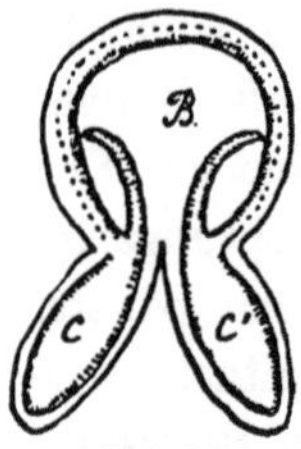

Fig. 1.
Schematischer Frontalschnitt des linken Auges vom II. Falle. *B* = Bulbus; *C* und *C'* = Cysten; — = Mesoderm; .... = Pigmentmembran; ⊥⊥⊥⊥ = Retina.

In unserem Falle finden wir auch Spuren eines geringgradigen Entzündungsprozesses an der linken Seite des Präparats, in dem der Kommunikationsöffnung nächstgelegenen Quadranten und zwar: koaguliertes Exsudat mit Leukocyten, welches die Netzhaut von der Chorioidea abgelöst hat; ferner — narbige Beschaffenheit der Chorioidea und Wucherung des Pigmentepithels. Diese entzündlichen Veränderungen können nicht in Zusammenhang gebracht werden mit der Entstehung unserer Anomalie; es sind das schon sekundäre Erscheinungen.

Makroskopische Beschreibung.

Rechtes Auge. Das aus der rechten Orbita exstirpierte Präparat (Taf. VII, Fig. 25) stellt in seiner Hauptmasse eine voluminöse, über taubeneigrosse Cyste dar. Ihre Höhe beträgt 36,5 mm, der grösste Schrägdurchmesser 39, die Breite 32 mm. An der Hinterwand[2]) der Cyste ist

---

genita vasculosa, den Grolmann (33) veröffentlicht hat. Die von Hess beigefügte Figur (Taf. V, Fig. 9) erinnert in hohem Grade an den Befund meines Falles.

[1]) Ein gleiches Hineinwachsen des embryonalen Glaskörpers in die Linse durch Einrisse der Hinterkapsel wurde in dem Falle von Taylor-Collins (48) beobachtet. Collins gibt an, dass dieselben Verhältnisse in seinem in Royal Ophth. Hosp. Rep. XIII, p. 362 beschriebenen Falle und in den Parsonschen (Transact. of the Ophth. Soc. of the Unit. Kingd. XXII, p. 253) vorlagen. Das Gleiche wurde in dem v. Hippelschen Falle (46) beobachtet.

[2]) Über die Lage des Präparats in der Augenhöhle können wir uns nur vermutungsweise äussern, da wir keine Kenntnis darüber besitzen. Es unterliegt jedenfalls keinem Zweifel, dass diese sehr grosse Cyste den grössten Teil der Orbita ausfüllte und das Auge in der Tiefe derselben lag. Beim Abzeichnen des Präparats in der Stellung, wie es in Taf. VII, Fig. 25 dargestellt ist, nahm ich an, dass es gerade so in der Orbita gelegen hatte (Rückansicht). Doch zeigte es bei der Zerlegung des Auges in eine Schnittserie, dass die Lage des Präparats in der Orbita wohl eine etwas andere war, welche — ist schwer zu beurteilen.

ein kleiner abgeplatteter rudimentärer Bulbus (*B*) in Form einer flachen Erhebung zu erkennen, in deren Bereich diffus-bläulich Pigment durchscheint. Der kleine Augapfel ist auf der Cyste wie angeklebt, da seine Wandungen ohne scharfe Grenzen mit der Cystenwand konfluieren. Von hinten-innen tritt an den Bulbus der verdünnte Sehnerv heran (*N. o.*). Die Masse des Auges sind approximativ: 10 × 8 × 5 mm.

Die Cyste wurde an der dem Mikrophthalmus gegenüberliegenden Seite eröffnet, wobei sich aus derselben eine (nach der Fixation) farblose Flüssigkeit in grosser Menge entleerte. Durch die Incisionsöffnung kann man sehen, dass an der Innenfläche der Cyste mehrere bogenförmige, mehr oder minder hohe Leisten verlaufen, die sich gegenseitig durchkreuzen. Die Wände der Cyste sind in den Zwischenräumen der Leisten verdünnt und stärker durchscheinend. Irgend eine Kommunikation zwischen Bulbus und Cyste lässt sich auch mit der Lupe nicht erkennen.

Mikroskopische Untersuchung.

Der Bulbus wurde nebst dem Stück der Cyste, mit welchem er eng verbunden war, herausgeschnitten und in eine lückenlose Serie zerlegt. Die übrige Cystenwand wurde in 22 Teile geteilt und jedes Stück für sich eingebettet, aber nicht kontinuierliche Serien angefertigt, da dieses zu viel Mühe erfordert hätte und nicht notwendig erschien. Immerhin wurden von jedem Stück bis 100 Präparate gemacht und die meisten untersucht.

Die Cystenwand besteht aus 2 Schichten, einer äusseren und einer inneren. Die äussere hat geringe, an verschiedenen Stellen ungleiche Dicke, bis 0,3 mm, und ist nicht scharf gegen das umgebende Zellgewebe abgegrenzt. Dort, wo die Cyste dem Conjunctivalsack anliegt, ist die Aussenschicht der Cyste aussen von Conjunctiva mit mehrschichtigem Epithel überzogen. Die Aussenschicht besteht aus faserigem Bindegewebe, dessen Fasern meist parallel verlaufen. An der Grenze gegen das umgebende Orbital-Zellgewebe sind in der Aussenschicht recht zahlreiche Gefässe vorhanden; viele von diesen sind von grossen Inseln rundzelligen Infiltrates umgeben.

Die Innenschicht ist ebenfalls ungleich dick und bietet ziemlich verschiedene Strukturverhältnisse. Im grössten Bereich besteht sie aus einem nicht sehr breiten, bald mehr, bald weniger kompakten Bande Gliagewebe; innerhalb desselben kommen recht zahlreiche Gefässe vor; an einigen Stellen hat dieses Band sehr geringe Dicke und die Zellen des Gewebes erscheinen mehr oblong, — wahrscheinlich durch Druck seitens der Cystenflüssigkeit —, so dass der gliöse Charakter des Gewebes hauptsächlich durch sein Verhalten gegen Farbstoffe sich erkennen lässt: Violettfärbung durch Hämatoxylin-Eosin und Gelbfärbung durch v. Gieson oder Pikroindigokarmin. In andern Bezirken besteht die Cysten-Innenschicht ausschliesslich aus einer Reihe einzeiligen Cylinderepithels, welches bald mehr, bald minder hoch erscheint und dessen Kerne neben der freien Fläche der Zellen sitzen; an andern Stellen ist dieses Epithel zu mehreren Schichten gewuchert und sind die Zellgrenzen völlig verwischt. In einigen Bezirken kommt ein sehr hohes und schmales

Cylinderepithel vor, mit an der Basis zugespitztem Ende und schmalem ausgezogenen Kern, der näher zur freien Zellfläche liegt; die Epithelzellen sind dicht aneinandergepresst, palisadenförmig angeordnet. Ein derartiges Epithel war schon in der Hohlcyste des linken Auges und in den Cysten unsers I. Falles gefunden worden.

Was die Leisten anbetrifft, die schon makroskopisch an der Innenfläche der Cyste sichtbar waren, so stellen sich die meisten als Verdickungen der Innenschicht dar, und zwar bestehen einige, nämlich die niedrigsten, aus demselben Gliagewebe, welches zum grössten Teil die Innenfläche der Cyste auskleidet. Die höheren Leisten sind sehr eigentümlich gebaut: sie bestehen aus homogenen hyalinisierten Bindegewebsplatten mit länglichen Zellen zwischen denselben; diese Platten färben sich schwach durch Eosin und nehmen durch v. Gieson einen roten Ton an; zwischen vielen Platten sind zusammengepresste Gliazellen gelegen. Diese Leisten sind innen nicht von Glia überzogen; offenbar hat hier eine Hyalinisierung des Gliagewebes selbst stattgefunden. Diese hyalinisierten Platten stehen häufig in Verbindung mit der bindegewebigen Aussenschicht der Cyste, sind aber weniger intensiv tingiert als diese. In den Bezirken, wo die Leisten die erwähnte Struktur aufweisen, werden inne·halb der bindegewebigen Aussenschicht auch aus Gliazellen bestehende Inseln aufgefunden. Mehrere schärfere Leisten werden von Vorsprüngen der äusseren bindegewebigen Schicht der Cyste gebildet und sind innen vom Gliagewebe der Innenschicht überzogen.

Ich komme jetzt zur Beschreibung des Bulbus. Derselbe wurde samt der angrenzenden Cystenpartie in eine Serie zerlegt, deren Schnittrichtung in horizontaler Ebene geführt wurde, senkrecht zur Ebene der Fig. 25, Taf. VII, von oben beginnend. Dicke der Schnitte 20 μ, 360 Schnitte.

Der besseren Übersicht halber soll zunächst der genau in der Mitte zwischen Tangential- und Medialschnitt gelegene Schnitt betrachtet werden; hierauf werden die ober- und unterhalb desselben konstatierten Veränderungen dargelegt werden.

Im erwähnten Schnitte (Taf. VII, Fig. 26) ist zu sehen, dass der Augapfel nicht die reguläre runde Form hat, sondern von oben nach unten[1]) stark abgeplattet ist. Im hinteren-unteren Abschnitt desselben ist in der Pigmentmembran, der Chorioidea und der Sklera ein 1,7 mm breiter Spalt vorhanden, der fast die ganze Hinterwand des Auges einnimmt. Dieser Spalt verbindet den Bulbusinnenraum mit der Cyste. Er ist etwas schräg, von oben-vorn nach unten-hinten gestellt. An den Spalträndern geht von der Sklera die Aussenschicht der Cyste (*t. e.*) ab; hierbei biegt der Teil, der am unteren Rande beginnt, sofort vorwärts um und legt sich derart, dass er an die Aussenfläche der Sklera der unteren Bulbushälfte zu liegen kommt, zunächst von derselben durch einen flachen

---

[1]) Wegen Fehlen der Kenntnis der genauen Lage des Bulbus in der Orbita ist die Bezeichnung der Richtungen (oben, unten, vorn, hinten) entsprechend der Taf. VII, Fig. 26, 27, 28 angegeben, wobei vorausgesetzt wird, dass die Hornhaut nach vorn stand.

quergestreiften Muskel (*M*)[1]) getrennt, hierauf aber mit ihr konfluiert. Der am oberen Spaltrande beginnende Teil bildet zuerst einen unbedeutenden Halbkreis nach unten (in der Ausdehnung einiger Millimeter), anscheinend die fehlende hintere Kontur des Auges umschreibend, und geht darauf, im Niveau des unteren Spaltrandes, direkt nach hinten ab. Die Chorioidea und Pigmentmembran treten oben bis an den oberen Rand des Spaltes heran, um hier aufzuhören, unten dagegen setzen sie sich noch in geringer Ausdehnung auf den unteren Rand der Spalte fort, wobei das Pigmentepithel hier gewuchert erscheint. Die Sklera (*sc*) ist gut entwickelt, 1 mm dick. Die Cornea (*c*) ist sehr klein, unterscheidet sich in ihrer Struktur kaum von der Sklera; sie ist hauptsächlich an ihrer Lage vor der kleinen Vorderkammer zu erkennen. Sie besitzt weder eine Bowmansche, noch eine Descemetsche Membran, noch einen Epithelbelag. Ihre Hinterfläche ist von Endothel ausgekleidet. Der untere Rand der Hornhaut nebst dem vorderen-unteren Abschnitt der Sklera fliesst mit der bindegewebigen Schicht der Cyste zusammen. Die Vorderkammer (*c. a.*) ist 1,3 mm hoch, 0,3 mm tief und, da sie in 120 Schnitten angetroffen wird, ungefähr 2,4 mm breit. Aus der Durchsicht der Serie ergibt sich, dass die Kammer excentrisch gelegen ist. — Die Chorioidea (*ch*) ist, den Dimensionen des Auges entsprechend, befriedigend entwickelt (0,05—0,02 mm dick), pigmentreich. An der unteren Bulbuswand, im Vorderabschnitt, bildet sie kleine Erhebungen, die an kurze Ciliarfortsätze erinnern. Der Ciliarkörper (*c. c.*) und dessen Muskel sind ausserordentlich mächtig, sowohl oben wie unten; unten fehlen die Ciliarfortsätze. — Die Iris (*I*) ist gut entwickelt, dicker als die Chorioidea. Auf die Uvea folgt die Pigmentmembran, welche das ganze Auge, mit Ausnahme des Spaltes, auskleidet. Genau im Zentrum des Auges liegt die kleine, ganz unregelmässig geformte Linse (*L*), von der zickzackförmigen homogenen Kapsel eingeschlossen. Sie hat ihre gewöhnliche Struktur vollkommen verloren: Linsenfasern fehlen gänzlich. Der grössere Teil der Linse besteht aus einer zentral gelegenen, unregelmässig geformten Insel, die aus grossen, im Schnitte irregulär-runden homogenen Bläschenzellen zusammengesetzt ist, welche durch Eosin zum Teil schwach, zum Teil stark gefärbt sind; in einigen derselben sind Kerne zu unterscheiden. Es sind auch einzelne kleine rundliche, mit Kernen versehene Zellen vorhanden, deren Protoplasma fettig degeneriert erscheint. In dieser Insel finden sich zahlreiche Kalkablagerungen. Ausser dieser zentralen Insel sind noch mehrere kleinere von gleicher Beschaffenheit vorhanden. Der übrige Teil der Linse, hauptsächlich ihre periphere Partie, ist von Bindegewebe eingenommen, welches anscheinend hyalin degeneriert ist und in dem fast keine Zellen vorkommen (wie im linken Auge). Hier finden sich gleichfalls Kalkablagerungen. Dort, wo die aus Linsenzellen bestehenden Inseln der Kapsel anliegen, ist charakteristisches Kapselepithel zu sehen. In

---

[1]) Dieser Muskel findet sich quergetroffen in 86 Schnitten oberhalb und in sämtlichen Schnitten unterhalb dieses Mittelschnittes. Sobald das Auge bereits aus den Schnitten verschwindet, kommt der stark vergrösserte Muskel zwischen Cystenwand und Orbitalzellgewebe zu liegen.

der Kapsel sind offenbar hie und da Einrisse vorhanden. Die hinteren zwei Drittel der Linse liegen in den Falten der Netzhaut (*R*). Letztere hat keinen normalen Bau. In der oberen Bulbushälfte erscheint sie in Gestalt von aus Gliagewebe resp. Cylinderepithel bestehenden Streifen, die, zahlreiche Falten bildend, den ganzen oberen Abschnitt des Bulbusinnenraumes ausfüllen. An der Unterwand des Auges wird die Retina in der Vorderhälfte nur durch eine Lage kubischen Epithels repräsentiert, welche nur bis zum Ciliarkörper reicht (im Bereich des letzteren ist eine Doppellage Pigmentepithel vorhanden); in der hinteren Hälfte ist die Netzhaut abgelöst, hat gleichfalls gliöse Struktur, doch sind hier die Gewebsmaschen enger und die Zellen dichter gesetzt. Sie streicht in Streifenform zur Linse hin und bildet hinter derselben Falten, welche mit der gliösen Retina der oberen Bulbushälfte zusammenwachsen. Die Netzhautfalten liegen stellenweise aneinander, am Hinterrande der Linse findet sich zwischen ihnen ein Bindegewebsstreifen, in dem zahlreiche, zum Teil hyalin degenerierte Gefässe enthalten sind. Dieses Bindegewebe überzieht auch einen Teil der oberen Linsenfläche. Darauf treten die gewucherten Netzhautmassen an den erwähnten Spalt in den Augenhüllen heran, füllen denselben aus und treten in die Cystenhöhle hinein, wo sie als Innenschicht der Cyste deren Innenfläche auskleiden. Sogleich aber entsteht hart am Spalt durch Wucherung der Cysten-Innenschicht ein nicht allzu grosser Vorsprung (Taf. VII, Fig. 26, *3*).

Es muss noch darauf hingewiesen werden, dass die Partie Gliagewebe, welche den obenerwähnten, gleichsam die hintere Kontur des Auges bezeichnenden Halbkreis (Taf. VII, Fig. 26, *C*) ausfüllt, sich scharf gegen die übrige Glia durch ihre grössere Kompaktheit absetzt.

Die Serie aufwärts vom beschriebenen Schnitt verfolgend, sehen wir, dass der Bindegewebsstreifen hinter der Linse sich successive verbreitert und nach hinten ausdehnt; endlich verwandelt er sich in einen breiten Strang (Taf. VII, Fig. 27, *4*), der von der Bindegewebsschicht der Cyste ins Augeninnere abgeht und zwar von der Stelle, wo letztere, gleichsam den fehlenden hinteren Umriss des Auges bildend, geradeaus nach hinten umbiegt; von dort aus verläuft er zur Linse und überzieht die obere Fläche derselben. Offenbar tritt er durch einen Defekt in der vorderen-oberen Partie der Linsenkapsel in Verbindung mit dem Bindegewebe der Linse. Er enthält zahlreiche querdurchschnittene, recht starke Gefässe. — Sobald die Linse aus den Schnitten verschwunden ist, geht der Strang zum Vorderabschnitt des Bulbus, nimmt in seiner Vorderpartie die Struktur des Chorioidealgewebes an und konfluiert mit der Chorioidea des vorderen Bulbusabschnittes, unmittelbar nachdem die Vorderkammer verschwunden ist (Taf. VII, Fig. 27). Der vordere, chorioideale Abschnitt des Stranges ist an seinen Rändern von der Pigmentmembran überzogen, welche von der oberen und unteren Bulbuswand auf ihn übergeht. — In den ferneren Schnitten nimmt dieser Strang an Breite zu. In der weiteren Folge der Serie nach oben konfluiert der erwähnte Strang in den letzten Schnitten mit der Sklera des Auges; es erweist sich folglich, dass der Strang, ins Auge eindringend, nicht allein vorwärts geht, sondern auch als unbedeutende Platte sich an die Seitenwand des Bulbus anheftet.

Der, wie oben beschrieben, entstandene Strang scheidet schon die erwähnte kompaktere Gliapartie als selbständiges Anhängsel ab (*C*); dieses erscheint, in der Serienfolge nach oben, in den Schnitten als Bindegewebsring, welcher von Glia ausgefüllt ist, selbst dann, wenn das Auge in den Schnitten bereits fehlt und letztere die dem Bulbus benachbarte Cystenwand passieren. Demnach repräsentiert dieses Gebilde eine zweite Cyste, die makroskopisch nicht zu konstatieren war.

Abwärts vom beschriebenen Ausgangsschnitt verschliesst sich bald der Spalt, der den Bulbus mit der Cyste verbindet (Taf. VII, Fig. 28). Das Auge nimmt erheblich an Umfang zu. In der Iris finden wir eine kleine Spaltöffnung, welche als Äquivalent einer Pupille aufzufassen ist; ihre Ränder sind nicht von Pigment besäumt. Die Linse nimmt eine sich der Norm nähernde Gestalt an. Das Bindegewebe in derselben verschwindet fast vollständig, und sie ist nun ausschliesslich aus den, wie oben beschrieben, veränderten Linsenzellen zusammengesetzt, die teils zu einer gemeinsamen homogenen Masse mit reichlichen Kalkablagerungen konfluiert sind. Die grösste Breite der Linse beträgt 1,4, die grösste Länge 2,1 mm. Die Pigmentmembran in der oberen Bulbushälfte bildet keinen einheitlichen Pigmentstreifen, sondern ist bald stärker, bald weniger reichlich pigmentiert; in geringer Ausdehnung ist das Pigmentepithel gewuchert, wobei es stellenweise sein Pigment verloren hat. — Bald verschwinden Vorderkammer und Linse. Die abgelöste Netzhaut in der unteren Bulbushälfte nimmt normale Struktur an und stellt sich in den Schnitten als Streifen dar, mit beiden Körnerschichten, der Zwischenkörnerschicht und einer der Ganglienzellen und der Nervenfaserschicht entsprechenden Schichtlage. Die Ganglienzellen und Nervenfasern selbst sind jedoch nicht zu erkennen, auch fehlen Stäbchen und Zapfen.

Was die Partie Glia anlangt, welche oberhalb des beschriebenen Ausgangsschnittes die zweite, kleine Cyste bildet, so verändert sie sich nach unten in folgender Weise: sogleich nachdem der Spalt zwischen Bulbus und grosser Cyste sich geschlossen hat und diese Partie derart völlig vom Bulbus abgeschlossen ist, nimmt der hintere Abschnitt dieser Partie im Schnitt das Bild eines Schrägschnittes des Sehnerven an. In den folgenden Schnitten nimmt letzterer immer grösseren Umfang an und bald erscheint an Stelle der Glia bereits ein totaler Querschnitt des Optikus (Taf. VII, Fig. 28, *N. o.*). Die frühere Bindegewebsschicht der kleinen Cyste bildet die Duralscheide des Nerven, welche unmittelbar vorn mit der Sklera des Bulbus, und unten mit der Bindegewebsschicht der grossen Cyste (*t. e.*) konfluiert. Nach innen von der Duralscheide finden wir die arachnoideale und piale. Die Form des Sehnerven ist oval, seine Dicke 1,1—1,6 mm ohne Hüllen. Die Bindegewebssepta sind sehr stark entwickelt, Nervenfasern bei der üblichen Färbung nicht zu unterscheiden, Glia mächtig entwickelt. Etwas excentrisch, mehr nach hinten liegen die Zentralgefässe. Der Subduralraum ist etwas ausgedehnt. — In den letzten Schnitten durch den Bulbus liegt der Optikus bereits vom Bulbus separiert. — Es ist noch zu erwähnen, dass hier in 50 Schnitten im Vorsprung der Cysteninnenschicht mehrere erweiterte starke Gefässe, anscheinend Venen, von Blut erfüllt, zu finden sind. Einige derselben sind thrombosiert, und es ist bereits beginnende Organisation des Thrombus bemerkbar. Einige Gefässe sind von geringem Rundzelleninfiltrat umgeben.

Zusammenfassung des Befundes:

Der Augapfel ist in seinen Dimensionen beträchtlich reduziert und stark in der Vertikalen abgeplattet. Sklera und Chorioidea annähernd normal entwickelt. Die Cornea befindet sich an der linken Seite des vorderen Bulbusabschnittes. Sie unterscheidet sich in ihrer Struktur fast gar nicht von der Sklera, besitzt weder eine Bowmansche, noch eine Descemetsche Membran, noch einen Epithelüberzug. Eine Vorderkammer ist vorhanden. Die Iris ist gut ausgebildet, ein kleiner Spalt in derselben ist als Äquivalent der Pupillaröffnung anzusehen. Das Corpus ciliare ist sowohl oben wie unten gut ausgebildet; das untere hat keine Ciliarfortsätze. Die Pigmentmembran ist ungleich stark pigmentiert; an einigen Stellen ist das Pigmentepithel gewuchert. Die Netzhaut ist im grösseren Teil ihrer Ausdehnung gliös verändert, im Vergleich zu den Dimensionen des Auges übermässig entwickelt. Die Linse liegt im Zentrum des Bulbus, ist hochgradig verändert, ähnlich der Linse des linken Auges. Ihre Vorder- und Hinterfläche sind von einem Bindegewebsstrang bedeckt, der durch den Spalt in der hinteren-unteren Bulbuswand ins Innere des Auges eindringt.

Fig. 2.

Schematischer Frontalschnitt des rechten Auges vom II. Falle.

B = Bulbus: C u. C' = Cysten. —— = Mesoderm; . . . . = Pigmentmembran; ⊥⊥⊥⊥ = Netzhaut.

Im hinteren-unteren Bulbusabschnitt besteht in der Sklera, Chorioidea und Pigmentmembran ein breiter Spalt, der in seiner Lage dem embryonalen Augenspalt entspricht. Das in den embryonalen Augenspalt hineinwachsende Mesoderm hat den oben beschriebenen Strang geliefert, welcher den Verschluss des Spaltes verhindert hat. Die Netzhaut des Auges ist, nachdem sie dessen Wand ausgekleidet, durch den offenen Spalt zu beiden Seiten des Stranges nach aussen gewuchert und hat zwei Cysten ergeben: eine hohle, grosse, und eine kleine, solide, die erst bei der mikroskopischen Untersuchung entdeckt wurde. Das umgebende Mesoderm hat die fibröse Hülle dieser Cysten geliefert (siehe Schema, Fig. 2). Der Sehnerv tritt nicht ins Auge ein: sein Gliagewebe setzt sich unmittelbar in die Glia der kleinen Cyste fort.

Die intrakraniellen Abschnitte beider Sehnerven und das Chiasma wurden hier nach Weigert-Pal untersucht. Es ergab sich eine fast vollständige Atrophie der Fasern im Zentrum und eine sehr beträchtliche Atrophie der Fasern in der Peripherie.

Klinisches.

Ich habe in der Literatur im ganzen 74 Fälle von Mikrophthalmie resp. Anophthalmie mit typischen Orbitopalpebralcysten aufgefunden. Mit Hinzurechnung meiner zwei Fälle beträgt die Zahl der veröffentlichten Beobachtungen 76. Dieselben sind in den nebenstehenden Tabellen zusammengestellt. (Die eingeklammerten Zahlen beziehen sich auf das Literaturverzeichnis.)

Nr.	Jahr	Autor	Geschlecht	Alter	Sitz der Cyste	Verhalten des betreffenden Auges	Verhalten des andern Auges	Struktur der Innenwand der Cyste	Andere Anomalien	Besondere Bemerkungen
1	1858	Arlt-Wallmann (1)	männl.	9 Mon.	bds.	Anophthalmus		„Elemente d. Chor. u. Ret.“	—	—
2	1858	Wallmann (1)	männl.	4 Jahre	bds.	Anophthalmus		„Elemente d Ret. u. Chor.“	—	—
3	1862	Arlt (2)	männl.	1 Jahr	bds.	Anophthalmus		—	—	Vater hatte links — Mikrophth. c. colobom. iridis, rechts — Coloboma chorioideae
4	1876	Wecker (96)	männl.	6 Mon.	bds.	[illegible]	[illegible]lus	—	Leistenhernie	—
5	1877	Talko (84)	?	Säugling	links	?	Mi[illegible]ophth.	—	—	—
6	1877	Talko (84)	männl.	10 Jahre	rechts	Mikrophthalmus		—	—	—
7	1877	Talko (84)	weibl.	1 Jahr	rechts	Mikrophthalmus		—	—	—
8	1877	Talko (84)	weibl.	10 Jahre	rechts	[illegible]	[illegible]lus	—	—	—
9	1877	Talko (84)	weibl.	18 Woch.	bds.	[illegible]	M[illegible]lus	Cylinderepith.	—	—
10	1878	Imre (47)	?	—	bds.	[illegible]t	[illegible]lus	—	—	—
11	1879	Talko (85)	männl.	9 Mon.	rechts	[illegible]	[illegible]mal	—	—	—
12	1879	Bayer (4)	weibl.	—	rechts	Mikrophth.	normal	—	—	—
13	1880	Talko (86)	männl.	9 Mon.	rechts	Mik[illegible]ph.	[illegible]. c. [illegible]. irid.	—	—	—
14	180	Berlin (8)	?	—	links	Anophthalmus		—	—	Einjüng. Kind der Familie hatte Mikrophth. bilater.

Nr.	Jahr	Autor	Geschlecht	Alter	Sitz der Cyste	Verhalten des betreffenden Auges	Verhalten des andern Auges	Struktur der Innenwand der Cyste	Andere Anomalien	Besondere Bemerkungen
15	1880	Wicher-kiewicz (97)	weibl.	8 Woch.	bds.	Anophthalmus		—	—	—
16	1881	Skrebitzy (81)	weibl.	6 Mon.	bds.	Anophthalmus		—	—	Beide Augenhöhlen verkleinert. Ein Bruder litt an Hasenscharte, ein anderer an faux lupina
17	1881	van Duyse (91)	männl.	22 Jahre	rechts	Mikrophth.	Mikrophth. c. colob. iridis, chorioideae (ectatic.) et vaginae n. optici	—	—	
18	1882	Dor (16)	weibl.	6 Mon.	rechts	Mikrophth. c. colobom. iridis	Mikrophth. c. colobom. iridis et chorioideae	Sarcoma fasciculat. (?)	—	—
19	1882	Schaumberg (78)	männl.	6 Woch.	links	Anophthalmus		—	—	—
20	1884	Snell (82)	?	1 Mon.	bds.	Mikrophthalmus		—	—	—
21	1884	Jones (49)	?	6 Woch.	links	Mikrophth. c. colobom. iridis et chorioideae	normal	—	—	—
22	1885	Reuss (73)	weibl.	3 Mon.	links	Mikrophth.	Coloboma vag. n. optici	—	—	—
23	1885	Kundrat (51, 52)	männl.	8 Tage	bds.	Mikrophthalmus		Gliomatöses Gewebe, Cylinderepithel	Hernia diaphragmalis, defectus septi atriorum et ventriculorum. Grosser Schädel; Asymmetrie d. Gesichts. Gehirnveränderungen.	—
24	1886	Reuss (74)	weibl.	15 Jahre	links	Mikrophth.	Mikrophth. c. colobom. iridis et chorioideae		Asymmetrie d. Gesichts	

25	1886	Ewetzky (22)	weibl.	$1^1/_2$ Jahr.	links	Mikrophth.	normal	Unentwickelte u. stark veränderte Retina	—	—
26	1886	Radzizewski (72)	männl.	2 Mon.	bds.	Anophthalmus		—	—	—
27	1888	Tillaux (82)	männl.	Erwachs.	einseit.	Mikrophth., coloboma chorioideae, membrana pupill.	?	? (Die Cystenwand bestand aus ([illegible]gewebe.)	—	—
28	1888	Mayer (61)	männl.	3 Woch.	rechts	Mikrophth.	normal	Einzeiliges Cylinderepithel	An Stelle des rechten Ohres zwei verkrüppelte Hautfalten	Die rechte Orbita vergrössert. Zwei Cysten. Eine Schwester hatte Mikrophthalmus, die Mutter einen grossen Pigmentfleck auf der Iris
29	1888	Ernroth (21)	?	5 Woch.	rechts	Anophthalmus			—	Ein anderes Kind soll, nach [illegible]sage der [illegible]r, unter den [illegible]gen „ähnliche Hervorwölbungen“ besitzen
30	1889	Lang (54)	weibl.	3 Jahre	links	Mikrophth. c. colobom. iridis	normal	Gliöse Retina		—
31	1889	Talko (87)	weibl.	42 Jahre	rechts	Mikrophth.	normal	—		—
32	1890	Rubinski (77)	weibl.	6 Mon.	rechts	Mikrophth., aniridia, coloboma chorioid.	Mikrophth. c. colobom. iridis et chorioideae	Glia, Cylinderepithel, pervers. Retin.		—
33	1891	Czermak (12)	weibl.	2 Woch.	links	Mikrophth.	normal	„Perverse“ Retina		Die Cyste war mit der unteren Orbitalwand verwachsen. Die linke Orbita ist viel geräumiger

Nr.	Jahr	Autor	Geschlecht	Alter	Sitz der Cyste	Verhalten des betreffenden Auges	Verhalten des andern Auges	Struktur der Innenwand der Cyste	Andere Anomalien	Besondere Bemerkungen
34	1891	Lapersonne (55, 56)	?	5 Woch.	bds.	Mikrophthalmus		„Perverse“ Retina, Cylinderepithel	—	Die Cyste war mit der unteren Orbitalwand fest verwachsen
35	1892	Mitvalsky (63)	männl.	1½ Jahr	links	Mikrophth.	normal	—	—	—
36	1892	Mitvalsky (63)	weibl.	11 Mon.	links	Mikrophth.	normal	Glia, „perverse“ Retina, Cylinderepithel	—	Die linke Augenhöhle im Eingange stark distendiert
37	1893	Gallemaerts (26)	?	7 Mon.	links	Mikrophth.	normal	Gliöse Retina	Hasenscharte	—
38	1893	Ginsburg (31)	weibl.	4 Woch.	rechts	Mikrophth.	normal	Veränd. „perverse“ Retina	—	—
39	1893	Fromaget (23)	weibl.	8 Mon.	rechts	Mikrophthalmus		Glia, Cylinderepithel	—	An der Stelle des Sehnerven ein hohler Stiel, von Cylinderepithel ausgekleidet
40	1893	Harlan (35)	?	5 Mon.	rechts	Anophthalm.	normal	Neuroglia	—	—
41	1894	Becker (6)	männl.	6 Mon.	rechts	Mikrophth.	normal	Glia, Cylinderepithel	—	—
42	1894	Purtscher (70)	männl.	5 Woch.	rechts (Oberl.)	Mikrophth.	normal	—	—	Die Mutter hatte beiderseitiges Chorioidealcolob.
43	1894	Fuchs (70)	?	?	? (Oberl.)	?	?	Gliomatöses Gewebe	—	—
44	1894	Snell (83)	?	3 Mon.	links	Anophthalm.	normal	—	—	—
45	1894	Snell (83)	?	6 Woch.	? (Oberl.)	Anophthalm.	?	—	—	—
46	1894	Snell (83)	?	10 Mon.	?	Mikrophth.	?	—	—	—
47	1895	Dolganow (14)	weibl.	Erwachs.	einseit.	Anophthalmus		—	—	—
48	1895	Lütkewitsch (57)	männl.	20 Jahre	?	?	?	—	—	—

49	1895	Lütkewitsch (57)	?	?	?	?	?	—	—	—
50	1895	Lütkewitsch (57)	?	?	?	?	?	—	—	—
51	1895	Lütkewitsch (57)	?	?	?	?	?	—	—	—
52	1896	Lütkewitsch (57)	weibl.	2 Jahre	rechts	Anophthalm.	Coloboma iridis	—	—	Der Fall ist zweifelhaft
53	1896	Lütkewitsch (57)	?	Kind	bds.	Anophthalmus		—	—	—
54	1896	Lütkewitsch (57)	?	Kind	einseit.	Anophthalm.	Colob. iridis	—	—	—
55	1896	Hess (40)	?	3 Mon.	links	Mikrophth.	normal	„Zellreiches, bindegewebeartiges Gewebe“ (Glia?)	—	Die Cyste hatte den ganzen Orbitaleingang ausgefüllt und beide Lider hervorgewölbt
56	1897	Schimanowsky (79)	weibl.	5 Mon.	links	Mikrophthalmus		—		In beiden Fällen hatten die Cysten eine Depression der Orbitalwand hervorgerufen. Die Cystenwand war fest mit derselben verwachsen.
57	1897	Schimanowsky (79)	männl.	3 Mon.	rechts	Mikrophth.	normal	Glia, Cylinderepithel, „pervers.“ Ret.	—	
58	1900	Dolschenkow (65)	weibl.	16 Jahre	links	Mikrophth.	Colob. iridis et chorioideae	—	—	—
59	1900	van Duyse (92)	?	8 monatl. Fötus	bds.	Mikrophthalmus Coloboma iridis (rechts)		Cylinderepithel, „perverse“ Netzhaut	Meningocele occipitalis, Hydrocephal. extern et intern. Fissura linguae. Microglossia, polydactilia.	—

Nr.	Jahr	Autor	Geschlecht	Alter	Sitz der Cyste	Verhalten des betreffenden Auges	Verhalten des andern Auges	Struktur der Innenwand der Cyste	Andere Anomalien	Besondere Bemerkungen
60	1900	Buchanan (10)	männl.	3 Mon.	rechts (Oberl.)	Mikrophth.	normal	Gliagewebe	—	—
61	1901	Fromaget (24)	?	1 Mon.	rechts	Anophthalm.	normal	—	—	—
62	1901	Schimanowsky (80)	männl.	6 Mon.	bds.	Mikrophthalmus		Gliagewebe, Cylinderepithel, „perverse“ Retina	—	—
63	1901	Schimanowsky (80)	männl.	6 Mon.	bds.	Mikrophthalmus		„Perverse“ Netzhaut, Glia		Die Cyste lag vom Bulbus abgeschnürt im orbitalen Fettgewebe. Eine zweite Cyste, unterhalb des Sehnerven, war gänzlich von Gliamassen erfüllt
64	1902	Harlan (36)	weibl.	7 Jahre	links	Mikrophth.	normal	—		Linke Orbita vergrössert
65	1903	Grossmann (34)	weibl.	16 Jahre	links	Mikrophth.	Mikrophth. c. colobom. chorioideae	„Cylindrisch. Epithel, das Pigment und einzelne geformte Elemente gleich den Pacinischen Körperchen enthielt“ (?)		—
66	1903	Maschkowzewa 62)	männl.	1 Jahr	bds.	Anophthalmus		—		

67	1904	Rogman (76)	männl.	8 Mon.	rechts	Mikrophth.	normal	Glia, Retina		Die Cyste füllte die ganze Orbita aus und lag oberhalb d. Mikrophthalmus
68	1904	Dyson (18)	?	4 Mon.	bds.	Anophthalmus		—	—	—
69	1905	van Duyse (94)	männl.	20 Jahre	links	Mikrophth.	Corectopia. Conus n. optici	Veränderte Retina	—	—
70	1905	Mannhardt (59)	?	1 Jahr 3 Mon.	links	Mikrophth.	?	„Perverse" Retina	—	—
71	1905	Bednarski (7)	weibl.	3 Mon.	rechts	Mikrophth.	normal	Cylinderepithel, Retinalgewebe	—	—
72	1905	Rabinowitsch (71)	weibl.	12 Tage	links	Anophthalm.	?	—	—	—
73	1906	Ray Connor (13)	?	10 Mon.	links	Mikrophth.	normal	Verändertes Retinalgewebe	—	—
74	1906	Johnston Taylor u. Treacher Collins (48)	?	1 Jahr	links (Oberl.)	Anophthalm.	?	Cylinderepithel, Netzhautgewebe	—	—
75	1906	L. Natanson (I. Fall)	weibl.	1 Jahr 2 Mon.	bds.	Mikrophthalmus		Glia, Cylinderepithel, „perverse" Retina	Geringe Hirnanomalien	Die Cysten hatten eine Depression d. Orbitalbodens hervorgerufen. Die Cystenwand war fest mit derselben verwachsen. Beiderseits eine zweite, erst mikroskopisch nachweisbare Cyste
76	1906	L. Natanson (II. Fall)	männl.	10 Jahre	bds.	Mikrophthalmus		Glia, Cylinderepithel	Hydrocephal. intern. chron.	Beiderseits zwei Cysten

In der Regel kommen die Cysten am Unterlid zur Beobachtung; Cysten im Oberlid sind nur in fünf Fällen beobachtet worden: Purtscher (70), Fuchs (70), Buchanan (10), Snell (83), Johnston Taylor und Treacher Collins (48).

In 50 Fällen war die Missbildung einseitig vorhanden (23 mal rechts, 22 mal links, 5 mal ist die Seite nicht angegeben); in 20 Fällen doppelseitig, in sechs fehlen Angaben. Einseitig kommt die Anomalie also $2\frac{1}{2}$ mal häufiger vor als beiderseitig, und zwar gleich häufig auf der linken wie auf der rechten Seite. Die Angaben E. v. Hippels (43, S. 87), dass die Missbildung häufiger doppelseitig, und von Bock (9, S. 147), dass die linke Seite im Vergleich zu der rechten überwiege, wären also dem Obigen entsprechend zu berichtigen.

Da der Bildungsfehler stets angeboren und schon nach der Geburt sehr auffällig ist, so bringen die Mütter ihre Kinder in der Regel bald zum Arzt; daher kommt die Missbildung meist in frühester Kindheit zur Beobachtung. Die überwiegende Mehrzahl der Veröffentlichungen betrifft Kinder bis zu 1 Jahre: 47; im Alter von 1—5 Jahren: 7; 6—10 Jahre: 4; 11—22 Jahre: 7; 42 Jahre: 1; zehnmal ist das Alter nicht bezeichnet.

Beide Geschlechter werden, wie es scheint, gleich häufig betroffen: 24 Fälle wurden bei männlichen, 27 bei weiblichen Personen beobachtet; in 25 Fällen ist das Geschlecht nicht angegeben.

Der Umfang der Cysten kann ein sehr verschiedener sein: erbsen-, pflaumen-, taubeneigross. Die Cyste kann auch die ganze Augenhöhle ausfüllen und dann nicht allein das untere, sondern auch das obere Lid vordrängen: Harlan (36), Hess (40), Grossmann (34), Ray Connor (13).

Zuweilen, insbesondere bei Anophthalmus, pflegt die Cyste nur kaum das Lid vorzudrängen, und ist dann nur in einem kleinen Bezirk bläuliches Durchscheinen in der Lidhaut zu bemerken. Dieses war z. B. in meiner ersten Beobachtung der Fall (auf der rechten Seite), obschon nach der Enucleation eine ziemlich grosse Cyste zum Vorschein kam; ebenso im Falle Lapersonnes (56). Ich glaube annehmen zu dürfen, dass es nicht wenige Fälle von Anophthalmus gibt, in denen diese Cysten zweifellos bestehen, aber infolge wenig hervortretender äusserer Anzeichen klinisch nicht bestimmbar sind, welche Fälle gewöhnlich als Anophthalmi schlechtweg diagnostiziert werden. In diesem Sinne spricht sich auch v. Hippel (43, S. 83) im Kapitel über Anophthalmie aus: „Dabei ist zu betonen, dass das

Vorhandensein solcher Cysten, wenn sie sehr klein sind, klinisch nicht immer erkennbar zu sein braucht[1])."

Die Cyste erweist sich bisweilen fest mit der unteren Orbitalwand verbacken: Lapersonne (55), Czermak (12), Schimanowsky (79), Dolschenkow (15), Natanson. In den Fällen von Schimanowsky (81), v. Duyse (98) und in meinem ersten Falle hatte die Cyste eine Impression an der oberen Platte des Oberkiefers erzeugt.

Der Inhalt der Cysten besteht aus einer gelblichen, sanguinolenten oder bräunlich-roten durchsichtigen, leicht klebrigen serösen Flüssigkeit von alkalischer Reaktion, welche viel Eiweiss und Chlorsalze enthält. Unter dem Mikroskop findet man in derselben veränderte rote und weisse Blutkörperchen.

Der entsprechende Bulbus ist in der Regel sehr stark in seinem Volumen reduziert; meist wird klinisch überhaupt Anophthalmus diagnostiziert, doch lässt sich fast immer bei sorgfältiger Digitaluntersuchung in der Tiefe der Orbita ein rudimentärer Bulbus abtasten, besonders nach vorausgegangener Punktion der Cyste. Unter den beschriebenen 50 Fällen einseitiger Anomalie war in keinem einzigen der Bulbus normal: in 31 Fällen bestand Mikrophthalmus, fünfmal Mikrophthalmus mit Colobomen verschiedener Art, zweimal Anophthalmus, in zwei Fällen ist der Zustand des Augapfels nicht angegeben. Auf 20 Fälle beidseitiger Anomalie entfallen neun Mikrophthalmi bilateral. und elf Anophthalmi bilateral.

Wenn die Missbildung nur auf einer Seite entwickelt ist, werden fast in der Hälfte der Fälle verschiedenartige Entwicklungsfehler des Auges auf der andern Seite beobachtet. So war unter den beschriebenen 50 Fällen der zweite Bulbus nur in 24 normal; in fünf Fällen sind nur verschiedenartige Colobome verzeichnet, fünfmal Mikrophthalmus, sechsmal Mikrophthalmus mit Colobom, fünfmal Anophthalmus, fünfmal ist der Zustand des zweiten Auges nicht bezeichnet.

Gleichzeitig mit der uns beschäftigenden Anomalie können auch andere Bildungsfehler im Organismus vorhanden sein: Anomalien des Gehirns [Kundrat (52), v. Duyse (92), Natanson] und anderer Organe [Wecker (96), v. Duyse (92), Mayer (61), Gallemaerts (26)].

Zuweilen lässt sich aus der Anamnese feststellen, dass verschiedene Missbildungen des Auges oder anderer Körperteile auch bei andern

---

[1]) Unten wird noch angeführt werden, dass es Fälle gibt, in denen klinisch nur Mikrophthalmus erkannt wird und trotzdem auch Cysten vorhanden sind (Ginsberg, Treacher Collins u. A.).

Familienmitgliedern bestehen [Arlt(1), Berlin(8), v. Duyse(91), Mayer(61), Purtscher(70), Ernroth(21)].

Pathologische Anatomie.

Von den angegebenen 76 Fällen typischer Mikrophthalmie und Anophthalmie mit Lidcysten ist nur in 32 eine histologische Untersuchung vorgenommen worden, darunter in zwölf Fällen nur an Stücken der excidierten Cystenwand; in 20 Fällen wurden die Cysten im Zusammenhang mit dem Bulbus untersucht. Eine Betrachtung der gewonnenen Resultate ergibt folgendes:

Zunächst — die Beschaffenheit der Cystenwand. In allen Fällen ohne Ausnahme bestand dieselbe aus zwei deutlich differenzierten Schichten: einer äusseren, mesodermalen, und einer inneren, ektodermalen.

Die Aussenschicht der Cyste ist zusammengesetzt aus welligen, parallel verlaufenden Bindegewebsbündeln.

Die Struktur der Innenschicht zeigt mehr Verschiedenheiten. Von den Autoren, welche nur Gelegenheit hatten, ausgeschnittene Stücke der Cystenwand zu untersuchen (dieselben sind in chronologischer Reihenfolge aufgeführt), fand Talko (84) die Innenschicht nur aus einem „zugespitzten Cylinderepithel" bestehend[1]), Ewetzky (22) — aus einer „mangelhaft entwickelten und hochgradig veränderten Retina", welche stellenweise in eine Lage einzeiligen hohen Cylinderepithels überging, dessen ovaler Kern näher zur Spitze der Zelle gelegen war; Tillaux(38) fand gar keine Innenschicht (sie hatte sich wahrscheinlich während der Fixation oder Einbettung des Präparats abgelöst); im Mayerschen (61) Falle bestand die Innenschicht aus einzeiligem Cylinderepithel, im Rubinskischen (77) aus Gliagewebe, Cyliderepithel und einzelnen Partien, in denen sich die Struktur einer in „perverser" Reihenfolge angeordneten Netzhaut darbot, — Rubinski hat als erster die Tatsache der „Retina perversa" festgestellt; Czermak (12) fand eine Retina perversa, Gallemaerts (26) Gliagewebe mit Neigung der Kerne, sich in Reihen zu gruppieren, Ginsburg (31) — eine hochgradig veränderte „perverse" Retina, Harlan (35) — Neuroglia, Fuchs in dem von Purtscher (70) citierten Falle — gliomatöses Gewebe, Grossmann (34) — Cylinder-

---

[1]) In dem Dorschen Falle (16) soll die Cystenwand, nach der Untersuchung von Chandelux, den Bau eines fascikulären Sarkoms gehabt haben. Diese Diagnose ist zweifellos unzutreffend.

epithel, das „Pigment und einzelne geformte Elemente gleich der Pacinischen Körperchen enthielt“. (?)

Von den Autoren, welche die Cysten in Verbindung mit den Bulbis untersuchten, geben Lang (54), Buchanan (16), v. Duyse (94) an, dass die Cysteninnenschicht aus Glia bestand; Kundrat (51); Fromaget (23)[1]), Becker (6), v. Duyse (92) und ich (F. II) fanden ausser der Glia noch Cylinderepithel; Taylor und Collins (48) — Cylinderepithel und Retinalgewebe; Bednarski (8) und Ray Connor (13) modifizierte Retina; in den Fällen von Lapersonne (55) und Mannhardt (59) stellte sich die Innenschicht als „perverse“ Retina dar; Mitvalsky (63), Schimanowsky (79), v. Duyse (92) und ich (F. I) fanden Gliagewebe, welches in „perverse“ Retina und Cylinderepithel überging; Hess (40) beschreibt die Innenschicht der Cyste als „mächtige Schicht sehr zellreichen bindegewebsartigen Gewebes“ [2]). Rogman (76) beschreibt die Innenschicht der Cyste als aus Neuroglia bestehend, welche stellenweise die Struktur der Netzhaut angenommen hat, wobei die Schichten der letzteren in derselben Reihenfolge angeordnet waren, wie im Auge. (?)[3])

[1]) Nach der Beschreibung Fromagets bestand die Innenschicht in seinem Falle aus Gliagewebe und trug stellenweise den Charakter einer unvollständig ausgebildeten Netzhaut, was jedoch vom Verf. selbst nicht erkannt wurde.

[2]) Für mich ist es zweifellos, dass solches auch hier Gliagewebe war. Der gleichen Ansicht ist auch v. Hippel (44). — Es soll hier noch erwähnt werden, dass Hess auch die Netzhautfalten, die in seinem Falle im Cystenraum an der Verbindungsstelle mit dem Bulbus liegen, zu der Cystenauskleidung zählt: er meint nämlich, dass sie früher der obenerwähnten Cysteninnenschicht unmittelbar angelegen hatten und erst später sich abgelöst haben (Hess spricht von einer „Ablatio retinae fere totalis in der Cystenhöhlung“). Diese Ansicht ist entschieden unrichtig. Die genannten Netzhautfalten sind in den Cystenraum aus dem Bulbus (sekundär) hinausgedrängt worden und hatten niemals der Cysteninnenschicht angelegen; die Cyste hat nur eine auskleidende Innenschicht, nämlich diejenige obenerwähnte „Schicht des zellreichen bindegewebartigen Gewebes“, welche der fibrösen Cystenhülle unmittelbar anliegt. v. Duyse (92) äussert sich auch über den Hessschen Fall in demselben Sinne.

[3]) Rogman hat nur einen Teil der Cystenwand untersucht. Die betreffende Figur würde eher für eine perverse Retina sprechen, wenn nicht die Behauptung vorläge, dass in der Nachbarschaft der Limitans Ganglienzellen sich befinden. In Fig. 1 sehen wir, dass die freie Oberfläche der Cyste durch eine M. limitans bekleidet ist. Ein der Nervenfaserschicht entsprechender Raum (dessen Vorhandensein Rogman behauptet) ist nicht zu sehen; im Gegenteil, unmittelbar an die Limitans schliesst sich die Körnerschicht an. Nach aussen von der letzteren befindet sich eine sehr dicke Schicht Gliagewebe mit einer grossen Menge Nervenfasern und einer relativ geringen Anzahl von Kernen. Ganglienzellen sind

Aus Obigem geht hervor, dass die Innenschicht meist aus Gliagewebe besteht, in der sich stets retinaler Charakter nachweisen lässt; in vielen Fällen nimmt jedoch die Innenschicht die Struktur der „perversen“ Retina an, in der aber die gangliösen Zellen und die Schicht der Nervenfasern fehlen; stellenweise reduziert sich die Innenschicht zu einer Lage einzeiligen hohen Cylinderepithels, in dem die Kerne näher zur freien Fläche der Zelle gelegen sind und das dem Epithel der Pars ciliaris retinae analog ist.

Nie hatte die Innenschicht die Struktur der Netzhaut in derselben Reihenfolge der Schichten, wie im Augapfel (Rogman?).

Als sehr wichtig ist hervorzuheben, dass in den Fällen von Meyer (61), Schimanowsky (80), in beiden Augen meines II. Falles und offenbar auch im Langschen Falle (54) je zwei Cysten vorhanden waren. Im Kundratschen Falle bestanden mehrere Cystenhöhlen, doch ist nicht angegeben, ob sie miteinander kommunizierten oder nicht.

Die gliöse Schicht der Cysten kann, indem sie wuchert, einen Teil der Cystenhöhle gänzlich ausfüllen, resp. sogar die Cyste in toto ausfüllen, so dass kein eigentliches Lumen zurückbleibt [meine Fälle, Schimanowsky (80)].

Zur Betrachtung der Fälle übergehend, wo die Cysten im Zusammenhang mit den Bulbis untersucht wurden, erscheint es mir notwendig, auf Grund der anatomischen Befunde zwei Gruppen zu statuieren, welche sich sowohl in ihrem anatomischen Bau, wie auch, wie das weiter bei Erörterung der Pathogenese begründet werden soll, durch den Mechanismns und Zeitpunkt ihrer Entstehung scharf voneinander unterscheiden.

Die I. Gruppe wird charakterisiert durch folgende Merkmale: Die Cyste steht immer in Verbindung mit einem Mikrophthalmus, der sich meistens schon klinisch feststellen lässt. Der verkleinerte Bulbus ist ziemlich befriedigend ausgebildet. In der unteren Wand desselben, unmittelbar vor dem Sehnerveneintritt, besteht ein Spalt, durch den die Netzhaut des Auges in die Cystenhöhle eintritt, um die Innenschicht der Cyste zu bilden. Dieser Spalt ist gänzlich von Netzhautfalten ausgefüllt. Eine unmittelbare Kommunikation

---

an der Limitans nicht zu sehen. In Fig. 2, welche die Ganglienzellen bei stärkerer Vergrösserung darstellen, liegen dieselben, unbegreiflicherweise, nicht nach aussen von der Limitans, sondern nach innen von derselben (?). Daher fehlen positive Belege dafür, dass es Ganglienzellen waren. Die Annahme, dass die Netzhaut in normaler Schichtenfolge gelagert war, erscheint also zweifelhaft.

zwischen dem Cystenraum und dem Glaskörperraum ist nie vorhanden[1]). Der Cystenraum ist also keine Fortsetzung des Glaskörperraumes.

Zu dieser Gruppe gehören die Fälle von Talko (85), Kundrat (51), Lang (54), Fromaget (23), Becker (6), Hess (40), Schimanowsky (79), v. Duyse (92), Rogman (75), Mannhardt (59), Bednarski (7) und beide Augen meines II. Falles.

Der Mikrophthalmus ist in dieser Gruppe, wie bereits hingewiesen, ziemlich befriedigend entwickelt, im allgemeinen ebenso, wie auch die nicht mit Cysten behafteten Mikrophthalmi. Glaskörper ist meist gar nicht, zuweilen nur in unbedeutenden Resten vorhanden. Nur im Falle von Fromaget (23) fehlten Hornhaut, Iris, Ciliarkörper und Glaskörper. Die Linse füllt in der Mehrzahl der beschriebenen Fälle fast vollständig den Bulbus aus und ist in der Regel kataraktös verändert. In den Fällen von Hess (40), Rogman (75) und Bednarski (7) bestand ein bindegewebiger Strang, welcher an der Hinterfläche der Linse heraustrat, in seiner Dicke die Art. hyaloid. enthielt und von der mesodermalen Schicht des Cystenhalses entsprang. In meinem zweiten Falle war im rechten Auge ein gleicher Strang vorhanden; im linken stand die Linse in Verbindung mit dem mesodermalen Vorsprung, der in das Cavum bulbi hineinragte. Die Retina ist meist in zahlreiche Falten gelegt; nur in einigen Fällen war sie normal, in andern ist sie gliös verändert, in einigen im grössten Teil ihrer Ausdehnung zu einer Lage cylindrischen oder kubischen Epithels reduziert [Fromaget (23), Becker (6), Schimanowsky (80), Bednarski (7), beide Augen meines II. Falles]. Interessant ist der Befund im linken Auge meines II. Falles: Die Retina bildet zu beiden Seiten des mesodermalen Vorsprunges eine Duplikatur, beiderseits gehen beide Netzhautlagen, miteinander verlötet, in das Cavum bulbi ab, schmale Räume begrenzend, welche von Glaskörper ausgefüllt sind, und an ihren Enden mit der parietalen Netzhaut verwachsend. — Der Sehnerv ist meist schwach entwickelt und tritt in den Bulbus oberhalb des Cystenhalses oder in den Hals selbst ein. In meinem II. Falle tritt er nicht in den Augapfel ein, sondern in die Cyste, wobei sein Gewebe direkt in die Gliamassen der Cyste übergeht. — Am Rande des Bulbusspaltes geht die Sklera des Augapfels in allen Fällen unmittelbar in die Aussenschicht der Cyste

[1]) Dieser Umstand, der, wie wir im weiteren sehen werden, eine wesentliche Bedeutung besitzt, ist von den Autoren nicht genügend beachtet worden.

über[1]). — Die Chorioidea und die Pigmentmembran treten an den Spalt heran und brechen hier ab, nachdem sie dessen Ränder in einiger Ausdehnung ausgekleidet haben. Der Spalt selbst ist stets mit Netzhautfalten ausgefüllt, die letzteren ragen zuweilen auch etwas in den Cystenraum hinein. In den Fällen von v. Duyse (92) und Hess (40) kann man sich davon überzeugen, dass die Pigmentmembran auf der einen Seite des Auges, nachdem sie den Rand der Spalte eingesäumt, das Pigment verliert und in die Innenschicht der Cyste übergeht.

Zur II. Gruppe rechne ich die Fälle, in denen der Bulbus fast gar nicht zur Ausbildung gekommen ist und zumeist nur eine Cyste existiert, in deren hinterem Abschnitt sich jedoch einige Bestandteile des Auges entwickelt haben. Zuweilen ist immerhin ein sehr schwach differenzierter kleiner Bulbus vorhanden, der mit dem Hinterabschnitt der Cyste in Verbindung steht, doch fehlen dann im Cavum desselben sowohl Retina wie Glaskörper und Linse; der Innenraum des kleinen Augapfels kommuniziert unmittelbar mit dem Cystenlumen durch einen, wenn auch nur mikroskopischen Spalt; das Pigmentepithel des Auges setzt sich ununterbrochen in die Cysteninnenschicht fort. — Klinisch wurde in den beschriebenen Fällen dieser Gruppe stets Anophthalmus (c. cyst. palpebr. infer.) diagnostiziert.

Eingehend untersuchte Fälle dieser II. Kategorie sind fünf an der Zahl: Lapersonne (55), Mitvalsky (63), Schimanowsky (80), Taylor-Collins (48), beide Augen meines I. Falles.

Es seien hier, unter Weglassung von Details, die Haupteigentümlichkeiten dieser Fälle angeführt.

Mein I. Fall: Klinisch ist beiderseits Anophthalmus diagnostiziert. Bei Exstirpation der Cysten erweist sich, in enger Verbindung mit denselben stehend, je ein mangelhaft entwickelter kleiner Bulbus. Die mikroskopische Untersuchung zeigt folgendes: Der kleine abgeplattete Innenraum des Augapfels enthält keine Spuren von Glaskörper, Linse und Netzhaut. Er ist innen direkt von der Pigmentmembran ausgekleidet. Weiter nach aussen folgten Chorioidea und Sklera. Es haben sich weder Cornea, noch Iris und Ciliarkörper ausgebildet; nur in einem kleinen Bezirk hat sich glattes Muskelgewebe entwickelt, als Analogon des Ciliarmuskels. Die mesodermalen Hüllen (Sklera und Uvea) umgeben jedoch das Cavum bulbi nicht an der gesamten Peripherie; unten besteht in dieser Membran ein Spalt. Die Sklera geht an den

[1]) In dem Falle von Schimanowsky (80) lag die Cyste vollständig abgeschnürt (?) im Bindegewebe der Orbita.

Spalträndern in die bindegewebige Hülle der Cyste über. — Die Innenschicht der Cyste besteht aus Gliagewebe, welches stellenweise die charakteristische Struktur der „perversen" Netzhaut annimmt. In der dem Bulbus anliegenden Partie bildet sie einen Vorsprung, in dessen Dicke die kataraktöse Linse liegt. Das von Pigment ausgekleidete Cavum bulbi öffnet sich direkt in die Cystenhöhle, wobei das Pigmentepithel unmittelbar in die gliöse Schicht der Cyste übergeht. Der Sehnerv tritt nicht in den Innenraum des Auges ein, sondern steht im Zusammenhang mit der Innenschicht der Cyste.

Der Mitvalskysche Fall bietet einen fast gleichen Befund; nur haben sich aus dem den Bulbusinnenraum umgebenden Mesoderm Hornhaut, pupillenlose Iris und Ciliarkörper differenziert. Die Linse fand sich als mikroskopisches Gebilde nur an einigen Schnitten im Bereiche des Ciliarkörpers, mit einem Ende in die Sklera eingeschlossen, mit dem andern in den Innenraum des Auges hineinragend. Auch hier kommuniziert der Innenraum des Bulbus direkt mit der Cystenhöhle und geht das Pigmentepithel unmittelbar in das Gliagewebe der Cysteninnenschicht über. Der Sehnerv tritt nicht in das Cavum bulbi ein, sondern steht in Verbindung mit der Cysteninnenschicht.

In dem Lapersonneschen Falle, welcher ebenfalls als Anophthalmus (c. cyst. palpebr. inf.) diagnostiziert war, erwies sich an dem aus der Orbita enucleierten Präparat, dass der Augapfel als solcher fehlte. Der Sehnerv, von seiner Scheide umgeben, setzt sich direkt in eine Masse von sehr unregelmässiger Form fort, welche in die Cystenhöhle hineinragt und aus einem Conglomerat gliös veränderter Netzhaut besteht. Innerhalb dieses Gewebes liegt die kataraktöse Linse. Die aus Retinalgewebe bestehende Masse selbst geht an ihrer Basis in die innere Auskleidung der Cyste über, welche den charakteristischen Bau der „perversen" Netzhaut zeigt. Die Duralscheide des Sehnerven setzt sich in die bindegewebige Aussenschicht der Cyste fort. Nur im oberen Anteil, unmittelbar oberhalb des Sehnerveneintritts, ist eine verdickte Partie Bindegewebe vorhanden, welche einige Muskelfasern einschliesst und innen von einer Lage Chorioretinalpigment ausgekleidet ist; dieses ist die einzige Stelle, welche als Teil der Augapfelwand angesehen werden kann. Nach vorn geht dieses Pigment in die Cysteninnenschicht über.

In dem Falle von Schimanowsky, welcher das klinische Bild des Anophthalmus c. cyst. palp. inf. darstellte, erwies sich bei der Enucleation der Cyste kein Augapfel. Die mikroskopische Untersuchung ergibt, dass der Sehnerv in den Hinterabschnitt der Cyste eintritt und sich in die gliöse Innenschicht derselben fortsetzt, welche hier beträchtlich gewuchert ist und sofort die Struktur einer „perversen" Retina annimmt, die stellenweise in Cylinderepithel übergeht. In diesem hinteren Abschnitt der Cyste, welcher fast keine Höhle enthält, sind verschiedene Bestandteile des Bulbus in chaotischem Durcheinander gefunden worden: einzelne Anhäufungen von Retinalpigment, eine stark abgeplattete Linse (in der Art des Mitvalskyschen Falles), Ciliarkörper mit Ciliarmuskel.

Die Beobachtung von Johnston Taylor und Collins zeigt grosse Ähnlichkeit mit dem Lapersonneschen Falle. Ein Augapfel als solcher fehlt; die Cyste ist im Vorderabschnitt mit Retinalgewebe ausgekleidet. Der Hinterabschnitt der Cyste geht in eine kleine, festere Partie von Skleralgewebe über, welche innen von Chorioidea und Pigmentepithel überzogen ist; hier finden sich eine unbedeutende Menge Glaskörper und die Linse; dieses ist die einzige Stelle, in der eine Neigung zur Differenzierung des Augapfels sich offenbart. Das unpigmentierte Epithel des Hinterabschnittes der Cyste geht rückwärts, unmittelbar in das Pigmentepithel des erwähnten Skleralbezirks über. Der Sehnerv fehlt.

Als analog und noch weniger differenziert muss der Anophthalmus angesehen werden, den Gatti (27) bei einem Hunde beobachtete. Hier waren die Bulbi nicht vorhanden. Statt derselben fand sich in jeder Orbita, im Fettzellgewebe, eine Cyste, deren Stiel vom Foramen opticum ausging. Die Cysten waren von Cylinderepithel ausgekleidet, welches stellenweise pigmentiert war und in einigen Bezirken durch Netzhaut ersetzt wurde. Die Aussenhülle der Cysten bestand aus Bindegewebe, an derselben hefteten sich die Muskeln an.

Zu dieser zweiten Gruppe gehört wahrscheinlich auch der III. Fall v. Duyses, der — leider sehr oberflächlich — im II. Bande der Encyclopédie française d'ophtalmologie S. 470 beschrieben ist.

Es muss noch hervorgehoben werden, dass auch Fälle von Mikrophthalmus beschrieben sind, in denen klinisch keine Cysten zu diagnostizieren waren und dennoch die Bulbi mit cystösen Gebilden zusammenhingen, deren Vorhandensein sich erst nach der Exstirpation der Mikrophthalmi kundgab; bei der anatomischen Untersuchung zeigte es sich, dass sie in Struktur und Art des Zusammenhanges mit dem Bulbus vollkommen mit den Cysten übereinstimmten, welche gemeinhin als sogenannte Lidcysten beobachtet werden. Solche Fälle sind beobachtet und untersucht von Treacher Collins (89, 90), Ginsberg (28), v. Duyse (94, S. 359), Hess (41, bei Schweinen gefunden[1]). Aus der anatomischen Untersuchung dieser Fälle ist ersichtlich, dass diese cystösen Gebilde den Lidcysten vollkommen analog sind: die Cystenhöhle ist keine Fortsetzung des Glaskörperraumes und kommuniziert nicht mit demselben, was in den erwähnten Fällen von Ginsberg und Hess besonders scharf hervortrat; in den Fällen von Collins und v. Duyse war in der Cyste eine charakteristische „perverse" Retina vorhanden. Folglich gehören diese Beobachtungen gleichfalls zu der in Rede stehenden Anomalie (zur I. Gruppe), nur liessen sich die Cysten klinisch nicht nachweisen.

Als Cysten, die nur zu sehr geringer Entwicklung gekommen sind, dürften vielleicht die Gebilde aufgefasst werden, die von Görlitz (32) und v. Duyse (94, S. 345) an Mikrophthalmen als sogenannte

---

[1]) Vielleicht ist hierher auch der Fall von Zentmayer und Goldberg (99) hinzuzuzählen, der leider ungenügend genau beschrieben ist.

Colobome des N. opticus beschrieben wurden. Die zufällig mikroskopisch nachgewiesene knospenförmige Abschnürung von Retinalgewebe zwischen dem Sehnerven und der Duralscheide in dem von Bach (3, Fall I) untersuchten Bulbus muss auch, wahrscheinlich, als beginnende Cyste betrachtet werden.

Pathogenese und Entstehungsmechanismus.

In der Frage der Pathogenese und Entstehungsart der Orbitopalpebralcysten besteht bisher keine einheitliche Ansicht. Eine ganze Reihe von Autoren, welche diese Missbildung beobachteten — Arlt, Talko, Kundrat, Mitvalsky, Hess, Schimanowsky, Ginsberg, v. Duyse, Mannhardt u. A. —, haben verschiedene Hypothesen zur Erklärung ihres Zustandekommens vorgeschlagen.

Talko (85), der als erster (1879) ein Stück der excidierten Cystenwand untersuchte, fand dieselbe mit Cylinderepithel ausgekleidet; da er zu jener Zeit noch nicht an einen Zusammenhang der Cyste mit dem Augapfel dachte, identifizierte er dieses Epithel mit dem Epithel der Tränensackschleimhaut und sprach eine Vermutung aus, die auch von Hoyer geteilt wurde: dass die angeborenen Unterlidcysten vielleicht „durch Einklemmung des oberen Teils des Tränensackes in der zusammenwachsenden Tränenfurche beim Fötus“ entstehen. Dass diese Annahme auf einem Irrtum beruht, ist gegenwärtig genügend klargelegt, nachdem andere Forscher ausser Cyliderepithel auch Netzhaut als innere Auskleidung der Cyste konstatiert und sich davon überzeugt haben, dass dieses Cylinderepithel demjenigen der Pars ciliaris retinae analog ist. Die Theorie Talkos hat ausschliesslich bei Panas (66), Fromaget (23) und letzthin bei Lagrange (53) Anklang gefunden, aber die Beobachtung von Panas gehört nicht zu der hier in Rede stehenden Missbildung[1]), und Fromaget hat seine Untersuchungsresultate nicht richtig gedeutet[2]).

[1]) Hauptsächlich deshalb, weil 1. der betreffende Bulbus ganz normal entwickelt war und normale Sehschärfe besass, 2. die Lidschwellung erst im fünften Lebensjahre bemerkt wurde. Ausserdem 3. bestand die exstirpierte Geschwulst aus zwei durch eine fibröse Platte miteinander verbundenen Cysten, die in keinem Zusammenhang mit dem Bulbus standen. 4. Eine von diesen Cysten war von mehrschichtigem Cylinderepithel, die andere von modifiziertem einzeiligem niedrigem Epithel ausgekleidet; beide kommunizierten untereinander durch einen engen gewundenen acinösen Kanal, der in der erwähnten fibrösen Platte eingeschlossen war.

[2]) Lagrange widmet in seinem „Traité des tumeurs de l'oeil, de l'orbite et des annexes“ (1904) ein umfangreiches Kapitel der uns beschäftigenden Ano-

Gegenwärtig ist es positiv bewiesen, dass die Cyste in genetischer Verbindung mit dem Augapfel steht.

Arlt (1), der 1858 den ersten in der Literatur beschriebenen Fall demonstrierte, sprach die Behauptung aus, dass die Cysten nichts anderes seien als cystenartig ausgedehnte Colobome der Chorioidea, das Colobom selbst aber infolge ausbleibenden Verschlusses der fötalen Augenspalte entstehe. Im Jahre 1885 entwickelte Arlt (2) in der Diskussion mit Kundrat seine Theorie genauer: Zur Entstehung der Cyste sei es notwendig, „dass ein Verschluss der Retinalspalte nirgends, auch in der Pars ciliaris retinae niemals, zu stande kommt". Infolgedessen „vermag die Hülle, welche den Glaskörper umgibt, dem Drucke der eingeschlossenen Flüssigkeit nicht den gehörigen Widerstand zu leisten; sie wird allmählich ausgedehnt und findet gegen das untere Lid am wenigsten Widerstand".

Kundrat (51, 52) hält die Anschauung Arlts für unrichtig. Auf Grund seines eigenen Falles, wo die Cyste im Zusammenhang mit dem Mikrophthalmus untersucht wurde, zieht er den Schluss, „dass diese Cystenbildung nicht durch eine einfache Ausbuchtung der Wand des Bulbus in der Gegend der Fötalspalte zu stande kommt, sondern sehr komplizierter Art sei: dass Retinalgewebe, resp. das Gewebe der primären[1]) Augenblase durch den offenen Fötalspalt in ein embryonales Bindegewebe[2]) hineinwuchert und, von diesem umschlossen und abgesondert, zur Cystenbildung Veranlassung gibt".

malie. Er zeigt jedoch unzulängliche Kenntnis der einschlägigen Literatur; bedeutsame Arbeiten, wie die von Czermak (12), Hess (40), Schimanowsky (79, 80), v. Duyse (92) sind ihm unbekannt; die Ergebnisse der anatomischen Untersuchungen von Kundrat (51), Lang (54), Rubinski (77), Mitvalsky (63) sind ungenau oder unrichtig wiedergegeben, in der tabellarischen Übersicht der Fälle ist mehr als die Hälfte ausgelassen usw. Endlich stellt Lagrange, nachdem er einst ein kavernöses Angiom des Lides als angeborene Cyste diagnostiziert hatte, die Behauptung auf, „die mit Mikrophthalmie vergesellschafteten Cysten seien zuweilen nichts anderes, als angeborene cystische Angiome". Lagrange nimmt drei Theorien der Entstehung der Cyste an: „1. die Theorie der fötalen Inklusion der Schleimhaut der Tränenwege, die auf die meisten Fälle Anwendung habe; 2. die Theorie der Colobomcysten, welche den selteneren Fällen entspreche; 3. die Theorie der angeborenen cystischen Angiome, die für ganz ausschliessliche Fälle Geltung habe." (!)

[1]) Aus dem Sinne dieses Satzes, sowie aus der weiteren Darstellung der Auffassung Kundrats ist klar, dass Kundrat, indem er den nicht ganz zutreffenden Ausdruck „Retinalgewebe, resp. Gewebe der primären Augenblase" gebraucht, in Wirklichkeit vom distalen Blatt der sekundären Augenblase spricht.

[2]) Die nicht verwendete mesodermale Anlage des Glaskörpers.

Immerhin ist er der Ansicht, „dass trotz dieser aktiven Beteiligung des Retinalgewebes (resp. der primären Augenblase) an der Cystenbildung, die Behinderung der Entwicklung des Glaskörpers und des Verschlusses der Fötalspalte das primäre ist und sekundär erst jene Wucherung — und nicht eine einfache Ausstülpung — zu stande kommt“.

Nach Kundrat müssen die Cysten streng von den Ektasien der Sklera bei Mikrophthalmie unterschieden werden. Das seien zwei vollkommen verschiedene Prozesse. Kundrat lenkt die Aufmerksamkeit auch darauf, dass, seinen Beobachtungen gemäss, in den meisten Fällen Mikrophthalmie neben einer Bildungsanomalie (meist Entwicklungshemmung) des Zwischenhirns auftritt und gleichzeitig mit dieser oder durch diese bedingt wird.

v. Duyse stellte schon im Jahre 1881 (91) die Behauptung auf, dass die Unterlidcysten lediglich zu Cysten veränderte Chorioidealcolobome darstellen, weshalb er für dieselben die Bezeichnung „Colobome enkysté“ vorschlug[1]). Diesen Standpunkt hält er auch gegenwärtig ein (94). Jedoch erklärte v. Duyse im Jahre 1900 (92), nachdem er einen Fall von Mikrophthalmie mit Unterlidcyste untersucht und die Cyste von einer „perversen“ Retina ausgekleidet gefunden hatte, die Entstehung der Cyste in ganz anderer Weise, und zwar durch die Voraussetzung, dass das invaginierte distale Blatt der sekundären Blase sich wieder durch die fötale Augenspalte hindurch in das umgebende Zellgewebe zurück ausgestülpt und dort zur Bildung der Cyste geführt habe[2]). Da in seinem Falle ein bedeutender Hydrocephalus internus und externus vorhanden war, so nimmt v. Duyse als Ursache dieser rückläufigen Evagination die Anhäufung einer grossen Menge lymphatischer Flüssigkeit im Cavum des Primärhirns und in einer seiner beiden seitlichen Ausstülpungen — den primären Augenblasen — an. Letztere Voraussetzung erscheint vollkommen unwahrscheinlich, da bei Anhäufung lymphatischer Flüssigkeit in der Höhle der primären Augenblase schwerlich eine, wenn auch nur partielle, Invagination stattfinden könnte. Ferner wäre dann auch der Sehnerv nicht zur vollen Entwicklung gelangt, sondern müsste die Gestalt einer hohlen Röhre beibehalten. Schliess-

[1]) Ewetzky (22) proponierte für die Unterlidcysten die Bezeichnung „Colobomcysten“.

[2]) Die perverse Lagerung der Netzhaut in der Cyste wird auch von Gallemaerts (26) durch Umstülpung des distalen Blattes der sekundären Augenblase „nach Art eines Handschuhfingers“ erklärt.

lich müsste im Falle einer rückläufigen Evagination eines Teiles des bereits invaginierten distalen Blattes ein Defekt der Netzhaut an der Stelle des Bulbus bestehen, an welcher unter normalen Verhältnissen diese zurückdevaginierte Partie des distalen Blattes sich anlegen sollte.

Hess (37, 38, 39, 40, 41), ein eifriger Anhänger der Arltschen Theorie, nimmt an, dass die Cysten auch bei partiellem Offenbleiben der Augenspalte entstehen können.

Mitvalsky (63) hat im Jahre 1892 einen Fall unserer Anomalie beschrieben, in welchem die Entwicklung des Augapfels im Stadium der primären Augenblase stehen geblieben war; an der Bildung des eigentlichen Auges hatte aus dessen ektodermaler Anlage nur das proximale Blatt teilgenommen, welches eben die den Bulbusinnenraum auskleidende Pigmentmembran gebildet hatte; das distale Blatt aber fehlte im Cavum bulbi, es hatte in Form einer „perversen" Retina die Innenschicht der Cyste geliefert. Auf Grund dieser Beobachtung sprach Mitvalsky eine ganz neue Anschauung aus, nämlich — dass die Entstehung der untersuchten Anomalie im Stadium der primären Augenblase stattgefunden habe: das distale Blatt derselben sei gar nicht eingestülpt worden und habe, durch Flüssigkeit ausgedehnt, sich in eine Orbitopalpebralcyste verwandelt.

Mitvalsky behauptet, dass alle veröffentlichten Fälle von Mikrophthalmie mit Unterlidcysten dieselbe Genese haben, selbst diejenigen, in denen der mit der Cyste in Verbindung stehende Bulbus ziemlich regelmässig entwickelt, von einer normal angeordneten Netzhaut ausgekleidet ist, eine Linse enthält usw. In den letzteren Fällen besteht jedoch eine Modifikation insofern, als an der primären Augenblase dennoch eine partielle Einstülpung stattgefunden hat; der hintere Teil der primären Augenblase ist aber nicht invaginiert worden und hat die Cyste geliefert[1]). Mitvalsky macht darauf aufmerksam, dass

[1]) Ich möchte ausdrücklich betonen, dass der Ausdruck „Kundrat-Mitvalskysche Theorie", welcher in der Literatur häufig vorkommt, unrichtig ist, da die Anschauungen dieser beiden Autoren gänzlich verschiedene sind. Nach Kundrat entsteht die Cyste infolge aktiver Hineinwucherung des Retinalgewebes in das umgebende Mesoderm „durch den offenen Fötalspalt"; folglich geht der Prozess, seiner Ansicht nach, bereits nach der Bildung der sekundären Augenblase (aktiv) vor sich; nach Mitvalsky aber findet die Entwicklung der in Rede stehenden Anomalie im Stadium der primären Augenblase statt und kommt es entweder gar nicht zur Einstülpung des distalen Blattes, oder wird nur der vordere Teil desselben eingestülpt; die nicht eingestülpte hintere Partie der primären Augenblase wird von Flüssigkeit ausgedehnt und

in den sorgfältig und eingehend untersuchten Literaturfällen die Cystenwand stets aus einer „pervers" gelagerten Netzhaut bestand. Übrigens erfahre die „perverse" Retina infolge des Druckes der Cystenflüssigkeit an vielen Stellen, zuweilen aber in ihrer gesamten Ausdehnung, so bedeutende Veränderungen, dass sie fast nicht zu erkennen sei.

Mitvalsky verwirft gänzlich die Arltsche Theorie; er sagt: „Wir suchen vergebens nach anatomisch-histologisch untersuchten Fällen, welche diese Theorie, ich sage nicht beweisen, sondern wenigstens wahrscheinlich machen würden."

Nach Ginsberg (28) darf die Entstehung der Cysten in keine Beziehung zum Offenbleiben der Retinalspalte gebracht werden. Er bringt eine ganz neue Hypothese in Vorschlag, nämlich die Bildung von „Verwachsungen an verschiedenen Stellen, zwischen Ektoderm und Mesoderm, oder Abschnürungen des ersteren durch letzteres". Nach seiner Voraussetzung entstehen solche Fälle, wie sein eigener und der von Hess im Jahre 1896 veröffentlichte, in der Weise, dass Ektodermfalten an der fertigen sekundären Augenblase durch Mesoderm abgeschnürt werden und später sich cystisch ausdehnen; an diesen Stellen kann sich keine Aderhaut und zum Teil keine Sklera entwickeln. Es ist aber auch möglich, dass solche Fälle aus der primären Augenblase entstehen — wenn nämlich die Abschnürung an dem proximalen Teile der Augenblase stattfindet; die Einstülpung geht dann ungehindert vor sich und es kommt zur Bildung der sekundären Augenblase. — Jene Fälle, in denen die Cystenwand von pervers gelagerter Netzhaut ausgekleidet ist [wie die Fälle von Mitvalsky (63), Czermak (12)], sind, nach Ginsberg, sicher aus der primären Augenblase hervorgegangen, da hier die Abschnürung an einem Stück derjenigen Partie der Augenblasenwand erfolgte, welche eingestülpt werden sollte; daher ist die Einstülpung ausgeblieben.

Die von Ginsberg entwickelte Hypothese sieht die Möglichkeit einer einheitlichen, nur verschieden lokalisierten Ursache für alle Fälle der in Rede stehenden Missbildung vor.

Die Ursache selbst, die zu den erwähnten Ektodermabschnürungen führt, soll, nach Ginsberg, eine „entzündliche" sein. Diese Ent-

---

bildet sich (passiv) zur Cyste aus. — Die Identifizierung der Theorien Kundrats und Mitvalskys beruht auf einem ungenauen Ausdruck Kundrats, auf den ich oben (S. 234) hingewiesen habe.

zündung im fötalen Gewebe sei jener analog aufzufassen, welche zur Bildung amniotischer Verwachsungen führt.

Die Hypothese Ginsbergs kann nicht zur Erklärung der Entstehungsart unserer Missbildung Verwendung finden. In dem zur Erläuterung seines eigenen Falles angegebenen Schema betrifft die Abschnürung nur das äussere Blatt der sekundären Augenblase. Warum die Abschnürung nur an dem einen äusseren Blatte und nicht an beiden aneinanderliegenden Blättern der Augenblasenwand erfolgen soll, ist nicht begreiflich. Wenn solche Abschnürungen überhaupt stattfinden, so wäre eher zu erwarten, dass beide aneinanderliegenden Blätter abgeschnürt werden, nicht aber allein das aus einer einzeiligen Zellenlage bestehende äussere Blatt, und dann müsste die Cystenwand von beiden Blättern der sekundären Augenblase ausgekleidet sein, der Cystenraum wäre dann ein Teil des Glaskörperraumes. Doch entschliesst sich Ginsberg selbst nicht, derartige Cystengebilde zur Kategorie der in Rede stehenden Missbildung zu zählen. Ausserdem wäre von den Fällen von Ginsberg und Hess nur zu sagen, dass hier das Pigmentepithel des Bulbus an einem Rande des Cystenhalses sich in die Auskleidung der Cyste fortsetzt, der Beweis aber, dass letztere genetisch aus dem Pigmentepithel entstanden sei, ist nicht erbracht. — Bei der Annahme einer Abschnürung im distalen Teil der primären Augenblase kann solche nur an einem bestimmten Teil des Retinalblattes stattfinden; es werden dann keineswegs solche Fälle resultieren können, wie die von Mitvalsky, Lapersonne, mein I. Fall und andere, wo das ganze Retinalblatt sich in der Cyste befand. Die Hypothese Ginsbergs ist also nicht haltbar.

Schimanowsky (79, 80) nimmt an, die Cyste sei nichts anderes, als der nicht eingestülpte Teil der primären Augenblase, genauer — der zurück ausgestülpte Teil des distalen Blattes der sekundären Augenblase. Irgend eine Ursache behindert die Einstülpung des Sehnerven an seiner Übergangsstelle zum distalen Blatt der sekundären Augenblase. Da dieses „zur Zeit einer sehr lebhaften Gewebsentwicklung und der Tendenz des primären Augengewebes zur Einstülpung“ stattfindet, so wuchert diese Stelle ausgiebig innerhalb des umgebenden Mesoderms und bildet sich zur Cyste aus. Als Ursache, welche die totale Einstülpung der Augenblase verhindert, sieht Schimanowsky einen Entzündungsprozess in dem das Auge umgebenden Mesenchym an (Sclero-chorioiditis embryonalis)[1]; infolge

[1] In seiner zweiten Arbeit (80) äussert sich Schimanowsky in dem Sinne,

desselben soll eine „Verlötung des Bindegewebes in der ganzen Ausdehnung, von der Bildungsstelle der Sehnervenscheiden an durch den embryonalen Glaskörper bis zur zukünftigen Augenplatte[1]) des Oberkiefers einschliesslich" zu stande kommen. Diese Verlötung stört die Einstülpung des distalen Blattes in der Richtung gegen das proximale, oder zwingt dasselbe zur Evagination, wenn die Invagination desselben schon bereits begonnen hat. Infolge Wachstums des Kiefers wird der angezogene Teil des distalen Blattes in der Richtung zum Unterlid abgelenkt.

Mannhardt vertritt in seiner neulich erschienen Arbeit („Weitere Untersuchungen über das Coloboma sklero-chorioideae", 59) die für ihn unzweifelhafte Anschauung, dass es zwei Arten von Colobomen gebe, weil „es sich beim Colobom des Auges um zwei verschiedene Vorgänge handelt". Die primäre Ursache der Colobombildung liegt, nach Mannhardt, in der mangelhaften Entwicklung der Aderhaut und der inneren Skleralschicht, weshalb sich ein Coloboma sclerochorioideae bildet. Bei der ersten Form des Colobomauges findet, trotz Offenbleibens des Sklero-Chorioidealringes, ein Verschluss der sekundären[2]) Augenblase, insbesondere des inneren Blattes, der Retina, statt. Das äussere Blatt, die Pigmentschicht, bleibt in seltenen Fällen bestehen, meistens schlägt es sich am Halse des Coloboms herum. Die Augenblase lagert sich in normaler Lage in die Colobomlücke der Sklero-Chorioidea hinein und wird später durch den intraokularen Druck ausgedehnt, wobei die Grösse der vorhandenen Ausbuchtung ausschliesslich von der Weite des Sklero-Chorioidealcoloboms und der Dehnungsfähigkeit der Retina bestimmt wird. Die Ausbuchtung findet ihre äussere Begrenzung durch die bei der Bildung der Augenwand, zeitlich später als die Sklera-Chorioidea, auftretende Entwicklung der äusseren Skleralwand. Die Netzhaut liegt also in einer solchen „Cyste" nicht in perverser Richtung, sondern in normaler Schichtenfolge, wie im Auge selbst. Bei dieser Form handelt es sich also um eine Ausbuchtung der sekundären Augenblase [als Beispiele

---

dass die Hauptrolle bei der Entstehung der Mikrophthalmie mit Orbitopalpebralcysten der Störung in der Entwicklung des mesodermalen Stranges zukomme, „aus welchem der Glaskörper und die Membrana vascul. capsul. hervorgehen".

[1]) Schimanowsky nimmt an, dass „ein Zusammenhang zwischen der Unterlidcyste und der Entwicklung des Oberkiefers" bestehe, er lässt sogar, mit einiger Wahrscheinlichkeit, die Vermutung zu, dass die Entstehung der Unterlidcysten an eine „präexistierende Affektion des Oberkiefers" gebunden sei.

[2]) Mannhardt sagt in dieser Arbeit immer „primäre Augenblase", statt „sekundäre". Ich habe das hier berichtigt.

führt Mannhardt die von ihm im Jahre 1897 beschriebenen drei Colobomaugen (58) an, sowie ein viertes Auge eines 30jährigen Mannes, das er auf Seite 523 in seiner letzten Arbeit beschreibt]. Bei der zweiten Form des Colobomauges, für die Mannhardt ein ihm von Beselin zugesandtes und von ihm untersuchtes Auge mit Unterlidcyste als Beispiel anführt, handelt es sich, nach Ansicht des Verfassers, um einen Vorfall oder eine Ausstülpung der sekundären Augenblase, in der es nicht zu einem Verschluss der Fötalspalte gekommen ist. Bei dieser Form liegt die Netzhaut in der Cyste in perverser Schichtenfolge. Wie sich Mannhardt diesen Prozess des Vorfalles oder der Ausstülpung vorstellt, ist nicht ganz klar. Er spricht von einer Ausstülpung „in der Art, wie man eine Tasche ausstülpt", und vergleicht sie mit dem Bilde einer „Ausstülpung des Darmes aus einem Anus praeternaturalis".

Von den aufgeführten Theorien hat merkwürdigerweise die Arltsche noch gegenwärtig die meisten Anhänger [1]). Wie ich mich aus dem Studium der Literatur überzeugt habe, beruht das weniger auf den Untersuchungen von Mikrophthalmen und Anophthalmen mit typischen Lidcysten, als hauptsächlich gerade auf den Beobachtungen, wo keine Lidcysten, sondern mit dem Bulbus zusammenhängende cystoide Gebilde vorhanden waren, die sich klinisch nicht bestimmen liessen. Es gibt nämlich, ausser den wenigen Fällen letzter Art, die zu der uns beschäftigenden Anomalie gehören und von denen ich am Ende des vorigen Abschnitts gesprochen habe [die Fälle von Collins (89, 90), Ginsberg (28), v. Duyse (94), Hess (41)], noch recht viele, die mit Rücksicht auf die Struktur der betr. cystoiden Gebilde und deren Zusammenhang mit dem Augapfel einer ganz andern Gruppe von Entwicklungsstörungen des Auges zugezählt werden müssen. Das sind nämlich die Fälle, wo die anatomische Untersuchung gezeigt hat, dass der Innenraum dieser cystoiden Gebilde eine direkte Fortsetzung des Glaskörperraumes

---

[1]) Als Anhänger dieser Theorie erklärt sich v. Hippel in seiner Arbeit über die Missbildungen des Augapfels in der neuen Auflage des Graefe-Saemisch und in seiner Arbeit im v. Graefeschen Archiv 1903 (44); desgleichen v. Duyse im betreffenden Kapitel der Encyclopédie française d'ophtalmologie (94). v. Duyse leitet dieses Kapitel mit folgenden Worten ein: „La microphthalmie avec kyste colobomateux n'est qu'une modalité prononcé du colobome typique." — Ich möchte hier hervorheben, dass Arlt selbst (1, 2) seine Hypothese aus rein theoretischen Erwägungen aufgestellt hatte, da zurzeit noch keine histologischen Untersuchungen über die uns beschäftigende Anomalie vorhanden waren.

ist und die Wandungen dieser Ausbuchtungen aus der Skleralhülle und entweder aus beiden Blättern der sekundären Augenblase, oder nur aus dem mehr oder weniger pathologisch veränderten distalen Blatte bestehen. Nie war dieses distale Blatt „pervers" gelagert. Dementsprechend sind diese Ausbuchtungen ektatische Colobome der Chorioidea in verschiedenen Graden der Ausdehnung.

Da nun diese ektatischen Colobome häufig ziemlich gross, dünnwandig und von Flüssigkeit erfüllt waren, so haben viele Autoren, nach dem Vorgange von Hess (38, 39, 40, 41), dieselben als verschiedene Entwicklungsstufen derjenigen Anomalie aufgefasst, welche in vollkommen ausgeprägter Form als Cysten des Unterlids resp. der Orbita vorkommen. Daraus ergab sich, als logische Folgerung, die Ansicht, dass die Cysten des Unterlids resp. der Orbita nichts anderes seien, als cystisch ausgedehnte ektatische Colobome. Die klinisch festgestellte Tatsache, dass bei einseitigen Unterlidcysten häufig Colobome der Iris oder der Chorioidea auf der andern Seite vorhanden sind, schien die Ansicht zu unterstützen, dass die Cyste und das Colobom lediglich verschiedene Formen einer und derselben Anomalie darstellen.

Solche ektatische Colobome sind von verschiedenen Autoren in einer ziemlich grossen Anzahl von Fällen beschrieben worden, wobei alle mit den Unterlidcysten identifiziert wurden.

So deutet v. Duyse (91) den von ihm anatomisch untersuchten Fall von ektatischem Colobom, der am Ende seiner Arbeit vom Jahre 1881 veröffentlicht ist (dieser Fall ist auch in der Encycl. franç. d'opht., Bd. II, p. 361, photographisch abgebildet und beschrieben), als Cyste. Es sei daran erinnert, dass v. Duyse für die Cysten die Bezeichnung colobome enkysté vorgeschlagen hat. Auch Hess (38, 39) hat 1890 und 1892 eine ganze Reihe von Menschen-, Kaninchen- und Schweinsaugen mit verschiedenartigen Ausbuchtungen der unteren Augenwand beschrieben, welche er als den Unterlidcysten identische Gebilde ansieht. Der von Rindfleisch (75) untersuchte „Fall von beiderseitiger Mikrophthalmie und cystischer Ektasia posterior", ein typischer Fall von ektatischem Colobom der Aderhaut, und die von Mannhardt 1897 beschriebenen Fälle (89) — gleichfalls ektatische Colobome — werden von einigen Autoren, darunter v. Hippel (43), als Cysten anerkannt. v. Hippel (42) betrachtet auch als Anfangsstadium der Cyste die von ihm im normalen Auge eines Neugeborenen gefundene mikroskopische Ausbuchtung der

Netzhaut im Bereich des Sehnerven, welche von Glaskörper ausgefüllt erschien. Einige Fälle von ektatischen Colobomen hat auch Bach (3) veröffentlicht, der sie gleichfalls mit Cysten identifiziert. — Der von A. Knapp (50) im Jahre 1902 als „congenital cyst of the eyeball“ beschriebene Fall ist, soweit aus der anatomischen Beschreibung ersichtlich, nichts anderes als ein ektatisches Colobom.

Darf man jedoch die beschriebenen Fälle von ektatischen Colobomen des Auges als Gebilde ansehen, welche mit den serösen Unterlidcysten identisch sind?

Im vorigen Abschnitt ist bereits auseinandergesetzt worden, dass bei Mikrophthalmie mit wahren Orbitopalpebralcysten in den Fällen, wo der Bulbus ziemlich befriedigend ausgebildet ist, d. h. in den von mir in die erste Gruppe rubrizierten Fällen, der Cystenraum keine Fortsetzung des Glaskörperraumes ist und eine direkte Kommunikation zwischen den beiden Räumen nie existiert; in einigen Fällen [Ginsberg (28), v. Duyse (92), Hess (40)] konnte festgestellt werden, dass die Cystenhöhle mit dem Raum zwischen Retina und Pigmentmembran des Auges, also mit dem früheren Hohlraum der primären Augenblase kommuniziert. Die Cyste ist immer von einer „verkehrt“ angeordneten Netzhaut oder einer Netzhaut von gliöser Beschaffenheit ausgekleidet. Nie hatte die Netzhaut in der Cyste dieselbe Anordnung, wie ein Auge.

Daraus ergibt sich vollkommen klar, dass die Unterlidcysten in ihrer anatomischen Struktur und in der Art des Zusammenhanges mit dem Bulbus eine von den ektatischen Colobomen gänzlich verschiedene Anomalie repräsentieren.

Aus Obigem ist klar ersichtlich, dass die Arltsche Theorie für die Orbitopalpebralcysten keine Gültigkeit haben kann. Daher ist die von Ewetzky für diese Cysten vorgeschlagene Bezeichnung „Colobomcysten“ unzutreffend und muss aufgegeben werden.

Es soll noch darauf hingewiesen werden, dass sämtliche Autoren, welche die Cysten des Unterlides (resp. der Orbita) als ektatische Colobome ansehen, gar nicht versucht haben, zu erklären, weshalb in den Fällen, wo die innere Auskleidung der Cyste den deutlich ausgeprägten Charakter der Retina trug, deren Schichten immer „pervers“ angeordnet waren; sie haben diesen Umstand vollständig ignoriert. Keiner von diesen Autoren hat sich die Frage gestellt, wie z. B. der Mitvalskysche Fall und überhaupt die Fälle, die ich als II. Gruppe rubriziert habe, zu deuten wären, wenn die Cysten als ektatische Colobome aufgefasst werden, und wie die Entstehung der Cysten im

Oberlid zu erklären wäre. Auch hat kein einziger von den Autoren die von uns hervorgehobene Tatsache des Vorhandenseins zweier Cysten in einigen der beschriebenen Fälle beachtet.

Bereits vor mir hat das Bestreben vieler Autoren, die besprochenen ektatischen Colobome mit den Unterlidcysten zu identifizieren, Gegner gefunden, die sich allerdings nicht ganz kategorisch aussprachen. So sagt Ginsberg (28) betreffs der von Hess in den Jahren 1888 und 1890 veröffentlichten Fälle von ektatischen Colobomen (37, 38): „Dass jene Cystenbildungen mit dem vorliegenden" (eigenen Falle Ginsbergs) „und dem zuletzt (1896) von Hess publizierten zusammengehören, möchte ich nicht bestimmt behaupten." Bock (9) äussert sich in seinem Werke über „Die angeborenen Colobome des Augapfels" gleichfalls in dem Sinne, dass man von den echten Cysten, welche eine „Bildungsanomalie selbständiger Art" darstellen, diejenigen unterscheiden müsse, welche „nur cystenförmige Abschnürungen des ektatischen Colobombodens" repräsentieren, und für die sein eigener Fall I und die Hessschen Fälle aus den Jahren 1888, 1890 und 1892 als Beispiele dienen können. „Alle diese Fälle sollte man gar nicht unter den Lid- oder Colobomcysten anführen, denn sie sind ja nur eine besondere Formanomalie in einem ektatischen Coloboma bulbi, welche soweit gediehen sein kann, dass die Grösse des Augapfels in einem auffallenden Missverhältnis steht zu der ausserordentlichen Ausdehnung der abgeschnürten unteren Bulbuswand." Mannhardt findet in seiner Arbeit vom Jahre 1905, wie ich bereits erwähnt habe, gleichfalls, dass der Mikrophthalmus mit Unterlidcyste und der Mikrophthalmus mit ektatischem Colobom zwei grundverschiedene Formen darstellen.

Ausser den Autoren, welche selbst Untersuchungen über Mikrophthalmie mit kongenitalen Cysten angestellt haben, haben sich noch Bach, Pichler und E. v. Hippel über die Entstehung dieses Leidens geäussert.

Bach (3) schliesst sich der Arlt-Hessschen Theorie an, d. h. er identifiziert die Orbitopalpebralcysten mit den ausgebuchteten ektatischen Colobomen, jedoch ist, nach seiner Ansicht, eine Entstehung der Cysten noch dann möglich, „wenn die Fötalspalte sich zwar nicht in normaler Weise, aber vollständig geschlossen hat". Das sind nämlich Cysten mit beiden Retinalblättern; hier ist die Ektasie der Wand nach dem Verschluss der Fötalspalte eingetreten. Die Cysten aber, welche nur das innere Blatt der Netzhaut enthalten, entstehen zu einer Zeit, wo die Fötalspalte noch nicht zum Verschluss gekommen ist; in diesen Fällen war das innere Netzhautblatt durch intraokularen Druck zwischen den Rändern der Augenspalte herausgedrängt worden und kleidet, in Falten gelegt, die Innenwand der Cyste aus. Das primäre ursächliche Moment, welches die Störungen im Verschlusse der Augenspalte hervorruft, liegt, nach Bach, in der abnormen Grösse der Linse.

Nach Pichler (69) spielen bei der Entstehung der Cysten zwei Momente mit: erstens ein abnormer Druck auf den Bulbus[1]), infolgedessen die Ränder der Fötalspalte zum Klaffen gebracht werden und nicht zusammenwachsen, zweitens ein abnormes Hineinwuchern der Netzhaut an den Rändern der offenen Fötalspalte in das umgebende Mesoderm. Die Entstehung der Fälle, in denen die Netzhaut in der Cyste keine sogenannte „perverse" Schichtenfolge besitzt, werden von Pichler durch Hineinwuchern der Netzhaut ins umgebende Mesoderm an beiden Rändern der Fötalspalte erklärt, wobei die Ränder der hineinwuchernden Netzhaut sich schliesslich einander nähern (Pichler glaubt offenbar, dass sie mit einander verwachsen) und von einer mesodermalen Hülle überzogen werden[2]).

Die Entstehung der Cysten mit perverser Lagerung der Netzhautschichten denkt sich Pichler in der Weise, dass der Verschluss der fötalen Augenspalte nur an einer umschriebenen Stelle ausgeblieben sei. Er setzt voraus, „dass das Mesoderm an dieser Stelle weniger nachgiebig ist, vielleicht sogar einen Zapfen ins Augeninnere aussendet, und an einer umschriebenen Stelle der einen Wand bleibt eine Lücke im Mesoderm, dasselbe ist dort nachgiebiger, lockerer". An dieser offenen Lücke wuchere die Netzhaut an einem Rande der Augenblase um so lebhafter ins Mesoderm hinein — es resultiert eine

---

[1]) Der Druck auf die Augenblase wird, nach der Ansicht Pichlers, durch Mangel an Amnionflüssigkeit, durch eine zu enge Amnionkappe oder auch durch die vorderen Enden der oberen Extremitäten des Embryo erzeugt.

[2]) Diese Erklärung ist unverständlich, und zwar: 1. ist es unwahrscheinlich, dass die aktiv hineinwuchernden Ränder der Netzhaut gegenseitig zusammentreten; 2. muss der Cystenraum bei dieser Auffassung nicht von Flüssigkeit, sondern von Mesoderm ausgefüllt sein; 3. ist es ferner unbegreiflich, weshalb die Retina in der Cyste in ihrer normalen Schichtenfolge gelagert wäre; sobald die Wucherung der Netzhaut an den Spalträndern, d. h. an ihrer Übergangsstelle zum Pigmentblatt, vor sich geht, kann man sich ja das Wachstum nur in der Weise vorstellen, dass eine Netzhautduplikatur zu stande kommt, und dann muss — wenn man den von Pichler supponierten Mechanismus anerkennt — die Cystenwand aus zwei Netzhautstreifen bestehen, die mit ihren entgegengesetzten Flächen aneinander gelagert sind.

Cyste mit pervers gelagerter Netzhaut, wie das deutlicher aus dem beistehenden von Pichler aufgestellten Schema ersichtlich ist (Fig. 3).

Pichler gibt die Möglichkeit zu, dass eine derartige Wucherung der Netzhaut nicht allein am unteren, sondern auch am vorderen Umfange der Blase stattfinden könne. Auf diese Weise können, seiner Ansicht nach, Oberlidcysten zu stande kommen (Pichlers Schema in Fig. 4).

v. Hippel bespricht in seiner bekannten Arbeit über die Entstehungsweise der typischen angeborenen Colobome des Augapfels (44) auch die Genese der hier in Rede stehenden Missbildung. Er hatte die Möglichkeit, an einem mikrophthalmischen Bulbus eines neuge-

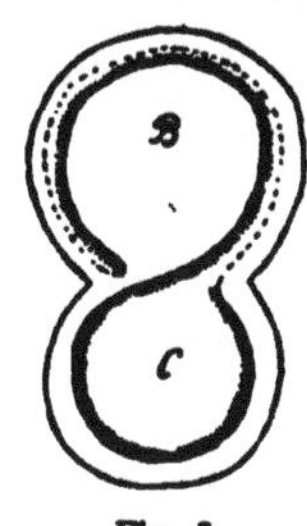

Fig. 3.

Schema der Entstehung einer Cyste mit „pervers" gelagerter Netzhaut nach Pichler, im Frontalschnitt.

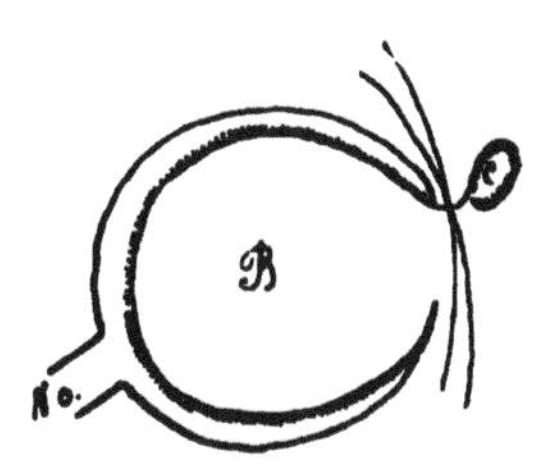

Fig. 4.

Schema der Entstehung einer Oberlidcyste nach Pichler, im Sagittalschnitt.

B = sekundäre Augenblase; *C* = Cyste.

borenen Kaninchens unmittelbar unter dem Sehnerveneintritte eine beginnende Cyste zu studieren. „Die Aussenwand der Cyste wird von Mesodermalgewebe gebildet, das sich in die Sklera fortsetzt, die innere von Retina, welche eine perverse Lagerung ihrer Schichten zeigt; der Innenraum der Cyste wird zum grössten Teil von stark zusammengefaltetem Retinalgewebe ausgefüllt. In der Mittellinie trennt die mesodermale Leiste die Cyste in zwei Abteilungen, die retinale Auskleidung reicht nur bis an den Rand der Leiste, die Retina ist also in der Cyste nicht kontinuierlich vorhanden"[1]).

Ehe wir zu der Erklärung übergehen, welche v. Hippel für den Entstehungsmodus der Cysten angibt, sollen einige durch die Arbeit v. Hippels festgestellte Tatsachen angeführt werden. v. Hippel hat gezeigt, dass der Verschluss der fötalen Augenspalte bei der

---

[1]) Die diesen Fall illustrierenden Figuren (7 u. 8) v. Hippels lassen keine differenzierten Cystenwandungen unterscheiden; man sieht nur unterhalb des Sehnerveneintrittes reichliche Retinalgewebsfalten in dem umgebenden Mesoderm (*N.*).

Entstehung des Coloboms durch einen in dieselbe hineinwachsenden mesodermalen Strang verhindert wird, welcher eine allzusehr verzögerte oder gar keine Rückbildung erfährt. Die Netzhaut bestrebt sich vergebens, den von dem mesodermalen Strang erzeugten Widerstand zu überwinden, und biegt sich an der Stelle des Hindernisses nach aussen um. Auf diese Weise entsteht, infolge „Kampfes um den Raum" zwischen den andrängenden Rändern der Augenblase und dem rasch wachsenden mesodermalen Strang, eine Duplikatur der Netzhaut, „nicht weil sie das Bestreben hat, aktiv in die Umgebung hinauszuwuchern, sondern einfach weil sie einem Hindernis Platz machen muss". Im Falle der Entwicklung eines Mikrophthalmus weicht die Netzhaut ausserdem entweder nach oben aus, d. h. ihre Falten steigen ins Augeninnere hinauf, oder sie weicht nach unten ab, tritt in das umgebende Mesoderm hinaus und bildet die Orbitalcyste.

Auf Grund der Untersuchung der obenerwähnten beginnenden Cyste beim Kaninchen erklärt v. Hippel die Entstehung der Cysten wie folgt:

„Da die Augenblasenblätter im Colobom eine Unterbrechung haben, ferner die Chorioidea fehlt und die Sklera dünner ist als überall sonst, so ist es selbstverständlich, dass der Bulbus an seiner Unterseite durch den normalen Augendruck allmählich ausgedehnt werden kann. Die Annahme einer Drucksteigerung ist dabei vollständig entbehrlich. Je dehnbarer die Sklera ist, um so stärker wird die Ausdehnung werden, sie kann dabei Ampullenform bekommen, es entsteht ein ektatisches Colobom, eine Colobomcyste, die mit dem Bulbusinnenraum durch eine Öffnung in Verbindung steht, die viel kleiner sein kann, als der Durchmesser der Cyste. Die Netzhaut würde verschieden weit in dieselbe hineinreichen können. Ist das Auge nicht mikrophthalmisch, so wird natürlich die Netzhaut nur eine relativ kleine Strecke in die Ektasie reichen können. Niemals wird sie, sofern der Fötalspalt, wie in meinen Fällen, ungeschlossen war, die Innenwand der Cyste in ihrer ganzen Kontinuität auskleiden können. Wo man sie also diskontinuierlich findet, braucht man keine sekundäre Zerreissung anzunehmen. In der Nähe des Verbindungskanals zwischen Bulbus und Cyste müsste man unmittelbar nach innen von der Bindegewebshülle der letzteren die Netzhaut mit perverser Anordnung ihrer Schichten, oder aber, wenn man annimmt, dass die äussere Lage der Netzhautduplikatur regressive Veränderungen eingeht, eine dem Retinalgewebe durchaus unähnliche Zellschicht finden, die am Halse der Cyste in das Pigmentepithel übergeht. Nach einwärts von dieser wird man Netzhaut in normaler Anordnung ihrer Schichten finden." In andern Fällen verändert sich das äussere Blatt der Duplikatur infolge regressiver Metamorphose so weit, dass es nicht mehr als solches zu erkennen ist; es kann „ein der Retina gänzlich unähnliches Gewebe, eventuell eine einzellige Schicht, entstehen, deren Nachweis in Schnitten zu der irrtümlichen Ansicht führen kann, dass das Pigmentepithel ohne Pigment im Colobom vorhanden war".

Die interessanten Untersuchungen v. Hippels haben — von der rein faktischen Seite — viel zum Verständnis der Entstehung des Coloboms beigetragen, und darin besteht sein unbestreitbares Verdienst. Was aber die Schlüsse betrifft, die er aus den von ihm beobachteten Tatsachen zieht, kann man sich jedoch mit vielen nicht einverstanden erklären. So kann ich es durchaus nicht als richtig anerkennen, dass die Erhebung von Netzhautfalten in das Augeninnere und ihr Heraustreten nach aussen, in das umgebende Mesoderm, einen rein passiven Vorgang repräsentiere, ein „Ausweichen" nach oben oder unten, wie sich v. Hippel vorstellt. Wenn man in dieser Hinsicht noch über die Netzhautfalten im Augeninnern streiten kann, so kann man keineswegs von einer „Ausweichung" oder einem „Heraustreten" der Netzhaut nach aussen in das umgebende Mesoderm sprechen. Letzteres ist ja ebenso fest, wie der als Hindernis dienende Strang. Nach meiner Ansicht handelt es sich zweifellos um einen aktiven Vorgang: es entsteht hier stets ein Überschuss an Gewebe, folglich muss notwendigerweise eine gesteigerte Wachstumsenergie angenommen werden.

Ferner hält v. Hippel die Cysten für ektatische Colobome, welche durch den normalen Intraokulardruck ausgedehnt worden sind (S. 520)[1]), aber zwei Seiten vorher erklärt er die Entstehung der Cysten dadurch, dass die Netzhaut an den Rändern der Augenspalte infolge des von dem mesodermalen Strange erzeugten Widerstandes nach unten ausweicht, nach aussen in das umgebende Mesoderm heraustritt und die Orbitalcyste bildet (S. 518). So verfällt v. Hippel in einen Widerspruch, indem er zur Erklärung eines und desselben Prozesses (der Entstehung der Cysten) zwei gänzlich verschiedene Ursachen annimmt. Dieser Widerspruch wird noch dadurch gesteigert, dass dieses Austreten der Netzhaut in das umgebende Mesoderm,

---

[1]) Auf S. 525 sagt er: „ektatische Colobome = Orbitalcysten".

nach seinen eigenen Worten, eben in den Fällen stattfindet, wo gerade zu wenig Glaskörper gebildet wird und wo folglich eine Verminderung des normalen Intraokulardruckes angenommen werden muss. Meiner Ansicht nach zeigen die Abbildungen v. Hippels uns ein Hineinwachsen der Netzhaut an den Rändern der Augenspalte in das umgebende Mesoderm in Gestalt zahlreicher Falten. Ein Cystenhohlraum fehlt in seinen Präparaten. Ich glaube, dass in den Präparaten v. Hippels zwei Cysten vorhanden sind, die aber „solid", d. h. fast durchweg von Falten oder Wucherungen der Netzhaut ausgefüllt und voneinander durch ein mesodermales Septum abgegrenzt sind, da das Hineinwachsen der Netzhaut in das umgebende Mesoderm an beiden Rändern der Augenblase, also an zwei Stellen erfolgt; v. Hippel aber stellt sich vor, dass er eine Cyste vor sich habe, die von dem mesodermalen Strang — demselben, der den Verschluss der Augenspalte verhindert hat — in zwei Hälften geteilt sei. Nach der Vorstellung v. Hippels muss die Innenschicht der Cyste aus zwei Netzhautlagen bestehen: einer äusseren, in der die Schichten „pervers" gelagert sind, und einer inneren, in der die Schichtenfolge die gleiche ist wie im Auge. Bei der Beschreibung seines Präparats sagt aber v. Hippel, die Innenwand sei von der Retina gebildet, „welche eine perverse Lagerung ihrer Schichten zeigt" (S. 515), woraus zu schliessen ist, dass hier keine zwei Netzhautlagen vorhanden waren. Es ist auch in der ganzen Literatur kein einziger Fall beschrieben worden, in dem die Auskleidung der Cyste aus solchen zwei Netzhautlagen zusammengesetzt wäre. Ferner behauptet v. Hippel, die Innenschicht der Cyste könne, solange die fötale Augenspalte nicht geschlossen sei, nie die Innenfläche der Cyste in ihrer gesamten Ausdehnung auskleiden; und in der Tat, wenn die Vorstellung v. Hippels über die Entstehungsart der Cysten richtig wäre, müsste die angeführte Behauptung volle Geltung haben: es würde ein bedeutender Defekt in der Innenschicht bestehen. Nun erwähnt aber keiner von den Autoren, welche echte Orbitopalpebralcysten untersucht haben, einen derartigen Defekt[1]; in den von mir untersuchten Fällen wurde ebenfalls keine Kontinuitätsunterbrechung in der Innenschicht erwiesen. Dieser Umstand gibt einen neuen Beleg für die Unhaltbarkeit der Ansicht v. Hippels über die Genese der Cysten ab.

[1] v. Hippel sagt, es sei bisher kein einziger Fall konstatiert worden, in dem die Retina die Cyste ohne Unterbrechung ausgekleidet hätte (S. 528). Diese Behauptung ist ganz unrichtig.

Ich gehe nun zu meinen eigenen Anschauungen bezüglich der Genese und des Entwicklungsmechanismus der Cysten über.

Wie ich bereits am Ende des vorigen Abschnittes auseinandergesetzt habe, gibt es zwei Gruppen von Mikrophthalmus und Anophthalmus mit Orbitopalpebralcysten.

Wir wollen nun die Entstehung jeder dieser Gruppen für sich betrachten. Zunächst sei die zweite Gruppe besprochen.

Wie ich bereits gesagt habe, ist diese Gruppe durch folgende Kennzeichen charakterisiert: Klinisch wird stets Anophthalmus (c. cyst. palp. inf.) diagnostiziert. Die anatomische Untersuchung zeigt, dass der Augapfel fast gar nicht zur Ausbildung gekommen ist; in der Mehrzahl der Fälle existiert nur eine Cyste, an deren hinterem Abschnitt einige Bestandteile des Auges sich entwickelt haben. Zuweilen ist doch ein sehr schwach differenzierter kleiner Bulbus vorhanden, der im Zusammenhang mit der hinteren Partie der Cyste steht, aber im Innenraum eines derartigen kleinen Augapfels ist weder Retina, noch Glaskörper, noch die Linse vorhanden; der Cystenhohlraum kommuniziert durch eine, wenn auch mikroskopische Spalte direkt mit dem Bulbusinnenraum, wobei das Pigmentepithel des Auges unmittelbar in die Innenschicht der Cyste übergeht. Letztere besteht aus mangelhaft entwickelter oder gut ausgebildeter „perverser“ Retina. Wie lassen sich diese Fälle erklären?

Es gibt hier unzweifelhaft nur eine Erklärung, nämlich die, welche bereits Mitvalsky (63) gegeben hat: diese Fälle entwickeln sich im Stadium der primären Augenblase.

Der Vorgang ist hierbei folgender: Die Entwicklung des Auges bleibt im Stadium der primären Augenblase stehen. Das distale Blatt hat keine Invagination erfahren; das proximale Blatt verwandelt sich in Pigmentepithel und rings um dasselbe entwickeln sich die mesodermalen Membranen des Auges, welche verschiedene Grade der Differenzierung erreichen. Das nicht eingestülpte distale Blatt verbleibt in seiner früheren primordialen Lage, seine Differenzierung schreitet aber ebenso fort, wie wenn die Invagination sich vollzogen hätte; infolgedessen nimmt es die Struktur einer „pervers“ gelagerten Netzhaut an. Es wird zu einer Cyste ausgedehnt, für die das umgebende Mesoderm die bindegewebige Hülle liefert. Demgemäss bildet der Hohlraum der früheren primären Augenblase den Bulbusinnenraum und den Cysteninnenraum. Das distale Blatt, welches seine Tendenz zum aktiven Wachstum nicht verloren hat, hat die Auswüchse in meinem ersten Falle, das „Interkalargewebe“ und den Auswuchs im Mitvalskyschen Falle (63) gebildet; ebenso sind die reichlichen Wucherungen im Cysteninnenraum in dem Falle Schimanowsky (80) und die Netzhautgewebs-Masse im Lapersonneschen Falle (55) entstanden. Ferner hat das distale Blatt, in einer andern Richtung wachsend, in meinem Falle die zweiten mikroskopischen Cysten geliefert, welche von Gliagewebe ausgefüllt und von einer mesodermalen Hülle umgeben waren. Die Linse hatte sich in allen oben angeführten Fällen entwickelt, und zwar lag sie in meinem Falle, in denjenigen von Lapersonne und Schimanowsky [wie auch in dem von Treacher Collins (48)] innerhalb der Falten oder Wucherungen des distalen Blattes[1]); in dem Mitvalskyschen hatte das Linsenrudiment (?) nur einen Durchbruch der Wand der primären Augenblase in deren distalem Blatt, an der Grenze gegen das proximale erzeugt und lag im Skleralgewebe, mit einem Ende in den Bulbusinnenraum hineinragend. In der v. Duyseschen Beobachtung (94) war die Linse gar nicht zur Entwicklung gekommen. Der Bindegewebsstrang, der in meinem ersten Falle und in denjenigen von Lapersonne und Schimanowsky von der Cystenwand zur Linse sich erstreckt, in seiner Dicke Gefässe enthält und an seinem Ende sich in eine Masse auflöst, welche an den Glaskörper erinnert, hat sich aus dem umgebenden Mesoderm entwickelt und ist wahrscheinlich aus dem Teile desselben entstanden, welcher, im Falle der Entwicklung des Auges zum Stadium der sekundären Augenblase, zur Bildung des Glaskörpers und der Capsula vasculosa lentis prädestiniert war.

Also entwickeln sich alle Fälle der zweiten Gruppe aus dem Stadium der primären Augenblase, d. h. entsprechend der Mitvalskyschen Theorie.

[1]) Die Einstülpung des Ektoderms, welche zur Bildung der Linse erfolgt, und die Invagination des distalen Blattes der primären Augenblase sind voneinander gänzlich unabhängige Vorgänge: Kölliker, Goette und Ciaccio beobachteten — ersterer beim Kaninchen, der zweite beim Bombinator, der dritte bei Embryonen von Vögeln und Säugetieren —, dass die Invagination der primären Augenblase etwas früher eintritt, als die Einstülpung des Ektoderms, aus dem die Linse sich entwickelt [cit. nach Becker (5), Graefe's Arch. Bd. XXXIV, 3, 1888]. Nussbaum (67, S. 10) erwähnt, dass bei Amphiuma-Embryonen die primäre Augenblase sich in die sekundäre umwandelt, ehe noch im Ektoderm irgend eine Andeutung von der Anlage der Linse bemerkbar ist. Die gegenseitige Unabhängigkeit beider Prozesse wird auch durch die experimentell-embryologischen Untersuchungen Speemanns und den von Rabl beschriebenen Fall einer sekundären Augenblase mit Fehlen der Linse bewiesen [cit. nach Froriep (25)]. Becker (5) hat einen ziemlich gut entwickelten Mikrophthalmus beim Menschen mit vollkommenem Mangel der Linse beschrieben.

Wie verhält es sich nun mit der Entstehung und dem Entwicklungsmechanismus der Fälle der ersten Gruppe?

Mitvalsky sagt, dass alle vor ihm veröffentlichten Fälle die soeben beschriebene Genese haben, manche (und zwar die, welche nach meiner Klassifikation zur ersten Gruppe gehören) mit der Modifikation, dass in der primären Augenblase doch eine partielle Invagination stattgefunden hat. „In derartigen Fällen ist es wohl zur Einstülpung des distalen Blattes der primären Augenblase gekommen und es wurde diese Einstülpung auch von dem Eindringen des Linsenrudiments in das Innere des sich formierenden Bulbus begleitet, ja es konnte sogar in derartigen Fällen vielleicht zum Aneinanderlegen der betreffenden Flächen beider Blätter der primären Augenblase kommen, so dass dadurch eine ganz regelrecht gebildete Netzhaut resultierte; aber diese Einstülpung kam jedoch nicht in der ganzen Ausdehnung der Netzhaut zustande, sondern der hintere, also der in der Nähe des Optikus befindliche Teil des distalen Blattes der primären Augenblase wurde nicht eingestülpt und dehnte sich dann zu einer an dem mehr oder weniger verkümmerten Bulbus in der Nähe seines hinteren Poles hängenden, divers grossen Cyste aus, welche ebenfalls ganz gut von perverser Retina ausgekleidet sein kann."

Die Mitvalskysche Hypothese ist theoretisch vollkommen zulässig, vielleicht sind manche Fälle — obschon mir das sehr wenig wahrscheinlich vorkommt — in dieser Weise entstanden, aber für die Mehrzahl der Fälle stimmt diese Erklärung nicht. Ich habe schematische Abbildungen angefertigt, welche die Voraussetzungen Mitvalskys illustrieren sollen. Fig. 5 repräsentiert einen durch den Sehnerven gelegten Sagittalschnitt, Fig. 6 einen Sagittalschnitt seitwärts vom Sehnerveneintritt. Fig. 6 zeigt, dass in den ausserhalb des Sehnerven geführten Sagittalschnitten der Cystenraum, der einen Teil des Innenraums der primären Augenblase ausmacht, an der Hinterseite des Auges mit dem von der Pigmentmembran und der Retina der sekundären Augenblase begrenzten Raum kommuniziert; an den Schnitten aber, welche durch den Sehnerven selbst gehen (Fig. 5), wird eine solche Kommunikation fehlen, da das Gewebe des Sehnerven sich am Sehnerveneintritte direkt in die Netzhaut fortsetzt. Wenn wir aber die Sagittalschnitte der Präparate von Ginsberg (28), v. Duyse (92) und Hess (40) ansehen (dieselben sind von mir in Fig. 7 schematisch dargestellt), so finden wir andere Verhältnisse: hier kommuniziert der Cystenhohlraum mit dem Raum zwischen Pigmentmembran und Netzhaut des Bulbus an der dem Sehnerveneintritt gegenüberliegenden Stelle. Dieses wäre unmöglich, falls die Cysten aus dem nicht eingestülpten Teil der primären Augenblase entständen. — Die Entstehung der Cysten aus dem nicht eingestülpten Teil der primären Augenblase kann auch für die Fälle nicht zugegeben werden, wo an einem gut entwickelten Mikrophthalmus zwei Cysten vorhanden waren, die dazu noch nicht miteinander in Verbindung standen; um so mehr gilt das für solche Fälle, wie das linke Auge in meiner II. Beobachtung, wo die Doppelbänder der Netzhaut an den Rändern der fötalen Spalte in den Bulbusinnenraum abgingen und mit dem Gewebe beider Cysten im Zusammenhang standen.

Die Entstehung der Fälle der I. Gruppe lässt sich nur in dem Sinne erklären, dass dieselben sich im Stadium der sekundären

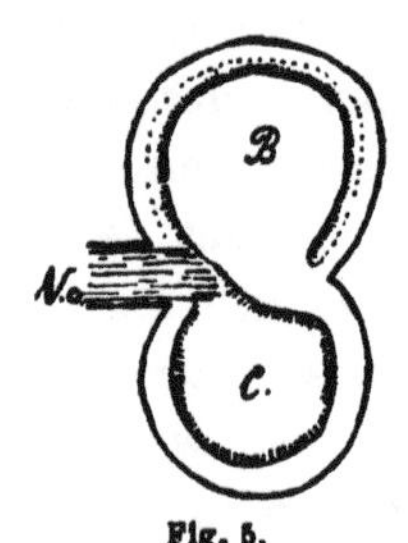

Fig. 5.

Sagittalschnitt durch den Sehnerven.

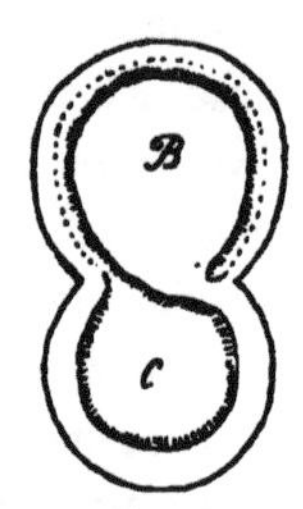

Fig. 6.

Sagittalschnitt seitwärts vom Sehnerven.

Schema des gegenseitigen Verhältnisses der Cyste und des Auges nach Mitvalsky.

B = sekundäre Augenblase; *C* = Cyste; ___ = Mesoderm; . . . = Pigmentepithel; ⊥⊥⊥⊥ = Retina.

Augenblase entwickeln und genetisch mit dem unvollständigen Verschluss der fötalen Augenspalte in Zusammenhang stehen.

Ich stelle mir den Vorgang folgendermassen vor: Der vollständige Verschluss der fötalen Augenspalte wird durch den in dieselbe hineinwachsenden mesodermalen Strang verhindert, welcher eine abnorm lange oder gar keine regressive Umwandlung durchmacht. Indem die Netzhaut an den Rändern der Augenblase das Hindernis zu überwinden sucht, bildet sie in einer gewissen Ausdehnung eine Duplikatur an einer oder an beiden Seiten dieses mesodermalen Stranges. Diese Netzhautduplikatur wuchert, infolge aktiven[1]) Wachstumsbestrebens, an einem Rande der Augenblase (im Falle der Bildung einer Cyste) in das umgebende

---

[1]) Dass hier ein aktiver Prozess vorliegt, dafür scheinen mir auch die bekannten Untersuchungen Elschnigs (19, 20) über die Colobome des Sehnerveneintritts beweisend zu sein. Ich stimme mit Elschnig darin überein, dass die

mesodermale Gewebe hinein. Durch andauerndes Wachstum und Auftreten von Flüssigkeit zwischen beiden Blättern der Duplikatur wird letztere zu einer Cyste ausgedehnt [Fig. 8 — Schema des Frontalschnitts[1])]. Dementsprechend wird der Cysteninnenraum von „pervers“ gelagerter Netzhaut ausgekleidet sein. Aus dem umgebenden Mesoderm differenziert sich die äussere bindegewebige Wand der Cyste. Sobald keine Flüssigkeit zwischen beiden Blättern der Netzhautduplikatur auftritt, wuchert das Retinalgewebe üppig und liefert eine solide Cyste, die keinen Hohlraum besitzt, wie z. B. die Cyste am Sehnerveneintritt im Schimanowskyschen Falle (82) und die solide Cyste am linken Auge meines II. Falles. Gelegentlich wird nur ein Teil der Cyste von Flüssigkeit

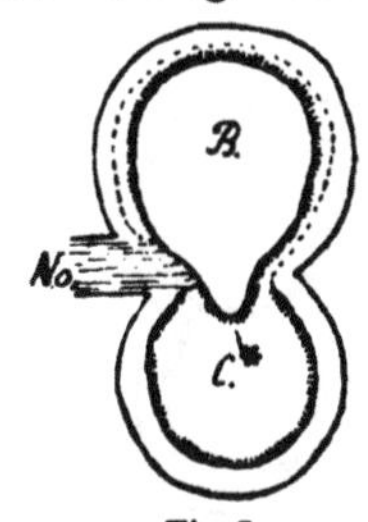

Fig. 7.

Sagittalschnitt der Fälle von Ginsberg, v. Duyse (1900), Hess (1896), schematisch. *B* = Bulbus; *C* = Cyste; * = Falten der Netzhaut, in den Cystenraum vorgefallen.

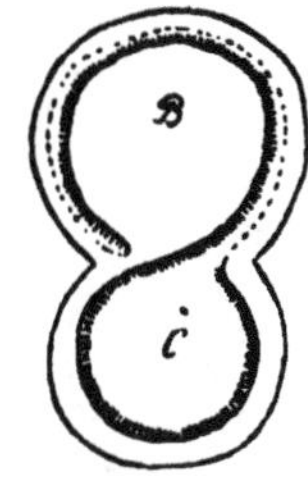

Fig. 8.

Schema der Entstehung der Cyste in den Fällen der I. Gruppe, nach dem Verfasser. Frontalschnitt. *B* = sekundäre Augenblase; *C* = Cyste; —— = Mesoderm; . . . = Pigmentepithel; ⊥⊥⊥⊥ = Netzhaut.

ausgefüllt, der andere Teil aber durchweg von Wucherungen des Netzhautgewebes eingenommen, wie z. B. die nur zur Hälfte hohle Cyste am linken Auge meines II. Falles. (Die reichliche Wucherung des Netzhautgewebes, die zur Bildung solider Cysten führt, liefert einen unzweifelhaften Beweis für den aktiven Charakter des Prozesses.) Wie aus dem Schema ersichtlich, wird der Cysteninnenraum mit dem

---

Entstehung der taschenförmigen Netzhautanlagen (in der Chorioidea, zwischen Sklera und Sehnerv, im Sehnerven und in den Sehnervenscheiden) als aktives Einsprossen betrachtet werden müssen, als „Folge einer Wachstumstendenz abnormer Grösse und abnormer Richtung“. — Das aktive Hineinwuchern der Netzhaut wird wohl seine Erklärung in der aus der neueren Biologie bekannten Lehre von den Korrelationen finden.

[1]) Wie wir sehen, entspricht das Schema vollkommen dem Pichlerschen Schema (69) für Cysten mit perverser Netzhaut. Der Unterschied zwischen den Anschauungen Pichlers und den meinigen besteht darin, dass ersterer noch die Existenz von Cysten mit normal gelagerter Netzhaut anerkennt, die er in anderer Weise deutet, ich aber letztere in Abrede stelle; daher ist die geschilderte Erklärung die einzige für die Entstehung der Cysten in den Fällen der I. Gruppe massgebende.

Raum zwischen der Pigmentmembran und der Retina des Auges kommunizieren, wobei die die Cyste auskleidende „perverse“ Retina an einem Rande des Cystenhalses in das Pigmentepithel des Auges übergehen wird. Das gleiche wird auch an Sagittalschnitten, welche durch den Sehnerven gehen (s. Schema Fig. 9), sichtbar sein. Das Schema entspricht vollkommen den Fällen von v. Duyse (92), Ginsberg (28) und Hess (40).

An den seitwärts vom Sehnerven gelegten Sagittalschnitten wird ein in Fig. 10 dargestelltes Bild entstehen, wo die den Cystenhohlraum auskleidende Netzhaut an beiden Seiten in das Pigmentepithel des Auges übergeht und wo der Innenraum der Cyste auf beiden Seiten mit dem Raum zwischen Pigmentmembran und Retina des

Fig. 9. Sagittalschnitt durch den Sehnerven. Fig. 10. Sagittalschnitt seitwärts vom Sehnerven.
Schema der gegenseitigen Verhältnisse der Cyste und des Auges, nach dem Verfasser.
—— = Mesoderm; . . . = Pigmentepithel; ⊥⊥⊥⊥ = Netzhaut.

Auges kommunizieren wird. (Davon kann man sich leicht überzeugen, wenn man aus beiden Hälften einer Kartoffel Modelle der vorderen und der hinteren Hälfte des Präparats herstellt und die zusammengelegten Hälften in sagittaler Richtung durchschneidet.) Aber die in den schematischen Figuren dargestellten Bilder können nur an den Präparaten mit Deutlichkeit hervortreten, wo durch einen (für unsere Zwecke) glücklichen Zufall die Netzhaut des Auges am Cystenhalse sich von dem Pigmentepithel, dem sie angelagert war, abgetrennt hat und wo das Pigmentepithel des Auges allmählich in die Innenschicht der Cyste übergeht. Solche Fälle sind, wie wir gesehen haben, in geringer Anzahl beschrieben: v. Duyse (92), Hess (40), Ginsberg (28). In der Mehrzahl der Fälle liegt aber die Netzhaut dicht der Pigmentmembran an der Stelle ihres Überganges zur Cysteninnenschicht an, letztere bietet meist nicht überall das charakteristische Bild der „perversen“ Retina, sondern zeigt zuweilen vollkommen gliösen Charakter (den gleichen Charakter präsentiert zuweilen die Netzhaut im Inneren des Auges), das pigmentierte Netzhautepithel bricht scharf ab — und dann ist es schwer oder ganz unmöglich, dessen Übergang zur Cysten-Retina zu sehen. Die Verbindungsöffnung selbst ist gleichfalls von Falten oder Wucherungen der gliös veränderten Netzhaut erfüllt, so dass der Eindruck entsteht, als ob die Netzhaut des Auges an beiden Rändern der Öffnung in die Auskleidungsschicht der Cyste überginge. Der mesodermale Strang, der den Verschluss der fötalen Augenspalte verhindert hatte, kann mit der Zeit vollkommen verschwinden.

Die Fälle der I. Gruppe, wo zwei Cysten am Auge vorhanden sind, entstehen in der gleichen Weise, wie oben geschildert, aber nur mit dem Unterschied, dass hier die Netzhaut an beiden Rändern der sekundären Augenblase aktiv wuchert (Schema in

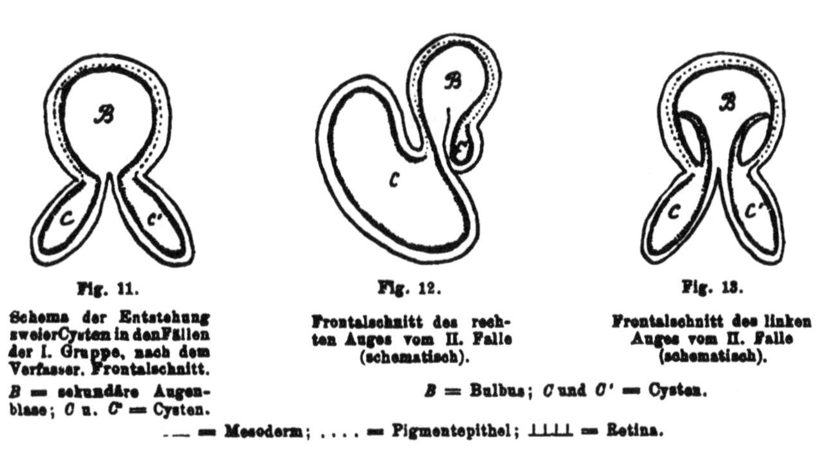

Fig. 11. Schema der Entstehung zweier Cysten in den Fällen der I. Gruppe, nach dem Verfasser. Frontalschnitt. *B* = sekundäre Augenblase; *C* u. *C'* = Cysten.

Fig. 12. Frontalschnitt des rechten Auges vom II. Falle (schematisch).

Fig. 13. Frontalschnitt des linken Auges vom II. Falle (schematisch).

B = Bulbus; *C* und *C'* = Cysten.

— = Mesoderm; .... = Pigmentepithel; ⊥⊥⊥⊥ = Retina.

Fig. 11). Dieselbe Genese haben beide Cysten am rechten Auge meines II. Falles (s. Schema Fig. 12).

Fig. 13 stellt schematisch, im Frontalschnitt, den Bau des linken Auges und der beiden mit ihm zusammenhängenden Cysten in meinem II. Falle dar. Hier war der Vorgang etwas komplizierter. Hier hatte die Netzhaut an beiden Rändern eine Duplikatur gebildet, welche beim ferneren Wachstum in das Augeninnere hineingewachsen war, und hatte sich, nachdem sie eine aus zwei Schichten bestehende Platte gebildet hatte, an die Seitenwand des Auges befestigt, wobei von Glaskörper ausgefüllte ovale Räume entstanden sind. Aber abgesehen davon, ist die Duplikatur noch in das das Auge umgebende Mesoderm hineingewuchert und hat hier zwei von Gliagewebe ausgefüllte Cysten gebildet. Der Übergang des Pigmentepithels in die Cyste ist an meinen Präparaten nicht zu sehen, da das pigmentierte

Netzhautepithel des Auges scharf abbricht und die Cysteninnenschicht selbst die ganze Cyste ausfüllt. Der mesodermale Strang, welcher den Verschluss der fötalen Augenspalte verhindert hatte, war in meinen Präparaten deutlich zu sehen.

Zur Frage der Entstehung der Oberlidcysten übergehend, muss ich vor allem bemerken, dass fast alle Autoren dieselbe mit Schweigen umgehen. Voraussetzungen über die Art der Entstehung der Oberlidcysten sind nur von Purtscher (70) und Pichler (69) geäussert worden.

Purtscher zieht zur Erklärung der Oberlidcysten die Mitvalskysche Theorie heran, wobei vorausgesetzt wird, dass infolge einer zufälligen mechanischen Ursache die nach oben gelegene Partie der primären Augenblase nicht eingestülpt wurde, wodurch eine Cyste im Oberlid entstanden sei.

Pichler nimmt an, dass die Entstehung der Oberlidcysten durch Hineinwuchern des vorderen Randes der sekundären Augenblase ins umgebende Mesoderm erklärt werden könne, ganz analog dem Vorgang, bei dem eine gleiche Wucherung des Randes der fötalen Augenspalte eine Unterlidcyste ergibt. „Die sich organisierenden mesodermalen Hüllen werden im weiteren Verlauf diese Wucherungen an ihrem Grunde einschnüren, ja vielleicht sogar abschnüren" (siehe oben Pichlers Schema, Fig. 4).

Zur Beurteilung der Entstehung der Cysten des Oberlids ist das vorhandene anatomische Material vollkommen unzureichend. Wir besitzen im ganzen zwei anatomisch untersuchte Fälle dieser atypischen Anomalie: die von Buchanan (10) und Taylor-Collins (48). Übrigens ist als den Oberlidcysten analoger Fall auch derjenige von Rogman (76) anzusehen, wo die Cyste die ganze Orbita ausfüllte, aber über dem oberen Conjunctivalsack, oberhalb des Mikrophthalmus gelegen war.

Der Fall von Buchanan ist zu schwach bearbeitet, um aus demselben irgendwelche Schlüsse machen zu können. Der Fall Taylor-Collins zeigt uns, dass es Fälle von Mikrophthalmie (resp. Anophthalmie) mit Oberlidcysten gibt, welche zur II. Gruppe (nach meiner Klassifikation) gehören und unzweifelhaft aus der primären Augenblase entstanden sind.

Der Rogmansche Fall, sowie auch der Purtschersche, in dem der Bulbus ziemlich gut entwickelt war, sind zur I. Gruppe (nach meiner Klassifikation) zu rechnen. Im Rogmanschen Falle stand die Cyste im Zusammenhang mit einem ziemlich gut entwickelten

Augapfel, vermittels einer in der oberen, hinteren Wand des Augapfels befindlichen Öffnung oberhalb des Sehnerveneintritts. Rogman selbst bringt seinen Fall offenbar in Verbindung mit der fötalen Augenspalte, da er sagt, derselbe biete einen neuen Stützpunkt für die Arlt-Hesssche Theorie, wobei er aber gänzlich vergisst, dass in einem solchen Falle die unverschlossene fötale Augenspalte sich in der oberen Bulbuswand, oberhalb des Sehnerven erweist. v. Duyse erklärte in der Diskussion zur Demonstration Rogmans in der Belgischen Ophthalmologischen Gesellschaft[1]) die Lage der Cyste oberhalb des Mikrophthalmus durch die Vermutung, der Bulbus sei durch die wachsende Cyste nach unten verdrängt worden. Diese Erklärung erscheint sehr hypothetisch.

Die Erklärung der Entstehung derjenigen Fälle von Mikrophthalmie mit Oberlidcysten, welche zur I. aufgestellten Gruppe gehören, ist ebenso schwer und kompliziert, wie die Deutung der atypischen Colobome. Wenn man die Richtigkeit der Pichlerschen Theorie über das Hineinwuchern des vorderen Randes der sekundären Augenblase in das umgebende Mesoderm zugibt, so müsste man finden, dass die Cyste in der Hornhautgegend mit dem Augapfel verbunden wäre, da der vordere Rand der sekundären Augenblase später die Pupille des ausgebildeten Auges abgibt. Solche Verhältnisse scheinen in der Tat in dem nur klinisch untersuchten Falle Purtschers[2]) vorhanden gewesen zu sein.

Für die Cysten aber, welche oberhalb des Sehnerveneintritts mit dem Bulbus in Verbindung stehen, dürfte vielleicht eine Erklärung in dem Befund einer doppelten fötalen Augenspalte gesucht werden, welche v. Duyse (93) bei einem Rindsembryo beobachtet hat. v. Duyse, sowie auch v. Hippel (44), sehen in dieser Tatsache eine Erklärung für die atypischen Colobome, indem sie annehmen, dass die letzteren infolge unvollständigen Verschlusses einer derartigen zweiten, atypischen fötalen Augenspalte entstehen. Auf Grund obiger Beobachtung v. Duyses kann man voraussetzen, dass eine Oberlidcyste, die oberhalb des Sehnerveneintritts mit dem Bulbus in Verbindung steht, infolge abnormer Wucherung der Ränder der

---

[1]) Klin. Monatsbl. f. Augenheilk. Bd. XLII, S. 278. Ber. über d. Sitz. d. Soc. Belge d'opht., 27. Juni 1903.

[2]) Nach der Beschreibung Purtschers geht von der Mitte der Hornhaut ein derber weisslicher, 2—2,5 mm breiter Strang ab, der aufwärts strebt und hart oberhalb des Hornhautrandes, sich verbreiternd, in die Cystengeschwulst, wahrscheinlich in die Cystenwand selbst, hineintritt.

Augenblase im Bereich einer solchen atypischen Spalte zu stande kommen kann. Dann würde sich auch die Genese der I. Gruppe von Mikrophthalmie mit Oberlidcysten ebenso erklären lassen, wie derjenigen mit Unterlidcysten. Doch ist einstweilen, solange sich noch kein genügend grosses anatomisches Material angesammelt hat, diese Frage als offen zu betrachten.

Die innere Auskleidungsschicht der Cyste zeigte in den beobachteten Fällen nie den Charakter einer vollkommen ausgebildeten Netzhaut. Sie bestand meist aus Gliagewebe mit den Elementen der „Körnerschichten" der Retina und mit der Tendenz der letzteren, sich in Schichten zu lagern. In vielen Fällen hatte sie die Struktur einer „perversen" Retina angenommen, in der jedoch die Ganglienzellen und die Nervenfaserschicht fehlten.

Ein derartiger Zustand der Innenschicht darf nicht als Ausdruck eines atrophischen Vorgangs in einer Netzhaut, welche früher einen normal ausgesprochenen Bau besessen hatte, ausgelegt werden. In der Mehrzahl der Fälle ist das eine in ihrer Entwicklung zurückgebliebene Retina, in der die Differenzierung der entsprechenden Zellen zu Neuroblasten ausgeblieben ist. Allerdings haben in manchen Fällen in dieser Netzhaut auch atrophische Vorgänge stattgefunden, aber schon als sekundäre Erscheinung.

Hinsichtlich der allgemeinen ätiologischen Momente, welche zur Entstehung der Mikrophthalmie (Anophthalmie) mit Orbitopalpebralcysten führen sollen, sind, wie wir bereits wissen, viele Hypothesen aufgebracht worden, dieselben sind aber nicht genügend begründet. Kundrat (52) nahm einen Zusammenhang dieser Missbildung mit Anomalien des Gehirns, speziell des Zwischenhirns an. Doch bleibt dieser Zusammenhang vollkommen unaufgeklärt: es ist nicht einzusehen, ob die erstere von der letzteren abhängt, oder beide durch gemeinschaftliche Ursachen erzeugt werden. Die Annahme v. Duyses (92), dass eine abnorme Flüssigkeitsanhäufung in den Gehirnventrikeln sich auf die vom Gehirn ausgehende Augenblase fortsetze, ist selbst für seinen eigenen Fall unwahrscheinlich, geschweige denn für andere. v. Duyse (92) und Pichler (69) vermuten, dass die uns beschäftigende Missbildung infolge abnormer Enge des Amnion und eines daraus resultierenden Druckes der amniotischen Flüssigkeit auf die Augenblase entstehe; nun ist aber bisher kein einziger Fall von Mikrophthalmie mit Cysten beobachtet worden, der obige Ansicht zu bekräftigen geeignet wäre. Beide letztgenannten Autoren sprechen auch von einem schädlichen Einflusse der Toxine, welche während der

Schwangerschaft aus dem Organismus der Mutter in die Frucht übertreten.

v. Hippel sieht, auf den Ergebnissen seiner bereits erwähnten Untersuchungen (1903) basierend, als einzig bewiesenen ätiologischen Faktor die Erblichkeit an. Dem ist entgegenzuhalten, dass unter den veröffentlichten Fällen von Mikrophthalmie mit Cysten nur in fünf Beobachtungen Hinweise auf die Heredität irgend einer Entwicklungsstörung des Auges vorhanden sind.

Bei der Betrachtung der beschriebenen Beobachtungen erscheint die Tatsache beachtenswert, dass in manchen Fällen auch Entwicklungsfehler in andern Organen bestanden. Dieses gibt uns die Berechtigung zum Schlusse, dass bei der Entstehung des in Rede stehenden Zustandes dieselben Ursachen eine Rolle spielen, welche überhaupt zu Bildungsfehlern des Organismus führen. Da die mit Mikrophthalmie und Unterlidcysten behafteten Kinder meist im frühen Alter sterben, so liegt der Gedanke nahe, dass hier den erblichen konstitutionellen Krankheiten eine grosse Bedeutung zukommt.

Schlussfolgerungen.

1. Die angeborenen serösen Lidcysten (Orbitopalpebralcysten) sind stets mit mangelhafter Entwicklung des Augapfels vergesellschaftet und stehen in engem anatomischen Zusammenhang mit der letzteren.

2. Diese Cysten repräsentieren in ihrem anatomischen Bau, in der Art des Zusammenhanges mit dem Augapfel und in dem Mechanismus ihrer Entstehung eine von den ektatischen Colobomen gänzlich verschiedene Anomalie. Die Arlt-Hesssche Theorie ist auf diese Cysten nicht anwendbar.

3. Daher sind die von Ewetzky und v. Duyse für dieselben vorgeschlagenen Bezeichnungen: „Colobomcyste", „colobome enkysté", „kyste colobomateux" unrichtig und müssen aufgegeben werden.

4. In der Regel kommen Cysten im Unterlid zur Beobachtung. Bei sehr grossen Dimensionen der Cysten können dieselben die ganze Orbita ausfüllen; wenn sie geringen Umfang haben, brauchen sie das Lid nicht vorzudrängen und werden dann klinisch nicht erkannt. In sehr seltenen Fällen wurden Cysten im Oberlid beobachtet.

5. Diese Cysten kommen in gleicher Häufigkeit bei beiden Geschlechtern vor; einseitig tritt die Anomalie doppelt so häufig auf, wie auf beiden Seiten, und zwar rechts ebenso häufig wie links. Bei ein-

seitiger Affektion bestehen in der Hälfte der Fälle auch Entwicklungsanomalien des Auges auf der andern Seite. Zuweilen sind auch Entwicklungsstörungen in andern Körperteilen vorhanden. In einigen Fällen lassen sich Hinweise auf Erblichkeit des einen oder des andern Entwicklungsfehlers des Auges finden.

6. Zuweilen sind in Verbindung mit dem Mikrophthalmus nicht eine, sondern zwei Cysten vorhanden, jedoch lässt sich das klinisch nicht feststellen.

7. Die Aussenschicht der Cystenwand besteht stets aus Bindegewebe, die Innenschicht — aus einer gegen die Norm verkehrt gelagerten, d. h. mit ihren Stäbchen und Zapfen gegen den Cysteninnenraum gerichteten Netzhaut; in derselben fehlen meist die Ganglienzellen und die Schicht der Nervenfasern. In der Mehrzahl der Fälle ist diese Retina auf einer gewissen Stufe ihrer Differenzierung stehen geblieben und infolge Druckes seitens der Cystenflüssigkeit, sowie zuweilen durch sekundäre entzündliche Vorgänge, zum Teil pathologisch verändert; daher ist eine vollkommen ausgeprägte Netzhautstruktur bisweilen nur in einigen Partien, bisweilen aber gar nicht vorhanden, und dann stellt sich die Innenschicht nur als Streifen Gliagewebe dar, innerhalb dessen Elemente der Körnerschichten der Retina liegen; einige Partien der Innenschicht bestehen ausschliesslich aus einem dem Epithel der Pars ciliaris retinae analogen Cylinderepithel.

8. Der anatomischen Struktur nach lassen sich zwei Gruppen von Mikrophthalmie mit Cysten aufstellen, welche sich auch in bezug auf den Mechanismus und den Zeitpunkt ihrer Entstehung scharf von einander unterscheiden.

I. Gruppe: Die Cyste befindet sich stets im Zusammenhange mit einem Mikrophthalmus, der sich meist schon klinisch nachweisen lässt. Der reduzierte Bulbus ist meist ziemlich befriedigend ausgebildet. An seiner unteren Wand, unmittelbar vor dem Sehnerveneintritt, ist eine Spalte vorhanden, durch die die Retina des Augapfels in die Cyste übertritt, wo sie deren Innenschicht bildet. Diese Spalte ist von Netzhautfalten ausgefüllt. Eine Kommunikation zwischen der Cystenhöhle und dem Glaskörperraum des Bulbus ist nie vorhanden, aber die Cystenhöhle kommuniziert mit dem Raum zwischen Retina und Pigmentmembran des Auges, d. h. mit der früheren Höhle der primären Augenblase. Diese Kommunikation tritt jedoch nur an jenen Präparaten mit voller Deutlichkeit hervor, in denen die Netzhaut am Cystenhalse sich zufällig von der Pigmentmembran abgelöst hat, welcher sie angelegen war, und das Pigmentepithel allmählich in die Cysteninnenschicht übergeht [die Fälle von Ginsberg (28), v. Duyse (92), Hess (40)].

II. Gruppe: Klinisch wird stets Anophthalmus (c. cyst. palpebr. infer.) diagnostiziert. Die anatomische Untersuchung ergibt, dass der Augapfel fast gar nicht zur Ausbildung gekommen ist; in der Mehrzahl der Fälle existiert nur eine Cyste, an deren hinterem Abschnitt einige Bestandteile des Auges sich entwickelt haben. Zuweilen ist immerhin ein sehr schwach differenzierter kleiner Bulbus vorhanden, der mit dem hinteren Abschnitt der Cyste im Zusammenhang steht, aber im Innenraum des kleinen Augapfels fehlen sowohl die Netzhaut, wie der Glaskörper und die Linse; das Cavum bulbi kommuniziert direkt mit der Cystenhöhle, wobei die Pigmentmembran des Augapfelrudiments unmittelbar in die Innenschicht der Cyste übergeht.

9. Die Fälle der I. Gruppe entwickeln sich im Stadium der sekundären Augenblase: ihre Entstehung ist an den ausgebliebenen Verschluss der fötalen Augenspalte gebunden und geht in folgender Weise vor sich: Der Verschluss der Augenspalte wird von dem in dieselbe hineinwachsenden mesodermalen Strang verhindert, welcher die Anlage des Glaskörpers bildet und entweder gar keine oder eine sehr verzögerte Rückbildung erfährt. Die Netzhaut sucht das Hindernis zu überwinden und bildet an einem Rande der Augenblase eine Duplikatur, welche, infolge aktiven Wachstumsbestrebens der Netzhaut, in das umgebende mesodermale Gewebe hineinwuchert. Durch fortgesetztes Wachstum der Retina und Anhäufung von Flüssigkeit zwischen beiden Blättern der Duplikatur entsteht die Cyste. Dementsprechend besteht die Innenschicht der Cyste aus „perverser" Netzhaut, welche an einem Rande in die Pigmentmembran des Augapfels übergeht.

Die zur II. Gruppe gehörigen Fälle entstehen im Stadium der primären Augenblase, entsprechend der Mitvalskyschen Theorie. Das nicht invaginierte distale Blatt der primären Augenblase wuchert und wird, durch die sich anhäufende Flüssigkeit ausgedehnt, in eine Cyste verwandelt.

10. Sobald die Bildung der Netzhautduplikatur und deren gesteigertes Wachstum an beiden Rändern der sekundären Augenblase stattfinden, kommen zwei Cysten zustande.

11. Die Entstehung der Cysten im Oberlid kann infolge Mangels einer hinreichend grossen Anzahl guter anatomischer Untersuchungen noch nicht als endgültig aufgeklärt angesehen werden.

12. Entzündungsprozesse spielen bei der Entstehung der Cysten keine Rolle.

13. Die von Ginsberg aufgestellte Theorie der Entstehung der Cysten erscheint unwahrscheinlich.

14. Anhäufung von Flüssigkeit in den Gehirnventrikeln (v. Duyse), pathologische Enge des Amnions und Druck der amniotischen Flüssigkeit (v. Duyse, Pichler), sowie abnorm grosser Umfang der Linse (Bach) können nicht als Ursachen der Cystenbildung anerkannt werden.

Zum Schluss spreche ich den Herren Prof. J. Ognew, Prof. A. Krükow und Doz. A. Natanson meinen herzlichsten Dank für ihr förderndes Interesse aus.

Nachtrag.

I. Ich muss hier noch die Arbeit von Kitamura[1]) erwähnen, die kurz nach der Veröffentlichung meiner russischen Dissertation erschienen ist. Bei der Untersuchung des Orbitalinhalts von fünf jungen Ferkeln, die klinisch das Bild des Anophthalmus zeigten, fand Kitamura in allen Fällen stark verkümmerte Mikrophthalmi, die achtmal in Verbindung mit Cysten standen. Alle Fälle gehören zur ersten Gruppe meiner Klassifikation. Die Verkümmerung der Bulbi ist sehr hochgradig, unter anderem ist das Pigmentepithel unregelmässig angeordnet und stark gewuchert, die Retina ist nirgends als solche vorhanden, sondern nur als stark gewuchertes Gliagewebe, das den unteren Teil des Glaskörperraumes meist vollkommen ausfüllt; der übrige Teil des Glaskörperraumes ist von Bindegewebe oder geronnenem Blut eingenommen. Die Cysten sind von Gliagewebe[2]) ausgekleidet bzw. ausgefüllt. Durch einen breiten Spalt in der unteren

---

[1]) Kitamura (100), „Über Mikrophthalmus congenitus und Lidbulbuscysten nach Untersuchungen am Schweinsauge". Klin. Monatsbl. f. Augenheilk. Bd. XLIV, Beilageheft 1906.

[2]) Nur in einem Auge (*J*) zeigte die Cystenwand stellenweise Netzhautstruktur. Kitamura schreibt: „In dieser Netzhaut fehlen die Ganglienzellen und Nervenfasern, während die äusseren Schichten normale Verhältnisse zeigen. Sicher besteht nirgends sogenannte perverse Anordnung der Netzhaut. Es ist deutlich zu sehen, dass die Stäbchen- und Zapfenschicht der Cystenwand zugekehrt ist." Dank der Liebenswürdigkeit des Herrn Kollegen Kitamura, der mir je einen Schnitt von den Augen *C*, *D*, *E*, *F*, *H* und *J* zur Verfügung stellte, hatte ich die Möglichkeit, die Präparate zu studieren; ich kann aber nicht den citierten Worten Kitamuras zustimmen; ich konnte mich, im Gegenteil, deut-

Bulbuswand geht die Cystenglia in das oben erwähnte Gliagewebe des Bulbus über. Durch die Mitte des Spaltes zieht noch in vier Fällen ein bindegewebiger bzw. knorpliger Strang aus der Cyste ins Augeninnere, wo er mit der bindegewebigen Linsenkapsel in Verbindung tritt. Der Spalt selbst ist vollkommen von Gliagewebe ausgefüllt. Der Sehnerv ist hochgradig atrophisch und rein bindegewebig. — Kitamura selbst lässt die Frage über die Entstehungsweise der Cyste unberührt; seine Befunde sprechen jedoch zweifellos gegen die Richtigkeit der Theorie von Arlt, und wenn sie auch (wegen der sehr hochgradigen Entwicklungsstörung der Netzhaut usw.) den von mir aufgestellten Entwicklungsmechanismus der Cysten nicht beweisen, so kann doch die Entstehungsweise derselben nur auf dem oben geschilderten Wege (Duplikatur der Retina am Rande der sekundären Augenblase und aktives Hineinwuchern in das umgebende Mesoderm) erklärt werden.

II. Im Juli dieses Jahres[1]) haben May und Holden (101) einen Fall von linksseitigem Mikrophthalmus mit Oberlidcyste bei einem neugeborenen Knaben veröffentlicht. Die Cyste hatte die ganze Lidspalte eingenommen, ragte 10 mm vor und ergab bei der Punktion nur einen Tropfen klarer gelber Flüssigkeit. Sie inserierte sich mit einem Stiel oberhalb des horizontalen Meridians

---

lich davon überzeugen, dass die Netzhaut perverse Anordnung ihrer Schichten zeigt; man sieht sehr deutlich von innen nach aussen: eine M. limitans; eine breite Körnerschicht aus dicht angeordneten, stark tingierten runden Kernen an bestehend; ferner eine ebenso breite Körnerschicht, in welcher die Kerne nicht so dicht angeordnet und schwächer tingiert sind, zwischen den runden Kernen trifft man auch eine grosse Anzahl ovaler leicht ausgezogener Kerne, meist radiär angeordnet; es folgt weiter an einigen Stellen eine gut ausgesprochene molekuläre Schicht, und ferner, der Aussenwand der Cyste zugekehrt, folgt eine breite helle Zone, die von radiären Gliafasern durchsetzt ist und in welcher spärliche, zerstreute, schwach tingierte runde Kerne liegen, einige von den letzteren sind von einem breiten Protoplasmasaum umgeben. — Die Schichten der Netzhaut sind also in umgekehrter Reihenfolge angeordnet: unmittelbar der Cystenhöhle zugekehrt liegt die M. limitans externa (die Stäbchen und Zapfen sind, offenbar durch die Cystenflüssigkeit maceriert, zugrunde gegangen), dann folgen in der Richtung von innen nach aussen die äusseren und inneren Körnerschichten, eine molekuläre Schicht und eine Zone, die der Ganglienzellen- und Nervenfaserschicht entspricht, Nervenfasern sind jedoch nicht vorhanden, dagegen finden sich Zellen, die scheinbar in ihrer Entwicklung zurückgebliebene Ganglienzellen darstellen. Die radiären Gliafasern müssen als Müllerfasern angesehen werden. — Kitamura hat den Befund unrichtig gedeutet, indem er offenbar die von Gliafasern durchstreifte äussere Zone als die Stäbchen- und Zapfenschicht gedeutet hatte.

[1]) May und Holden, Arch. f. Augenheilk. Bd. LVIII. S. 43. 1907.

des Mikrophthalmus, in der Nähe des Äquators. Der Mikrophthalmus wies eine birnförmige Pupille und eine kataraktöse Linse auf. Rechtes Auge normal. Der Cystentumor wurde exstirpiert und erwies sich als eine „solide“ Cyste, die von einer „Masse von zusammengefalteter, in der Entwicklung gehemmter Netzhaut“ ausgefüllt war. „Der Stiel stellt eine Netzhautröhre mit engem Lumen dar, welches die schlitzförmigen Hohlräume des Tumors mit dem Cavum corporis vitrei des Auges verbindet“[1]; der Stiel wird von einer Pigmentschicht umgeben. Wenn ich die Beschreibung[2]) richtig verstehe, so hatte die Netzhaut in der Cyste eine „perverse“ Schichtenanordnung, an einigen Stellen aber besteht die Cystennetzhaut „einfach aus einem Maschenwerk von Gliafasern mit zerstreuten Kernen, welches zahlreiche grosse sowie kleine Ganglienzellen einschliesst“. Es waren auch „rosettenähnliche Gebilde“ gefunden. — Demnach gibt uns der veröffentlichte Fall nichts neues zur Förderung unserer Kenntnisse über die Pathogenese der Oberlidcysten, da die Art des Zusammenhanges der Cyste mit dem Bulbus nicht untersucht werden konnte. Die Autoren schildern ihre Anschauung über die Entstehungsweise der Cyste in folgenden Worten: „Wahrscheinlich hatte sich eine kleine Ausstülpung der sekundären Augenblase nach aufwärts in das bedeckende mesodermale Gewebe hineingezwängt“, die weiter gewachsen ist.

Erklärung der Abbildungen auf Taf. VI—VII, Fig. 1—28.

Allgemeine Bezeichnungen: *c. a.* — Vorderkammer; *c. c.* — Corp. ciliare; *ch* — Chorioidea; *d.* — Duralscheide des Sehnerven; *I* — Iris; *M.* — glatte Muskelfasern; M. — quergestreifter Muskel; *N. o.* — Sehnerv; *pr. c.* — Ciliarfortsätze; *r*, *R.* — Retina; *t. e.* — Aussenschicht der grossen Cyste; *t. i.* — Innenschicht derselben.

Fig. 1—15 beziehen sich auf Fall I.

Fig. 1. Das aus der rechten Orbita exstirpierte Präparat. Seitenansicht. Natürliche Grösse. *B.* — Bulbus, *C.* — Cyste, *N. o.* — Sehnerv.

Fig. 2. Präparat aus der linken Obita, Vorderansicht. Natürliche Grösse. Die Cyste ist breit eröffnet und auseinandergespreizt, um den aus dem Cystenhalse hervortretenden linsenförmigen Körper — *3* — zu zeigen, der sich als Auswuchs der Cysteninnenschicht erwies.

Fig. 3. Ein Teil der Innenschicht der grossen Cyste mit der Struktur einer perversen Retina. Leitz Obj. 7, Oc. 3, Vergr. 450. Man sieht die Körner-

---

[1]) Der angeführte Satz klingt sonderbar. Wenn der Mikrophthalmus nicht mit der Cyste mitexstirpiert wird, so kann die genaue Art des Verhaltens der letzteren zum Augeninneren keineswegs festgestellt werden.

[2]) „Die Netzhaut hat sich derart eingestülpt und gefaltet, dass ihre äussere Fläche (bzw. das Gewebe, welches der äusseren Fläche der Retina entspricht) an vielen Stellen die Klüfte des Tumors auskleidet, als ob sie die innere Fläche der Netzhaut wäre.“

schichten, durch die Schicht voneinander getrennt; *c.* — Bündel der Müllerschen Fasern. Die freie Fläche der Innenschicht ist von der M. limitans mit sich entwickelnden Stäbchen begrenzt (letztere sind in der Abbildung etwas schematisiert herausgekommen); unten die der Innenschicht anliegenden Lagen der äusseren bindegewebigen Schicht (die Innenschicht hat sich ein wenig von der Aussenschicht abgelöst).

Fig. 4. Leitz, Obj. 7, Oc. 3, Vergr. 450. Ein Teil der Innenschicht der grossen Cyste, aus einer einzeiligen Lage hohen Cylinderepithels bestehend, welches mit seinem schmäleren Ende auf der äusseren bindegewebigen Schicht *t. e.* sitzt.

Fig. 5. Leitz, Obj. 7, Oc. 3, Vergr. 450. Ein Teil der Innenschicht der kleinen Cyste mit der Struktur einer „perversen" Retina. Man sieht hier die Körnerschichten, die Zwischenkörnerschicht, die Limitans ext. und die gegen das Lumen der Cyste gerichteten Stäbchen.

Fig. 6. Zwei sehr kleine „Rosetten" aus dem Auswuchs des rechten Auges. Leitz, Obj. 7, Oc. 3, Vergr. 450.

Fig. 7—10 stellen Schnitte des Präparats aus der rechten Augenhöhle dar (abgebildet sind nur die hinteren Abschnitte des Präparats — der Sehnerv, der Augapfel, der Auswuchs und die anliegende Partie der grossen Cyste). Leitz, Loupe, Vergr. 8. *1* — Bulbusinnenraum, *2* — Hohlräume, von pigmentlosem Cylinderepithel ausgekleidet, *3* — Auswuchs der Innenschicht, *4* — Bindegewebsstrang, von der bindegewebigen Wand der Cyste aus in die Dicke des Auswuchses verlaufend.

Fig. 7 (Schnitt 320). Der Schnitt geht durch den Beginn des Bulbusinnenraums — *1*. Die kleine Cyste *C* ist durchweg von Gliagewebe ausgefüllt. Ihre Bindegewebshülle — *t. e.* — konfluiert mit der Bindegewebshülle der grossen Cyste an der Stelle, wo letztere über den Auswuchs verläuft. *crt* — Insel hyalinen Knorpels innerhalb des Bindegewebes. Der Sehnerv *N. o.* tritt an die kleine Cyste heran.

Fig. 8 (Schnitt 356). Die von Pigment umsäumte Bulbushöhle — *1* — hat bedeutend an Umfang zugenommen und besteht aus mehreren Spalträumen. Um dieselben herum haben sich Chorioidealgewebe — *ch* — und eine Partie glatten Muskelgewebes — *M* —, ein Analogon des Ciliarmuskels, differenziert. Eine dieser Spalten öffnet sich frei in den Hohlraum der grossen Cyste, im Winkel zwischen dem Auswuchse und der Cysteninnenschicht, wobei das Pigmentepithel der Bulbushöhle sich direkt in das Gliagewebe des Auswuchses und der Cysteninnenschicht fortsetzt. Der grösste Teil der bindegewebigen Hülle der kleinen Cyste hat sich zur Sklera — *sc* — umgewandelt. Der Sehnerv — *N. o.* — geht unmittelbar in die Gliamassen der kleinen Cyste über, und seine Duralscheide — *d* — auf einer Seite in die Sklera des Bulbus, auf der anderen in die Bindegewebsschicht der grossen Cyste. Im Auswuchse liegt die Linse — *L*.

Fig 9 (Schnitt 390). Das Chorioidealgewebe *ch* an den von Pigment ausgekleideten Spalträumen, d. h. am Bulbusinnenraum, hat bedeutend an Menge zugenommen. Die Hohlräume, sowie eine Partie Chorioidea — *ch* — sind auch im Auswuchse selbst aufgetreten. Einer von den Spalträumen öffnet sich in das Lumen der grossen Cyste. Der Sehnerv ist bereits nicht mehr vorhanden (der Schnitt hat nur einen Teil seiner Duralscheide — *d* — getroffen). *C'* — Reste des Gliagewebes der kleinen Cyste; *5* — peripheres Ende des Bindegewebsstranges, aus embryonalem mesodermalem Gewebe mit kapillaren Blutgefässen innerhalb desselben bestehend (erinnert an Glaskörpergewebe).

Fig. 10 (Schnitt 420). Zwischen Auswuchs und Augapfel ist wieder fibröses Gewebe erschienen, und das Auge ist bereits von allen Seiten von der Sklera umgeben.

Fig. 11—15 stellen Schnitte des Präparats aus der linken Orbita dar (abgebildet sind nur die hinteren Abschnitte des Präparats — der Optikus, der Bulbus, der Auswuchs, ein quergestreifter Muskel, die kleine Cyste, die anliegende Wand der grossen Cyste). Leitz, Loupe, Vergr. 8. Bezeichnungen wie früher.

Fig. 11 (Schnitt 250). Im Schnitt liegen, in Celloidin eingeschlossen, vier gesonderte Gebilde: der Bulbus, die kleine Cyste *C*, ein langer quergestreifter

Muskel M und ein Teil der Wand der grossen Cyste *t. e.*, *t. i.* Die kleine Cyste ist durchweg von Gliagewebe ausgefüllt. *t, e,* — äussere fibröse Hülle der kleinen Cyste. *1* — Beginn des Bulbusinnenraums.

Fig. 12 (Schnitt 310). Die bindegewebige Hülle der kleinen Cyste *t, e,* ist mit dem benachbarten Teil der Bulbussklera konfluiert. Der Bulbusinnenraum — *1* — hat sternförmige Gestalt angenommen. Zur Seite der kleinen Cyste findet sich der Sehnerv *N. o.* im Querschnitt.

Fig. 13 (Schnitt 329). Die bindegewebigen Hüllen der kleinen (*C'*) und der grossen Cyste sind an der Stelle ihrer früheren Konfluenz verschwunden. Die Duralscheide des Sehnerven ist mit der Bulbussklera und der Bindegewebshülle der kleinen Cyste konfluiert. Die letzteren zwei Hüllen treten mit der fibrösen Schicht der grossen Cyste dort zusammen, wo sie über dem Auswuchs hinweggeht. Hier liegen innerhalb des fibrösen Gewebes kleine Hohlräume — *2*, welche von unpigmentiertem Cylinderepithel ausgekleidet sind; dieselben gehen in Form einer Kette vom Auge zur Einkerbung des Auswuchses.

Fig. 14 (Schnitt 355). Die Chorioidea ist an der Seite des Auges, welche dem Gliagewebe der kleinen Cyste (*C'*) anliegt, verschwunden. Der Sehnerv (im Längsschnitt) ist an den Winkel zwischen der kleinen Cyste und dem eigentlichen Augapfel herangetreten, wobei sein Gewebe in die Glia der kleinen Cyste übergeht (*C'*) und seine Duralscheide *d* in die bindegewebigen Hüllen der Cysten und in die Bulbussklera (*sc*). In den Auswuchs tritt, von der bindegewebigen Hülle der Cyste ausgehend, ein Bindegewebsstrang *4* ein, der die in zwei Inseln getrennte Linse *L* umgibt. Einer der von Pigment eingesäumten Spalträume des Auges öffnet sich in den Hohlraum der grossen Cyste, und zwar in der Einkerbung des Auswuchses.

Fig. 15 (Schnitt 420). Der Sehnerv ist bereits aus den Schnitten verschwunden. Die Reste des Augapfels, in Form einiger pigmentierten Spalträume, liegen an der Einkerbung des Auswuchses. Die Glia der kleinen Cyste *C'* ist mit dem grossen Lappen des Auswuchses, resp. mit der Innenschicht der grossen Cyste konfluiert, und die Bindegewebshüllen beider Cysten nebst den Resten der Sklera umfassen den Auswuchs und die Innenschicht der Cysten in Gestalt einer gemeinsamen bindegewebigen Decke *t. e.*

Fig. 16—28 beziehen sich auf den II. Fall: Fig. 16—24 auf das Präparat aus der linken Orbita, Fig. 25—28 auf dasjenige aus der rechten Orbita. Fig. 16 und 25 sind in natürlicher Grösse dargestellt, die übrigen bei 8facher Vergrösserung (Leitz, Loupe).

Fig. 16. Präparat aus der linken Orbita. Natürliche Grösse. Hinteransicht. *B* — Bulbus, *N. o.* — Sehnerv, *I* — Hohlcyste, *II* — solides Anhängsel (solide Cyste), * Lage der Hornhaut.

Fig. 17. Querschnitt des Augapfels. *R* — Retina, fast normal gebaut; in der Mitte ihrer Ausdehnung eine Insel Gliagewebe (in ihrer übrigen Ausdehnung ist die Netzhaut ausschliesslich durch eine Lage kubisch-cylindrischen Epithels repräsentiert). *gl* — zweite Insel Gliagewebe oberhalb des Ciliarkörpers. — Durch die Linien sind annähernd die Höhen der in Fig. 18—24 dargestellten Schnitte angegeben.

Fig. 18—24 sind Frontalschnitte der Mittelpartie des Präparats.

Fig. 18 (Schnitt 95). Die Duralscheide des Sehnerven (*N. o.*) ist mit der Bulbussklera konfluiert, so dass der Nerv anscheinend in der Substanz der hier verdickten Sklera liegt. * — dünner Vorsprung der Chorioidea, von Pigmentepithel überzogen, zwischen zwei Netzhautstreifen.

Fig. 19 (Schnitt 130). Das Bindegewebe zwischen dem Sehnerven (*N. o.*) und der „hohlen“ Cyste *I* ist verschwunden, das Gliagewebe des Nerven geht direkt in die Gliamassen der „hohlen“ Cyste über.

Fig. 20 (Schnitt 141). Durch die Öffnung in den Augenmembranen geht die Netzhaut des Augapfels in die Gliamassen der „hohlen“ Cyste über.

Fig. 21 (Schnitt 164). Im Schnitt kommt auch die zweite, solide Cyste *II* zum Vorschein. — In der Pforte der „hohlen“ Cyste konfluieren deren Bindegewebsstränge miteinander und mit der Verbindungsstelle der fibrösen Hüllen beider Cysten und bilden einen niedrigen Vorsprung — *, der ein wenig in den Bulbusinnenraum zwischen beiden Netzhaut-„Ovalen“ hineinragt. Das Bindegewebe zwischen den Resten des Sehnerven und dem Auge ist verschwunden und das Gliagewebe des Nerven geht in die Netzhaut der linken Bulbushälfte über.

Fig. 22 (Schnitt 208). Der Vorsprung * steht im Zusammenhang mit der zerbröckelten Linse *L* und mit dem Glaskörper. Die Reste der Sehnerven sind verschwunden und die Netzhaut der linken Seite des Bulbus setzt sich direkt in die Gliamassen der soliden Cyste fort.

Fig. 23 (Schnitt 239). Die Linse *L* besteht in ihrer Hauptmasse aus Bindegewebe, welches mit dem Bindegewebe des nun verkürzten Vorsprunges und mit dem Glaskörper in Verbindung steht.

Fig. 24 (Schnitt 281). Die „hohle" Cyste ist aus den Schnitten verschwunden. Die Augapfelhüllen haben sich wieder geschlossen. Die Linse *L* liegt bereits frei im Bulbusraum. Die Netzhaut ist nur auf der linken Seite des Auges vorhanden, näher zum Rande des Präparats hat sie fast normale Struktur angenommen.

Fig. 25. Das aus der rechten Orbita exstirpierte Präparat. Natürliche Grösse. *B* — Bulbus. *N. o.* — Sehnerv.

Fig. 26 (Schnitt 90 durch den Augapfel). *C* — kompakterer Abschnitt des Gliagewebes (= kleine Cyste *C* in Fig. 27). Die gliös veränderte Retina *R* geht durch einen Spalt in den Augapfelmembranen in die Innenschicht der grossen Cyste — *t. i.* — über. *t. e.* und *t. i.* — Aussen- und Innenschicht der grossen Cyste, *3* — Vorsprung der Innenschicht. M — quergestreifter Muskel.

Fig. 27 (Schnitt 50 durch den Augapfel). *4* — Bindegewebsstrang, von der äusseren bindegewebigen Wand der grossen Cyste *t. e.* ins Augeninnere verlaufend. Vorn nimmt er chorioideales Gefüge an und konfluiert mit der Chorioidea des vorderen Bulbusabschnittes. *C* — kleine Cyste.

Fig. 28 (Schnitt 170 durch den Augapfel). Die Augenmembranen bilden bereits einen geschlossenen Ring. An Stelle der kleinen Cyste finden wir bereits den Sehnerven *N. o.* im Querschnitt. *L* — Linse (ein Teil derselben ist herausgefallen).

Literaturverzeichnis.

1) Arlt, Zeitschrift der k. k. Gesellschaft der Ärzte zu Wien, 14. Jahrg. Neue Folge I, S. 445 u. 446 (citiert nach Mitvalsky).
2) — Über die Entwicklung des Mikrophthalmus und Anophthalmus congenitus. Wiener Med. Presse. S. 245. 1885.
3) Bach, Pathologisch-anatomische Studien über verschiedene Missbildungen des Auges. Graefe's Arch. Bd. XLV, 1. S. 1—75. 1898.
4) Bayer, Kongenitale Bildungsfehler des Auges. Ärztl. Bericht des k. k. allgem. Krankenh. zu Prag f. d. J. 1879 (citiert nach Mitvalsky).
5) Becker, Ein Fall von Mikrophthalmus congenitus. Graefe's Arch. Bd. XXXIV, 3. S. 103. 1888.
6) — Mikrophthalmus mit Orbitopalpebralcyste. Arch. f. Augenheilk. Bd. XXVIII. S. 81. 1894.
7) Bednarski, O torbielach powieki dolnej i oczodolu wychodzących z galki zarodkowej. Postep okulistyczny. Okt. 1905.
8) Berlin, Kapitel: Angeborene Orbitalcyste mit Mikrophthalmus. Graefe-Saemisch I. Aufl. Bd. VI. S. 686. 1880.
9) Bock, Die angeborenen Colobome des Augapfels. Wien 1893.
10) Buchanan, A case of microphthalmos with cystic development. Ophth. Review Bd. XIX. S. 301. 1900.
11) Chlapowski, Torbiel oczodolowy wrodzony, polaczony z zupelnym brakiem galki oczowej. Pamietnik drugiego zjazdu lekarzy i przyrodników polskich we Lwowie (19—24 Lipca 1875 r.). We Lwowe 1876 (citiert nach Nagels Jahresbericht und Mitvalsky).
12) Czermak, Mikrophthalmus mit Orbitalcyste. Wiener Klin. Wochenschrift 1891, Nr. 27.
13) Connor (Ray), Congenital orbital cyst associated with microphthalmos. Arch. of Ophth. Bd. XXXV. S. 45. 1906.

14) Dolganow, Bericht über die Tätigkeit der fliegenden Augenkolonne im Kreise Epiphan im Jahre 1895. S.-Petersburg 1896 (russisch).
15) Dolschenkow, Cystis palpebrae inferioris sin. c. microphthalmo congenito. Verhandl. d. Gesellsch. d. Ärzte in Kursk f. d. J. 1901. Kursk 1902 (russisch).
16) Dor, Kyste congénital de l'orbite, microphthalmie, colobome de l'iris et de la chorioide. Rev. gén. d'ophth. 1882, S. 81 (citiert nach Mitvalsky).
17) Dötsch, Anatomische Untersuchung eines Falles von Mikrophthalmus congenitus bilateralis. Graefe's Arch. Bd. XLVIII, 1. S. 59, 1899.
18) Dyson, Microphthalmos with large orbital cysts. The Ophthalmoscope 1904, S. 310.
19) Elschnig, Das Colobom am Sehnerveneintritt und der Conus nach unten. v. Graefe's Arch. Bd. LI, 3. S. 391. 1900.
20) — Weitere Mitteilung über das Colobom am Sehnerveneintritt und den Conus nach unten. v. Graefe's Arch. Bd. LVI, 1. S. 49. 1903.
21) Ernroth, Ein Fall von angeborener bilateraler Anophthalmie mit rechtsseitiger Colobomcyste des Unterlides. Wratsch, S. 134. 1888 (russisch).
22) Ewetzky, Beitrag zur Kenntnis der Colobomcysten. Diss. Dorpat (Moskau) 1886.
23) Fromaget, Kystes séreux congénitaux de l'orbite, anophthalmie et microphthalmie. Arch. d'ophth. XIII. p. 321 1893.
24) — Kyste séreux congénital avec anophthalmie (Soc. de méd. de Bordeaux 2 mars 1900). Revue gén. d'ophth. p. 59. 1901.
25) Froriep, Über die Einstülpung der Augenblase. Arch. f. mikrosk. Anatomie. Bd. LXVI. 1905.
26) Gallemaerts, Revue gén. d'ophth. p. 102. 1893.
27) Gatti, Anoftalmo congenito bilaterale. Contributo istologico. Archivo di Ottalm. X. p. 456. 1903 (cit. nach Nagels Jahresbericht).
28) Ginsberg, Beitrag zur Kenntnis der Mikrophthalmie mit Cystenbildung. Graefe's Arch. Bd XLVI. 1898.
29) — Über embryonale Keimverlagerungen in Retina und Zentralnervensystem. Ein Beitrag zur Kenntnis des Netzhautglioms. v. Graefe's Arch. Bd. XLVIII. 1899.
30) — Bemerkungen zu dem Aufsatz von Hess: „Über angeborene Bulbuscysten und ihre Entstehung". Arch. f. Augenheilk. Bd. XLI. S. 267. 1900.
31) Ginsburg, Cystis palpebrae inferioris congenit. c. microphthalmo. Wjestn. ophthalm. X. S. 376 1893 (russisch).
32) Görlitz, Anatomische Untersuchung eines sogenannten Coloboma nervi optici. Arch. f. Augenheilk. Bd. XXXV. S. 219. 1897.
33) Grolmann, Über Mikrophthalmus und Cataracta congenita vasculosa. v. Graefe's Arch. Bd. XXXV, 3. S. 187. 1889.
34) Grossmann, Coloboma cyst associated with microphthalmos. Liverpool med. Institution 23. April 1903 (nach Nagels Jahresbericht).
35) Harlan, A case of congenital cyst of the orbit with anophthalmus. The Americ. Journ of Ophthalmol. X. p. 261. 1893.
36) — A case of congenital orbital cyst with microphthalmus. Ophth. Record, S. 162. 1902.
37) Hess, Zur Pathogenese des Mikrophthalmus. v. Graefe's Arch. Bd. XXXIV, 3. S. 147. 1888.
38) — Weitere Untersuchungen über angeborene Missbildungen des Auges. v. Graefe's Arch. Bd. XXXVI, 1. S. 135. 1890.
39) — Beiträge zur Kenntnis der pathologischen Anatomie der angeborenen Missbildungen des Auges. v. Graefe's Arch. Bd. XXXVIII, 3. 1892.
40) — Pathologisch-anatomische Studien über einige seltene angeborene Missbildungen des Auges. I. Über die Pathogenese der Orbitalcysten. v. Graefe's Arch. Bd. XLII, 3. 1896.
41) — Über angeborene Bulbuscysten und ihre Entstehung. Arch. f. Augenheilk. Bd. XLI. S. 1. 1900.
42) E. v. Hippel, Pathologisch-anatomische Befunde am Auge des Neugeborenen. III. Colobom des Sehnerven mit Cystenbildung der Netzhaut. v. Graefe's Arch. Bd. XLV. 1898.

43) E. v. Hippel, Die Missbildungen und angeborene Fehler des Auges. Handb. d. gesamt. Augenheilk. von Graefe-Saemisch. 2. Aufl. Bd. II. Kap. IX. 1900.
44) — Embryologische Untersuchungen über die Entstehungsweise der typischen angeborenen Spaltbildungen (Colobome) des Augapfels. v. Graefe's Arch. Bd. LV, 3. S. 507. 1903.
45) — Über Mikrophthalmus congenitus, Colobom, „Rosetten" der Netzhaut, Aniridie und Korektopie. Zieglers Beitr. zur pathol. Anatomie VII, Suppl., Festschr f. Arnold. S. 259. 1905.
46) — Ist das Zusammenvorkommen von Mikrophthalmus congenitus und Glioma retinae in gleichen Augen sicher erwiesen? v. Graefe's Arch. Bd. LXI. S. 352. 1905.
47) Imre, Tömlöck as alsó kemhejjakbau mikrophthalmus mellet. Sczemészet 1878. Nr. 3 (cit. nach Mitvalsky).
48) Johnston Taylor and Treacher Collins, Congenitally malformed cystic eye, causing extensive protrusion of the upper eyelid and complete extrusion of the conjunctival sac through the palpebral fissure. Ophth. Soc. of the Unit. Kingd. Sitz. v. 2. Mai 1906. Ophth. Review. S. 185. 1906.
49) Jones, Congenital orbital cyst with microphthalmus. Trans. of the Ophth. Soc. of the Unit. Kingd. II chap. p. 333. 1884 [nach Mitvalsky und Fromaget (23)].
50) Knapp (Arnold), Congenital cyst of the eyeball. Microscopic examination. Arch. f. Ophth. Bd. XXXI, 6. 1902, auch Arch. f. Augenheilk. Bd. LI, S. 118 (Referat v. Abelsdorff).
51) Kundrat, Über ein Präparat von Cystenbildung am unteren Augenlid nebst Mikrophthalmie. Wiener med. Presse S. 216—217. 1885.
52) — Über angeborene Cysten im unteren Augenlide. Mikrophthalmie und Anophthalmie. Wien. med. Blätter Nr. 51 u. 52. 1885. Nr. 3. 1886.
53) Lagrange, Traité des tumeurs de l'oeil, de l'orbite et des annexes. T. II, Livre VII, chap. I. Paris 1904.
54) Lang, Mikrophthalmus with cyst of the globe. The Royal London Ophthalmic Hospital Reports. Vol. XII, part IV, cap. 289. 1889 (nach Rubinski).
55) de Lapersonne, Sur un cas de microphthalmie double avec kystes orbitaires. Arch. d'opht. XI. p. 207. 1891.
56) — Microphthalmie avec kyste orbitaire. Trans. of the VIII. intern. ophthalm. Congress. Edinburg 1894.
57) Lütkewitsch, Bericht über die Tätigkeit der fliegenden augenärztlichen Kolonne im Kreise Dankow im Jahre 1896. Moskau 1896 (russisch).
58) Mannhardt, Das Colobom der Aderhaut und seine Folgen. v. Graefe's Arch. Bd. XLIII, 1. S. 127. 1897.
59) — Weitere Untersuchungen über das Coloboma sclero-chorioideae. v. Graefe's Arch. Bd. LX, 3. S. 513. 1905.
60) Manz, Zwei Fälle von Mikrophthalmus congenitus nebst Bemerkungen über die cystöse Degeneration des fötalen Bulbus. v. Graefe's Arch. Bd. XXVI, 1. S. 154. 1880.
61) Mayer, Mikrophthalmus mit Cysten im unteren Augenlide. Diss. Würzburg 1888.
62) Maschkowzewa, Anophthalmus congenitus c. cyst. palpebrae inferioris. Wjestn. Ophth. 1903 (russisch).
63) Mitvalsky, Über die Orbital-Unterlidcysten mit Mikro- resp. Anophthalmus. Arch. f. Augenheilk. Bd. XXV. S. 218. 1892.
64) Natanson, A., Mikrophthalmie und Bulbuscysten. Augenärztliche Gesellschaft in Moskau Klin. Monatsbl. S. 555. 1903. I.
65) — Mikrophthalmie und Bulbuscysten. Ber. über die 31. Vers. d. ophthalm. Gesellsch. Heidelberg 1903. Wiesbaden 1904. S. 319.
66) Natanson, L, Mikrophthalmie und Bulbuscysten. Moskauer augenärztliche Gesellschaft 1903. Klin. Monatsbl. S. 590. 1903. II.
67) Nussbaum, Entwicklungsgeschichte des menschlichen Auges. Handb. d. ges. Augenheilk. von Graefe-Saemisch. 2. Aufl. Bd. II. Kap. VIII. 1900.

68) Panas, Considerations sur la pathogénie des kystes dits séreux de l'orbite à propos d'une nouvelle observation. Arch. d'ophth. VII. 1887.
69) Pichler, Beitrag zur pathologischen Anatomie und Pathogenese der Mikrophthalmie, der Colobombildung und des Glioms. Zeitschr. f. Augenheilk. S. 570. 1900.
70) Purtscher. Über Mikrophthalmus mit Cysten im oberen Lid. Intern. klin. Rundschau. Nr. 43. 1894.
71) Rabinowitsch, Wjestnik Ophthalm. S. 705. 1906 (Sitz. d. Ophthalmol. Gesellschaft in Odessa vom 8. Februar 1905, russisch).
72) Radziszewski, Observation d'anophthalmie avec hernies bilatérales congénitales du cerveau. Progr. med. XIV. p. 32. 1886 [nach Schmidts Jahresber. d. ges. Med. Bd. CCXII. S. 294 und Becker (6)].
73) Reuss, Wiener med. Presse. S. 179. 1885.
74) — Zwei Fälle von Mikrophthalmus mit Cystenbildung in der Orbita. Ophth. Mitteil. aus der II. Univ.-Augenkl. in Wien. II. Abt. S. 39. Wien 1886.
75) Rindfleisch, Beiträge zur Entstehungsgeschichte der angeborenen Missbildungen des Auges. I. Ein Fall von beiderseitigem Mikrophthalmus mit cystischer Ectasia posterior. v. Graefe's Arch. Bd. XXXVII, 3. S. 192. 1891.
76) Rogman, Kyste orbitaire et microphthalmie. Ann. d'oculist. CXXXI. 1904.
77) Rubinski, Beitrag zu der Lehre von den angeborenen Cysten des unteren Augenlides mit Mikrophthalmus (Colobomcysten). Diss. Königsberg 1890.
78) v. Schaumberg, Kasuistische Beiträge zu den Missbildungen des Auges. Diss. Marburg 1882 (nach Nagels Jahresbericht und Mitvalsky).
79) Schimanowsky, Zur Frage von den angeborenen Cysten des Unterlides mit Mikrophthalmus. Wjestnik Ophthalm. S. 317. 1897 (russisch).
80) — Mikrophthalmus congenitus mit Unterlidcyste. Wjestnik Ophthalm. S. 19 u. 127. 1901 (russisch).
81) Skrebitzky, Fall von Anophthalmus mit angeborener Cystenbildung in den unteren Augenlidern. Klin. Monatsbl. f. Augenheilk. Bd. XIX. S. 423. 1881.
82) Snell, Congenital cyst in the lower eyelid with apparent anophthalmos. Trans. of the Ophth. Soc. of the Unit. Kingd. Vol. IV. chap. XIII. 1884 [nach Mitvalsky und Fromaget (23)].
83) — Congenital serous cysts of the eyelids, associated with anophthalmos or microphthalmos. Trans. of the Ophth. Soc. of the Unit. Kingd. Vol. XIV. p. 180. 1894 (nach einem Referat im Arch. f. Augenheilk. 1894).
84) Talko, Ein Fall von Mikrophthalmus mit angeborenen serösen Cysten unter den unteren Augenlidern. Klin. Monatsbl. f. Augenheilk. Bd. XV. S. 137. 1877.
85) — Der 6. Fall einer angeborenen serösen Cyste der Augenhöhle unter dem unteren Augenlide bei gleichzeitiger Mikrophthalmie. Ber. über die 12. Versammlung der ophthalmol. Gesellschaft, Heidelberg 1879. S. 105.
86) — Compte redue du Congrès period. internat. d'ophthalm. Milan 1880, auch in Annales d'oculistique LXXXIV. p. 159. 1880 (nach Mitvalsky).
87) — Przegląd lekarski. No. 51. 1889 (nach Mitvalsky).
88) Tillaux, Kyste séreux congénital de l'orbite. Recueil d'ophthalm. S. 1. 1888 (nach einem Referat im Arch. d'opht. X. p. 178. 1888).
89) Treacher Collins, Microphthalmos. Ophth. Soc. of the Unit. Kingd. III, 8. 1893 (nach einem Referat in The Americ. Journ. of Ophthalmol. X. p. 144. 1893).
90) — and Rolston, Microphthalmos with cystic protrusion of the globe. Trans. of the Ophth. Soc. of the Unit. Kingd. XVII. p. 254. 1897 [nach Ophth. Review, p. 224, 1897; siehe auch bei Lagrange (53)].
91) van Duyse, Le colobome de l'oeil et le kyste séreux congénital de l'orbite. Annales d'oculistique. LXXXVI. p. 144. 1881.
92) — Pathogénie des kystes colobomateux rétropalpebraux. Arch. d'opht. XX. p. 358. 1900.
93) — La double fente foetale et les colobomes atypiques de l'oeil. Arch. d'opht. XXI. p. 94. 1901.

94) van Duyse, Éléments de teratologie de l'oeil. Encyclopédie française d'ophtalmologie par Lagrange et Valude T. II. 1905.
95) Wallmann, Zeitschrift der k. k. Gesellschaft der Ärzte zu Wien. 14. Jahrg. Neue Folge I. Wien. S. 446—447. 1858 (nach Mitvalsky).
96) Wecker, Fall von Anophthalmus mit kongenitaler Cystenbildung in den unteren Augenlidern. Klin. Monatsbl. f. Augenheilk. Bd. XIV. S. 829. 1876.
97) Wicherkiewicz, Ein weiterer Beitrag zur Kasuistik des bilateralen Anophthalmus mit Cystenbildung in den unteren Lidern. Klin. Monatsbl. f. Augenheilk. Bd. XVIII. S. 399. 1880.
98) Wintersteiner, Das Neuroepithelioma retinae. Leipzig und Wien 1897.
99) Zentmayer and Goldberg, A case of microphthalmos with orbital cysts. Annals of ophth. p. 81. 1904.
100) Kitamura, Über Mikrophthalmus congenitus und Lidbulbuscysten nach Untersuchungen am Schweinsauge. Klin. Monatsbl. f. Augenheilk. Bd. XLIV. Beilageheft 1906.
101) May und Holden, Ein Fall von Mikrophthalmus mit Oberlidcyste. Arch. f. Augenheilk. Bd. LVIII. S. 48. 1907.

Aus dem physiologischen Institut der kgl. Tierärztlichen Hochschule zu Dresden.
(Direktor: Geh. Med.-Rat Prof. Dr. Ellenberger.)

Der Einfluss des Jodkalium auf die Cataracta incipiens.

Von

Privatdozent Dr. v. Pflugk,
Augenarzt in Dresden.

Mit Taf. VIII—X, Fig. 1—9.

I. Anatomischer Teil.

Die Resultate, welche Badal auf Grund mehrjähriger Beobachtung in der Anwendung von Jodpräparaten bei der Behandlung von Linsentrübungen erhalten hatte und über welche er an verschiedenen Orten berichtet hat (Badal 1, 2, 3, 4, 5), wurden nach ihrer Veröffentlichung bald von mehreren Seiten bestätigt und erweitert [Dufourt (6), Etiévant (7), Verderau (8, 9, 10), Picquénard (11), Boisseuil (12), Lafon (13)]. Nachdem Badal anfangs nur davon gesprochen hatte, dass es möglich ist, durch Jodkaliumgaben das Vorschreiten der Cataracta incipiens hinauszuschieben [(3) S. 426: On remarquera d'ailleurs, que je n'ai jamais parlé de la guérison de la cataracte, bien que la chose ne paraisse pas impossible, mais seulement d'un arrêt dans l'évolution de cette maladie], gingen seine Nachfolger weiter und erstreckten ihre therapeutischen Versuche auf Fälle, welche scheinbar rettungslos dem Messer des Operateurs verfallen schienen. Verderau (9) war der erste, der bei weit vorgeschrittener Katarakt eine ganz auffallende Besserung der Sehschärfe beobachtete und veröffentlichte.

Ich habe die Jodkaliumbehandlung der Cataracta incipiens beim Menschen seit dem Jahre 1904 verwendet und in Heidelberg 1906 eine Diskussionsbemerkung (14), sowie einige Wochen später auf Anregung einiger Kollegen die von mir weiter entwickelte Injektionstechnik ausführlich in den Klinischen Monatsblättern für Augenheilkunde veröffentlicht (15); einen Überblick über die hier näher beschriebenen Untersuchungsreihen habe ich auf der diesjährigen Naturforscherversammlung in Dresden, September 1907, kurz vorgetragen (16). Bevor ich jedoch über die von mir behandelten und beobachteten Fälle berichte (II. Teil dieser Abhandlung), halte ich es für notwendig, die anatomischen Grundlagen und Beobachtungen auseinander zu setzen, welche uns berechtigen, mit einer gewissen Wahrscheinlichkeit anzunehmen, dass die bis jetzt von Einzelnen bereits anerkannten therapeutischen Erfolge der Jodkaliumbehandlung, nicht wie von mancher Seite noch jetzt behauptet wird, Selbsttäuschungen sind, sondern auf Veränderungen beruhen, welche sich durch das Tierexperiment beweisen lassen.

Der erste, der Tierversuche zur Klärung der Frage der Jodwirkung auf die Cataracta incipiens anstellte, war Verderau in Barcelona; in zwei Arbeiten berichtet er kurz darüber (8 u. 9), anatomische Untersuchungen sind von Verderau nicht angestellt worden, jedenfalls schildert er in beiden Arbeiten nur das klinische Bild der „Aufhellung der Linsentrübungen“. Verderau wählte zur Erzeugung der Linsentrübungen teils das sogenannte Jocqssche Verfahren, teils durch Discission mit der Nadel erzeugte traumatische Katarakte. Das Jocqssche Verfahren besteht wie bekannt darin, dass er „ganz durchsichtige Linsen dadurch zur Trübung bringen wollte, dass er mit der Pravazspritze in die Kammer einging, etwas Kammerwasser aufzog, dann in die Linse einstach und das Kammerwasser in diese auspresste“ [die Operation citiert nach Czermak (17)].

Nach einigen Stunden nimmt die, sofort nach der Einspritzung zart einsetzende Trübung zu und im Verlauf einiger Tage ist die Startrübung fast gleichmässig über die Linsenoberfläche verbreitet. In diese discidierten, bzw. in die mit dem Jocqsschen Verfahren getrübten Linsen spritzte Verderau an mehreren Tagen ein kleines Quantum 5% Jodkaliumlösung [„unas cuantas gotas de una solucion esterilizada de yoduro potassico al 5 par 100“ Verderau (8), S. 31]; schon am folgenden Tage nach der Jodkaliumeinspritzung trat eine Aufhellung der Katarakt ein, bis fast die ganze Trübung sich auflöste [al dia siguiente la opacidad ha disminuido algua tanto, continuardo cada dia con dichos inyecciones y logrando ver desaparecida casi del todo la opacidad Verderau (8), S. 31]. Leider gingen infolge eines unaufgeklärten Zwischenfalles sämtliche Augen der Versuchstiere an Infektion ein.

Ich habe im Verlauf der von mir angestellten Versuche mehrfach mich bemüht, mit dem Jocqsschen Verfahren Linsentrübungen beim Kaninchen zu erzeugen, um sie mit Jodkalium zu behandeln, ich habe aber aus mehreren Gründen von dieser Methode abgesehen. Ob die von Verderau beobachtete Klärung der Linsentrübungen infolge der Jodkaliumeinspritzungen als wirkliche Linsenregenerationen aufzufassen sind, erscheint mir mehr als fraglich, denn schon nach dem Einlegen einer normalen Kaninchenlinse in 5% Jodkaliumlösung tritt fast momentan Trübung der äussersten Linsenschichten ein (die sich übrigens im Verlaufe einiger Stunden wieder aufhellt), mit Untergang des Kapselepithels.

Kaninchen 85. Gewicht 650 g.

Brechende Medien klar, Pupillenreflexe normal. In Äthernarkose wurden in die Linse des rechten Auges bei Atropinmydriasis 2 Teilstriche 5% Jodkaliumlösung eingespritzt. Die Linse trübt sich augenblicklich in der Umgebung der Einstichstelle, *T* steigt sofort auf +2, das Kammerwasser trübt sich, die Cornea wird hauchig. Nach ½ Stunde ist die Spannung wieder fast normal, die Pupille sehr eng und erweitert sich auch nach starken Atropingaben im Laufe des nächsten Tages nur bis mittlere Weite. 24 Stunden nach der Injektion wird das Tier getötet. Beide Linsen werden sorgfältig auspräpariert und für 2 Tage in 5% Formalin gelegt. In der Umgebung der Einstichstelle in der rechten Linse ist die Iris mit der Linsenkapsel verklebt, eine grosse Flocke getrübten Linseninhaltes ist aus der Einstichöffnung hervorgequollen. Nach 2 Tagen wird die Linsenkapsel vorsichtig abgezogen, ihr Inhalt einige Stunden in 60% Alkohol gelegt und mit scharfem Rasiermesser ein halber Quadrant von der Gegend der Einstichstelle ausgeschnitten, ein entsprechend grosses Stück wird auch aus der Linse des linken Auges entfernt; unter der Lupe werden die obersten Schichten der Linsenfasern der ausgeschnittenen Stücke mit Nadeln zerzupft und in ½% Pikrinsäure gefärbt. Bei mittlerer Vergrösserung zeigen sich die Fasern der linken Linse fast in ihrer ganzen Länge wohlerhalten, während diejenigen der rechten (Jodkalium)-Linse zum Teil in Bröckel zerfallen sind; die noch vorhandenen Reste derselben sind nur zum kleinen Teil intakt, ihr bei weitem grösserer Teil erscheint wie angenagt und von massenhaften Vakuolen durchlöchert. Das Epithel der Linsenkapsel des linken Auges lässt sich mit Boraxkarmin gut färben, das Epithel des Jodkalium-Auges wird nur wenig gefärbt, die Kerne sind in allen Zonen der Kapsel verwaschen, so dass die Kernstruktur nicht mehr zu erkennen ist.

Ganz abgesehen aber von den Zerstörungen im Innern der Linsenkapsel, welche von der eingespritzten Jodkaliumlösung erzeugt werden, halte ich die täglich erfolgende Perforation der Kapsel auch mit der feinsten Nadel nicht für belanglos; wenn auch im allgemeinen beim Kaninchen eine auffallende Tendenz für die Heilung von Linsenkapselwunden besteht, so wird wohl eine mehrfache Wiederholung der Einstiche nicht ohne Einfluss auf das Eindringen des Kammerwassers in die Linse bleiben.

Als wesentliche Bedingung für die Kontrolle der Jodkalium-Wirkung auf die erkrankende Linse ist die Erzeugung eines Krankheitsbildes zu fordern, das ohne irgend welche chirurgischen Massnahmen am Auge insbesondere an der Linsenkapsel abläuft. Für hervorragend geeignet zum Studium des Ablaufs der Linsentrübungen und vielleicht zu erwartender Veränderungen derselben unter dem Einfluss der Jodkaliumbehandlung hielt ich deshalb den Naphthalinstar der Kaninchenlinse und zwar aus folgenden Gründen:

1. Durch die vielen ausgezeichneten Arbeiten ist der Verlauf der Naphthalinintoxikation auf das Kaninchenauge hinlänglich bekannt. (Lit. bei Hess, Pathologie und Therapie des Linsensystems Graefe-Saemisch, II. Auflage, S. 331.)

2. Es besteht ein anerkannter Parallelismus zwischen Naphthalinstar und Altersstar des Menschen.

3. Der Naphthalinstar beim Kaninchen ist ausserordentlich leicht zu erzeugen, das erforderliche Tiermaterial ist mühelos zu beschaffen, und

4. war mir durch frühere eigene Arbeiten (meine Dissertation „Über die ersten Stadien der Naphthalinkatarakt", Leipzig 1891, aus dem physiologischen Institut unter C. Ludwigs Leitung) der Verlauf der Naphthalinerkrankung der Linse des Kaninchens und Meerschweinchens vertraut, was sich zumal bei der Beobachtung der Linsenveränderungen in den ersten Stunden nach der Verabreichung des Naphthalins von Vorteil zeigte.

Das Naphthalin wurde wie bei meinen früheren Versuchen den Tieren in Form einer (10% Naphthal. puriss. subtil. pulver. enthaltenden) Emulsion durch die Magensonde verabreicht. Neuerdings haben Klingmann (18), Helbron (19) u. A. das Naphthalin in Paraffinum liquid. gelöst und den Tieren per os beigebracht, sie konnten nach zwölf Stunden die ersten Erscheinungen nachweisen. („Die von Magnus ausführlich beschriebenen glashellen, völlig transparenten Streifen habe ich erst nach 28—30 Stunden nach der Fütterung von 2 g Naphthalin beobachtet" (18, S. 16). Salffner (20) hat 20% Naphthalinemulsion verwendet und hält diesen Weg nach Prüfung der verschiedenen Methoden der Applikation für den „bequemsten und zugleich am sichersten für die Entstehung der Katarakt" (20, S. 525).

Bei allen wichtigeren Versuchen wurden sorgfältig vor der Verabreichung der Naphthalinemulsion das Gewicht der Tiere bestimmt, die brechenden Medien mit seitlicher Beleuchtung und mit dem Spiegel untersucht und die Reaktion der Pupille auf Lichteinfall geprüft. Alle Tiere mit nicht normalem Augenbefund wurden sofort ausgeschaltet und sind in der Reihe nicht mit gezählt. Das Jodkalium wurde bei einigen Kaninchen zum Studium der Wirkung auf die Cornea und Linse in Substanz pulverisiert oder auch in Krystallform in den Bindehautsack gebracht; ausnahmslos schien diese Applikation sehr schmerzhaft zu sein, wie auch durch den ausserordentlich starken, nach wenigen Minuten entstehenden Reizzustand erläutert wurde.

Ich habe ausdrücklich darauf verzichtet zu untersuchen, welchen Einfluss Einträufelungen und Bäder mit Jodkaliumlösungen nach den Badalschen Vorschriften auf das erkrankende Linsenepithel zeigten. Ich hielt es für den Tierversuch für notwendig, in erster Linie genau dosierte Jodkaliummengen zu verwenden, zumal durch die Untersuchungen von Ovio u. A. festgestellt worden ist, dass das Jodkalium in Form subconjunctivaler Einspritzungen schon mit Sicherheit zehn Minuten nach dieser Einspritzung in Glaskörper und Kammerflüssigkeit nachzuweisen ist.

Die Jodkaliumeinspritzungen wurden sämtlich unter die Bindehaut ausgeführt und zwar in verschiedenen Konzentrationen. Nachdem sich in einigen Vorversuchen herausgestellt hatte, dass durch 5 und 10% starke Jodkaliumeinspritzungen das Linsenepithel geschädigt werden kann, legte ich den Tierversuchen die von mir in dreijähriger Erfahrung am Menschen als zweckdienlich beobachteten Jodkaliummengen zugrunde und zwar in folgender Weise: Wie ich schon im vorigen Jahr (Klin. Monatsblätter) veröffentlicht habe, benutze ich nicht die ursprünglich von Verderau angewendete 5% — sondern nur 1% Jodkaliumlösung: Nimmt man als Durchschnittsgewicht etwa 75 kg für die von mir eingespritzten Patienten an, so ergibt die dabei verbrauchte Tagesdosis von einer Spritze = 0,01 Jodkaliumsubstanz auf 750 g Körpergewicht des etwa 6—8 wöchigen Kaninchens = 0,0001 Jodkalium (das ist ein Teilstrich einer $^1/_{10}$% Jodkaliumlösung). Die Einspritzungszeit der Jodkaliumlösung nach Verabreichung der Naphthalinemulsion wurde ausserordentlich variiert.

Die Jodkaliumlösung wurde eingespritzt:

zugleich mit der Naphthalinfütterung bei Tier 19, 29, 36,
10 Minuten nach „ „ „ „ 17,

1/2	Stunde nach der Naphthalinfütterung bei Tier	50, 52,
1	„ „ „ „ „ „	18, 44, 52, 60, 61, 64,
5/4	„ „ „ „	69,
1 1/2	„ „ „ „ „	38, 40, 42, 43, 47, 48, 49, 53, 54, 55, 59,
2	Stunden „ „ „ „	21, 28, 31, 76,
3	„ „ „ „ „	25, 33,
4	„ „ „ „ „	11, 12, 13, 23,
5	„ „ „ „ „	22, 32,
24	„ „ „ „ „ „	14, 15,
30	„ „ „ „ „ „	45.

Im ganzen wurden bei den über ein Jahr sich erstreckenden Untersuchungen folgende Tiere der Naphthalin- oder der Jodwirkung oder Naphthalin- und Jodwirkung unterworfen und untersucht: 96 Kaninchen, 14 Katzen, 6 Hunde, 5 Meerschweinchen, 3 Affen, 81 Frösche. Eine Anzahl der Bulbi wurde frisch untersucht, ein anderer Teil aber nach Fixierung durch die bekannten Methoden (Farmalin 5 ‰, 10 % Müller- und Flemmingsche Lösung, Salpetersäure usw.) eingebettet und in Serien geschnitten und gefärbt.

Nachdem Salffner (20) durch seine Wägungen von Naphthalinlinsen nachgewiesen, dass das Naphthalin (oder vielmehr seine bisher noch unbekannten Derivate) die ersten nachweisbaren Veränderungen auf die Kaninchenlinse etwa zwei Stunden nach der Aufnahme der Emulsion in den Magen auszuüben anfängt, und da bekannt ist, dass sich schon nach wenigen — 4 1/2 bis 5 — Stunden starke Veränderungen der Linsenepithelien der Versuchstiere nachweisen lassen, erschien mir — analog den Badalschen Erfahrungen der günstigen Wirkung der Jodpräparate auf beginnende menschliche Stare — das Studium der Jodeinspritzungen auf die ersten Linsenveränderungen am wichtigsten. Es wurde deshalb ganz besonders dieses Stadium der beginnenden Linsentrübung beim Kaninchen während der ersten fünf Stunden besonders eingehend geprüft. Von einer grossen Reihe von Tierbulbi — etwa 100 Kaninchen-, 54 Frosch-, 18 Katzen-, 10 Hunde-, 4 Meerschweinchen-, 3 Affenaugen, 1 Menschenauge — wurden die Linsenkapseln in toto abgezogen und als Flächenpräparate untersucht. Da diese Untersuchung beim Kaninchen eine m. W. noch von keiner Seite veröffentlichte Beobachtung ergab, will ich die von mir verwendete Technik ausführlich beschreiben.

Zur Isolierung der Linsenkapsel wird der sofort nach dem Tode des Tieres vorsichtig entnommene Bulbus auf den Hornhautscheitel gelegt, mit der Pincette am Sehnervstumpf gefasst und mit einem Rasiermesser leicht angeschnitten, so dass sich eine Glaskörperperle einstellt. In diese Skleralöffnung wird mit einer stumpfen gebogenen Schere eingegangen und der Bulbus im Äquator halbiert. Mit einem vorsichtigen Scherenschlag ging ich dann vom Äquator aus bis an den Linsenrand und umschnitt denselben, so dass von dem Bulbus nur Cornea, Iris, Linse und etwas daran haftender Glaskörper übrig bleibt. Dann wird die Linse auf die Glaskörperseite gelegt, auf eine Unterlage von Fliesspapier, und Cornea und Iris abgehoben. Wenn man diese versichtig mit 2 Pincetten am Pupillenrand fasst und einreisst, gelingt es nach einiger Übung, die Linse völlig frei zu präparieren, ohne dass ein einziges Instrument die Linsenkapsel berührt hätte. Ich habe darauf ausserordentliches Gewicht gelegt, da ja bekannt ist, dass man Salz- und andere Linsentrübungen durch Streichen der vorderen Linsenfasern mit stumpfen Instrumenten teilweise fortmassieren kann. Die so freipräparierten Linsen werden dann vorsichtig an dem Glaskörperrest gefasst und in $3^1/_2$ % Salpetersäure für 30 Minuten gelegt. Nach kurzem Abspülen kommen sie in absoluten Alkohol auf die gleiche Zeit und darauf kurze Zeit in Wasser, wodurch die Linsenkapsel meist blasenförmig von dem zu einem weissen Kern geschrumpften Linseninhalt sich abhebt. Die jetzt fixierte Linse wird nun in die von den Spitzen von Daumen, Zeige- und Mittelfinger der linken Hand gebildete kleine Höhlung gelegt, so dass die Gegend des vorderen Linsenpoles freiliegt. Mit einem Rasiermesser wird dann durch einen Kreuzschnitt die hintere Linsenkapsel geöffnet und bis in die Äquatorgegend durchgeschnitten. Die 4 so entstandenen Zipfel der Linsenkapsel werden mit feingezähnter Pincette nach dem vorderen Linsenpol zu umgeschlagen, vom Linseninhalt vorsichtig abgehoben und die am Äquator meist anhaftenden Reste der Linsenfasern durch Umschütteln im Wasser entfernt. Dann Färbung: Boraxkarmin, Alaunkarmin, Hämatoxylin Hansen (2—10 Minuten), Delafield, Eosin, Bismarckbraun, Benda-Heidenhain usw. — Wenn man die so gefärbten und für Dauerpräparate vorbereiteten Linsenkapseln dann ausbreitet, ist es möglich, eine überraschend gute Übersicht über die Linsenkapsel mit ihrem Zellbelag zu erhalten. Schwache Vergrösserung gibt dann ausgezeichnete Übersichtsbilder, so dass es möglich ist, die verschiedenen Arten der Linsenepithelzellen genau zu übersehen und nach Nekrosen, Mitosen usw. zu forschen. (Siehe Taf. VIII, Fig. 1.)

In den Lehrbüchern werden die Epithelzellen der Linsenkapsel als im wesentlichen gleichartig geformt dargestellt und zwar in der Weise, dass die unter dem vorderen Linsenpol liegenden Zellen die dünnsten und breitesten sind. Nach dem Äquator zu nehmen sie an Dickendurchmesser ab, an Höhendurchmesser zu, so dass im allgemeinen der Voluminhalt einer Epithelzelle annähernd der gleiche ist, ob sie vom vorderen Pol stammt oder vor dem Aquator liegt [vgl. dazu (22)]. Die Lehrbücher stimmen darin überein, dass die Anordnung der Epithelzellen der Linsenkapsel eine, bis zu einem gewissen Grade, regelmässige ist. „Schon bei mässiger Vergrösserung sieht man, dass die Kerne die Neigung haben, sich in bestimmter Weise zu gruppieren, so dass sie förmliche Nester bilden. So wenig sicher aber auch die Regelmässigkeit in der Anordnung der Zellen hier ist, so entschieden tritt sie wieder an der Epithelgrenze hervor. Unmittelbar hinter der Strecke, in welcher die Zellen am dichtesten stehen, folgt wieder die Zone der meridionalen Reihen. Sie grenzt sich nach hinten an abgezogenen Epithelfetzen durch eine gerade Linie ab, während sie nach vorn in das ungeordnete Epithel übergeht" [(23) III, S. 36 u. 37]. Die etwa der III. Salffnerschen Zone entsprechenden Epithelzellen betrachten Rabl und mit ihm alle mir bekannten anatomischen Lehrbücher als anatomisch gleichartig. Wenn man nun in der oben beschriebenen Weise die Linsenkapsel eines Kaninchenauges abzieht, färbt und sorgfältig ausbreitet, wobei vor allem darauf zu achten ist, dass Faltenbildung und Risse in der Kapsel und ihrem Epithelbelag vermieden werden, so sieht man am auffallendsten mit schwachen Vergrösserungen (Zeiss Obj. a_2 Oc. 1 oder 2), dass von den scheinbar regellos auf der Kapsel ausgebreitet liegenden Epithelzellen, etwa der Mitte der Kapsel entsprechend, eine Anzahl Zellen sich durch eigenartige Form und Färbung nach Behandlung mit Hämotoxylin oder Boraxkarmin auszeichnen. Wie bekannt, tritt auf der sofort nach der Enucleation herauspräparierten Kaninchenlinse alsbald nach dem Einlegen in die Fixierungsflüssigkeit eine Linie besonders hervor, die vordere Linsennaht. Sie färbt sich in der Salpetersäure fast momentan weisslich, während die ganze Umgebung noch ungefärbt erscheint. Wenn man nun an einer Linse in dem Moment, wo sich diese Linie in der Fixierungsflüssigkeit scharf abhebt, mit einer guten Nadel am oberen und unteren Ende der Linsennaht einen kleinen Stich ausführt, die Kapsel nach beendeter Fixierung abzieht (was durch die Nadelstiche in keiner Weise erschwert wird) und in der üblichen Weise färbt, so sieht man, dass die zwischen den zwei Nadelstichen liegenden Zellen sich von der Umgebung mehr oder weniger deutlich abheben. Während sonst in der Umgebung des vorderen Poles die einzelnen Kerne bei Färbung mit Boraxkarmin ziemlich dicht aneinander stehen, treten die auf der markierten Linie befindlichen Kerne wesentlich weiter voneinander ab, so dass ihr Abstand voneinander fast das doppelte beträgt wie derjenige der übrigen Zellen. Die Epithelzellen sind hier wesentlich breiter, das Protoplasma mehr ausgebreitet, die Zellkerne um $^1/_3$—$^1/_4$ grösser als die in der Umgebung. Durch vergleichende Messung ist es möglich, ein deutliches Bild von dem gegenseitigen Abstand der in der Gegend des vorderen Poles liegenden Epithelzellen zu erhalten. Wenn man mit einem Zeissokularmikrometer die Abstände der einzelnen Kerne des mit Boraxkarmin gefärbten Epithels voneinander abmisst, in der Weise, dass man durch Drehen des Okulars den Abstand des Kernes an dem nächstliegenden Zellkern misst, so findet man, dass der Abstand der Kerne im allgemeinen etwa 45 μ ist, während der Abstand der Zellkerne in der Linsennaht fast 80 μ voneinander beträgt. Übrigens habe ich bei den verschiedenen Kaninchen die Zellen über der Linsennaht verschieden entwickelt gefunden. Während bei einzelnen Tieren der Abstand der Zellen in der Linsennaht voneinander so auffallend war, dass man die betreffende Stelle bei geringer Vergrösserung auf den ersten Blick in schärfster Weise sich abheben sah, war bei andern Kapseln der Abstand der Zellen in der Linsennaht so wenig hervorstechend, dass man diese Linie wenig oder überhaupt nicht fand. So ergab z. B. eine Durchsicht aller von mir geprüfter Kapseln mit im wesentlichen gut erhaltenem Epithelbelag in Dauerpräparaten, dass von 86 Linsenkapseln bei 48 die Naht auf den ersten Blick zu sehen war. Ich möchte also empfehlen, bei der Nachprüfung eine kleine Reihe von Kapseln durchzusehen, vielleicht fünf oder sechs, und nach der von mir gewonnenen Erfahrung wird man bei sechs Präparaten mit Sicherheit auf einige gut ausgebildete Bilder der Linsennahtepithelien auf den Kapseln rechnen können (vgl. dazu Taf. VIII, Fig. 2). Dass es sich nun, wie es vielleicht scheinen könnte, bei dieser Beobachtung nicht um Kunstprodukte (Zerrung, Faltung der Linsenkapsel) handelt, geht aus dem folgenden Kontrollversuch hervor. Wenn man eine Kaninchenlinse unter der oben beschriebenen Vorsicht auspräpariert, auf den hinteren Pol in ein Glasschälchen legt und dort mit einigen Tropfen wässrig alkoholischer Methylenblaulösung übergiesst, so färben sich nach etwa drei Minuten die Epithelzellen so ausgezeichnet, dass man sie an der noch uneröffneten Linse auch mit stärkeren Systemen untersuchen kann (Zeiss DD), durch die nur wenig blau gefärbte Kapsel hindurch. Es ist dabei nur notwendig, die Linse nach der Färbung gehörig abzuspülen und dann von Zeit zu Zeit mit Wasser oder isotonischer Kochsalzlösung zu betupfen, um ein Austrocknen der Linsenoberfläche zu verhüten. An solchen frischen, mit Methylenblau gefärbten Linsen kann man die abweichende Form der über der vorderen Linsennaht liegenden Epithelzellen bei durchfallendem Licht ausgezeichnet studieren. Die durch das Auseinandertreten der Zellen ausgeprägte Linie habe ich fast niemals gestreckt gefunden, sondern, wie bekannt, entsprechend der Linsennaht, in leichtem, meist nach vorn konvexem Bogen. Taf. VIII, Fig. 3 gibt die Bilder wieder, die sich bei Durchsicht der oben genannten 48 Linsenkapseln fanden. Wenn man auch bei einer Anzahl der Figuren annehmen könnte, dass die von mir an den 48 Kapseln bestätigte Beobachtung eine Zerrungserscheinung wäre, so geht doch z. B. aus der Linsennaht von Kaninchen 38 hervor, dass eine Kapselzerrung niemals derartige Bilder hervorrufen kann. Die von Kuschel (33, S. 333) wieder erwähnten Stomata: „Vor dem Äquator liegen drei kreisrunde, scharf von Epithelien begrenzte Lücken. Verbindet man sie durch Linien, dann bilden diese ein Dreieck. Ihre Lage in der Nähe des Ansatzes der Zonulafasern und die scharfe regelmässige Umwandung erwecken den Gedanken, dass es sich hier um die vermuteten Stomata in den Vorderkapseln handeln könne", habe ich bei keiner der weit über hundert von mir durchgesehenen Linsenkapseln gefunden, wie ich mich auch bei keinem der von mir untersuchten Tiere von der Existenz von Kapselöffnungen an irgend welchen Linsenschnitten überzeugen konnte. Kuschels Stomata sind vielleicht ausgebrochene Epithelien, wie sie überall in der Naphthalin- oder Jodlinsenkapsel, besonders aber in der Linsennaht sich fanden, z. B. massenhaft auf den Kapseln der Tiere 46 und 49.

Die ganz auffallende Tatsache möchte ich schliesslich noch hier anschliessen, dass ich die so eigenartigen, der Linsennaht entsprechenden Zellen nur an Kaninchenlinsen gefunden habe, nicht aber an den Linsen der von mir untersuchten Katzen, Hunde, Affen, Frösche.

Ich habe bei diesem von mir gefundenen besonderen anatomischen Bau der über der vorderen Linsennaht des Kaninchens liegenden Epithelzellen der Linse solange verweilt, weil sie meines Erachtens nicht nur in anatomischer Hinsicht sich auszeichnen gegenüber den sonstigen Kapselepithelzellen, sondern, und vor allem, weil sie eine ganz besondere Stellung in klinischer und wohl auch in physiologischer Beziehung einnehmen.

Unsere Kenntnis von der Ernährung der Linse ist bei weitem noch nicht abgeschlossen. Nach der jetzt wohl allgemein angenommenen Anschauung ist sie die folgende: Leber (S. 434): „Die ernährungsbedürftigen Linsenelemente werden ihren Bedarf überall herausnehmen, wo der Stoffzutritt zur Linse frei ist, also vermutlich nicht nur vom Äquator, sondern auch von der hinteren Fläche her, während der Anteil der vorderen Fläche zweifelhaft bleibt". Leber betrachtet im allgemeineu die viel erörterte Frage nach den Eintrittspforten der Nährstoffe in die Linse als fast nebensächlich, „da die Langsamkeit, mit der sich der Stoffwechsel auf diesem Wege (Endosmose) vollzieht, dem Ernährungsbedürfnis genügt“. Mit Recht scheint mir aber Hess (25, S. 25) auf die Vorderfläche der Linse als Eintrittsstelle der Nährstoffe in die Linse hinzuweisen. Verschiedenartige Erfahrungen haben gezeigt, dass das intakte Linsenepithel eine gewisse Schutzwirkung über die Linsenfasern ausübt und dass dem Untergang der Linsenepithelien (z. B. beim Naphthalin-, Blitz-, Massagestar usw) Gewichtszunahme, d. i. Flüssigkeitsaufnahme, in die Linsen folgt. Auch Leber schreibt S. 441: „Wenn auch in bezug auf die hier erörterten Verhältnisse noch vieles aufzuklären bleibt, so scheint mir doch die schützende Wirkung, die das Epithel der Linse gegen die Quellung durch das Kammerwasser gewährt, zum mindesten sehr wahrscheinlich zu sein.“

Ich stimme Römer, der auf Grund seiner Serumforschung folgert, dass dem intakten Linsenepithel eine gewisse Schutzwirkung auf die Linse zuzuschreiben ist, vollkommen zu. Ich bin aber der Überzeugung auf Grund meiner Untersuchungen, dass dem Linsenepithel noch ein besonderer Einfluss für die Erhaltung der Lebensfähigkeit der normalen Linse einzuräumen ist. Das Linsenepithel ist nicht nur als Schutzschicht der Linse aufzufassen, sondern hat, wie aus der Beschaffenheit der Zellen zu folgern ist, noch andere Funktionen, abgesehen von seiner Bedeutung für die Bildung der Linsenfasern, nämlich die Vermittlung der Ernährung der Linse, so dass es in dieser Beziehung gewissermassen als ein den osmotischen Strom vermittelndes Filter für die Ernährungsflüssigkeit anzusehen ist; es ist deshalb auch der Vorderfläche der Linse ein höherer Wert für die Ernährung der Linse als dem äquatorialen Teil und der Hinterfläche derselben zuzuerkennen.

Für diese meine Anschauung sprechen auch die Beobachtungen, die ich an den allerersten Stadien der Naphthalinveränderungen der Kaninchen machen konnte. Nachdem Salffner durch seine Wägungen mit Naphthalin behandelter Kaninchenlinsen schon von der zweiten Stunde nach der Fütterung grosser Dosen die Linse an Gewicht und Volumen zunehmen sah, erschien es mir notwendig, vor diesem Zeitpunkt die Linsen nach anatomischen Veränderungen zu untersuchen. Salffner beschreibt Kapselveränderungen an Linsen, die 4½—5 Stunden nach der Fütterung untersucht wurden. Um nun die ersten Veränderungen bei Naphthalinfütterung kennen zu lernen, habe ich eine Reihe von Tieren untersucht, die in den ersten Stunden nach der Naphthalinfütterung getötet wurden. Von allen diesen Tieren wurde mindestens von einem Auge das Flächenpräparat der Linsenkapsel untersucht. Es zeigte sich nun, dass bei diesen Linsenkapseln die ersten Veränderungen nicht ausschliesslich im Bereich der zweiten und dritten Salffnerschen Zone sich fanden, sondern mit grösster Regelmässigkeit fanden sich die stärksten Veränderungen des Linsenkapselepithels im Bereich der der vorderen Linsennaht entsprechenden Zellen. Beim Vergleich mit normalen Linsenepithelien zeigten sich auch die übrigen Epithelzellen entsprechend ungefähr der zweiten und dritten Salffnerschen Zone verändert, aber wesentlich geringer als diejenigen über der Linsennaht. Wie bekannt, bestehen die Naphthalinveränderungen des Linsenepithels in Vakuolenbildung im Protoplasma, später auch in den Kernen, in Schrumpfung der Kerne, Quellung der Zellen sowie der Kerne und Loslösung der Epithelien von ihrer Unterlage (vgl. dazu Taf. X, Fig. 10). Mit dem Fortschreiten der Giftwirkung des Naphthalins auf die Linse verwischt sich die anfangs ausserordentlich deutlich ausgeprägte strichförmige Nekrosenzone der Epithelien, und die Epithelien der zweiten und dritten Zone erscheinen gleichmässig verändert. Sehr bald wurde es dann auch unmöglich, das Epithel im Zusammenhang mit der Kapsel abzulösen, denn es reisst auch beim vorsichtigsten Versuch, die Kapsel von der Linse zu trennen, ein und bleibt an den Linsenfasern hängen. Wenn man dann auch mit der Nadel oder Pincette einzelne Fetzen der Epithelien im Zusammenhang mit den Linsenfasern abreissen und untersuchen kann, so geht doch bei den verschiedenen notwendigen Bädern, die mit der Färbung und Einbettung der Präparate untrennbar verbunden sind, jede Ortsbestimmung verloren und man muss sich beschränken auf eine allgemeine Kontrolle der anatomischen Veränderungen der Epithelzellen überhaupt. Wie zu erwarten war, und wie auch die Salffnerschen Wägeversuche ergeben haben, zeigten sich bei einer Reihe von Kontrollversuchen die Naphthalinveränderungen stets auf beiden Augen gleichmässig entwickelt, so dass ich mich im allgemeinen für berechtigt halte, die Naphthalinwirkung auch dann als gleichwertig anzunehmen, wenn ich mit den beiden Linsen desselben Tieres verschiedene Untersuchungen anstellte. Nach den Salffnerschen Untersuchungen hat sich gezeigt, dass in mehreren Wägungen diese Voraussetzung — (beide Linsen desselben Tieres sind gleich gross und gleich schwer) — bestätigen und ergaben, dass die Differenz bei den gesunden Linsen äusserst gering ist, und sowohl hinsichtlich des Gewichtes wie des Volumens 0,11% nicht übersteigt (S. 524).

Durch die Untersuchungen von Ovio (21, S. 104) über das Eindringen von subconjunctival verabreichter Jodkaliumlösung ist festgestellt, dass es schon zehn Minuten darauf im Kammerwasser und der Glaskörperflüssigkeit nachzuweisen ist. In der Linse konnte es von Ovio nach dieser Zeit nur in drei von zehn Fällen gefunden werden. Ottolenghi (27) konnte das unter die Haut von Kaninchen gespritzte Jodkalium nach ungefähr zehn Minuten in der Tränenflüssigkeit, dem Kammerwasser und dem Glaskörper nachweisen, in der Linse jedoch nicht. Deutschmann (26, S. 227) hat es beim Kaninchen etwa drei Stunden nach Verabreichung von Jodkaliumlösung per os nachgewiesen und zwar: „Es zeigte sich nun mit Jodkalium imprägniert: am stärksten die subkapsulare Eiweissschicht unter der hinteren Linsenkapsel und die nächst angrenzende Partie der hinteren Corticalis sowie der ganze Linsenäquator; schwächer auf das Palladiumchlorür reagierend: die subkapsulare Schicht unter der vorderen Kapsel, gar nicht Linsenkern und die vordere Corticalis.“ Da sich im Laufe der Untersuchungen bald ein gewisser Einfluss der Jodkaliumeinspritzungen auf den Verlauf der Naphthalinwirkung bei der Kaninchenlinse zeigte, suchte ich die Eintrittsstelle des Jodkaliums in die Linse festzustellen. Es wurden deshalb erst die Bulbi, später die isolierten Linsen der mit Jodkalium eingespritzten Kaninchen mit dem Gefriermikrotom gefroren, halbiert und in diesem Zustand mikrochemisch auf die Anwesenheit von Jodkalium geprüft. Zum Nachweis des Jods bediente ich mich der in der analytischen Chemie viel verwendeten Reaktion mit Palladiumammoniumchlorür [die auch A. Th. Leber (28) verwendete], die wohl als die empfindlichste aller Jodreaktionen bekannt ist. Als Reagens zur Bestimmung der Anwesenheit von Jod dient dabei die bräunliche 2% Lösung von Palladiumammoniumchlorür (weiter in dieser Arbeit kurz mit P.-Reaktion bezeichnet). Bei Anwesenheit von Jod entsteht ein schwarzer Niederschlag, der sich in Jodkalium im Überschuss wieder löst. In der letzten Auflage von Treadwell ist Natriumpalladiumchlorür als Reagens empfohlen. [Treadwell (29, S. 255): Palladiumchlorür (man verwendet am besten das Natriumpalladiumchlorür ($[PdCl_4]Na_2$), fällt aus verdünnten Lösungen eines Jodides schwarzes Palladiumjodür (Unterschied von Brom und Chlor):

$$[PdCl_4]Na_2 + 2KJ = 2NaCl + 2KCl + PdJ_2$$

sehr leicht löslich im Überschuss von Jodkalium.] Ich habe dasselbe in 2% Lösung von Merck bezogen, die Reaktion zeigte genau dieselben Resultate wie die weiter unten beschriebenen mit der 2% P.-Lösung. Im allgemeinen ergab die Prüfung des Jodkaliumgehaltes in der Linse nach subconjunctivaler Verabreichung einiger Teilstriche einer 5% Jodkaliumlösung am Kaninchen Übereinstimmung mit dem Deutschmannschen Resultat insofern, als die intensivste schwarzbraune Färbung bei der P.-Reaktion am Äquator und in der Gegend des hinteren Linsenpoles sich zeigte, sowie in fast gleichmässiger Schicht in dem Kapselepithel in der Nähe des vorderen Poles. Ganz auffallend und völlig abweichend von der Deutschmannschen Beobachtung aber war die Jodreaktion in dem Linsengebiet über der vorderen Linsennaht.

Versuch: Ein albinotisches Kaninchen erhält subconjunctival fünf Striche einer 5% Jodkaliumlösung unter die Bindehaut des rechten Auges. Nach Verlauf von einer Stunde ist die Jodkaliumlösung zum kleinen Teil resorbiert, die anfänglich durch die Einspritzungsflüssigkeit hoch empor gewölbte Bindehautblase ist verbreitert und umfasst etwa ein Drittel des Bulbusumfanges. Das Tier wird durch Nackenschlag getötet. Sofort wird jetzt das linke Auge enucleiert und vom Gehilfen in der gleich weiter zu beschreibenden Weise behandelt. Hierauf wird das rechte Auge vorsichtig aus der Augenhöhle entfernt und alles am Bulbus haftende, Bindegewebe, Bindehautreste, Fettgewebe, Muskelansätze, entfernt. Der am Optikusstumpf gefasste Bulbus wird dann in 3mal gewechseltem destillierten Wasser kräftig abgespült.

Instrumentenwechsel. Der Bulbus wird in der Äquatorgegend mit dem Rasiermesser eröffnet, so dass eine Glaskörperperle sich einstellt und halbiert. Ein Scherenschlag geht dann vom Äquatorbulbi bis in die Ciliargegend, wo die Linse mit dem Linsenäquator folgenden Scherenschlägen mit allen Augenhäuten umschnitten wird.

Instrumentenwechsel. Die Linse, an welcher vorn Iris und Cornea, hinten ein Teil des Glaskörpers hängt, wird mit der Pincette am Cornealrand gefasst, der anhängende Glaskörperrest wird dicht am hinteren Linsenpol mit einem Scherenschlag abgekappt und die Linse samt Cornea und Iris in 3mal gewechseltem destillierten Wasser tüchtig abgespült, dann wird mit einer 2. Pincette die Iriswurzel gefasst und die Cornea, die nur durch einige zarte Fädchen an der Iriswurzel gehalten wird, abgehoben, die Iris wird dann durch Fassen am Pupillenrand vorsichtig von der Linse abgezogen, der Pupillenrand wird eingerissen; die Iris löst sich jetzt ohne Schwierigkeiten von der Linse. Am Äquator der Linse stehen dann nur noch einige kleine Restchen der Ciliarfortsätze.

Instrumentenwechsel. Mit einer feinen Pincette wird jetzt die Linse an einem der Ciliarkörperrestchen gefasst, in einer grösseren Schale mit destilliertem Wasser geschwenkt und in ein Uhrschälchen gelegt, wo sofort mit einem Glasstäbchen 15 Tropfen des 2% P.-Reagens aufgeträufelt werden, ohne die Linse mit dem Stäbchen zu berühren. Nach 5 Minuten wird das P.-Reagens mit einem kräftigen Strahl Aq. dest. abgespült und die Linse unter das Mikroskop gebracht. An der Stelle der Linsennaht erscheint eine haarscharfe zarte Linie, tiefschwarz gegen den hellbeleuchteten Linsenkörper sich abhebend. Nach und nach tritt um diese Linsennahtlinie ein heller Hof ein, und die ganze vordere Linsenfläche erscheint zart hellgraubraun, getüpfelt durch Färbung der Ränder der Linsenepithelzellen (vgl. dazu Taf. IX, Fig. 7). In der äquatorialen Zone erscheint die Linsenkapsel bei stärkerer Jodwirkung zart streifig, diese Farbung ist aber, wie schon von Ovio nachgewiesen, oberflächlich und nicht durch stärkere Färbung der Epithelzellen bedingt. Wenn man diese Linse in überschüssige 5 % Jodkaliumlösung legt, so tritt im Verlauf einiger Stunden die graue P.-Reaktion wieder zurück und die Linsenoberfläche erscheint zart gelblich.

Die Linse des linken Auges, mit der gleichen Quantität P.-Reagens beträufelt und nach 5 Minuten tüchtig abgespült, zeigt nur einen ausserordentlich zarten Reflexstreifen in der Gegend der Linsennaht, und auch dieser wird nur beim Drehen des Beleuchtungsspiegels sichtbar (vgl. Taf. IX, Fig. 6. Vgl. dazu auch die Reaktion bei der Katze, Taf. IX, Fig. 8 u. 9).

Durch diese P.-Reaktion wird die Aufnahme des Jodkaliums in das Linseninnere bewiesen und zwar erfolgt die Aufnahme durch Osmose in erhöhtem Masse in der Linie der vorderen Linsennaht. Ob diese Jodanwesenheit durch aktive elektive Tätigkeit der in dem Gebiet der Linsennaht liegenden anatomisch besonders charakterisierten Epithelzellen zu erklären ist, oder ob sie auf einer besonderen chemischen Affinität der unter der Linsennaht liegenden Linsenfasern zu dem im Kammerwasser suspendierten Jodkalium beruht, kann ich nicht entscheiden, vielleicht entsteht auch diese letztere erst durch Alteration der in besonderem Grade empfindlichen Epithelzellen im Gebiete der Linsennaht. Weitere Untersuchungen werden hierin erst Klarkeit schaffen müssen. Die eben beschriebene Jodkaliumreaktion mit Hilfe des P.-Reagens ist von mir im ganzen an 38 Kaninchenlinsen angestellt worden und zwar ausnahmslos mit positivem Erfolg. Aus dieser Reaktion geht hervor, dass das im Kammerwasser suspendierte Jodkalium nicht nur am hinteren Linsenpol, am Äquator und gleichmässig durch die ganze Vorderfläche in die Linse eintritt, sondern in besonders hohem Grade in der Linie, die wir als vordere Linsennaht bezeichnen; es wird also aus dieser Beobachtung eine wesentliche Änderung unserer Anschauung über die Eintrittsstelle von für die Linse schädlichen Stoffen gefolgert werden müssen. Es sei bei dieser Gelegenheit an Beobachtungen erinnert, die sich in der Literatur ausserordentlich häufig finden, nämlich das besondere Hervortreten der Linsennaht bei einer ganzen Reihe von Erscheinungen;

z. B. Hess (25, S. 3): „Dass der Linsenstern beim Einlegen der Linse in die Konservierungsflüssigkeit meist bald deutlich hervortritt usw. usw."

Es war mir nun von höchstem Interesse, die Linsennähte einiger anderer Tiergattungen auf ihre Durchlässigkeit für subconjunctival eingespritztes Jodkalium zu prüfen. Zuvor wurden jedoch die nach der oben beschriebenen Methode abgezogenen Linsenkapseln einer genauen Durchsicht unterworfen, es fanden sich bei keiner der gleich zu nennenden Tiergattungen Zellreihen oder Zellgruppierungen, die an die Linsennähte der Kaninchenaugen erinnerten. Es wurden die Epithelien folgender Tiere sorgfältigst untersucht (Fixierung in Salpetersäure und Färbung mit Boraxkarmin oder Hämatoxylin Hansen):

11 Katzen, 5 Hunde, 5 Meerschweinchen, 3 Affen (Macacus), 54 Froschbulbi.

Trotzdem fiel die Jodreaktion nach Einspritzung von 5% Jodkaliumlösung subconjunctival unzweifelhaft in der oben beschriebenen Weise, streng der Form der vorderen Linsennaht folgend positiv aus bei:

5 Katzenaugen, 4 Hundeaugen, 4 Meerschweinchenaugen.

Fast vollständig negativ war dagegen die Untersuchung auf die Anwesenheit eines für Jodkalium besonders durchgängigen Epithelstreifens in der Linse von drei Macacusaugen und einem Menschenauge, das bei fast durchsichtiger Linse infolge eines Oberkiefercarcinoms wegen unstillbarer Schmerzen entfernt worden war. Nach der klinischen Erfahrung scheint mir aber doch beim Menschen die Gegend des vorderen Linsenpoles andere physiologische, bzw. pathologisch veränderte Funktionen zu haben, wie die zwischen den Sternlinien befindlichen Streifen der Linsenoberfläche. Bei den Macacusaugen trat nach mehrstündiger Einwirkung des Reagens fast genau in der Gegend des vorderen Linsenpoles (also in der, von der Linsenfigur freien Zone) eine zarte Graufärbung in Form eines Y auf, so dass mir an dieser Stelle eine Eintrittsstelle des Jodkaliums in die Macacuslinse zu liegen schien. Dass aber auch beim Menschen die Gegend des vorderen Linsenpoles ein für den Durchtritt von Linsenschädigungen geeignetes Gebiet darstellt, dafür scheint u. a. das Auftreten vorderer Polarsterne zu sprechen bei Augen, in welchen niemals eine Berührung von Hornhaut und Linsenkapsel stattgefunden hat, bei denen aber nach überstandenem Hornhautgeschwür ein vorderer Polarstar nicht selten in Form eines Punktes, eines Y oder einer Sternfigur auftraten. (Vgl. dazu auch R. Tertsch: Ein Beitrag zur Entwicklung der vorderen Polarkatarakt, und G. Huwald: Klinisch und histologischer Befund bei Verletzungen der Cornea durch Bienenstiche.)

In ganz besonders deutlicher Weise lässt sich die Palladium-Jodreaktion auch an der Froschlinse nachweisen. Bei der Durchsicht des Epithelbelages an einer Anzahl von ungefähr 20 abgezogenen normalen Froschlinsenkapseln zeigte sich keine Andeutung einer Zeichnung der vorderen Linsennaht, wie ich sie von den 48 Linsenkapseln der Kaninchenlinsenepithelien abgebildet habe. Die Epithelzellen der Froschlinsen liegen in dichtem, regellosem Mosaik ausgebreitet; in der äquatorialen Zone fand ich auch beim völlig normalen, ausgewachsenen Frosch fast stets einige Mitosen, die nach Färbung mit Boraxkarmin deutlich hervortraten, in ganz ausgezeichneter Weise aber nach Färbung der Kapsel nach Benda-Heidenhain. Bei der Entstehung der Jodkaliumkatarakt (nach Einlegen von Jodkalium in Substanz in den Bindehautsack des Frosches), die sich infolge ihres ausserordentlich schnellen Ablaufes unter der Lupe leicht beobachten lässt, spielt die vordere Linsennaht eine gegenüber dem übrigen Linsengebiet auffallende Rolle.

Protokoll: Ein grosser Frosch von 12 cm Länge, Nasenspitze bis Steiss, erhält in den Bindehautsack des rechten Auges 10 mg Jodkalium pulverisiert, mit einem klein wenig Wasser zu einem steifen Brei verrührt. Es tritt augenblicklich eine leichte Trübung der Nickhaut ein, so dass es nicht mehr möglich ist, die Einzelheiten der Iriszeichnung durch die Nickhaut zu erkennen. In der unteren Hälfte der Hornhaut zeigt sich nach 1 Minute eine zarte oberflächliche hauchige Trübung. Zwei Minuten nach dem Einlegen des Salzes in den Bindehautsack trübt sich bereits die Linse in der Gegend des vorderen Poles, und zwar in der Weise, dass die, die Pupillenöffnung senkrecht in 2 annähernd gleiche Teile zerschneidende Linsennaht als $^1/_4$ mm breiter, durchsichtiger dunkler Streifen sich von der rechten und linken zart weisslichen Linsenoberfläche abhebt. Nach und nach nimmt die Linsentrübung zu und die dunkle Linsennaht wird schmaler, so dass sie nach 8 Minuten wesentlich weniger deutlich gegen die helle übrige Linsenoberfläche absticht. Nach 15 Minuten ist der im Pupillengebiet sichtbare Teil der Froschlinse fast papierweiss, die Linsennaht noch schwach erkennbar, 5 Minuten später hebt sie sich kaum noch von der übrigen Linse ab. 25 Minuten nach dem Einleiten dieses Versuches erhält das linke Auge die gleiche Dosis Jodkalium. Die Trübung der Linsenkapsel und der darunter liegenden Linsenschicht schreitet in derselben Weise fort, wie am rechten Auge beschrieben. Nach 10 Minuten werden die Bindehautsäcke beider Augen durch einen kräftigen Wasserstrahl (Aq. dest.) durchgespritzt, indem die

Nickhaut mit der Pincette so weit als möglich vom Bulbus abgehalten wird. Nach der auf Seite 285 beschriebenen Methode werden alsdann die Linsen herauspräpariert und mit je 12 Tropfen P.-Reagens betupft. Nach 3 Minuten Einwirkung wird die Linse kräftig abgespült und unter dem Mikroskop bei schwacher Vergrösserung beobachtet. Bei dem linken Auge zeigt sich in der Richtung der Linsennaht eine ausserordentlich zarte, aber völlig sichere schwarze Jodreaktion, die Grenzen der Epithelzellen im Bereiche der Startrübung und darüber hinaus sind sehr zart grau gefärbt. Die Linsennaht des rechten Auges hebt sich in Form eines dicken breiten schwärzlichen Streifens von der Umgebung ab. Die einzelnen Epithelzellen sind mit stärkeren Systemen ausserordentlich scharf zu sehen, da ihre gegenseitigen Abgrenzungen deutlich gefärbt sind. Einzelne auf der Linsenoberfläche verstreut liegende Epithelzellen sind offenbar ganz mit Jodkalium imprägniert, denn sie sind durch die Einwirkung des Reagens schwarzbraun. Bei beiden Linsen ist die P.-Reaktion in der Äquatorgegend nicht deutlich abstechend gegen die Umgebung. In der prääquatorialen Zone sieht man entsprechend etwa dem Ansatzstrich der Zonulafasern eine graue, zart streifige oberflächliche Färbung (Ovio). Die Gegend des hinteren Linsenpoles ist an dem linken Auge nicht durch das Reagens gefärbt, der hintere Pol an dem rechten Auge dagegen zeigt intensive Jodkaliumreaktion, etwa in Form eines Y.

Aus diesem Versuch geht hervor, dass das in den Bindehautsack gelegte Jodkalium in Substanz nach 10 Minuten durch die vordere Linsennaht seinen Eintritt in die Linse nimmt. Zugleich damit aber durchdringt das Jodkalium auf demselben endosmotischen Weg die Kapsel und ist an den Bewegungen der Linsenkapselepithelien, am deutlichsten im Bereich der Trübungszone nachzuweisen.

Versuche:

I. Kleiner Frosch, 4 cm lang, erhält unter die Rückenhaut 1 Spritze 5% Jodkaliumlösung, nach 1 Stunde getötet: Die Linsen werden wie früher auspräpariert, abgespült und mit 10 Tropfen P.-Reagens beträufelt. Nach 3 Minuten wird das Reagens abgespült, mit Zeiss a_2 Oc_3 ist keine Jodreaktion in beiden Linsen zu sehen.

II. Ein gleich grosser Frosch erhält eine Spritze (also 0,05) 5% Jodkaliumlösung unter die Rückenhaut. Nach $1\frac{1}{2}$ Stunden werden die Linsen aus dem kurz vorher getöteten Tiere nach der oben beschriebenen Technik auspräpariert und nach gehöriger Abspülung mit dem P.-Reagens beträufelt. Es zeigt sich keine Jodreaktion nach der Einwirkung des P.-Reagens.

III. Grosser Frosch Nr. 77, Länge $9\frac{1}{2}$ cm, erhält unter die Rückenhaut 3 Spritzen 5% Jodkaliumlösung. Nach 3 Stunden getötet. Die Linsen werden auspräpariert, abgespült und mit 10 Tropfen P.-Reagens beträufelt. Nach 3 Minuten Abspülung des Reagens. Der Befund unter der Lupenvergrösserung (Zeiss a_2 Oc_2) ist wie folgt: Die Linsennaht ist sehr zart, aber sicher durch schwarzes Palladiumjodür kenntlich. An keiner Stelle der ganzen Linse findet sich sonst noch eingetretenes Jodkalium.

IV. Ein Frosch, $12^1/_2$ cm Nase-Steiss, erhält 5 Striche 5% Jodkaliumlösung unter die Oberlider beider Augen in das orbitale Gewebe eingespritzt. Nach 10 Minuten wird der Frosch getötet, die Linsen werden, entsprechend der Technik auf Seite 285, auspräpariert und mit P.-Reagens beträufelt. Es erscheint nach kurzer Zeit die vordere Linsennaht beider Augen graugelb, Reaktion also positiv.

Nachdem diese Versuche mit Einspritzungen von Jodkaliumlösung unter die Bindehaut und die Beobachtungen des Jodkaliumeintrittes in die Linse nach dem Einlegen des Jodkaliumbreies in den Bindehautsack der Frösche gezeigt hatten, dass das in der Augenflüssigkeit gelöste Jodkalium an denselben Stellen in die Linse eintritt, wie das vom Magen aus resorbierte Naphthalin (am leichtesten kontrollierbar an der unberührten vorderen Linsennaht der Tiere), so wurden durch systematische Einspritzungen von Jodkaliumlösungen unter die Bindehaut an mit Naphthalin gefütterten Kaninchen untersucht, ob die Veränderungen an den Linsenepithelien, welche wir als Folge der Naphthalinintoxikation aufzufassen gewöhnt sind, sich durch die in das Augeninnere übergehenden geringen Jodkaliummengen beeinflussen liessen. Alle hierbei zu gewinnenden Erfolge würden uns berechtigen, sie bis zu einem gewissen Grade als Prüfung der von Badal und den anderen Autoren beobachteten Besserungen der Sehschärfe und der Linsentrübungen durch Jodkaliumbehandlung beim Menschen anzusehen.

Von vornherein erschien es wahrscheinlich, dass die Wirkung der Jodkaliumeinspritzungen nur im wesentlichen sich auf die Epithelien erstrecken würde, da die Naphthalinkatarakt beim Kaninchen ausserordentlich stürmisch verläuft, und da anzunehmen war, dass die Naphthalinintoxikation sehr bald die Jodkaliumwirkung erdrücken würde. Wie schon auf Seite 276 geschildert ist, wurden im ganzen 39 Kaninchen der Jodkaliumeinspritzung unterworfen. Da nun nach Hikida (32) u. A. bekannt ist, dass durch Fixierung der Linsen selbst mit den besten Fixierungsmethoden wesentliche Alteration der Gewebe durch die Fixierungsflüssigkeiten und den Fixierungsvorgang in den äusseren Linsenschichten und im Zusammenhang zwischen Epithel und Linsensubstanz stattfinden, so wurde, um die zum Teil unvermeidlichen Fehlerquellen soviel als möglich zu vermeiden, bei der von mir vorgenommenen Untersuchungsreihe besonderes Gewicht auf Flächenpräparate der Linsenkapseln gelegt. Durch die Fixierung der Linse mit 3½ % Salpetersäure lassen sich, wie oben beschrieben, nach einiger Übung recht gute Präparate der Kapseln mit ihrem Epithel erhalten und ausserordentlich günstig mit verschiedenen Vergrösserungen untersuchen, zumal eine nach dem Abziehen der Kapsel vorgenommene Färbung (Boraxkarmin, Hämatoxylin), wenn sie mit Vorsicht eingeleitet wird, wie von allen Seiten anerkannt wird (O. Becker, Schlösser, Schirmer, Hess), die anatomischen Veränderungen der Kapselepithelien gut erhält. Ein Teil der mit Jodkalium behandelten Augen von Naphthalinkaninchen wurde in toto eingebettet, geschnitten und untersucht. Von den abgezogenen Linsenkapseln konnten je paarweise zusammengestellt werden im ganzen die Augen von 26 Kaninchen. Aus äusseren Gründen (Zerreissungen der Kapsel oder des Epithelbelages eines der beiden Augen bei der Präparation, Färbungen mit Arg. nitr. zum Studium der Zellgrenzen usw.) war es aber trotz der grossen Zahl der untersuchten Tiere nur möglich, 32 einwandfreie Linsenkapseln zusammenzustellen von 16 Naphthalintieren. Diese 32 fast vollständigen tadellosen Kapselpräparate mit gut erhaltenem Epithelbelag wurden nun einer genauen mikroskopischen Untersuchung unterworfen und zwar mit Zeiss a_2, *AA*, *DD* bzw. mit Ölimmersion zum Vergleich der Veränderungen der Epithelzellen und ihrer Kerne. Vor dem Beginn dieser Kontrolle der mikroskopischen Präparate wurde nicht Rücksicht genommen auf die Behandlung, welche mit dem Tier vor dem Tode vorgenommen worden war, sondern erst nach der Durchsicht der Kapselpräparate wurden die Krankenjournale der einzelnen Tiere nachgesehen, um die aus dem mikroskopischen Bild sich ergebenden Resultate zu vergleichen. Von diesen 16 Tieren waren 14, das ist 87 %, nicht ungünstig durch die Jodbehandlung beeinflusst und zwar die Tiere 31, 32, 33, 42, 43, 44, 48, 49, 50, 51, 54, 55, 60, 61. 5 Tiere (31 %) zeigten ganz hervorragende Besserungen der Naphthalinzerstörungen infolge der Jodkaliumbehandlung.

Kaninchen 42. 3. IX., vorm. 8 Uhr 30 Min., Gewicht 620 g, erhält 1 g Naphthalin in Emulsion. — Vorm. 10 Uhr rechts 2 Striche 1/10 % Jodkaliumlösung unter die Bindehaut. — Vorm. 11 Uhr 30 Min. zwei Striche 1/10 % Jodkaliumlösung. — Getötet nachm. 1 Uhr 30 Min. Salpetersäure, Boraxkarmin.

Mikroskopischer Befund der Kapseln: Linkes Auge: Linsennaht stark verbreitert, sehr viel geschrumpfte Kerne, viele Mitosen. In der II. Zone viele gequollene, vereinzelte geschrumpfte Kerne.

Rechtes Auge: Linsennaht und Zellen darin fast normal, in der II. Zone vereinzelte geschrumpfte Kerne.

Kaninchen 43. 4. IX., vorm. 8 Uhr 15 Min., Gewicht 630 g; erhält 1 g Naphthalin in Emulsion. Vorm. 9 Uhr 45 Min. rechts zwei Striche Jodkalium $^1/_{10}$% Lösung, vorm. 11 Uhr 15 Min. rechts zwei Striche Jodkalium $^1/_{10}$% Lösung. — Getötet 1 Uhr 45 Min. Salpetersäure, Boraxkarmin.

Mikroskopischer Befund: Linkes Auge: In der Linsennaht fast alle Kerne gequollen, in der II. und III. Zone viele geschrumpfte Kerne.

Rechtes Auge: Völlig normales Epithel.

Kaninchen 49 (Taf. X, Fig. 10 u. 11). 7. IX., vorm. 9 Uhr, Gewicht 910 g, erhält 1 g Naphthalin in Emulsion. Vorm. 10 Uhr 30 Min. rechts 2 Striche Jodkaliumlösung $^1/_{10}$%, 12 Uhr 2 Striche $^1/_{10}$%. — Getötet 2 Uhr. Salpetersäure, Boraxkarmin.

Mikroskopischer Befund: Linkes Auge: In der Linsennaht viele ausgebrochene und viele geschrumpfte Kerne. In der II. Zone viele geschrumpfte Kerne.

Rechtes Auge: In der Linsennaht sehr wenig ausgebrochene, vereinzelte geschrumpfte Kerne, der ganze Epithelbelag erscheint fast normal.

Kaninchen 61. 11. IX., nachm. 3 Uhr 30 Min., Gewicht 660 g, erhält 2 g Naphthalin in Emulsion. — Nachm. 4 Uhr 30 Min. 2 Striche Jodkalium $^1/_{10}$%. — 5 Uhr 30 Min. getötet. — Salpetersäure, Boraxkarmin.

Mikroskopischer Befund: Linkes Auge: In der Linsennaht sehr viele geschrumpfte und ausgebrochene Kerne.

Rechtes Auge: Linsennaht völlig normal.

Kaninchen 32. 25. VIII., vorm. 9 Uhr, Gewicht 1120 g, erhält $2^1/_2$ g Naphthalin in Emulsion. — Mittags 1 Uhr 30 Min., links $2^1/_2$ Striche $^1/_{10}$% Jodkaliumlösung unter die Bindehaut, abends 10 Uhr 1 Strich $^1/_{10}$%.

26. VIII., vorm. 8 Uhr 1 Strich $^1/_{10}$% Jodkaliumlösung links, abends 9 Uhr 15 Min. 1 Strich $^1/_{10}$% Jodkaliumlösung.

28. VIII., abends 9 Uhr 2 Striche $^1/_{10}$% Jodkaliumlösung.

29. VIII., vorm. 10 Uhr 30 Min. getötet. — Fixierung der Linse in $3^1/_2$% Salpetersäure. Färbung: Boraxkarmin.

Mikroskopischer Befund: Rechtes Auge: Enorme Zellwucherung. Die ganze Kapsel ist mit einer mehrschichtigen Epithellage bedeckt.

Linkes Auge: Einzelne kleine Nester von Epithelwucherungen. Der grösste Teil der Kapsel ist in einschichtiger Zellage mit normalen Zellen belegt.

Sechs Tiere (37%) zeigten Unterschiede zwischen den Epithelien der beiden Linsenkapseln in der Weise, dass das mit Jodkalium behandelte Auge die Naphthalinveränderungen, aber wesentlich weniger ausgesprochen, als auf dem andern bot: Kaninchen 33, 44, 48, 51, 54, 60. Kein Unterschied im Epithelbefund beider Augen war bei den Tieren: 31, 50, 55 (d. i. 19%). Diese drei Tiere zeigten trotz

24-, 5- und 6½stündiger Naphthalin- und Jodkaliumwirkung fast keine Epithelveränderung auf beiden Augen (wohl zu erklären durch die auch von anderer Seite bestätigte, nicht seltene Widerstandsfähigkeit der Tiere gegenüber der Naphthalinintoxikation):

Kaninchen 31. 6. VIII., vorm. 8 Uhr 15 Min., 1470 g, erhält 3 g Naphthalin in Emulsion. — Mittags 12 Uhr 20 Min. 3 Striche $^1/_{10}$% Jodkalium in das rechte Auge, abends 9 Uhr rechts 1½ Striche $^1/_{10}$% Jodkaliumlösung. Am 7. VIII. während der Naphthalinverabreichung an Lungenödem gestorben.

Kaninchen 50. 8. IX., mittags 12 Uhr 15 Min., Gewicht 610 g, erhält ½ g Naphthalin in Emulsion. — Mittags 12 Uhr 45 Min. rechts 2 Striche $^1/_{10}$%, nachm. 3 Uhr 15 Min. 2 Striche Jodkalium $^1/_{10}$%. Nachm. 5 Uhr 15 Min. getötet.

Kaninchen 55. 10. IX., vorm. 11 Uhr 45 Min., Gewicht 540 g, erhält 1 g Naphthalin in Emulsion. — Mittags 1 Uhr 15 Min. rechts 2 Striche Jodkalium 1%, nachm. 2 Uhr 45 Min. 2 Striche Jodkalium 1%. — Getötet nachm. 6 Uhr 15 Min.

Vier Linsenkapseln, die von Tier 46 und 59 (12%) stammten, zeigten ganz auffallende Verschlechterungen des Epithelbefundes auf dem mit Jodkaliumeinspritzung behandelten Auge. Die Krankengeschichten ergaben bei der Durchsicht, dass bei diesen beiden Tieren absichtliche Überschwemmung der Augen mit Jodkaliumlösung vorgenommen worden war.

Tier 46. 5. IX., vorm. 9 Uhr, Gewicht 600 g, erhält 1,25 g Naphthalin in Emulsion. — Vorm. 10 Uhr 30 Min. rechts 1½ Striche $^1/_{10}$% Jodkaliumlösung, 12 Uhr dasselbe, 2 Uhr dasselbe, 4 Uhr dasselbe, 6 Uhr dasselbe. — 7 Uhr getötet. Salpetersäure, Boraxkarmin.

Mikroskopischer Befund: Das Epithel des mit Jodkalium behandelten Auges ist fast im Verlauf der ganzen Linsennaht ausgebrochen.

Tier 59. 11. IX., vorm. 9 Uhr, Gewicht 1180 g, erhält $2^1/_1$ g Naphthalin in Emulsion. — Vorm. 10 Uhr 30 Min. rechts 2 Striche $^1/_{10}$% Jodkaliumlösung, 12 Uhr dasselbe, 6 Uhr dasselbe, 9 Uhr drei Striche Jodkaliumlösung.

12. IX., früh 8 Uhr 3 Striche Jodkalium. — Früh 9 Uhr getötet. Salpetersäure, Boraxkarmin.

Mikroskopischer Befund: Wie bei 46.

Durch die Salffnerschen Untersuchungen ist bekannt, dass die ersten Linsenschädigungen etwa zwei Stunden nach der Verabreichung des Naphthalins zu finden sind; da es gelungen ist (Ovio) nachzuweisen, dass subconjunctival eingespritzte Jodkaliumlösung bei Kaninchen nach zehn Minuten schon im Kammerwasser sich findet, so wurde bei den meisten Versuchen das Jodkalium etwa 1½ Stunde nach der Naphthalingabe eingespritzt, so dass das eingedrungene Jodkalium etwa zugleich mit den Naphthalinderivaten die Linse berühren musste. Diese 1½—2 Stunden nach der Naphthalingabe eingespritzte Kaliumlösung übte fast jedesmal einen günstigen Einfluss auf das Linsenepithel der eingespritzten Augen aus; im mikroskopischen Bild ist der günstige Einfluss zu erkennen: durch das Fehlen der aufgequollenen oder geschrumpften Kerne, sowie dadurch, dass auf Übersichtspräparaten die Epithelien ihre feste Verbindung mit ihrer Unterlage, der Linsenkapsel, gehalten haben, und nicht sich von ihrem Mutterboden ablösten. Einen wesentlichen Einfluss auf den klinischen Verlauf der Linsentrübungen zeigte die Jodkaliumbehandlung im allgemeinen nicht; es ist jedoch in den Krankengeschichten einzelner Tiere notiert, dass der Eintritt der Bildung der ersten glashellen Linsenspeichen um einige Stunden durch die Jodkaliumbehandlung hinausgeschoben würde, oder dass während der Jodkaliumbehandlung auf dem mit Jodkalium behandelten Auge bei nur einmaliger Naphthalingabe die Katarakt etwas schneller ablief, d. h. dass die Klärung der getrübten Linse sich rascher einstellte. Durchgreifende Unterschiede, so etwa, wie sie z. B. in den Kapselpräparaten der Tiere 32, 42, 43, 49, 61 auf den ersten Blick im Mikroskop (vgl. dazu die Taf. X) auffallen, habe ich im grobanatomischen Verlauf der Linsentrübungen nicht gefunden. Es liegt dies offenbar in der ungeheueren Überschwemmung der Augen mit dem, den Bestandteilen der Linse so ausserordentlich schädlichen Naphthalin, und dem ausserordentlich raschen Eintritt der Veränderungen der Linsenfasern infolge des Durchtritts der Naphthalinderivate durch die ihres Epithelschutzes beraubte Linsenkapsel.

Unter den übrigen Kaninchen, die bei diesen 16 Tieren nicht mitgerechnet sind, befindet sich noch eine grosse Anzahl von durch die Jodkaliumeinspritzungen zum Teil ausserordentlich günstig beeinflussten Linsen, z. B. 7, 9, 19, 20, 24, 35, 37, 38, 40, 41, da es aber nicht gelungen war, die Epithelien der beiden Linsen dieser Tiere vollständig ohne Defekte abzuziehen, habe ich sie in der Statistik nicht mitgezählt. Eine Durchsicht der Präparate ergab, dass die Epithelien fast aller Naphthalinlinsen, denen zu therapeutischen Zwecken die Jodkaliumlösungen in der nötigen Verdünnung beigebracht worden war, sich in geringerem Grade verändert zeigten, als die Epithelien der nicht mit Jodkalium behandelten andern Augen derselben Tiere.

Es hat sich gezeigt, dass kleine Dosen Jodkalium, in nicht zu engen Zwischenräumen eingesetzt, eine deutliche Schutzwirkung auf das Linsenepithel ausübten, dass aber eine Überschwemmung der Augen mit Jodkaliumlösung (Tier 46 und 59 Einspritzungen von, wenn auch schwachen Konzentrationen in zweistündigen Pausen) Schädigung für das Linsenepithel bedeutete. Der Frage, welche Einwirkung die Einspritzungen von Jodkaliumlösungen auf die Linsenfasern ausüben, konnte aus äusseren Gründen nicht nähergetreten werden; klinische Erfahrungen beim Menschen (vgl. dazu den II. Teil dieser Abhandlung) haben bewiesen, dass es wohl möglich ist, dass auch Linsenspeichen — die nicht anders als auf anatomische Veränderungen der Linsenfasern bezogen werden können — unter der Jodkaliumbehandlung sich beeinflussen lassen. Für derartige Untersuchungen scheint mir das Naphthalin-Emulsionsexperiment mit Kaninchen nicht geeignet zu sein, da der ganze Verlauf der Linsentrübungen infolge der Naphthalin-Intoxikation beim Kaninchen viel zu stürmisch sich abspielt; meine Untersuchungen über diesen Punkt werden jedenfalls weitergeführt werden. Vielleicht kann man durch Verabreichung des Naphthalins in Paraffinum liquidum die Linsentrübungen so langsam hervorrufen und ablaufen lassen, dass es möglich ist, durch die Jodkaliumtherapie den Einfluss des Naphthalins auf die Linsenfasern selbst zu gewinnen und der mikroskopischen Untersuchung zugänglich zu machen.

Tafel.

Die Epithelreihen entsprechend der vorderen Linsennaht der Kaninchenlinsen von den fixierten, gefärbten Linsenkapseln mit Zeiss Obj. a_3, Oc_1 und Z. Zeichenapparat nach Abbe gezeichnet und photographisch verkleinert. Die Zahlen sind die Nummern der Krankenjournale. R. = rechtes, L. = linkes Auge.

3 normal	5 L. Naphthalin	10 L. Naphthalin	16 R. Naphthalin	22 R. Naphth. u.Jodk.
22 L. Naphthalin	33 L. Naphthalin	35 normal	37 Naphthalin	38 Naphth. u.Jodk.
39 Jodkalium	40 R. Naphth. u.Jodk.	41 R. Naphthalin	41 L. Naphthalin	42 R. Naphth. u.Jodk.
42 L. Naphthalin	43 L. Naphthalin	44 R. Naphth. u.Jodk.	44 L. Naphthalin	45 R. Naphth. u.Jodk.
45 L. Naphthalin	46 R. Naphth u.Jodk.	46 L. Naphthalin	49 L. Naphthalin	50 L. Naphthalin
54 R. Naphth. u. Jodk.	54 L. Naphthalin	55 R. Naphth. u.Jodk.	55 L. Naphthalin	56 normal

58 normal	59 R. Naphth. u. Jodk.	59 L. Naphthalin	60 R. Naphth. u. Jodk.	60 L. Naphthalin
61 L. Naphthalin	65 R. Jodkalium	66 normal	67 R. Naph. u. Kochs.	67 L. Naphthalin
68 R. normal	68 L. normal	71 normal	76 R. Naphthalin	80 R. Jodkalium
	80 Jodkalium	85 R. Jodkalium	85 L. normal	

Literaturverzeichnis.

1) Badal, Bulletin de la clinique ophtalmologique de Bordeaux. Août 1901.
2) — Clinique ophtalmologique de Bordeaux. Mai 1902.
3) — Bulletins et memoires de la société française d'ophtalmologie. 19. Jahrg. p. 422ff. 1902.
4) — Cataracta incipiens. Archives de Oftalmologia Hispano-Americ. Juli 1902.
5) — Clinique ophtalmologique. Sept. 1906.
6) Dufourt, Du Traitement médical des Cataractes par les préparations iodurées. Thèse de Bordeaux 1902.
7) Étiévant, Traitement des cataractes commençantes par les solutions iodurées. Lyon médical. Febr. 1902.
8) Verderau, Tratamiento médico de las cataratas. Revista de Sciencias Médicas de Barcelona. Jan 1903.
9) — Traitement de la cataracte par les injections sous-conjonctivales de Jodkalium Clinique ophtalmologique. Nov. 1904.
10) — Tratamiento médico de las cataratas seniles. Archivos de Oftalmologia Hispano-Americ. Juli 1906.
11) Picquénard, Bulletin des Sociétés scientifiques et médicales de l'Ouest 1905.
12) Boisseuil, Traitement médical des Cataractes par l'iodure de potassium. Thèse de Bordeaux 1906.
13) Lafon, Le traitement médical des cataractes commençantes. La province médicale. August 1906.
14) v. Pflugk, Diskussionsbemerkung im Bericht über die 33. Versammlung der Ophthalmolog. Gesellschaft Heidelberg 1906, S. 48.
15) — Die Behandlung der Cataracta senilis incip. mit Einspritzungen von Kalium jodatum. Klin. Monatsbl. f. Augenheilk. 44. Jahrg. 1906, S. 400ff.
16) — „Jodkalium und Linsenepithel". Vortrag in der Abteilung für Augenheilkunde der 79. Versammlung deutscher Naturforscher und Ärzte in Dresden 1907. Im Druck.
17) Czermak, Die augenärztlichen Operationen. I. Aufl. 1893—1904.
18) Klingmann, Über die Pathogenese des Naphthalinstares. Virchows Arch. Bd. CXLIX. S. 12ff.
19) Helbron, Beiträge zur Frage der Naphthalinwirkung auf das Auge. Zeitschr. f. Augenheilk. Bd. II. S. 433.
20) Salffner, Zur Pathogenese des Naphthalinstares. Arch. f. Ophth. Bd. LIX, 3. S. 520ff.
21) Ovio, Sur la nutrition du cristallin. Annales d'oculistique. Bd. CXXIV. Août 1900. p. 97ff.
22) Toufesco, Sur le cristallin normal et pathologique. Thèse de Paris 1906.
23) Rabl, Über den Bau und die Entwicklung der Linse. I.—III. Teil. Leipzig 1898/99.

24) Leber, Die Cirkulations- und Ernährungsverhältnisse des Auges. Graefe-Saemisch. II. Aufl.
25) Hess, Pathologie und Therapie des Linsensystems. Graefe-Saemisch. II. Aufl.
26) Deutschmann, Fortgesetzte Untersuchungen zur Pathogenese der Katarakt. v. Graefe's Arch. Bd. XXV, 2. S. 227.
27) Ottolenghi, Sul passagio del ioduro di potass. nei liq. endoc. Ann. di Ottalm. XV. p. 522—528. Nach Nagels Jahresbericht 1886, S. 88.
28) Leber, A. Th., Zum Stoffwechsel der Krystallinse. v. Graefe's Arch. Bd. LXII. S. 85.
29) Treadwell, Kurzes Lehrbuch der analytischen Chemie. Deuticke 1907.
30) Tertsch, R., Ein Beitrag zur Entwicklung der vorderen Polarkatarakt. v. Graefe's Arch. Bd. LXVI. S. 436.
31) Huwald, S., Klinischer und histologischer Befund bei Verletzung der Cornea durch Bienenstiche. v. Graefe's Arch. Bd. LIX. S. 467 ff.
32) Hikida, N., Über die Veränderungen im Kaninchenauge durch Härtung, Kadaverzustand und Naphthalinvergiftung. Inaugural-Dissertation. Rostock 1905.
33) Kuschel, Die Architektur des Auges. Zeitschr. f. Augenheilk. Bd. XVIII, 4. Okt. 1907.

(Aus der Universitäts-Augenklinik zu Heidelberg. Direktor: Prof. Th. Leber.)

Über Pigmentstreifenbildung in der Netzhaut.

Von
Dr. Hermann E. Pagenstecher,
früher Assist.-Arzt der Klinik.

Mit Tafel XI.

Die Pigmentstreifenbildung in der Netzhaut ist eine seltene Erkrankung, die Literatur entsprechend klein.

An der Hand der nicht sehr zahlreichen Beschreibungen und bildlichen Wiedergaben lässt sich das Krankheitsbild doch in Kürze charakterisieren, da die verschiedenen Schilderungen eine ziemlich weitgehende Übereinstimmung erkennen lassen: Aus der Umgebung der Papille, öfters von einem konzentrisch zur Papille gebogenen Pigmentring, entspringen graue oder bräunliche Streifen mit scharfen, aber unregelmässigen Konturen, radiär verlaufend, stets unter den Netzhautgefässen liegend und diese kreuzend. Die Streifen liegen wahrscheinlich in den tieferen Netzhautschichten oder zwischen Ader- und Netzhaut, da die Aderhautgefässe unverändert unter ihnen herziehen. Walser hat in einem Falle zu beweisen versucht, dass die Streifen innerhalb der Netzhaut liegen. Es gelang ihm, einen charakteristisch gelegenen Streifen bei Erzeugung der Purkinjeschen Gefässfigur für den Patienten entoptisch wahrnehmbar zu machen. Meist haben die Streifen Gefässbreite, können aber schmäler und beträchtlich breiter sein und variieren ebenfalls stark in der Länge, reichen aber niemals über die Äquatorialgegend des Auges hinaus. Sie anastomosieren und verästeln sich vielfach und verjüngen sich allmählich, um meist mit einigen kleinen Pigmentfleckchen zu endigen. Ziemlich regelmässig finden sich noch makulare Veränderungen und mehr oder minder hochgradige, meist feinfleckige Veränderungen im Pigmentepithel. Stets sind beide Augen von dem Leiden betroffen. So stellt sich ungefähr ein ausgebildeter Fall von Pigmentstreifenbildung in der Netzhaut dar. Die allgemeine Ätiologie der Erkrankung ist vollkommen unklar, niemals liess sich ein sicherer Zusammenhang mit Lues oder einer sonstigen konstitutionellen Erkrankung ausfindig machen. Dagegen gelang es mehreren Autoren, die Entstehung oder das Längenwachstum der Streifen aus kleinen Blutungen an den Enden der Streifen direkt mit dem Spiegel zu beobachten.

Durch die Güte meines früheren Chefs, Herrn Professor Leber, bin ich in die Lage gesetzt, zwei weitere Fälle von Pigmentstreifenbildung in der Netzhaut hier mitzuteilen. Einer der Fälle interessiert durch seine Eigenart und vermag vielleicht einige Klarheit in die Entstehungsgeschichte dieses Streifens zu bringen.

Fall I.

L. M., 60jähr. Landwirt. Patient ist verheiratet, Frau und 3 Kinder leben, sind gesund. 2 Kinder im Alter von $^1/_4$ Jahr an Krämpfen gestorben, 1 Kind totgeboren. Familienanamnese sonst belanglos. M. will keine ernstlichen Krankheiten durchgemacht haben. Spezifische Infektion negiert. Kein Alkoholmissbrauch, dagegen reichlicher Abusus Nicotinianae.

Vor vielleicht 15 Jahren äusserliche Entzündung mit Rötung und Schmerzen an beiden Augen, die angeblich nach 14 Tagen wieder zurückging. Seit Oktober 1905 bemerkte er langsame Abnahme des Sehvermögens links. Sehkraft rechts unverändert.

8. III. 06. Rechts: E. S. = $^5/_4$ p. Links: E. S. = $^5/_{20}$ p.
Skiaskop: Beiderseits Emmetropie.
Förster: Beiderseits $1^1/_2$ mm.
Gesichtsfeld: Beiderseits für weiss und Farben normal.

Ophthalmoskopisch. Rechts: Unregelmässige Linsentrübung unten peripher. Medien anscheinend durchsichtig. Papille etwas blass, im umgekehrten Bilde in einiger Entfernung von derselben eine kleine Glaskörperflocke schwebend. Papillengrenzen nicht vollkommen scharf. Schmale Skleralsichel besonders nach oben. Im umgekehrten Bilde fällt auf, dass der Augenhintergrund, von der Papille beginnend, in grosser Ausdehnung von zahlreichen, graubraun gefärbten Linien durchzogen ist, die sich vom dunkelrot gefärbten Augengrund ziemlich scharf abheben. Intervaskularräume überall undeutlich sichtbar. Diese Linien liegen deutlich hinter den Netzhautgefässen, von denen sie vielfach gekreuzt werden. Man könnte sie wegen ihres Kalibers und ihrer nicht seltenen dichotomischen Teilungen bei oberflächlicher Betrachtung für Gefässe halten, man sieht aber nirgends eine Blutsäule. Die Breite wechselt von der eines Netzhautgefässes bis etwa zum doppelten, manche sind auch feiner und verlieren sich am Ende unmerklich. Stellenweise kommen auch netzartige Verbindungen untereinander vor mit sehr weiten Maschen. Die Pigmentierung eines einzelnen Streifens ist keine ganz gleichmässige, besonders an den breiteren. Die Zeichnung ist stellenweise etwas unterbrochen, der Rand an manchen

Stellen unregelmässig ausgefranst und zerteilt. An andern Stellen aber tritt eine mehr gleichmässige Linie zum Vorschein. Neben dem temporalen Papillenrande tritt eine etwas verbreiterte, streifig-fleckige Pigmentierung ähnlicher Art auf, aus welcher einzelne dieser Linien entspringen. Diese Streifen finden sich, von der Papille ausgehend, im Augengrund nach allen Richtungen, verlieren sich aber in der Äquatorialgegend vollständig. Von da ab ist der Augengrund normal. Die Vermutung, dass vielleicht in diesen Streifen ein neugebildetes Gefäss verlaufen könnte, lässt sich nirgends bestätigen.

Links: Nach innen unten umschriebene Trübung am Linsenäquator und mehrere fädig-flockige Glaskörpertrübungen, flottierend. Netzhautgefässe von ungefähr normalem Kaliber. Aussehen der Papille und der Netzhautgefässe ungefähr wie rechts. Auch hier sind ganz gleiche Streifen wie rechts über den Augengrund verbreitet, die aber zum Teil eine noch etwas grössere Breite erreichen. Beispielsweise sieht man nahe dem oberen Papillenrand zwei solcher Linien auftauchen, die parallel nach oben ziehen und in einigem Abstand von der Papille sich verbinden, von wo an ein ziemlich breiter Streif weiter nach oben zieht, dessen Farbe eine braunrote ist. Dieser sowohl, wie die beiden Äste zeigen feine Schlängelungen. In der Äquatorialgegend verliert sich die Linie. Nach innen unten von der Papille treten zwei Streifen von noch lebhafterer roter Farbe auf, die peripheriewärts sich nähern und sich gleichfalls zu einem einzigen verbinden. Auch diese sind leicht geschlängelt. An einem weiteren Streifen, der mehr im vertikalen Meridian nach abwärts zieht, wechseln rot und braun gefärbte Partien miteinander ab. Im aufrechten Bilde sieht man stellenweise den mehr rotgefärbten Streifen von unregelmässigen Pigmentfleckchen überlagert und umgeben. Nirgends aber erhält man mit voller Bestimmtheit den Eindruck eines Gefässes. Ein Übergang in die Netzhautgefässe ist jedenfalls mit Sicherheit auszuschliessen. Wie rechts treten auch hier neben dem temporalen Papillenrand unregelmässig gestaltete Pigmentfleckchen auf. Da und dort glaubt man auch im Augengrunde, getrennt von den Streifen, kleine rote Fleckchen wahrzunehmen.

Ord.: Sublimat 1 cg täglich.

14. III. 06. Diagnose der Med. Klinik: Mitralinsufficienz und leichte Myocarditis. Ganz beginnende Arteriosklerose.

17. III. 06. Rechts: E. S. = $^5/_4$ p. Links: E. S. = $^5/_{25}$ p.

Ophthalmoskopisch: Beiderseits unverändert. Am linken Auge fällt an einem Pigmentstreifen (im umgekehrten Bilde vom Papillenrand nach oben ziehend) eine kurze Strecke desselben durch ihre rein rote Farbe auf; es macht den Eindruck, als handle es sich hier um ein Gefäss, das sich bei Druck auf den Bulbus zu verengern scheint.

Entlassen mit der Verordnung, Sublimat in gleicher Dosis weiter zu nehmen.

30. IV. 06. Wiederaufnahme. Patient gibt an, dass die Sehkraft des rechten Auges unverändert geblieben sei, links habe sie dagegen abgenommen. In der letzten Zeit wieder rheumatische Beschwerden im rechten Arm, die seit 1870, wechselnd in allen Gelenken, bestehen sollen.

Rechts: E. S. = $^5/_4$ p. Links: E. S. = Finger in 4 m.

Ophthalmoskopisch. Rechts: Befund annähernd unverändert, ob feinere Veränderungen vorliegen, lässt sich bei der grossen Anzahl der Streifen nicht feststellen, da keine genaue Beschreibung des Fundusbildes bei der letzten Aufnahme vorgenommen wurde. Nur fällt ein feiner, roter, gefässartiger Streifen auf, der sich nasal von der Papille in das System der Pigmentstreifen einfügt.

Links: Glaskörpertrübungen haben anscheinend zugenommen. Stärkere Pigmentveränderungen in der Maculagegend, die jetzt ein unregelmässiges Fünfeck bilden von ungefähr $^3/_4$ Papillengrösse, während früher nur geringe, unregelmässige Pigmentveränderungen daselbst bestanden. An einem der Streifen (im umgekehrten Bilde vom Papillenrande etwas nach rechts oben ansteigend) erscheint die Pigmentierung stärker als früher.

Ord.: Natr. salicyl. 3 g täglich. Schwitzkur.

5. V. Rechts: E. S. = $^5/_5$ p. Links: E. S. = $^5/_{50}$ p.

Hat sechsmal geschwitzt, klagt über Herzklopfen.

Ord.: Soll nicht weiterschwitzen, Natr. salicyl. weiter.

15. V. Beiderseits Visus idem.

Ophthalmoskopisch: Beiderseits unverändert. Entlassen mit Natr. salicyl. 3 g täglich.

24. VII. Die Sehkraft soll in der Zwischenzeit unverändert geblieben sein. Will Natr. salicyl. regelmässig weitergenommen haben. Flockenfliegen unverändert.

Rechts: E. S. = $^5/_5$ p. Links: E. S. = $^5/_{50}$ mühs. Beiderseits Conjunctiva palp. leicht gerötet. Pupillen prompt reagierend.

Gesichtsfeld: Beiderseits Grenzen für weiss und Farben normal. Links absolutes zentrales Skotom.

Urin: Frei von Eiweiss und Zucker.

Ord.: Jodkalium 6,0 : 200,0 dreimal täglich 1 Esslöffel.

Ophthalmoskopisch: Rechts: In der Maculagegend rötlichbräunlicher, kurzer Streifen, die Verlängerung eines typischen Pigmentstreifens bildend, wohl aus einer frischen Blutung hervorgegangen. Darunter (im umgekehrten Bilde) frischere, kleine Blutung. Fundusbild sonst ziemlich unverändert.

Links: Im umgekehrten Bilde nasal von der Macula kleine, frischere Blutung am Ende eines Pigmentstreifens, sonst Status idem.

26. IV. 07. Rechts: S. = Finger in 2 m Entfernung gezählt. Links: S. = Finger in $^1/_2$ m Entfernung gezählt.

M. wird zur näheren Untersuchung wieder bestellt, entzieht sich aber der weiteren Behandlung. Die Aufnahme des Spiegelbefundes fehlt daher.

Fall II.

Die Abbildung ist nach einer Ölskizze der Herrn Dr. Schnaudigel wiedergegeben.

K. M., 21 Jahre, wurde am 6. XII. 1895 in die Univ.-Augenklinik aufgenommen, da er seit 2 Monaten eine Sehstörung am linken Auge bemerkt hatte.

Patient war als Soldat wegen der Sehstörung Ende September 1895 in das Militärlazarett aufgenommen worden und hatte 30 Einreibungen mit grauer Salbe erhalten, ohne Erfolg. Inzwischen soll auch das rechte Auge sich verschlechtert haben.

Eltern und Geschwister sind gesund. Patient hat im Alter von 15 bis 16 Jahren Lungenentzündung überstanden und war damals 4 bis 6 Wochen bettlägerig, später will er einmal eine Blutvergiftung gehabt haben. Eine spezifische Infektion stellt Patient in Abrede.

Zwei ganz kleine Leistendrüsen und eine winzige Nackendrüse sind fühlbar, sonst keine auf Lues hinweisende Erscheinungen.

Rechts: E. S. = $^6/_6$; $\frac{0,3}{0,3}$.

Links: Finger in 1 m gezählt; 7,0 Schw. gelesen.

Ophthalmoskopisch. Links: Papille normal. Im umgekehrten Bilde unterhalb der Papille ein unter den Netzhautgefässen liegender, horizontaler, rötlicher Streifen, der sich nach beiden Seiten in schwärzliche, schmale Linien fortstetzt, diese gehen nach der Macula hin in einen grösseren chorioiditischen Herd über. Das Pigmentepithel ist in grosser Ausdehnung verändert, nach aussen von der Macula finden sich eigentümliche weisse Flecken.

Rechts deutliche, feinfleckige Beschaffenheit des Pigmentepithels in der Maculagegend.

Ord.: Subcut. Sublimatinjektionen je 0,01 g.

10. XII. 95. Links: E. S. = Finger in 3 m gezählt. Rechts: E. S. = $^6/_6$.

13. XII. Links: E. S. = $^5/_{35}$. Therapie weiter. Injektionsstellen stark schmerzhaft.

15. XII. Links: E. S. = $^5/_{20}$.

17. XII. Hat 12 Injektionen gehabt. S. H. wie zuletzt

18. XII. Ord.: Sublimat innerlich 0,01 pro die.

22. XII. Beiderseits Visus idem. Mit Schutzbrille und Sublimatpillen entlassen.

11. II. 96. Rechts: E. S. = $^5/_5$. Links $^5/_{35}$. Ord.: Sublimat innerlich.

28. III. Rechts: E. S. = $^6/_6$. Links: $^6/_{60}$.

18. IV. Visus idem beiderseits.

4. I. 97. Wiederaufnahme. Fundusveränderungen haben nicht zugenommen, Aufnahme wegen Conjunctivitis acuta. Von letzterer geheilt entlassen am 10. I. 97.

14. II. 99. Wiederaufnahme. Die Sehkraft des linken Auges soll seit $^1/_2$ Jahre weiter abgenommen haben.

Ophthalmoskopisch. Links: Der Befund hat sich im Vergleich mit dem vor 2 Jahren aufgenommenen Bild in mehrfacher Beziehung verändert. Insbesondere ist zu bemerken, dass die Pigmentlinien jetzt in grosser Ausdehnung zu beiden Seiten von hellen Streifen begleitet sind. Besonders deutlich zeigt sich der oberhalb der Papille (reell), ferner ein temporalwärts und auch ein nach innen unten verlaufender Streifen. Etwa 1 P. vom temporalen Rand der Papille entfernt bemerkt man jetzt 2 parallele dunkle Linien, stellenweise sogar 3, auf einem gemeinschaftlichen, hellen Streifen, welcher sich im Umfang der Papille nach innen oben fortsetzt. Die Breite des Streifens beträgt in maximo = $^1/_5$ P. Im aufrechten Bilde erscheinen die Pigmentlinien jetzt leicht wellig, von ungleicher Breite, reicher als früher verästelt und netzförmig zusammenhängend. Stellenweise sieht man sie zugespitzt endigen und dicht daneben wieder ebenso beginnen ohne Verbindungsstück, stellenweise erscheint auch neben einem Streifen ein kurzer spindelförmiger Strich. Nirgends Anhaltspunkte, dass es sich um Aderhautgefässe handeln könnte. Die hellen Züge, auf denen die Pigmentlinien verlaufen, erscheinen weisslich, ohne deutliche Pigmentreste, doch nicht sehnig glänzend. Aderhautgefässe treten in ihrer Ausdehnung nicht hervor, ebensowenig in der Umgebung, wo das Pigmentepithel ziemlich dunkel erscheint. In der Gegend der Macula findet sich jetzt ein grosser unregelmässiger, viereckiger, glänzend weisser Herd, der sich wie eine Bindegewebsneubildung ausnimmt. An seinem oberen Rande und neben dem äusseren, oberen Rande ist Pigment eingelagert. Auf dem Herd sieht man einige feine Netzhautgefässe verlaufen.

Rechts ist eine Pigmentlinie neben dem oberen, inneren Papillenrande sichtbar, eine desgleichen vom inneren Papillenrande nach unten ziehend. Sonst nichts besonderes bemerkenswertes.

Es ist sehr schwer festzustellen, ob die Pigmentstreifen vor oder hinter den Netzhautgefässen liegen. Es ist anzunehmen, dass letzteres der Fall ist. Sie verschwinden aber im Bereich der Netzhautgefässe nicht ganz, vielleicht weil sie etwas durch sie hindurchscheinen.

Rechts: E. S. = $^5/_5$. Links: E. S. = Finger in 2 m gezählt, excentrisch. Absolutes zentrales Skotom.

Ord.: Schmierkur.

3. III. 99. Links: E. S. = Finger in 4 m excentrisch. Im Fundus keine Änderungen.

17. III. 99. Links: E. S. = Finger in 5 m gezählt. Rechts: E. S. = $^5/_5$.

20. III. 99. Visus idem. Ophthalmoskopisch keine Änderung. Entlassen. Soll Sublimat 0,02 täglich weiter nehmen.

11. IV. 99. Rechts: E. S. = $^5/_5$. Links: E. S. = Finger in 4 m gezählt.

Ophthalmoskopisch. Links: Bild nicht wesentlich verändert. — Rechts: In der ganzen Gegend der Fovea sehr ausgedehnte, feinfleckige Marmorierung des Fundus, entschieden pathologische Veränderungen.

Patient klagt über Flimmern vor dem rechten Auge.

Ord.: Sublimat weiter.

15. V. 99. Rechts: E. S. = $^5/_4$. Links: Finger in 5 m gezählt.

Patient hat kein Flimmern mehr gehabt.

Ord.: Soll Sublimat weiternehmen.

R. W. Doyne (1) gab zuerst eine Abbildung dieser Netzhauterkrankung im Jahre 1889, sah aber in den von ihm in typischer Weise wiedergegebenen Pigmentstreifen der Netzhaut keine selbständige Erkrankungsform, sondern nahm Risse in dem Pigmentepithel der Retina an, die nach Trauma (erst Schlag auf das linke, dann Stoss gegen das rechte Auge) entstanden sein sollten.

O. Plange (2) beschrieb dann die eigenartige Erkrankung als „streifenförmige Pigmentbildung“ und gab ihr dadurch die richtige Sonderstellung. Er konnte die Entwicklung der Streifen aus Netzhautblutungen mit dem Spiegel beobachten und dachte sich die Streifen durch Aneinanderreihung von Blutungen an verschiedenen Netzhautstellen entstanden.

Auch Knapp (4) sah die Streifen aus einer Blutung entstehen und nahm an, die in der Netzhaut liegenden Blutkörperchen würden durch die Strömungen im Gewebe in die Form von Streifen gesammelt.

Sydney Stephenson (3) fand das Krankheitsbild bei gleichzeitig vorhandenen Hämorrhagien, ohne auf den Zusammenhang der Blutungen mit der Streifenbildung einzugehen.

W. Holden (5) und später besonders anschaulich G. E. de Schweinitz (9) sahen die eigentümlichen Streifen aus Blutungen hervorgehen. de Schweinitz zeigt in seiner ersten Abbildung ein System von feinen, vielfach verästelten, streifenförmigen Blutungen, die sich nach einem Jahr in seiner zweiten Abbildung als ein Netzwerk von Pigmentstreifen darstellen. Holden nahm an, die streifigen Blutungen in den tieferen Netzhautschichten würden metamorphosiert, der Blutfarbstoff durch die präexistenten Lymphbahnen der Retina verschleppt, wodurch die streifige Gestalt zu stande komme.

Auch J. Dunn (8) schloss sich Planges Theorie vom hämorrhagischen Ursprung der Pigmentstreifenbildung an.

Nur Walser (7) suchte eine andere Entstehungsursache, in der frühen Kindheit sollte infolge Netzhautödem eine circumpapilläre Faltenbildung in der Netzhaut verursacht werden und eine stärkere Wucherung des Pigmentepithels in diesen Falten eintreten.

Pretori (6) plädierte dagegen für eine angeborene Bildungsanomalie.

Die Entwicklung der Pigmentstreifen in der Netzhaut und ihr Längenwachstum steht zweifellos in enger Beziehung zu Netzhautblutungen. Nur bleibt es unverständlich, warum nach Resorption des Blutes die zurückbleibende anatomische Veränderung ein so durchaus ungewöhnliches Bild hinterlässt, feine Streifen, die in ihrer Form, in ihrem Verlauf und stellenweise auch in der Farbe Gefässcharakter haben und in keiner Weise mit den Netzhautveränderungen übereinstimmen, die wir so häufig nach Blutungen finden. Sollten diese Streifen wirklich aus Blutungen aus den Netzhautgefässen entstehen, so mussten doch wohl die Streifen mehr oder minder dem Verlauf dieser Gefässe folgen, was aber niemals der Fall ist. Ebensowenig wäre es verständlich, wie aus Blutungen der Aderhautgefässe die Streifen zu stande kommen sollten, die in den tieferen Netzhautschichten gelegen sind.

W. T. Lister (10) versuchte eine Erklärung für diese Pigmentstreifen zu geben, die grössere Wahrscheinlichkeit für sich hat. Bei der anatomischen Untersuchung zweier Augen fand er zufällig als Nebenbefund neugebildete Gefässe in den tieferen Netzhautschichten, die von Pigment eingehüllt waren. In dem einen Falle schien ihm die Verbindung dieser neugebildeten Gefässe mit den Gefässen des Sehnerven nach dem anatomischen Befund wahrscheinlich, im andern Falle fand er die Verbindung mit einem Gefäss des Ciliarkörpers. Lister folgerte aus seinem Befund, dass es sich auch bei der typischen Pigmentstreifenbildung um Gefässneubildungen in den tieferen Netzhautschichten handeln könnte.

Listers Auffassung hat sehr viel für sich, seine Erklärung passt vorzüglich für das eigenartige Krankheitsbild. Mit Lister sind wir der Auffassung, dass es sich um neugebildete Blutgefässe handelt. Es liegen der Gefässneubildung wohl chronisch-entzündliche Vorgänge in der Netzhaut und vielleicht auch der Aderhaut zugrunde, wofür die in allen Fällen beschriebenen, mehr oder minder hochgradigen Pigmentverlagerungen im Fundus sprechen. Die neugebildeten Gefässe können in den tieferen Netzhautschichten, ebenso gut aber in einer Exsudatschicht zwischen Ader- und Netzhaut liegen.

Der Ursprung der Gefässneubildungen erscheint sehr zweifelhaft, eine Verbindung mit den Optikusgefässen für die in nächster Umgebung der Papille entspringenden Streifen ist möglich.

Eine Verbindung der Streifen mit den Choroidalgefässen ist nicht auszuschliessen, wenn sie auch nirgends mit dem Augenspiegel nachweisbar ist.

Auszuschliessen ist nur eine Verbindung mit den Netzhautgefässen, da man hier die volle Kontrolle mit dem Spiegel hat, und unwahrscheinlich erscheint die Verbindung mit den Gefässen des Ciliarkörpers, da die Streifen den Äquator nicht zu überschreiten scheinen.

Diese Gefässneubildungen müssen sehr zartwandig sein, daher die so häufig beobachteten Blutungen, die besonders an den Enden der Streifen, an der Stelle des Längenwachstums der Gefässe, auftreten, da hier die Gefässwandung die geringste Widerstandsfähigkeit haben muss. Die neugebildeten Gefässe obliterieren wohl zum Teil wieder, wodurch man sich die grauen Streifen entstanden denken kann. Teilweise führen sie noch Blut und erscheinen, wie auch in unserm Falle an verschiedenen noch nicht von dem um die Gefässe wuchernden Pigment verdeckten Stellen rot bis rotbraun.

Für die Überlassung der Krankengeschichten und für die gütige Unterstützung möchte ich Herrn Professor Leber an dieser Stelle noch einmal meinen herzlichsten Dank aussprechen.

Literaturverzeichnis.

1) Doyne, Robert W., Choroidal and retinal changes the result of blows on the eyes. Transactions of the Ophthalmological Society of the United Kingdom. IX. S. 128. 1889.
2) Plange, O., Über streifenförmige Pigmentbildung mit sekundären Veränderungen der Netzhaut infolge von Hämorrhagien. Arch. f. Augenheilk. Bd. XXIII. S. 78. 1891.
3) Stephenson, Sydney, Angioid streaks in the retina. Transactions of the Ophthalmological Society of the United Kingdom. XII. S. 140. 1892.
4) Knapp. (Diese Arbeit war mir nicht zugänglich, sie ist auch nirgends referiert. Ich citiere sie nach Holden.) Archives of Ophthalmology. XXI. 1892.
5) Holden, W. A., Über die streifenförmige Erkrankung der Retina (Retinitis striata) und ihren wahrscheinlichen Ursprung aus Blutungen. (Abgekürzte Übersetzung.) Arch. f. Augenheilk. Bd. XXXI. S. 287. 1895.
6) Pretori, Hugo, Ein Fall von eigentümlicher Pigmentierung des Augenhintergrundes. Beitr. zur Augenheilk. Heft XXIV. S. 101. 1895.
7) Walser, B., Drei Fälle eigentümlicher streifiger Pigmentierung des Fundus. Arch. f. Augenheilk. Bd. XXXI. S. 345. 1895.
8) Dunn, J., Ein weiterer eigentümlicher Fall von Netzhautstreifung (übersetzt). Arch f. Augenheilk. Bd. XXXIV. S. 294. 1897.
9) de Schweinitz, G. E., Angioid streaks in the Retina. Transactions of the American Ophthalmological Society. Thirty-second annual Meeting. S. 650. 1896.
10) Lister, W. T., Angioid streaks of the Retina. The ophthalmic Review. XXII. S. 151. 1903.

(Aus der Universitäts-Augenklinik zu Leipzig.)

Beiträge zur Anatomie und Histologie der Aderhaut beim Menschen und bei höheren Wirbeltieren[1].

Von
Dr. M. Wolfrum,
Privatdozent und Assistent an der Klinik.

Mit Taf. XII u. XIII, Fig. 1—9, und 2 Figuren im Text.

Material und Technik.

Die normale Anatomie und feinere Histologie der Aderhaut des menschlichen Auges ist seit den Arbeiten Iwanoffs[2]), sowie der kurz darauf erschienenen Arbeit von Sattler[3]) einer erneuten speziellen Bearbeitung nicht mehr unterzogen worden. Die vor allem in der letzteren Arbeit niedergelegten Untersuchungsresultate waren nicht nur für die damalige Zeit grundlegend und erschöpfend, sondern sie behielten Jahrzehnte hindurch ihre Gültigkeit und die Angaben, welche wir in den Lehrbüchern über den normalen Bau der Aderhaut finden, basieren auch heute noch zum grössten Teil auf der oben genannten Veröffentlichung. Inzwischen aber hat die histologische Technik bedeutende Fortschritte gemacht, das Mikroskop hat in mehr als einer Hinsicht Verbesserungen erfahren. Wir vermögen daher Strukturen mit Hilfe der besseren Hilfsmittel da im Gewebe zu erkennen, wo dieselben bis vor nicht allzu langer Zeit unserer Erkenntnis verschlossen blieben. Deshalb haben sich die Anschauungen über den Aufbau der Gewebe in manchen Punkten geändert, in manchen verfeinert und vertieft.

Es erschien deshalb geboten, auch die Gefässhaut des menschlichen Auges in ihren verschiedenen Teilen einer erneuten Untersuchung zu unterziehen. Die gewonnenen Resultate sollen in den

---

[1]) Diese Abhandlung diente als Habilitationsarbeit.

[2]) Iwanoff-Stricker, Handbuch der Gewebelehre. Bd. II. S. 1035. 1872, und Graefe-Saemisch. I. Aufl. Bd. I. Kap. II. S. 265. 1874.

[3]) Sattler, Über den feineren Bau der Chorioidea des Menschen nebst Beiträgen zur pathologischen und vergleichenden Anatomie der Aderhaut. v. Graefe's Arch. Bd. XXII. Abt. II. S. 1. 1876.

folgenden Seiten dem Leser unterbreitet werden. Doch erwarte man nicht etwa eine erschöpfende Darstellung der Anatomie der Aderhaut. Nur wesentliches und von früheren Befunden und Angaben abweichendes, sowie mit neuen Methoden gewonnene Resultate sollen hier Besprechung finden.

Das für meine Untersuchungen zu Gebote stehende Material bestand:

I. Aus einer Reihe wohl konservierter menschlicher Augen, von Individuen aus den verschiedensten Lebensaltern. Die Bulbi waren mit Ausnahme von einem, welcher von einem Hingerichteten herrührte, vom Lebenden durch Enucleation gewonnen.

Da aber solche menschliche Augen stets wegen krankhafter Prozesse entfernt wurden, so musste naturgemäss eine sorgfältige Auswahl des Materials getroffen werden. Speziell Bulbi, welche im hinteren Abschnitt sich frei von Entzündung zeigten, fanden für den vorliegenden Zweck Verwendung. Sie sind nicht allzu selten zu erhalten, weil manchmal die Enucleation bei entzündlichen Vorgängen, welche sich lediglich im vorderen Abschnitt des Auges abspielten, geboten erscheint.

Ausserdem verfügte ich aber auch über mit Geschwülsten behaftete Augen, welche in manchen Teilen durchaus normale Verhältnisse boten und auch bei der histologischen Untersuchung sich frei von entzündlichen Begleiterscheinungen erwiesen.

Sämtliche Augen waren, wie es in hiesiger Klinik üblich ist, in Zenkerscher[1]) Lösung bei Körpertemperatur fixiert, in langsam stei-

---

[1]) Die Lösung hatte nicht die Zusammensetzung, wie sie ursprünglich angegeben ist, sondern wie sie sich bereits in der Arbeit über die Entwicklung der vorderen Kammer (v. Graefe's Arch. Bd. LXIII. S. 431) angegeben findet, bestand diese aus:

Sublimat	3,5
Kal. bichromic	1,5
Natr. sulf.	1,0
Acid. acetic. glac.	3,0
Aq. dest.	100,0
Formol	0,5

Essigsäure und Formol werden erst vor dem Gebrauch zugesetzt.

Diese Modifikation der Zenkerschen Lösung stammt ursprünglich aus dem Erlanger anatomischen Institut und ist dort bereits über zehn Jahre in Anwendung. Sie hat mir stets gleich gute, vorzügliche Resultate in der Fixierung ergeben.

gendem Alkohol[1]) gehärtet und dabei mit Lugolscher Lösung von Sublimat befreit.

Das menschliche Material erstreckte sich aber ausserdem noch auf eine Reihe embryonaler Bulbi vom Ende des 4. Monats der Schwangerschaft ab. Die jüngeren Stadien standen je am Ende des 4., 5. und 6. Monats.

Vom Ende des 6. Monats ab hatte ich die Stadien in Zeitzwischenräumen von je einem halben Monat zur Verfügung. Manche Exemplare von gleichem Alter waren sogar doppelt vertreten.

Ausserdem verfügte ich über eine Reihe von Aderhäuten von höher stehenden Säugern, nämlich von Affen, vom Orang-Utang, vom Schimpansen, von Macaccus nemestrinus, Macaccus rhesus, sowie vom Chiromys madagascariensis und Cebus fatuellus.

Sodann habe ich die Chorioidea vom Schwein, vom Kaninchen, von der Ratte und von der Maus in den Bereich meiner Untersuchungen gezogen.

Dass ich zum Vergleiche die Aderhäute von Vögeln, von der Ente, vom Hühnchen und vom Mauersegler heranzog, sowie von niederen Wirbeltieren, von der Ringelnatter, vom Axolotl, vom Salamandra maculosa, vom Triton taeniatus, sei der Vollständigkeit wegen erwähnt.

---

[1]) Ein lehrreiches Beispiel dafür, dass die Alkoholbehandlung der Objekte von grosser Bedeutung für die Erzielung brauchbarer Präparate ist, gibt gerade die Aderhaut ab. Gewöhnlich findet man in histologischen Arbeiten angegeben, dass die Bulbi nach dem Fixieren und Wässern in 50°/₀ oder gar 70°/₀ Alkohol verbracht wurden. Eine solche Behandlung macht sich bei der Aderhaut besonders ungünstig geltend, da die durch die Blutleere der collabierten Gefässe bereits stark verdünnte Haut durch die plötzliche wasserentziehende Wirkung des Alkohols nur noch mehr in ihrer Dicke reduziert wird. Man gewinnt so fast unbrauchbare Resultate. Ich habe deshalb systematisch bei allen zu diesen Untersuchungen verwendeten Augen die Alkoholkonzentration vom Wasser ab sehr langsam erhöht. Dies ist sehr leicht zu erreichen, indem man das Wasser, in welchem der Bulbus sich noch befindet, im Glas mit 96°/₀ Alkohol überschichtet. Es tritt nun eine ganz allmähliche Mischung von Alkohol und Wasser ein, welche in ungefähr 2—3 Wochen beendet ist. Wiederholt man nun unter Abgiessen eines Teils der Flüssigkeit den Prozess noch einmal, so hat man, wenn man jedesmal doppelt so viel Alkohol als Wasser genommen hat, bereits ungefähr 75°/₀ Alkohol.

Es ist zuzugeben, dass dieses Verfahren zeitraubend und umständlich ist, doch garantiert es dafür absolut gleichmässige und gute Resultate. Die Präparate sind fast vollständig frei von Schrumpfung.

Zu erwähnen wäre noch, dass die schrumpfende Wirkung des Alkohols sich um so weniger geltend macht, je besser die Bulbi fixiert sind. Ich habe sie deshalb bis zu 48 Stunden in Zenkerscher Lösung belassen.

Das reichliche embryonale Material von Kaninchen, Schafen und Schweinen, das mir aus den jüngsten Stadien zur Verfügung stand, konnte für die vorliegenden Untersuchungen nur in geringem Umfange Ausnützung und Verwertung finden, doch gab es in einigen Fragen, welche ich später erörtern werde, interessante Aufschlüsse.

Die in Anwendung gebrachten Färbungen waren teils einfache Hämatoxylinfärbungen, teils kompliziertere und spezielle Färbemethoden, welche bei der Erörterung der einzelnen Kapitel ihre ausführliche Erwähnung finden werden. Sie bezweckten entweder eine feinere Darstellung des Protoplasmas oder eine Sichtbarmachung der aus dem Protoplasma hervorgegangenen Gewebsbestandteile, wie Collagen und Elastin.

Die Dicke der Chorioidea.

An der Innenseite ist die Begrenzung der Chorioidea völlig glatt und beschreibt bis zum Beginn des Corpus ciliare annähernd die Form einer Kugeloberfläche, indem die sehr gleichmässig konstruierte Lamina basalis einen kontinuierlichen Abschluss gegen das der Retina zugehörige Pigmentepithel bildet. Dagegen ist die Aussenfläche viel unregelmässiger konfiguriert, weil überall da, wo Gefässe und Nerven durch die Sklera in die oberflächlichen Schichten der Chorioidea eintreten, eine erhebliche Verdickung der Aderhaut zu bemerken ist.

Im allgemeinen lässt sich aber doch sagen, dass die Chorioidea in ihrer grössten Dicke sich am Eintritt der hinteren Ciliargefässe repräsentiert, um von hier sowohl nach dem Optikus als nach vorne zu an Dicke abzunehmen. Die Abnahme erfolgt allmählich nach beiden Seiten, während am Sehnerveneintritt die Aderhaut noch einen relativ grossen Durchmesser besitzt, erreicht sie kurz vor dem hinteren Ende des Ciliarmuskels ihre dünnste Stelle.

Da beim Menschen die Chorioidea eine beträchtliche Eigendicke aufweist, fallen die Anschwellungen an den Gefäss- und Nerveneintritten, wie sie vornehmlich an der Einmündung der hinteren Ciliararterien zu beobachten sind, nicht so sehr in die Augen, recht bemerkbar aber werden sie bei manchen Tieren, welche eine im Verhältnis geringere Dicke der Chorioidea aufzuweisen haben, so bei der Ratte, weniger auch beim Kaninchen.

Die Werte, welche man für die Dicke der Aderhaut beim Menschen in anatomischen Handbüchern und ophthalmologischen Werken angegeben findet, rühren höchstwahrscheinlich durchwegs von fixiertem

Material her, meistens findet man nicht angegeben, wie dieselben gewonnen wurden, und eine andere Methode, vor allem am Lebenden die Dicke dieser Haut zu messen, ist nicht bekannt.

Nun müssen aber die so gewonnenen Werte im allgemeinen zu niedrig ausfallen, weil die Präparate durch die der Fixierung nachfolgende Alkoholbehandlung unvermeidlich etwas schrumpfen, auch wenn sie noch so sorgfältig gehandhabt wurde. Dazu kommt, dass die Gefässlumina, wenn man von entzündlichen Zuständen absieht, infolge der Blutleere collabiert sind. Es liesse sich also, wie zu betonen ist, eine exakte Beantwortung der Frage nur in vivo bei vorhandenem Blutdruck erzielen. Eine Messung am lebenden Individuum ist aber aus den verschiedensten Gründen technisch unmöglich durchzuführen.

Man muss deshalb zu andern Verfahren greifen und sich mit Annäherungswerten begnügen. Um diese möglichst gut zu erhalten, kann man zweierlei Wege einschlagen. Entweder man injiziert die Blutgefässe unter Blutdruck mit einer erstarrenden Masse und fixiert und härtet dann, oder man injiziert die Fixierungsflüssigkeit direkt unter Blutdruck in das Gefässsystem[1]). Die Augen von Neugeborenen, nach beiden Verfahren behandelt, standen mir zur Untersuchung zur Verfügung. Speziell habe ich einen Neugeborenen, der unmittelbar nach der Geburt starb, aber kräftig entwickelt und noch vollständig lebensfrisch war, folgendermassen behandelt:

Die linke Carotis communis wurde frei präpariert und 150 ccm physiologischer Kochsalzlösung bei Körpertemperatur injiziert und sogleich etwa 350 ccm Zenkerscher Lösung unter Blutdruck der ersten Injektion nachgeschickt. Sowohl Venen wie Arterien wurden nach der Injektion unterbunden. Nach etwa einer Stunde wurde dekapitiert.

Die Zenkersche Lösung war in der vorne angegebenen Weise zubereitet und für die Injektion mit destilliertem Wasser auf die Hälfte

---

[1]) Bei dem letzteren Verfahren wird durch den Auftrieb der injizierten Flüssigkeit den Gefässen ihre normale runde Form annähernd wiedergegeben; aber die Wandung wird auch durch die fixierende Wirkung der Flüssigkeit ohne weiteres so in situ erhalten. Sehr oft pflegt man vorher der injizierten Kochsalzlösung Gefäss erweiternde Mittel zuzufügen, entweder Milchsäure oder Amylnitrit. Jedoch wurde hier davon abgesehen, um keine abnorme Gefässerweiterung zu erzielen. Das eben beschriebene Verfahren bietet sicherere Resultate als die andere angewendete Methode, nämlich die Injektion von Karmingelatine, weil diese infolge ihres hohen Wassergehaltes sehr stark und leicht bei der Alkoholbehandlung schrumpft, und die Gefässwandungen der Retraktion der Masse teilweise zu folgen pflegen.

verdünnt worden. Ausserdem blieb der ganze Kopf in der unverdünnten, öfters gewechselten Lösung noch eine Woche liegen, wurde dann mit Brunnenwasser ausgewaschen und in ganz allmählich steigendem Alkohol gehärtet.

In den nun durch die ganze Orbita an Celloidinpräparaten angelegten Schnittserien liessen sich folgende Werte für die Dicke der Aderhaut ermitteln:

Die stärksten Stellen, welche in einiger Entfernung lateral von der Papille, da wo die Gefässe und Nerven eintreten, also annähernd in der Gegend der Macula zu finden waren, hatten einen Durchmesser von 0,3, höchstens 0,35 mm. Nach der Papille zu nehmen diese Masse etwa bis auf 0,25 mm ab. Ebenso werden sie nach vorne, gegen den

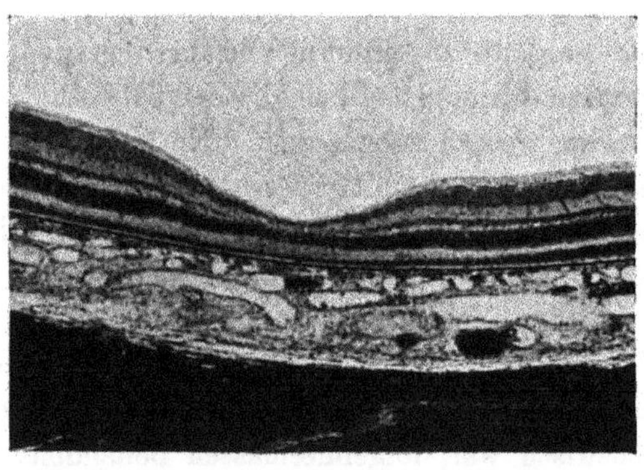

Fig. 1.

Äquator zu, geringer, um kurz vor dem hinteren Ende des Ciliarmuskels bis auf 0,15 mm zu sinken.

Bei eingehender Betrachtung des Mikrophotogramms ergibt sich, dass weitaus die grösste Breite der Chorioidea die Schicht der grossen Gefässe und die Suprachorioidea einnimmt, die Schicht der mittleren Gefässe (die Sattlersche Schicht) macht höchstens ein Fünftel der Gesamtdicke aus. Bestimmte Zahlenwerte lassen sich mit Sicherheit nicht angeben, da die Schichten ineinander übergehen und sichere Abgrenzungen fehlen. Am unregelmässigsten ist die Schicht der grossen Gefässe, schon gleichmässiger angeordnet sind die mittleren Gefässe. Am schmälsten, aber am gleichmässigsten ist die Choriocapillaris aufgebaut, welche unter dem beim Neugeborenen noch niedrigen Pigmentepithel sich als eine Reihe feiner weisser Punkte repräsentiert.

Um eine Übersicht über die Mächtigkeit der drei Häute des Bulbus zu geben, habe ich ein Mikrophotogramm beigefügt, das mit einem Zeissschen Mikroplanar von 20 mm Brennweite bei einem Plastenabstand von 67 cm hergestellt wurde. Die Vergrösserung ist linear genau 33fach. Da die Aderhaut im Mikrophotogramm an den dickeren Stellen gerade 10 mm hält, so ist als wirklicher Wert 0,3 mm rechnerisch leicht zu finden (10 : 33). Für die Netzhaut fällt der Dickenwert etwas geringer aus. Man muss aber berücksichtigen, dass beim Neugeborenen die Stäbchen und Zapfen noch sehr kurz sind und erst viel später ihre völlige Länge erreichen. Die Netzhaut ist deshalb beim Neugeborenen viel dünner als beim Erwachsenen, zumal da auch die Nervenfaserschicht noch einen reichlichen Zuwachs erfährt. Die Sklera hat an diesen Stellen ungefähr eine Dicke von 0,45 mm, ist also etwas dicker als die Chorioidea.

Sodann habe ich an Präparaten von Neugeborenen, welche mit Karmingelatine injiziert und in 4 % Formollösung fixiert waren, Messungen angestellt. Es ist aber bekannt, dass die Formolfixierung auf die Chorioidea stets stark schrumpfend wirkt. Ausserdem wird, wie schon erwähnt, das Volumen der Gelatine durch die wasserentziehende Wirkung des Alkohols stark reduziert. Es mussten deshalb, wie zu erwarten war, die Werte geringer ausfallen. Doch bewegten sich die Zahlen noch zwischen 0,25 Maximum am Eintritte der hinteren Ciliargefässe, und 0,1 Minimum am Ciliarmuskelende. Aus den oben angegebenen Gründen und der viel besseren Konservierung der ersteren Präparate, kann es wohl keinem Zweifel unterliegen, dass die zuerst angegebenen Werte dem Verhalten in vivo am nächsten stehen. Man kann daher beim Neugeborenen die Dicke der Aderhaut als zwischen 0,15 an den dünnsten und 0,30 mm an den dicksten Stellen schwankend annehmen. Genauere Werte aufzustellen, dürfte kaum angängig sein, da ja bei der wechselnden Füllung der Gefässe auch im Leben die Dicke der Haut im ganzen ziemlich beträchtlichen Schwankungen unterworfen sein kann.

Vergleichsweise führe ich hier die Messungsergebnisse von dem Auge eines hingerichteten, vollständig erwachsenen Individuums an. Die Chorioidea hatte an den kräftigsten Stellen einen Durchmesser von höchstens 0,1 mm aufzuweisen. In dem Präparate war auch von den Gefässen in der Aderhaut nur wenig zu sehen, die Lumina waren collabiert, das vorwiegende im mikroskopischen Präparat war das Aderhautstroma. Die gewonnenen Zahlenwerte entsprechen entschieden sehr wenig dem Verhalten in vivo, da ohne Zweifel noch nach der Dekapitation eine starke Entblutung des Kopfes stattgefunden hat.

Die Befunde von Neugeborenen lassen sich mit einiger Vorsicht und Überlegung auch auf das Auge des Erwachsenen übertragen. Es ist zwar anzunehmen, dass noch nach der Geburt eine Mehrentwicklung von Gefässen, vor allem von Kapillaren und auch eine geringe Anreicherung des Chorioidealstromas stattfinden werde; die beim Neugeborenen gefundenen Zahlenwerte dürften aber dadurch für den Erwachsenen keine bedeutende Änderung erfahren. Man wird nicht fehlgehen, wenn man deshalb ohne welche Erhöhung der für den Neugeborenen gefundenen Dickenwerte der Aderhaut dieselben auch für den Erwachsenen gelten lässt. So würde die Aderhaut bei dem Erwachsenen an ihren stärksten Stellen ungefähr einen Durchmesser von 0,3 mm, an ihren schwächsten Stellen ungefähr einen solchen von 0,15 mm haben.

Während der Abfassung dieser Arbeit bin ich durch die grosse Liebenswürdigkeit von Herrn Professor Held, dem ich dafür meinen besten Dank ausspreche, in den Besitz eines Augenpaares von einem Hingerichteten gelangt, an dessen Schädel sofort nach der Dekapitation eine Injektion der Blutgefässe des Kopfes durch die beiden Karotiden in der beim Neugeborenen angegebenen Weise vorgenommen wurde.

Ich gebe nebenbei ein Mikrophotogramm von der Chorioidea des linken Auges dieses Hingerichteten, welches bei gleicher Vergrösserung aufgenommen wurde wie die Abbildung vom Neugeborenen. Wie zu ersehen ist, war die Injektion eine durchaus gelungene. In exakter Weise lassen sich hier die einzelnen Schichten der Chorioidea erkennen, sowie das Verhältnis der einzelnen Gefässschichten zum Stroma. Der Schnitt war durch Optikus und Fovea centralis gerichtet, die abgebildete Stelle entspricht der Fovea. Infolge der gleichen Vergrösserung lässt sich ein Vergleich mit der Chorioidea des Neugeborenen anstellen. Die Gesamtdicke der Chorioidea lässt sich leicht bestimmen und ist auffälligerweise um ein weniges geringer als die des Neugeborenen. Doch muss man immer berücksichtigen, dass die Chorioidea am hinteren Pol in ihrer Dicke infolge der eintretenden Gefässe leicht Schwankungen unterworfen ist. Da in der Abbildung eine etwas dünnere Stelle getroffen ist, dürfen wir daher unbedenklich als Mittel in der Dicke 0,3 mm annehmen. Und somit ist kein wesentlicher Unterschied in diesem Punkte von der Aderhaut des Neugeborenen, sondern es ist auch beim Erwachsenen derselbe Dickendurchmesser anzunehmen. Dagegen finden wir an der Sklera, dass sie noch bedeutend an Dicke zugenommen hat.

Die Netzhaut ist zwecks anderweitiger Publikation nicht mit abgebildet.

Während so die Aderhaut nach der Geburt keine nennenswerte Zunahme erfährt, nimmt sie umgekehrt im Alter wieder an Mächtigkeit ab. Es tritt nicht nur ein Schwund des Chorioidealstromas ein, sondern ganze Gefässbezirke können im höheren Alter zur Obliteration und Verödung kommen. Dadurch wird der Durchmesser der Chorioidea bedeutend reduziert und kann bis auf die Hälfte des Normalen und noch weiter herabsinken.

Für die Dicke der Chorioidea sind von verschiedenen Autoren folgende Zahlenwerte angegeben worden:

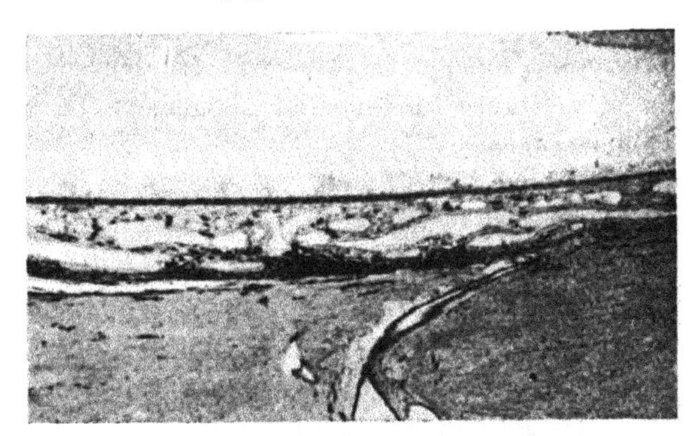

Fig. 2.

Iwanoff (Graefe-Saemisch, I. Aufl.) 80—160 μ.
Schwalbe, Sinnesorgane (Aufl. 1887) 50—80 μ.
Merkel-Henle (Grundriss der Anatomie 1901) 50—70 μ.
Rauber (Anatomie 1898) 50—80 μ.
Greeff (Patholog. Anatomie des Auges 1903) 50—80 μ.
Merkel-Kallius (Makroskopische Anatomie des Sehorgans, Graefe-Saemisch 1900) 100 μ neben dem Optikus.
Vennemann (Encyclopédie française) 200—300 μ.

Der grösste Teil der gefundenen Werte bewegt sich zwischen 0,05—0,08 mm. Es ist auffällig, in welch hohem Masse die Zahlen übereinstimmen. Wie dieselben gewonnen wurden, fand ich mit einer Ausnahme nirgends näher angegeben. Es ist aber recht wohl möglich, dass gleiche Fixierung, ich vermute Müllersche Flüssigkeit, auch übereinstimmende Dickendurchmesser ergeben hat. Nach meinen vorher ausgeführten Untersuchungen glaube ich, dass die sämtlichen Werte zu niedrig angesetzt sind, die Aderhäute wurden wohl alle im blutleeren Zustande gemessen. Die gefundenen Werte geben, möchte man fast sagen, einen Indikator für die Fixierung und Härtung ab. Daher ist zu vermuten, dass Iwanoff seine Messungen an nicht in Müllerscher Flüssigkeit fixierten Augen angestellt hat, während die andern Autoren Müllerpräparate benutzt haben dürften.

Nur die Angabe von Vennemann in der französischen Encyklopädie für Augenheilkunde trägt den Verhältnissen am Lebenden Rechnung. Sie stimmt in hohem Grade mit den von mir gemachten Befunden überein und gibt eine gewisse, wenn auch unsichere Bestätigung derselben. Folgen wir den eigenen Worten Vennemanns, um zu erfahren, wie er seine Zahlen gewonnen hat. Er schreibt: Il suffit d'examiner au mikroskope un oeil énucléé tout au debut d'une panophtalmite, pour se convaincre que cette membrane est beaucoup plus grosse, lorsque les vaisseaux ont leur dévoloppement naturel et que la substance fundamentale homogène du stroma possède tout sa tourgescence.

Vennemann hat also an Augen, welche wegen Panophthalmie enucleiert werden mussten, seine Messungen gemacht.

Nun habe ich auch eine Reihe solcher Chorioideae, bei denen das ganze Auge sich im akut entzündlichen Zustande befand, oder wo sich mehr chronische Prozesse im Auge abspielten, untersucht und ihre Dicke gemessen. Zunächst muss ich bemerken, dass mir dabei auffiel, dass der stärkere Durchmesser der Haut durchaus nicht stets von der besseren Füllung der Gefässe und dem bei der Entzündung erhaltenen natürlichen Gewebsturgor herzukommen schien. Ich fand vielmehr recht oft ein hochgradiges Ödem der Gewebsräume, während die Gefässe verhältnismässig collabiert waren[1]). Das Gewebe macht vor allem in den äusseren Schichten einen zerklüfteten Eindruck. Dementsprechend schwankten auch die Messungsergebnisse innerhalb weiter Grenzen. Ich kann deshalb die Methode der Messung, welche Vennemann in Anwendung brachte, um Werte für normal anatomische Verhältnisse zu gewinnen, nicht als zuverlässig bezeichnen. Wissen wir doch aus der Pathologie, welch bedeutende Dimensionen gefässreiche Organe, wie Leber und Milz, unter dem Einfluss entzündlicher Verhältnisse erreichen können. Ich halte es daher mehr für einen glücklichen Zufall, dass Vennemann annähernd richtige Resultate erhalten hat.

Bevor ich mit der Beschreibung der einzelnen Teile der Aderhaut beginne, will ich hier kurz die übliche Einteilung der Schichten

---

[1]) Eine Bestätigung meiner Beobachtung findet sich bei Ginsberg, Lehrbuch der Histologie. S. 233. 1903.

anführen. Man hat für gewöhnlich die Aderhaut in fünf Schichten zerlegt, welche von aussen nach innen folgendermassen aufeinander folgen:

1. Die Suprachorioidea.
2. Die Schicht der grossen Gefässe.
3. Die Schicht der mittleren Gefässe (Sattlersche Schicht).
4. Die Choriocapillaris.
5. Die Lamina elastica, welche die innere Begrenzung der Aderhaut gegen das Pigmentepithel bildet. — Es handelt sich also um eine Gefässhaut, welche das ganze Kapillarsystem an einer Seite, an der Innenseite angelegt hat und sowohl nach aussen gegen die Sklera, wie nach innen gegen die Netzhaut durch besondere Lagen abgegrenzt ist.

Die Basalmembran und die Lamina elastica der Chorioidea.

An gut gelungenen mikroskopischen Präparaten erscheint die zwischen Pigmentepithel und Choriocapillaris befindliche Gewebslage stets zweischichtig. Die Doppelschichtigkeit lässt sich vom Sehnerveneintritt bis zur Ora serrata verfolgen. Bei guter distinkter Färbung sind die beiden Lagen als eine innere, der Pigmentepithelschicht unmittelbar anliegende und eine äussere der Choriocapillaris benachbart befindliche leicht zu unterscheiden. Wie ich im voraus bemerken will, ist die erstere die Basalmembran des Pigmentepithels, die letztere die Lamina elastica chorioideae. Während die Lamina elastica schätzungsweise nur die Dicke von $^1/_2\,\mu$ hat, ist die Basalmembran noch nicht die Hälfte so dick als die Lamina elastica[1]). Die beiden Lagen laufen in normalem Zustande glatt und kontinuierlich ohne jegliche Wellung nebeneinander und sind nur durch einen äusserst feinen Spaltraum, der sich nicht immer gleich breit zeigt und etwas

[1]) Die angegebenen Resultate können natürlich nur sehr approximativ sein, da man bei so kleinen Intervallen nicht mehr exakt mit dem Okularmikrometer zu messen im stande ist. Ausserdem macht sich noch der Übelstand geltend, dass man nie die völlige Gewissheit hat, nun auch wirklich nur den Durchschnitt der Membran gemessen zu haben. Man kann ziemlich erhebliche Fehler dadurch bekommen, dass man anstatt des Durchmessers der Membran, ein Stück der Breite, wie sie durch die Schnittdicke gegeben wird, mit in den Bereich der Messung zieht, da auch bei noch so exakter Schnittführung und Dünne der Schnitte die Membran etwas schrägliegend in verkürzter Projektion zur Beobachtung kommt.

Es ist daher zu erwarten, dass man eher etwas zu hohe als zu niedrige Werte erhalten wird.

dicker als die Basalmembran erscheint, ungefähr bis zur Ora serrata voneinander getrennt.

Das Vorhandensein eines basalen Häutchens lässt sich an entsprechend gefärbten und dünnen Durchschnitten einwandsfrei erweisen. Es erstreckt sich als eine sehr scharf, wie mit der Feder gezogene Linie, vom Optikus an und lässt sich in Kontinuität bis zur Iriswurzel leicht verfolgen. Überall liegt ihm die reguläre Lage der Pigmentepithelzellen glatt und unmittelbar auf. Manchmal hatte es allerdings den Anschein, als ob die Pigmentepithelzellen auf eine besondere Weise an der Membran befestigt wären, indem sie mit allerfeinsten Endfüsschen sich an ihr ansetzen. Doch konnte ich die Endfüsschen nicht konstant beobachten, sondern meist hatte man den Eindruck, als ob die einzelnen Zellen vollständig glatt der Membran anliegen, ja unmittelbar in sie übergehen (vgl. Taf. XII, Fig. 1 u. 2).

Weniger leicht wie der Nachweis von der Existenz dieses Häutchens, ist der Nachweis seiner Zugehörigkeit zu führen, ich meine, ob diese feine Haut dem Pigmentepithel oder dem Chorioidealstroma zuzurechnen ist. Eine ganze Reihe von Erscheinungen lassen sich für und wider die Zugehörigkeit zum Pigmentepithel verwerten. Die Tatsache, dass die Pigmentepithelzellen auf Schnitten sehr leicht in continuo von der Membran gerissen erscheinen, dürfte für die Beantwortung der Frage von untergeordneter Bedeutung sein, wenn auch die Basalmembran dabei in festem Zusammenhang mit der Lamina elastica bleibt. Die Erscheinung ist nur an fixierten Präparaten zu beobachten, und wohl lediglich als eine Folge der Präparationsmethoden zu betrachten. Das Protoplasma wird durch die Fixierung starr und morsch und löst sich dann sehr leicht von der festeren unterliegenden Bindegewebslage ab.

Das tinktorielle Verhalten der Membran ist ein eigentümliches. Mit der Heldschen[1]) Protoplasmafärbung, in der wir ein ziemlich exquisites Reagens auf Protoplasma haben, färbt sich dieses Häut-

---

[1]) Herr Professor Held hatte die Freundlichkeit, mir die Methode zur Anwendung zu überlassen, wofür ich ihm meinen Dank ausspreche. Das Verfahren gedenkt er selbst an anderer Stelle zu veröffentlichen.

Die Heldsche Färbung ist eine durchaus exquisite Protoplasmafärbung, bei welcher die Färbung des Bindegewebes infolge des schmutzig gelblichen Tones, den es annimmt, in den Hintergrund tritt Man ist im stande, mit der Methode die grössten Feinheiten im Protoplasma zur Darstellung zu bringen, dagegen gehen feinere Ausläufer und Fasern des Bindegewebes bei dem satt blauen Tone des Protoplasmas verloren. Bei der Darstellung der Basalmembran mit Heldscher Färbung gelangt daher auch nur der epithelial-proto-

chen intensiv dunkelblau, zeigt also durchaus den Charakter des Protoplasmas. Dass es sich etwa um elastisches Gewebe handeln könne, welches sich mit der Heldschen Methode ebenfalls färbt, ist ohne weiteres auszuschliessen, da das Häutchen mit Färbeverfahren auf elastische Fasern (Orceinmethoden, Weigert) völlig ungefärbt bleibt.

Dagegen erfahren wir an Mallorypräparaten[1]), dass die Membran einen Farbenton annimmt, der in seiner Nuancierung zwischen der blauen Farbe des Bindegewebes und dem Rot der Protoplasmafärbung steht, so dass es also hier den Anschein hat, als ob an dem Aufbau der Membran Protoplasma und collagenes Gewebe beteiligt wären. In Taf. XII, Fig. 1 ist der Farbenton nicht richtig wiedergegeben, sondern zu blau ausgefallen.

In Erwägung der Eigentümlichkeiten der beiden genannten Methoden, welche meines Erachtens momentan die exaktesten Färbemethoden sind, welche die histologische Technik für Protoplasma und collagenes Bindegewebe aufzuweisen hat, können wir der Basalmembran weder den Charakter eines reinen Epithelproduktes, noch den eines Abkömmlings vom Bindegewebe zusprechen. Wenn, wie wir später sehen werden, die Basalmembran auch ursprünglich vom Epithel angelegt wird, so muss sie doch auf Grund dieser Befunde als eine beiden Teilen gemeinschaftlich angehörende Grenzschicht aufgefasst werden.

Nimmt man Flächenpräparate zur Hilfe, so wird man in dieser Anschauung noch wesentlich bestärkt durch Befunde, welche sich über die Struktur der Membran erheben lassen. Wir finden nämlich kein homogenes Häutchen vor, sondern wir sehen dasselbe von feinsten Löchern von verschiedener Grösse und wechselnder Reichlichkeit durchsetzt. Ob diese Erscheinung durch Stomata in einer sonst homogenen Membran zu stande kommt, oder, was wahrscheinlicher ist, durch eine nicht sicher nachweisbare fibrilläre Struktur veranlasst ist, lässt sich bei der Feinheit des Objektes nicht exakt entscheiden.

Ausserdem findet man beim Abreissen der Pigmentepithelien an

---

plasmatische Anteil zur Geltung, eine Mitbeteiligung des Bindegewebes ist mit der Methode nicht wahrzunehmen.

Dagegen werden durch die Mallorymethode Protoplasma und Collagen zugleich gefärbt. Die Collagenfärbung überwiegt durch die sattere Färbung das Blau, das zarte Rot des Protoplasma wird dabei etwas unterdrückt. Mit dieser Färbemethode lässt sich ein collagener Anteil der Basalmembran nachweisen, während der protoplasmatische weniger deutlich zu sehen ist.

[1]) Mallory, F. B., A contribution to staining methods. Journ. Exper. Med. vol. V. No. 1. p. 15. 1900.

Durchschnitten noch äusserst zarte Fortsätze an der Membran hängen bleibend, die wohl nach ihrem färberischen Verhalten als Protoplasma der Pigmentepithelzellen aufzufassen sind, welche mit der Membran in Verbindung blieben. Es münden also in diese feine Zwischenschicht auf der einen Seite die feinen Endigungen der collagenen Fibrillen, welche man mit der Mallorymethode ohne weiteres herein verfolgen kann, auf der andern Seite geht das Protoplasma der Pigmentepithelzellen direkt in sie über. Niemals aber konnte ich finden, dass Protoplasmafortsätze der Pigmentepithelzellen sich durch die Basalmembran fortsetzten, noch auch, dass umgekehrt collagene Fibrillen direkt in den Zelleib der Epithelzelle übergingen, oder auch sich zwischen die Zellgrenzen herein erstreckten.

Nun hat eine Reihe von Autoren protoplasmatische Verbindungen zwischen basaler Epithelschicht der Haut und den Zellen des Coriums nachzuweisen vermocht. Und die Verhältnisse gestalten sich bei den vorliegenden Untersuchungen insofern analog, als auch hier ein vom Ektoderm stammendes Epithel und eine subepithelial gelegene Bindegewebsschicht, bei der allerdings die zugehörigen zelligen Elemente erst in einer tiefer liegenden Schicht vorhanden sind, bei der Beobachtung vorliegen.

Meines Wissens hat zuerst Leydig[1]) im Jahre 1885 auf diese protoplasmatischen Zusammenhänge hingewiesen und seine Beobachtungen in einer Reihe von Publikationen mitgeteilt.

Die gleichen Beobachtungen macht auch Schuberg[2]) bei seinen Untersuchungen an niederen Wirbeltieren. Er bringt in seinen Publikationen sehr anschauliche und klare Bilder.

Neuerdings hat auch Kraus[3]) einen direkten Zusammenhang zwischen collagenem Bindegewebe und Epithelzellen darstellen können. Er zeigt einen direkten Übergang von collagenen Bindegewebsfasern in die basale Epithelschicht.

Jedoch beziehen sich die eben angeführten Arbeiten nur auf

---

[1]) Leydig, Zelle und Gewebe 1885. — Beiträge zur Kenntnis des tierischen Eies im unbefruchteten Zustande. Zoolog. Jahrb. 1889. — Zum Integument niederer Wirbeltiere. Biolog. Zentralbl. Bd. XII.

[2]) Schuberg, Über den Zusammenhang von Epithel und Bindegewebe. Sitzungsber. d. Würzburger phys. med. Gesellsch. 30. Mai 1891. — Über den Bau und die Funktion der Haftapparate des Laubfrosches. Arbeit aus d. zoolog. Inst. in Würzburg. Bd. X. 1891. — Verhandlungen d. deutschen zoolog. Gesellsch. zu Leipzig 1891.

[3]) Kraus, F., Der Zusammenhang zwischen Epidermis und Cutis bei den Sauriern und Krokodilen. Arch. f. mikr. Anat. Bd. LXVII. 1906.

niedere Wirbeltiere und können deshalb nicht ohne weiteres mit den beim Menschen in diesem speziellen Falle obwaltenden Verhältnissen in Parallele gesetzt werden.

Nur Schütz[1]) hat neuerdings beim Menschen einen direkten Zusammenhang zwischen basaler Epithelschicht und elastischen Fasern der Cutis mit eigens zu diesem Zwecke von ihm ausgearbeiteten Methoden nachzuweisen vermocht, doch stehen seine Befunde ziemlich vereinzelt da und haben keine Bestätigung von anderer Seite erfahren. Sie werden sogar von andern Autoren, welche eine indirekte mechanische Verbindung annehmen, nachdrücklich in Abrede gestellt.

Zu diesen gehören vor allem H. Rabl[2]) und Kreibich[3]). Beide nehmen an, dass eine Art Verzahnung zwischen basaler Epithelschicht und oberster Cutislage existiere. Sie stellen das Vorhandensein einer Basalmembran vollständig in Abrede und finden, dass basale Epithelschicht und Cutis durch eine gegenseitige feinste Verzahnung, welche vollständig lückenlos erscheint, fest miteinander verbunden sind.

Doch lassen sich auch diese Befunde in keiner Weise mit den hier gewonnenen Ergebnissen in Einklang bringen, da sich an der Basalseite des Pigmentepithels eine glatte Basalmembran einwandsfrei nachweisen lässt. Eine Basalmembran ist schon von Bowman[4]) an der Haut und von Kölliker[5]), und neuerdings auch von Marchand[6]) am Cornealepithel beschrieben worden. Von den anscheinend noch recht konträren Beobachtungen über die Cutis-Epidermisverbindung kann hier also überhaupt nur die letztere in Betracht gezogen werden.

Von Wert ist vor allem für uns eine Arbeit von Kromayer, dessen Ergebnisse aus seinen Untersuchungen über die Haut bzw. der Basalmembran sich in weitgehender Weise mit dem bei der Pigmentepithel-Chorioidealstromaverbindung erhobenen Befunden decken. Kromayer findet nicht nur eine Basalmembran, es gelingt ihm auch, diese durch besondere Färbung darzustellen, er kommt auch zu dem

---

[1]) Schütz, Über den Nachweis eines Zusammenhanges der Epithelien mit dem darunter liegenden Bindegewebe. Arch. f. Dermatol. u. Syphil. Bd. XXXVI. 1896. — Beiträge zur Pathologie der Psoriasis. Arch. f. Dermatol. u. Syphil. Bd. XXIV. 1892. — Ein Fall von sogenanntem wahrem Keloid kombiniert mit Narbenkeloid. Arch. f. Dermatol. u. Syphil. Bd. XXIX. 1894.

[2]) Rabl, H., Mraceks Handbuch der Hautkrankheiten 1901.

[3]) Kreibich, Zur Blasenbildung und Cutis-Epidermisverbindung. Arch. f. Dermatol. u. Syphil. Bd. LXIII. 1902.

[4]) Bowman, Phys. Anatomy. p. 504. 1856.

[5]) Kölliker, Handbuch der Gewebelehre des Menschen. Bd. I. 1889.

[6]) Marchand, Prozess der Wundheilung. p. 163. 1901.

Schlusse, dass sie ein gemeinsames Produkt aus Lederhaut und Epidermis sein müsse und dass sie siebartig durchlöchert sei. Es stimmen also meine Resultate mit den von Kromayer[1]) an der Haut gewonnenen in allen Punkten überein, wenngleich sonst Pigmentepithel und Chorioidea in Aufbau und Funktion in hohem Grade von der Haut verschieden sind. Doch würde diese Übereinstimmung bei der sonstigen Verschiedenheit der Gewebe gerade dafür sprechen, dass die Verbindungen zwischen Epithel und unterliegendem Bindegewebe im allgemeinen beim Menschen stets die gleichen sind.

An meinen Präparaten hatte ich den Vorteil, die basale Membran vollständig geradlinig verlaufen zu sehen. Das Missliche, wie bei den papillären Erhebungen der Haut vielfach Schrägschnitte vor sich zu haben, welche Orientierung und genaueres Studium ungemein erschweren können, fiel bei der Betrachtung der Basalmembran des Pigmentepithels vollständig fort. Hat man einmal die Lage der Basalmembran im Schnitt festgestellt, so kann man bei gut eingebetteten Präparaten auch sicher sein, dass sie dieselbe durch den ganzen Schnitt unverändert beibehält.

Auch meine Untersuchungen über die Entwicklung der Basalmembran haben eine ergänzende Bestätigung der am Erwachsenen erhobenen Befunde gebracht. Allerdings beziehen sie sich nicht auf den Menschen, da ich Stadien aus so früher Zeit, wie sie zum Studium der Frage nötig waren, nicht zur Verfügung hatte. Doch findet man beim Kaninchen und Schwein in ausgewachsenem Zustande, wenn man von der grösseren Zartheit der Gebilde absieht, fast ganz gleiche anatomische Verhältnisse in diesem Punkte. Und von diesen Tieren hatte ich auch die nötigen embryonalen Stadien zur Verfügung, um über die Anlage der Basalmembran genügend Aufschluss gewinnen zu können.

Wie ich bereits in einer Arbeit über die Entwicklung des Glaskörpers im Graefeschen Archiv erwähnt habe, findet man an der Aussenseite des primären Augenbechers und auch noch dann, wenn die distale Wand sich einzustülpen und damit die sekundäre Augenblase zu entwickeln beginnt, im Bereiche der späteren Pigmentepithelanlage feinste Protoplasmafortsätze von der basalen Seite ausgehen, die von den Zellen dieser noch unpigmentierten Lage sich in das Mesoderm herein erstrecken und nachweisliche Anastomosen mit den Mesodermzellen eingehen. Solche Bilder kommen aber nur an ver-

[1]) Kromayer, Die Parenchymhaut und ihre Erkrankungen. Entwicklungsmechanische und histopathogenetische Untersuchungen usw. Roux, Arch. f. Entwicklungsmechanik der Organismen. 1899.

einzelten Zellen zur Beobachtung. Bei schon etwas älteren Stadien aber, bei Schweinen von 7 bis 8 mm Scheitelsteisslänge und bei Kaninchen etwa am 11. Tage nach der Kohabitation, findet man bereits im Bereiche der ganzen Pigmentepithelanlage eine wohl ausgebildete Basalmembran, welche sich als eine Verdichtung der Basalseiten der Epithelzellen erkennen lässt. Die protoplasmatischen Verbindungen mit dem Mesoderm gehen natürlich dabei vollständig verloren. Es ist auffällig, dass die Entwicklung der Basalmembran und das Auftreten der ersten Pigmentkörner zeitlich kurz hintereinander fällt. Dieses zeitliche Verhältnis ist sicherlich nicht als ein rein zufälliges aufzufassen, sondern hängt vielleicht mit dem Beginn der spezifischen Funktion der Zellen zusammen.

Etwas später, bei Embryonen von 25 mm Scheitelsteisslänge, finden wir das Auftreten feiner collagener Fibrillen im Chorioidealstroma, welche direkten Anschluss an die Basalmembran haben und in dieselbe direkt einzumünden scheinen. Doch lässt sich über die Verbindungsweise nichts sicheres aussagen. Jedenfalls aber müssen wir auf Grund der Beobachtung, dass schon zu so früher Zeit Fibrillen in die Basalmembran einmünden, eine Mitbeteiligung des bindegewebigen Stromas an ihrem Aufbaue annehmen.

Bevor ich nun zur Beschreibung der eigentlichen Lamina elastica selbst übergehe, muss ich noch den Spaltraum, der sich zwischen der Basalmembran und der Lamina elastica befindet, mit einigen Worten abhandeln. Wie ich schon erwähnte, ist die Breite des Spaltraumes im Präparat eine wechselnde, eine Erscheinung, die wohl als eine Folge der Fixierung und Härtung anzusehen ist (vgl. Taf. XII, Fig. 1 u. 2). Doch ist ohne Zweifel, dass der Spalt auch in vivo vorhanden ist, wenn gleich da seine Breite nur eine minimale sein dürfte. An gut und distinkt gefärbten Präparaten lässt sich nun feststellen, dass der Spaltraum von collagenen Bindegewebsfasern feinster Art in jeder Richtung durchzogen wird, welche eine direkte Verbindung zwischen Basalmembran und Lamina elastica vermitteln. Vielfache Färbeversuche der verschiedensten Art haben mir stets das eindeutige Resultat ergeben, dass die Verbindung zwischen Lamina elastica und Basalmembran nur durch collagene Fasern, welche aus dem collagenen Anteile der Lamina elastica hervorgehen, geschaffen wird. Das elastische Fasernetz der Lamina elastica geht überhaupt keine direkten Verbindungen mit der Basalmembran ein, sondern liegt als eine gegen das Pigmentepithel vollständig isolierte Lage zwischen Choriocapillaris und Basalmembran. Die Verbindung zwischen Basalmembran und Lamina elastica muss daher eine ziemlich lockere sein.

Auf Grund dieses anatomischen Aufbaues lässt es sich recht wohl verstehen, dass Zerreissungen der Basalmembran mit Dehiscenzen im Pigmentepithel entstehen können, während die kräftigere Lamina elastica und die direkt darunter befindliche Choriocapillaris vollständig unbeschädigt bleibt, oder vielleicht nur leichte Dehnungen erleidet. In praxi ist diese Erkenntnis nicht ohne Bedeutung bei Kontusionsverletzungen des Auges, welche am Hintergrunde mit dem Spiegel das Bild sog. Chorioidealrupturen darbieten, ohne dass dabei irgend welche Blutungen nachzuweisen wären. Hier dürfte es sich jedenfalls nur um Dehiscenzen im Pigmentepithel und in der Basalmembran handeln.

Der Spaltraum behält seine Breite ungefähr bis zur Ora serrata bei, um von dort ab wesentliche Veränderungen zu erfahren, welche noch an späterer Stelle ihre Beschreibung erfahren sollen.

Auf diesen feinen Spaltraum folgt nach aussen die Lamina elastica als eine Lage elastischer Elemente, welche sich mit den entsprechenden Färbemethoden deutlich zur Darstellung bringen lassen. Entscheidend für eine richtige Auffassung und Beurteilung des Aufbaues dieser Membran sind vor allem Flächenschnitte zu erachten, welche allerdings, weil sie stets nur Kalottenschnitte sein können, nur kleine Bezirke zur Beobachtung bringen, aber doch recht anschauliche Bilder liefern. Zupfpräparate erwiesen sich für den vorliegenden Zweck nicht besonders geeignet, weil durch Zerrung und Quetschung entstandene Kunstprodukte leicht dabei als normale Verhältnisse aufgefasst werden könnten.

Auf solchen Flächenschnitten sieht man ein Gewirr von dünneren und dickeren durcheinanderlaufenden Fasern, die in ihrer Gesamtheit als ein dünner, aber sehr engmaschiger Filz die Lamina elastica ausmachen. Filz dürfte wohl die richtigste Bezeichnung sein, da die Fasern selten frei zu verlaufen, sondern mit andern Fasern verbunden zu sein scheinen, wobei sie sich vielfach aufsplittern und gegenseitig durchflechten. Dieser Filz ist infolge seines geringen Durchmessers kein optisches Hindernis, um über und unter ihm befindliche Gewebsstrukturen noch mit voller Schärfe bei Änderung der Einstellung erkennen zu können.

Verfolgt man nun Fasern der in der Fläche geschnittenen Lamina elastica durch das Gesichtsfeld, so zeigt sich, dass sie gewöhnlich ganz glatt gestreckt oder nur selten leicht gewellt verlaufen. Dabei tritt oft eine dichotomische oder mehrfache Teilung ein, so dass die gröberen Elemente sich in immer feinere Fasern zerteilen und sich schliesslich in dem allgemeinen Gewirr verlieren. Über die Endigungsweise der aufgesplitterten Faserendigungen lässt sich allerdings, soweit sie in derselben optischen Ebene, also in der Ebene der Lamina elastica weiter verlaufen, auch mit Zuhilfenahme der besten optischen Systeme etwas bestimmtes nicht feststellen. Andere Fasern ziehen wiederum ohne Abnahme des Kalibers und ohne nachweisbare Aufsplitterung durch das ganze mikroskopische Feld. Anfang und Ende festzustellen, gelingt da nur äusserst selten.

Die Verteilung der Fasern im Filz ist auch nicht gleichmässig, sondern man findet vielfach Faseranhäufungen mit radiärer Stellung um einen gemeinsamen Mittelpunkt (Wirtel). Diesen Knotenpunkten streben die Fasern manchmal aus ziemlicher Entfernung zu, um sich nach ihrer Vereinigung scheinbar plötzlich aus dem Gesichtsfeld zu verlieren. Doch findet man bei Änderung der Einstellung mit der Mikrometerschraube, dass die Fibrillen aus der Fläche in sanft geschwungenen Bogen um 90° umbiegen, um senkrecht auf die Beobachtungsebene, also auch senkrecht auf die Lamina elastica und ausserhalb derselben weiterzuziehen. Wir befinden uns dann in den direkt unter der Lamina elastica liegenden Kapillarinterstitien. Aber auch hier lassen sich die Fasern noch weiter verfolgen. Unter der Choriocapillaris biegen sie nämlich wiederum um, und gehen dort in das subkapilläre Fibrillennetz über. In den Kapillarzwischenräumen liegen die Fasern entweder hart den Wänden der Kapillaren an, oder verlaufen auch mitten durch den Raum zwischen zwei Kapillaren. Bei ihrem Verlaufe zur subkapillären Fibrillenschicht nehmen die Fasern gewöhnlich an Stärke zu, am dünnsten repräsentieren sie sich verhältnismässig in der Lamina elastica. Nur Flächenschnitte sind, wie schon betont, für die Erkennung dieser feineren anatomischen Verhältnisse geeignet, während Durchschnitte durchaus nicht so klare Bilder liefern.

Es ist anzunehmen, dass nicht sämtliche Fasern der Lamina elastica in die Kapillarinterstitien umbiegen, sondern es ist wahrscheinlich, dass ein reichlicher Prozentsatz seinen Verlauf überhaupt nur in der Membran selbst nimmt. Jedenfalls aber machen die durch die Kapillarinterstitien verlaufenden Bündel den grösseren Teil aus.

Es war mir nun von besonderem Interesse, festzustellen, ob die fraglichen Fibrillen lediglich elastischer Natur sind, oder ob auch noch collagene Elemente dabei eine Rolle spielen und wie sich beide Faserarten in ihrer Menge zueinander verhalten.

Bekanntlich nehmen die Lamina elastica und auch die Kapillarinterstitien bei Färbung nach v. Gieson eine rote Färbung an.

Diese nimmt etwa in der Mitte der Kapillarzwischenräume an Intensität zu und erstreckt sich von hier aus gleichmässig über die ganze Lamina elastica. Wenn damit auch bereits sichere Anhaltspunkte gegeben sind, dass auch collagene Elemente am Aufbau der Membran beteiligt sind, so lassen sich doch bei dem mehr diffusen Charakter dieser Färbung Einzelheiten nicht feststellen.

Säurerubin jedoch, in alkoholischer Lösung (96% Alkohol, man benutzt am besten eine schwach rote Lösung), ergibt für collagene Elemente eine ebenso scharfe Färbung, wie Weigertsche Lösung[1]) für elastische Fasern. Nach vorausgegangener Heidenhainfärbung und Nachbehandlung mit Rubin S sind auch zahlreiche feinste Fasern nachweisbar, welche sich genau so verhalten wie die elastischen Fasern, sie ziehen durch die Kapillarinterstitien in die Lamina elastica.

Um das Verhältnis der elastischen zu den collagenen Fasern festzustellen, habe ich folgendes Verfahren angewendet:

Durchschnitte durch die Aderhaut von 3 μ Dicke wurden mit frischer Weigertscher Lösung unter öfterer Kontrolle des Mikroskops möglichst intensiv gefärbt und dann in der eben beschriebenen Weise mit Rubin S nachbehandelt. Um auch noch eine besondere Färbung des Protoplasmas zu erzielen, wurde flüchtig mit alkoholischer Pikrinsäurelösung nachgespült. Bei gelungener Färbung erscheinen die elastischen Fasern schwarz oder blauschwarz, das collagene Gewebe rot, das Protoplasma intensiv gelb.

So gewonnene Präparate zeigen die elastischen Fasern neben den collagenen in grosser Feinheit. Man sieht aus der subkapillären Fibrillenschicht durch die Kapillarinterstitien in die Lamina elastica collagene und elastische Fasern nebeneinander laufen. Die Lamina elastica erscheint aus collagenen und elastischen Fasern zusammengesetzt (vgl. Taf. XII, Fig. 2).

Das gleiche Ergebnis liefern übrigens auch, was die Zusammensetzung der Lamina elastica anlangt, Malloryfärbungen; allerdings

---

[1]) Die benutzte Weigertsche Lösung wurde nach den Angaben der mikroskopischen Technik von Lee u. Mayer, II. Aufl., 1901 von mir selbst hergestellt, da ich mich bei den käuflichen Lösungen leider oftmals von der Unzulänglichkeit in der präcisen Färbung habe überzeugen müssen. Ich fertigte die Lösung unter Berücksichtigung der von P. Mayer in dem eben genannten Buche in § 881 gemachten Zusätze an. Ausserdem setzte ich der fertigen alkoholischen Lösung noch ein Quantum Aceton, auf 200 ccm etwa 20—30 ccm zu, wodurch die Färbefähigkeit und vor allem die Schärfe der Bilder noch etwas verbessert wird. Gut gelungene Präparate übertreffen entschieden die mit Orcein hergestellten Färbungen.

lassen sich damit in den Kapillarzwischenräumen nur die collagenen Fasern nachweisen.

Schliesslich kommt man bei der Durchmusterung vieler Präparate zu der Anschauung, dass die collagenen Fasern in der Lamina elastica und in den Kapillarzwischenräumen im allgemeinen reichlicher vertreten sind wie die elastischen. Ausserdem scheinen in den Kapillarzwischenräumen die elastischen Fasern sich mehr an die Kapillarwände zu halten, während das collagene Faserwerk in der Mitte der Zwischenräume gehäufter vorhanden erscheint.

Ich habe zwei Figuren beigegeben, welche getreue Wiedergaben aus Präparaten sind und das bereits über Basalmembran und Lamina elastica Mitgeteilte zur leichteren Vorstellung bringen sollen.

Taf. XII, Fig. 1 ist nach einem Präparat mit Malloryfärbung hergestellt. Wir finden im wesentlichen nur den Verlauf der collagenen Fasern. Nur in der Lamina elastica selbst, wo eine mehrfache Lage von elastischen Fasern vorhanden ist, kommt auch ein roter Farbenton zur Geltung, der das Vorhandensein von elastischen Fasern anzeigt. Doch gelingt es mit dieser Methode nicht, in den Kapillarinterstitien die elastischen Elemente, weil sie hier vereinzelt liegen, zur Darstellung zu bringen. Das Präparat stammt aus der Chorioidea eines 40jährigen Mannes.

Daneben ist ein Schnitt abgebildet (Taf. XII, Fig. 2), der aus der Chorioidea eines 11jährigen Knaben entnommen ist. Er ist mit Weigertscher Farbstofflösung für elastische Fasern vorgefärbt und mit Rubin S und mit Pikrinsäure nachbehandelt. Hier treten die elastischen Fasern sehr scharf hervor, die collagenen, obwohl etwas in der Überzahl, kommen wegen des roten Farbentons weniger zur Geltung. Die Basalmembran hat sich intensiv rot gefärbt. Im übrigen zeigt die Figur die schon oben ausführlich beschriebenen Befunde.

Fassen wir also in kurzen Sätzen noch einmal die Beschreibungen der letzten Seiten zusammen, so würden diese folgendermassen lauten:

Das Pigmentepithel sitzt auf einer Basalmembran, welche als ein gemeinsames Produkt von Epithel und subepithelialer Fibrillenschicht aufzufassen ist. Auf die Basalmembran folgt nach aussen ein ungemein feiner, nur von collagenen Fasern durchzogener Spalt. Die collagenen Fasern vermitteln die Verbindung zwischen Basalmembran und Lamina elastica. Unmittelbar an diesen Spalt grenzt nach aussen die Lamina elastica chorioideae. Sie ist aus elastischen und collagenen Fasern aufgebaut, welche vielfach ihren Verlauf durch die Kapillarzwischenräume nach der subkapillären Fibrillenschicht einschlagen.

Die Lamina elastica trägt also nicht den Charakter einer isolierten Grenzschicht, sondern bildet vor allem in ihrem elastischen Anteile nur den Abschluss des allgemeinen elastischen Fasergerüstes der Aderhaut gegen die Pigmentepithelschicht.

Auch pathologische Erscheinungen, entzündliche Zustände des Auges sind geeignet, meinen Ausführungen über den normalen Aufbau der Lamina basalis und Lamina elastica eine nachdrückliche Stütze zu bieten. Sie gehören zwar, streng genommen, nicht in den Rahmen dieser Arbeit, ich glaubte aber gerade aus diesem Grunde sie hier anführen zu sollen.

Ich hatte nämlich Gelegenheit, mehrere Augen zu untersuchen, welche die ersten Anfänge akuter Entzündungserscheinungen darboten, welche in dem Glaskörper ihren Erregungsherd hatten. Die Objekte waren in lebenswarmer Fixierungsflüssigkeit so frisch fixiert, dass die auswandernden Leukocyten, wie man sich leicht überzeugen konnte, mitten in der Vorwärtsbewegung festgehalten wurden.

So fand man denn auch die Leukocyten in langgestreckter Form, mit einseitig vorgeschobenem Protoplasma zwischen Basalmembran und Lamina elastica liegen. Die Figur (Taf. XIII, Fig. 3) wird am besten die Erscheinung illustrieren. Basalmembran und Lamina elastica waren leicht voneinander abgehoben. Die Basalmembran lag dabei immer fest dem Pigmentepithel an, dokumentierte also auch bei entzündlichen Zuständen ihre Zugehörigkeit zur Epithelschicht. Niemals fand ich Leukocyten zwischen Pigmentepithel und Basalmembran. Die Wanderzelle bewegte sich in dem schmalen Lumen weiter, um irgendwo ein Loch zum Durchtreten zu finden. Dass diese Wanderzellen ursprünglich aus der Chorioidea stammten, lässt sich aus der in der Aderhaut bereits zu beobachtenden Infiltration mit ziemlicher Bestimmtheit schliessen.

Da an solchen Stellen Lamina elastica und Basalmembran um die Breite der Wanderzelle voneinander entfernt waren, so liessen sich beide, man möchte fast sagen, mit grösserer Bestimmtheit als am normalen anatomischen Präparate beobachten. Anderseits liess sich daraus, dass schon eine Wanderzelle im stande war, die beiden Lamellen voneinander zu entfernen, der bestimmte Schluss tun, dass der Zusammenhang zwischen beiden kein besonders inniger sein kann. Man muss aber auch weiter annehmen, dass die Basalmembran dem Durchtreten von Leukocyten gewisse Hindernisse entgegensetzt. Denn sonst würde man sie wohl schwerlich in diesem engen Spaltraum in ihrer glaskörperwärts gerichteten Wanderung so häufig in langer

Streckung antreffen können. So gibt uns das pathologische Bild in allen Punkten, welche normal anatomische Untersuchungen geliefert haben, eine durchaus willkommene Stütze.

Ich nahm ausserdem Flächenschnitte beim Studium dieser Erscheinungen zu Hilfe. Dabei konnte ich mit Sicherheit feststellen, dass Leukocyten durch die Basalmembran hindurchzutreten vermögen, jedoch muss dieser Vorgang sich ziemlich rasch abspielen, wie folgendes ergibt.

Ich verweise dabei auf Taf. XIII, Fig. 4.

Man findet nämlich an den Pigmentepithelzellen, dass sie in ihrem Protoplasma nicht allzu selten Einschlüsse enthalten, und zwar zeigt sich bei genauerer Untersuchung, dass diese Einschlüsse durchweg Leukocyten sind. In einer solchen Pigmentepithelzelle ist gewöhnlich der Kern etwas auf die Seite gedrängt. Um das Protoplasma des sich stärker tingierenden Leukocyten findet sich eine schmale farblose Zone, und erst an diesen Hof schliesst sich das Protoplasma der Pigmentepithelzelle an. Da die Netzhaut noch vollständig frei von Wanderzellen war, so konnten diese Zellen nur aus der Aderhaut hierhin gelangt sein.

Und es hat sich dabei als eine gesetzmässige Erscheinung ergeben, dass die Leukocyten den Weg stets durch den Körper der Pigmentepithelzelle hindurchnehmen, niemals aber zwischen den Grenzen zweier Zellen hindurchpassieren. Der freie Hof um den Leukocyten zeigt, dass die durchwandernde Zelle etwas fremdes für die Pigmentepithelzelle ist, sie retrahiert sich. Wir können deshalb auch die Bilder nicht im Sinne einer Phagocytose deuten, da es sich hier ausserdem auch um ganz beginnende entzündliche Erscheinungen handelte, also abgestorbene Wanderzellen sicher noch nicht vorhanden waren. In späteren Zuständen der Entzündung werden die Bilder so verwischt, dass sich solche Beobachtungen nicht mehr machen lassen.

Es ist naturgemäss, dass mit einem Einreissen der Lamina elastica unbedingt auch in der Folge die Gefässschicht, zunächst wohl die Kapillarschicht, lädiert werden muss und dass bei einem völligen Durchreissen der Gefässwand ein Bluterguss die notwendige Folge ist. Dies gilt nicht nur für Rupturen der Chorioidea, also momentane Zerreissungen, sondern auch für allmähliche Dehnungen, wie sie bei Myopie so häufig sich einstellen. Das zeitlich Primäre ist, wie man mit Sicherheit aus dem normal anatomischen Aufbau schliessen kann, die Dehnung und schliessliche Durchreissung der Elastica, die Folge die Läsion der Gefässwand.

Salzmann[1]) hat in einer Arbeit über die Atrophie der Aderhaut im kurzsichtigen Auge ausführlich die Veränderungen der Lamina elastica und Choriocapillaris bei den Dehnungsverhältnissen der Myopie dargestellt. Seine Befunde geben mir eine wertvolle Bestätigung der aus dem normalen Präparat gezogenen Schlüsse.

Aus der Literatur ersehen wir, dass die Zweischichtigkeit der zwischen Pigmentepithel und Choriocapillaris befindlichen Gewebslage in der ausführlichen Arbeit von Sattler[2]) bereits beschrieben worden ist, während Iwanoff sie in der ersten Auflage von Graefe-Saemisch noch nicht erwähnt. Sattler schreibt:

„An manchem dieser isolierten Abschnitte der Glasmembran konnte ich die Beobachtung machen, dass sich dieselbe in zwei Lamellen gespalten hat, deren eine (äussere) früher mit einem scharfen unregelmässig buchtigen Rande aufhört, als die andere, welche konstant mit einem weniger unregelmässigen, mehr gradlinigen Kontur gerissen erscheint. Letztere ist dünner und lässt auch mit den stärksten Vergrösserungen keinerlei Faserung erkennen, während die erstere an ihrer äusseren Oberfläche die wiederholt erwähnte gitterförmige Zeichnung zeigt."

Diese Anschauungen sind späterhin von andern bestätigt und überall, wo eine genauere Darstellung der Chorioidea zu finden war, im wesentlichen beibehalten worden. Hierher gehören die Arbeiten von R. Kerschbaumer[3]), welcher in ausführlicher Weise die Altersveränderungen der Chorioidea untersuchte, sowie die Arbeiten von Heine[4]) und Salzmann[5]), welche das Verhalten der Chorioidea am kurzsichtigen Auge beschrieben.

Ginsberg[6]) schliesst sich in seinem Grundriss der pathologischen Histologie des Auges vollständig den Beschreibungen Sattlers an.

---

[1]) Salzmann, Die Atrophie der Aderhaut im kurzsichtigen Auge. Arch. f. Ophth. Bd. LIV. S. 337.

[2]) Sattler, H., Über den feineren Bau der Chorioidea des Menschen nebst Beiträgen zur pathologischen und vergleichenden Anatomie der Aderhaut. v. Graefe's Arch. Bd. XXXII. Abt. II.

[3]) Kerschbaumer, R., Über Altersveränderungen der Uvea. v. Graefe's Arch. Bd. XXVIII, 1. S. 131.

[4]) Heine, L., Mitteilungen betreffend die Anatomie des myopischen Auges. Arch. f. Augenheilk. Bd. XL, 2. Bd. XLIII, 2. Bd. XLIV, 1.

[5]) Salzmann, Die Zonula ciliaris und ihr Verhältnis zur Umgebung. Eine anatomische Studie 1900. S. 8. — Die Atrophie der Aderhaut im kurzsichtigen Auge. Arch. f. Ophth. Bd LIV, 2. S. 369.

[6]) Ginsberg, Grundriss der pathologischen Histologie des Auges. Berlin 1903.

Er hält die Basalmembran für eine Cuticula des aufsitzenden Pigmentepithels. Doch dürfte die Bezeichnung Cuticula insofern nicht zutreffend sein, als wir hier die basale Seite des Pigmentepithels vor uns haben, während unter Cuticulae z. B. am Darm stets an der freien Seite der Zellen auftretende Grenzmembranen zu verstehen sind. Greeff[1]) erwähnt in dem Lehrbuch der speziellen pathologischen Anatomie von Orth die Zweischichtigkeit der Lamina elastica nicht ausführlicher.

Beachtung verdient vor allem noch die Arbeit von Lindsay Johnson[2]), welcher in seinen Untersuchungen über die Macula lutea sich folgendermassen über diese Schichten der Chorioidea äussert (ich citiere hier die Übersetzung von Greeff):

„Die Membrana vitrea gehört meiner Ansicht nach ausschliesslich der Chorioidea an und bildet mit dieser eine so innige Vereinigung, dass sie von ihr nicht ohne starkes Zerren losgelöst werden kann und ohne dass dabei die Wandungen der Gefässe der Choriocapillaris zerreissen. Zwischen der Membrana vitrea und der hexagonalen Pigmentschicht finde ich einen Zwischenraum, dessen äussere Begrenzung durch die Membrana vitrea, dessen innere durch eine besondere Membran gebildet wird, die ich die „Membrana terminans retinae“ zu nennen vorschlage.“

Die Membrana terminans ist mit der Membrana vitrea durch sehr feine Fibrillen verbunden, ähnlich den netzförmigen Fibrillen, welche die Oberflächen feiner Lymphräume an andern Teilen des Körpers verbinden.

Mag nun auch die bedeutende Breite des Spaltraumes zwischen den zwei Membranen, wie wir sie auf den Mikrophotogrammen von Johnson finden, als Kunstprodukt aufzufassen sein, so hat er doch im grossen und ganzen dieselben Verhältnisse gefunden, wie meine Untersuchungen sie ergeben haben. Seine Membrana terminans ist identisch mit der Basalmembran. Sonst gibt der Autor weiteres über den Aufbau der Lamina vitrea nicht an, die Befunde hat er ja auch nur nebenher bei Untersuchungen über die Anatomie der Netzhaut gewonnen.

Nun ist in neuerer Zeit eine Arbeit von Smirnow[3]) erschienen,

[1]) Greeff, Lehrbuch der spezifischen pathologischen Anatomie von Prof. Dr. J. Orth. (Auge bearbeitet von Prof. Greeff.) 1903.

[2]) Lindsay Johnson, Beobachtungen an der Macula lutea. Arch. of Ophth. Vol. XXIV. No. 3. Übersetzt von Dr. R. Greeff. Arch. f. Augenheilk. Bd. XXXII. S. 66.

[3]) Smirnow, Zum Baue der Chorioides propria des erwachsenen Menschen. (Stratum elasticum supracapillare.) v. Graefe's Arch. Bd. XLVII. S. 451. 1899.

welcher eine Zweischichtigkeit der Bruchschen Membran entschieden in Abrede stellt. Er spricht ihr zwar „einen bestimmten anatomischen Charakter" zu, betont aber, dass die Teilung in zwei Häutchen eine künstliche sei. Wie aus seinen Abbildungen hervorgeht, hat er auch die Basalmembran des Pigmentepithels nicht beobachtet.

Nun lassen sich aber die Basalmembran und die Lamina elastica als gesonderte Lamellen an guten Präparaten ohne weiteres zur Anschauung bringen, und es ist daher auffällig, dass die Basalmembran Smirnow, dessen Beobachtungen doch im übrigen recht treffende sind, vollständig entgangen ist. Es lässt sich dies nur so erklären, dass Smirnow vorzugsweise Färbungen für elastische Fasern angewendet hat, welche das basale Häutchen vollständig ungefärbt lassen.

Ausserdem hat aber noch eine Reihe von Autoren, ohne die Zweischichtigkeit der Bruchschen Membran in den Bereich ihrer Untersuchungen zu ziehen, die Lamina elastica auf ihren Gehalt an elastischen Fasern geprüft. Zu diesem Zwecke wurde von den Untersuchern Orcein- und Weigertsche Farbstofflösung verwendet.

Wenn auch schon früher die Membran als eine elastische Lamelle gegolten hat, so ist doch erst in neuester Zeit eine eingehende Beschreibung ihrer elastischen Elemente erfolgt. So gibt Prokopenko[1]) in seiner Arbeit folgende treffende Schilderung von der Lamina elastica: „Bei stärkeren Vergrösserungen stellt sie sich als eine Lamelle dar, aber nicht als eine homogene, sondern als ein sehr feines Netz, dessen kleine Maschen mit Zwischensubstanz erfüllt sind. Am besten vergleiche ich den Bau dieser Membran mit dem Adernetz eines gewöhnlichen Baumblattes, auch hier lassen sich grosse Netzmaschen und feinste Ösen unterscheiden." Über eine fibrilläre Verbinduug der Membran mit dem übrigen Chorioidealstroma berichtet er nichts.

Schon vor ihm haben Kyoji Kiribuchi[2]) sowie Amilcare Bietti[3]), letzterer allerdings mit nicht ganz klaren Angaben, den Aufbau der Membran aus elastischem Gewebe erwähnt. Aus den Arbeiten Stutzers[4]) über das elastische Gewebe des Auges erfahren wir über den Aufbau der Membran nichts.

---

[1]) Prokopenko, Über die Verteilung der elastischen Fasern im menschlichen Auge. v. Graefe's Arch. Bd. LV. 1903.

[2]) Kyoji Kiribuchi, Elastisches Gewebe im menschlichen Auge. Arch. f. Augenheilk. Bd. XXXVIII. S. 177. 1896.

[3]) Amilcare Bietti, Archivio di ottalmologia. Anno IV, Fasc. 1—5. — Arch. f. Augenheilk. Bd. XXXIX. S. 260. 1899.

[4]) Stutzer, Deutsch.-med. Wochenschr. Nr. 42. 1896.

Die Verbindungen zwischen Lamina elastica und der subkapillären Fibrillenschicht finden wir erwähnt in der schon citierten Arbeit von Smirnow und in der drei Jahre nachher erschienenen Arbeit von Sagaguchi[1]), welchem die Arbeit von Smirnow offenbar entgangen war. Letzterer bringt eine eingehende Schilderung vom Aufbau der Lamina elastica. Aber auch Smirnow hatte die Arbeiten von Bietti und Kiribuchi unberücksichtigt gelassen und glaubte neu gefunden zu haben, was vor allem schon Kiribuchi über den Aufbau der Lamina elastica erwähnt hatte.

Neu ist an den Untersuchungen Smirnows die Erbringung des Nachweises, dass die Lamina elastica elastische Verbindungen mit dem subkapillaren Fibrillennetz eingeht. Über die ganze Verlaufsanordnung der Fasern, dass sie streckenweise in der Lamina elastica zu beobachten sind, dann in die Kapillarinterstitien einbiegen, um schliesslich im subkapillären Fibrillennetz weiterzuziehen, hat er nichts beschrieben. Eine ziemlich genaue und eingehende Beschreibung von Basalmembran und Elastica mit anschliessenden Untersuchungen über die Entstehung der Drusen der Basalmembran gibt G. Coats[2]). Seine Befunde stimmen im grossen und ganzen mit den meinigen überein.

Die Bezeichnung Lamina elastica ist schon alt und lange in der Anatomie eingebürgert. So finde ich sie in der Anatomie von Luschka (Anatomie des Kopfes, S. 408, 1867) bereits erwähnt. Ausserdem waren aber noch andere Bezeichnungen im Gebrauch, wie Lamina basalis bei Henle (Anatomie der Eingeweide, S. 620, 1866), auch der Name Lamina vitrea war ein häufig angewandter. Die aber jetzt allgemein angewandte Bezeichnung, wie sie auch Kölliker verwendet hat, ist Lamina elastica.

Wenn nun auch zu bedenken wäre, dass die Benennung vielleicht nicht ganz mit dem histologischen Bilde harmoniert, so glaube ich doch, dass dies kein Grund ist, von ihr abzugehen, da es bei dem etwas komplizierten Aufbaue des Gebildes schwierig sein dürfte, eine entsprechende Bezeichnung zu finden, und damit doch wenigstens eine Besonderheit im Aufbau der Membran zum Ausdruck gebracht wird.

Es ist wohl auch hier am Platze, nach eingehender Besprechung

---

[1]) Sagaguchi, Über die Beziehungen der elastischen Elemente der Chorioidea zum Sehnerveneintritt. Klin. Monatsbl. Bd. XLIX, 2. 1902.

[2]) G. Coats, The structure of the membrane of Bruch, and its relation to the formation of colloid excrescences. Ophth. Hosp. Reports Vol. XVI. Part II.

des anatomischen Aufbaues dieser Membran, sich eine Anschauung von der Festigkeit dieses strukturierten Häutchens zu verschaffen. Wenn es in der Fläche bei mikroskopischen Untersuchungen mit starken Vergrösserungen auch nach intensiver Färbung kein nennenswertes optisches Hindernis abgibt, so dürfen wir wohl auch annehmen, dass seine Festigkeit keine allzugrosse ist, welche doch stets proportional der Dicke der Haut und der Gewebsdichte der ganzen Haut ist. Die Gewebsdichte ist abhängig von Maschenweite und Faserdicke. Jedenfalls ist kaum zu erwarten, dass sie auch nur annähernd die Festigkeit der Descemetschen Haut besitzt, welche homogen und noch dazu viel dicker ist.

Die Endigungsweise der Lamina elastica am Optikus.

Die Endigungsweise der Lamina elastica am Optikus bedarf einer besonderen Beschreibung. Die Basalmembran endet, was aus dem früher über den Aufbau der Basalmembran gesagten eigentlich notwendig hervorgehen musste, stets zusammen mit dem Pigmentepithel. Dabei ist das Pigmentepithel, je näher man an den Optikus herankommt, desto unregelmässiger gelagert. Die einzelnen Zellen werden flacher, der hexagonale, überhaupt polygonale Bau ist nicht mehr deutlich erkennbar, ja zuweilen sind die Zellen gegen ihre Endigung am Optikus mehrschichtig übereinander gelagert. Hier macht sich nun nicht selten eine Pigmentarmut geltend, welche sich etwa auf die zehn letzten Zellterritorien erstreckt, doch kann man auch das Gegenteil, nämlich enorm reiche Pigmentierung beobachten. Das Verhalten des Pigmentepithels in seiner Endigungsweise zur Lamina elastica ist ein verschiedenes. Entweder es endigt vor ihr und hört niedriger und pigmentärmer werdend allmählich auf, oder es reicht bis an den Optikus mit der Lamina elastica heran und kommt dann in unmittelbare Berührung mit der oberflächlichen gliösen Begrenzungsmembran des Optikus. Doch kann es auch vorkommen, dass es nicht bis unmittelbar zum Optikus gelangt, nämlich dann, wenn die Elastica hackenförmig nach vorne umgebogen ist und so sich zwischen Optikus und Vorderseite des Pigmentepithels hereinlegt.

Die Lamina elastica findet ebenfalls ihr Ende am Optikus, an dessen oberflächlicher gliöser Begrenzungsmembran resp. am vorderen gliösen Grenzring entweder vollständig stumpf oder hackenförmig umgebogen. Beide Endigungsweisen lassen sich direkt nebeneinander an ein und derselben Papille beobachten.

In der beigegebenen Abbildung (Taf. XIII, Fig. 3) eines Präparates, welches von dem Bulbus eines elfjährigen Jungen stammt, finden wir den äusseren Gliaring (Krückmann) stark ausgeprägt, weshalb die ganze Endstrecke der Lamina elastica gegen den Optikus, welche dem Gliaring anliegt, keine elastischen Fortsätze nach aussen aufzuweisen hat. Um so deutlicher finden wir aber vor dem Beginn des Gliagewebes das Abgehen von elastischen Fasern in die äusseren Schichten der Aderhaut und sehen, wie von dort aus ziemlich kräftige elastische Züge in das Gewebe des Optikus einstrahlen.

Von dem Endknie der Lamina elastica gehen auch noch feinste Fäserchen aus, welche aber an der Oberflächenbegrenzung des Optikus Halt machen und nach aussen und nach innen umbiegen.

Es war aber weder bei der einen noch bei der andern Endigungsweise eine direkte Verbindung mit dem Optikus nachweisbar. Um allerdings in der Beschreibung dem anatomischen Bilde vollständig gerecht zu werden, muss ich bemerken, dass sowohl von dem stumpfen Ende wie von dem Knie eine Ausstrahlung feinster collagener und elastischer Fasern zuweilen nachzuweisen war, allein ein Eindringen in den Optikus war auch an ihnen nicht zu konstatieren. Sie schlagen sich vielmehr an der oberflächlichen Begrenzungsmembran des Optikus nach aussen und innen um, ohne sie zu durchdringen, und endigten stets kurz. Sie sind im übrigen so zart, dass sie für eine etwaige Zugwirkung am Optikus schon wegen ihrer Feinheit nicht in Betracht kommen können. Eine direkte Verbindung zwischen Lamina elastica und Optikusgewebe existiert also nach meinen Präparaten nicht[1]).

Wohl aber ist folgendes zu konstatieren. Etwa zwei Papillenbreiten vor dem Optikus wird die Lamina elastica dicker, es treten derbere Fasern in ihr auf und gleichzeitig werden natürlicherweise auch die Verbindungen, welche durch die Kapillarzwischenräume zum Chorioidealstroma verlaufen, kräftiger. Ausserdem verläuft eine Reihe derber collagener und elastischer Faserzüge in den äusseren Schichten des Chorioidealstromas meist in cirkulärer Anordnung um den Optikus, welche als der elastische Grenzring der Chorioidea beschrieben worden sind. In diesen strahlen die Fasern von der Lamina elastica ein,

---

[1]) Um in der vorliegenden Frage ganz sicher zu gehen und Zufallsbefunde vollständig ausschliessen zu können, habe ich vier Sehnerveneintritte in lückenlose Schnittserien zerlegt und die mehr zentralen Teile zur Untersuchung verwendet. Dem Alter nach stammten die Optici von einem Neugeborenen, von einem 11 jährigen Jungen, von einem 41 jährigen Mann und von einer 61 jährigen Frau. Ich habe Färbungen verwendet, welche teils das collagene, teils das elastische Gewebe darstellen.

von ihnen aus gehen aber auch Bündel meist in Begleitung von Gefässen in den Optikus herein. Dadurch wird eine ziemlich feste, allerdings indirekte Verbindung zwischen Lamina elastica und Lamina cribrosa geschaffen. Ob Fasern direkt von der Lamina elastica bis zur Lamina cribrosa durch den Grenzring verlaufen, lässt sich nicht mit Sicherheit entscheiden.

Ich habe diese Verhältnisse deswegen eingehender geschildert, weil sie nicht ohne Bedeutung für die Anatomie des myopischen Auges sind. Allerdings können sie nur dann dafür Verwendung finden, wenn man voraussetzt, dass das myopische Auge ein in seinem Baue ursprünglich normales war.

Kuhnt[1]) hat bereits auf dem 12. Heidelberger Kongress bei seinen Mitteilungen über Untersuchungen des Optikuseintrittes und Neuritis darauf aufmerksam gemacht, dass die Lamina elastica am Optikus aufhört, und auf dem 13. Kongress erwähnt, dass sie sich zuweilen hackenförmig umschlägt. Späterhin ist eine Reihe von Untersuchungen mit spezifischen Methoden veröffentlicht worden, die alle darin übereinstimmen, dass ein Einstrahlen von Fasern aus der Lamina elastica in den Optikus nicht zu beobachten ist.

Kyoji Kiribuchi (loc. cit.) stellt ein Eindringen von elastischen Fasern vom Chorioidealrande aus in das Gewebe des Optikus überhaupt in Abrede. Elschnig[2]) hat in seiner Monographie über den normalen Sehnerveneintritt des menschlichen Auges berichtet, dass er die Glashaut stets am Optikus habe scharf enden sehen. Er beschreibt dabei ausführlich das verschiedene tinktorielle Verhalten sowie die wechselnde Mächtigkeit und den variablen Befund in der Struktur des Endes der Lamina elastica.

Ausserdem wäre noch eine Reihe von Arbeiten zu berücksichtigen, welche bereits an früherer Stelle erwähnt wurden. Prokopenko (loc. cit.) und Sagaguchi (loc. cit.) lassen die Lamina Chorioideae am Optikus enden und stimmen darin überein, dass erst von den mittleren und äusseren Schichten der Chorioidea aus elastische Fasern in den Optikus einstrahlen.

Ischreyt[3]) hat Untersuchungen über die Endigung der Lamina

---

[1]) Kuhnt, 12. Heidelberger Kongress, Zur Genese der Neuritis. S. 160. — 13. Heidelberger Kongress, Über einige Altersveränderungen im menschlichen Auge. S. 59.

[2]) Elschnig, Denkschriften der kaiserl. Akademie der Wissenschaften, Mathematisch-naturwissenschaftliche Abteilung. Bd. LXX. S. 268.

[3]) Ischreyt, Über das Verhalten der elastica in der Umgebung des Sehnerveneintrittes glaukomatöser Augen. Klin. Monatsbl. Bd. XL, 2. S. 417. 1902.

elastica am Optikusrande bei glaukomatösen Augen gemacht und trägt dabei auch der nicht elastischen Fasern Rechnung, denen, wie ich glaube, dabei keine geringere Bedeutung beizulegen ist wie den elastischen. Er findet, dass Verbindungen nicht elastischer Natur nur ausnahmsweise vorhanden sind, und dass ein Übergehen von elastischen Fasern nicht statfindet. Allerdings sind seine Untersuchungen an Bulbis mit glaukomatöser Excavation gemacht. Aber diese war teilweise nur sehr gering, so dass sie in dieser Beziehung fast normalen Bulbis gleich zu achten sind, anderseits liegt kein Grund vor, in diesem Punkte bei Bulbis mit glaukomatöser Excavation andere Befunde zu erwarten als an normalen Augen.

Um nach Möglichkeit die Literatur zu besücksichtigen, erwähne ich hier auch die Methoden von Tartuferi[1]) und Martinotti, mit welchen besonders Bietti (loc. cit.) gearbeitet hat. Die Methode von Tartuferi wurde im hiesigen histologischen Laboratorium einer eingehenden Nachprüfung unterzogen, aber durchaus nicht als zuverlässig befunden. Die Imprägnationseffekte waren sehr schwankende, so dass die imprägnierten Fasern nicht mit Sicherheit als elastische angesprochen werden konnten.

Nach alledem kann es wohl als ausgemacht gelten, dass eine direkte Verbindung zwischen Lamina elastica und Optikus nicht existiert. Wir müssen uns vielmehr vorstellen, dass die Lamina elastica Verbindungen mit dem elastischen Grenzring besitzt, und dass dieser von den mittleren und äusseren Schichten der Chorioidea Ausläufer in den Optikus hereinschickt. Ob auf diesem Umwege Fasern in der Kontinuität von der Lamina elastica bis in den Optikus herein verlaufen, lässt sich aber nicht mit Sicherheit entscheiden. Die einstrahlenden Fasern sind allerdings weniger kräftig und reichlich, wie die im Bereiche der Sklera in den Optikus hereinziehenden, jedenfalls aber können wir annehmen, dass sie genügen, um einen Zug auf den Optikus auszuüben und eine Knickung in seiner Verlaufsrichtung hervorzurufen.

Das Verhalten der Basalmembran und der Lamina elastica im Bereiche des Ciliarmuskels.

Ungefähr in der Gegend der Ora serrata, genau genommen ungefähr 7—8 Zellbreiten vorher (das Pigmentepithel zum Massstab

---

[1]) Tartuferi, Über das elastische Hornhautgewebe und über eine besondere Metallimprägnationsmethode. Arch. f. Ophth. Bd. LVI. S. 419.

genommen), findet eine Änderung im Verhalten und im Aufbau der Lamina elastica statt. Der elastische Faserfilz, welcher bis dahin knapp der Basalmembran anlag und nur durch einen feinen vorher beschriebenen Spalt von ihr getrennt war, rückt von ihr ab. Zwischen die Basalmembran und die Lamina elastica schiebt sich eine Gewebsmasse ein, welche nach vorne allmählich an Breite zunimmt, also, wenn man von ihrer Biegung, welche sie mit der Rundung des Bulbus mitmachen muss, absieht, ungefähr die Form eines Keiles hat.

Diese Gewebsmasse erscheint an Präparaten, welche mit v. Gieson gefärbt sind, stark rot und homogen, weshalb man sie auch für die verdickte Fortsetzung der Basalmembran gehalten hat. Allein eine ganze Reihe von feineren Bindegewebsfärbungen ergibt, dass hier ausschliesslich ein feinster Filz collagener Fibrillen vorliegt, der nicht etwa als Fortsetzung der Basalmembran aufzufassen ist. Es lässt sich vielmehr bei sorgfältiger Verfolgung des Verlaufs der Basalmembran und Lamina elastica nachweisen, dass diese Fasermasse als die Fortsetzung jener Fibrillenlage erscheint, welche in dem feinen Spalt zwischen Lamina elastica und Basalmembran verlief und die Verbindung zwischen beiden herstellte.

Mit zunehmendem Alter fand ich die Breite dieser collagenen Lage vergrössert, weshalb der Gedanke durchaus nicht von der Hand zu weisen ist, dass man es hier mit einem während des extrauterinen Lebens entstandenen, vielleicht durch die Einwirkung der Accommodation erworbenen Zustand zu tun habe. Allein bereits an Präparaten von Augen von Neugeborenen lässt sich diese collagene Lage, wenn auch noch sehr schmal, nachweisen; sie ist daher als eine von der Inanspruchnahme durch Funktion unabhängige Erscheinung zu deuten[1]).

Wie ich schon an früherer Stelle betont habe, ist die Gewebslage zwischen Choriocapillaris und Pigmentepithel während ihres ganzen Verlaufes vollkommen zellfrei. Man findet weder zwischen Lamina elastica und Pigmentepithel, noch zwischen Lamina elastica und Choriocapillaris Bindegewebszellen irgend welcher Art. Auf die entwicklungsgeschichtliche Deutung dieser Erscheinung werde ich an späterer Stelle zurückkommen.

---

[1]) Dass es sich dabei um collagenes Gewebe handelt, ergibt nicht nur eine Nachfärbung von Hämatoxylinpräparaten mit Rubin S, sondern auch die Bindegewebsfärbung nach Mallory, sowie der Färbeffekt mit der Heldschen Protoplasmafärbung. Elastische Fasern waren in dieser Faserlage auffälligerweise auch mit der subtilsten Färbemethode nicht nachzuweisen.

Von der Ora serrata an findet man aber bereits beim Neugeborenen zwischen Lamina elastica und Pigmentepithel, das dort bereits eine unregelmässigere Anordnung zeigt als im Fundus, Bindegewebszellen, welche den schmalen Raum zwischen Lamina elastica und Pigmentepithel fast vollständig ausfüllen.

Im Laufe der Jahre wird nun, wie sich an Augen aus verschiedenen Lebensaltern leicht erweisen lässt, das zwischengeschobene Gewebe etwas breiter. Die dort stattfindende reichlichere Entwicklung von nur leimgebenden Fasern ist wohl lediglich den schon bei der Geburt in loco befindlichen Zellen zuzuschreiben. Die Richtung der Fasern ist eine verschiedene, gewöhnlich durchsetzen sie in ziemlich schräger Richtung den Zwischenraum zwischen Lamina elastica und Lamina basalis.

Diese collagene Faserlage überzieht die Pigmentepithelien, getrennt von ihnen nur durch die feine Basalmembran, auf ihrer basalen Seite und erstreckt sich in wechselnder Breite bis zu den Processus ciliares, um dort zu besonderer Mächtigkeit zu gelangen und kurz vor der Iriswurzel ihr Ende zu nehmen.

Gegen das Pigmentepithel verläuft diese Faserlage aber nicht glatt, sondern wir finden auf Durchschnitten gegen das Pigmentepithel vorspringende Erhebungen abwechselnd mit Vertiefungen, welche in Form und Grösse den mannigfaltigsten Wechsel zeigen.

Eine richtige Anschauung von den hier herrschenden anatomischen Verhältnissen kann man nur an Flächenpräparaten und Flächenschnitten gewinnen. Sie zeigen uns ein System von wallartigen Erhebungen, welche Felder von unregelmässiger Form und nach vorne allmählich abnehmender Grösse umschliessen. Die Felder sind auch nicht gleichmässig nach allen Richtungen gegen einander abgeschlossen, sondern zuweilen konfluieren sie durch Ausfall eines Stückes ihrer erhöhten Umrandung. Die ersten und grössten Felder, welche ungefähr in der Gegend der Ora serrata auftreten, sind gewöhnlich nach der Äquatorseite offen, im grossen und ganzen zeigen sie rechteckige Formen mit der Längsseite in der meridionalen Richtung; die Erhebungen, welche diese umgrenzen, beginnen ebenfalls allmählich in der meridionalen Richtung und werden durch Querzüge ebensolcher, Art verbunden. Weiter nach vorne werden die Felder kleiner und nehmen mehr polygonale Formen an, doch ist die Anordnung weder bei den grösseren noch bei den kleineren Feldern eine regelmässige.

Gerade bei den kleineren weiter nach vorne gelegenen Feldern, welche infolge ihrer verhältnismässig hohen Einfassung und kleinen

Fläche mehr die Form von Grübchen repräsentieren, findet man, dass der Kamm der Erhebungen verdickt ist, so dass die Pigmentepithelzellen, welche in diese Vertiefungen eingelassen sind, bei der Heraushebung eine engere Stelle passieren müssen. Sie sind also geradezu in die Vertiefungen eingemauert. Diese Vorrichtung ist gewiss nicht ohne Bedeutung. Die Pigmentepithelzellen müssen indirekt den vollen Zug des Accommodationsmechanismus tragen und bedürfen daher einer ausreichenden Befestigung, die in der vorliegenden Weise gewährleistet ist.

Salzmann[1]), aus dessen Feder die letzte ausführliche Beschreibung dieses Gebietes stammt, hat diesem Leistensystem eine ausführliche Besprechung gewidmet, so dass eigentlich hier nur schon beschriebenes zu wiederholen wäre. Meine Befunde weichen nur insofern von denen Salzmanns ab, als nach meinen Untersuchungen die Basalmembran auch in der Gegend der Processus ciliares keine Verdickung erleidet, sondern unverändert dünn bleibt und die Pigmentepithelien an ihrer basalen Seite als feines Häutchen überzieht. Die scheinbar homogene Lage ist weiter nichts als ungemein feinfaseriges collagenes Bindegewebe, das sich selbst an die zarte Basalmembran ansetzt. Es macht allerdings zuweilen einen homogenen Eindruck wie sklerosiertes Bindegewebe, geeignete Färbungen lassen aber stets das feinfaserige Gerüstwerk erkennen.

Mit Recht wendet sich Salzmann gegen die Ausführungen Topolanskis[2]), welcher diese Erhebungen zwar als ein Gerüst von Bindegewebsfibrillen deutete, aber gefunden haben wollte, dass die bindegewebigen Ausläufer nicht nur zwischen die Pigmentepithelien, sondern auch noch in die unpigmentierte Schicht der Pars ciliaris sich herein erstrecken und eine bindegewebige Stütze für beide Zelllagen abgeben sollen. Auch ich konnte mich davon nicht überzeugen, dass die Bindegewebsfortsätze zwischen die Epithelzellen eindringen.

In den früheren Arbeiten von H. Müller[3]), Sattler (loc. cit.), Iwanoff (loc. cit.) und Schwalbe[4]) ist das Leistensystem als eine Verdickung der Glasmembran beschrieben, erst neuere Bindegewebs-

---

[1]) Salzmann, Die Zonula ciliaris und ihr Verhältnis zur Umgebung. Eine anatomische Studie. 1900.

[2]) Topolanski, A., Über den Bau der Zonula und Umgebung, nebst Bemerkungen über das albinotische Auge. Arch. f. Ophth. Bd. XXXVII, 1. S. 36.

[3]) Müller, H., Arch. f. Ophth. Bd. II, 2. S. 37.

[4]) Schwalbe, Lehrbuch der Anatomie des Auges. 1887.

färbungen und feinere Methoden haben hier über die Struktur den erwünschten Aufschluss gebracht.

Wir wollen uns nun noch einer genaueren Untersuchung der Endigungsweise der Lamina elastica zuwenden, welche wir bis zu dem Punkte verfolgt haben, wo sie durch Zwischenschiebung des collagenen Gewebes vom Pigmentepithel abrückt. Von hier aus zieht sie in ziemlich gerader Richtung nach vorne, ohne sich an dem Falten- und Leistensystem zu beteiligen, welchem das Pigmentepithel aufliegt und ohne die Biegungen der Processus ciliaris mitzumachen. An ihrer Aussenseite liegen ihr die kleinen meridional gestellten Venen auf, welche das Blut aus dem Ciliarkörper in die Venae vorticosae abführen. Das nach vorne gröber werdende elastische Fasernetz sendet zwischen diesen Gefässen bündelförmige Ausläufer hindurch, welche im Bereiche des Ciliarmuskels ihre Richtung nach vorne und aussen einschlagen. Bei geeigneter Schnittrichtung lässt sich ohne weiteres feststellen, dass Faserbündel an die zipfelförmigen Enden des Ciliarmuskels herantreten. Bilder, wie ich eines naturgetreu auf der Taf. XIII, Fig. 4 habe wiedergeben lassen, sind nicht selten in den Präparaten aufzufinden.

Unter Abgabe von einer Reihe von solchen Bündeln zieht die Lamina elastica nach vorne und endet schliesslich in der Höhe der Processus ciliares unter diffuser Aufsplitterung im umgebenden collagenen Bindegewebe, das sich zwischen den Processus ciliares und dem Ciliarmuskel befindet.

Über die Muskelbündel im Ciliarmuskel, welche in dieser Weise mit der Lamina elastica sich in Form einer sehnigen Endigung verbinden, ist zu bemerken, dass sie nicht den nach innen liegenden Partien des Ciliarmuskels angehören, sondern dass sie zwischen den andern Muskelbündeln nach innen und hinten hindurchtreten, um so sehnig zu enden. Sie haben einen von aussen nach innen und hinten gerichteten Verlauf und dürften als die radiäre Partie des Ciliarmuskels anzusprechen sein. Aus diesem Grunde kommen wir auch zu der Anschauung, dass ebenso wie der meridionale und cirkuläre auch der radiäre Teil des Ciliarmuskels als eine gesonderte Partie aufzufassen ist, da wir ja eine ihm eigene Endsehne nachweisen können.

Auf Grund dieses anatomischen Befundes, der bei geeigneter Schnittrichtung und gut gefärbten Präparaten leicht stets erhoben werden kann, ist der zwingende Schluss zu machen, dass der Ciliarmuskel und vor allem die radiäre Partie bei der Kontraktion eine direkte Zugwirkung auf die Lamina elastica ausüben. Damit ist natürlich auch eine Zugwirkung auf die Gesamtheit der Chorioidea nicht in Abrede zu stellen. Denn ich habe an früherer Stelle gezeigt, in welch fester Weise die Lamina elastica mit den tieferen Schichten des Chorioidealstromas verbunden ist. Der Name Tensor chorioideae, wie ihn Brücke in Aufnahme brachte, ist also auch in dieser Hinsicht ein wohl begründeter. Wie weit sich allerdings dieser Zug nach hinten erstreckt, lässt sich nicht sicher entscheiden, unwahrscheinlich ist aber, dass er bei der grossen Elastizität der Chorioidea seine Wirkung über den Äquator hinaus nach hinten geltend macht.

In der Literatur war nur in der Arbeit von Prokopenko (loc. cit.) eine Erwähnung dieser Verhältnisse zu finden, welche wohl in der Beschreibung der elastischen Fasern des menschlichen Auges als die ausführlichste gelten und den grössten Anspruch auf Genauigkeit machen kann. Jedoch finden wir in den früheren Arbeiten, welche sich mit dem elastischen Gewebe des Auges beschäftigten, keine Angaben über diesen Punkt.

Ich habe in einer zweiten Figur (Taf. XIII, Fig. 5) einen solchen elastischen Sehnenansatz bei etwas stärkerer Vergrösserung wiedergeben lassen. Ein ziemlich dichtes Bündel ungemein feiner elastischer Fasern bildet das sehnige Ende eines Ciliarmuskelzipfels und geht direkt in die Fortsetzung der Lamina elastica über, um sich in dem Fibrillengewirr zu verlieren. Collagene Fasern sind, wie schon aus der Abbildung hervorgeht, an der Sehnenbildung nicht beteiligt, sie bilden vielmehr nur ein adventitielles Gewebe um die einzelnen Muskelsehnen und finden sich vornehmlich, in stärkerem Masse als man dies sonst zu beobachten gewöhnt ist, zwischen die einzelnen Muskelbündel zwischengelagert.

Schliesslich muss der Vollständigkeit halber erwähnt werden, dass auch nach der Innenseite, gegen die Processus ciliares, von der Fortsetzung der Lamina elastica elastische Fasern abgehen. Im Bereiche der Sehnenansätze sind sie sehr vereinzelt und fein, ja vielleicht überhaupt nicht konstant vorhanden. Sie treten erst etwas weiter nach vorne in reichlicherem Masse auf und sind erst mit dem Beginn der Processus ciliares in grösserer Menge vorhanden.

Mit dem Auftreten dieser Ausläufer in die Processus ciliares sind bereits die sehnigen Verbindungen zu Ende, und auch auf der Aussenseite endigen die letzten Ausläufer der Verlängerung der Lamina elastica in diffuser freier Aufsplitterung mitten im collagenen Gewebe zwischen Ciliarmuskel und Processus ciliares. Das Ende hat gewöhnlich die Form eines Büschels, welches nach allen Richtungen seine Ausläufer aussendet.

Die Choriocapillaris.

Ich komme nun in der weiteren Beschreibung des Aufbaues der Chorioidea zur Besprechung der Choriocapillaris. Sie ist in der ausführlichen Arbeit von Leber über die Cirkulations- und Ernährungsverhältnisse des Auges in der neuen Auflage von Graefe-Saemisch, was die Verteilung der Kapillaren, ihre Grösse und Richtung anlangt, bereits einer ausführlichen Beschreibung unterzogen worden. Es erübrigt daher nur noch, einige Besonderheiten des anatomischen Aufbaues dieser Schicht zu erwähnen.

Wie ich schon bei der Besprechung der Lamina elastica erwähnte, sind diese feinen Endothelröhren zwischen der Lamina elastica einerseits und zwischen der subkapillaren Fibrillenschicht anderseits eingelassen. Die Kapillarwände bestehen aus nackten Endothelröhren, die nirgends eine weitere Wandverstärkung durch irgend welche an der Aussenseite aufgelagerte Zellen oder durch eine zweite Protoplasmaschicht aufzuweisen haben. Direkt an das Protoplasma der Endothelzellen schliesst sich nach aussen das Fibrillengewebe der subkapillaren Fibrillenschicht und innen das der Lamina elastica an, in den Kapillarinterstitien die von der Lamina elastica zur subkapillaren Fibrillenschicht verlaufenden Fibrillen, so dass auch hier kein Zwischenraum zwischen dem Fibrillennetz und dem Endothelprotoplasma nachweisbar ist.

Die Kapillaren sind also ringsum in einen Mantel von Fibrillen eingebaut, der gewiss nicht ohne Bedeutung für die Funktion der ganzen Kapillarlage ist. Es liegt so die ganze Schicht in einem Widerlager, das eine ziemlich grosse Elastizität aufzuweisen hat. Damit ist eine gleichmässige Ausdehnung des ganzen Systems bei Änderung des Füllungszustandes der zuführenden Arterien und eine regelmässige Blutdurchströmung in hohem Grade gewährleistet.

Ich bemerke, dass bei Tieren, welche ein Tapetum besitzen, dieser besondere Aufbau der Choriocapillaris fehlt. Doch ist in der Struktur schliesslich dasselbe Prinzip gewahrt. Dadurch, dass die zuführenden Arterien das starre und unnachgiebige Tapetum durchlaufen und fest mit ihren Wänden in dasselbe eingelassen sind, und dass auch das ganze Kapillarsystem zwischen Pigmentepithel einerseits und Tapetum anderseits eingebaut ist, wird ein gleichmässiger Zustand in der Füllung der Choriocapillaris erzielt.

Von besonderem Interesse ist, dass die Kerne der Kapillarendothelien in der Choriocapillaris des Menschen durchwegs nach aussen (skleralwärts) oder höchstens an den Kapillarwänden gegen die Kapillarzwischenräume liegen, niemals aber finden sich Kerne der Lamina elastica anliegend. Überhaupt erfährt das Protoplasma der Endothelzellen gegen die Lamina elastica eine beträchtliche Verdünnung. Damit wird ohne Zweifel der Flüssigkeitsdurchlass nach dem Pigmentepithel bis zu einem gewissen Grade erleichtert, da die Kerne und die mit ihnen vorhandenen Protoplasmaanhäufungen auf solch ausgedehnten Flächen doch ein ziemliches Hindernis für den Flüssigkeitswechsel abgeben können.

Wie ich schon betonte, fand ich die Kapillaren nur aus nackten Endothelröhren angelegt, denen jedwede Wandverstärkung fehlte. Da wir nun in der Choriocapillaris eine vollständig isoliert liegende Kapillarschicht vor uns haben, so schien die Möglichkeit geboten, besondere Strukturverhältnisse der Kapillaren allgemeiner Art hier näher kennen zu lernen. Besonders habe ich, angeregt durch die Befunde von S. Mayer[1]), darauf geachtet, ob sich in dem Aufbau der Kapillaren nicht ähnliche Verhältnisse ergeben würden, wie der Autor sie in seiner Publikation beschrieben hat.

S. Mayer schreibt in der betreffenden Publikation:

Bei dem Übergange der echten Kapillaren nach den grösseren Gefässen der arteriellen und venösen Seite zu, an denen glatte Muskelfasern in mehr oder minder von der Spindelform abweichenden Formationen schon lange bekannt sind, schwinden an der Wandung der echten Kapillaren, an welcher wir auf Grund eigener Untersuchungen und in Übereinstimmung mit früheren Angaben eine Endothelhaut und eine strukturlose Grundhaut als Bestandteile annehmen, die Muskelfasern durchaus nicht, wie bis jetzt als Dogma aufgestellt wurde. Es liegen vielmehr diskontinuierlich der Grundhaut aussen Gebilde aufgelagert, deren Kerne parallel der Längsachse der Kapillare angeordnet sind, und deren zugehörige Zellsubstanz sozusagen ausgeflossen ist, derart, dass sie mit feinen, senkrecht vom Kern ausstrahlenden und sich öfters teilenden Fädchen das Gefässröhrchen wie Fassreifen umspinnen.

Ich bemerke vorgreifend, dass die zuführenden Arteriolen der Choriocapillaris unmittelbar vor ihrem Übergange in die Kapillaren, solange sie noch der Sattlerschen Schicht zuzurechnen sind, mit Muskelzellen versehen sind. Die Muskelzellen repräsentieren sich als ungemein vielgestaltige Gebilde mit langarmigen Verzweigungen,

---

[1]) Mayer, S., Die Muskularisierung der kapillaren Blutgefässe. Nachweis des anatomischen Substrats ihrer Kontraktilität. Anatom. Anzeiger. Bd. XXI. Nr. 16 u. 17. 1902.

welche die Röhre mit ihren Fortsätzen polypenartig umgreifen. Doch konnte ich nicht finden, dass die Ausläufer dieser Muskelzellen sich auch noch auf die Kapillaren erstreckten. Man hätte sie gerade hier wegen der isolierten Lagerung der Kapillaren verhältnismässig leicht nachweisen können. Aber weder an den ganz kurzen Übergangsstücken noch am Kapillarrohr selbst war es mir möglich, ausser dem Endothelrohr irgend eine Wandauflagerung nachzuweisen.

Besser als lange Beschreibungen geben die beiden Abbildungen ein Bild von solch isoliert liegenden Muskelzellen in der Gefässwand. Die Kerne liegen entweder schräg oder parallel zur Längsachse des Gefässes, während die Muskelausläufer nach allen Richtungen die Gefässwand umgreifen. Das blau gefärbte Bindegewebe hebt sich scharf von dem roten Ton des Muskelprotoplasmas ab.

Der Nachweis von muskulösen Gebilden in der Choriocapillaris wäre von hoher Bedeutung für die Auffassung des funktionellen Verhaltens dieser ganzen Schicht gewesen. Es wäre damit ohne weiteres die Annahme berechtigt, dass der Füllungszustand der Kapillaren grossen Schwankungen unterworfen sein kann. Das Fehlen aber jeder kontraktilen Substanz muss darauf hinweisen, dass der Füllungszustand stets ein relativ gleichmässiger ist und von jenen Faktoren im Aufbaue der Choriocapillaris abhängt, welche bereits auf S.343 beschrieben wurden.

Die beiden Figuren (Taf. XII, Fig. 6), welche Wandstücke aus Arteriolen zeigen, sind aus der Chorioidea eines 40 jährigen Mannes entnommen und nach Mallory gefärbt. Der Pfeil gibt die Richtung des Arterienrohres an.

Die subkapillare Fibrillen- und Zellenlage.

Direkt unter der Choriocapillaris findet sich eine Fibrillenlage, welche, wie schon früheren Orts erwähnt wurde, mit der Lamina elastica durch collagene und elastische Fasern in Verbindung steht. Das subkapillare Fibrillennetz ist schon von Sattler (loc. cit.) in seiner ausführlichen Arbeit über die Chorioidea eingehend untersucht worden, nur hat Sattler, was mit den damaligen Hilfsmitteln der Technik nicht möglich war, die Verbindung dieses Netzes mit der Lamina elastica nicht beobachtet. Smirnow hat dann mit Hilfe der Weigertschen elastischen Faserfärbung die Verbindungen nachgewiesen, ebenso Sagaguchi (loc. cit.) am Optikuseintritt. Iwanoff fand die Kapillarzwischenräume nach Müllerfixierung punktiert, nähere Angaben macht er nicht.

Das subkapillare Fibrillennetz setzt sich aus collagenen und elastischen Fasern zusammen und bildet einen Teil des allgemeinen fibrillären Chorioidealstromas. Es verdankt seine besondere gleichmässige Lage der benachbarten regelmässig gebauten Choriocapillaris. Nach der Lamina elastica, aber in noch viel grösserem Umfange nach den äusseren Schichten der Chorioidea gehen Fibrillen von ihr aus, welche sich zwischen den Gefässen des Chorioidealstromas verlieren und den gröberen Bindegewebsbündeln sich beigesellen.

Nun findet sich unter der Choriocapillaris im subkapillaren Netzwerke eine Lage von flächenhaft angeordneten, auf Durchschnitten langgestreckten Zellen, welche ihre Breitseite der Kapillarlage zukehren. Auf Durchschnitten sind sie stets von der Schmalseite getroffen und haben die Form von lang ausgezogenen Spindeln, deren dickste Stelle durch die Einlagerung des Kernes hervorgerufen ist. Sie sind bereits von einer Reihe von Autoren beschrieben worden und haben im Laufe der Zeit eine durchaus verschiedene Deutung erfahren. Deshalb und weil diese Gebilde auch sonst überall in der Chorioidea verstreut zu finden sind (ich bringe hier die Suprachorioidea in Abrechnung), wenngleich sie hier in ihrer Anordnung nicht so regelmässig erscheinen wie unter der Kapillarschicht, schien es mir von Wert, auf ihre Beschreibung etwas näher einzugehen. Denn auch in der neueren Literatur sind sie in verschiedener Auffassung des näheren behandelt worden.

Ich habe in der beigegebenen Zeichnung (Taf. XII, Fig. 7) eine Abbildung einer solchen Zelle, wie sie von der Fläche erscheint, beigegeben. Der Kern ist oval, das Chromatin zeigt sich ziemlich feinkörnig und im Kern gleichmässig verteilt. An der einen Längsseite des Kernes liegen die beiden Zentralkörper, von etwas länglicher Form. Das Protoplasma, welches in der Umgebung des Kernes eine ziemlich feine, gleichmässige Granulierung zeigt, erstreckt sich nach verschiedenen Seiten in ziemlich weit auslaufenden Protoplasmafortsätzen. Dort sehen wir aber, dass die feine Protoplasmagranula mehr in Reihen angeordnet ist und einen etwas gröberen Charakter annimmt.

Sämtliche Zellen, welche man auf Flachschnitten gut getroffen in das Gesichtsfeld bekommt, verhielten sich in ähnlicher Weise, der Typus lässt sich nicht verkennen.

Die etwas längliche Form des Kernes ist die vorherrschende, zuweilen ist er an der Seite etwas nierenförmig eingezogen. Dann findet man in der kleinen Bucht gewöhnlich das Zentralkörperpaar. Die Protoplasmaausläufer sind ungemein vielgestaltig und wechselnd, man findet sie nicht selten im Zusammenhang mit den Nachbarzellen. Das Protoplasma zeigt nach Zenkerfixierung stets die feine Granulierung (Haidenhainfärbung). Ausser der reihenförmigen Anordnung der feinen Granula in den Ausläufern lässt sich eine andere Struktur im Protoplasma auch mit andern Färbemethoden, speziell mit der Heldschen Protoplasmafärbung, welche Protoplasmastrukturen jeder Art präcis zur Erscheinung bringt, nicht nachweisen.

Zu demselben Resultate führen auch irgend welche andere Fixierungsmethoden, wie Osmiumgemische und entsprechende Färbemethoden, wie Safranin.

Genügend dünne, flächenhaft angelegte Schnitte aus andern Häuten des Bulbus, wie aus Sklera und Cornea, in gleicher Weise fixiert, gehärtet und gefärbt, zeigen uns Zellen, die in jeder Beziehung die grösste Ähnlichkeit mit diesen Elementen der Chorioidea haben und, was Form des Kernes, Lagerung der Zentralkörper und Protoplasmastruktur anlangt, keine wesentlichen Verschiedenheiten aufzuweisen haben. Da wir nun wissen, dass diese Zellen durchgehends als Bindegewebszellen aufzufassen sind, so liegt es nahe, dass wir es auch hier mit Bindegewebselementen zu tun haben, mit Zellen, die wir genau wie in Cornea und Sklera als die Bildner des fibrillären Stromas ansprechen müssen.

Ausserdem findet man diese Zellen im übrigen Chorioidealstroma teilweise frei zwischen den Gefässen liegend, zuweilen sich auch den Gefässen anschmiegend. Dass ihre Form dann eine sehr wechselnde ist, bald glatt, bald gebogen, bald auch gewellt, kann nicht weiter verwundern. Die Formveränderungen machen natürlich Protoplasma und Kern mit, und man kann gerade an den Kernen die eigentümlichsten und bizarrsten Bilder finden. Gedrehte und spiralig gewundene Kerne sind nicht gerade selten. In der Suprachorioidea, die allerdings einen etwas abweichenden Typus in der Struktur ihrer bindegewebigen Elemente und Zellen aufzuweisen hat, tritt dann wieder eine etwas gleichmässigere Lagerung der Zellen ein.

Sattler hat in seiner öfters schon erwähnten Publikation im Graefeschen Archiv speziell die unter der Choriocapillaris befindliche Zellage als einen Endothelbelag gedeutet. Er vertrat damit die wissenschaftlichen Anschauungen der damaligen Zeit und fand sich in Übereinstimmung mit den Anschauungen Schwalbes, der bereits in der Suprachorioidea einen solchen Endothelbelag beschrieben hatte. Mit der Endothelfrage hängt natürlich das Problem von räumlich begrenzten Lymphwegen in der Aderhaut eng zusammen, worüber an späterer Stelle gehandelt werden soll.

Nun war aber damals die Kenntnis vom Bindegewebe und vor allem vom Verhältnis der Zellen zu den Fibrillen noch keine derartig geklärte, wie sie heutzutage auf Grund der Untersuchungen von Spuler, Flemming u. A. jedem geläufig ist, man war nicht in der Lage, das Zellprotoplasma mit seinen verzweigten Ausläufern, geschweige denn Feinheiten im Protoplasma selbst darstellen zu können, und ebenso wie die Hornhautkörperchen mit mehr oder minder grossen Variationen von Recklinghausen, His, Schweigger, Seidel u. A. als Endothelien gedeutet wurden, galten auch die Bindegewebszellen der Aderhaut mit demselben Rechte als Endothelzellen.

Morano[1]) wollte sogar um die Kapillarwände der Choriocapillaris Endothelien gefunden haben, aber schon zur damaligen Zeit wurden sie von Sattler in Abrede gestellt, da in den Kapillarzwischenräumen keine zelligen Gebilde nachzuweisen sind.

Die subkapillare Zellage wurde ausserdem noch als ein Muskelbelag gedeutet. So haben Hällstén und Tigerstedt[2]) bei Menschen und Tieren nach Silberimprägnation einen koninuierlichen Muskelbelag unter der Choriocapillaris nachgewiesen. Ebenso hat Nikati in verschiedenen Publikationen einen solchen Muskel in der Chorioidea angenommen. Allerdings kommt er zu der Annahme nur durch Schlussfolgerungen aus seinen experimentellen Ergebnissen, den anatomischen Nachweis eines Muskels bleibt er vollständig schuldig.

Späterhin wurde der histologische Nachweis eines Muskels in der Chorioidea auch nicht erbracht, bis Herzog in einer Arbeit im Jahre 1902, ohne Kenntnis von den Arbeiten der früheren Autoren zu haben, die Mitteilung machte, dass er bei der weissen Ratte und bei der weissen Maus eine kontinuierliche Muskellage in den äusseren Schichten der Chorioidea gefunden habe, welche auch den hinteren Bulbusabschnitt umfasse. Herzog[3]) schreibt auf Seite 560 seiner Arbeit:

„Wir haben also bei der Ratte — und bei der Maus liegt es genau so — an Stelle eines Ciliarmuskels einen den ganzen hinteren

---

[1]) Morano, Über die Lymphscheide der Aderhautgefässe. Annali di Ottalmologia. Milano 1871. An. VI, 1.

[2]) Hällstén og Tigerstedt, Till kännedomen om chorioidea hot kanin. Nord. med. arkiv. Bd. IX. 1877.

[3]) Herzog, Über die Entwicklung der Binnenmuskulatur des Auges. Arch. f. mikrosk. Anatomie. Bd. LX. 1902.

Bulbusabschnitt bis zur Hornhautbasis umfassenden, aus dem embryonalen Mesenchymgewebe hervorgegangenen Uvealmuskel."

Bevor ich nun meine eigenen Befunde näher beschreibe, halte ich es für nötig, einiges allgemeine über die Muskulatur und ihren Aufbau zu erwähnen.

Th. W. Engelmann[1]) hat bereits in einer Arbeit im Pflügerschen Archiv die Anschauung vertreten, dass der Aufbau einer jeden kontraktilen Substanz aus Fibrillen bestehe, und obwohl es damals speziell bei den glatten Muskeln der höheren Wirbeltiere nicht stets gelang, den Nachweis eines längsfibrillären Aufbaues zu erbringen, so schloss er doch aus verschiedenen Erscheinungen, dass bei den höheren Wirbeltieren der Aufbau derselbe sein müsse.

Zu erwähnen wäre eine Reihe von weiteren Arbeiten der neueren Literatur, welche sich lediglich mit dem Kontraktionszustand der glatten Muskulatur in der Arterienwand beschäftigen, dabei aber den fibrillären Aufbau der Muskelelemente als gegeben voraussetzen. Hierher gehören vor allem die Arbeiten von Heiderich[2]) und Henneberg[3]).

Von besonderem Interesse aber für unsere Untersuchungen ist die Arbeit von M. Heidenhain, welcher in einem zusammenfassenden und übersichtlichen Referate in den Ergebnissen für Anatomie und Entwicklungsgeschichte folgendermassen sich äusserte:

S. 129: Es sind also mit andern Worten dieselben Faserzellen, die bei dem einen Tiere quergestreift, bei dem andern glatt sind, und auf S. 213 in der Zusammenfassung:

„Auch bei den glatten Muskeln ist das wahre Element die Molekularfibrille (Inotagmenreihe). Diese treten zu Bündeln zusammen, welche die histologischen Fibrillen ausmachen."

Es ist also nach den vorausgehenden Ausführungen, vor allem nach den Sätzen Heidenhains[4]), die Myofibrille ein integrierender Bestandteil der glatten Muskelzelle. Umgekehrt besteht damit bei

---

[1]) Engelmann, Th. W., Über den faserigen Bau der kontraktilen Substanzen mit besonderer Berücksichtigung der glatten und doppelt schräg gestreiften Muskelfasern. Pflügers Arch. Bd. XXV. S. 538. 1881.

[2]) Heiderich, F., Glatte Muskelfasern im ruhenden und tätigen Zustande. Anatomische Hefte. Bd. XIX. S. 449. 1902.

[3]) Henneberg, Das Bindegewebe in der glatten Muskulatur und die sog. Intercellularbrücken. Anatomische Hefte. Bd. XIV. S. 301. 1900.

[4]) Heidenhain, M., Struktur der kontraktilen Materie. Teil II. Histologie des glatten Muskelgewebes. Ergebnisse der Anatomie und Entwicklungsgeschichte 1900.

histologischen Untersuchungen auf Muskelelemente das Postulat stets nach Myofibrillen im Protoplasma zu suchen und den Nachweis der muskulären Natur nur dann für erbracht zu erachten, wenn es gelingt, mit entsprechenden Färbemethoden die Fibrillen im Protoplasma nachzuweisen. Kernform und Zellform können kein Kriterium für die Muskelnatur von Zellen abgeben.

Und in der neuerdings erschienenen Arbeit über die Myofibrille des Hühnerherzens spricht sich Schlater[1]) in demselben Sinne aus.

Befolgt man nun die von den Autoren gegebenen Vorschriften, so muss man im Gewebe jede einzelne Muskelzelle leicht und sicher erkennen können.

Mit Befolgung dieser Vorschriften, die durch Fixierung mit Sublimatgemischen und Heidenhainfärbung bereits gegeben sind, habe ich nun auf Schnitten in jeder Richtung die Chorioidea des menschlichen Auges durchsucht, und nicht nur Bulbi in den verschiedensten Lebensaltern, sondern auch embryonales Material verwendet. Ich war aber niemals in der Lage, im Stroma der Aderhaut irgendwo Muskelzellen nachweisen zu können. Das Protoplasma der dort vorhandenen Zellen zeigte wohl eine feine Granulierung des Protoplasmas, wie ich sie schon beschrieben habe, Fibrillen im Protoplasma des Zelleibes aber mit irgend welcher regelmässiger Anordnung fehlten vollständig.

Auch in der Suprachorioidea, in welcher Iwanoff[2]) die sternförmigen Zellen als Muskelzellen beschrieben hat, konnte ich mich von dem muskulären Charakter der Zellen nicht überzeugen. Sie haben allerdings Einlagerungen in Gestalt von Fibrillen in ihrem Protoplasma, wie aber elastische Faserfärbung ergibt, hat man es hier mit elastischen Fasern zu tun, welche intracellulär gelagert sind.

Mit dem Ende der meridionalen Fasern des Ciliarmuskels, also noch weit vor dem Aequator bulbi, hört jede Muskulatur in der Chorioidea auf.

Ich nehme dabei selbstverständlich die Gefässe der Chorioidea aus, die Arterien hatten stets Muskulatur aufzuweisen. Man war dabei in der angenehmen Lage, sich von der gelungenen Färbung überzeugen zu können, da die Arterien stets eine wohl entwickelte

[1]) Schlater, G., Untersuchungen über das Muskelgewebe II. Die Myofibrille des embryonalen Hühnerherzens. Arch. f. mikrosk. Anat. Bd. LXIX, 4. S. 100. 1907.

[2]) Iwanoff und Arnold, J., Mikroskopische Anatomie des Uvealtractus und der Linse. Graefe-Saemisch. I. Aufl.

Muskulatur, mit vielfachen Fibrillen im Zelleib, aufwiesen; frei im Aderhautstroma liegend war aber auch nicht eine einzige Muskelzelle nachweisbar.

Da die Frage von dem Vorhandensein von Muskulatur in der Chorioidea von prinzipieller Bedeutung für die Sekretion von Flüssigkeit, wie Nikati ausführt, und von nicht zu unterschätzender Bedeutung für die Entstehung pathologischer Zustände, speziell des Glaukoms ist, so habe ich auch noch eine Reihe von höheren Wirbeltieren nach dem Vorhandensein von Muskulatur genau untersucht, nämlich die Aderhaut vom Orang-Utang, von Macaccus nemestrinus und von Macaccus rhesus, aber mit gleich negativem Erfolge wie beim Menschen.

Auch beim Schwein und Kaninchen war in dieser Hinsicht nichts nachzuweisen.

Besonders interessierte mich auch die Chorioidea der weissen Ratte und der weissen Maus, weil Herzog angibt, dort eine kontinuierliche Muskellage gefunden zu haben. Der Sicherheit wegen habe ich auch noch die Augen der schwarzen Ratte als Vergleichsobjekt beigezogen.

Die Chorioidea der Maus und Ratte ist sehr gefässreich, richtiger würde man sagen, weil das Zwischengewebe zwischen den Gefässen ausserordentlich spärlich entwickelt ist, liegen die Gefässe sehr dicht aneinander und erscheinen deshalb viel zahlreicher, als dies bei andern Tieren der Fall ist. Doch waren die zwischen den Gefässen liegenden spärlichen Zellen, soweit sie nicht selbst der Gefässwand angehörten, stets als Bindegewebszellen erkennbar.

Nun gibt Herzog auf Taf. XXVIII und XXIX unter Fig. 24 und 25 zwei Abbildungen, welche das Vorhandensein von Muskulatur in der Chorioidea dartun sollen. Jedoch glaube ich, dass weder Fig. 24 und 25 noch die vom Injektionspräparat gewonnene Figur das Vorhandensein von Muskulatur überzeugend zur Anschauung zu bringen vermögen. An Fig. 24 und 25 lässt sich ein Unterschied zwischen Gefässendothelien und Aderhautstroma nicht machen, auch die Muskulatur ist als solche nicht erkennbar.

Die Gründe, welche Herzog im Text auf S. 559 für seine Anschauung beibringt, scheinen mir für den Nachweis eines Muskels nicht ausschlaggebend zu sein. Der Nachweis der funktionellen Struktur, der fibrilläre Aufbau des Protoplasmas ist allein beweisend. Die Form der Zellen und des Kernes kann beim Bindegewebe je nach Schnittlage und Organ derartig proteusartig wechseln, dass deshalb beide Momente auch nicht mit Zuhilfenahme des färberischen Tones der Zelle genügen, um ihr den Charakter als Muskelzelle zuzusprechen und man bei ihrer Beurteilung sehr vorsichtig sein muss.

Ausserdem ist es aber gerade bei der Ratte besonders schwierig, die Wirkungsweise eines solchen Muskels zu verstehen. Da die Chorioidea bei diesen Tieren ausserordentlich fest mit der Sklera verwachsen ist (dies geht auch aus den Figuren Herzogs hervor), so müsste jede Kontraktion des Muskels in nachdrücklicher Weise an der Sklera zur Geltung kommen; dass aber die Sklera bei ihrem starren Bau der Wirkungsweise des Muskels in hohem Grade hinderlich wäre, könnte wohl als ausgemacht gelten.

Sodann wäre auch noch der Umstand als nicht unwesentlich zu berücksichtigen, dass nur diese eine Form der Nagetiere einen solchen Muskel aufzuweisen hat, während er doch bei ganz nahestehenden Arten, wie beim Kaninchen und Meerschweinchen, in keiner Weise auch nicht als Rudiment mehr auffindbar ist.

Auf Grund meiner Untersuchungen komme ich vielmehr zu dem Resultate, dass unter den höheren Wirbeltieren, soweit dieselben mir zum Studium zu Gebote standen, im Bereiche der Chorioidea eine Muskellage nicht existiert; es ist daher auch die unter der Choriocapillaris befindliche Zellage stets als eine Lage von Bindegewebszellen aufzufassen. Es verhalten sich also, was Basalmembran, Lamina elastica, Choriocapillaris, subkapillares Fibrillennetz und subkapillare Zellage anlangt, die Chorioideae sämtlicher untersuchten Tiere ziemlich gleich, die Verschiedenheiten im Aufbau der Aderhaut kommen erst in den mittleren und äusseren Schichten zur Geltung. Schwankungen machen sich nur geltend in der Dicke der einzelnen Membranen und Lagen, sowie in der Grösse der zelligen Elemente.

Es erübrigt nun noch eine kurze Besprechung der Entwicklung des bisher behandelten Gebietes folgen zu lassen, um damit die Lagerung der einzelnen Teile zueinander verständlich zu machen, die durch die Beschreibung der Entstehung leicht zu erklären ist. Es kann hier nicht die Rede davon sein, eine ausführliche Beschreibung der Entwicklung des Gefässsystems der Aderhaut beim Menschen zu geben, da mir von menschlichen Föten weder Exemplare in genügender Anzahl noch in lückenloser Serie zur Verfügung standen. An Tieren aber ist bereits die Entwicklung des Gefässsystems auf das gründlichste untersucht worden. Über die Entwicklung der Augengefässe des Kaninchens hat Fuchs[1]) in einer ausführlichen Arbeit

[1]) Fuchs, H., Über die Entwicklung der Augengefässe des Kaninchens. Anatomische Hefte. Heft 83.

berichtet, seine Untersuchungen erstrecken sich vornehmlich auf die allerjüngsten Stadien, während O. Schulze[1]) in seiner Abhandlung mehr die späteren Zustände im fötalen Leben beim Säugetier berücksichtigt.

Wie ich schon an einer früheren Stelle meiner Arbeit erwähnt habe, ist bereits mit der Bildung einer sekundären Augenblase auch eine vollständige Basalmembran cirkulär um den Augenbecher entwickelt. Sie dokumentiert sich als eine scharf gezogene Linie, welche dem Pigmentepithel einen exakten Abschluss gegen das umgebende Mesoderm verleiht. Unmittelbar der Basalmembran liegt ein weitmaschiges Kapillarnetz an, das wohl in manchen Punkten Ähnlichkeit mit der Choriocapillaris des voll entwickelten Individuums aufweist, aber die Form der Kapillaren ist eine verhältnismässig viel grössere und das Ursprungsgebiet dieses Gefässsystems ein durchaus vom fertigen Zustande verschiedenes. Vor allem sind auch die Kapillarzwischenräume reichlicher und häufiger, so dass in ihrem Bereich Mesodermzellen mit ihrer Längsseite unmittelbar am Pigmentepithel liegend Platz finden und auch überall verstreut in solcher Lage beobachtet werden können. Wie wir wissen, ist diese Erscheinung durchaus verschieden von den beim entwickelten Individuum zu machenden Befunden, hier liegt nämlich nirgends eine Mesodermzelle direkt der Lamina elastica an. Föten vom Kaninchen, vom Schwein, Schaf und Ratte verhalten sich in diesem Punkte vollständig gleich.

Dasselbe Bild fand ich auch bei einem menschlichen Embryo von einer Scheitelsteisslänge von 31,5 mm. Späterhin jedoch, wenn die Kapillaren sich reichlicher zu entwickeln beginnen, werden die Bindegewebszellen von ihrer unmittelbaren Lage am Pigmentepithel abgedrängt, indem sich die Kapillaren zwischen Pigmentepithel und Bindegewebe hereinschieben. Dieser Prozess geht sehr allmählich vor sich. Und während ursprünglich die Zellen mit ihrem ganzen Körper der Epithellage anlagen, findet man sie dann häufig in schräger Lage zwischen den Kapillarzwischenräumen und jetzt nur noch mit dem einen Ende oder dem protoplasmatischen Ausläufer bis an die Basalmembran des Epithels heranreichend. Schliesslich findet mit der immer noch zunehmenden Kapillarwucherung eine vollständige Abdrängung der mesodermalen Elemente vom Epithel statt, zwischen beide hat sich die kontinuierliche Schicht der Choriocapillaris ein-

---

[1]) Schulze, O., Zur Entwicklungsgeschichte des Gefässsystems im Säugetierauge. Festschrift f. A. v. Kölliker 1882.

geschoben und die Zellen kommen als eine wohl geordnete Schicht auf der Aussenseite der Choriocapillaris zu liegen.

Man muss sich nun vorstellen, dass dieser Prozess sich über mehrere Monate des embryonalen Lebens erstreckt. Während seine Anfänge sich bereits im 2. Monat des embryonalen Lebens bemerkbar machen, hat er im 6. Monat noch nicht sein Ende erreicht. Denn wir finden im 6., ja zuweilen auch noch im 7. Monat vereinzelte Bindegewebszellen noch mit ihrem Protoplasmaleib bis an die Basalmembran hereinreichen.

In diesen Zeitraum fällt aber auch die Entwicklung der collagenen und elastischen Substanz nicht nur in der Chorioidea, sondern im Körper überhaupt. Ich erwähne hier in Kürze, was ich über ihre Entwicklung in der Aderhaut in den jüngeren Stadien beobachtet habe.

Es lässt sich bei dem schon erwähnten menschlichen Fötus von 31,5 mm Scheitelsteisslänge in der undifferenzierten Lage von Chorioidea und Sklera nach entsprechender Färbung bereits eine reichlichere Entwicklung von collagenen Fasern nachweisen. An Tierembryonen, an Schweinen und Schafen konnte ich die Beobachtung an noch etwas jüngeren Stadien machen, ich fand die erste Entwicklung von leimgebenden Fasern bei einer Scheitelsteisslänge von etwa 26 mm. In diese Zeitperiode der Entwicklung, also in die zweite Hälfte des zweiten Monats, dürfte auch beim Menschen die erste Entwicklung von Collagen zu datieren sein, leider standen mir entsprechende Stadien zur Untersuchung nur in wenig gut konserviertem Zustande zur Verfügung.

Die Entwicklung von collagenen Fasern setzt, wie ich bemerken möchte, nicht an allen Teilen des Auges zu gleicher Zeit ein, sondern an der Hornhaut finden wir beispielsweise bereits zu früherer Zeit färbbare collagene Elemente, wie ich dies in einer früheren Arbeit bereits beschrieben habe[1]).

Wie zu beobachten ist, sind auch die in den Kapillarzwischenräumen der Choriocapillaris befindlichen und teilweise oder ganz dem Pigmentepithel anliegenden Zellen an der Produktion von Fibrillen beteiligt. Die Fibrillen spalten sich von der Zelle natürlich entsprechend ihrer Lage, entweder ganz längs der Basalmembran ab, oder aber die Fasern kommen teils an die Basalmembran, teils in

---

[1]) Wolfrum, Zur Entwicklung der Cornea der Säuger. Merkel-Bonnetsche Hefte. 1902.

den Kapillarzwischenräumen, teils unter die Kapillarschicht zu liegen. So haben wir uns die Entwicklung der Verbindungsfasern zwischen Basalmembran und Chorioidealstroma, die des collagenen Anteils der Lamina elastica, sowie des übrigen collagenen Gewebes in den Kapillarzwischenräumen und in der subkapillären Fibrillenschicht vorzustellen. Diese feinsten collagenen Fäserchen inserieren schon in der frühesten Zeit nachweislich an der Basalmembran und sind jedenfalls an ihrem Aufbau und ihrer Verdichtung beteiligt.

Der Beginn der Entwicklung von elastischen Elementen ist in der Aderhaut etwas später zu beobachten als die Bildung von collagenen Fasern. Wie ich in voller Übereinstimmung mit den Untersuchungen Lodatos[1]) gefunden habe, sind am Ende des 4. und am Anfang des 5. Monats in dem noch nicht scharf zu scheidenden Gewebe von Sklera und Chorioidea die ersten elastischen Fasern wahrzunehmen, und zwar findet man ihr Auftreten zuerst gegen den Optikus und gegen das Corpus ciliare. Streckenweise ist die Lamina elastica als äusserst feiner dunkelblauer Kontur bereits deutlich zu erkennen, während im Stroma der Chorioidea noch ganz spärliche Elemente anzutreffen sind. Es ist also der Beginn der Entwicklung der Lamina elastica in den 5. Monat beim Menschen zu verlegen. Im Bereiche des Corpus ciliare bemerkt man bereits eine ziemlich beträchtliche Entwicklung derjenigen elastischen Faserpartien, welche ich als sehniges Ende der radiären Partie des Ciliarmuskels an früherer Stelle beschrieben habe.

Nebenbei erwähne ich, dass auch bereits im Bereiche des Kammerwinkels elastische Fasern angelegt sind und dass sich auch die Descemetsche Membran mit Weigertscher Farbstofflösung präcis als homogenes Häutchen beim viermonatlichen menschlichen Embryo zur Darstellung bringen lässt.

In einer kürzlich erschienenen Arbeit bezweifelt Fritz[2]), dass, wie bereits Birch-Hirschfeld[3]) auf Grund meiner Präparate angegeben hat, zu so früher Zeit die Entwicklung von elastischen Elementen nachzuweisen sei. Nun sind sie aber mit solcher Sicherheit und Deutlichkeit in meinen Präparaten zu beobachten, dass an ihrem Vorhandensein nicht zu zweifeln ist. Ausserdem bietet mir die sorg-

[1]) Lodato, Il tessuto elastico dell' occhio umano durante la vita fetale. Archivio di ottalmologia. Vol. XII. S. 161.

[2]) Fritz, Wilhelm, Über die Membrana Descemetii und das Ligamentum pectinatum iridis bei den Säugetieren und beim Menschen. Sitzungsberichte der kaiserl. Akademie d. Wissensch. Mathem.-naturw. Klasse. Bd. CXV. Juli 1906. Abt. 3.

[3]) Birch-Hirschfeld, A., Zur Frage der elastischen Fasern in der Sklera hochgradig myopischer Augen. Arch. f. Ophth. Bd. LX, 3.

fältige und exakte Arbeit von Lodato, welche Fritz vollständig übersehen zu haben scheint, durchaus eine Gewähr für die Richtigkeit meiner Beobachtungen. Warum Fritz andere Resultate erhalten hat, ist leicht zu erklären. Er hat nämlich Celloidinpräparate für seine Untersuchungen verwendet, und an Celloidinpräparaten ist wegen der Mitfärbung des Einbettmittels eine gut gelungene Weigertsche Färbung, zumal wenn es sich um solche Feinheiten handelt, schwer oder gar nicht zu erzielen.

Ich habe zur Färbung die Weigertsche Lösung, welche in der weiter vorne beschriebenen Weise angefertigt war, benützt, und die Präparate mit alkoholischer Anilinwassersafraninlösung nachgefärbt.

Wie ich im übrigen fand, ist die Chorioidea überhaupt ein ausgezeichnetes Objekt, um die Entwicklung von elastischen Fasern studieren zu können. Die intracelluläre Entstehung ist da überall leicht festzustellen. Die Zellen, welche an der Bildung beteiligt waren, vermochte man stets als Bindegewebszellen zu erkennen. Nirgends war zu finden, dass die Endothelien der Gefässwand, speziell die Choriocapillaris an dem Prozesse beteiligt waren.

Die intracelluläre Entstehung der elastischen Fasern war in ganz vorzüglicher Weise bei menschlichen Embryonen vom sechsten Monat zu beobachten. Sie lagen hier durchschnitten als feine dunkelblaue oder schwarze Punkte in den äusseren Schichten des rotbraun gefärbten Protoplasmas, oder man konnte sie auch als Längsfibrillen in den Randteilen des Zellprotoplasmas zu Gesicht bekommen.

Ausserdem habe ich an Schweineembryonen die Entwicklung von elastischen Fasern in der Aderhaut untersucht. Das erste Auftreten fand ich bei Embryonen von 72 mm Scheitelsteisslänge. Sklera und Chorioidea waren noch nicht scharf voneinander abgrenzbar. Um den Optikus war durch sämtliche Schichten, welche der Aderhaut angehörten, eine reichliche Menge feinster elastischer Elemente entwickelt, während nach vorne zu auch im Corpus ciliare noch jede Andeutung von elastischer Substanz fehlte.

Ebensolche Bilder gewann man von etwas älteren Embryonen bis zu einer Scheitelsteisslänge von ungefähr 100 mm. Dann ändert sich das Bild, indem bei Stadien von über 100 mm Länge die Fasern sich vereinzelt überall in der Chorioidea nachweisen lassen und auch im Corpus ciliare in reichlicherer Menge zu entwickeln beginnen.

Es wäre nun durchaus unrichtig, wollte man annehmen, die subkapillare Zellage habe mit ihrem Abrücken unter die Choriocapillaris auch jeden protoplasmatischen Zusammenhang mit den am

Pigmentepithel liegenden Faserschichten eingebüsst. Man findet vielmehr nicht selten feinste granulierte Protoplasmafortsätze, welche vom Zelleib in die Kapillarzwischenräume hereingehen und sich bis an die Lamina elastica verfolgen lassen. So müssen wir uns denn auch jede weitere Entwicklung von Bindegewebsfibrillen mit Hilfe dieser feinen Protoplasmafäden vorstellen, wenn wir die subkapillare Zellschicht in späteren Stadien embryonaler Entwicklung bereits als wohlgeordnete Lage unter der Kapillarschicht antreffen.

Damit dürften auch die Bedenken von Fuchs, welcher die eben besprochenen Verhältnisse auf S. 133 seiner schon erwähnten Arbeit nebenbei besprochen hat, in Wegfall kommen. Er kann nämlich nur schwer eine Erklärung für die Entstehung der Lamina und ihre elastische Natur finden, da bei ihrer Entwicklung die Elemente des Mesenchyms schon in ziemlicher Entfernung von ihr liegen.

In Berücksichtigung der eben beschriebenen Verhältnisse lässt sich aber auch das Eigentümliche im Aufbaue der Lamina elastica recht wohl verstehen. Das wirtelförmige Einstrahlen von Fibrillen nach den Kapillarzwischenräumen aus der Lamina elastica, wie ich es bereits auf S. 325 erwähnt habe und wie es auch Smirnow (loc. cit.) in seiner Arbeit in Abbildungen wiedergibt, kommt eben durch die von den Kapillarzwischenräumen aus in das Gebiet der Lamina elastica herein erfolgende Entwicklung von Fibrillen zu stande.

Wie aus der anatomischen Beschreibung, vor allem aber aus der Darstellung der Entwicklung hervorgeht, ist der Teil der Chorioidea von der Basalmembran bis zur subkapillaren Fibrillenschicht als ein zusammengehöriges Ganze zu betrachten. Ich habe deshalb sowohl die feinere Histologie als auch die Entwicklung dieser sämtlichen Schichten im Zusammenhange behandelt und die Resultate meiner Untersuchungen in dem Vorhergehenden niedergelegt.

Ausserdem sind aber noch eine ganze Reihe von Punkten im Aufbaue der Aderhaut zu berücksichtigen und bedürfen einer Neubearbeitung. So hat das Problem, welches ich in meiner Arbeit nur andeutungsweise berührt habe, ob ein besonderes, anatomisch nachweisbares Lymphsystem in der Aderhaut vorhanden sei, die Forscher, welche die Anatomie der Aderhaut untersuchten, vielfach beschäftigt. Die Anschauungen darüber sind auch heute noch keine einheitlichen. Ausserdem ist für das Studium der Entwicklung und des Baues der Chromatophoren die Aderhaut ein besonders geeignetes Objekt. Vor allem bedarf aber der eigentümliche und einer ausreichenden Deutung nicht leicht zugängliche Bau der Suprachorioidea einer eingehenden Untersuchung. Die Resultate, welche ich bei meinen Untersuchungen über die Aderhaut in diesen einzelnen Punkten gewonnen habe, gedenke ich in einer besonderen Arbeit im Zusammenhange zu besprechen.

Zum Schlusse meiner Arbeit erfülle ich gerne die angenehme Pflicht, Herrn Geheimrat Sattler, meinem hochverehrten Chef, der von jeher ein besonderes Interesse an dem Aufbaue der normalen Aderhaut hatte, für die Anregungen zu dieser Arbeit und bei den Untersuchungen meinen besten Dank auszusprechen.

Erklärung der Abbildungen auf Taf. XII u. XIII, Fig. 1—9.

Sämtliche Abbildungen sind nach Zeichnungen, welche von Herrn Kirchner in bekannter Güte in naturgetreuer Weise entworfen worden, hergestellt worden.

Fig. 1. Aus der Schnittserie einer Chorioidea eines 40jährigen Mannes. Färbung nach Mallory (Modifikation nach Mall.). Vergrösserung: Homogene Immersion $^1/_{12}$. Periskop. Okular II. Tubuslänge 17 cm.

Dem Protoplasma des Pigmentepithels schliesst sich unmittelbar die Basalmembran an. Auf sie folgt ein feiner mit collagenen Fasern (blau) ausgefüllter Spalt und auf diesen die Lamina elastica (blauroter Ton, Collagen und Elastin). Man sieht die Kapillarinterstitien von collagenen Fasern durchzogen, welche aus der Chorioidea kommend in die Lamina elastica einmünden.

Fig. 2. Aus der Schnittserie einer Chorioidea eines 11jährigen Jungen. Färbung: Weigertsche Farbstofflösung für elastische Fasern, Säurerubin, Orange-G. Vergrösserung: Apochromat homog. Immers. 2 mm Ap. 1,30. Kompens. Okular 8. Tubusl. 16 cm.

Neben den elastischen (dunkelblauen) sind auch die collagenen (roten) Fasern sichtbar. Die Basalmembran ist wie das Protoplasma rot. Durch den Spaltraum zwischen Lamina elastica und Basalmembran gehen keine blauen Fasern.

Fig. 3. Aus der Schnittserie einer Chorioidea eines 40jährigen Mannes mit beginnender Panophthalmie. Schnittdicke 5 μ. Färbung: Heidenhain — Säurerubin. Vergrösserung: Öl-Immers. $^1/_{12}$. Perisk. Okular II.

Die Pigmentepithelschicht mit der rötlichen Basalmembran ist streckenweise von der Lamina elastica abgehoben. Die Abhebung erfolgt durch in dem Lumen wandernde Leukocyten.

Fig. 4. Pigmentepithel von der Fläche geschnitten, aus demselben Auge wie Fig. 3. Färbung: Mallory (Modifikation Mall.). Vergrösserung: Öl-Immers $^1/_{12}$. Periskop Okular 2.

Durch das Pigmentepithel hindurchtretende Leukocyten. Die freien Leukocyten sind von einem freien Hof umgeben und liegen stets im Protoplasma der Pigmentepithelien, niemals zwischen den Pigmentepithelien.

Fig. 5. Optikuseintritt beim Neugeborenen. Weigertsche Färbung (Resorcinfuchsin), Safranin. Vergrösserung: Öl-Immers. $^1/_{12}$. Okular I. (Periskop.)

Fig. 6 und 7. Aus der Schnittserie eines Corpus ciliare. Von einem normalen menschlichen Auge. Schnittdicke 5 μ. Färbung: Weigertsche Farbstofflösung für elastische Fasern — Rubin S — Pikrinsäure. Die Kerne sind nicht gefärbt.

Zeigt das Verhalten der Fortsetzung der Lamina elastica im vorderen Augenabschnitt, sowie die Endsehnen der radiären Partie des Ciliarmuskels.

Fig. 6. Vergrösserung: Objektiv V. Okular I. (Periskop.)

Fig. 7. Vergrösserung: Öl-Immers. $^1/_{12}$. Okular II. (Periskop.)

Fig. 8. Aus der Schnittserie einer Chorioidea eines 40jährigen Mannes. Färbung: Mallory (Mall.). Schnittdicke 5 μ. Vergrösserung: Öl-Immers. $^1/_{12}$. Okul. II. (Periskop.)

Muskelzellen in der Arterienwand einer subkapillaren Arteriole. Polypenartige Verzweigung der Muskelzellen. Der Pfeil gibt die Verlaufsrichtung des Gefässes an.

Fig. 9. Aus der Schnittserie einer Chorioidea von demselben Auge wie die vorhergehende Figur. Färbung: Heidenhain — Säurerubin. Schnittdicke 5 μ. Vergrösserung: Homog. Immers. $^1/_{12}$. Komp. Okul. 8. Subkapillär liegende Stromazelle der Chorioidea. Vielfache Protoplasmaausläufer, die leichte Streifung zeigen. Ringsum Bindegewebsfasern (Collagen).

Die sämtlichen Abbildungen wurden mit Seibertschen Linsen hergestellt, nur bei Fig. 2 wurde ein Zeissscher Apochromat verwendet, weil es hier besonders auf die Farbenreinheit des Bildes ankam.

(Aus dem Laboratorium der Universitäts-Augenklinik in Lemberg.)

Ein anatomisch untersuchter Fall von Evulsio nervi optici (Salzmann) bei Avulsio bulbi.

Von

Dr. Wiktor Reis,
Assistenten der Klinik.

Mit zwei Figuren im Text.

Die Abreissung des Augapfels bildet den höchsten Grad der traumatischen Luxatio bulbi facialis (Rothenpieler[1]). Nach der neuesten Bearbeitung der Krankheiten der Augenhöhle von Birch-Hirschfeld[2]) kann man die traumatischen Luxationen des Augapfels in drei Gruppen einteilen, welche trotz gemeinsamen endgültigen Effekts sich dennoch durch die Art der Entstehung der Verletzung und die dabei wirkenden Kräfte unterscheiden.

Die erste Gruppe bilden die Geburtsverletzungen, bei welchen durch die Anwendung des Forceps bei verengertem Becken ein Druck auf den Kopf des Kindes ausgeübt wird. Die bei hochstehendem Kopfe angelegte Zange kann direkt einen Druck auf den Augapfel ausüben oder indirekt durch einen Bruch des Orbitaldaches, eine nachfolgende Blutung und Raumverminderung der hinteren Orbitalpartie die Verdrängung des Augapfels nach vorn verursachen. Die Form der Augenhöhle bei Neugeborenen soll nach Birch-Hirschfeld bei dieser Art der Verletzung das Zustandekommen der Luxation erleichtern, so dass schon eine unansehnliche Einengung der Orbita die Lageveränderung des Augapfels verursachen kann.

Die Luxatio oder Avulsio bulbi als Selbstverstümmelung bei

---

[1]) Rothenpieler, Die Luxatio bulbi. Beiträge zur Augenheilk. 1898. Heft XXXI.

[2]) Birch-Hirschfeld, Die Krankheiten der Orbita. Graefe-Saemisch, Handb. d. ges. Augenheilk. 2. Aufl. 1907.

Geisteskranken bildet die zweite Gruppe. Der Mechanismus der Verletzung ist leicht zu erklären. Die in die Orbita eindringenden Finger bewirken zuerst das Hervortreten des Augapfels, um dann, wie ein Hebel wirkend, die Luxatio bulbi herbeizuführen, welche durch einen hinzutretenden Zug nach vorne in ein Herausreissen des Augapfels übergehen kann. Die Nägel als Schneidewerkzeuge kommen hier nicht in Betracht, wie Axenfelds[1]) Versuche an Leichenaugen bestätigen.

Der dritten Gruppe sind endlich Fälle streng traumatischer Natur zuzurechnen, in welchen eine Verletzung mit einem Stock, Hacke, Schlüssel, Kuhhorn oder Pferdehuf die Ursache der Luxatio war. Birch-Hirschfeld citiert 17 in der Literatur bekannte Fälle, von welchen nur drei das klinische Bild der Avulsio bulbi vorstellten.

Der von uns beobachtete Fall ist eben der letzten Gruppe einzureihen.

J. G., 37 Jahre alt, Taglöhner aus Zubrza (Bezirk Lemberg), wurde am 22. Oktober 1906 auf die chirurgische Abteilung des allgemeinen Krankenhauses in Lemberg aufgenommen. Ich lasse in Kürze den Auszug der Krankengeschichte folgen.

Patient gibt an, von scheu gewordenen Pferden einen Hufschlag erlitten zu haben.

Der Status praesens bei der Aufnahme ins Spital war folgender: Die linke Gesichtshälfte ist stark geschwollen, ausgedehnte blutige Unterlaufungen finden sich an der Wange und den Lidern. Über dem oberen Orbitalrand verlaufen einige gequetschte, bis zum Knochen reichende Wunden, in welchen viele Bruchstücke des eingebrochenen oberen Orbitalrandes und des angrenzenden Stirnknochens sich befinden.

Der linke, von der Umgebung gänzlich losgetrennte Augapfel liegt vor der Orbita, so dass er an der nasalen Seite an schmalen Streifen blutigen Gewebes herunterhängt. Die Weichteile der Augenhöhle sind zerfetzt und mit Blut durchtränkt.

Die chirurgische Diagnose lautete: Fractura marginis supraorbitalis et ossis frontalis sinistri. Haematoma retrobulbare. Luxatio bulbi. Dilaceratio musculorum oc. sin.

Zur Beratung einberufen, was man eigentlich mit dem herausgerissenen Augapfel tun soll, habe ich der Abschneidung des herunterhängenden Augapfels beigestimmt, um so mehr, als die schon bei äusserer Untersuchung konstatierten Veränderungen im Augapfel und die hinzugetretenen Komplikationen von vornherein die Erhaltung des Augapfels und seine Reposition ausschliessen mussten.

---

[1]) Axenfeld, Über Luxation, Zerstörung und Herausreissung des Augapfels als Selbstverstümmelung bei Geisteskranken. Zeitschr. f. Augenheilk. Bd. I. 1899.

Herrn Dr. Wolf, Sekundararzt der chirurgischen Abteilung, bin ich für die bereitwillige Abtretung des Augapfels zur anatomischen Untersuchung zu bestem Danke verpflichtet.

Die chirurgischen Komplikationen verliefen ganz normal; nach Abschneidung des Augapfels, Reinigung der Orbita und Entfernung der Knochensplitter wurde eine Drainage der Wunde und ein aseptischer Verband angelegt. Die Wundflächen reinigten sich bald und bedeckten sich mit Granulationen, so dass der Patient schon in kurzer Zeit auf eigenes Verlangen das Krankenhaus am 12. November 1906 verlassen hat.

Dem klinischen Verlaufe nach wäre also der Fall als eine Herausreissung des Augapfels zu klassifizieren und zwar als eine Avulsio bulbi incompleta, da der Augapfel noch an einem Augenmuskel, wahrscheinlich an dem Musc. rect. int. haften blieb. Die bei dieser Herausreissung wirkenden Kräfte liegen völlig klar zutage. Das Trauma wurde mit einem Pferdehuf versetzt, welcher nach Bruch des Orbitalknochens von oben aussen in den hinteren Teil der Orbita eindrang; der Augapfel wurde dabei infolge des vermehrten Druckes und plötzlichen Verengung des hinteren Teiles der Augenhöhle nach aussen gedrängt. Dies wäre die eine von hinten wirkende Kraft. Gleichzeitig aber mit dem Zurückziehen des Hufes gesellte sich eine Zugkraft von vorne, welche die Avulsio bulbi zur Folge hatte.

Die Literatur der Avulsio bulbi ist — wie wir gleich anfangs bemerkt haben — ziemlich dürftig. Bei den öfters vorkommenden Verletzungen der Augenhöhle muss diese kleine Zahl von Herausreissungen des Augapfels auffallend erscheinen. Verständlich wird diese Tatsache, wenn wir uns die Entstehungsart dieser Verletzung vergegenwärtigen. Die Erklärung dafür finden wir in der Arbeit von Birch-Hirschfeld: „nicht das Eindringen des Fremdkörpers allein ... auch eine Hebelwirkug des Fremdkörpers ist nicht das wesentliche, sondern die Form des Fremdkörpers, die nicht nur ein Eindringen desselben gestattet, sondern ein Verfangen desselben im Orbitalgewebe nach Art eines Widerhakens möglich macht. Dadurch muss natürlich, wenn das verletzende Instrument die Orbita verlässt, ein Zug nach aussen erfolgen, der den Bulbus vor die Lidspalte bringt...“

Als klinische Beobachtung einer Avulsio bulbi dürfte daher der vorliegende Fall schon eine Beachtung verdienen.

Die anatomische und histologische Untersuchung des abgetrennten Augapfels lässt aber diesen Fall zu noch selteneren Fällen einrechnen.

Bei der makroskopischen Untersuchung finden wir die Bindehaut des Augapfels stark mit Blut unterlaufen, die zurückgebliebenen Muskelansätze gleichfalls mit Blut durchtränkt. Die Hornhaut ist braunrot verfärbt, an einer Seite des Limbus zeichnet sich ein halbmondförmiger, dunkler Streifen von 7 mm Breite und 15 mm Länge von der Umgebung ab. Die Vorderkammer ist nicht sichtbar. Auf einem Äquatorialdurchschnitt durch den Augapfel konstatiert man einen verdickten Glaskörper, in welchem punktförmige Blutungen und an der Stelle der Sehnervenscheibe ein ausgedehnter roter Fleck sich befinden. Der abgetrennte Sehnerv ist 28 mm lang und fast in der Mitte unter einem geraden Winkel geknickt. Die Scheiden des Sehnerven sind leer und eingefallen.

Zur mikroskopischen Untersuchung wurde der vordere und hintere Augenabschnitt in Längsschnitte zerlegt, während von der ganzen Länge des Sehnerven Querschnitte angefertigt wurden. Die mikroskopische Untersuchung des vorderen Bulbusabschnittes ergibt folgenden Befund:

Die Hornhaut ist auf ihrer ganzen Oberfläche des Epithels entblösst und nur durch die unveränderte Bowmansche Membran gedeckt. Das Hornhautparenchym ist normal. Die vordere Kammer erhalten. An die ganze hintere Hornhautwand grenzt ein ausgedehnter Bluterguss, welcher die vordere Kammer ausfüllt. Der Bluterguss ist in der Mitte der Kammer am dicksten und misst an dieser Stelle — schon mit blossem Auge bemerkbar — $^3/_4$ mm. Auf der einen Seite des Kammerwinkels findet sich auch ein Bluterguss, auf der andern Seite nur ein schmaler Streifen, bestehend aus Blutzellen und der hinteren Hornhautwand anliegend.

Der Schlemmsche Kanal ist beiderseits erweitert und mit Blut gefüllt. Die Iris und der Ciliarkörper ebenfalls mit erweiterten und blutüberfüllten Gefässen. Das Pigmentlager der Iris und des Ciliarkörpers ist von seiner Unterlage abgerissen — es ist entweder in Gestalt von pigmentierten Klümpchen frei herumliegend in der Vorderkammer anzutreffen, oder es ist dem Blutextravasat, welches an die hintere Hornhautwand sich anlegt, beigemengt.

Die Linse ist in normaler Stellung, zeigt an beiden Enden ihrer Längsachse einzelne zerrissene und spiralförmig zusammengerollte Zonulafasern. Die Linsenkapsel und das unter ihr liegende Epithel sind unversehrt.

Die Netzhaut ist auf einer Seite bei der Ora serrata abgerissen; darüber findet sich ein ausgedehnter Bluterguss im Ciliarkörper, welcher tief in das Parenchym der Sklera eindringt.

Weit wichtigere Veränderungen konstatiert man aber im hinteren Abschnitte des Augapfels: an der Stelle, wo gewöhnlich die Sehnervenscheibe sich befindet, konstatiert man eine in die Tiefe des Sehnerven hineinragende Öffnung. Die Seitenwände dieser Öffnung sind durch die Reste der an die Wand des Skleralkanales anliegenden Lamina cribrosa gebildet, während ihre Mitte durch spärliche Blutzellen und den herausgefallenen Glaskörper ausgefüllt ist, welcher keilförmig zwischen die Sehnervenscheiden sich einschiebt (Fig. 1).

Auf Längsdurchschnitten, welche durch die Mitte der Papille führen, erreicht der Durchmesser der Öffnung $1^1/_2$ mm, an peripheren Schnitten ist der Durchmesser kleiner, dafür sind aber die Reste der an die Wände des Skleralkanales anliegenden Lamina cribrosa bedeutender. Die Membrana elastica interna ist durchbrochen, sie liegt, losgetrennt von ihrer Unterlage und spiralförmig gekrümmt, frei im Glaskörper.

Die Netzhaut ist gleich beim Sehnerveneingang abgerissen. Auf einer Seite (der temporalen) ist das Ende der abgerissenen Netzhaut weit von der Sehnervenscheibe peripherwärts zurückgezogen, so dass das abgerissene Ende in Verlängerung der Wand der äusseren Sehnervenscheide zu liegen

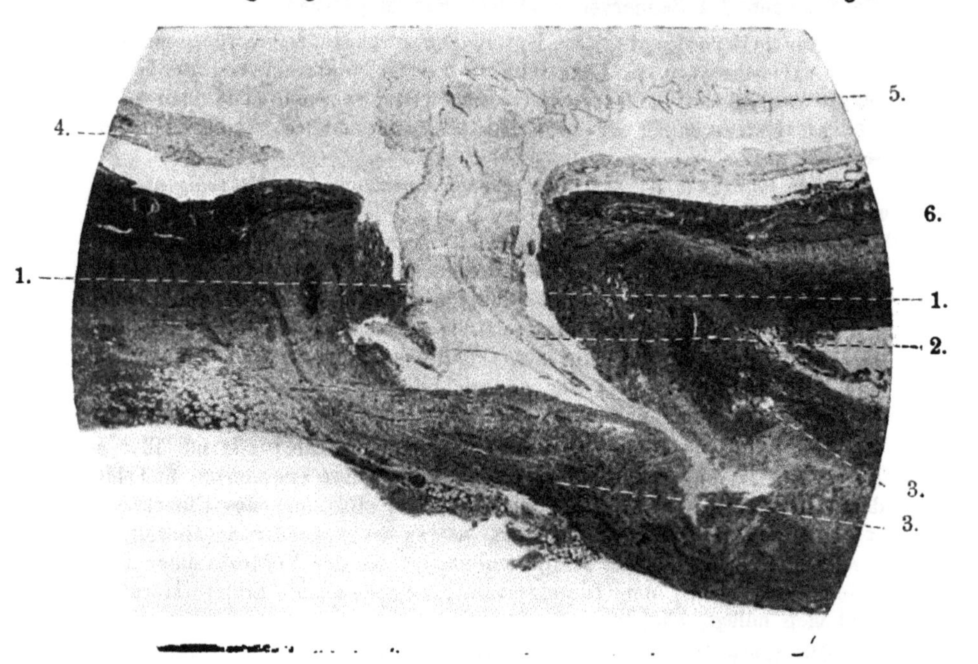

Fig. 1. Längsschnitt durch den hinteren Augenabschnitt (Hämatoxylin-Eosin-Färbung). 1. Reste der Lamina cribrosa. 2. Glaskörpervorfall. 3. Die äussere Sehnervenscheide. 4. Die abgetrennte Netzhaut. 5. Membrana elastica interna. 6. Aderhaut.

kommt; auf der andern Seite (der nasalen) ist nur der obere Teil der Nervenfaserschicht durchtrennt, so dass der übrig gebliebene Rest der Nervenfaserschicht in Gestalt eines schmalen, vielfach eingeritzten Streifens mit den Resten der Lamina cribrosa in Verbindung steht. In den erhaltenen Teilen der Netzhaut finden sich stark erweiterte und mit Blut überfüllte Gefässe. Die in der Nähe der Öffnung gelegenen Körnerschichten der Netzhaut sind ebenfalls eingerissen, an Stelle der Zapfen und Stäbchenschicht finden sich gestaltlose Massen.

Die Aderhaut ist stark hyperämisch — die Gefässe sind in allen Schichten erweitert und mit Blut gefüllt. In der der Sklera anliegenden Schicht findet sich ein ausgedehnter Bluterguss ausserhalb der Gefässwände.

Die Sklera ist intakt.

Der Sehnerv ist leer in seiner ganzen Länge. An Stelle der Sehnervenfasern konstatiert man eine abgeplattete, unregelmässig geformte Öffnung, welche von der verdickten und hyperämischen äusseren Sehnervenscheide umgeben ist. In dem an den Augapfel angrenzenden Teile des Sehnerven findet man noch Reste des Glaskörpers und Blutgerinnsel (Fig. 2); im weiteren Verlaufe verliert sich der vom Augapfel stammende Inhalt und wir haben an Querschnitten nur eine unregelmässig geformte, abgeplattete Öffnung, welche von der verdickten und stark hyperämischen Duralscheide des Sehnerven umgrenzt wird.

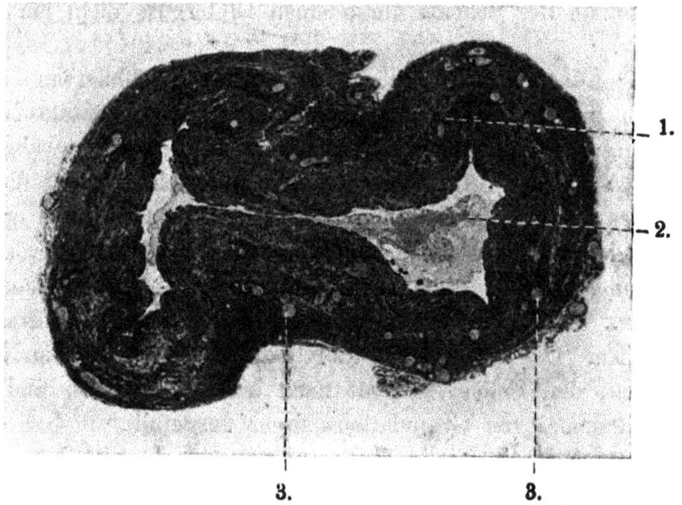

Fig. 2. Querschnitt durch den Sehnerven (Färbung nach van Gieson). 1. Die äussere Sehnervenscheide. 2. Glaskörper und Blutgerinnsel. 3. Gefässe.

Aus der mikroskopischen Untersuchung des Augapfels geht deutlich hervor, dass wir hier mit einem sehr seltenen Falle, mit einer Herausreissung des Sehnerven auf der Höhe der Lamina cribrosa, der sog. Evulsio nervi optici, zu tun haben.

Unter der Ausreissung des Sehnerven versteht Salzmann[1]) — der zum ersten Male die klinischen Merkmale dieser Verletzung eingehender beschrieben und die betreffende Literatur bis zum Jahre 1903 zusammengestellt hat — „eine gewaltsame Dislokation des Sehnerven aus seinem skleralen Durchtrittskanal nach hinten, ohne dass

[1]) Salzmann, Die Ausreissung des Sehnerven (Evulsio nervi optici). Zeitschr. f. Augenheilk. Bd. IX. 1903.

die Augenhäute in der nächsten Umgebung dieses Kanales eine Kontinuitätstrennung erfahren haben".

Der von uns beschriebene Fall entspricht vollkommen der oben citierten Definition.

In der Literatur sind nur zehn Fälle von Ausreissung des Sehnerven bekannt. Es sind dies meistenteils klinische Beobachtungen, denn eine anatomische Untersuchung wurde nur in den drei ältesten Fällen aus den Jahren 1856, 1879 und 1884 durchgeführt.

Die anatomischen Befunde dieser drei Fälle citiere ich nach Salzmann.

„His (1856)... bei der Sektion fand sich Abtrennung des Optikus innerhalb der Scheide durch einen Bluterguss dicht am Eintritt ins Auge.

Pagenstecher (1879)...an der Stelle des Sehnerven fand sich ein Loch in der Sklera, aus dem die zusammengefaltete Netzhaut heraushing; die Scheiden waren knapp an der Sklera abgerissen.

Aschmann (1884)...Anatomisch liess sich zunächst die Stelle bestimmen, wo das verletzende Werkzeug den Sehnerven getroffen hatte. Sie war durch einen umschriebenen Zerfall der nervösen Elemente, umgeben von Blutaustritten und einer Entzündungszone, ausgezeichnet. Diese Stelle soll der Eintrittsstelle der Zentralgefässe entsprechen. Der Durchschnitt durch die Papille zeigte die Netzhaut abgerissen, den Sehnerven weit nach hinten geschoben und seinen Durchtrittskanal von Granulationsgewebe ausgefüllt."

Wie aus den Referaten Salzmanns zu ersehen ist, beschränkten sich die anatomischen Untersuchungen hauptsächlich auf makroskopische Besichtigung des Augapfels und des Sehnerven.

In neueren Zeiten publiziert Hesse[1]) die mikroskopische Untersuchung in einem von Dimmer auf dem Heidelberger Ophthalmologenkongresse 1906 demonstrierten Falle von teilweiser Ausreissung des Sehnerven (Evulsio nervi optici partialis).

Der Befund lautete wie folgt: „...Die vordere Kammer sehr tief, mit Blut erfüllt. Die Linse verschoben... die Netzhaut vollständig abgehoben, stark gefaltet. Die Lamina cribrosa ist von ihrer Insertion an die Sklera teilweise getrennt, diese Trennung nimmt ungefähr das äussere Drittel des Umfanges der Papille ein. Dadurch besteht eine Verbindung zwischen dem Augeninnern und dem Zwischenscheidenraum. Durch dieses Loch ist Glaskörpergewebe nach rück-

---

[1]) Hesse, Ein Fall von teilweiser Ausreissung des Sehnerven. Zeitschr. für Augenheilk. Bd. XVII. 1907.

wärts getreten... Wir finden eine grosse Blutansammlung, die das lockere Pialgewebe auseinandergedrängt und sich einen Raum an der äusseren Seite des Optikus geschaffen hat. Die Duralscheide ist nirgends verletzt."

Der soeben referierte Fall wurde — wie der von uns mitgeteilte — klinisch nicht untersucht; die Blutansammlung in der vorderen Augenkammer verhinderte die ophthalmoskopische Untersuchung des Augenhintergrundes.

Trotzdem kann man aus dem anatomischen Befunde sich das klinische Bild dieser Verletzung vergegenwärtigen. Mit dem Ophthalmoskop würde man das gänzliche Fehlen der Sehnervenscheibe und der aus ihr hervortretenden Netzhautgefässe konstatieren; an Stelle der Papilla nervi optici würde sich eine mit Glaskörper und Blutung ausgefüllte Vertiefung befinden, an deren Rande die Netzhaut abgerissen sein würde.

Die klinische Untersuchung ist aber nicht im stande, uns genaue Kenntnis zu übermitteln von den anatomischen Veränderungen, welche an der Stelle des Sehnerveneinganges bei dieser Verletzung stattfinden. Das ophthalmoskopische Bild bleibt uns eine Antwort schuldig auf folgende Fragen:

1. Wie verhält sich die Lamina cribrosa zu den Wänden des Skleralkanales, wird gleichzeitig mit der Ausreissung der Sehnervenfasern die Lamina cribrosa von den Wänden des Kanales abgerissen? und

2. Wie verhält sich bei dieser Verletzung des Augapfels die äussere Sehnervenscheide?

Schon Salzmann machte bei der klinischen Bearbeitung der Ausreissung des Sehnerven auf diesen Umstand aufmerksam: „Die anatomischen Untersuchungen geben leider über das Verhalten der Lamina cribrosa keine näheren Aufschlüsse... Noch grösser ist die Unsicherheit, wenn die Frage aufgeworfen wird, wie sich die Duralscheide des Sehnerven bei dieser Verletzung verhält."

Die nach Salzmann publizierten Fälle bringen auch nur klinische Beiträge zur Ausreissung des Sehnerven [es sind dies die Beobachtungen von Genth[1]) und Gagarin)[2]], so dass erst die

[1]) Genth, Ein weiterer Fall von Ausreissung des Sehnerven mit mehrjähriger Beobachtung. Arch. f. Augenheilk. Bd. XLIX. 1903.

[2]) Gagarin, Ein Fall von Evulsio nervi optici utriusque. Klin. Monatsbl. f. Augenheilk. 42. Jahrg. 1904.

mikroskopische Untersuchung in unserem Falle auf die oben gestellten Fragen Antwort gibt.

Auf longitudinalen Seriendurchschnitten des hinteren Augenabschnittes kann man das Verhalten der Lamina cribrosa genau kennen lernen. Wir sehen, dass überall an der Peripherie Reste der Lamina cribrosa vorhanden sind, dass hauptsächlich der mittlere Teil ausgerissen wurde und dass selbst dort, wo die Öffnung $1^1/_2$ mm misst, immer noch ein schmaler Streifen der Lamina cribrosa an den Wänden des Kanales erhalten geblieben ist.

Auf Präparaten, welche mittels der Weigertschen Methode auf Markscheiden gefärbt wurden, tritt besonders deutlich die Struktur der Lamina cribrosa samt den markhaltigen Nervenfasern hervor.

Was das Verhalten der äusseren Sehnervenscheide betrifft, so ist sie unversehrt an der ganzen Länge des herausgerissenen Sehnerven. Die Ausreissung des Sehnervenstammes geschah an der Grenze zwischen der äusseren und mittleren Scheide, wo schon normaler Weise die Verbindung beider Scheiden eine ziemlich lockere ist. Die Duralscheide konnte im weiteren Verlaufe als der eigentliche Sehnerv abgetrennt werden, und dann kann sich eben ereignen, dass dem Augapfel statt des Sehnerven eine leere Scheide anhaftet. In unserem Falle war die äussere Sehnervenscheide im hinteren Teile der Orbita durch den eindringenden Pferdehuf beschädigt, erst dann ist durch den gewaltsamen Mechanismus der Avulsio bulbi der Sehnervenstamm auf der Höhe der Lamina cribrosa herausgerissen worden.

Der von uns beschriebene Fall ist in der ophthalmologischen Literatur gewissermassen als ein einziger Fall von Evulsio nervi optici totalis zu betrachten, bei welchem eine eingehende anatomische Untersuchung durchgeführt wurde, die das Verhalten der Lamina cribrosa und der Sehnervenscheide bei dieser Verletzung erklärt; er ist auch einzig dastehend, wenn man die Konstatierung dieser pathologischen Veränderung als Komplikation bei Avulsio bulbi berücksichtigt.

Mit Rücksicht auf diesen zuletzt erwähnten Umstand sollte man eigentlich zur Vermeidung etwaiger Missverständnisse den Begriff der Ausreissung des Sehnerven ein wenig erläutern. Denn spricht man von einer Ausreissung des Sehnerven bei Abreissung des Augapfels, so kann man zuerst den Gedanken fassen, dass nicht nur der Augapfel allein, sondern auch der Sehnerv im ganzen aus der Orbita herausgerissen wurde, oder es könnte sich gar ereignen, dass der Sehnervenstamm samt dem Augapfel herausgerissen wurde, während die Duralscheide in der Orbita zurückblieb. In beiden Fällen müsste man die stattgehabte Verletzung als eine Ausreissung des Sehnerven bezeichnen, obwohl sich bei ihnen die Salzmannsche Definition nicht anwenden liesse. Die Salzmannsche Definition entspricht eben nur dem klinischen Verhalten dieser traumatischen Veränderung, wenn die Evulsio nervi optici als einfache Verletzung des Sehnerven ohne Komplikationen von seiten des Augapfels betrachtet wird, das ist wenn der Bulbus in der Augenhöhle sich befindet. In Fällen aber, welche mit Avulsio bulbi kompliziert sind und die dennoch der Salzmannschen Definition entsprechen, sollte man vornhin andeuten, dass wir mit einer Evulsio nervi optici (Salzmann), das ist mit einer Ausreissung des Sehnervenstammes aus seinem skleralen Durchtrittskanal mit Erhaltung der äusseren Sehnervenscheide beim Augapfel zu tun haben.

Zur Frage nach der Existenz des Glaskörperkanales.

Von

Dr. M. Wolfrum,

Privatdozent u. Assistent an der Universitäts-Augenklinik in Leipzig.

In meiner Abhandlung über die normale Struktur und Entwicklung des Glaskörpers habe ich angegeben, dass ich den Canalis hyaloideus nicht als eine konstante Erscheinung im Glaskörper, sondern nur in einem verhältnismässig niedrigen Prozentsatz der Fälle angetroffen habe. Ich habe dabei die Methode erwähnt, welche ich in Verwendung brachte, indem ich glaubte, ihr vor der von Stilling ehemals angegebenen den Vorzug einräumen zu müssen. In einer neueren Publikation hat nun Schaaff sich gegen diese Methode gewandt (ob er sie nachgeprüft hat, erwähnt er nicht) und meint, dass sie mehr Kunstprodukte schaffe als die ehemals von Stilling beschriebene. Auch seine Methode, welche sich von der ersten Stillingschen nur unwesentlich unterscheidet, hält er für besser und kann damit in 100% der Fälle normal anatomische Erscheinungen im Glaskörper nachweisen.

Ein Verfahren, mit welchem man anatomische Feinheiten, einen wandungslosen Kanal in einem gallertigen Gewebe in 100% mit aller Bestimmtheit nachweist, muss selbstverständlich den grössten Forderungen an Exaktheit entsprechen und die absolute Sicherheit bieten, dass dabei Kunstprodukte überhaupt nicht vorkommen können, weil sonst ja der Wert des Verfahrens keine Beweiskraft beanspruchen kann, und daraufhin wäre die Methode von Schaaff in erster Linie zu prüfen.

Bevor wir aber die Methode ausführlicher besprechen, müssen wir uns in Kürze den normalen Aufbau des Glaskörpers in das Gedächtnis zurückrufen. Er besteht aus einer festeren Rindenschicht und einem lockeren Kern. Beide sind nicht scharf voneinander zu trennen, sondern gehen allmählich ineinander über, lösen sich aber ungemein leicht voneinander ab. Der Kern ist sehr weich, ja zerfliesslich und nicht immer homogen, sondern, wie man sich an Durchschnitten, an fixierten wie an unfixierten Präparaten überzeugen kann, nicht gleichmässig gewebt, sondern teilweise zerklüftet. Die mehr homogene Rindenschicht aber, die ebenso wie der ganze Glaskörper einen fibrillären Bau unter dem Mikroskope zeigt, ist in normalem Zustande ringsum durch Fibrillen an die Limitans interna geheftet und zwar besonders fest in der Gegend des Optikus an dem vorderen Gliaring (Krückmann) und in der Gegend der Ora serrata. Diese normalen Verbindungen müssen natürlich besondere Berücksichtigung finden, will man sich sonst irgendwie über den Aufbau des Glaskörpers Aufschluss verschaffen.

Wenn nun Schaaff mit der Schere die Häute des Bulbus im Äquator durchtrennt, so lädiert er — dies ist unmöglich zu umgehen — in der Äquatorgegend in der ganzen Circumferenz die Rindenschichten des Glaskörpers. Sodann nimmt er den Glaskörper aus dem hinteren Abschnitte des Bulbus heraus, zerreisst also sämtliche Verbindungen, welche er mit der Limitans interna hatte, und was besonders zu erwähnen ist, er zerstört sämtliche Verbindungen, welche der Glaskörper am Pupillenrande mit dem dort befindlichen vorderen Gliaring hatte. Durch den Zug, welcher dabei ausgeübt wird, werden natürlich die Dehiscenzen, welche am Äquator geschaffen sind, noch vergrössert und dabei erstreckt sich nun die Zugwirkung schon nicht mehr auf die oberflächlichen festeren, weil bereits durchtrennten Schichten, sondern die direkt darunter liegenden, schon etwas weniger fest gefügten Schichten werden am meisten auf Dehnung beansprucht und ohne Zweifel erheblich alteriert. Die Verbindungen zwischen Papille und Glaskörper sind nämlich, wie man sich beim Loslösen überzeugen kann, verhältnismässig recht feste, ja im mikroskopischen Präparat sieht man sie gar nicht selten weit in den Glaskörper hineinziehen.

Weil diese Verbindungen an der Papille haften, werden sie durchtrennt, ob die Netzhaut an der Glaskörperoberfläche haften bleibt oder nicht. Jeder, welcher die Manipulationen von Schaaff nachprüft, kann sich ohne weiteres davon überzeugen, dass man zur Lösung von der Papille eine für die Struktur des Glaskörpers sicherlich recht nachträgliche Gewalteinwirkung anwenden muss.

Schaaff präpariert aber jetzt den Glaskörper auch noch aus dem vorderen Abschnitt des Auges heraus. Die ungemein festen Zusammenhänge zwischen Ora serrata und Glaskörper müssen dabei durchwegs zerstört werden. Bekanntlich wird ja im embryonalen Leben und auch noch postembryonal ein grosser Teil des Glaskörpers aus dem Epithel der Ora serrata entwickelt. Daher sind die Verbindungen hier bis in das späte Alter persistierende und ziemlich feste. Die Gewalteinwirkung und die Kraft, welche dabei angewendet werden muss, ist hier noch viel grösser als im vorhergehenden Falle, und ohne schwere Läsionen in der Struktur des Glaskörpers ist dies nicht zu bewerkstelligen. Warum dies Schaaff überhaupt tut, ist mir eigentlich nicht recht erklärlich, zu dem Nachweis eines Kanales ist ja diese Manipulation gar nicht nötig. Schaaff hätte sich doch sagen müssen, dass er damit zu den schon vorhandenen Verletzungen noch eine neue schwere fügt, welche aber durchaus zu umgehen wäre, und dass er sich damit die Orientierung unnötigerweise erschwert.

Als ich mein einfacheres und, wie ich wohl nach diesen Ausführungen sagen darf, besseres Verfahren mitteilte, da waren mir die Mängel, welche dem andern Verfahren anhaften, nach sorgfältiger Prüfung recht wohl bekannt. Ich hielt es aber für besser, vor allem um der Mitteilung den polemischen Charakter bis zu einem gewissen Grade zu nehmen, auf die ausserordentlich grossen Nachteile nicht näher einzugehen. Jede einzelne Manipulation setzt schwere Läsionen in der ungemein zarten Struktur des Glaskörpers und schafft Kunstprodukte der verschiedensten Art. Ich könnte der Mängel noch mehr aufzählen, sie sind mit dem Besprochenen keineswegs erschöpft. Der Prozess ist also keineswegs geeignet, um damit feinere Strukturen oder einen Kanal im Glaskörper nachzuweisen.

Obwohl ich somit der Methode von Schaaff jede Beweiskraft abspreche, so habe ich sie jedoch in gewissenhafter Weise genau nach seinen Angaben nachgeprüft.

Jedermann wird nun aus den jetzt folgenden Beschreibungen entnehmen können, dass ich dabei in vereinzelten Fällen genau die gleichen Befunde erhoben habe wie Schaaff.

Ich habe also die Häute des Bulbus im Äquator mit möglichster Schonung durchtrennt. Ist man nun bei der Freipräparierung des Glaskörpers soweit gekommen, dass man ihn aus dem hinteren Abschnitte auslösen kann, so ist man vor die unangenehme Wahl gestellt, ob man die Verbindungen zwischen Glaskörper und Papille durchreissen will, oder mit einem Instrument durchtrennt. Mag man vorgehen, wie man will, man erzielt ein Loch in der Rindenschichte des Glaskörpers, das natürlich beim Ausreissen sehr tief werden kann, aber auch beim Abschneiden nichts an Tiefe zu wünschen übrig lässt. Die schwerste Läsion aber, die dabei der Glaskörper erfährt, ist eine enorme Dehnung, welche er in den auf Dehnung beanspruchten Partien erfährt, und das sind nur die nasalen tiefer liegenden Partien (die oberflächlichen sind ja im Äquator durchschnitten), weil sie die viel kürzeren sind als die temporalen.

Bevor man aber mit der weiteren Ausschälung im vorderen Abschnitt beendigt, muss man sich ein Merkmal verschaffen, um später am Glaskörper noch nasal oder temporal nachweisen zu können. Dies geschieht, indem man ein Stück Chorioidea in der Gegend der Ora serrata beim Herauspräparieren aus dem vorderen Abschnitt hängen lässt. Eine jede Orientierung ist dann ungemein leicht, beim nachfolgenden aber auch ungemein wichtig. Schaaff hat davon in seiner Beschreibung nichts bemerkt, und es ist deshalb mir nicht recht verständlich, wie er sich an dem herausgenommenen Glaskörper orientiert hat.

Tropft man nun nach Beendigung der Ausschälung und Entfernung der Linse Farbe auf, so füllt sich augenblicklich das ganze in den Rindenschichten gesetzte Loch mit Farbe[1]), und führt man hier die Spitze der Pipette ein, so kann man manchmal schon bei dem gelindesten Druck die Farbe weit in den Glaskörper hineintreiben. Dies erfolgt nach Schaaff immer auf der nasalen Seite des Glaskörpers. Dies kann ich, wenn auch nicht in der gesetzmässigen Form, für meine vereinzelten Fälle bestätigen. In der nasalen Hälfte des Glaskörpers fliesst die Farbe, wenn sie überhaupt einfliesst, immer ein, aber nicht immer genau auf der nasalen Seite. Dabei nimmt sie einen ganz bestimmten Weg, sie zielt nämlich fast zum Rande der Linse hin, hat also einen zur optischen Achse ungefähr parallelen Verlauf.

Dieses Verhalten des postulierten Zentralkanales war mir sehr auffallend, es ist ein höchst eigentümliches. Da doch sein Verlauf von der Richtung der ehemaligen Arteria hyaloidea abhängt, so müsste er auch ein entsprechender sein. Die Arteria hyaloidea verläuft aber durchwegs zum hinteren Linsenpol in den späteren Stadien der embryonalen Entwicklung und kurz vor der Rückbildung, der Kanal aber niemals. Er schlägt also vom Optikus aus eine vom Verlaufe der ehemaligen Arteria hyaloidea divergierende Richtung ein und geht gewöhnlich zwischen Rinde und Kern durch den Glaskörper. Auch dies tut die Arterie hyaloidea niemals, sondern sie zieht vor allem vorne mitten durch den Kern. Wir müssten keineswegs

[1]) Von der Area Martegiani sehe ich hier ab, da ich sie an fixierten Präparaten mit tadellos erhaltenem Glaskörper nicht mit Bestimmtheit finden konnte.

einen zur optischen Achse parallelen, sondern einen so stark zur optischen Achse konvergierenden Verlauf beobachten, dass am hinteren Linsenpol der Kanal mit der optischen Achse zusammentrifft.

Wir finden also etwas weit vom ehemaligen Verlaufe der Arteria hyaloidea abweichendes. Und somit kommt der ganzen Erscheinung auch keine durch die Entwicklung zu begründende Existenz zu.

Nun habe ich aber auch diesen von Schaaff beschriebenen Kanal nicht in 100% der Fälle nachweisen können, obwohl ich mir Mühe gab, denselben zu Gesicht zu bekommen, indem ich nämlich mit der Pipette die Farbe mit ziemlicher Heftigkeit in die vorher festgestellte flache Grube einspritzte. Im Gegenteil, je frischer die Augen waren und je sorgfältiger der Glaskörper bei der Ausschälung behandelt wurde, desto seltener war das ganze Phänomen zu beobachten.

Um mir Gewissheit über die Existenz oder Nichtexistenz des Kanals zu verschaffen, habe ich noch folgendes Verfahren angewendet. Dabei handelte es sich darum, eine Methode zu benutzen, welche den Glaskörper vollständig intakt lässt.

Ich habe möglichst frische Augen auf eine hohle Unterlage, etwa eine Flaschenmündung gesetzt, so dass der Bulbus in einem Kreise auflag, der kleiner als sein Äquator war. An so montierten Augen habe ich die Cornea mit der Schere entfernt, ebenso die Iris und dann die Linse nach Entfernung der vorderen Kapsel herausgehoben.

Da der Bulbus auf der Unterlage nicht gedrückt wurde, so blieb auch die tellerförmige Grube vollständig in situ und war von normaler Tiefe. Mit einer Kapselpincette hob ich nun sorgfältig die hintere Kapsel auf und excidierte sie in grossem Umfange. Dabei blieb auch jetzt noch die Fossa patellaris vollständig in Form und Tiefe unverändert. Nun füllte ich die ganze Fossa patellaris mit Farbe. Schon zu Anfang der Manipulationen hatte ich den Bulbus so orientiert, dass er etwas nach nasal überhing, damit bei Vorhandensein des Kanales an der nasalen Seite ja ein Einfliessen von Farbe erfolgen solle. Aber auch so war mein Vorgehen vergebens. Wohl erzielte ich nicht selten eine diffuse Durchtränkung des Glaskörpers, in seltenen Fällen, vor allem wenn die Augen nicht mehr ganz frisch waren, zog wohl auch die Farbe in stromartiger Weise zum Optikus. Aber auch dieses Phänomen war nur bei Schweinsaugen zu beobachten, bei Rinds-, Kalbs- und Schafsaugen überhaupt fast nie. Von dem konstanten Vorhandensein eines Kanales, der noch dazu an der hinteren Linsenfläche sich verbreitern soll, konnte ich mich nicht überzeugen. Bemerkenswert aber ist, dass die Verlautsrichtung der Farbe, wenn sie zum Optikus zieht, hier wieder eine andere ist, als wenn man den Versuch vom Optikus aus macht. Hier geht nämlich die Farbe wirklich vom hinteren Linsenpol aus und zieht zum Optikus. Der Kanal würde also hier wieder anders verlaufen, als bei der vorhergehenden Versuchsanordnung.

Aus all diesen Gründen können wir wohl mit ziemlicher Sicherheit schliessen, dass man es hier nicht mit einem präformierten Kanal zu tun hat. Sondern die eben beschriebenen Versuche geben uns überdies Aufschluss über das Gefüge und die allgemeine Verlaufsrichtung der Fibrillen vor allem in den mittleren Partien des Glaskörpers. Wie sich im mikroskopischen Präparat zeigen lässt, sind die Fasern in der Mitte des Glaskörpers kräftiger. Sie ziehen von der Ora serrata teilweise an der hinteren Linsenfläche vorbei bis zum Optikus. Jede injizierte Masse folgt natürlicherweise dem Verlaufe der Faserrichtung. Und dies ist um so leichter möglich, je mehr die Fasern durch längeres Liegen der Bulbi oder durch mechanische Eingriffe in ihren Zusammenhängen gelockert sind. Wenn ich in Ausnahmefällen einen Canalis hyaloideus angetroffen habe, so entsprach er stets dem Verlaufe der Arteria hyaloidea und war mit Resten von ihr verknüpft, und dabei war seine Ausdehnung nach vorne verschieden gross.

Endlich aber machen sich noch schwere anatomische Bedenken gegen die Existenz eines solchen Kanales geltend. Ein Kanal, der eine konstante Erscheinung durch die ganze Tierreihe und auch beim Menschen sein soll, entbehrt jeder nachweisbaren Wandung. Es ist noch niemandem gelungen, einen Endothelbelag nachzuweisen. Und das wäre doch eine kaum zu umgehende Forderung vor allem in einem derartig weichen und fortwährenden Verschiebungen und damit inneren Reibungen ausgesetzten Gewebe.

Ich verweise ausserdem auf die Ausführungen von Cirincione[1]), der sich Jahrzehnte hindurch mit der Entwicklung und dem Aufbaue des Glaskörpers beschäftigt hat. Er stellt auf Grund seiner histologischen Untersuchungen die Existenz eines Canalis hyaloideus nachdrücklich in Abrede, und in einer späteren Abhandlung in der-

---

[1]) Cirincione, Tratto jaloideo persistente. La Clinica Oculistica. Agosto 1902. p. 1009.

selben Zeitschrift beruft sich C. Hess[1]) auf die Ausführungen von Cirincione.

Schaaff hat angegeben, dass noch niemand die Existenz des Canalis hyaloideus bestritten hat. Man kann also auch in diesem Punkte seinen Angaben nicht beipflichten.

Auch aus physiologischen Gründen ist die Existenz des Canalis hyaloideus nicht erforderlich. Fliesst doch nach den Untersuchungen Lebers[2]) an der Papille etwa nur $^1/_{50}$ von dem an Flüssigkeit aus dem Auge ab, was durch den Kammerwinkel das Auge verlässt. Ganz abgesehen also von der Unzulänglichkeit der Experimente Schaaffs sind es noch eine Reihe von schwerwiegenden Gründen, welche gegen die Existenz eines Canalis hyaloideus als genereller Erscheinung sprechen.

---

[1]) C. Hess, Richerche sul Mecanismo dell' accommodazione. La Clinica Oculistica. Febraio 1904. p. 1569.

[2]) Leber, Die Cirkulations- und Ernährungsverhältnisse des Auges. Graefe-Saemisch, 2. Aufl., 55. u. 56. Liefg., S. 286.

Nachtrag

zu der in diesem Bande erschienenen Arbeit:

Die permanente Drainage der Tränenabflusswege.

Von

Prof. Dr. W. Koster Gzn.

in Leiden.

In der in diesem Bande, S. 87—118 erschienenen Arbeit: Die permanente Drainage der Tränenabflusswege, ist durch ein Versehen die Bezugsquelle der auf S. 91 abgebildeten Instrumente nicht angegeben. Das Instrumentarium ist bei Herrn H. Brouwer, Mechanikus der Augenheilanstalt, Rijks-Ziekenhuis, in Leiden zu beziehen.

Verlag von Wilhelm Engelmann Leipzig

Photogr. v. M. R & Co. Leipzig

Ein schmerzlicher Verlust hat die ophthalmologische Wissenschaft betroffen:

Professor H. Snellen sen.,

der hervorragendste Schüler und Mitarbeiter von Donders, der langjährige Leiter der Utrechter Augenheilanstalt, wurde uns am 18. Januar d. J. im Alter von 73 Jahren durch den Tod entrissen.

In besonderem Masse beklagt seinen Hingang die Redaktion unseres Archivs, welcher er nach Donders Tode seit 1890, also 18 Jahre hindurch, als Mitglied angehört hat.

Durch Donders in die physiologische Optik eingeführt, zeigte sich Snellen schon früh als feiner Beobachter auf diesem Gebiete, indem er in seiner Erstlingsarbeit die Unhaltbarkeit der trophischen Theorie Magendies von der neuroparalytischen Keratitis nachwies. Als Arzt an der von Donders gegründeten niederländischen Augenheilanstalt in Utrecht angestellt, wusste er die mehr theoretische Richtung seines Meisters auf das glücklichste zu ergänzen. Sein Erfindungstalent und seine hervorragende technische Begabung haben die Diagnostik und die operative Augenheilkunde mit neuen und sinnreichen Methoden bereichert, welche heute Gemeingut Aller geworden sind. Sein grosses Verdienst ist die Einführung eines richtigen Prinzips in die Messung der Sehschärfe durch die nach ihm benannten Tafeln.

So hat er an dem Emporblühen der Utrechter Augenklinik und an dem hohen Stande der Augenheilkunde in seinem Vaterland den wesentlichsten Anteil genommen. Noch 1899, bei Gelegenheit des in Utrecht abgehaltenen IX. Internationalen Ophthalmologen-Kongresses hatte er die Genugtuung, den imponierenden und wohlgelungenen Neubau jener Anstalt, der nach seinen Ideen auf das beste und zweckmässigste eingerichtet worden war, den Fachgenossen zu zeigen.

Leider zwang ihn schon bald darauf eine frühzeitige Abnahme seiner Arbeitskraft, auf seine Lehrtätigkeit zu verzichten und im Jahre 1903 völlig in den Ruhestand zu treten.

Seine Verdienste um die Ophthalmologie werden bei der Nachwelt unvergessen bleiben.

Die Redaktion.

Aus den Universitäts-Augenkliniken zu Greifswald und Kiel
(Direktor: Prof. Schirmer).

Über den anatomischen Bau des Conus und der Aderhautveränderungen im myopischen Auge.

Von
Emil Behse,
Assistenzarzt an der Universitäts-Augenklinik in Helsingfors, Finnland.

Mit 38 Figuren im Text und auf Taf. XIV—XXIII.

I. Einleitung.

Die Frage von der Entstehungsweise der Myopie ist vielfach Gegenstand theoretischer Spekulationen und Kontroversen der Ophthalmologen gewesen. Die Ursache zu diesem Schwanken in den herrschenden Ansichten liegt ohne Zweifel in dem Mangel an genügender Zahl pathologisch-anatomisch untersuchter myopischer Augen, und in der Tat muss zugegeben werden, dass das Beschaffen einschlägigen Materials mit ausserordentlichen Schwierigkeiten verbunden ist.

Heutzutage ist wohl die Ansicht unter den Autoren vorherrschend, dass mit der Naharbeit eine Steigerung des intraokularen Druckes einhergehe, und eine dadurch bedingte Dehnung der Augenhüllen in der hinteren Augapfelhälfte stattfinde. Eine solche Annahme ist aber für sich allein nicht genügend zur Erklärung der Myopie, sondern es muss bei den der Kurzsichtigkeit anheimfallenden Leuten eine individuelle Disposition vorausgesetzt werden, die in einer angeborenen verminderten Resistenz der Sklera in der hinteren Bulbushälfte zu suchen ist.

Als die wichtigste und fast stets vorhandene Begleiterscheinung dieser Dehnung der hinteren Augenhüllen ist das Staphylom schlechtweg, der halbmond- oder ringförmige myopische Conus um die Papille zu nennen.

In der Umgebung des Conus, besonders in der Maculagegend, hochgradig kurzsichtiger Augen finden sich vielfach Veränderungen, wie diffuse Entfärbung, umschriebene atrophische oder pigmentierte Flecken, helle Streifen usw., deren Natur und Wesen ihrer endgültigen Erklärung noch harren. Dass das Zustandekommen dieser Veränderungen im Augenhintergrunde mit der Dehnung der hinteren

Bulbushüllen, die ja auch der Conusbildung zugrunde liegt, in ursächlichem Zusammenhange steht, muss wohl als sichergestellt angesehen werden.

Die vorliegende Arbeit verfolgt den Zweck, Licht auf diese Fragen zu werfen. Sie beabsichtigt, einen Beitrag zu den noch in vielfacher Beziehung unbekannten Vorgängen, welche mit der Myopie verknüpft sind, zu liefern.

II. Geschichtliches.

Unter den älteren Autoren ist v. Graefe der erste, der im Jahre 1854 einen mehr eingehenden Bericht über die uns interessierenden Veränderungen im Augenhintergrunde bei Myopie erstattet. Er gibt (1, S. 359) als Hauptursache intraokularer Blutungen — die Urheber von Glaskörpertrübungen und Amblyopien — eine Sclerotico-chorioiditis posterior an, „bei welcher durch chronische Entzündung der Chorioidea die Sclerotica sich um den hinteren Augapfelpol ausdehnt“. Diese ektatische Partie der Sklera schimmert durch die atrophische Aderhaut in Form einer vorwaltend nach aussen vom Sehnerveneintritte anliegenden weissen Plaque hindurch.

Derselbe Autor (1, S. 390—392) erwähnt, in der Umgebung der weissen Figur, deren Sichelform und Fortentwicklung er näher beschreibt, kleinere inselförmige weisse Stellen gesehen zu haben, denen er eine ähnliche Bedeutung, aber nur eine geringere Entwicklung zuschreibt als der Hauptfigur selber. Er weist (1, S. 396) auf Grund der Sektionsbefunde zweier myopischer Augen nach, dass die Chorioidea im grössten Teil der weissen Figur vollkommen fehlt, sucht aber (1, S. 399) vergebens nach eigentlichen Entzündungsprodukten der hinteren Augenhüllen.

Späterhin (2, S. 310) erscheint jedoch die oben erwähnte Entzündungstheorie selbst dem grossen Autor zweifelhaft; er hält sie aber zurzeit für die wahrscheinlichste, bis sich vielleicht eine neue Erklärung der Dinge auf Grund genauerer Untersuchungen herausstellen lasse.

Gleichzeitig mit v. Graefe hatte bereits Stellwag v. Carion (4, S. 225) einer andern Ansicht über die Entstehungsweise der Myopie Ausdruck gegeben, indem er die Krümmungsanomalien der Sklera in Form der sog. Skleralstaphylome als angeborene Formfehler des Auges hervorhob.

Gegen die Auffassung der sog. Sichel in myopischen Augen als

Entzündungserscheinung, wegen der grossen Autorität v. Graefes allgemein anerkannt, traten nun auf das entschiedenste Arlt, v. Jaeger und Schweigger (9) auf.

Arlt, der schon in seinem Lehrbuch (7, S. 215) eine Drucksteigerung und dadurch bedingte Dehnung der hinteren Bulbuswand durch angestrengte Accommodation und Konvergenz für die Entstehung der Myopie verantwortlich macht, polemisiert (7, S. 216) gegen v. Graefe und ebenfalls (7, S. 217) gegen die oben angeführte Ansicht Stellwag v. Carions, dass das Staphyloma posticum Scarpae angeboren sei. Späterhin (14, S. 54) gibt er zu, dass „nach Ed. Jaegers Angaben der Meniscus an der Schläfenseite der Papille wirklich angeboren sein kann". Er behauptet (14, S. 55), das kausale Moment des Meniscus, die Dehnung, liege in der Rückwärtsdrängung des hinteren Poles. Infolge dieser Rückwärtsdrängung entstehen die Veränderungen des Augenhintergrundes in der Papillomaculargegend (14, S. 56), sowohl durch Dehnung und Dehiscenz als auch durch eine reaktive Entzündung.

v. Jaeger, dem wir die Grundlagen unserer heutigen Lehre von der Myopie verdanken, lässt sich (4, S. 338) folgendermassen vernehmen: „so weist der meist konisch vom Sehnervenquerschnitte aus sich verbreitende Pigmentmangel auf den staphylomatösen Prozess in der hinteren Augapfelhemisphäre hin." In seinem grösseren späterhin erschienenen Werke (8, S. 27) wird von ihm der halbmondförmigen Sichel am Sehnerveneintritte der Name Conus beigelegt, welchen er vom Staphyloma posticum, einer meistens angeborenen, häufig hereditären Bildungsanomalie in Form einer Ektasie des hinteren Augapfelabschnittes, trennt. Auf Grund umfassender klinischer und anatomischer Untersuchungen stellt er (8, S. 88) fest, dass „die entzündlichen Vorgänge im Augengrunde sich wesentlich von den verschiedenen Formen des angeborenen Conus unterscheiden", und weist (8, S. 90) nach, dass der Conus durch einen Entzündungsprozess im Sinne v. Graefes unmöglich habe entstehen können, sondern er sei immer angeboren, während der Wachstumsperiode des Individuums vergrössere er sich durch Entwicklung eines Staphyloma posticum, bleibe aber dann für das ganze Leben stationär.

Zwischen den oben angeführten Anschauungen der myopischen Erscheinungen im Augenhintergrunde nimmt Donders einen vermittelnden Standpunkt ein, indem er (10, S. 323) behauptet, dass das Staphyloma posticum zwar aus einer angeborenen Prädisposition hervorgeht, die sich bei mässigen Graden der Myopie unter Symptomen der Reizung, bei höheren aber fast immer mit entzündlichen Erscheinungen im Augenhintergrunde kompliziert. Diese Entzündung ist nach ihm zugleich Resultat und ursächliches Moment des Weiterschreitens der Ausdehnung und Atrophie. Der atrophische Halbmond entstehe (10, S. 318) durch Ausdehnung der Augenhäute in der unmittelbaren Nachbarschaft des Sehnerven, hauptsächlich an der äusseren Seite desselben, und dieser Dehnung folge späterhin eine Stockung der Cirkulation an den äussersten Verzweigungen der Choriocapillaris, und damit werde die Bedingung für beginnende Atrophie gegeben. Der Ansicht v. Jaegers, dass die in der Umgebung des Conus sich abspielenden krankhaften Prozesse allein als Produkte der Entzündung zu betrachten seien, kann Donders keineswegs beipflichten.

Obwohl schon v. Jaeger, wie oben erwähnt, den Unterschied zwischen Conus und Staphyloma posticum richtig erkannt hatte, wurden beide auch später als mehr oder minder identisch angesehen, miteinander oftmals verwechselt. Es ist das Verdienst Schnabels (11), die Aufmerksamkeit auf diese Begriffsverwirrung gelenkt, eine scharfe Trennung des Conus vom Staphyloma posticum herbeigeführt, und dadurch den Übergang zu der neuen Ära der Lehre von Myopie vermittelt zu haben. Er unterscheidet einen durch Dehnungsatrophie der Chorioidea infolge Verschiebung des Pigmentepithels vom Sehnerven ab erworbenen, von dem angeborenen Conus, dem er späterhin (13, S. 889—890) den Charakter von partiellen, meistenteils nach unten vom Optikus gelegenen Chorioidealcolobome zuerteilt.

Mauthner, der in seinen Vorlesungen (15, S. 439) eine angeborene abnorme Weite des blinden Endes des Zwischenscheidenraumes in ursächlichem Zusammenhange mit Bildung des Conus in Frage stellt, und ebenso Nagel (20) sprechen sich beide zugunsten der obenerwähnten Auffassung von Schnabel aus. Auch Tscherning (26, S. 254) erklärt diese Hypothese vielleicht für etwas gewagt, die Unterscheidung der zwei Formen von Conis aber für berechtigt.

Die gleiche Ansicht vertreten Fuchs (25), Szili (27), van Duyse (29), und späterhin hat Vossius (32) die Angabe von Fuchs bestätigen können, dass die schmale angeborene Sichel nach unten als Analogon eines Chorioidealcoloboms angesehen werden müsse und scharf zu trennen sei von der nach aussen gerichteten sichelförmigen Chorioidealatrophie.

Nuël (31) hat ein Colobom nach aussen gesehen und glaubt

dasselbe auf eine ungenügende und verspätete Verschliessung des Fötalspaltes zurückführen zu können.

Salzmann endlich (44) hebt auf Grund des anatomischen Befundes an einem mit Sichelbildung nach innen unten von ihm untersuchten Auge hervor, dass es sich dabei, wie schon vorher Schnabel gezeigt hatte, um ein Chorioidealcolobom handelt.

Unter den neueren Forschern sind bezüglich der Erklärung des Conus im wesentlichen zwei Anschauungsweisen vorherrschend; die eine sucht das ursächliche Moment in der Zerrung (Weiss, Stilling, Schoen, Heine, Salzmann), nach der andern verdankt er seine Entstehung einer angeborenen Anomalie der Augenhäute am Sclerochorioidealkanale (Schnabel, Herrnheiser, Elschnig).

Nach Weiss (23), der die ersten genaueren anatomischen Untersuchungen myopischer Augen im Jahre 1882 veröffentlicht hat, handelt es sich um eine Verzerrung der Chorioidea vom Sehnerven ab, bedingt durch einen absolut oder relativ zu kurzen Sehnervenstamm (38), demzufolge durch Zug der mit der Aderhaut in festem Zusammenhange stehenden Lamina cribrosa eine breite Falte der zu äusserst gelegenen Optikusfasern aus dem Sehnerven über den temporalen Skleralrand herübergezogen wird. An der Stelle des durch den Pigmentbogen nach aussen deutlich begrenzten Conus findet sich keine Spur von Chorioidea, sondern nur heraus- resp. herübergezogenes Sehnervengewebe, durch welches Gewebe die weisse unterliegende Sklera hindurchschimmert.

Nach Stilling (35) ist der Conus im wesentlichen ein optisches, ein perspektivisches Phänomen, bedingt durch temporalwärts schräge Verziehung des ganzen Sklerotikalkanals, entsprechend der Zugwirkung des M. obl. sup., so dass die temporale Wand mehr verzogen wird als die nasale. Der normaliter trichterförmige Sklerotikalkanal, dessen kleinere Öffnung nach der Retina zu gelegen ist, wird dadurch in einen schief gestellten Cylinder umgewandelt; ja, bei hochgradig myopischen Augen kann der Sklerotikaltrichter derartig weit auseinander gezogen sein, dass nunmehr die innere Öffnung die äussere an der Lamina cribrosa an Breite übertrifft. Der Conus ist also keineswegs als eine atrophische Stelle der Chorioidea anzusehen, sondern ist nichts anders als die sichtbar gewordene Seitenwand des Sklerotikaltrichters. Stilling unterscheidet zwei Formen von Myopie, eine gutartige und eine deletäre. Die deletäre Form, die mit hochgradig krankhaften Veränderungen im Augenhintergrunde einhergeht, entsteht durch einen hydrophthalmischen Prozess; die Atrophie der

Chorioidea ist als Druck- und Dehnungsatrophie ohne jegliche Entzündungserscheinungen aufzufassen.

Die oben angeführte Anschauung Stillings über die Entstehung des Conus ist späterhin bestätigt worden durch Untersuchungen von Romano Catania (39), Seggel (40) und Krotoschin (41).

Seggel unterscheidet zwei Formen von Conis: die scharfrandigen, meist weissen Skleralconi im Sinne Stillings, und die mehr oder weniger pigmentierten Chorioidealconi mit unbestimmter temporaler Grenze, als Folge von Chorioidealatrophie.

Schoen (45, S. 184) behauptet, dass der Conus von der Innenseite des durch Verziehung am Sehnerven umgeklappten Scheidenfortsatzes dargestellt werde. Meist klappt der Scheidenfortsatz nur temporalwärts um, jedoch kann es auch gleichzeitig nach allen Richtungen geschehen, wodurch ein Ringstaphylom entstehe. Treten nun zu diesen rein mechanischen Leder- und Aderhautverziehungen, hauptsächlich durch angestrengte Konvergenz bedingt, noch eine Chorioscleritis hinzu, so entsteht die bösartige und progressive Form der Myopie (61, S. 417).

Schwarz (46) stellt nach rein ophthalmoskopischen Merkmalen verschiedene Typen der Coni auf, denen er bestimmte anatomische Verhältnisse unterlegt:

1. Die Distraktionssichel (im Sinne Stillings).
2. Die Sichel nach unten (als Colobomandeutungen angesehen).
3. Die Retraktionssichel (zuerst von Weiss beschrieben), und
4. Der Skleralsaum, welcher dem von der Aderhaut freigelassenen schmalen Skleralstreifen zunächst der Papille entspricht. Die Aderhautsichel sei stets Zeichen einer Aderhautverdünnung, der Halo glaucomatosus und Halo senilis seien auf Schwund der Chorioidea zurückzuführen. Endlich kommen Kombinationen der genannten Formen in verschiedenen Variationen vor.

Gegenüber allen den oben angeführten Angaben über die Entstehung des myopischen Conus durch Zerrung vertreten nun, wie schon vorher erwähnt, Schnabel, Herrnheiser und Elschnig die Ansicht, dass der Conus auf einer angeborenen Anomalie der Augenhäute in der unmittelbaren Umgebung des Sehnerven beruhe.

Auf Grund anatomischer Untersuchungen von 19 myopischen Augen aller Grade unterscheiden Schnabel und Herrnheiser (49, S. 19 u. 20) zwei Hauptformen von Conis, den sichel- und den ringförmigen Conus. Der sichelförmige Conus verdankt seine Entstehung einer mangelhaften Ausbildung der vorderen Aderhautschichten, Lamina elastica und Choriocapillaris. Die den Sehnerven bis an die Papille umgebende Pialscheide wird unter gewöhnlichen Umständen als sog. Bindegewebsring ophthalmoskopisch sichtbar. Wenn nun aber die obengenannten innersten Aderhautschichten in dem Masse anomal sind, dass sie nicht bis an den Sehnerven heran reichen, sondern weiter von demselben abliegen, so müssen die Bindegewebsfasern der inneren Scheide, um zum Rande der Lamina elastica, mit der sie fest verbunden sind, gelangen zu können, sich umlegen und eine Strecke von der Achse des Sehnerven hinweg auf der unterliegenden Chorioidea verlaufen. Dieser Teil der inneren Scheide erscheint dem Ophthalmoskopiker als sichelförmiger Conus. Dem ringförmigen Conus (49, S. 31) liegt ein Bildungsmangel der beiden äusseren Augenhäute rings um den Sehnerven zugrunde. Zwischen diesen beiden Hauptformen finden sich dann zahlreiche Übergangsfälle.

„Schnabels Einteilung der Coni (siehe S. 382) in angeborene und erworbene ist," wie er selber sagt, „unrichtig."

Der Conus ist (49, S. 32) allerdings angeboren, jedoch bei einem Menschen nicht von Kindheit auf von derselben Grösse, wie nach mehrjährigem Bestande der Myopie im Auge des erwachsenen. „Der Conus wächst mit dem Auge aus kleinen Anfängen, die vom normalen Bindegewebsringe nicht zu unterscheiden sind."

In seiner grossen Arbeit (71, S. 226) spricht sich Elschnig sehr zugunsten der Anschauung von Schnabel und Herrnheiser aus. Er unterscheidet (65, S. 428 u. 429) den Conus nach unten und zweifellos auch gewisse Coni nach andern Richtungen, die durch Dehnung der mangelhaft ausgebildeten Augenmembranen an einer Bulbushälfte verursacht werden, von den Randcolobomen des Sehnerven, die im allgemeinen als mangelhafte Entwicklung des Kopfplattengewebes (Colobome der Chorioidea-Sklera) aufgefasst werden müssen, nur die nach unten vom Sehnerven gelegenen ohne Netzhautanlage seien als Reste der fötalen Augenspalte anzusehen.

Die allerletzten anatomischen Untersuchungen myopischer Augen sind von Heine und Salzmann veröffentlicht worden.

Heine (54, 58, 62, 68 u. 73) hebt auf Grund anatomischer Befunde an 15 von ihm mikroskopisch untersuchten myopischen Augen hervor, dass die Verzerrungserscheinungen am Optikuseintritte lediglich von dem Verhalten der Lamina elastica chorioideae bedingt seien. Bei der myopischen Volumszunahme des Augapfels, infolge von Drucksteigerung in der hinteren Bulbushälfte und zu schwacher Veranlagung derselben, wird nämlich die resistentere Lamina elastica weniger gedehnt als Sklera, Retina und Chorioidealstroma. Sie reicht daher nicht mehr bis zum Optikusrande hin, sondern erscheint zwischen Ader- und Netzhaut zurückgezogen (relative Retraktion) und zerrt dabei, weil sie mit dem interstitiellen Gewebe des Optikus fest verbunden ist, die Sehnervenfasern in Form einer Falte in den Spalt zwischen Chorioidea und Retina mit sich hinein. Diese Falte soll dann durch die straffe Spannung ihrer Fasern die unter ihr liegende Aderhaut zur Atrophie bringen (Druckatrophie). Geht die Retraktion der Lamina elastica noch weiter, so wird, infolge der festen Verbindung derselben mit dem elastischen Chorioidealring (Kiribuchi 59), sich noch zu dieser Druckatrophie eine Zerrungsatrophie der Chorioidea hinzugesellen. Gleichzeitig oder vielleicht auch später findet eine Abrundung der Skleralkante statt, die sich dadurch kundgibt, dass der spitze Winkel zwischen Basis der Lamina cribrosa und der temporalen Wand des Sklerotikalkanales ein stumpfer wird. Die eigenartigen Veränderungen des Fundus oculi, welche bei hochgradiger Myopie ophthalmoskopisch sichtbar sind, betreffen (58, S. 287) zur Hauptsache das Pigmentepithel der Retina. Nur ein einziges Mal hat Heine einen kleinen Riss in der Lamina elastica chorioideae konstatieren können, und ging die Netzhaut an dieser Stelle direkt in die Aderhaut über; ja, die Retina daselbst schien sogar mittelbar auch mit der Sklera verlötet zu sein (58, S. 286).

Salzmann (74) hat 5 myopische Augen mit Sichelbildung anatomisch untersucht, von welchen aber zwei an vorgeschrittenem Glaukom litten, und ergaben diese Untersuchungen Dehiscenzen in der Lamina elastica chorioideae, die in der Nähe der Papille, meistens konzentrisch zu ihr, zu finden waren. Durch diese Lücken wucherte das Pigmentepithel in das unterliegende Chorioidealgewebe hinein, und es entstanden auf diese Weise jene chorioiditischen Herde, die bei den ophthalmoskopischen Untersuchungen als dunkle Flecken im Augenhintergrunde erschienen waren. Der Conus entstünde durch die Verschiebung des Glashautloches gegen das Skleralloch, infolge Vergrösserung des hinteren Bulbusabschnittes der Fläche nach, vor allem infolge einer gewissen Passivität der Aderhaut.

Die obengenannten Befunde von Salzmann hat Heine (77) durch weitere anatomische Untersuchungen an zwei myopischen Augen bestätigen können.

Einige Bemerkungen über die Supertraktion resp. Superposition mögen noch hinzugefügt werden. „Als Veranlassung zu einer Täuschung bei der Betrachtung der Form des Sehnervenquerschnittes" hebt v. Jaeger (8, S. 61 u. 62 Anm.) unter anderem hervor, dass „das Chorioidealpigment von der dem Conus entgegengesetzten Seite aus die Oberfläche des Sehnerven selbst in geringerer oder grösserer Ausdehnung bedecken kann, wodurch der Sehnervenquerschnitt eine bedeutend längliche, ovale Gestalt erhalte“. Späterhin hat Nagel (20) als Ursache der Supertraktion eine Herüberziehung der Chorioidealgrenze über den Sehnervenrand angegeben und darauf aufmerksam gemacht, dass die oft nur durch ein wenig auffallende, nicht scharf begrenzte Entfärbung sich kennzeichnenden nasalen Sicheln insbesondere in den frühesten Stadien der Myopie häufig beobachtet werden. Herzog Karl Theodor (24) weist auf Grund anatomischer Befunde an zwei von ihm untersuchten, mit Supertraktionssicheln versehenen myopischen Augen nach, dass „die Chorioidea an der Supertraktionsseite mit allen ihren Teilen weit in die Sehnervenachse hineingezogen ist“, und weiterhin, dass „die von Nagel behauptete Vergrösserung des blinden Fleckes ganz gut in Einklang zu bringen ist mit den anatomischen Verhältnissen“. Nach Schnabel und Herrnheiser (49, S. 21), die ja bekanntlich die Zerrungshypothesen zurückweisen, „ist die Supertraktion der Chorioidea oder richtiger Superposition über den Sehnerven nichts anderes als eine ungewöhnlich starke Ausprägung des normalen Verhaltens“.

Aus dem oben referierten geht zur Genüge hervor, dass die Ansichten über den anatomischen Bau der Veränderungen im Augenhintergrunde bei Myopie und speziell die Ansichten über die anatomischen Grundlagen des myopischen Conus noch sehr geteilt sind. Hinzu kommt, dass von dem beigebrachten anatomischen Materiale ein Teil nicht mit Sicherheit verwertet werden kann, weil viele von den untersuchten Bulbi noch an andern Erkrankungen litten, vor allem an Glaukom. Gerade das Glaukom mit seiner intraokularen Drucksteigerung ist aber besonders geeignet, Dehnungserscheinungen im Augenhintergrunde hervorzurufen, oder schon vorhandene Dehnungen zu modifizieren, und um die Papille erzeugt ja, wie bekannt, das Glaukom circumscripte Aderhautatrophien, den Halo glaucomatosus, infolgedessen man nie sicher sein kann, ob Aderhautschwund an dieser Stelle dem myopischen Prozesse oder dem Glaukom zur Last zu legen ist. Auch die so wichtige Frage nach dem Verhalten der Lamina elastica chorioideae wird durch die Kombination mit Glaukom sehr kompliziert. Wenigstens ist für eine andere elastische Membran, die Descemetsche, durch die Untersuchungen über Frühperforationen bei Ulcus serpens corneae seit Jahren bekannt, dass durch Glaukom Risse in ihr entstehen können. Es sind für beweisende Untersuchungen daher nur myopische Augen ohne Glaukom zu verwerten.

Besondere Aufmerksamkeit habe ich der Heineschen Theorie von der Entstehung des myopischen Conus zugewendet. Seine Ansicht, eine zwischen Retina und Chorioidea gezerrte Optikusfalte erzeuge durch Druck eine Atrophie der unterliegenden Chorioidea, hat bisher von keiner Seite Bestätigung gefunden, obwohl Heine sie an allen von ihm untersuchten Augen gefunden haben will und ebenfalls (62, S. 172) seine Theorie über die Entstehungsweise des myopischen Conus für wahrscheinlich behauptet. Auch in diesem Punkte war von weiteren Untersuchungen Aufschluss zu erwarten.

III. Technik.

Den nachfolgenden Befunden und Betrachtungen liegen die anatomischen Untersuchungen von 11 myopischen Augen zugrunde, deren 5 die für hochgradige Myopie charakteristischen chorioiditischen Veränderungen im Augenhintergrunde zeigten.

Von den letztgenannten entstammen 2 Bulbuspaare Patienten der hiesigen medizinischen und chirurgischen Klinik, die etliche Tage vor dem Tode vom Herrn Professor Schirmer im umgekehrten Bilde ophthalmoskopisch untersucht worden waren. Die Zeichnungen vom Augenhintergrunde sind bei diesen Untersuchungen so gemacht, dass die einzelnen Details sofort auf ihre richtige Stelle gezeichnet wurden, und somit ein aufrechtes Bild vom Hintergrund des betreffenden Auges hergestellt. Etwa 30 Stunden post mortem wurden die Augen den Leichen im hiesigen pathologischen Institut enucleiert und kamen sofort in 10% Formalinlösung. Späterhin nach Härtung in Alkohol und Halbierung dicht hinter dem Äquator wurden diese Bulbi noch einer genauen Untersuchung mit Lupe unterworfen, und somit die früheren ophthalmoskopischen Befunde bestätigt und ergänzt.

Die übrigen Bulbi sind grösstenteils myopischen Patienten der hiesigen Augenheilanstalt wegen Verletzungen und Vereiterungen der Hornhaut enucleiert worden, ebenfalls gleich nach der Enucleation in 10% Formalinlösung fixiert, und dann in Alkohol nachgehärtet. Die Bilder vom Augenhintergrunde sind bei 3 von den letztgenannten (enucleierten) Augen nach Durchschneidung der Bulbi dicht hinter dem Äquator mit Zuhilfenahme der Lupe gezeichnet worden; bei 4 dieser durch Enucleation gewonnenen Augen liegen ausserdem ophthalmoskopische Befunde vor.

Da, wie bekannt, die chorioiditischen Veränderungen im Augenhintergrunde sich grösstenteils im Papillo-maculargebiete befinden, wurde für meine speziellen Untersuchungen ein in temporal-nasaler Richtung c. 14 mm und in der darauf senkrechten Richtung 10—20 mm messendes Stück von der genannten Gegend aus den Bulbis herausgeschnitten. Diese

Stücke wurden nun in Paraffin eingebettet nach der von M. Heidenhain empfohlenen Methode (72), mit Schwefelkohlenstoff als Durchgangsmedium. Bei Anwendung dieser Methode liessen sich die Bulbi gut schneiden, vor allem infolge der im allgemeinen sehr verdünnten Sklera in myopischen Augen[1]).

Für die späterhin beabsichtigte Rekonstruktion der Hintergrunde bei den hochgradig myopischen Augen wurde zur Einbettung das Verfahren von Born und Peter (88, S. 29) angewendet. Diese Methode hat den Vorzug vor den andern früher gebräuchlichen, dass sie eine feine Orientierung des Objektes während des Einbettens gestattet, und zugleich durchaus exakte Definierlinien liefert. Die in der obengenannten Arbeit empfohlene Färbmasse zum Anstreichen der Definierebene, der englische Schuhlack „Nubian Waterproof Blacking" hat sich bei meinen Untersuchungen nicht als zweckentsprechend bewährt, wahrscheinlich wohl wegen des langdauernden Verbleibens der Schnitte in den Färbeflüssigkeiten bei den Elastinfärbungen. Die Definierlinie kräuselte sich, wurde gewöhnlich undeutlich oder löste sich oftmals gänzlich in den Färbeflüssigkeiten auf. Nach vielen Versuchen und Vorprüfungen wurde die schwarze Ölfarbe nach Kaschtschenko von allen den in 84 aufgezählten Färbemassen als tauglich befunden, obwohl das Trocknen der Ölfarbe eine längere Zeit in Anspruch nimmt als es die andern Methoden erheischen. Die Richtebene wurde demnach mit Elfenbeinschwarz, verdünnt mit etwas Xylol, bestrichen, dann 1—2 Tage trocknen gelassen, ehe sie in den sekundären Paraffinüberzug eingehüllt wurde. Die Richtlinie wurde nach der obengenannten Methode zwar nicht so besonders scharf, aber dennoch war sie deutlich und sauber und für die nachfolgenden Rekonstruktionen gut brauchbar.

Nachdem die Präparate auf die oben beschriebene Weise in Paraffin eingebettet, wurden sie mit dem Mikrotom in 3 lückenlosen Parallelserien von je 15 μ Stufenhöhe geschnitten, so dass Schnitt 1, 4, 7 usw. auf den ersten Objektträger, Serie a, Schnitt 2, 5, 8 usw. auf den zweiten Objektträger, Serie b, und Schnitt 3, 6, 9 usw. auf den dritten Objektträger, Serie c, aufgelegt wurden. Die Schnitte wurden auf die Objektträger mit Eiweissglycerin aufgeklebt und einen Tag im Brutschrank belassen.

Drei verschiedene Tinktionsmethoden wurden angewendet und zwar wurde Serie a nach Weigerts Methode für Färbung der elastischen Fasern (frisch bezogene Lösung von Dr. Grübler in Leipzig), Serie b nach der verbesserten Orceinmethode von Unna-Tänzer durch Unna: Orcein 1 g, Acid. hydrochl. pur. 1 g, Alkohol 80% 100 g (80), Serie c nach van Gieson gefärbt.

Die Rekonstruktionen beabsichtigen ein ganz getreues Bild vom Hintergrunde der hochgradig myopischen Augen einschliesslich der chorioiditischen Herde und der Papille zu liefern. Sie geben das Bild des Augenhintergrundes so wieder, als ob man in aufrechtem Bilde ophthal-

---

[1]) Mittels dieser Methode sind ebenfalls normale Bulbi in lückenlose Serien von 15 μ Dicke zerlegt worden.

moskopiere. Als Methode wurde die projektive Konstruktion nach His (88, S. 77) angewendet. Gezeichnet wurde jeder dritte Schnitt entweder der ersten Serie a oder der zweiten Serie b, je nachdem die Risse in der elastischen Chorioidealmembran in der einen oder andern deutlicher erschienen. Die Vergrösserung beträgt 15 (Leitz-Objektiv 1, Okular 0, Tubuslänge 14). Die Schnittdicke ist wie schon oben erwähnt 15 μ. Die einzelnen Parallelserien enthielten jeden dritten Schnitt, der demnach einem Schnitte von $3 \times 15\,\mu = 45\,\mu$ Dicke entspricht. Rekonstruiert wurde jeder dritte Schnitt der Serie a oder b, dem folglich eine Dicke von $3 \times 45\,\mu = 135\,\mu$ beigelegt werden muss. Die Dicke jedes auf das 15fache vergrösserten Schnittes beträgt infolgedessen $15 \times 135\,\mu = 2025\,\mu = 2{,}025$ mm. Die Rekonstruktion wurde auf Millimeterpapier ausgeführt. Es wurde daher die Dicke eines jeden gezeichneten Schnittes 2 mm, anstatt 2,025 mm gerechnet. Der Fehler von 25 μ für jeden Schnitt wird auf beispielsweise 50 gezeichnete Schnitte 1,25 mm betragen ($50 \times 25\,\mu = 1250\,\mu = 1{,}25$ mm), d. h. 1,25 % der Höhe einer Rekonstruktion von 50 Schnitten; er ist also so gering, dass er füglich vernachlässigt werden kann.

Bei den zu rekonstruierenden Schnitten wird die Lamina elastica chorioideae mit ihren Rissen und Lücken samt der Richtlinie mit Abbés Zeichenapparat, ein jeder Schnitt auf ein besonderes Blatt Papier gezeichnet. Es wird dann in diese Zeichnung eingetragen:

1. Die Endpunkte der inneren und äusseren Grenze der Lamina cribrosa an den Seitenwänden des Sehnervenkanals.

2. Die Endpunkte des Pigmentepithels.

3. Der innere Rand des Sehnervenkanales, falls er nicht von der Lamina elastica chorioideae gebildet wird. Um diese Details in das gezeichnete Bild eintragen zu können, werden die oben genannten Punkte schon im voraus bei stärkerer Vergrösserung untersucht und ihre Lage genau bestimmt.

Für die Hissche Flächenrekonstruktion kann man bei den vorliegenden Objekten zwei Wege einschlagen. Entweder projiziert man in der Weise, dass die gebogene Fläche der Lamina elastica gewissermassen in eine plane Ebene ausgebreitet wird (wobei natürlich die einzelnen Herde um ein minimales gedehnt erscheinen), oder man projiziert die fraglichen Details auf die Definierlinie, welche die gezeichnete Lamina elastica, wie die Sehne eines Bogens, überbrückt. Im letzterwähnten Falle gleicht das rekonstruierte Bild dem ophthalmoskopischen, aber alle Herde sind durch die Projektion ein wenig verkürzt. Es wurde die erstgenannte Methode zur Rekonstruktion gewählt, da die in Frage kommenden Stücke stark wellig gebogen waren, und die Projektion auf die Definierlinie Schwierigkeiten im Gefolge gehabt haben würde. Alle Unebenheiten, die in der Schnittrichtung sich bemerkbar machten, wurden demzufolge ausgeglichen und die im Schnitte gebogene Linie der Lamina elastica gewissermassen gestreckt. Biegungen, die senkrecht zur Schnittrichtung liegen, können natürlich nicht ausgeglichen werden. Die Rekonstruktionsbilder werden dadurch nicht ganz exakt ausfallen. Es würde z. B. ein runder Riss in der Lamina elastica ein klein wenig ovale Gestalt in der Rekonstruktion annehmen müssen, da ja die Biegung, innerhalb deren er liegen kann, in der Richtung der Zeichnung ausgeglichen wird, in der darauf senkrechten Richtung aber nicht. Der Fehler ist jedoch so gering, dass er vernachlässigt werden kann.

Die Rekonstruktion wird nun in der Weise ausgeführt, dass man die einzelnen, wie oben erwähnt, auf ein besonderes Papierblatt gezeichneten Laminae elasticae in dem gehörigen Abstande auf die wagerechten Linien des Millimeterpapiers überträgt. Als Ausgangspunkt für die Rekonstruktion auf das Millimeterpapier dient eine auf diesen Wagerechten senkrechte Linie, für die Messung der gezeichneten elastischen Membranen ist entweder deren nasaler oder temporaler Rand Ausgangspunkt. Da

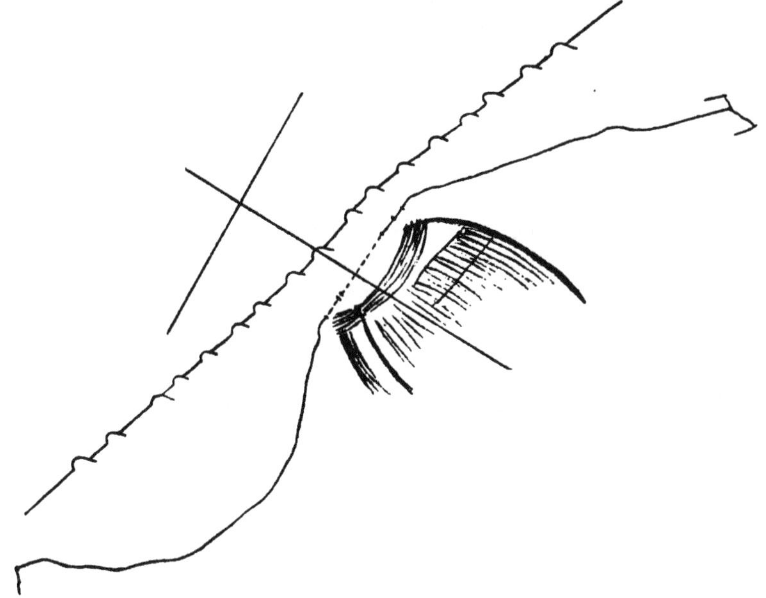

Fig. 1.

nun diese beiden Ränder des aus dem Bulbus herausgeschnittenen Stückes nicht immer senkrecht zur Schnittrichtung liegen, so muss für jeden Schnitt ein Ausgangspunkt konstruiert werden, der stets die gleiche Lage zur Richtlinie besitzt. In den Zeichnungen mit Papillendurchschnitt müssen ausserdem die Endpunkte der Lamina cribrosa, eventuell der innere Rand des Sehnervenkanales, noch auf die Lamina elastica resp. im Glashautloche auf die Verbindungslinie ihrer beiden Enden projiziert werden.

Der ganze Modus procedendi ist bei dem von uns gewählten Rekonstruktionsverfahren folgender: Es wird von den zu einer Rekonstruktion gehörigen Zeichnungen ein möglichst durch die Mitte der Papille gehender Schnitt herausgesucht. In denselben wird mit Augenmass die Optikusachse eingetragen, die Enden der Lamina elastica an der Papille mit einer punktierten Linie vereinigt, und die oben genannten Punkte auf diese Linie oder die Lamina elastica selber parallel der Optikusachse projiziert (siehe Fig. 1). Sämtliche Zeichnungen werden nun mit dieser sog. Hauptzeichnung als Massstab verglichen, indem man in durchfallendem Licht am bequemsten auf einer Fensterscheibe die beiden zu vergleichenden Zeichnungen so zur Deckung bringt, dass die Richtlinien beider möglichst genau aufeinander passen. Stellt es sich dabei heraus, dass die gezeichnete Lamina elastica der zu vergleichenden Zeichnung am nasalen oder temporalen Ende nicht von derselben Länge sei, wie die der Hauptzeichnung, so werden die betreffenden durchschimmernden Endpunkte der Lamina elastica der Hauptzeichnung auf die Elastica oder deren Verlängerung der andern Zeichnung projiziert, und die elastische Membran der letztgenannten Zeichnung entsprechend verlängert oder verkürzt. In sämtliche Zeichnungen mit Papillendurchschnitt wird die Achse des Sehnerven ebenfalls in durchfallendem Licht gezeichnet, und dann die Punkte in derselben Weise projiziert, wie bei der Hauptzeichnung.

Wenn nun alle die zu einer Rekonstruktion nötigen Schnitte auf die oben beschriebene Weise gezeichnet worden sind, werden mit Zuhilfe eines gewöhnlichen Nähzwirnfadens alle Details auf das Millimeterpapier eingetragen, und zwar dient dabei für sämtliche zu dieser Rekonstruktion gehörigen Schnitte derselbe Rand als Ausgangspunkt für die Messung. Zu beachten hat man noch, dass die Krümmungen und Buchten der gezeichneten elastischen Membranen möglichst genau mit dem Faden verfolgt und angepasst werden müssen. Auf das Millimeterpapier wird die in der Zeichnung buchtige Membran in eine gerade Linie verwandelt (siehe Taf. XVIII, Fig. 32). Die zusammengehörigen Punkte werden dann mit ungleich gezeichneten Linien vereinigt, die Lamina elastica wird gelb gefärbt, das Pigmentepithel schraffiert und somit eine Karte des Augenhintergrundes hergestellt. Sämtliche Rekonstruktionskarten sind auf $^1/_2$ verkleinert, die Vergrösserung beträgt also $7^1/_2$.

IV. Kasuistik.

1. Ludwig W., 63 Jahre.

Will immer kurzsichtig gewesen sein. Am linken Auge Hypopyonkeratitis, infolge deren nichts mehr von der Cornea vorhanden war.

Am 15. V. 97. Enucleation. Härtung: 10% Formalinlösung.

Am 17. V. 97. Bulbuslänge 26,3 mm, war wohl noch etwas länger, da ja die Cornea, wie oben erwähnt, durch Vereiterung zugrunde gegangen ist. Horizont. Durchmesser 27 mm, vertik. Durchmesser 24 mm im Äquator gemessen.

Makroskopisch erscheint die Sklera überall weiss und von gewöhnlicher Dicke. Bulbus frontal halbiert. Der Glaskörper erscheint dünner als normal, aber gleichmässig im Bulbus verteilt. Optikus durchbohrt die Augenhäute nur wenig schräg von nasal nach temporal. Nasal springt die Chorioidea wie ein Sporn in das Gewebe der Papille hinein. Der Zwischenscheidenraum ist nasal wesentlich breiter an seinem blinden Ende als temporal, wo die Duralscheide im Winkel zwischen Sklera und Optikus inseriert. Mit der Lupe sieht man die Papille umgeben von einem cirkulären Conus mit völlig rundem und scharfem Kontur (Fig. 2), der keine rein weisse Farbe aufweist, sondern Pigment deutlich hindurchschimmern lässt.

Der vordere Bulbusabschnitt zeigt hinter der Ora serrata eine grosse Anzahl weisslicher chorioidealer Herde, die hauptsächlich auf Schwund des Pigmentepithels zu beruhen scheinen. Sowohl im Conusgebiete als auch an den obengenannten Flecken liegt die Retina der Aderhaut fest an.

Mikroskopischer Befund.

Der Zwischenscheidenraum ist ganz nach oben von ungefähr derselben Breite sowohl nasal als temporal. Nach unten zu wird derselbe auf der nasalen Seite wesentlich breiter, und beträgt der Abstand des Duraansatzes vom Sehnerven ab ganz unten, nasal 0,84 mm.

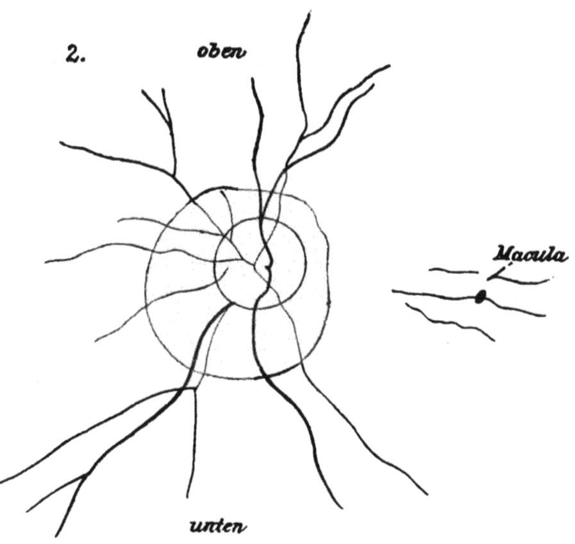

Fig. 2.

Die Nervenfasern sind in der oberen Hälfte der Papille auf der nasalen Optikusseite sofort nach ihrem Durchtritte durch die Lamina cribrosa temporalwärts abgeknickt, um sich dann wieder in einem nasenwärts konkaven Bogen in die Retina umzuschlagen. Bedingt ist dieses Verhalten durch Supertraktion der Chorioidea, welche Supertraktion jedoch sehr geringfügig ist. Auf der temporalen Seite sind die Fasern entsprechend dem nur wenig schrägen Verlaufe des Sehnerven fast in rechtem Winkel über dem temporalen Chorioidealrand abgeknickt. Dieser Verlauf der Optikusfasern ändert sich nun allmählich nach unten zu, entsprechend dem Grösserwerden des Conus nasal unten, indem sie nasal mehr gerade nach vorn ziehen, temporal aber eine Abknickung nach innen gegen die Zentralgefässe erleiden, um dann in einem Bogen an der ein Stück weiter als der Chorioidealrand gegen die Papillenmitte vorspringenden inneren Körnerschicht vorüber zu ziehen. Die Aderhaut auf der nasalen Seite, die unten dünner erscheint als in dem oberen Abschnitte, springt jetzt nicht mehr als Sporn in die Papillenmasse hinein, sondern ist im Gegenteil nasenwärts verzogen. Die Lamina elastica verjüngt sich daselbst ebenfalls nach unten zu mehr und mehr und endigt ganz unten nasal in einiger Entfernung vom Optikusrande. Auf der temporalen Seite reicht sie überall bis an den Sehnerven heran und ist an ihrem Ende beträchtlich verdickt, wie faserig aufgesplittert. Das Pigmentepithel endigt in einem durch die Mitte der Papille gehenden Schnitt temporal 0,62 mm vom Papillenrand, in einer Flucht mit Stäbchen- und Zapfenschicht. Die äussere Körnerschicht geht ein wenig weiter papillenwärts und macht bei ihrem Ende eine kleine Knickung temporalwärts. Die innere Körnerschicht reicht, wie schon oben gesagt, ein wenig über den Papillenrand hinweg. Die Lagen der Retina folgen also auf der temporalen Seite in Stufenreihe nacheinander (Taf. XIV, Fig. 3). Nasal erstreckt sich die innere Körnerschicht bis ans Ende der Lamina elastica, die äussere Körnerschicht mit Stäbchen- und Zapfenschicht hört etwas weiter nasenwärts auf. Das Pigmentepithel endigt mit ziemlich scharfem Rande ein wenig nasal von der äusseren Körnerschicht; nach unten zu rückt das Epithel immer weiter vom Optikusrand ab, entsprechend dem Grösserwerden des Conus, und beträgt der Abstand des Pigmentepithels vom Rand des Sehnerven ganz unten, nasal 1,25 mm. Die physiologische Excavation fehlt vollständig. Die zentralen Blutgefässe liegen etwas abgeplattet in der Mitte des Sehnerven.

Die Sklera ist von ziemlich normaler Dicke, die Chorioidea aber sehr atrophisch; in ihr sieht man noch kleinere Blutgefässe und auch sparsam grössere, die aber überall einen sehr gestreckten Verlauf ihrer Lumina zeigen. Die Choriocapillaris hat ihre Kontinuität eingebüsst und besteht aus feinen, plattgedrückten, grössere und kleinere Intervallen zwischen sich fassenden Kapillaren, die je näher der Papille, um so spärlicher werden, und sind dieselben jenseits der Pigmentepithelgrenze nicht mehr zu verfolgen. Die kleinzelligen Elemente sind vermehrt, doch nicht mit Sicherheit als pathologisch aufzufassen. Papillenwärts wandelt sich die Aderhaut in derbes skleraähnliches, wenig pigmentiertes Bindegewebe um.

An den Stellen, wo mit der Lupe die weissen Herde dicht hinter dem Äquator gesehen worden waren, findet man das Pigmentepithel geschwunden und die Retinal- und Chorioideallagen im höchsten Grade verdünnt, aber dennoch kann man eine ganz intakte Lamina elastica zwischen Netz- und Aderhaut wahrnehmen. Die Retina ist im Herdgebiete fest mit der unter ihr liegenden Elastica verwachsen. Daselbst fehlt die äussere Körnerschicht ganz und gar, und auch von der inneren Körnerschicht ist nur ein kleiner Streifen vorhanden.

Epikrise.

Es handelt sich also um ein mässig (26,5 mm) verlängertes Auge, über dessen Befund in vivo nichts bekannt ist, bei dem aber die Dissektion einen um die Papille cirkulären, pigmentierten Conus und weisse Herde hinter der Ora serrata nachwies. Der Conus kommt zu stande durch Schwund des Pigmentepithels und Umwandlung der Chorioidea in derbes, fibrilläres, gefässloses Bindegewebe, das weniger Pigment enthält als die übrige Aderhaut, aber doch deutlich pigmentiert erscheint. Die Choriocapillaris fehlt im ganzen Conusbezirke; sie hört am Pigmentepithelrand auf. Die Lamina elastica ist im ganzen Bereiche des Conus mit Ausnahme seines untersten nasalen Teiles, wo sie in einiger Entfernung vom Optikusrande endigt, wohl erhalten.

Die weissen äquatoriellen Herde beruhen auf Schwund des Pigmentepithels und sehr hochgradiger Atrophie der Chorioidea und Retina, so dass die weisse Sklera hier hindurchschimmert.

2. Frau Gr., 49 Jahre.

Am 3. XI. 97 besuchte Patientin die hiesige Poliklinik, wo konstatiert wurde:

$$\left\{\begin{array}{l} R. - 8D. \\ L. - 7D. \end{array}\right\} S = 1/7.$$

Beiderseits temporaler Conus.

Einen Monat später abermals die Poliklinik besucht wegen totaler Vereiterung der Cornea mit mehrfachen Perforationen am linken Auge.

Am 4. XII. 97, linker Bulbus enucleiert. Härtung: 10% Formalinlösung. Masse nach der Härtung: Länge 28,5 mm, muss etwas grösser gewesen sein, da die vordere Kammer fehlt. Horizontaler Durchmesser 27 mm, vertikaler Durchmesser 26 mm.

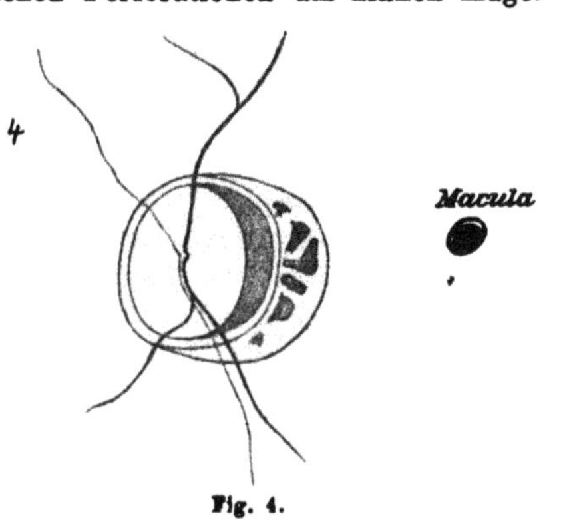

Fig. 4.

Makroskopisch erscheint die Sklera in dem hinteren Bulbusabschnitte in grosser Ausdehnung diffus verdünnt, am meisten in der Gegend des M. obl. inf., an welcher Stelle jedoch keine nennenswerte Ektasie und keine scharfe Begrenzung vorliegt. Hinten wird eine Kalotte mit der Papille abgeschnitten. Es fliesst dabei viel Glaskörper vom Bulbus aus, der fast flüssig, aber noch etwas fadenziehend ist. Optikus ist ein wenig nasenwärts verzogen. Der Zwischenscheidenraum ist nasal sehr breit, temporal viel kleiner. Die Papille hat genau temporal einen über 1/2 Papille breiten Conus, der sich aus mehreren Absätzen zusammensetzt. Zunächst der Papillengrenze liegt ein etwa 1 1/2 Venen breiter dunkler Saum; dem folgt ein schmaler weisser Ring, der sich nasenwärts, wie es scheint als Bindegewebsring, rings um die Papille fortsetzt, und dann kommt der eigentliche Conus, etwa 1/2 Papille breit, von gelblichweisser Farbe, aber erheblich pigmentiert in Form der Intervaskulärräume, die sich zum Teil in die Umgebung verfolgen lassen (siehe Fig. 4). Der innere Halbmond — die zwei inneren Absätze umfassend —, der absolut keine Zeichnung aufweist, lässt eine deutliche Parallaxe erkennen, die beweist, dass der temporale Teil des obenerwähnten Bindegewebsringes höher liegt als der Rand der Papille zur selben Seite. Es kann also nur die temporale Wand des Sehnervenkanales sein.

Mikroskopischer Befund.

Optikus pflanzt sich etwas schräg nach aussen ein. Der Intervaginalraum ist beiderseits breitbuchtig erweitert, jedoch nasal bedeutend mehr als temporal. Nasal beträgt der Abstand des Ansatzes der Durascheide an die Sklera vom Winkel zwischen Sklera und Optikus ungefähr 1,12 mm, temporal 0,51 mm.

Die temporale Wand des Sehnervenkanales wird von der inneren Grenze der Lamina cribrosa ab gebildet von der knieförmig geformten, aus aufgefaserten Bindegewebsbündeln bestehenden Skleralkante und geht mehr temporalwärts ohne scharfe Grenze in die von Elastica entblösste atrophische Chorioidea über. Die Lamina elastica hört in einem der mittleren Papillenschnitte ganz scharf mit verdicktem Ende 0,68 mm entfernt vom Papillenrande auf. Das Pigmentepithel und die Stäbchen- und Zapfenschicht endigen etwas peripherwärts davon. Die übrigen Retinalschichten folgen ebenso in diesem Falle in Stufenreihe nacheinander; die innere Körnerschicht hört 0,26 mm vom Papillenrand entfernt auf. Die nasale Wand des Sehnervenkanales verläuft ziemlich gleichmässig schief, mit der Innenfläche der Chorioidea einen Winkel von ungefähr 25° bildend. Die Aderhaut ragt ebenfalls an dieser Seite, wie es überhaupt in myopischen Augen der Fall ist, als Sporn in das Papillengewebe hinein und zwingt die Sehnervenfasern, einen ziemlich scharfen Bogen um diesen Sporn zu machen. Das Pigmentepithel hört etwas früher auf als die Elastica. Von den übrigen Retinalschichten hört die äussere Körnerschicht in einer Flucht mit Pigmentepithel auf, die innere Körnerschicht mit der Lamina elastica. Die Querschnitte der Zentralgefässe erscheinen in temporal-nasaler Richtung stark abgeplattet. Es fehlt jede Spur von physiologischer Excavation.

Die Sklera ist verdünnt, misst nur 0,13 mm an ihrer dünnsten Stelle in der Maculagegend. Die Chorioidea ist gleichfalls auffallend verdünnt; ihre einzelnen Lagen sind kaum zu unterscheiden. Grössere Gefässe sind nur hier und da sichtbar, kleinere Gefässlumina sind dagegen überall zu sehen, auch an den dünnsten Stellen. Von der Kapillarschicht sind nur ganz dünne, vereinzelte Kapillaren vorhanden, die aber im Conusgebiete gänzlich fehlen. Papillenwärts wandelt sich die Aderhaut auf der temporalen Seite in ziemlich gleichmässig retikuläres, stark pigmentiertes Bindegewebe um, das im unteren Teil des Conusgebietes einen kleinen Riss aufweist, durch welchen die innere Körnerschicht bis fast an die Skleralgrenze hindurchwuchert (siehe Taf. XIV, Fig. 5). Ausser in dem Conusgebiet ist die Aderhaut überall unversehrt, von einer undurchlöcherten Elastica und intaktem Pigmentepithel bedeckt.

Epikrise.

Das oben beschriebene Auge von 28,5 mm Länge entstammt einer Patientin, die einen Monat vor der Enucleation ophthalmoskopisch untersucht wurde, wobei Coni beiderseits temporal von der Papille nachgewiesen worden waren. Die Myopie an dem enucleierten linken Auge betrug 7 D. Die Dissektion ergab einen temporalen,

$^1/_2$ Papille breiten Conus, an welchem man einen inneren, schmalen, dunkleren Halbmond ohne jegliche Zeichnung mit deutlicher Parallaxe von dem erheblich pigmentierten, temporalwärts von ihm gelegenen eigentlichen Conus unterscheiden konnte. Der innere unpigmentierte Halbmond ist gebildet von der temporalen, aus aufgefaserten Skleralbündeln bestehenden hochgradig gezerrten Wand des Sehnervenkanales (Distraktionssichel im Sinne Stillings), die äussere pigmentierte Hälfte von der von Elastica entblössten, aus retikulärem Bindegewebe bestehenden atrophischen, stark pigmentierten Chorioidea (siehe Taf. XIV, Fig. 5). Dass der innere Teil des Conus makroskopisch als dunkler Saum sichtbar wurde, muss wohl darauf zurückgeführt werden, dass die Beleuchtungsverhältnisse dieser sehr schräg von den Lichtstrahlen getroffenen Partie höchst ungünstig waren.

3. Frau B.

Linkes Auge. Keine Krankengeschichte liegt vor. Masse nach der Härtung: Bulbuslänge 31 mm, Breite 24 mm.

Makroskopischer Befund.

Am 20. XII. 06. Cornea und Optikus sind nach der Nasenseite hin verschoben. Die temporale Hälfte des Bulbus wird dadurch viel grösser als die nasale. Die Durascheide liegt dem Optikusstumpf ziemlich fest an. Bulbus im Äquator halbiert. Sklera erscheint in grosser Ausdehnung in der Maculagegend diffus verdünnt, und lässt die sehr atrophische Chorioidea hindurchschimmern. Rings um die Papille sieht man

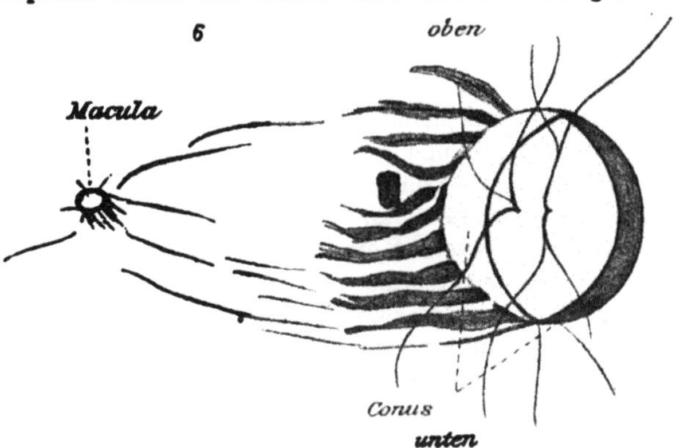

Fig. 6.

mit der Lupe einen Conus, der temporal halbmondförmig, $^1/_2$ Papille breit erscheint, und sich von der Papille nur durch seine mehr weissliche Farbe unterscheiden lässt. Nach aussen ist die Grenze des Conus ziemlich scharf, und es weist die umgebende Aderhaut daselbst eine Zeichnung in Form von Intervaskulärräumen mit braunschwarzem Pigment auf. Der nasale Teil des Conus ist undeutlicher, scheint ein wenig pigmentiert zu sein (siehe Fig. 6). Die Papille mit dem Conus misst im horizontalen und vertikalen Durchmesser 2 mm. Die Retina ist seicht, kadaverös abgehoben, nur ungefähr 10 mm von der Macula temporalwärts hin liegt sie der Aderhaut fest an. Die ganz helle Farbe der Chorioidea der

Maculagegend hört in diesem Bezirke mit einer scharfen, papillenwärts konkaven, bogenförmigen Linie auf, und wird jenseits ganz braunschwarz.

Die mikroskopische Untersuchung ergibt einen ausgesprochen myopischen Bau des hinteren Bulbusabschnittes. Der Sehnerv ist dermassen schräg nach temporal verzogen, dass die Achse desselben mit der hinteren Fläche der Sklera einen nach aussen offenen Winkel von ungefähr 150° bildet. Der Zwischenscheidenraum ist an seinem blinden Ende beiderseits sehr verbreitert, jedoch temporal in höherem Grade, wo die Dura sich 0,91 mm vom Sehnerven inseriert, nasal beträgt der Abstand 0,72 mm. Die Sehnervenfasern verlaufen auf der temporalen Seite ohne jegliche Knickung am Papillenrande der äusseren verzerrten Wand des Durchtrittskanales parallel. An der nasalen Seite schneidet die Chorioidea spornartig so tief in das Papillengewebe hinein, dass die Supertraktion mehr als die Hälfte der Sehnervenbreite beträgt, und zwingt die anliegenden Nervenfaserbündel, eine scharfe Biegung um sie herum auszuführen (siehe Taf XIV, Fig. 7). Die Lamina elastica endigt in einem der mittleren Papillenschnitte mit einem kleinen hakenförmig geknickten Fortsatz temporal 1,44 mm vom Winkel zwischen temporaler Wand des Sehnervenkanales und innerer Fläche der Lamina cribrosa. Dieser Winkel misst ungefähr 160°. Der Rand der Papille ist auf dieser Seite nicht scharf zu bestimmen, weil die Wand des Sehnervenkanales dermassen gedehnt und gezerrt ist, dass sie ohne Winkelbildung in die innere Fläche der Chorioidea übergeht. Das Pigmentepithel endigt etwas temporalwärts vom Elasticaende. Die sehr verschmälerten beiden Körnerschichten der Retina gehen ineinander über und hören ungefähr in derselben Flucht mit Pigmentepithel auf. Im Conusgebiete erstreckt sich die Chorioidea, die aus derbfaserigen pigmentierten Bindegewebsbündeln besteht, ziemlich weit papillenwärts hin und geht ohne scharfe Grenze in die Sklera über. Auf der nasalen Seite geht die Lamina elastica bis an die Spitze des hervorspringenden Spornes, an welcher Stelle auch die innere Körnerschicht endigt. Die äussere Körnerschicht hört etwas mehr nasal auf in einer Flucht mit Pigmentepithel. Die physiologische Excavation ist vorhanden, aber seicht. Die zentralen Blutgefässe erscheinen gedehnt und abgeplattet, nach der temporalen Seite hin erheblich verschoben.

Sämtliche Augenhäute sind auffallend verdünnt. Sklera misst 0,11 mm an ihrer dünnsten Stelle in der Maculagegend. Die Chorioidea ist überall hochgradig atrophisch; ihre einzelnen Lagen sind nicht voneinander zu unterscheiden. Man sieht nur hier und da grössere stark gedehnte Gefässe, und auch die kleineren sind ziemlich sparsam vorhanden. Von der Choriocapillaris kann man nur ganz vereinzelte kleinste Kapillaren sehen, die aber sehr schwer zu erkennen und kaum von den andern feinsten Gefässen im Chorioidealstroma zu unterscheiden sind.

Epikrise.

Es handelt sich also um ein hochgradig verlängertes Auge (31 mm) von typisch myopischem Bau, über dessen Befund intra vitam wegen fehlender Krankengeschichte nichts bekannt ist, bei dem aber die Dissektion einen rings um die Papille verlaufenden Conus nachwies. Der Conus ist temporal $^1/_2$ Papille breit und von weisslicher Farbe, nasal ist er undeutlich, erscheint aber ein wenig pigmentiert. Dem mikroskopischen Befunde nach ist der Conus auf der temporalen Seite gebildet aus derben, von der Elastica entblössten pigmentierten Bindegewebsbündeln, die je näher der Papille, um so mehr der Sklera ähnlich werden, aber doch wohl die Chorioidea darstellen, deren Struktur völlig verloren gegangen ist. Auf der nasalen Seite ist die Sichel durch Supertraktion der Chorioidea zu stande gekommen.

4. Herr E., 68 Jahre.

Rechtes Auge. Patient will immer schlecht in der Ferne gesehen haben. Einige Tage vor dem Tode ophthalmoskopisch untersucht; dabei konstatiert: beiderseits Coni nach unten von der Papille zu sehen, rechts ungefähr $^1/_2$ Papille breit, etwas die Papille umgreifend (Fig. 8), sonst keine besonderen Veränderungen im Hintergrunde. Opacitäten im Glaskörper.

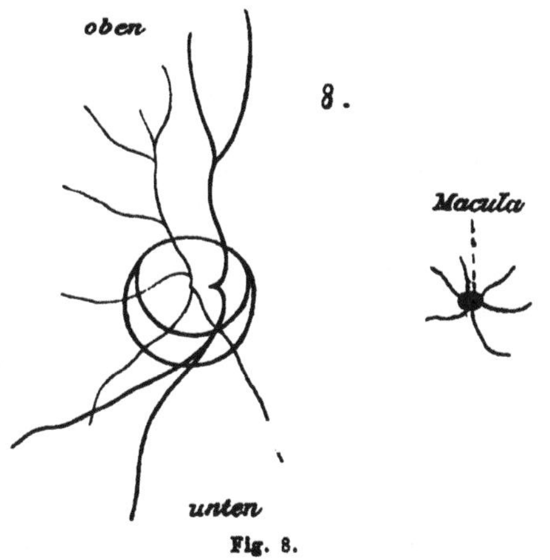

Fig. 8.

Gestorben am 12. X. an Pyelonephritis in der medizinischen Klinik. Bulbus 3 Stunden post mortem enucleiert. Härtung: 10% Formalinlösung.

Am 14. X. Masse: Länge 25 mm. Horizontaler Durchmesser $24^1/_2$ mm, vertikaler Durchmesser $25^1/_2$ mm.

Makroskopischer Befund.

Optikus inseriert sich gerade an den Bulbus. Die Sklera erscheint ektatisch in der ganzen nasalen uud unteren Partie.

Bulbus hinter dem Äquator aufgeschnitten. Der Glaskörper erscheint dünner als normal, aber noch fadenziehend. Der Conus ist ziemlich klein und schwer zu erkennen. Keine chorioiditische Herde sind im Augenhintergrunde vorhanden.

Mikroskopischer Befund.

Der Sehnerv durchbohrt die Augenhüllen in gerader Richtung. Der Zwischenscheidenraum endigt beiderseits spaltförmig im Winkel zwischen Sklera und Optikus. Die temporale Wand des Sehnervenkanales ist im Niveau der Innenfläche der Lamina cribrosa im rechten Winkel mit Abrundung der Kante abgeknickt. Die Lamina elastica, die eine breite Sehnervenfalte mit sich in den Spalt zwischen innerer Körnerschicht und Chorioidealstroma hineingezogen hat, hört in einem der mittleren Papillenschnitte der Serie gemessen mit einem deutlich keulenförmig verdickten faserig aufgesplitterten Rande 0,51 mm vom Papillenrand entfernt auf. Das gezerrte Sehnervenbündel, das um die innere Körnerschicht einen Knick macht, hebt sich im v. Giesonpräparate durch seine dunklere ins bräunlich stossende Farbe ganz deutlich von den anliegenden Bündeln ab, und schliesst viele längsgehende grössere Lücken in sich ein. Man hat den Eindruck, als seien die in der oben genannten Falte sich befindenden Nervenfasern einer Degeneration anheim gefallen. Die Stäbchen- und Zapfenschicht und die äussere Körnerschicht endigen in einer Flucht mit der Elastica; die innere Körnerschicht erstreckt sich papillenwärts bis ein wenig über die Mitte des Conus. Im Conusgebiete ist die Chorioidea gebildet von derbfaserigem, pigmentreichem Bindegewebe, das kaum Blutgefässe enthält. Ganz in der Nähe der Papille besteht sie aus mehr skleraähnlichen atrophischen, pigmentarmen Bündeln. Die Choriocapillaris endigt in einer Flucht mit dem Pigmentepithel nur ein klein wenig peripherwärts vom Elasticaende. Die Supertraktion an der oberen Seite beträgt ungefähr $^1/_4$ der Sehnervenbreite. Die innere Körnerschicht ragt auf dieser Seite etwas weiter in die Papillenmasse hinein als der Sporn. Die übrigen Schichten endigen in einer Flucht an der Spornspitze.

Die zentralen Blutgefässe sind ein wenig nach unten umgeknickt. Die physiologische Excavation ist deutlich vorhanden.

Die Sklera ist von normaler Dicke. Die Chorioidea, die sehr viel Pigment enthält, ist zwar sehr verdünnt, lässt aber ihre Gefässlagen noch erkennen, sonst sind nirgends irgendwelche Lücken oder Schrunden in der Lamina elastica zu sehen.

Epikrise.

Das vorliegende Auge, von normaler Länge (25 mm), gehörte einem Patienten, der kurz vor dem Tode ophthalmoskopisch untersucht worden war, und dabei wurde ein Conus von ungefähr $^1/_2$ Papillenbreite nach unten von der Papille konstatiert.

Der makroskopische Befund ergab einen sehr kleinen, schwer zu erkennenden Conus.

Der mikroskopischen Untersuchung nach kommt der Conus zu stande durch Schwund des Pigmentepithels und derbes chorioideales Bindegewebe, das peripherwärts pigmentreich und mehr homogen, papillenwärts dagegen skleraähnlich, atrophisch und pigmentarm erscheint. Die Lamina elastica hat bei ihrer Retraktion eine Falte von Sehnervenfasern mit sich in den Spalt zwischen Retina und Chorioidealstroma hineingezerrt (Heines relative Retraktion, siehe S. 386), und diese Zerrung scheint eine Degeneration des in Frage kommenden Nervenfaserbündels zur Folge gehabt zu haben.

5. Frau D., 52 Jahre.

Patientin war von jeher auf beiden Augen sehr kurzsichtig. Am 11. XII. 96 wurde das linke Auge durch einen Kleiderhaken verletzt.

Suchte die hiesige Poliklinik am 16. XII. 96 wegen perforierender Wunde der Hornhaut, Katarakt und Glaskörperabscess auf. Befund am selben Tage:

$$\begin{cases} \text{R.} \ -13\,\text{D. V.} = 1/8, \\ \text{L. Lichtschein.} \end{cases}$$

21. XII. Enucleation. Bulbus frisch gemessen: Längsdurchmesser 27 mm, horizontaler und vertikaler Durchmesser 24 mm. Härtung: 10% Formalinlösung. Masse nach der Härtung: horizontaler 27 mm, vertikaler 26 mm und sagittaler Durchmesser $28\frac{1}{2}$ mm.

Makroskopischer Befund.

Optikus inseriert sich gerade an den Bulbus. Nach unten und etwas nasenwärts von ihm kann man eine scharf begrenzte, blauschwarze, ektatische Partie in der Sklera von ungefähr 14 mm Durchmesser wahrnehmen, sonst ist die Sklera überall weiss.

Bulbus hinter dem Äquator halbiert. Der grösste Teil des Glaskörpers ist dabei ausgeflossen, erscheint dünnflüssig, aber fadenziehend. Die Papille ist begrenzt von exquisit getäfeltem Fundus, am breitesten nach oben und innen; unten und aussen setzt sich ein halbmondförmiger, ungefähr $\frac{1}{2}$ Papille breiter Conus ihr an. Derselbe ist von weisslicher Farbe, nur in der unmittelbaren Nähe der Papillengrenze erheblich pigmentiert. Im übrigen ist der Augenhintergrund stark pigmentiert, mit Ausnahme der ektatischen Stelle, wo er sehr hell erscheint.

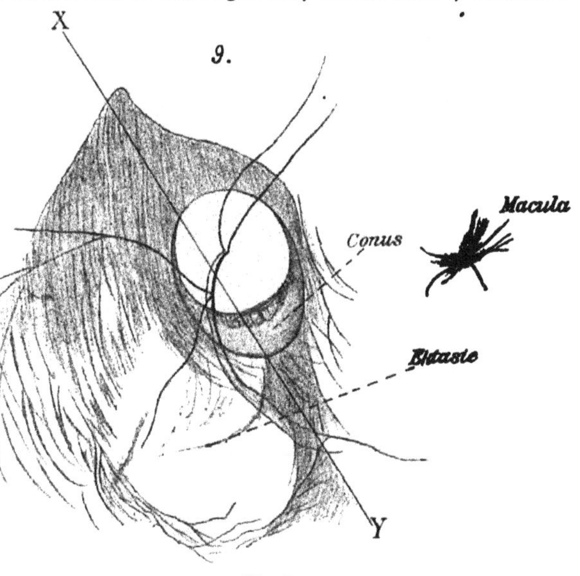

Fig. 9.

Ein Schnitt vertikal durch die Papille entsprechend der Linie *X—Y* (Fig. 9) zeigt den Zwischenscheidenraum da, wo die Ektasie an ihn anstösst, entsprechend der Stelle der stärksten Zerrung, sehr weit ausgedehnt; Retina ist im Conusbezirk mit der unterliegenden Aderhaut fest verklebt.

Mikroskopischer Befund.

Optikus durchbohrt doch die Augenhäute ein wenig schräg von unten nach oben. Der Zwischenscheidenraum ist auf der unteren Seite hochgradig ausgebuchtet, bis zum Ansatze der Duralscheide, der 0,96 mm vom

Sehnerven abgerückt ist, von aufgefaserten Skleralbündeln gebildet. Auf der oberen Seite ist der Zwischenscheidenraum wesentlich schmäler und beträgt der Abstand des Duraansatzes vom Sehnerven nur 0,58 mm. Die untere Wand des Sehnervenkanales wird von der inneren Fläche der Lamina cribrosa aus gebildet von der aus derben skleraähnlichen, gefässlosen Bindegewebsbündeln bestehenden Chorioidea, die an dieser Stelle knieförmig umgeknickt und etwas aufgetrieben erscheint. Die Lamina elastica reicht bis beinahe an den Papillenrand heran (Abstand vom Papillenrand nur 0,12 mm in einem durch die Mitte der Papille gehenden Schnitte gemessen). Sie ist auffallend verdünnt, aber doch deutlich sichtbar, an ihrem Ende etwas spindelförmig aufgetrieben. Das Pigmentepithel hört 0,90 mm vom Papillenrande auf in einer Flucht mit Choriocapillaris, die an ihrem Ende nur aus sehr spärlichen plattgedrückten feinen Kapillaren besteht. Von den Retinalschichten gehen die äussere und innere Körnerschicht papillenwärts allmählich ineinander über; sie sind sehr verschmälert und endigen in einer Flucht mit dem Pigmentepithel. Auf der oberen Seite ist eine ganz unbedeutende Supertraktion der Chorioidea vorhanden. Pigmentepithel und die übrigen Retinallagen reichen auf dieser Seite bis an die Spitze des Spornes. Physiologische Excavation sehr seicht; die zentralen Blutgefässe sind abgeplattet und nach unten gezogen.

Die Sklera ist überall sehr verdünnt, jedoch am meisten an der unten, nasal von der Papille gelegenen Ektasie, wo sie nur 0,13 mm misst. Die Chorioidea ist ebenfalls hochgradig verdünnt und atrophisch, von 0,0057 mm Dicke an der Ektasie. In ihr lassen sich die einzelnen Blutgefässlagen kaum mehr unterscheiden. Im Conusgebiete ist die Aderhaut in derbes Bindegewebe umgewandelt, das papillenwärts mehr pigmentreich erscheint als peripher. Die Lamina elastica und das Pigmentepithel sind ebenfalls sehr verdünnt und atrophisch, jedoch überall ohne jegliche Risse und Schrunden.

Epikrise.

Das oben beschriebene, wegen Verletzung der Hornhaut enucleierte Auge ist ein wenig verlängertes gewesen (27 mm frisch gemessen), das vorher nicht näher untersucht worden war. Nach Durchschneidung des Bulbus wurde ein halbmondförmiger, $^1/_2$ Papillenbreite messender, nach der Papillengrenze zu erheblich pigmentierter, sonst weisslich gefärbter Conus an der unteren und äusseren Seite der Papille konstatiert. Dieser ist der mikroskopischen Untersuchung nach dadurch entstanden, dass das Pigmentepithel in seinem Bereiche völlig fehlt. Es hört an seinem temporalen Rande mit einem scharfen Absatz auf, in einer Flucht mit der Kapillarschicht der Aderhaut; gleichzeitig ist die Chorioidea an dieser Stelle sehr gefäss- und pigmentarm. Ihr Gewebe hat seine zierliche normale Struktur ganz verloren und ist in derbes skleraähnliches Bindegewebe umgewandelt. Die Lamina elastica bedeckt sie bis beinahe an den Papillenrand heran.

6. August B., 56 Jahre.

Rechtes Auge: Hochgradige Myopie, Katarakt, Glaukom.

Am 10. VII. 97. Seit 6 Wochen Schmerzen und Entzündung am rechten Auge, das vor 3 Jahren durch Messerstich verletzt worden war. Besuchte zufälligerweise die Poliklinik ungefähr ein Jahr nach der Verletzung und wurde damals ophthalmoskopisch untersucht. Enucleation am 12. VII. 97, Härtung 10% Formalinlösung.

Am 18. VII. 97 Masse des Bulbus: Länge 29 mm. Horizontaler Durchmesser 26 mm, vertikaler Durchmesser 25 mm.

Makroskopischer Befund.

Cornea und Optikus sind auffallend nach der Nasenseite hin verschoben, wodurch die temporale Hälfte viel grösser erscheint als die nasale. Die Sklera sieht überall weiss und gleichmässig dick aus. Der Zwischenscheidenraum ist weit, verbreitert sich nach seinem Ansatze zu erheblich und entspricht daselbst einem Kreise von 5 mm Durchmesser.

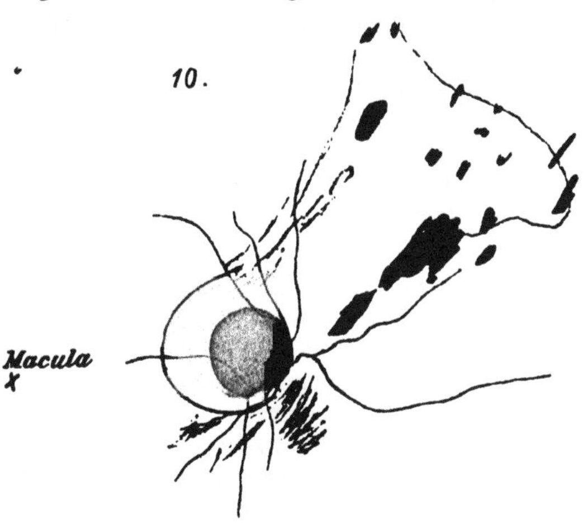

Fig. 10.

Bulbus frontal halbiert. Der Glaskörper ist völlig verflüssigt und sofort ausgelaufen. Es findet sich Aderhaut der Netzhaut anliegend und ein exquisit getäfelter Fundus. An der Papille sieht man eine tiefe Excavation, mit völliger Verdrängung der Gefässe und überhängendem Rand nasal, während sie temporal flacher ausläuft. Der Conus liegt hauptsächlich auf der temporalen Seite der Papille, ungefähr 1/2 Papillenbreite an seiner breitesten Stelle messend, nach innen oben in eine 4 bis 6 Papillen lange, 1—3 Papillen breite Partie chorioiditischer Veränderungen auslaufend. Dieselben zeichnen sich durch ausgedehnte weisse Verfärbung aus, innerhalb deren die Täfelung völlig aufhört und die mit unregelmässigen Gruppen grobchorioidealen Pigments besetzt ist. Besonders an der nasalen Grenze des Conus findet sich ein grosser, langer und schwarzer Herd (Fig. 10). Der getäfelte Fundus geht ohne scharfe Grenze ganz allmählich in diese atrophischen Stellen über. Die Maculagegend ist besonders stark pigmentiert. Entzündliche Herde in ihr fehlen völlig.

Mikroskopischer Befund.

Optikus durchbohrt die Augenhüllen schief von temporal nach nasal. Der Zwischenscheidenraum ist beiderseits an seinem blinden Ende erweitert; jedoch nasal mehr als temporal. Auf der nasalen Seite ist der Duraansatz 0,96 mm vom Sehnerven abgerückt, temporal beträgt dieser Abstand 0,72 mm.

Die Sehnervenfasern verlaufen auf der temporalen Seite der Wand des Optikuskanales parallel und werden dann am Papillenrande so umgeknickt, dass sie mit der inneren Fläche der Chorioidea einen Winkel von ungefähr 140° bilden. Die Lamina elastica endigt 0,54 mm vom Papillarrande entfernt in einem der unteren Schnitte gemessen. Das Pigmentepithel hört ebenfalls in diesem Falle etwas peripherwärts davon auf in einer Flucht mit Choriocapillaris. Die Chorioidea ist im Conusgebiete gebildet von derben, skleraähnlichen Bindegewebsbündeln, die gar keine Blutgefässe und auch sparsam Pigment enthalten. Auf der nasalen Seite beträgt die Supertraktion ungefähr $^1/_3$ der Sehnervenbreite. Die Lamina elastica geht bis an die Spornspitze heran. Über die einzelnen Retinallagen lässt sich kaum etwas sagen, da die hochgradig atrophische Netzhaut schon so pathologisch umgewandelt ist, dass sie ihre einzelnen Lagen nicht mehr erkennen lässt. Nasal hinter der supertrahierten Chorioidea findet sich eine tiefe Excavation der Papille mit gerade dieser supertrahierten Chorioidea als überhängender Rand, welche Excavation temporalwärts mehr flacher ausläuft.

Die Sklera ist kaum verändert, dagegen ist die Chorioidea überall hochgradig atrophisch und verdünnt, in ihr sind jedoch hie und da sogar grössere Blutgefässe sichtbar. Kleinzellige Elemente sind vermehrt. Die Lamina elastica ist überall ohne jegliche Risse und Schrunden, aber hochgradig verdünnt zu sehen. Nasal oben im Gebiete der chorioiditischen Herde treten nun hauptsächlich Veränderungen des Pigmentepithels in den Vordergrund. Bald erscheint das Epithel verdünnt und hochgradig atrophisch, stellenweise ganz und gar zugrunde gegangen; bald handelt es sich um Wucherungen der Epithelzellen in Form kleinerer oder grösserer Erhebungen, die aber völlig pigmentlos sind und die schon vorher verdünnte Retina hoch hinaufheben, demzufolge diese Membran daselbst nur als eine dünne Schicht vorhanden ist. An anderen Stellen sehen wir das Epithel mehr oder weniger pigmentiert, oft in mehreren Schichten aufeinander angeordnet, aber nur in kleineren Anhäufungen vorhanden. Das Pigment ist in den Zellen sehr unregelmässig verteilt; im allgemeinen liegen die Körner mehr an der Peripherie zu und ausserhalb der Zelleiber. Das Pigment scheint im Begriff, aus den Epithelzellen herauszuwandern. In der Retina sieht man hie und da kleinere Wucherungen von Epithelzellen, nasal und oben von der Papille, entsprechend dem grossen schwarzen Herde im ophthalmoskopischen Bilde aber eine bedeutende Epithelwucherung, die sehr viel Pigment enthält. In dem obengenannten Herde nimmt man auch eine Ansammlung pigmentloser Epithelzellen wahr (siehe Taf. XIV, Fig. 11).

Epikrise.

Das vorliegende, wegen Schmerzen und Entzündung enucleierte Auge, das vor 3 Jahren durch Messerstich verletzt worden war, ist ein auffallend verlängertes (29 mm) gewesen. Sowohl durch die ophthalmoskopische Untersuchung, als auch durch den makroskopischen Befund nach der Halbierung wurde ein hauptsächlich auf der temporalen Seite der Papille befindlicher Conus nachgewiesen. Nasal oben an diesen Conus sich anschliessend fand sich eine weisslich gefärbte Partie mit unregelmässigen Gruppen grobchorioidealen Pigments besetzt; an der nasalen Grenze des Conus machte sich ein grosser schwarzer Herd bemerkbar. An der Papille war eine tiefe Excavation mit nasal überhängendem Rande sichtbar.

Der mikroskopischen Untersuchung nach ist der Conus entstanden durch Schwund des Pigmentepithels und Umwandlung der Chorioidea in derbes, von der Elastica entblösstes, skleraähnliches Bindegewebe, das keine Blutgefässe enthält und auch wenig Pigment. Im Gebiete der Herde nasal oben von der Papille treten Veränderungen des Pigmentepithels ganz in den Vordergrund, während die Lamina elastica zwar hochgradig verdünnt, aber dennoch überall ganz intakt zu sehen ist. Bald ist das Epithel atrophisch, stellenweise völlig verschwunden; bald handelt es sich dagegen um pigmentlose Wucherungen desselben. An andern Stellen ist das Epithel deutlich pigmentiert, oft in mehreren Schichten aufeinander angeordnet, und wuchert sogar an manchen Stellen in die Retina hinein; auf diese Weise ist der grosse schwarze Herd an der nasalen Grenze des Conus zu stande gekommen. Das Pigment scheint vielfach im Begriff, aus den Epithelzellen herauszuwandern. An der Papille sieht man eine tiefe Excavation mit der supertrahierten nasalen Chorioidea als überhängenden Rand.

7. Frau St., 63 Jahre.

Rechtes Auge: hochgradige Myopie mit Chorioiditis, Carcinoma Palpebr. amb.

Patientin will immer kurzsichtig gewesen sein. Die Abnahme des Visus soll sehr allmählich erfolgt sein.

Am 4. X. 98 ophthalmoskopisch untersucht; dabei sieht man die graurötliche, etwas vertikal-ovale Papille inmitten eines grossen unregelmässigen Conus, der temporalwärts in die Veränderungen der Macula übergeht. Die Begrenzung des Conus ist im allgemeinen scharf, an einzelnen Stellen von Pigmenthäufchen eingefasst, nur nasenwärts ist sie nicht so deutlich, von einigen Pigmentspritzern bedeckt. Der Conus selber ist hier von mehr gelblicher Farbe, und sind einige Aderhautgefässe in demselben sichtbar. In der Macula befindet sich ein sehr grosser und darüber ein kleiner chorioiditischer Herd von intensiv weisser Farbe und scharfer Begrenzung; der grössere enthält einzelne Pigmentmassen. In der Umgebung dieser Herde erscheint der Fundus ziemlich normal, nur unterhalb des grösseren findet sich eine leichte Abblassung, durchsetzt von bräunlichen Pigmentherden. An der Vena temporalis inferior von ihr mitten durchschnitten finden sich drei weitere, weisse, scharfbegrenzte, alt aussehende, chorioiditische Herde, kaum von Pigment umrandet, deren Grösse etwa das zweifache der Papille beträgt, und in denen man verschiedene ziemlich dünne Aderhautgefässe sieht (Taf. XIX, Fig. 12). Skiaskopisch wurde die Refraktion zu — 18 D. bestimmt.

Am 15. X. Enucleation des Auges wegen Carcinom der Lider und Orbita. Bulbuslänge frisch gemessen 30 mm. Äquatorialer Durchmesser: horizontal 25,5 mm, vertikal 26 mm.

Makroskopisch sieht man die Bulbuswand fast überall schwärzlich durchschimmernd. Optikus pflanzt sich ein wenig schräg nach aussen ein. Die Scheiden liegen dem Optikusstumpfe recht locker an. Bulbus äquatorial halbiert; dabei erscheint der Glaskörper flüssig, aber noch fadenziehend. Temporal am Optikuseintritte befindet sich ein grosser rundlicher Conus, der in etwas geringerer Ausdehnung den Sehnerven auch nasenwärts umgreift. Die oben beschriebenen, ophthalmoskopisch sichtbaren chorioidealen Herde lassen sich nunmehr mit blossem Auge deutlich erkennen.

Mikroskopischer Befund.

Optikus durchbohrt die Augenhäute nur ein klein wenig schief von nasal nach temporal. Der Zwischenscheidenraum endigt beiderseits buchtig. Der Ansatz der Durascheide ist vom Sehnerven abgerückt temporal 0,80 mm, nasal nur 0,20 mm. Die Sehnervenfasern verlaufen ziemlich gerade nach vorn, auf der temporalen Seite in einem fast rechten Winkel am Papillenrand umgeknickt; nasal ist die Supertraktion der Chorioidea ganz geringfügig. Die temporale Wand des Sehnervenkanales von der inneren Fläche der Lamina cribrosa aus und ihre Fortsetzung im Conusgebiete wird gebildet von der sehr atrophischen, aus nur sparsamen, verdünnten Bindegewebszügen zusammengesetzten Chorioidea. Die Lamina elastica endigt in einem unteren Schnitte der Serie gemessen 1,44 mm vom Rande des Sehnerven entfernt, ziemlich in einer Flucht mit dem Pigmentepithel. Über die Retina lässt sich nicht viel bestimmtes sagen, da sie in den Präparaten beinahe vollständig fehlt. Auf der nasalen Seite reicht die Lamina elastica oben bis an den Rand der Papille heran, rückt aber nach unten zu ein wenig vom Rande ab und zeigt daselbst 2 kleine Risse in der Papillennähe. Das Pigmentepithel hört nasal ziemlich weit entfernt vom Rande der Lamina elastica auf.

Die Sklera ist verdünnt auf 0,20 mm Dicke an ihrer schmälsten Stelle etwas temporal von der Papille. Die überall sehr atrophische Chorioidea wird gebildet von verdünntem, mit grossen Lücken zwischen den einzelnen Lamellen versehenem Bindegewebe, das nur sehr sparsam grössere Blutgefässe enthält und auch wenig Stromapigment. Das Pigmentepithel und die Elastica sind ebenfalls überall sehr dünn und atrophisch. Gerade temporal von der Papille, die ganze Maculagegend umfassend, und sich noch nasenwärts bis beinahe an die Conusgrenze erstreckend, findet sich ein grosser chorioiditischer Herd und etwas oberhalb desselben ein kleinerer. Den Herden genau entsprechend sieht man in der Lamina elastica chorioideae ebenfalls einen grösseren und kleineren Riss, von deren Umrandung etwas entfernt das Pigmentepithel aufhört. Die Ränder des kleineren Risses sind wellenförmig gebuchtet und nach unten zu deutlich umgerollt (siehe Taf. XIV, Fig. 13). Temporal unten ist das Pigmentepithel in Form eines grossen braunschwarzen Klumpens in das Chorioidealgewebe hineingewuchert. Die Chorioidea ist daselbst hochgradig verdünnt, nur aus einer ganz dünnen Schicht atrophischer Bindegewebszüge gebildet. Im Bereiche des grösseren Herdes ist die Elastica auf verschiedenen Stellen vielfach geborsten und sehr verdünnt, so dass inselförmige Stücke der Membran im Rissloche zurückgeblieben sind. Das Pigmentepithel wuchert vielfach durch die zwischen diesen Inseln liegenden Lücken der Elastica in die unterliegende Chorioidea hinein, und es entsteht auf diese Weise eine besonders in der Mitte des chorioiditischen Herdes nach unten zu stark ausgeprägte Pigmentation. Die kleinsten Risse der Elastica sind wegen der bedeutenden Wucherung des Epithels, die auch auf den inselförmigen Membranüberbleibseln vorhanden ist, ganz verdeckt und unmöglich zu unterscheiden. Das Chorioidealstroma ist ebenfalls in diesem Herde hochgradig verdünnt, ja es sind sogar auf der nasalen Seite mehrere Stellen vorhanden, wo es vollständig fehlt, und liegt die nackte Sklera daselbst vor. Dicht am unteren Rande des grossen Herdes finden sich noch kleine vereinzelte Pigmentanhäufungen.

Nach unten und temporal von der Papille sind drei grosse Herde vorhanden, die auf Schwund des Pigmentepithels beruhen. Da die Retina überall in ihrem Gebiete fehlt, und die Herde, wie aus Taf. XIX, Fig. 34 ersichtlich, zu gross ausgefallen sind, muss wohl angenommen werden, dass diese Vergrösserung der Herde mit einer künstlichen Abhebung des Pigmentepithels durch die totale artifizielle Ablösung der Netzhaut im Zusammenhange stehe. Die Lamina elastica ist in den Herden zwar ausserordentlich verdünnt, aber dennoch intakt mit Ausnahme des mittleren Herdes, wo sie in der Mitte eingerissen ist (siehe Taf. XIV, Fig. 14), augenscheinlich eine Folge von übermässiger Dehnung der obengenannten Membran an dieser Stelle. Es fehlt an den Herden jede Pigmentation, das Chorioidealstroma ist daselbst auffallend atrophisch, hie und da sind doch einige Blutgefässe zu erkennen. Es fehlt im Herdgebiete jede Spur von Choriocapillaris.

Vergleicht man nun (siehe Taf. XIX, Fig. 33) die Lage des Glashautloches mit der des Skleralloches, so sieht man, dass das erstere in einer temporal und ein wenig nach unten gehender Richtung aus seiner normalen Lage verschoben ist. Am Skleralloche sind die Flächen der Lamina cribrosa gegen einander derartig verschoben, dass die temporale Grenze der inneren Fläche nach aussen von der gleichnamigen Grenze der äusseren Fläche zu liegen kommt.

Epikrise.

Das vorliegende Auge, ein hochgradig verlängertes (30 mm) von — 18 D. Myopie, entstammt einer Patientin, bei der die Abnahme des Visus sehr allmählich erfolgt sein soll.

Die ophthalmoskopische Untersuchung ergibt einen unregelmässigen cirkulären Conus, der temporalwärts an die Veränderungen der Macula anstösst. Die Begrenzung des Conus ist überhaupt sehr scharf, nur auf der nasalen Seite nicht ganz deutlich, wo auch der Conus selber von gelblicher Farbe ist und einige Aderhautgefässe gut erkennen lässt. In der Maculagegend befindet sich ein sehr grosser und darüber ein kleiner chorioiditischer Herd von intensiv weisser Farbe, scharfer Begrenzung, und inmitten des grösseren Herdes einzelne Pigmentmassen. An der Vena temporalis inferior sind drei grosse weisse, scharf begrenzte, alt aussehende Herde sichtbar, in welchen man verschiedene Aderhautgefässe sieht.

Durch die Dissektion wurden die obenangeführten ophthalmoskopischen Befunde, zum grossen Teil sogar mit blossem Auge, bestätigt.

Der Conus ist dem mikroskopischen Befunde nach auf der temporalen Seite entstanden durch Schwund des Pigmentepithels und hochgradige Atrophie der Chorioidea, die, im Conusgebiete ihrer elastischen Membran beraubt, nur aus einzelnen gelichteten Bindegewebszügen zusammengesetzt ist und infolgedessen auch im ophthalmoskopischen Bilde die weisse Sklera deutlich hindurchschimmern liess. Auf der nasalen Seite ist es hauptsächlich der Schwund des Pigmentepithels, der der Bildung eines Conus zugrunde liegt, dessen Rand aber nicht scharf erscheint, wohl eine Folge davon, dass das Epithel daselbst ganz allmählich aufhört. Die Elastica reicht auf dieser Seite bis an den Papillenrand heran, nur in der unteren Hälfte endigt sie ein wenig nasal vom Rande.

Die chorioiditischen Herde lassen sich der Hauptsache nach in zwei Hauptformen einreihen, denen ganz verschiedene anatomische Verhältnisse zugrunde liegen.

Die zwei Herde in der Maculagegend sind gebildet durch Risse in der Lamina elastica chorioideae und verdanken ihre rein weisse Farbe dem Umstande, dass die Aderhaut in den Herden dermassen atrophisch ist, dass sie die unterliegende Sklera deutlich hindurchschimmern lässt, ja stellenweise fehlt die Chorioidea ganz und gar, in welchem Falle die nackte Sklera dann vorliegt. Durch die Lücken der Elastica wuchert das Pigmentepithel vielfach in das unterliegende

Chorioidealgewebe hinein, und es entstehen auf diese Weise die im Augenhintergrunde ophthalmoskopisch sichtbaren Pigmentanhäufungen in den chorioiditischen Herden.

Der Conusbildung auf der nasalen Seite der Papille entsprechend gebaut sind die drei grossen untersten Herde an der Vena tempor. inf., die ihre Entstehung hauptsächlich Schwund des Pigmentepithels zu verdanken haben, und die ebenso Aderhautgefässe erkennen lassen, wie der nasale Conus. Die weisse Farbe der Herde, während der Conus gelblich erscheint, verdankt wohl ihre Entstehung dem Umstande, dass in den Herden die Aderhaut so atrophisch und verdünnt ist, dass sie die unterliegende Sklera unverändert hindurchschimmern lässt.

8—9. Kristoff R., 54 Jahre.

Zuletzt ophthalmoskopisch untersucht 9. VI. 98.

$$\text{Befund} \begin{cases} \text{R.} & -18\,\text{D.}\ s = {}^1/_{10} \\ \text{L.} & -20\,\text{D.}\ s = {}^1/_4 \end{cases}.$$

Beiderseits Coni, die aber nicht weiss, sondern rings um die Papille stark pigmentiert sind und Intervaskulärräume erkennen lassen. Rechts finden sich in einem Bezirk um die Macula, der von fast Papillengrösse ist, reihenweise chorioiditische Herde; links sind die Herde spärlicher und weniger deutlich.

Gestorben 11. VI. 98 an Apoplexie und Emphysema pulmonum. Enucleation erst 30 Stunden post mortem. Härtung: 10% Formalinlösung.

Am 13. VI. 98 wurden die beiden Bulbi gemessen und makroskopisch untersucht.

Rechter Bulbus: Länge 31 mm. Horizontaler Durchmesser 27 mm, vertikaler 25 mm.

Makroskopischer Befund.

Temporal unten vom Optikus befindet sich eine bis 12 mm lange, stark verdünnte und ektatische Partie der Sklera, die scharf begrenzt ist. Bulbus äquatorial halbiert. Der Glaskörper ist fast dünnflüssig. Ein über papillenbreiter Conus legt sich hauptsächlich temporal der Papille an, die nasal von stärkerer Pigmentierung begrenzt wird. Nasal unten dicht an diese Pigmentierung angrenzend befindet sich ein $^1/_4$ papillengrosser weisslicher Herd und in dessen Mitte ein rötlicher Fleck, wohl eine Blutung. In der Maculagegend finden sich 4 exquisit chorioiditische Herde, alt aussehend, auch nach dem ophthalmoskopischen Bilde, 2 oberhalb, 2 unterhalb der Macula, und zwar haben wir hier je einen weissen, nur am Rande wenig pigmentierten, und einen stark pigmentierten, der in der Mitte einen hellen Fleck hat, nebeneinander; beide Gruppen durch die Macula getrennt. Verschiedene kleine liegen daneben, sind aber wegen der trüben Retina schwer zu sehen (Taf. XX,

Fig. 15). Fundus sehr hell in der Maculagegend, in weiterer Entfernung stark getäfelter Hintergrund.

Linker Bulbus: Länge 30 mm. Horizontaler und vertikaler Durchmesser 25 mm.

Makroskopischer Befund.

Am Bulbus ist ebenso wie rechts eine Ektasie temporal unten sichtbar; die Wandung derselben scheint aber ein wenig dicker zu sein als rechts. Bulbus im Äquator halbiert. Wegen der trüben und gefalteten Retina (Leichenerscheinung) lässt sich über den Conus nicht viel bestimmtes sagen. Man sieht nur, dass nasal stärkere Pigmentierung an die Papille grenzt. Etwas jenseits derselben liegt eine kleinere Blutung in der Retina. Etwas oberhalb der gut sichtbaren gefalteten Macula finden sich zwei grössere rotaussehende chorioiditische Herde (siehe Taf. XXI, Fig. 16), die viel Pigment an den Rändern tragen; in der Mitte ist ein weisser Fleck sichtbar. Mit der Lupe sieht man noch verschiedene weitere Blutungen in der Retina, die aber gar nicht frisch sind, sie stehen vielleicht mit der Apoplexie, nicht mit der Myopie im Zusammenhange. Die Chorioidea sitzt ziemlich locker der Sklera auf; hinten adhäriert sie fester und lässt sich näher der Papille zu überhaupt nicht abziehen. Hintere Hälfte wird entsprechend der Linie $X—Y$ halbiert. Keine Andeutung von Conus zu finden; Chorioidea reicht beiderseits zum Foramen sclerae, ist nasal besonders stark pigmentiert. Der Zwischenscheidenraum ist nicht erweitert, aber temporal ziehen von der Durascheide Stränge zum hinteren Sklerarand.

Mikroskopischer Befund.

Rechtes Auge: Optikus pflanzt sich ein klein wenig von nasal nach temporal ein. Der Zwischenscheidenraum endigt temporal spaltförmig im Winkel zwischen Sklera und Optikus, nasal ist der Duraansatz vom Sehnerven 0,70 mm abgerückt. Die Optikusfasern verlaufen auf der temporalen Seite gerade nach vorn, um sich dann am Rande des Sehnerven in einem fast rechten Winkel umzuknicken. Auf der nasalen Seite ist die Supertraktion ganz unbedeutend. Die im temporalen Conusgebiete ihrer elastischen Membran beraubte Chorioidea besteht daselbst aus aufgelockerten, stark verdünnten, wellig verlaufenden Bündeln, die zwischen sich kleine Hohlräume schliessen. Sie lässt sich ganz gut bis an die innere Grenze der Lamina cribrosa verfolgen, ist am Papillenrande erheblich pigmentiert, mehr peripher davon wird sie in ein dünnes Häutchen reduziert, das ganz struktur- und pigmentlos ist und auch keine Blutgefässe enthält. Dagegen weist die unter ihr liegende Sklera an dieser Stelle viele kleinere Pigmentanhäufungen auf. Die grösste Entfernung der Lamina elastica vom temporalen Papillenrande beträgt 1,63 mm und ist sie überall an ihrem temporalen Ende spindelförmig verdickt, stellenweise mit einem S-förmig gebogenen Fortsatze versehen. Das Pigmentepithel und die Stäbchen- und Zapfenschicht hören etwas peripherwärts von diesem Ende auf in einer Flucht mit der Capillarisschicht der Chorioidea, während die beiden Körnerschichten, die in der Nähe des Conus in einander übergegangen, etwas weiter papillenwärts endigen. Nasal unten endigt die Lamina elastica wie faserig aufgesplittert am Papillenrande, nach oben rückt das Ende etwas von diesem Rande ab, ist überall deutlich aufgetrieben, stellenweise mit einem hakenförmigen Fortsatz versehen. Das Pigmentepithel hört in einem der oberen Papillenschnitte gemessen nasal 0,59 mm vom Papillenrande entfernt, in einer Flucht mit der äusseren Körnerschicht auf. Die innere Körnerschicht reicht bis beinahe an diesen Rand heran. Die Chorioidea ist nasal in der Umgegend der Papille stark pigmentiert.

Die Sklera ist verdünnt besonders temporal, wo sie nur 0,18 mm misst; sie ist sonst ohne Pigment, nur in der Papillennähe liegen recht viele kleinere Pigmentanhäufungen in ihren äusseren Schichten. Die Chorioidea ist im allgemeinen wenig atrophisch, lässt ihre einzelnen Blutgefässlagen noch sehr gut erkennen. Die Choriocapillaris ist nach ihrem papillaren Rande zu vielfach eingerissen. Die inselförmigen Überbleibsel sind bis an den Pigmentepithelrand heran ganz gut zu erkennen. Die Aderhaut ist überhaupt sehr pigmentreich; in ihr finden sich auffallend viele kleinzellige Elemente, jedoch nicht in dem Masse, dass sie mit Sicherheit als pathologisch aufzufassen sind. Die Infiltration findet sich immer nur in den an die chorioiditischen Herde grenzenden relativ normalen Teilen der Chorioidea, nicht in den Herden selber. Nach unten zu sieht man in der Aderhaut etliche grössere und kleinere Blutungen, die das Chorioidealgewebe auseinandergedrängt haben, die Elastica aber verläuft unversehrt über sie hinweg, nur nasal unten in der Nähe der Papille nimmt man eine kleine Blutung und darüber einen kleinen Riss in der Elastica wahr. Das Pigmentepithel fehlt in einem kleinen Bereiche um diese Blutung herum ganz und gar.

In der Maculagegend finden sich verschiedene chorioiditische Herde und zwar haben wir zwei grosse Herde unterhalb und nur einen grossen samt kleineren daneben oberhalb der Macula. Sämtlichen Herden liegen grössere oder kleinere Risse der Lamina elastica zugrunde. In dem grossen Herde oberhalb der Macula ist die Elastica stellenweise vielfach eingerissen, so dass inselförmige Membranüberbleibsel daselbst zu sehen sind.

Die Chorioidea ist in den Herdbezirken teils in derbes schwartenähnliches, hypertrophisches Bindegewebe umgewandelt, teils ist sie mehr atrophisch, nur aus wenigen Bindegewebslamellen bestehend, ja in manchen Herden fehlt sie ganz und gar und liegt dann die nackte Sklera vor. Die starke Pigmentierung der Herdränder kommt dadurch zu stande, dass das Pigmentepithel oft massenhaft in Form drüsenartiger Schläuche tief in das unterliegende Chorioidealstroma hineinwuchert, infolgedessen die Ränder wulstig verdickt erscheinen. Die gewucherten Pigmentepithelzellen sind im allgemeinen vergrössert und von ganz unregelmässiger Gestalt, bald kugelrund, bald mehr spindelförmig, oft in grossen Haufen zwischen den Bindegewebsbündeln liegend. Oft sind sie, wie oben gesagt, zu drüsenähnlichen Schläuchen zusammengefügt, deren Querschnitte dann die radiäre Anordnung der Zellen, besonders schön, aber in gebleichten Präparaten die speichenförmige Verästelung ihrer Grenzen erkennen lassen (siehe Taf. XV, Fig. 17). Die Pigmentkörnchen in diesen gewucherten Zellen sind gewöhnlich gröber, von rundlicher Form und braunschwarzer Farbe. An anderen Stellen ist das Epithel am Herdrande nicht in die Chorioidea hineingewuchert, sondern es erscheinen die Zellen ein Stück peripher vom Rande vergrössert, von mehr ovaler Form; sie sind mit dichtgedrängtem braunschwarzen Pigment gefüllt und oft in mehrfachen Lagen über einander angeordnet. Gewöhnlich haben wir von den oben beschriebenen Pigmentherden das Bild eines weissen Fleckes mit mehr oder weniger ausgeprägter Pigmentumrandung (siehe Taf. XV, Fig. 18). Der Riss in der elastischen Membran kann aber, besonders wenn er klein ist, ganz und gar von den gewucherten, stark pigmentierten Epithelmassen gefüllt sein, wodurch ein runder punktförmiger Herd entsteht (siehe Taf. XV, Fig. 19), ja die Wucherung kann dermassen hochgradig sein, dass sie sich bis in die Netzhaut erstreckt, wie aus Taf. XV, Fig. 20 ersichtlich. Taf. XV, Fig. 21 zeigt uns bei stärkerer Vergrösserung die Epithelwucherung in der Retina durch Bleichen nach Grunert ihres Pigmentes beraubt (57). Dass der Riss in der Lamina elastica keineswegs gross zu sein braucht, sondern im Gegenteil kaum merkbare Risse das Hineinwuchern der Epithelzellen in die unterliegende Chorioidea gestatten, zeigt uns auf das deutlichste Taf. XVI, Fig. 22, wo die Lamina elastica, wie es im Präparate scheint, ganz intakt über den Herd hinwegläuft. Anfangs wurde auch angenommen, dass diese Pigmentanhäufung aus Stromapigment bestehe. Durch Bleichen des Pigments nach Grunert (57) wurde jedoch späterhin der Irrtum aufgeklärt und dabei nachgewiesen, dass es sich hier um gewuchertes Retinalepithel handelte, wie aus Taf. XVI, Fig. 23 hervorgeht. Es ist natürlich unmöglich, sich vorzustellen, dass diese Zellen durch eine intakte Elastica in die Chorioidea gewandert seien. Doch gelang es trotz eifrigen Suchens und trotz lückenloser Serie nicht, die Rissstelle mit Sicherheit nachzuweisen.

Die Retina beteiligt sich verschiedentlich an der Bildung dieser chorioiditischen Herde. Gewöhnlich treten im Bereiche der Glashautdefekte retinale Elemente mit dem Stromareste der Chorioidea in Verbindung und durchwachsen ihn. Dieses Durchwachsen der gewucherten Retinallagen erstreckt sich bisweilen bis an die Sklera heran, wodurch eine durch die ganze Dicke der Aderhaut gehende Kontinuitätstrennung entsteht. Sind die retinalen Elemente, wie dies gewöhnlich der Fall ist, nicht gewuchert, so hört die äussere Körnerschicht in einer Flucht mit der Stäbchen- und Zapfenschicht am Rande des Risses auf, während die innere Körnerschicht intakt über denselben hinweggeht, wie aus Taf. XV, Fig. 18 ersichtlich.

Die eben beschriebenen pathologischen Umwandlungen der Retina verdanken ihre Entstehung den Rissen in der elastischen Membran der Chorioidea und der damit im Zusammenhange stehenden chorioiditischen Herdbildung. Es finden sich aber noch andere Veränderungen im vorliegenden Auge, die sicherlich zu den rein myopischen Vorgängen gezählt werden müssen. An verschiedenen Stellen erscheinen nämlich die einzelnen Stäbchen und Zapfen vergrössert und wie aufgequollen, die ganze Schicht ist von der Membrana limitans externa retinae abgehoben, ihre Oberfläche wellig und stellenweise in grosse Falten gelegt. In die Lücken dieser Falten hinein und auch in deren Umgebung sind die äusseren Körner in langen Zügen vorgefallen, in der Art wie es Greeff (76, S. 357—359) bei Ödem der Retina beschrieben hat. Als Durchtrittsstellen für die äusseren Körner findet man Risse in der Membrana limitans externa retinae (Taf. XVI, Fig. 24). In den Präparaten lassen sich die Lücken der oben genannten Membran sehr schwierig nachweisen, weil sie ausserordentlich dünn ist und weil die gewucherten Körner die Rissenden verdecken. „Es macht," wie auch Greeff (76, S. 358) sagt, „den Eindruck, als ob die äusseren Körner durch die Membrana limitans externa in gerader Reihe unter einem gewissen Druck zurückgehalten würden, denn sobald diese Membran einreisst, quellen die Körner durch den Riss in grosser Menge hervor und heben die Stäbchen und Zapfen hoch hinaus ab." Die oben angeführten Wucherungsprozesse geben auch den Anstoss zu eigenartigen Veränderungen des Pigmentepithels. Teils ist dasselbe in die aufgequollene Stäbchen- und Zapfenschicht in Form von Klümpchen und Schläuchen hineingewuchert, teils liegt das aus den Zellen ausgetretene Pigment ganz fein verteilt in dünner Schicht verstreut im Gewebe umher. Auch in die Retina kann man die Pigmentkörnchen verfolgen. In den inneren Schichten der Netzhaut habe ich jedoch niemals Pigmentzellen vorgefunden.

Von den schon oben genannten 2 Herden unterhalb der Macula ist der obere mit dicken Pigmentanhäufungen an seiner Umrandung versehen; der untere dagegen trägt nur sehr sparsam Pigment an seinem oberen und nasalen Rande. Der grosse Herd oberhalb der Macula zeigt zwei Risse der Elastica, aber ein einziger grosser Pigmentepitheldefekt umgibt die beiden Elasticalücken. Durch dicke Pigmentanhäufungen, die sich quer über die Mitte des Herdes erstrecken, wird derselbe in zwei Teile zerlegt und zwar, da seine obere Umrandung ebenfalls stark pigmentiert ist, in einen oberen, ringsum pigmentierten, mit einem hellen Fleck in der Mitte, und einen unteren, der kaum Pigment trägt (siehe Taf. XX, Fig. 35).

Die vorstehende Schilderung bezieht sich auf das rechte Auge. Im linken Bulbus sind die Veränderungen ganz von derselben Natur, so dass ich, um eine Wiederholung zu vermeiden, mich ganz kurz fassen kann und nur die Unterschiede zwischen den beiden Augen in folgendem hervorhebe.

Der Zwischenscheidenraum endigt nasal spaltförmig, temporal ist der Duraansatz 0,19 mm vom Sehnerven abgerückt. Der Optikus zeigt dieselben Verhältnisse wie rechts; die Supertraktion ist aber auf der nasalen Seite links etwas grösser als im rechten Auge. Die Lamina elastica reicht überall nasal bis zur Spornspitze heran und ist daselbst auffallend verdickt, wie hakenförmig nasenwärts umgeknickt. Im Conusgebiete auf der temporalen Seite besteht die Chorioidea aus lockerem, ziemlich dickem, pigmentreichem Bindegewebe, das noch deutlich Blutgefässe enthält. Die Elastica hört in einem, von den obersten Schnitten der Serie 0,97 mm vom Papillenrande entfernt, deutlich verdickten Ende auf. Was die Vermehrung der kleinzelligen Elemente in der Chorioidea anbetrifft, so möchte ich hier im linken Auge einen ganz kleinen Riss der Elastica mit reichlicher chorioidealer Infiltration besonders hervorheben (siehe Taf. XVI, Fig. 25), wahrscheinlich wohl als Frühstadium der Herdbildung anzusehen. Von Blutungen sieht man sowohl grössere als kleinere verschiedentlich in der Chorioidea vorhanden, nicht aber in der Retina, wie makroskopisch vermutet wurde. Die Lamina elastica verläuft aber im linken Auge überall intakt über dieselben hinweg. Die chorioiditischen Herde sind nach der Taf. XXI, Fig. 36 angeordnet; also finden sich oberhalb der Macula 2 grosse Herde, die viel Pigment an den Rändern tragen und in der Mitte einen weissen Fleck. Die kleineren Herde sind teils den obigen zweien ähnlich, teils enthalten sie nur wenig Pigment, oder aber sind auch ganz pigmentlos.

Die Verschiebung des Glashautloches (Taf. XX, Fig. 35, Taf. XXI, Fig. 36) gegen das Skleralloch ist in den beiden vorliegenden Fällen gerade temporalwärts geschehen. Die beiden Flächen der Lamina cribrosa sind so gegen einander verschoben, dass die temporale Grenze der inneren nach aussen von der temporalen Grenze der äusseren Fläche zu liegen kommt.

Epikrise.

Das vorliegende Augenpaar entstammt einem Patienten, der zwei Tage vor seinem Tode ophthalmoskopisch untersucht worden war, und ergab diese Untersuchung beiderseits Coni, die rings um die Papille stark pigmentiert waren und auch Intervaskulärräume erkennen liessen.

Im rechten Auge, das hochgradig verlängert (31 mm) war und — 18 D. Myopie gehabt hatte, fanden sich sowohl nach dem ophthalmoskopischen Bilde als auch mit der Lupe gesehen vier grosse alt aussehende, exquisit chorioiditische Herde, zwei oberhalb, zwei unterhalb der Macula, und war von diesen zweien je einer stark pigmentiert mit einem hellen Fleck in der Mitte; und einer von weisser Farbe am Rande nur wenig pigmentiert. Neben den obengenannten grossen konnte man verschiedene kleinere Herde in der Maculagegend und nasal unten dicht an der Papille einen kleinen weisslichen Herd mit einem rötlichen Fleck erkennen. Am linken Auge, ein ebenfalls hochgradig verlängertes (30 mm) von — 20 D. Myopie, waren der Hauptsache nach zwei grosse chorioiditische Herde oberhalb der Macula zu unterscheiden, die an den Rändern viel Pigment trugen, in der Mitte einen weissen Fleck. In der Retina konnte man noch Blutungen sehen.

Die beiden hauptsächlich temporalen Coni werden dem mikroskopischen Befunde nach im wesentlichen gebildet von aufgelockertem, der Elastica und des Pigmentepithels beraubtem Chorioidealbindegewebe, das noch deutlich Pigment und auch Blutgefässe enthält; rechterseits aber ist die Aderhaut mehr peripher von der Papille auf ein dünnes strukturloses Häutchen reduziert, das ganz gefäss- und pigmentlos ist. Dagegen weist die Sklera in der letztgenannten Gegend viele kleinere Pigmentanhäufungen auf.

Sämtlichen chorioiditischen Herden des in Betracht kommenden Augenpaares liegen grössere oder kleinere Risse der Lamina elastica zugrunde (siehe Taf. XX u. XXI, Fig. 35 u. 36), durch welche das Pigmentepithel oft in grossen Massen in Form drüsenartiger Schläuche in das unterliegende Chorioidealstroma hineinwuchert. An andern Stellen sind die Epithelzellen am Rissrande nur vergrössert, mit braunschwarzem Pigment gefüllt, oft in mehreren Lagen aufeinander geschichtet, ohne in die Chorioidea hineinzuwachsen. Die Herde lassen sich im wesentlichen in zwei Gruppen einteilen, je nach ihrer Grösse und Pigmentreichtum.

Klinisch kennzeichnen sich die der ersten Gruppe angehörigen Herde durch einen weissen Fleck in der Mitte mit mehr oder weniger ausgeprägter oder sogar fehlender Pigmentumrandung. Der mikroskopischen Untersuchung nach beruht der weisse Fleck entweder darauf, dass die Chorioidea sich hier in hypertrophisches, schwieliges, pigmentloses Bindegewebe umgewandelt hat, oder es ist die Aderhaut so atrophisch, dass sie die Sklera hindurchschimmern lässt, oder schliesslich sie fehlt gänzlich im Herdgebiete, und es liegt infolgedessen die nackte Sklera vor.

Die der zweiten Gruppe angehörigen Herde erscheinen klinisch als schwarze punktförmige Gebilde, die mikroskopisch dadurch entstanden sind, dass der Riss der elastischen Membran nicht allzu gross ist und von den gewucherten, sehr pigmentreichen Epithelmassen ganz zugestopft wird, ja die Wucherung kann sich sogar bis in die Retina hinein erstrecken.

Im rechten Auge findet sich nasal unten von der Papille eine kleine Blutung in der Chorioidea, über welcher die Lamina elastica eingerissen ist, und es zeigt die Gegend ringsum einen kleinen Pigmentepitheldefekt. Im linken Auge finden sich vielfach Blutungen vor, aber die Lamina elastica verläuft überall intakt über sie hinweg. Im obengenannten Auge ist noch ausserdem ein ganz kleiner Riss der Elastica sichtbar, in dessen Umgebung eine reichliche chorioideale Infiltration sich bemerkbar macht. Der ganze Prozess ist als Frühstadium der chorioiditischen Herdbildung anzusehen.

Die retinalen Elemente beteiligen sich verschiedentlich an der

Bildung der chorioiditischen Herde. Gewöhnlich hört die äussere Körnerschicht in einer Flucht mit Stäbchen- und Zapfenschicht am Rande des Risses auf. Die innere Körnerschicht verläuft dann intakt über den Herd hinweg, oder aber sie kann in das Chorioidealstroma hineinwachsen bis zur völligen Kontinuitätstrennung der Chorioidea.

In den vorliegenden Augen finden sich noch andere myopische Veränderungen der Retina ausser den oben beschriebenen. Es sind nämlich Risse der Membrana limitans externa retinae nachgewiesen worden, durch welche die äusseren Körner, oft in grossen Massen, in die Stäbchen- und Zapfenschicht vorgefallen sind; dabei heben sie die aufgequollene Stäbchen- und Zapfenschicht hoch hinaus ab. Gleichzeitig sieht man auch das Pigmentepithel eigenartig umgewandelt, teils in die Stäbchen- und Zapfenschicht hineingewuchert, teils liegt das aus den Zellen ausgewanderte Pigment ganz fein verteilt im Gewebe herum, ja sogar in der Retina sieht man Pigmentkörner, aber keine eigentlichen Epithelzellen.

10—11. Frau Johanna M., 58 Jahre.

Patientin hat stets in der Ferne schlecht gesehen und alles sehr nahe halten müssen, aber in der Nähe deutlich sehen können.

Gestorben in der hiesigen chirurgischen Klinik an Ösophaguscarcinom im Oktober 1896.

Ein paar Tage vor dem Tode wurden beide Augen ophthalmoskopisch untersucht.

Bulbi $1^1/_2$ Tage post mortem enucleiert.

Härtung 10% Formalinlösung.

Rechter Bulbus: Länge 32 mm, horizontaler Durchmesser 26 mm und vertikaler $26^1/_2$ mm.

Makroskopischer Befund: Sklera erscheint im hinteren Drittel überall verdünnt, so dass die Uvea schwärzlich durchschimmert, und gleichzeitig ist sie stark ektatisch in Form von mehr oder weniger prominenten Buckeln an den Ansätzen der beiden Mm. obl. Innen unmittelbar am Optikus findet sich eine kleine Partie der Sklera, zwar stark verdünnt, aber keineswegs ektatisch. Die Scheiden umgeben den Optikus recht locker.

Es wird das hintere Bulbussegment abgetrennt; sofort fliesst viel flüssiger, noch fadenziehender Glaskörper aus dem Augapfel heraus.

Der Augenhintergrundbefund stimmt mit der ophthalmoskopischen Skizze (Taf. XXII, Fig. 26) völlig überein. Die Papille hat normale Farbe und fast scharfe Begrenzung. Sie ist cirkulär von einem sehr grossen Conus umgeben, der sich am weitesten nach oben aussen erstreckt, und hier ebenso wie innen, wo er schmäler wird, von rein weisser Farbe, auch nicht schwarz umrandet ist; nur an einzelnen Stellen der Umrandung zeigt der Conus nennenswerte Pigmentmassen. Nach aussen oben am Papillenrand liegt ein kleiner Pigmentfleck. Der Conus misst an seiner breitesten Stelle oben aussen $3^1/_2$ mm. Auch gerade nach unten erstreckt sich der Conus noch etwas, weist hier aber sehr schöne Intervaskulärräume auf. Die Macula ist sehr deutlich am Gefässverlauf und einem kleinen gelben Fleckchen zu erkennen; in ihr sind keine chorioiditische Veränderungen zu sehen. Zweifellos chorioiditische Veränderungen finden sich dagegen:

1. Unmittelbar oberhalb der Macula und zwar ein $^1/_2$ Stecknadelkopf grosser weisser Fleck, über den ein feines Gefäss zieht, und unmittelbar darüber ein grösserer Fleck mit 2 schwarzen Pigmentklümpchen darin. In dem grossen Flecke findet sich gerade in der Mitte eine rundliche Partie, die wesentlich heller als die Umgebung erscheint. In seinem peripheren Teile dagegen sieht man schwarzes Pigment wie durch einen weissen Schleier hindurchschimmern. Bei dem kleinen Herde hat man diesen Eindruck nicht; hier fehlt jede Spur von hindurchschimmerndem Aderhautpigment.

2. Ein $^1/_4$ papillengrosser Herd, der ungefähr $1^1/_2$ Papillendurchmesser nach innen von der Papille gelegen ist. Über denselben läuft ebenfalls ein Gefäss glatt hinweg, sich gabelnd. Unter dem Gefäss liegen im Herde erhebliche Mengen Pigment, unregelmässig zerstreut und scharf begrenzt, sonst ist der Herd von weisslicher Farbe. Es macht den Eindruck, als sei der weissgefärbte Teil des Herdes eine zarte Schicht, welche die Aderhaut deckt, da dessen Intervaskulärräume durch ihn hindurchschimmern.

3. Ein stecknadelkopfgrosser weisslicher Herd ohne Pigment, nicht ganz scharf begrenzt, findet sich unter der Hauptvene nach unten, aussen unterhalb der Macula. In ihm sind die Intervaskulärräume viel dunkler pigmentiert als in dem Conus.

Linker Bulbus: Länge 32 mm. Horizontaler und vertikaler Durchmesser 26 mm.

Makroskopischer Befund: Der Sehnerv ist nur wenig vom hinteren Pole disloziert. Die Scheiden liegen demselben dicht an. Im hinteren Bulbusdrittel etwa ist die Sklera stark verdünnt und schwärzlich durchschimmernd. Stärkste Verdünnung und Ausbuchtung liegt aussen und ebenso oben.

Vom Bulbus wird das hintere Drittel abgeschnitten. Es läuft sofort viel fadenziehende Flüssigkeit aus, die kolossale Mengen rundlicher und loser Elemente von nicht messbarer Feinheit enthält. Um die Papille findet sich ein temporal fast papillenbreiter, oben schmälerer Conus von ausgebuchteter Form, dessen zunächst der Papille gelegene Partie temporal leicht bräunlich gelb, die periphere Partie rein weiss erscheint. Unten und innen fehlt derselbe. Hier besonders unten liegt dafür eine stark pigmentierte Partie der Papille an, in welcher noch etwas Täfelung zu erkennen ist. Dieselbe geht ohne scharfe Grenze in den übrigen Fundus über, der unten getäfelt ist.

Die Fovea centralis ist als gelber Fleck deutlich sichtbar; in ihrer Umgebung scheint alles normal; aber oberhalb derselben liegt zwischen den Gefässen ein intensiv weisser Fleck von Papillengrösse, rundlich, scharf begrenzt, der in seiner Mitte unregelmässige Pigmentmasse trägt. Der getäfelte Fundus schimmert in der Peripherie durch ihn hindurch, während die zentralen Partien rein weiss erscheinen.

2 kleinere rundliche Herde $^1/_3$—$^1/_4$ so gross liegen oben und etwas nach aussen an der Papille von Gefässen überdeckt; sie sind nicht so intensiv weiss, wie der erste, scharf begrenzt und ganz ohne Pigment.

Die hintere Hälfte wird horizontal durchschnitten, entsprechend der Linie *a*—*b*, so dass die nasalen an der unteren, die chorioiditischen Herde an der oberen Hälfte bleiben (Taf. XXIII, Fig. 27). Der Optikuseintritt ist scharf von innen nach aussen.

Mikroskopischer Befund.

Rechtes Auge: Optikus durchbohrt die Bulbuswand ein wenig schräg nach temporal. Der Zwischenscheidenraum endigt nasal spaltförmig im Winkel zwischen Sklera und Optikus, temporal 0,42 mm entfernt davon. Die Sehnervenfasern verlaufen so ziemlich gerade nach vorn. Die Supertraktion ist auf der nasalen Seite kaum bemerkbar. Die temporale Wand des Sehnervenkanales wird von der inneren Fläche der Lamina cribrosa an gebildet von derben, skleraähnlichen, aufgefaserten, knieförmig am Papillenrande umgeknickten Bindegewebsbündeln, die keine Blutgefässe und kaum Pigment enthalten. Peripherwärts verjüngt sich auch die Chorioidea etwas und besteht im ganzen übrigen Conusgebiete mit Ausnahme ihrer unteren nasalen Partie, wo sie ziemlich pigmentiert ist und auch deutlich Gefässe erkennen lässt, aus mehr homogenen pigment- und gefässlosem Bindegewebe. Die Entfernung der Lamina elastica vom temporalen Papillenrand beträgt in einem der untersten Schnitte der oberen Hälfte des Bulbus gemessen 1,57 mm. Im Conusgebiete erscheint die Lamina elastica nach oben und temporal zu vielfach eingerissen und verdünnt, so dass grosse inselförmige Stücke der Membran daselbst zu finden sind, nach unten und nasal ist die Elastica mit Ausnahme der Abrückung vom Papillenrande unversehrt. Das Pigmentepithel zeigt einen Defekt um die Papille herum, wie ihn die Taf. XXII, Fig. 37 uns zeigt, ziemlich übereinstimmend mit dem Conus im ophthalmoskopischen Bilde. Infolge der Zerlegung des hinteren Bulbusabschnittes durch einen horizontalen Papillenschnitt sind nämlich die Ränder mit den beiden Papillenhälften vielfach eingerissen und zerfetzt. In einer Rekonstruktion ist es nicht gut möglich, zwei Stücke, deren aufeinander zu passende Ränder noch dazu zerrissen sind, in ihrer natürlichen Lage zu vereinigen. Es wird dadurch eine Lücke in der Rekonstruktion geben, weshalb die Rekonstruktionskarte nicht exakt ausfällt und nicht ganz mit dem ophthalmoskopischen Bilde übereinstimmt. Hinzu kommt noch, dass, da in dem Optikusstumpf an der unteren Bulbushälfte schon vorher mit Rasiermesser zwei Schnitte schief auf die Längsrichtung seiner Fasern gemacht waren, dieser Stumpf beim Schneiden auf seiner unteren Seite mehr quer getroffen ist, infolgedessen auch die Grenzen der Lamina cribrosa nicht zu bestimmen waren, sondern nur der Papillenrand. Die Pigmentspritzer am oberen Rande des Conus und am Papillenrand sind an denselben

Stellen ganz gut mikroskopisch nachgewiesen. Die äussere Körnerschicht, Stäbchen- und Zapfenschicht endigen in einer Flucht mit der Elastica auf der temporalen Seite. Die innere Körnerschicht erstreckt sich bis beinahe an den Papillenrand heran. Nasal fehlt die Retina im Papillengebiete, so dass kein Urteil über sie zu gewinnen ist.

Die Sklera ist verdünnt, misst 0,15 mm an ihrer dünnsten Stelle temporal von der Papille. Die Chorioidea ist sehr atrophisch, nasal kann man noch die Blutgefässlagen erkennen, weiter temporalwärts ist das nicht mehr möglich, sondern es erscheint die Aderhaut auf dieser Seite aus einer hochgradig verdünnten Lamina elastica und einem Stromarest zu bestehen, der nur sehr sparsam Blutgefässe enthält.

Etwas temporal und oberhalb der Macula finden sich nun 2 chorioiditische Herde, von denen der grössere einen beinahe runden Riss seiner Elastica in der Mitte und daneben etliche kleinere zeigt (siehe Taf. XXII, Fig. 37). An dem temporalen und nasalen Rand des grossen Glashautloches sieht man zwei braunschwarze Pigmentanhäufungen, die dadurch entstanden sind, dass das Epithel über die Ränder hinweg in das Chorioidealstroma hineingewuchert ist. Sonst scheint der Herd ganz frei von Pigmentierung, und kommt in seinen peripheren Teilen zu stande durch Schwund des Pigmentepithels. In der Mitte zeigt er die oben genannten Risse der Elastica, an welcher Stelle nur sehr sparsam Chorioidealgewebe zu finden ist. Entsprechend dem Epitheldefekte des Herdes, wo überhaupt keineKapillaren und auch nur hier und da kleinere Blutgefässe sichtbar sind, ist die Stäbchen- und Zapfenschicht untergegangen, und es tritt daselbst die äussere Körnerschicht direkt mit der Chorioidea in Verbindung, ohne doch in sie hineinzuwachsen. Der zweite kleinere Herd in der Nähe der Macula ist entstanden durch Schwund des Pigmentepithels und Kontinuitätstrennung der Chorioidea, so dass im Herdgebiete die Sklera beinahe überall nackt vorliegt (siehe Taf. XVII, Fig. 28), nur in der oberen Hälfte verlaufen einige Chorioidealbündel über sie hinweg. Die Ränder des Herdes sind ganz scharf, wie abgehauen, ohne Pigmentierung, nur stellenweise sieht man etliche ganz kleine Pigmentklümpchen an demselben liegen. Die Lamina elastica erstreckt sich vom Epithel bedeckt überall bis zu dem Rande heran. In welchem Masse die Retina sich an der Bildung des oben genannten chorioiditischen Herdes beteiligt hat, lässt sich schwierig beantworten, da sie mechanisch abgelöst ist. Doch muss wohl mit Sicherheit angenommen werden, dass sie mit demselben verwachsen war. Der in der oberen Bulbushälfte nasal von der Papille gelegene Herd ist nach demselben Typus gebaut, wie der grosse Herd in der Nähe von der Macula, also entstanden durch Einreissen der Elastica und um diese Risse herum Schwund des Pigmentepithels. Die massenhaften Wucherungen des Pigmentepithels in die unterliegende Chorioidea an den Rändern der Risse und auch vielfach in ihrer Mitte liegen der makroskopisch sichtbaren Pigmentierung zugrunde, während die peripheren Teile des Herdes frei von jeder Pigmentation bleiben. Der kleine Herd ganz unten ist ebenfalls auf dieselbe Weise entstanden, wie der soeben beschriebene. Er enthält aber nur einen einzigen Riss und sehr wenig Pigment.

Die eigenartigen Veränderungen der äusseren Retinalschichten, welche von Rissen der Membrana lim. ext. retinae bedingt waren, und die wir schon bei der Beschreibung des vorherigen Augenpaares (siehe S. 413) besprochen haben, finden sich auch an verschiedenen Stellen im vorliegenden Auge. Bald ist es mehr ein starkes Hervorquellen und Vergrösserung der einzelnen Stäbchen und Zapfen, bald löst sich aber die ganze Schicht von der Grenzmembran ab und liegt dann frei in Form grosser pigmentierter Gewebemassen in dem Zwischenraum zwischen Chorioidea und Retina vor.

Linkes Auge: Über den Conus lässt sich überhaupt kein bestimmtes Urteil sagen, da die Papille in der oberen Hälfte des Präparates vollständig fehlt, und auch an der unteren Hälfte nur ein kümmerlicher Rest vorhanden ist. Im allgemeinen scheinen dieselben Verhältnisse im linken Auge obzuwalten, wie wir es schon rechts gefunden haben, und beschränke ich mich deshalb, um Wiederholung zu vermeiden, auf Beschreibung der chorioiditischen Herde, deren Anordnung aus der Taf. XXIII, Fig. 27 u. 38 ersichtlich.

Der Herd mit Pigmentmassen in der Mitte ist nach demselben Typus gebildet, wie wir es an den beiden grossen Herden im rechten Auge nasal oben und unterhalb der Macula vorgefunden haben, also Risse der elastischen Membran mehr im Zentrum gelegen und an den Rändern derselben ins Chorioidealstroma eingesprosstes Retinalpigmentepithel, peripher eine atrophische mit Elastica bedeckte Chorioidea, die aber sehr sparsam Blutgefässe und Pigment enthält. Kapillaren fehlen im Herdbezirke ganz und gar (siehe Taf. XVII, Fig. 29). Von den übrigen Retinallagen endigen die äussere und innere Körnerschicht wie es scheint in einer Flucht mit dem Pigmentepithel; mit Bestimmtheit lässt sich dies nicht sagen, weil die Retina postmortal abgelöst, teilweise zerrissen ist. Die zwei kleineren ganz pigmentlosen weisslichen Herde nach oben und aussen von der Papille sind im wesentlichen entstanden durch Schwund des Pigmentepithels (siehe Taf. XVII, Fig. 30). Von der Kapillarschicht der Chorioidea ist keine Spur im Herdbezirke vorhanden. Der untere hat zwar einen Riss in der Mitte, ist aber überall ohne jegliche Pigmentierung, dabei die Chorioidea durch den ganzen Herd zu verfolgen, aber ausserordentlich atrophisch, wie in dieser ganzen Gegend überhaupt. Der Riss scheint somit sekundärer Natur zu sein.

Epikrise.

Das vorliegende Augenpaar, das hochgradig verlängert (32 mm) war, entstammt einer Patientin, die etliche Tage vor dem Tode ophthalmoskopisch untersucht worden war. Überblicken wir die im Hintergrunde der vorliegenden Bulbi mikroskopisch sichtbaren Veränderungen, so finden wir, dass sie sich ganz gut mit dem klinischen Befunde in Einklang bringen lassen. Der rein weissgefärbte Teil des rechten Conus hauptsächlich nach oben und aussen von der Papille ist zu stande gekommen durch Schwund des Pigmentepithels und homogenes, der Papille zu mehr skleraähnliches, derbes, überall pigment- und gefässloses chorioideales Bindegewebe. Die Lamina elastica ist in dem obengenanten Conusgebiete hochgradig verdünnt und vielfach eingerissen. Sogar die drei Pigmentspritzer im oberen Teil des Conus sind an denselben Stellen, wo sie sich auch im ophthalmoskopischen Bilde vorfanden, gut zu erkennen. In seiner unteren Partie, wo auch der Conus sehr schöne Intervaskulärräume aufwies, ist er gebildet von einer ziemlich stark pigmentierten Chorioidea, die ganz deutlich grössere Blutgefässe enthält. Die Lamina elastica ist an dieser Stelle mit Ausnahme ihrer Abrückung vom Papillenrand ganz unversehrt. Über den Conus im linken Auge lässt sich kein bestimmtes Urteil sagen, da derselbe im Präparate beinahe gänzlich fehlt.

Die grösseren chorioiditischen Herde der beiden Augen und der kleine ganz unten im rechten Auge erscheinen klinisch als weisse Flecke mit mehr oder weniger ausgeprägten, im Herdbezirk unregelmässig zerstreuten Pigmentmassen. Die zentralen Partien zwischen den Pigmentanhäufungen sind gewöhnlich von rein weisser Farbe, während die peripheren das Aderhautpigment wie durch einen Schleier hindurchschimmern lassen, oder auch Intervaskulärräume aufweisen. Mikroskopisch kennzeichnen sie sich durch Risse der Lamina elastica gewöhnlich in der Mitte des Herdes und Pigmentwucherungen an den Rissrändern. Der rein weisse Fleck ganz in der Mitte dieser Herde verdankt seine Entstehung der an dieser Stelle entweder ganz nackt vorliegenden, oder andernfalls auch durch die sehr atrophische Aderhaut hindurchschimmernden Sklera. An den peripheren Teilen ist die Lamina elastica gewöhnlich gut erhalten, aber des retinalen Pigmentepithels beraubt. Die Aderhaut weist an diesen Stellen Pigment und auch etliche Blutgefässe auf; im ganzen Herdbezirke habe ich auch nie eine Andeutung von Choriocapillaris angetroffen.

Der kleine Herd im rechten Auge oberhalb und ganz in der Nähe der Macula zeigt klinisch gar keine Intervaskulärräume und ist von rein weisser Farbe. Mikroskopisch ist derselbe zu stande gekommen durch einen Riss in der Elastica mit sehr wenig oder auch ganz und gar fehlender Pigmentumrandung. An diesem Herd liegt die nackte Sklera beinahe überall vor. Die zwei kleineren, im klinischen Bilde nicht so intensiv weiss gefärbten, ganz und gar pigmentlosen Herde im linken Auge sind der mikroskopischen Untersuchung nach im wesentlichen entstanden durch Schwund des Pigmentepithels; gleichzeitig fehlt die Choriocapillaris im ganzen

Herdbezirk. Der untere von ihnen zeigt noch dazu einen Riss seiner Elastica, aber dieser Riss scheint sekundärer Natur zu sein.

V. Epikrise.

Überblicken wir nun alle die anatomischen Veränderungen, die in den vorliegenden 11 Augen der Conusbildung zugrunde liegen, so springt zunächst die Beziehung des Conus zur Verdünnung, eventuell Vorwölbung der Sklera am hinteren Augapfelpol, Staphyloma posticum Scarpae, in die Augen. In sechs Fällen (2, 3, 6, 8, 9, 11) haben wir einen hauptsächlich temporalen Conus und dementsprechend die stärkste Verdünnung der Sklera auf der temporalen Seite der Papille. Bei zwei Fällen (4 und 5) finden sich Coni nach unten mit Ektasien der Bulbushüllen auf der unteren Seite der Papille. Drei Fälle (1, 7, 10) zeigen Coni rings um die Papille; bei Fall 1 macht sich keine besondere Verdünnung der Sklera bemerkbar, sondern sie ist von beinahe normaler Dicke, bei Fall 7 ist die hintere Sklerawand mehr diffus verdünnt, jedoch auch in diesem Falle scheint sie temporal von der Papille am dünnsten zu sein, auf welcher Seite der weitaus grösste Teil des Conus sich befindet; bei Fall 10 endlich haben wir die grösste Verdünnung und Ausbuchtung temporal und oben von der Papille, aber auch nasal macht sich eine Verdünnung der Sklera merkbar.

Aus dem oben angeführten geht zur Genüge hervor, dass die Conusbildung in enger Beziehung zu der Verdünnung resp. Vorwölbung der Sklera im hinteren Bulbusabschnitte steht, und diese ganz circumscripte oder andernfalls auch mehr diffuse Verdünnung der Sklera in myopischen Augen muss sicherlich auf eine verminderte Resistenz der letztgenannten Membran an den verdünnten Stellen zurückgeführt werden. Aber nicht nur an diesen Prädilektionsstellen, sondern überhaupt im ganzen Hintergrunde myopischer Augen macht sich eine mehr oder weniger ausgeprägte diffuse Verdünnung der Sklera bemerkbar.

In der Umgegend des Sehnervenkanales sieht man den Zwischenscheidenraum oftmals beträchtlich erweitert und seinen normalerweise im Winkel zwischen Sklera und Optikus endigenden Ansatz vom Sehnerven abgerückt. Der Sklerotikalkanal ist mehr oder weniger in der Richtung zur grössten Verdünnung der Sklera, also gewöhnlich temporalwärts hingeneigt (Stilling), oftmals so hochgradig, dass die innere Fläche der Lamina cribrosa nach aussen von der äusseren Fläche derselben zu liegen kommt.

Eine ähnliche Verdünnung zeigen auch die andern Membranen in myopischen Augen. Die Chorioidea ist gewöhnlich gleichmässig verdünnt, oft in so hohem Masse, dass sie kaum ihre einzelnen Blutgefässlagen erkennen lässt, ja bei hochgradiger Atrophie ist sie auf ein dünnes Häutchen reduziert, das nur zwei Lagen unterscheiden lässt, die Lamina elastica und einen kümmerlichen Rest von Chorioidealstroma, der kaum mehr grössere Blutgefässe und auch wenig Pigment enthält. Im Conusgebiete ist die Aderhaut verschiedentlich umgewandelt, gewöhnlich in derbes skleraähnliches Bindegewebe, das bisweilen noch deutlich Blutgefässe und Pigment enthält; in andern Fällen dagegen ist sie hochgradig atrophisch, ganz und gar gefäss- und pigmentlos, oftmals nur aus einzelnen gelichteten Bindegewebszügen zusammengesetzt, so dass die unterliegende Sklera hindurchschimmert. Völliges Fehlen der Chorioidea im Conusgebiete habe ich nur einmal beobachtet in der unmittelbaren Nähe von der Papille. Im Falle 2 ist die Aderhaut nämlich in toto vom Sehnerven ein Stück peripherwärts abgerückt, so dass der innere Teil des Conus von nackter Sklera gebildet wird (Distraktionssichel im Sinne Stillings); im unteren Conusgebiet nimmt man ausserdem eine totale Kontinuitätstrennung der sehr atrophischen Aderhaut wahr. Die Choriocapillaris fehlt in allen Fällen vollständig im ganzen Conusbezirke und erscheint auch in der Nähe des Conus sehr reduziert, wie zerrissen, aus einzelnen abgeplatteten oftmals spärlichen Überbleibseln bestehend, die zwischen sich grössere Intervallen fassen. Die Kapillaren lassen sich bei der hochgradigen Verdünnung der Aderhaut in den stark gedehnten myopischen Augen sehr schwer verfolgen. Jedenfalls ist ihre papillare Grenze gegeben durch den Conusrand, der immer von der Pipmentepithelendigung gebildet wird, denn jenseits dieser Grenze habe ich in keinem der angeführten Fälle auch eine Andeutung von Kapillaren gefunden.

Auf der dem Conus gegenüberliegenden Seite macht sich eine oftmals bedeutende Supertraktion der Chorioidea bemerkbar.

Die Lamina elastica chorioideae ist eine sehr dünne, stark lichtbrechende, doppelt konturierte Membran, die in den nach Weigert und Tänzer-Unna gefärbten Präparaten deutlich zwei Schichten erkennen lässt, eine äussere, stärker und eine innere, schwächer gefärbte. Sie hört im allgemeinen mit einer mehr oder weniger deutlich sichtbaren Verdickung ihres Endes am Sehnerven auf, woselbst sie auch keine doppelten Konturen mehr aufweist. Bald ist der Rand der oben genannten Membran beträchtlich aufgetrieben und besteht aus faserig aufgesplitterten straffen elastischen Gewebsbündeln (siehe Taf. XVII, Fig. 31), bald erscheint er mehr verdünnt wie spindelförmig, oft mit einem haken- oder S-förmig umgeknickten Fortsatz versehen. Diese in der unmittelbaren Nähe rings um den Sehnerven deutlich sichtbare Verdickung der Lamina elastica möchte ich mit einem besonderen Namen „der elastische Membranring“ bezeichnen zum Unterschiede von dem elastischen Chorioidealring, der aus dicht aneinander gedrängten, parallel um den Sehnerven verlaufenden elastischen Fasern besteht. Der oben genannte elastische Membranring, der oftmals den Chorioidealring überragt und sich axialwärts ein klein wenig in die Papillenmasse hinein erstreckt, ist sowohl mit dem interstitiellen Bindegewebe des Sehnerven als auch mit dem elastischen Chorioidealring mehr oder weniger fest verbunden. In den myopischen Augen ist die Lamina elastica im allgemeinen auffallend verdünnt — die zwei Konturen sind jedoch auch bei der stärksten Verdünnung sichtbar — und zeigt vielfach grössere und kleinere Defekte (siehe unten die chorioidealen Herde) mit bisweilen umgerolltem Rande (Taf. XIV, Fig. 13). Im Conusgebiete zeigt die obengenannte Membran ein ganz verschiedentliches Verhalten hinsichtlich ihrer Insertion am Sehnerven. Gewöhnlich sieht man sie mit dem oben erwähnten mehr oder weniger deutlich verdickten Ende in einiger Entfernung vom Papillenrande aufhören, und erscheint dabei im Falle 4 eine Sehnervenfalte mit dem Elasticaende wie hineingezogen in den Spalt zwischen Chorioidea und Retina. Dies ist zugleich der einzige Fall, wo ich diese von Heine zuerst beschriebene Anomalie gefunden habe. Zuweilen aber reicht sie bis an den Sehnervenrand heran und erscheint daselbst wie faserig aufgesplittert (Fall 1).

Der elastische Membranring ist gewöhnlich mehr oder weniger weit noch axialwärts von dem Conusrand ganz scharf zu sehen, weist aber auch in manchen Fällen Kontinuitätstrennungen auf, die sich in die Umgegend fortsetzen können (Fall 7, 9 und 10). Besonders Fall 10 (Taf. XXII, Fig. 37) zeigt uns sehr schön grosse Lücken und Spalten der Lamina elastica im oberen Conusgebiete. Die Rissränder erscheinen im Präparate keineswegs verdickt, sondern sind sie im Gegenteil verdünnt und zugeschärft und unterscheiden sich dadurch von dem physiologischen Glashautrande (Salzmann).

Von den Veränderungen der Netzhaut im Conusgebiete sind die des Pigmentepithels am wichtigsten. Sie sind im wesentlichen sekundärer Natur und als eine einfache Atrophie, hervorgerufen durch die Verödung des ernährenden Kapillarnetzes, aufzufassen. Am Papillenrand hört das Pigmentepithel normalerweise mit dem sog. Pigmentring auf, rückt aber in myopischen Augen entsprechend der Conusbildung von diesem Rande ab. Der distale, gewöhnlich ganz scharf begrenzte abgerundete Conusrand wird stets von der Endigung des Pigmentepithels gegeben. In derselben Ausdehnung wie das Pigmentepithel fehlt im Conusgebiete gewöhnlich auch die Stäbchen- und Zapfenschicht. Die äussere Körnerschicht kann in derselben Flucht endigen wie die oben genannten Lagen, geht aber in andern Fällen ein wenig weiter papillenwärts. Die innere Körnerschicht reicht gewöhnlich bis beinahe an den Papillenrand heran. Die einzelnen Schichten der Retina folgen also im allgemeinen auf der temporalen Seite der Papille in Stufenreihe nacheinander (sehr schön zu sehen in der Taf. XIV, Fig. 3). Auf der nasalen Seite erstrecken sich die einzelnen Retinallagen bis beinahe an den oft weit in das Papillengewebe hineinragenden Chorioidealsporn hinan.

Zuletzt möchte ich noch auf ein Vorkommnis aufmerksam machen, das gar nicht selten ophthalmoskopisch zu sehen ist und darin besteht, dass, wenn ein cilioretinales Gefäss sich im Conus vorfindet, dasselbe fast immer an seinem distalen Rande auftaucht, bisweilen auch aus der Fläche des Conus, nie aber am Papillenrand selber [Nettleship (18), Schleich (19), Elschnig (53)]. Ich selber habe oftmals Gelegenheit gehabt, diesen Befund in der hiesigen Poliklinik zu bestätigen.

Fragen wir uns nun, worauf alle die oben referierten anatomischen Veränderungen der Augenhüllen im myopischen Auge beruhen, so müssen wir unbedingt eine Dehnung der Augenmembranen im hinteren Bulbusabschnitte als Ursache derselben annehmen. Dafür spricht die bisweilen hochgradige Verdünnung der einzelnen Membranen, die wohl kaum anders erklärt werden kann, die Supertraktion der Chorioidea gewöhnlich am nasalen Papillenrand und die Bildung des scharf begrenzten Conus auf der temporalen Seite der Papille, das stufenförmige Anordnen der Retinallagen daselbst und endlich das eigentümliche, eben genannte Verhalten der cilioretinalen Gefässe am Conus.

Gehen wir dann zur Besprechung der uns speziell interessierenden Conusbildung über, so müssen wir vor allem auf das in allen unsern Fällen konstant vorgefundene Ergebnis aufmerksam machen, dass die sämtlichen Formen der Coni, welcher Art sie auch sein mochten, immer auf eine mehr oder weniger ausgeprägte, ganz circumscript im Conusgebiete selbst ausgebildete Aderhautatrophie zurückzuführen sind, und ist der Übergang dieser Atrophie nach der umgebenden, zwar auch oftmals sehr verdünnten Chorioidea zu fast immer sehr deutlich, manchmal ganz scharf zu sehen. Bei der Beurteilung der Frage, inwieweit die oben genannte Atrophie der Chorioidea im Conusgebiete von der myopischen Dehnung abhängig ist, so lässt sich etwa folgendes sagen. Wir wissen nicht, welches die letzten Momente sind, die zu der an den myopischen Augen beobachteten starken Verdünnung der Sklera geführt haben. Das aber dürfte sicher sein, dass diese Verdünnung auf einem Missverhältnis zwischen dem intraokularen Drucke und der Resistenz der Sklera beruht. Nun hat die Untersuchung der oben geschilderten Bulbi zur Evidenz erwiesen, dass die grösste Ausdehnung des Conus stets zusammenfiel mit der Richtung, in welcher man die stärkste Verdünnung der Sklera fand. Nach dieser Seite hin war auch stets der Sklerotikalkanal verzogen. Es zwingt uns dies, meiner Meinung nach, zu der Annahme, die ophthalmoskopischen Veränderungen am Sehnervenkopf in genetische Beziehung zur Verdünnung der Sklera zu bringen und anzunehmen, dass nach der Stelle der stärksten Verdünnung eventuell Vorwölbung dieser Membran hin, die gewöhnlich in der Gegend des hinteren Poles sich befindet, ein starker Zug an den übrigen Augenhäuten ausgeübt wird.

An der Sklera selbst ist ein solcher Zug oft nicht nachweisbar. So z. B. haben wir im Falle 8 ein circumscriptes Staphyloma post. Scarpae und einen grossen Conus temporal von der Papille. Der Duraansatz, dessen Abrückung vom Sehnerven ab als Ausdruck der Skleradehnung am Sehnerven gilt, inseriert sich aber auf derselben Seite ganz normal im Winkel zwischen Dura und Optikus. Die Sklera hat sich also nur in dem circumscripten Gebiete des Staphyloms hochgradig ausgedehnt, infolgedessen einen Zug auf die Chorioidea nach dem Gipfel des Staphyloms ausgeübt. Befindet sich aber die Papille, wie dies der Fall sein kann, in dem Bezirke des Staphyloms selber, oder war die allgemeine myopische Dehnung eine mehr hochgradige, dann dehnt sich auch die Sklera am Sehnerveneintritte, und der Duraansatz rückt entsprechend vom Sehnerven ab. In dem oben genannten Abrücken des Duraansatzes haben wir nicht in allen Fällen das Zeichen einer Zerrung der Sklera nach dem hinteren Pole zu, sondern häufig deutet diese Erscheinung nur auf eine allgemeine Dehnung der Sklera am Sehnerveneintritte hin.

Der oben genannte Zug nach dem hinteren Pole zu wirkt nun im allgemeinen ziemlich gleichmässig auf die übrigen Augenhüllen im ganzen Hintergrunde. Dass es trotzdem nur innen zur Bildung eines Conus kommt, nicht aber oben, unten und aussen, liegt daran, dass an diesen Stellen der Widerhalt fehlt. Nur nach innen leistet nämlich der Sehnerv diesem Zuge Widerstand, wie ein in langsam strömendem Wasser befindlicher runder Stock, der fest in den Boden eingestochen ist und etwas die Wasserebene überragt. Der Stock wird nun an seinem freien Ende stromabwärts gezogen, leistet aber, weil er fest auf dem Boden steht, diesem Zuge Widerstand; infolgedessen wird die Stromgeschwindigkeit auf der stromaufwärts gelegenen Seite des Stockes vermindert erscheinen, auf der gegenüberliegenden Seite muss sie aber, um einen Ausgleich der Stromgeschwindigkeiten herbeibringen zu können, mit Naturnotwendigkeit vermehrt sein, und der Bezirk, der stromabwärts vom Stocke gelegen ist und die grössere Stromgeschwindigkeit aufweist, zeigt, weil der Stock rund ist, immer eine der Stärke des allgemeinen Stromes entsprechende, mehr oder weniger längliche Sichelform. Dieselben Verhältnisse scheinen mir auch im myopischen Auge obzuwalten, obwohl wir es hier mit festen Membranen zu tun haben. Das Skleralloch, dessen Ränder durch die Lamina cribrosa fest miteinander verbunden sind, ist kaum einer Dehnung fähig; wohl rückt dasselbe in toto infolge der Verlängerung der Bulbusachse etwas nach hinten, doch in so geringem Masse, dass wir füglich das Loch als fix ansehen können. Die Chorioidea aber, die durch das lockere Suprachorioidealgewebe gegen die Sklera sehr gut verschiebbar ist, wird dem immer steigenden Zuge nach dem hinteren Pole zu Folge leisten. Infolge des Widerstandes, den der Sehnerv, der im Skleralloche fixiert ist, der gedehnten Aderhaut in den Weg stellt, wird der Zug auf der nasalen Seite der Papille nach dem hinteren Pole zu vermindert. Das Minus dieses Zuges macht sich aber als Druck auf den Sehnerven nach derselben Seite hin geltend, weshalb wir hierorts eine Supertraktion der Aderhaut haben. Auf der entgegengesetzten Seite muss der Zug entsprechend erhöht werden, dessen Grösse wir uns durch die folgende Gleichung veranschaulichen können. Wenn wir den verminderten Zug auf der nasalen Seite mit dem Buchstaben *a* bezeichnen, den vergrösserten auf der temporalen *b* und den allgemeinen Zug im Hintergrunde *c*, so haben wir folgende Formel:

$$\frac{a+b}{2} = c.$$

Ist der allgemeine Zug $= 1$ und wollen wir den verminderten Zug $= 0{,}3$ setzen, dann haben wir:

$$\frac{0{,}3+b}{2} = 1$$

und $b = 1{,}70$. Es ist also in diesem Falle auf der temporalen Seite der Papille ein beinahe doppelt so grosser Zug als nasal erforderlich, um den nötigen Ausgleich der Stromgeschwindigkeiten weiter temporalwärts herbeizubringen. Es leuchtet durch die obige Vergleichung gleichfalls ein, dass der stärkste Zug auf der temporalen Seite der Papille sich vorfinden muss, zweitens, dass je stärker die Verminderung des Zuges auf der nasalen Seite ist, oder mit andern Worten, je grösseren Widerstand der Sehnerv dem Zuge nach dem hinteren Pole leistet, desto grösser muss die ziehende, sogar zerrende Kraft auf der temporalen Seite sein, und infolgedessen die gezerrte Partie wohl auch eine entsprechende Raumvergrösserung erleiden. Die Form dieser hochgradig gedehnten Partie der Aderhaut am temporalen Papillenrand ist nach Analogie mit dem Stock im strömenden Wasser ebenfalls von Sichelform, da ja der Sehnerv rund ist. Durch die oben auseinandergesetzte übermässige Zerrung und Dehnung der Aderhaut im Conusgebiete entsteht nun die der Conusbildung zugrunde liegende circumscripte Atrophie der Aderhaut.

Im vorherigen habe ich die Ursachen der Conusbildung auseinandergesetzt und dabei konstatiert, dass es sich immer um eine ganz circumscripte Aderhautatrophie, hervorgerufen durch eine übermässige Zerrung im Conusgebiete, handelt. Es erübrigt noch die einzelnen Formen dieser Aderhautatrophie zu schildern. Wir wissen ja, dass der distale scharfe Rand des Conus immer gegeben wird durch den papillaren Rand des Pigmentepithels. Nun wissen wir auch, dass das sogenannte erste Neuron, Pigmentepithel und Stäbchen- und Zapfenschicht in seiner Ernährung ganz und gar von der Capillarisschicht der Chorioidea abhängt. Die Choriocapillaris ist aber eine ausserordentlich zarte und für mechanische Insulte jeglicher Art sehr empfindliche Schicht, infolgedessen sie durch die übermässige Dehnung im Conusgebiete zugrunde geht. Gleichzeitig verschwindet auch das Pigmentepithel und, da nun diese übermässige Dehnung der Aderhautschichten gewöhnlich in einem ganz circumscripten Gebiete stattfindet, so entsteht ein mehr oder minder scharf begrenzter Conus, der, wenn die übrigen Chorioidealschichten noch daselbst erhalten sind, deutlich Intervaskulärräume erkennen lässt. Geht die Zerrung noch weiter, so kann die Lamina elastica sich von der Verbindung mit dem Sehnerven loslösen und sich peripherwärts zurückziehen.

Ich glaube, dass wir uns den Vorgang bei der Conusbildung so vorzustellen haben, dass zuerst infolge der übermässigen Dehnung eine Verödung der Choriocapillaris und infolgedessen ein Schwund des Pigmentepithels in einem sichelförmigen Bezirke am temporalen Papillenrand stattfindet. Ist bei der zunehmenden Dehnung der Aderhaut die Lamina elastica nicht allzufest mit dem Sehnerven in Verbindung, so gibt sie an einer der folgenden drei Stellen am Sehnerven nach, und folgt dem Zuge nach dem hinteren Pole zu. Entweder gibt das interstitielle Bindegewebe im Sehnerven selbst nach — es wird dadurch eine Falte von Sehnervenfasern mit dem zurückweichenden Elasticaende in den Spalt zwischen Retina und Chorioidea mit hineingezogen (Heine) — oder, was am meisten vorkommt, die Verbindung zwischen Elasticaende und interstitiellem Optikusbindegewebe kann sich dem durch die vergrösserte Dehnung an ihn gestellten Zug nicht mehr anpassen, sondern reisst, und die Lamina elastica zieht sich in den Spalt allein zurück. Die dritte Form wird gegeben durch Einreissen der elastischen Membran selber in der unmittelbaren Nähe des Sehnerven, gewöhnlich mit Bersten des elastischen Membranringes (Salzmann).

Wir sehen nun auch, dass die scharfe Grenze der hochgradigen Aderhautatrophie im Conusgebiete oftmals mit dem Elasticaende zusammenfällt, und dass in den peripherwärts davon gelegenen Partien die Chorioidea ziemlich unverändert ihr Aussehen beibehält, nur fehlt die Choriocapillaris konstant bis an die Pigmentepithelgrenze hinan, die fast immer ein wenig peripher vom Elasticaende liegt. Es spricht dieser anatomische Befund meiner Ansicht nach für die oben angeführte Annahme, dass dem Schwund des Pigmentepithels stets die Verödung der Choriocapillaris bei der Conusbildung vorhergehe, womit dann sekundär Veränderungen der elastischen Membran verbunden sind.

Der cirkuläre Conus kommt zu stande entweder dadurch, dass die Papille in der Mitte der am meisten gedehnten Partie des Augenhintergrundes zu liegen kommt, oder es findet eine mehr oder weniger ausgeprägte circumscripte Verdünnung eventuell Ausbuchtung der Sklera zu mehreren Seiten der Papille statt. Die Aderhaut wird dadurch ebenfalls zu mehreren Seiten der Papille gezerrt und fällt einer Atrophie anheim, die zur Bildung eines mehr ringförmigen Conus führt.

Die chorioidealen Herde verdanken ihre Entstehung im wesentlichen zweien auch bei der Conusbildung tätigen pathologischen Prozessen, nämlich Schwund des Pigmentepithels infolge Verödung der Capillarisschicht der Chorioidea und Dehiscenzen der Lamina elastica.

Auch die Risse der Membrana limitans externa retinae möchte ich an dieser Stelle erwähnen, obwohl sie sich keineswegs ophthalmoskopisch sichtbar machen und eigentlich nicht zu den herderzeugenden Vorgängen zu zählen sind. Es finden sich nämlich bei den hochgradigen Myopieformen (Fall 8, 9, 10, 11) Lücken der obengenannten Membran, durch welche dann die äusseren Körner in die Stäbchen- und Zapfenschicht oft in grossen Massen vorgefallen waren und dadurch ein Hervorquellen, sogar totale Ablösung der letztgenannten Schicht hervorbrachten.

Fragen wir uns nun, worauf diese oft in grosser Zahl vorhandenen Risse und Schrunden der beiden obengenannten Membranen, die Verödung der Choriocapillaris und infolgedessen Schwund des Pigmentepithels an den chorioidealen Herden beruhen, so werden wir kaum fehlgehen, wenn wir der übermässigen Dehnung und Zerrung in myopischen Augen ebenfalls diese Lückenbildung, wie vorher die Bildung des Conus, zuschreiben.

Ich möchte nun die chorioidealen Herde nach rein ophthalmoskopischen Merkmalen in gewisse Formen einteilen, denen ich dann gewisse anatomische Verhältnisse unterlege. Zwei grosse Gruppen lassen sich überhaupt unterscheiden: zu der einen gehören die Herde, die auf Rissen der elastischen Membran beruhen, zu der andern die, welche ihre Entstehung im wesentlichen Veränderungen des Pigmentepithels verdanken, und über die die Lamina elastica intakt hinweggeht.

Die Herde der ersten Gruppe lassen sich in zwei verschiedene Typen einreihen, je nach ihrer Grösse und Pigmentreichtum. Der erste Typus ist ophthalmoskopisch gekennzeichnet durch einen weissen Fleck in der Mitte mit mehr oder weniger ausgeprägter oder auch fehlender Pigmentumrandung. Anatomisch wird der weisse Fleck in der Mitte gewöhnlich gebildet von derbem, schwieligem, pigmentlosem Bindegewebe; in andern Fällen ist die Aderhant daselbst so atrophisch, dass die Sklera hindurchschimmert, oder aber liegt die nackte Sklera vor. Die ausgeprägte Pigmentierung der Herdränder kommt zu stande durch massenhafte Pigmentepithelwucherungen, die oft in Form drüsenartiger Schläuche tief in das unterliegende Chorioidealgewebe hineinwachsen. Die Pigmentation kann aber am Rissrande sehr geringfügig sein und auch ganz und gar fehlen.

Ist der Riss der elastischen Membran nicht allzu gross, so kann er von den gewucherten sehr pigmentreichen Epithelmassen ganz zugestopft werden, ja die Wucherung kann sich sogar bis in die Retina hinein erstrecken. Der Herd erscheint in diesem Falle ophthalmoskopisch als ein kleiner, rundlicher, ganz schwarzer Pigmentfleck (zweiter Typus).

Zu einer Abart dieser Hauptgruppe möchte ich die Herde zählen, die klinisch durch einen von der Umgebung scharf abgesetzten, weisslichen Fleck in der Mitte mit Pigmentanhäufungen an ihren Rändern gekennzeichnet sind, in den peripheren Teilen dagegen Intervaskulärräume oder auch nur Pigment, wie durch einen weissen Schleier hindurchschimmern lassen. Anatomisch entsteht der weisse Fleck in der Mitte durch Risse der Lamina elastica und sehr atrophisches chorioideales Bindegewebe mit mehr oder weniger ausgeprägten Pigmentepithelwucherungen; an der Peripherie ist die Elastica unversehrt und der Herd hierorts entstanden durch Schwund des retinalen Pigmentepithels.

Die chorioidealen Herde, die zu der zweiten grossen Gruppe angehörig sind und sich dadurch charakterisieren, dass bei ihnen die Elastica intakt bleibt, sind ophthalmoskopisch als weisse, ziemlich scharf begrenzte, ganz pigmentlose Herde sichtbar, die dann auch (Fall 7) Aderhautgefässe erkennen lassen. Anatomisch kennzeichnen sie sich durch hochgradige Atrophie der Aderhaut, hie und da sind doch einige Blutgefässe zu erkennen. Die Choriocapillaris fehlt im Herdgebiete ganz und gar, und auch Pigment ist im Chorioidealstroma kaum vorhanden.

Eine besondere Abart dieser Gruppe entsteht dadurch, dass die sehr verdünnte Laminia elastica jedoch schliesslich infolge der übermässigen myopischen Dehnung in der Mitte der Herde einreisst. Die letztgenannten Herde unterscheiden sich ophthalmoskopisch nicht von den typischen Vertretern dieser Hauptgruppe, sondern es macht sich lediglich ein anatomischer Unterschied geltend.

Zu einer ganz besonderen Gruppe möchte ich die Pigmentepithelwucherungen in der Retina (Fall 6) zuzählen, obwohl sie zwar nicht den chorioidealen Veränderungen mehr angehören, aber da sie ophthalmoskopisch als braunschwarze Flecke sichtbar waren und ebenfalls von dem Untersuchenden als chorioiditische Herde aufgefasst wurden, so werden sie meiner Ansicht nach am besten im Zusammenhange mit den wahren chorioidealen Herden besprochen. Das Auge (Fall 6) hatte freilich an Glaukom gelitten. Da aber bei den zahlreichen glaukomatösen Augen, die mikroskopisch untersucht worden sind, niemals ähnliche Veränderungen angetroffen sind, darf man wohl annehmen, dass die massenhaften Epithelwucherungen in der Retina rein myopische Erscheinungen sind. Wie die Herde entstanden, entzieht sich vorläufig unserem Urteil, da die Retina so hochgradig verändert war, dass ihre einzelnen Lagen ganz ineinander übergegangen schienen. Wahrscheinlich wohl stehen sie mit den Rissen der Membrana limitans externa retinae im Zusammenhange, denn wir können uns kaum vorstellen, dass diese massenhaften Anhäufungen von gewucherten Pigmentepithelzellen ohne Lückenbildung der obengenannten Membran in die Retina haben eindringen können. Ich habe jedoch nie an den Rissen der Mem. lim. ext. bei den andern Fällen auch eine Andeutung von gewucherten Epithelzellen in den inneren Retinalschichten vorgefunden. Ich stehe doch nicht an, diese Form der Herde als einen Typus für sich aufzustellen, denn wie gesagt, meiner Meinung nach müssen sie als solche von rein myopischer Natur angesehen werden.

Kleinzellige Infiltration habe ich niemals in solcher Ausdehnung angetroffen, dass sie sicher als pathologisch anzusprechen gewesen wäre. Nur einmal fand ich um einen ganz kleinen Elasticariss grössere Zellmengen, die ich aber als Folge der chorioidealen Veränderungen auffassen möchte, nicht als ihre Ursache. Es muss deshalb die Entzündung als Ursache der myopischen Veränderungen ausgeschlossen werden.

Vergleichen wir nun Conus- resp. Herdbildung mit den allgemeinen Dehnungserscheinungen der Augenhüllen in den vorliegenden myopischen Augen, so fällt es sofort auf, dass wir bei den malignen Formen mit hochgradigen chorioidealen Veränderungen keineswegs immer eine so übermässige Dehnung zu notieren haben, sondern zuweilen, wie es sehr schön die Fälle 8 und 9 uns zeigen, sämtliche Augenmembranen noch ziemlich von der Dehnung verschont finden. Es leuchtet dadurch ein, dass die malignen Formen der Myopie mit erheblichen chorioidealen Veränderungen im Augenhintergrunde nicht immer das Zeichen einer exquisit ausgebildeten Dehnung der Augenmembranen darstellen, sondern dass bei der Entstehung der deletären Formen der Myopie auch andere Ursachen mitwirken können. Ein solches prädisponierendes Moment für die Bildung der Risse der Lamina elastica resp. der chorioidealen Herde ist sicherlich in einer verminderten Resistenz der oben genannten Membran zu suchen. Es scheint eine ganz mässige allgemeine Dehnung genügt zu haben, um die zahlreichen Risse, wie wir es gerade bei Fall 8 und 9 hatten, zu erzeugen.

VI. Resultate.

Der Conus entsteht durch eine im Conusgebiete ganz circumscripte Aderhautatrophie und davon abhängigen Pigmentepithelschwund, welchen eine übermässige Dehnung der Chorioidea in dem genannten

Bezirke zugrunde liegt. Nur in seltenen Fällen handelt es sich um eine Distraktionssichel im Sinne Stillings oder ein Hineinzerren einer Sehnervenfalte nach Heine.

Die atrophischen Herde der myopischen Augen verdanken ihre Entstehung Vorgängen, die mit einer allgemeinen Dehnung der Bulbushüllen infolge verminderter Resistenz der Sklera in engem Zusammenhange stehen. Sie lassen sich nach anatomischen Merkmalen in zwei grosse Gruppen unterscheiden: die chorioidealen und retinalen Herde. Die chorioidealen Herde lassen sich abermals im wesentlichen in zwei Untergruppen einreihen, solche, die auf Rissen der Lamina elastica beruhen, und solche, die hauptsächlich ohne diese Risse zu stande gekommen sind.

Die ersteren erscheinen ophthalmoskopisch

1. als ein weisser Fleck in der Mitte mit mehr oder weniger stark ausgeprägter oder auch ganz fehlender Pigmentumrandung,

2. als ein kleiner runder pigmentierter Fleck.

Die letzteren erscheinen als hellweisse, mehr oder weniger scharf begrenzte Herde und beruhen auf Schwund des Pigmentepithels.

Die retinalen Herde, die auf einer Pigmentepitheleinwanderung in die Netzhaut beruhen, erscheinen ebenfalls als braunschwarze Herde und sind ophthalmoskopisch von den gleich aussehenden chorioidealen nicht zu unterscheiden.

Am Schlusse dieser Abhandlung ist es mir eine angenehme Pflicht, meinem hochverehrten Lehrer, Herrn Professor Otto Schirmer, welchem ich die freundliche Überlassung der vorliegenden Aufgabe sowie des wertvollen Materials verdanke, und welcher mich während der ganzen Arbeitszeit in liebenswürdigster Weise unterstützt hat, meinen ergebensten und tiefempfundenen Dank auszusprechen.

Den 1. Prosektor am anatomischen Institut zu Greifswald, Herrn Professor Dr. Karl Peter, bitte ich hiermit meinen herzlichsten Dank entgegennehmen zu wollen für die sorgfältige Leitung und Überwachung des technischen Teiles meiner Arbeit.

Meinem hochverehrten Chef, Herrn Professor Dr. K. R. Wahlfors, drücke ich meinen innigen Dank für sein Interesse und Wohlwollen, das er stets an meiner Arbeit gehabt hat, hiermit aus.

Literaturverzeichnis.

1) 1854. v. Graefe, Mitteilungen von Krankheitsfällen und Notizen vermischten Inhaltes. Arch. f. Ophth. Bd. I, 1.
2) 1855. — Nachträgliche Bemerkungen über Scler.-chor. post. Arch. f. Ophth. Bd. I, 2.
3) 1855. Donders, Beiträge zur pathologischen Anatomie des Auges. Arch. f. Ophth. Bd. I, 2. S. 106.
4) 1855. v. Jäger, Ergebnisse der Untersuchungen des menschlichen Auges mit dem Augenspiegel. Sitz.-Ber. d. k. Akad. d. Wissensch. XV, 2.
5) 1855. Stellwag v. Carion, Die Accommodationsfehler des Auges. Sitz.-Ber. d. k. Akad. d. Wissensch. XVI, 1.
6) 1856. Müller, H., Untersuchungen über die Glashäute des Auges, insbesondere die Glaslamelle der Chorioidea und ihre senilen Veränderungen. Arch. f. Ophth. Bd. II, 2. S. 1.
7) 1856. Arlt, Die Krankheiten des Auges. Bd. III. Prag.
8) 1861. v. Jäger, Über die Einstellung des dioptrischen Apparates im menschlichen Auge. Wien.
9) 1863. Schweigger, Zur pathologischen Anatomie der Chorioidea. Arch. f. Ophth. Bd. IX, 1. S. 192.
10) 1866. Donders, Die Anomalien der Refraktion und Accommodation des Auges. Wien.
11) 1874. Schnabel, Zur Lehre von den Ursachen der Kurzsichtigkeit. Arch. f. Ophth. Bd. XX, 2. S. 1.
12) 1875. Lehmus, Die Erkrankungen der Macula lutea bei progressiver Myopie. Inaug.-Diss. Zürich.
13) 1876. Schnabel, Über die angeborene Disposition zum erworbenen Staphyloma posticum scarpae. Wiener med. Wochenschr. Nr. 33—37.
14) 1876. Arlt, Über die Ursachen und die Entstehung der Kurzsichtigkeit. Wien.
15) 1876. Mauthner, Vorlesungen über die optischen Fehler des Auges. Wien.
16) 1876. Sattler, Über den feineren Bau der Chorioidea des Menschen usw. Arch. f. Ophth. Bd. XXII, 2. S. 1.
17) 1879. Kuhnt, Zur Kenntnis des Sehnerven und der Netzhaut. Arch. f. Ophth. Bd. XXV, 3. S. 179.
18) 1879. Nettleship, Cilioretinal bloodvessels. Ophth. Hosp. Report. IX. p. 161.
19) 1880. Schleich, Ophthalmoskopische Beobachtung cilioretinaler Blutgefässe. Mitteilungen aus d. ophth. Klin. in Tübingen. Bd. I, 1. S. 130.
20) 1880. Nagel, Über den ophthalmoskopischen Befund in myopischen Augen. Mitteilungen aus d. ophth. Klin. in Tübingen. Bd. I, 1. S. 231.
21) 1881. Kuhnt, Über einige Altersveränderungen im menschlichen Auge. Ber. über d. XIII. Vers. d. ophth. Gesellsch. Heidelberg. S. 38.
22) 1882. — Über anatomische Veränderungen in kurzsichtigen Augen. Ber. über die ophth. Sektion der Naturf.-Vers. zu Eisenach. (Ref. aus Nagels Jahresber.)
23) 1882. Weiss, Beiträge zur Anatomie des myopischen Auges. Mitteilungen aus d. ophth. Klin. in Tübingen. Bd. I, 3. S. 63.
24) 1882. Carl Theodor, Herzog in Bayern, Über einige anatomische Befunde bei der Myopie. Mitteilungen aus d. kgl. Univ.-Augenkl. zu München. Bd. I. S. 233.
25) 1882. Fuchs, Beitrag zu den angeborenen Anomalien des Sehnerven. Arch. f. Ophth. Bd. XXVIII, 1. S. 139.
26) 1883. Tscherning, Studien über die Ätiologie der Myopie. Arch. f. Ophth. Bd. XXIX, 1. S. 201.
27) 1883. Szili, A., Der Conus nach unten. Zentralbl. f. Augenheilk. Dez.-Heft. S. 358.
28) 1884. Weiss, Beiträge zur Anatomie des myopischen Auges. Mitteilungen aus d. ophth Klin. in Tübingen. Bd. II, 1. S. 57.
29) 1884. Van Duyse, Contribution à l'etude des anomalies congénitales du nerf optique. Ann. d'oculist. Tome XCI. Serie 13. p. 117.
30) 1885. Schön, Zur Ätiologie des Glaukoms. Arch. f. Ophth. Bd. XXXI, 4. S. 1.

31) 1885. Nuël, Colobome temporal de la papille du nerf optique. Ann. d'oculist. Tome XCIII. p. 174.
32) 1885. Vossius, Beitrag zur Lehre von den angeborenen Conis. Klin. Monatsbl. f. Augenheilk. Bd XXIII. S. 137.
33) 1885. Abadie, Des complications de la myopie progressive. Arch. d'opht. V. p. 178.
34) 1886. Knies, Über Myopie und ihre Behandlung. Arch. f. Ophth. Bd. XXXII, 3. S. 15.
35) 1887. Stilling, Untersuchungen über die Entstehung der Kurzsichtigkeit. Wiesbaden.
36) 1887. Dimmer, Der Augenspiegel und die ophthalmoskopische Diagnostik. Leipzig und Wien.
37) 1888. Vossius, Grundriss der Augenheilkunde. Leipzig und Wien.
38) 1888. Weiss, Beiträge zur Anatomie der Orbita. Tübingen.
39) 1889. Romano Catania, Contributo anatomico allo studio della Miopia. Sicilia medica. (Ref. aus Nagels Jahresber. 1889. S. 466—467.)
40) 1890. Seggel, Über die Abhängigkeit der Myopie vom Orbitalbau und die Beziehungen des Conus zur Refraktion. Arch. f. Ophth. Bd. XXXVI, 2. S. 1.
41) 1891. Krotoschin, Anatomischer Beitrag zur Entstehung der Myopie. Arch f. Augenheilk. Bd. XXII. S. 393.
42) 1892. Nuël, De la vascularisation de la choroide et de la nutrition de la retine etc. Arch. d'opht. Tome XII. p. 70.
43) 1893. Baas, Zur Anatomie und Pathogenese der Myopie. Arch. f. Augenheilk. Bd. XXVI. S. 33.
44) 1893. Salzmann, Zur Anatomie der angeborenen Sichel nach innen, unten. Arch. f. Ophth. Bd. XXXIX. 4. S. 131.
45) 1893. Schön, Die Funktionskrankheiten des Auges. Abt. 1. Wiesbaden.
46) 1893. Schwarz, Über die sichel- und ringförmigen Gebilde an der Papille. Ber. über d. 23. Vers. d. ophth. Gesellsch. Heidelberg. S. 209.
47) 1894. Biller, Die Beziehungen des Conus und der physiologischen Excavation zum Sehvermögen ametropischer Augen. Inaug.-Diss. Leipzig.
48) 1894. Masselon, De la sclerectasie nasale dans la myopie. Arch. d'opht. Tome XIV. S. 435.
49) 1895. Schnabel-Herrnheiser, Über Staphyloma posticum, Conus und Myopie. Zeitschr. f. Heilk. Bd. XVI, 1. S. 1.
50) 1895. Otto, Beitrag zur Kenntnis der Veränderungen am Hintergrunde hochgradig kurzsichtiger Augen. Ber. über d. 24. Vers. d. ophth. Gesellsch. Heidelberg. S. 139.
51) 1897. Stilling, Grundzüge der Augenheilkunde. Wien und Leipzig.
52) 1897. Otto, Beobachtungen über hochgradige Kurzsichtigkeit und ihre operative Behandlung. Arch. f. Ophth. Bd. XLIII, 2 u. 3. S. 323 u. 543.
53) 1897. Elschnig, Cilioretinale Gefässe. Arch. f. Ophth. Bd. XLIV. S. 144.
54) 1898. Heine, Demonstration mikroskopischer Präparate von hochgradig myopischen Augen. Ber. über d. 27. Vers. d. ophth. Gesellsch. Heidelberg. S. 324.
55) 1898. Herrnheiser, Das kurzsichtige Auge. Augenärztliche Unterrichtstafeln. Heft XV. Breslau.
56) 1898. Elschnig, Über optico-ciliare Gefässe. Klin. Monatsbl. f. Augenheilk. Bd XXXVI S. 93.
57) 1898. Grunert, Der Dilatator pupillae des Menschen usw. Arch. f. Augenheilk. Bd. XXXVI. S. 333.
58) 1899. Heine, Beiträge zur Anatomie des myopischen Auges. Arch. f. Augenheilk. Bd. XXXVIII. S. 277.
59) 1899. Kiribuchi, Über das elastische Gewebe im menschlichen Auge nebst usw. Ibidem S. 182.
60) 1899. Elschnig, Normale Anatomie des Sehnerveneintrittes. Augenärztliche Unterrichtstafeln. Heft XVI. Breslau.
61) 1899. Schön, Über Skleritis und ihre Beziehung zur Myopie. IX. Cong. intern. d'opht. d'Utrecht.

62) 1900. Heine, Weitere Beiträge zur Anatomie des myopischen Auges. Arch. f. Augenheilk. Bd. XL. S. 160.
63) 1900. — Hydrophthalmus und Myopie. Ber. über d. 28. Vers. d. ophth. Gesellsch. Heidelberg. S. 176.
64) 1900. Stilling, Über den Conus. Zeitschr. f. Augenheilk. Bd. IV. S. 563.
65) 1900. Elschnig, Das Colobom am Sehnerveneintritte und der Conus nach unten. Arch. f. Ophth. Bd. LI. S. 391.
66) 1901. Priestley Smith, Introduction to a discussion on the diagnosis, prognosis and treatment of pernicious myopia. The ophth. Review. Volume XX. p. 331.
67) 1901. Fuchs, Der zentrale schwarze Fleck bei Myopie. Zeitschr. f. Augenheilk. Bd. V. S. 171.
68) 1901. Heine, Mitteilung betreffend die Anatomie des myopischen Auges. Arch. f. Augenheilk. Bd. XLIII. S. 95.
69) 1901. Ischreyt, Zur Anatomie des Glaukoms in Augen von übernormaler Achsenlänge. Klin. Monatsbl. f. Augenheilk. Bd. XXXIX, 1. S. 365.
70) 1901. Marschke, Beiträge zur pathologischen Anatomie der Myopie u. des Hydrophthalmus. Klin. Monatsbl. f. Augenheilk. Bd. XXXIX, 2. S. 705.
71) 1901. Elschnig, Der normale Sehnerveneintritt des menschlichen Auges. Denkschr. d. k. Akademie d. Wissensch. Bd. LXX. S. 219. Wien.
72) 1901. Heidenhain, M., Über eine Paraffineinbettung mit Schwefelkohlenstoff als Durchgangsmedium. Zeitschr. f. wissensch. Mikr. u. f. mikr. Techn. Bd. XVIII. S. 166—170.
73) 1902. Heine, Mitteilung betreffend die Anatomie des myopischen Auges. Arch. f. Augenheilk. Bd. XLIV. S. 66.
74) 1902. Salzmann, Die Atrophie der Aderhaut im kurzsichtigen Auge. Arch. f. Ophth. Bd. LIV. S. 337.
75) 1902. Symens, Anatomischer Befund bei einem myopischen nasalen Conus. Arch. f. Augenheilk. Bd. XLIV. S. 336.
76) 1902—1906. Greeff, Lehrbuch der pathologischen Anatomie des Auges. Kap. VIII. S. 338.
77) 1903. Heine, Über Zerreissungen der Elastica im kurzsichtigen Auge. Ber. über d. 30. Vers. d. ophth. Gesellsch. Heidelberg. 1902. S. 333.
78) 1903. Ginsberg, Grundriss der pathologischen Histologie des Auges. Berlin. S. 397.
79) 1903. Hess, Die Anomalien der Refraktion und Accommodation des Auges. Graefe-Saemisch, Handbuch der ges. Augenheilk. Bd. VIII. Kap. XII. Abschn. VIII. S. 284.
80) 1903. Encyklopädie der mikroskopischen Technik, Elastin. Bd. I. S. 193. Berlin u. Wien.
81) 1903. Elschnig, Weitere Mitteilung über das Colobom am Sehnerveneintritte und den Conus nach unten. Arch. f. Ophth. Bd. LVI. S. 49.
82) 1903. Heine, Klinisches und Theoretisches zur Myopiefrage. Arch. f. Augenheilk. Bd. XLIX. S. 14.
83) 1904. Parson, The Pathology of the Eye. Vol. III. Part. I. S. 908.
84) 1905. Peter, K., Der Anstrich der Richtebene. Zeitschr. f. wissensch. Mikr. u. f. mikr. Techn. Bd. XXII. S. 530—538.
85) 1905. Stilling, Zur Anatomie des myopischen Auges. Zeitschr. f. Augenheilk. Bd. XIV. S. 23.
86) 1905. Lange, O., Zur Frage nach dem Wesen der progressiven Myopie. Arch. f. Ophth. Bd. LX. S. 118.
87) 1906. Stilling, Die Grundlage meiner Kurzsichtigkeitslehre. Zeitschr. f. Augenheilk. Bd. XV. S. 1.
88) 1906. Peter, K., Die Methoden der Rekonstruktion. Jena.
89) 1906. Krückmann, Über einige Aderhautveränderungen bei Myopie. Ber. über d. 32. Vers. d. ophth. Gesellsch. Heidelberg. 1905. S. 291.
90) 1906. Schieck, F., Pathologie der Kurzsichtigkeit. Ergebnisse der allgemeinen Pathologie und pathologischen Anatomie des Menschen und der Tiere. Jahrg. X. Ergänzungsbd. Erste Hälfte. S. 235—263.

Erklärung der Figuren 1, 2, 4, 6, 8, 9 u. 10 im Text, sowie der Abbildungen auf den Taf. XIV—XXIII.

Abkürzungen:

N, nasal; *T*, temporal; *Skl*, Sklera; *Ch*, Chorioidea; *R*, Retina; *Snf*, Sehnervenfasern; *L. e.*, Lamina elastica; *Chc*, Choriocapillaris; *P*, Pigmentepithel; *St*, Stäbchen- und Zapfenschicht; *ä. K.*, äussere Körnerschicht; *ä. R.*, äussere retikuläre Schicht; *i. K.*, innere Körnerschicht; *M. l. e.*, Membrana limitans externa retinae.

Fig. 1. Eine sog. Hauptzeichnung einer Rekonstruktion. Die Endpunkte der inneren und äusseren Fläche der Lamina cribrosa sind auf die Lamina elastica resp. ihre Verlängerung (punktierte Linie) über die Papille hinweg projiziert. (Die Zeichnung ist auf $^1/_2$ verkleinert.)

Fig. 2, 4, 6 u. 9. Mit der Lupe gezeichnetes Bild des Augenhintergrundes bei Fall 1, 2, 3 u. 5.

Fig. 8 u. 10. Ophthalmoskopisches Bild des Augenhintergrundes bei Fall 4 u. 6. Aufrechtes Bild.

Tafel XIV.

Fig. 3. Temporale Partie eines Horizontalschnittes durch die Mitte der Papille bei Fall 1. v. Giesonfärbung. Zeiss: Okul. 4; Obj. C.

Fig. 5. Der temporale Teil eines Horizontalschnittes durch die untere Hälfte der Papille bei Fall 2. v. Giesonfärbung. Zeiss: Kompens. Okul. 6; Obj. 8 mm; Apert. 0,65; Tubuslänge 160 mm. *a*, Ende der Aderhaut im Conusgebiete. *b*, Kontinuitätstrennung der ganzen Chorioidea, durch welche die innere Körnerschicht hindurchwuchert. *c*, Ende der Lamina elastica.

Fig. 7. Horizontalschnitt durch die Mitte der Papille bei Fall 3. v. Giesonfärbung. Zeiss: Okul. 1; Obj. AA.

Fig. 11. In die Retina hineingewucherte Pigmentepithelzellen (der grosse Herd nasal oben von der Papille im Fall 6). v. Giesonfärbung. Zeiss: Okul. 3; Obj. E. *a*, pigmentlose Epithelzellen. *b*, pigmentierte Epithelzellen.

Fig. 13. Glashautlücke mit deutlich umgerolltem Rande (der kleine Herd im Fall 7). v. Giesonfärbung. Leitz: Okul. 4; Obj. 3.

Fig. 14. Riss der hochgradig verdünnten Lamina elastica in dem mittleren der drei unteren Herde im Fall 7, die hauptsächlich auf Schwund des Pigmentepithels beruhen. v. Giesonfärbung. Leitz: Okul. 4; Obj. 3. *a*, der Riss.

Tafel XV.

Fig. 17. Nach Grunert gebleichtes Präparat von Fig. 19. Fig. 17 ist sozusagen das negative Bild von Fig. 19; das Chorioidealgewebe dunkel, Pigmentepithel hellgefärbt. Fall 8. v. Giesonfärbung. Leitz: Okul. 1; Obj. 6.

Fig. 18. Chorioidealer Herd mit reichlicher Pigmentumrandung. Fall 9. v. Giesonfärbung. Leitz: Okul. 2; Obj. 3.

Fig. 19. Punktförmiger chorioidealer Herd mit massenhafter Pigmentepithelwucherung im Aderhautstroma. Fall 8. v. Giesonfärbung. Leitz: Okul. 1; Obj. 6.

Fig. 20. Der in Fig. 19 abgebildete Herd mit Pigmentepithelwucherung in der Netzhaut. Fall 8. v. Giesonfärbung. Leitz: Okul. 1; Obj. 3.

Fig. 21. Die in der vorherigen Figur abgebildete Pigmentepithelwucherung in der Retina, durch Bleichen nach Grunert ihres Pigmentes beraubt. Fall 8. v. Giesonfärbung. Leitz: Okul. 1; Obj. 6.

Tafel XVI.

Fig. 22. Chorioidealer Herd mit massenhafter Pigmentepithelwucherung im Aderhautstroma ohne mikroskopisch nachweisbaren Riss in der Elastica. Fall 8. v. Giesonfärbung. Leitz: Okul. 1; Obj. 6.

Fig. 23. Derselbe Herd, durch Bleichen nach Grunert seines Pigmentes beraubt.

Fig. 24. Riss der Membrana limitans ext. retina mit vorgefallenen äusseren Körnern in die Stäbchen- und Zapfenschicht. Fall 9. v. Giesonfärbung. Zeiss: Okul. 4; Obj. 4 mm; Apert. 0,95; Tubuslänge 160 mm.

Fig. 25. Kleiner Riss der Lamina elastica mit reichlicher chorioidealer Infiltration. Fall 9. v. Giesonfärbung. Leitz: Okul. 2; Obj. 7.

Tafel XVII.

Fig. 28. Totale Kontinuitätstrennung der Chorioidea mit vorliegender Sklera. Fall 10. v. Giesonfärbung. Zeiss: Kompens. Okul. 6; Obj. 8,0 mm; Apert. 0,65 mm; Tubuslänge 160 mm.

Fig. 29. Chorioidealer Herd mit gewucherten Pigmentepithelien in der Mitte, peripher aber ohne jede Pigmentierung. Fall 11. v. Giesonfärbung. Leitz: Okul. 4, Obj. 3.

Fig. 30. Chorioidealer Herd, entstanden durch Schwund des Pigmentepithels. Fall 11. v. Giesonfärbung. Zeiss: Kompens. Okul. 6; Obj. 8,0 mm; Apert. 0,65, Tubuslänge 160 mm.

Fig. 31. Ende der Lamina elastica am Sehnerven mit Aufsplitterung ihrer Fasern in einem normalen Auge. Elastinfärbung nach Weigert. Zeiss: Okul. 3; Obj. C.

Tafel XVIII.

Fig. 32. Rekonstruktionsbild vom Augenhintergrund bei Fall 8. Alle Details sind mit kleinen Punkten gezeichnet. Vergrösserung 15. 56 Schnitte.

Tafel XIX.

Fig. 12. Ophthalmoskopisches Bild des Augenhintergrundes bei Fall 7. Umgekehrtes Bild.

Fig. 33. Rekonstruktionskarte des Augenhintergrundes bei Fall 7 mit Ausnahme der drei grossen Herde nach unten und temporal von der Papille. Vergrösserung $7^1/_2$.

Fig. 34. Rekonstruktionskarte der unteren drei grossen Herde im Fall 7. Vergrösserung $7^1/_2$.

Tafel XX.

Fig. 15. Ophthalmoskopisches Bild des Augenhintergrundes bei Fall 8. Aufrechtes Bild.

Fig. 35. Rekonstruktionskarte des Augenhintergrundes bei Fall 8. Vergrösserung $7^1/_2$.

Tafel XXI.

Fig. 16. Ophthalmoskopisches Bild des Augenhintergrundes bei Fall 9. Aufrechtes Bild.

Fig. 36. Rekonstruktionskarte des Augenhintergrundes bei Fall 9. Oberer und unterer Teil. Vergrösserung $7^1/_2$.

Tafel XXII.

Fig. 26. Ophthalmoskopisches Bild des Augenhintergrundes bei Fall 10. Aufrechtes Bild.

Fig. 37. Rekonstruktionskarte des Augenhintergrundes bei Fall 10. Oberer und unterer Teil. Vergrösserung $7^1/_2$.

Tafel XIII.

Fig. 27. Ophthalmoskopisches Bild des Augenhintergrundes bei Fall 11. Aufrechtes Bild.

Fig. 38. Rekonstruktionskarte des Augenhintergrundes bei Fall 11. Oberer und unterer Teil. Vergrösserung $7^1/_2$.

Für die Rekonstruktionen sind folgende Bezeichnungen eingeführt:

Mit gelber Farbe gezeichnet ist die Lamina elastica. — Die mit vertikalen schwarzen Linien schraffierten Partien markieren die Ausdehnung des Pigmentepithels. — Die weiss gelassenen Stellen entsprechen dem Glashautloche um die Papille und den pathologischen Lücken der Lamina elastica. — Mit kleinen Strichen - - - - - wird bezeichnet die äussere Grenze der Lamina cribrosa an den Seitenwänden des Sehnervenkanales, mit abwechselnd Strichen und Punkten ·—·— die innere Grenze der Lamina cribrosa an den Seitenwänden des Sehnervenkanales, mit nur Punkten ······ der innere Rand des Sehnervenkanales, falls er nicht von der Lamina elastica chorioideae gebildet wird. — *F*, Fovea centralis.

(Aus Geheimrat Hirschberg's Augenheilanstalt in Berlin.)

Klinische Untersuchungen über das Verhalten der anomalen Sehrichtungsgemeinschaft der Netzhäute nach der Schieloperation.

Von

Dr. Joh. Ohm,

ehemal. 1. Assistenten, jetzt Augenarzt in Bottrop in Westfalen.

Mit Taf. XXIV, Fig. 1—3.

I. Einleitung.

Das Ziel der Behandlung des Schielens ist für den Patienten die Beseitigung der Entstellung, für den Arzt die Herstellung des normalen binokularen Sehaktes in allen Teilen des normalen Blickfeldes.

Letzteres ideale Ziel wird nur in seltenen Fällen unmittelbar durch die Schieloperation, in vielen überhaupt niemals, in manchen erst nach langen Übungen erreicht.

Die Hindernisse, die sich beim Streben nach diesem Ziel entweder hemmend oder verzögernd in den Weg stellen, sind ungenügende Technik der Schieloperation, Schwachsichtigkeit eines Auges, grosse Refraktionsdifferenz und mangelhaftes oder fehlendes Fusionsvermögen. In fast allen Fällen muss ja das Fusionsvermögen dem operativen Eingriff, der immer nur eine grobe Korrektion bewirkt, zu Hilfe kommen, um die Augenstellung zu einer idealen zu machen. Während es nun nicht selten im stande ist, grosse nach der Operation zurückbleibende Lageanomalien zu überwinden, versagt es in andern Fällen, und zwar auch bei guter Sehschärfe und geringer Abweichung zunächst fast völlig. Wenn das schon bei normaler Korrespondenz der Netzhäute nicht selten zu beobachten ist, so ist es nicht verwunderlich bei Vorhandensein jener Anomalie, die man als Netzhautinkongruenz, falsche Projektion oder anomale Sehrichtungsgemeinschaft bezeichnet.

Man versteht darunter eine eigentümliche Störung des sensorischen Verhaltens der Doppelnetzhaut. Während normalerweise Deckstellen ihre Erregungen in die gleiche Sehrichtung verlegen, findet sich bei vielen Schielenden eine Abweichung davon, die dadurch charakterisiert wird, dass nicht Deckstellen, sondern disparate Stellen einen gemeinsamen Richtungswert angenommen haben. Diese neue Gemeinschaft ist als Anpassung an die Schielstellung anzusehen. Ihr Nutzen besteht meistens nur in der Vermeidung von Doppelbildern; in einer kleinen Minderzahl der Fälle kommt allerdings ein gewisser binokularer Sehakt mit unvollkommener Entwicklung von binokularer Mischung, Wettstreit der Sehfelder und Tiefenwahrnehmung zu stande.

Über die Prognose dieser Störung sind diametral entgegengesetzte Ansichten geäussert worden.

Johannes Müller[1]) hob aus dem grossen Gebiet des Schielens eine Gruppe heraus, die kein Doppeltsehen aufwies, ohne dass indes das Schielaugenhalbbild, wie sonst, ganz unterdrückt wurde. Er nannte sie Strabismus incongruus und nahm eine angeborene abnorme Lage der identischen Punkte an, weshalb diese Individuen gezwungen seien, um des deutlichen und einfachen Sehens willen zu schielen. Demgemäss hielt er diese Form des Schielens für unheilbar.

Albrecht von Graefe[2]), dem wir die ersten genaueren Untersuchungen derartiger Schielfälle verdanken, betrachtete die Inkongruenz zunächst gleichfalls als angeboren und das Schielen als Folge derselben. Aber schon in seiner zweiten[3]), der ersten auf dem Fusse folgenden Abhandlung vertritt er die Ansicht, dass diese Störung zuweilen als Folge des gewöhnlichen Strabismus monolateralis aufzufassen ist.

Während er aber niemals die Operation dieser Schielfälle für verwerflich hielt, erklärte Alfred Graefe[4]) sie tatsächlich in seiner ersten Mitteilung im Jahre 1858 für kontraindiziert aus Furcht vor dem Auftreten von Doppelbildern, deren Verschmelzung nicht in Aussicht gestellt werden könne. Wenn das richtig wäre, so müsste der

---

[1]) Joh. Müller, Zur vergleichenden Physiologie des Gesichtssinnes des Menschen und der Tiere. Leipzig 1826. S. 230.

[2]) Albrecht v. Graefe, Über das Doppeltsehen nach Schieloperationen und Inkongruenz der Netzhaut. Arch. f. Ophth. Bd. I. S. 118. 1854.

[3]) Albrecht v. Graefe, Nachträgliche Bemerkungen über Inkongruenz der Netzhäute. Arch. f. Ophth. Bd. I, 2. S. 234. 1855.

[4]) Alfred Graefe, Klinische Analyse der Motilitätsstörungen des Auges. Berlin 1858. S. 234.

grösste Teil der Schielenden unoperiert bleiben. Albrecht v. Graefe, noch nicht im Besitze guter Untersuchungsmethoden, bemerkt zwar in seiner ersten Publikation, unter mehreren Hunderten von Schieloperierten, die er auf Doppeltsehen untersuchte, nirgends etwas in betreff der Identitätstheorie Befremdendes gefunden zu haben, aber Adam[1]) konstatierte neuerdings unter 100 Fällen 66 mal das Vorhandensein der anomalen Lokalisation. Alfred Graefe[2]) hat seinen Standpunkt bald geändert. 1880 erklärte er, die Inkongruenzphänomene seien in der Regel passagerer Natur und die normale Übereinstimmung der Stellung der Doppelbilder mit der der Augen vollziehe sich nicht selten schon innerhalb weniger Tage. Doch hatte er auch einzelne Fälle gesehen, bei denen sie während der ganzen Dauer der Beobachtung persistierten.

In den letzten Jahren ist die Kenntnis dieser Störung durch eine Reihe exakter Forschungen sehr gefördert worden. Ich nenne nur die Arbeiten von Javal[3]), Hering[4]), Kries[5]), Bielschowsky[6]), Tschermak[7]), Schlodtmann[8]) und Adam[9]), unter denen besonders die Selbstbeobachtungen von der grössten Wichtigkeit sind.

Während die meisten dieser Autoren ihr Hauptinteresse dem Sehakt der Schielenden zuwandten und das Verhalten der anomalen Lokalisation nach der Schieloperation erst in zweiter Linie berücksichtigten, soll vorliegende Arbeit wie die Javals sich besonders mit den Wandlungen der anomalen Lokalisation nach der Schieloperation befassen.

---

[1]) Adam, Über normale und anomale Netzhautlokalisation bei Schielenden. Zeitschr. f. Augenheilk. Bd. XVI, 2. S. 114. 1906.

[2]) Alfred Graefe, Graefe-Saemisch. I. Aufl. Bd. VI. S. 119 u. 180. 1880.

[3]) Javal, Manuel du Strabisme, 1896.

[4]) Hering, Über die anomale Lokalisation der Netzhautbilder bei Strabismus alternans. Deutsches Arch. f. klin. Med. Bd. LXIV. 1899.

[5]) Kries, Wettstreit der Sehrichtungen bei Divergenzschielen. Arch. f. Ophth. Bd. XXIV, 4. S. 117. 1878.

[6]) Bielschowsky, Über monokuläre Diplopie ohne physikalische Grundlage nebst Bemerkungen über das Sehen Schielender. v. Graefe's Arch. f. Ophth. Bd. XLVI, 1. S. 143. 1898. — Untersuchungen über das Sehen der Schielenden. v. Graefe's Arch. f. Ophth. Bd. L, 2. S. 406. 1900.

[7]) Tschermak, Über anomale Sehrichtungsgemeinschaft der Netzhäute bei einem Schielenden. v. Graefe's Arch. f. Ophth. Bd. XLVII, 3. S. 508.

[8]) Schlodtmann, Studien über anomale Sehrichtungsgemeinschaft bei Schielenden. v. Graefe's Arch. f. Ophth. Bd. LI, 2. S. 256. 1900.

[9]) Adam, loc. cit.

II. Untersuchungsmethoden.

Bevor wir zur Mitteilung unserer Beobachtungen übergehen, müssen wir eine kurze Darstellung unserer Untersuchungsmethodik geben. Denn die Resultate unserer Forschungen sind verschieden je nach den Methoden, die wir zur Untersuchung verwenden. Die Forderung Schlodtmanns (loc. cit. S. 262), bei allen Versuchen möglichst die normalen Bedingungen für das gewöhnliche Sehen zu erhalten, um keine Änderung der Netzhautbeziehungen künstlich hervorzurufen, wurde nach Möglichkeit berücksichtigt, indes ist man meistens, wenigstens im Anfang, auf künstliche Methoden angewiesen, um überhaupt Angaben des Patienten über die Funktion seines Schielauges zu erhalten.

Die verschiedenen Mittel der Untersuchung — bunte Gläser, Maddoxscheibe, Stereoskop, Haploskop, Nachbilder — sind ebensoviele Reagentien, von denen jedes einen mehr oder minder charakteristischen Niederschlag erzeugt. Die Ergebnisse widersprechen sich aber nicht, sondern sie ergänzen einander. Um dies zu beweisen, brauche ich nur an den bekannten Fall von monokularer Diplopie ohne physikalische Grundlage, den Bielschowsky beschrieben hat, zu erinnern. Dieser Patient, dem beim gewöhnlichen Sehen mit dem einzigen linken, früher schielenden Auge (das rechte Auge war enucleiert) alle Gegenstände doppelt erschienen, sah niemals ein Nachbild doppelt.

Die Diagnose der anomalen Sehrichtungsgemeinschaft ist vor der Operation gewöhnlich leicht zu stellen, wenn die Unterdrückung des Schielaugenhalbbildes nicht allzu gross ist. Die Messung des Anomaliewinkels, d. h. des Winkelabstandes zwischen der Fovea des führenden (bzw. schielenden) und jener excentrischen Netzhautstelle des schielenden (bzw. führenden) Auges, denen die gleiche Sehrichtung zukommt, lässt sich am genauesten mit Hilfe von Nachbildern[1]) ausführen, deren ich mich aber wenig bedient habe, weil mir die Tschermaksche Lampe, die sich für diesen Zweck am meisten eignet, nicht zur Verfügung stand. Meine Methoden waren ziemlich einfach. Gewöhnlich wurde am Hirschbergschen[2]) Blickfeldmesser, den ich für meinen Zweck etwas änderte[3]), auf Doppeltsehen unter-

---

[1]) Vgl. Bielschowsky, v. Graefe's Arch. f. Ophth. Bd. L. S. 414.

[2]) Hirschberg, Über Blickfeldmessung. Arch. f. Augen- u. Ohrenheilk. Bd. L. S. 414. 1875.

[3]) Ohm, Zur Untersuchung des Doppeltsehens. Zentralbl. f. prakt. Augen-

sucht. Der Ansicht Adams (loc. cit. S. 126), dass die Prüfung mit farbiger Differenzierung und Kerze nicht eindeutig sei, da die Doppelbilder häufig wechselten und nicht typisch wären, kann ich mich nicht anschliessen, halte vielmehr die Untersuchung auf Diplopie mit Hilfe farbiger Gläser für ebenso fruchtbar wie die Nachbildmethode. Die Tafel wurde schwarz gewählt und mit farbiger Gradeinteilung versehen. Der Patient sitzt dem 0-Punkt gerade gegenüber, 1 m von ihm entfernt, den Kopf durch einen Kinnhalter gestützt. Untersucht wurde nun unter gewöhnlichen Bedingungen, mit bunten Gläsern und der Maddoxscheibe. Sah er einen am Nullpunkt befestigten weissen Papierstreifen doppelt, so wurde die Distanz der Doppelbilder mittels der von Hering (loc. cit.) angegebenen Farbenhaploskopie bestimmt. Das rechte, ein grünes Glas tragende Auge fixiert die untere Spitze des ihm grün erscheinenden weissen Papierstreifens. Das linke, mit rotem Glase versehene Auge empfängt ein rotes Bild. Zur Feststellung der Beziehungen beider Halbbilder führt der Beobachter unter stetiger Kontrolle, dass die befohlene Rechtsfixation aufrecht erhalten wird, einen roten, dem linken Auge allein sichtbaren Papierstreifen, den ich weiter unten der Kürze halber den roten Indikator nennen will, durch das Blickfeld, bis er sich im Eindrucke des Patienten mit seinem oberen Ende an das untere des grünen Bildes anschliesst, und gibt ihm darauf eine solche Neigung, dass er die geradlinige Fortsetzung des grünen bildet. Dann liegt das Bild der Spitze des roten Indikators auf der Netzhautstelle des Schielauges, die mit der Fovea des führenden Auges gleiche Sehrichtung hat. Das rote Schielaugenhalbbild des weissen Papierstreifens liegt dem roten Indikator genau diametral in bezug auf den Fixierpunkt des führenden Auges gegenüber, und wenn ich unten die Distanzen angebe, so sind die Vorzeichen nicht nach der Lage des Indikators, sondern der des gewöhnlichen Schielaugenhalbbildes gewählt. Die Zahlen bedeuten Grade, die erste gibt den horizontalen, die zweite den vertikalen Abstand an. Trägt die erste das Vorzeichen +, so handelt es sich um gleichnamige, bei — um ungleichnamige Doppelbilder. Das +-Zeichen vor der zweiten Zahl gibt an, dass das rechte Bild höher, das —-Zeichen, dass es tiefer steht als das linke Bild. Das weisse Fixationsobjekt stand meist auf dem Nullpunkt der Tafel, manchmal auf 20° rechts oder 20° links.

Der Kontrolle halber wurden auch bisweilen die bunten Gläser

heilk. Nov.-Heft. 1906 und ein Apparat zur Untersuchung des Doppeltsehens. Zentralbl. f. prakt. Augenheilk. Juli-Heft. 1907.

vertauscht. Dann gab die Spitze des roten Indikators bei der richtigen Lage die Netzhautstelle des führenden Auges an, die mit der vom grünen Halbbild im Schielauge getroffenen korrespondierte. Kennt man die Distanz der Doppelbilder, so bedarf es zur Diagnose der anomalen Sehrichtungsgemeinschaft nur noch des Nachweises, dass der Doppelbilderabstand dem Schielwinkel nicht entspricht. Meist ergibt schon die Betrachtung der Augenstellung, dass ein starkes Missverhältnis zwischen beiden besteht. Um den Schielwinkel am Blickfeld genau zu bestimmen, nahm ich zwei Marken, liess eine vom rechten Auge fixieren und verschob die andere solange hin und her, bis das linke Auge beim Befehl letztere anzusehen, wobei das rechte rasch verdeckt wurde, keine Einstellungsbewegung mehr machte. Dann kennt man die Stellung der Gesichtslinie und damit den Schielwinkel, vorausgesetzt, dass jedes Auge zentral fixiert hat.

III. Beobachtungen.

Die Untersuchungen sind in der Hirschbergschen Augenheilanstalt angestellt. Für die Anregung dazu und die Überlassung des Materials spreche ich meinem hochverehrten früheren Chef, Herrn Geheimrat Hirschberg, auch an dieser Stelle meinen verbindlichsten Dank aus. Aus dem grossen Materiale werden nur die Fälle, die entweder lange in Beobachtung blieben oder aus andern Gründen besonderes Interesse verdienen, mitgeteilt.

1. Fall. Frieda C. 19 Jahre alt.

17. III. 06. Strabismus converg. altern. praecip. oculi sinistri, von 20°, seit früher Kindheit.

Ophthalmometerbefund: 35° R + 1,0 D; 35° L + 1,5 D

$$\begin{cases} R + 0{,}75\, D \text{ sph.} = {}^5/_7, \\ L + 0{,}75\, D \text{ sph.} \supset \text{cyl.} + 1 \angle^{35} = {}^5/_{10} - {}^5/_7. \end{cases}$$

Rücklagerung des Rectus intern. sin.

19. III. 06. Konvergenz von ungefähr 18°. Spontan kein Doppeltsehen; mit rotem Glase gleichnamige Doppelbilder von 2° Abstand.

28. III. 06. Spontanes Doppeltsehen:

+ 2.0

bei einer Konvergenz von ungefähr 15°.

6. III. 07. Konvergenz von 20°. Meistens gleichnamige Doppelbilder von 2—3° Abstand, bisweilen auch Verschmelzung der Halbbilder

auf Grund der anomalen, der Schielstellung entsprechenden Sehrichtungsgemeinschaft.

2. Fall. Friedrich K. 26 Jahre alter Schmied. Strabismus converg. dexter. von 35°—40° seit dem 4. Jahre.

$$\begin{cases} R + 1{,}25\,D \text{ cyl.} \uparrow = {}^5/_7 - {}^5/_5 \\ L + 1{,}5\,D \text{ sph.} = {}^5/_5 \end{cases}$$

spontan und mit rotem Glase keine Diplopie, mit der Maddoxscheibe:

+2.0

18. IV. 06. Rücklagerung des Rectus internus dext. und Vorlagerung des Rectus extern. dextr.

23. IV. 06. Spur Konvergenz. Meist gekreuzte Diplopie:

—25—6	—20—2	—15—3

für einen Augenblick auch gleichnamige Bilder von 2° Seitenabstand.

25. IV. 06. Das rechte Auge trägt ein rotes Glas, das linke fixiert den weissen Papierstreifen. Das rote Halbbild steht 25° links (gekreuzt) vom weissen. Nach einer Weile treten gleichnamige Doppelbilder von 12° Seitenabstand auf. Nachdem das Schielaugenhalbbild eine Zeitlang bald rechts, bald links gesehen ist, wobei die Distanz des gekreuzten Bildes zwischen 20° und 28° schwankt, während die des gleichnamigen Bildes dieselbe bleibt, und zwar entsprechend der Konvergenz, sieht er schliesslich 3 Bilder gleichzeitig, von denen 2 dem rechten Auge angehören, was sich aus der Farbe und durch Verdecken ergibt, und zwar sowohl spontan, als mit rotem Glase, als mit Maddox.

30. IV. 06. Bei der Untersuchung sieht er zunächst nur das gekreuzte Bild. Es schwankt eine Weile; plötzlich bemerkt er auch ein gleichnamiges Bild, ohne dass das gekreuzte verschwindet. Das gleichnamige steht etwas tiefer als das Hauptbild:

—20.0
+7—2½

6. V. 06. Unokulares Doppeltsehen bei Rechtsfixation nach Verdecken des linken Auges ist nicht zu konstatieren. Auch excentrisch gesehene Gegenstände erscheinen einfach. Binokular meist noch paradoxe ungleichnamige Bilder, bisweilen tritt noch ein gleichnamiges Bild dazu.

Zur Kontrolle werden die Doppelbilderabstände bei verschiedenen Objektdistanzen ermittelt.

Objektdistanz	Doppelbilderseitenabstand
1 m	— 18° 46′; + 8° 5′
2 m	— 16° 42′; + 7° 4′
3 m	— 16° 42′; + 8° 17′
4 m	— 16° 34′; + 9° 2′

20. V. 06. Die stereoskopische Vereinigung einzelner Bilder von Kroll gelingt ihm schon.

27. V. 06. Die Prüfung ergibt zuerst gleichnamige, später auch ungleichnamige Bilder:

+6 — ½
—18.0

Die Lage wechselt, bald rechts, bald links. Während der Patient früher mehr das gekreuzte Scheinbild sah, sieht er jetzt häufiger das gleichnamige. Gleichzeitig nimmt er heute die beiden Scheinbilder nicht mehr wahr.

17. VI. 06. Immer noch geringe Konvergenz. Das paradoxe Bild ist verschwunden. Heute nur noch gleichnamige Diplopie:

+6 — 1

25. VI. 06.

+3 — 1

Er kann das Scheinbild bisweilen mit dem Hauptbild verschmelzen.

8. VII. 06. Herings Fallversuch wird nicht bestanden.

+8 — 2

3. VIII. 06. Augenstellung normal. Am Blickfeld keine Diplopie mehr.

28. X. 06. Spur Konvergenz. Hering nicht bestanden.

+2.0

23. XI. 06. Spontan kein Doppeltsehen mehr. Auch am Blickfeld keine Einstellungsbewegung. Mit bunten Gläsern:

+4.0

24. II. 07. Bisweilen noch gleichnamige Doppelbilder. Mit bunten Gläsern:

+4.0

Hering falsch. Verschmelzung der Dahlfeldschen Bilder ist möglich. Bei einigen Kreisen richtige, bei andern falsche Tiefenauslegung.

3. Fall. Georg E. 33 Jahre alter Packer.

6. VI. 06. Strabism. converg. dext. von 35° seit dem 2. Lebensjahre.

Ophthalmometerbefund: 15° $R + 4\,D$ — 15° $L + 3\,D$

$$\begin{cases} R + 1{,}5\,D \text{ sph.} \bigcirc \text{cyl.} + 2\,D \overset{15}{\nwarrow} = {}^5/_{10} - {}^5/_7 \\ L + 0{,}5\,D \text{ sph.} \bigcirc \text{cyl.} + 1{,}5\,D \overset{15}{\nwarrow} = {}^5/_{10}. \end{cases}$$

Spontan keine Doppelbilder, mit bunten Gläsern trotz hochgradigen Schielens:

+2.0	+2.0	+2.0

Herings Fallversuch negativ.

Rechts Rücklagerung des Internus und Vornähung des Externus.
12. VI. 06. Geringe Konvergenz, gekreuzte Doppelbilder:

— 26 — 2	— 26 — 2	— 23 — 2

22. VI. 06. Spontan kein Doppeltsehen. Mit bunten Gläsern noch gekreuzte Doppelbilder:

— 16 — 1	— 15 + 1	— 7.0

Auffallend ist, dass er mitunter, wenn das Objekt auf + 20° steht, schwankt, ob er das Scheinbild als gekreuzt oder als gleichnamig bezeichnen soll. Schliesslich lokalisiert er es aber immer gekreuzt.

30. VI. 06. Gibt an, jetzt auch bisweilen spontan doppelt zu sehen, und zwar gekreuzt. Konvergenz von 5—10°. Bei den Versuchen, den Abstand der Doppelbilder, die zunächst noch gekreuzt sind, zu messen, steht plötzlich das Scheinbild auf der Seite des nach innen schielenden rechten Auges (gleichnamig), 5° vom Hauptbild entfernt und mit seinem oberen Ende demselben zugeneigt. Kurz darauf erscheint ihm das Trugbild wieder gekreuzt, in dem alten Abstand; dieses steht gerade. So erfolgt die Lokalisation bald auf dem Boden der anomalen, bald der normalen Sehrichtungsgemeinschaft, aber weder unokulare Diplopie, noch binokulare Triplopie.

Während die Konvergenz dieselbe bleibt, ist der Abstand des paradoxen Bildes ein sehr verschiedener:

— 16 + 1	— 15 + 1	— 7.0

und

+ 5.0	+ 5.0	+ 5.0

8. VII. 06.

Zunächst — 10.0 später + 3 — 1/2	+ 5 — 1	+ 4 — 2

29. VII. 06. Paradoxes Doppeltsehen wird nie mehr konstatiert.

+ 3.0

Hering negativ.

12. V. 07. Im Stereoskop Verschmelzung der Halbbilder. Bei den Dahlfeldschen Kreisen meist richtige Tiefenwahrnehmung, bei einzelnen falsche. Bei Anwendung bunter Gläser gleichnamige Doppelbilder von 2° Abstand.

Nachbildversuche ergaben meistens noch anomale Lokalisation. Liegt das Nachbild in der rechten Fovea, so erscheint es ihm 6° nach links vom Fixierpunkt des linken Auges, liegt es in der linken Fovea, so wird es meist 6° nach rechts vom Fixierpunkt des rechten Auges gesehen, bisweilen auch darin.

9. VI. 07. Es besteht die Fähigkeit zu binokularer Fixation; gewöhnlich aber geringe Konvergenz. Hering negativ.

4. Fall. Walter R. 13 Jahre alt.

7. VI. 06. Strabismus converg. sinister von 40—45° seit dem dritten Lebensjahre.

$$\begin{cases} R + 4{,}5\,D \text{ sph.} \supset \text{cyl.} + 3{,}0\,D \uparrow = {}^5/_{15} - {}^5/_{10} \\ L + 3{,}0\,D \text{ sph.} \supset \text{cyl.} + 1{,}5 \uparrow = {}^5/_{50}. \end{cases}$$

Spontan keine Doppelbilder.

17. VII. 06. Nach Verdecken des rechten Auges bleibt das linke zunächst in seiner „Schielstellung" stehen und stellt erst auf energische Aufforderung die Fovea ein.

Am Blickfeld anomale Sehrichtungsgemeinschaft der beiden disparaten Stellen, die in Schielstellung ein Bild von dem 1 m entfernten Objekt erhalten.

Steht die Maddoxscheibe wagerecht vor dem linken Auge, so geht der Lichtstreifen bald durch den Fixierpunkt des rechten Auges, bald liegt er 2° links davon.

Links Rücklagerung des Internus und Vorlagerung des Externus.

23. VII. 06. Konvergenz von 30—35°. Spontan keine Doppelbilder. Am Blickfeld bald gekreuzte Diplopie von 2—3° Seitenabstand, bald Verschmelzung beider Bilder auf Grund anomaler Projektion.

2. XII. 06. Sieht jetzt bisweilen spontan doppelt. Konvergenz von 23°. Dabei

—2.0

6. I. 07. Konvergenz von 23°.

—4.0

5. Fall. Hermann F. 30 Jahre alter Lithograph.

Strabism. converg. altern. praecip. sin. von 20° seit frühester Jugend. Nie Doppeltsehen. Er hat sein linkes Auge, in der Absicht, den Verfall der Sehkraft hintanzuhalten, mit der Lupe bewaffnet stundenlang zum Lithographieren, das rechte zum Zeichnen benutzt. Er kann mit beiden Augen gleich gut fixieren.

$$\begin{cases} R + 0{,}75\,D = {}^5/_7 - {}^5/_5 \\ L + 3{,}0\,D = {}^5/_7 - {}^5/_5. \end{cases}$$

Anomale harmonische Lokalisation. (Vgl. Adam.)

27. VII. 06. Links Rücklagerung des Rectus internus.

30. VII. 06. Konvergenz von ungefähr 15°. Am Blickfeld gekreuzte Doppelbilder von 3° Seitenabstand. Die Auffassung des Trugbildes macht ihm Schwierigkeiten.

1. VIII. 06. Wenn er einen hellen Gegenstand eine Weile mit dem rechten Auge angesehen hat, so taucht rechts davon (gekreuzt) ein 2. Bild auf.

3. VIII. 06.

	—9.0	—10.0

Trotz Konvergenz gekreuzte Bilder. Nur beim Blick 20° nach links sieht er nur ein Bild.

18. VIII. 06. Wenn er einen weissen Streifen auf dunklem Grunde anblickt, so sieht er doppelt. Doch wird er durch die Diplopie nicht belästigt. Gestern Abend sah er zum erstenmal auch beim Blick nach links doppelt. Während die Doppelbilder bisher immer gekreuzt waren, sprang plötzlich das Scheinbild des linken Auges nach links über (gleichnamig) und zwar für einen Moment, dann stand es wieder rechts (gekreuzt). Der Wechsel des Standortes ging plötzlich vor sich, nicht so, dass eine Bewegung wahrgenommen wurde. Die heutige Untersuchung ergibt fast nur gekreuzte Bilder trotz Konvergenz von ungefähr 8°.

Bei Rechtsfixation

—7.0

Einmal ergab sich heute beim Blick nach links gleichnamige Diplopie. Die Entfernung konnte nicht gemessen werden, weil das Scheinbild bald wieder gekreuzt stand.

2. IX. 06. Versuche:

1. Rechts nichts, links rotes Glas. Rechtsfixation. Das rote Bild steht rechts vom weissen, ungefähr 10° von ihm entfernt und mit seinem oberen Ende vom weissen abgewandt.

2. Rechts rotes, links grünes Glas. Rechtsfixation. Das grüne Bild steht auf der rechten Seite, ungefähr 4° vom roten entfernt. Plötzlich steht das grüne Bild links, bei 3° Seitenabstand. Wird das grüne Glas vom linken Auge weggenommen, so sind die Bilder wieder gekreuzt.

3. Nach einer Weile wieder rechts ein rotes, links ein grünes Glas. Rechtsfixation. Zunächst steht das grüne Bild wieder gekreuzt.

—7.0

Dann sagt der Patient: „Mir kommt es so vor, als wenn ich auch links (gleichnamig) ein grünes Bild sähe, aber auch ein grünes rechts (gekreuzt)." Dies dauert aber nur einen Moment.

30. IX. 06. Gibt an, jetzt viel doppelt zu sehen. Wenn die Bilder auch noch meistens gekreuzt seien, so seien sie doch schon öfter gleichnamig als früher. Mitunter auch Dreifachsehen.

4. XI. 06. Das gleichnamige Bild wird deutlicher und tritt öfter auf. Fixiert er den Mond mit dem rechten Auge und gibt er das zunächst verdeckte linke Auge plötzlich frei, so erscheint ihm das Trugbild zuerst rechts vom Hauptbild, nach einer Weile links. Schliesst er das linke Auge und öffnet er es, so steht es zunächst wieder rechts, später links. So wiederholt sich das Spiel bei Verdecken und Öffnen des linken Auges.

Die Untersuchung ergibt vorwiegend gekreuzte Bilder, bisweilen auch Triplopie, wobei der Seitenabstand des gekreuzten Bildes 7°, der des gleichnamigen 2° beträgt. Die Triplopie lässt sich nie lange festhalten.

9. XII. 06. Bei Betrachten des Mondes sieht er jetzt immer drei Bilder. Bei geradeaus gerichtetem Blick stehe ein Scheinbild rechts, das andere links. Wenn er den Kopf nach vorn neige, so dass er, um den Mond sehen zu können, stark nach oben blicken müsse, so ständen beide Scheinbilder gekreuzt. Dass auch das normal lokalisierte Bild nach rechts geht, erklärt sich daraus, dass bei stark gehobenem Blick Divergenz besteht.

1. Am Blickfeld spontan zunächst nur gleichnamige Bilder von 3° Abstand. Dann auch für kurze Zeit Triplopie:

+3 — 1
— 7.0

2. Rechts grünes, links rotes Glas. Zunächst nur gekreuzte Bilder, deren Abstand einmal 13°, meist 7° beträgt, bisweilen auch gleichnamige Bilder. Dann hebe ich und senke ich die Brille: steht sie vor den Augen, so sind die Bilder meistens gekreuzt; sind die Augen frei, so stehen sie meistens ungekreuzt.

27. I. 07. Sieht immer doppelt, bald gleichnamig, bald ungleichnamig. Nach Verdecken des rechten Auges sieht er einfach.

Versuche:

1. Am Blickfeld sieht er bei Betrachtung des weissen Streifens spontan 3 Bilder.

2. Rechts ein grünes, links ein rotes Glas. Rechtsfixation. Er sieht ein grünes und zwei rote Bilder. Das gleichnamige rote steht unmittelbar neben dem grünen, das ungleichnamige rote 15° von ihm nach seiner Schätzung. Die Messung mit dem roten Indikator gelingt nicht, da das rechte rote Scheinbild bald verschwindet, bald wieder auftaucht. Nach Vertauschen der Gläser sieht er ein rotes und 2 grüne Bilder. Jetzt gelingt es, die Entfernung beider Scheinbilder vom Hauptbild zu bestimmen:

+ 1/2 . 0
— 14 . 0

3. Rechts ein rotes, links ein grünes Glas. Linkfixation. Zunächst sieht er nur ein grünes und ein rotes Bild, das rote gekreuzt:

— 10 . 0

Auf einmal taucht auch ein ungekreuztes rotes Bild auf. Letzteres ist sehr schwer fest zu halten und schwankt sehr. Horizontalabstand einmal 13, ein andermal $7\frac{1}{2}$°. Es soll ausserdem etwas höher stehen als das Hauptbild und sich mit seiner oberen Spitze nach der Mitte neigen. Das gekreuzte Bild erscheint ihm deutlicher und ist immer da, das gleichnamige nur zeitweise.

Der Schielwinkel ist bei Rechtsfixation sehr gering, bei Linksfixation viel grösser und etwas schwankend.

10. III. 07. Sieht alles doppelt in gleichnamigen Bildern. Bei scharfer Aufmerksamkeit erscheint bald auch ein ungleichnamiges Bild. Das Doppeltsehen fängt jetzt an, ihn bei der Arbeit zu stören.

1. Am Blickfeld spontan 3 Bilder.

+1.0
—7.0

2. Rechts ein grünes, links ein rotes Glas. Zuerst sieht er nur gekreuzte Bilder (— 6.0), bisweilen auch ganz nahe dem Hauptbild ein gleichnamiges.

3. Die Verschmelzung der Dahlfeldschen Kreise gelingt ihm nur in einzelnen Fällen. Richtige Tiefenvorstellung ist dabei nicht vorhanden. Dass die Verschmelzung auf dem Boden der normalen Korrespondenz geschieht, erhellt aus dem Mangel einer Einstellungsbewegung des linken Auges bei Verdecken des rechten.

28. IV. 07. Nachbilder werden normal lokalisiert, sowohl wenn sie im rechten, als wenn sie im linken Auge liegen. Binokulare Triplopie sowohl spontan, als mit bunten Gläsern und Maddox noch nachweisbar.

16. VI. 07. Das Dreifachsehen besteht noch. Während früher das gekreuzte Bild deutlicher erschien als das ungekreuzte, ist es jetzt umgekehrt.

Obgleich die Konvergenz sehr gering ist, gelingt ihm die Verschmelzung der Dahlfeldschen Bilder nur sehr schwer. Richtige Tiefenwahrnehmung fehlt dabei. Am Blickfeld spontan und mit bunten Gläsern noch Triplopie. Die beiden Scheinbilder gehören sowohl bei Rechts- als bei Linksfixation dem abgewichenen Auge an.

6. Fall. Paula B. 8 Jahre alt.

15. X. 06. Strabism. converg. sin. von 20° seit dem 7. Monat.

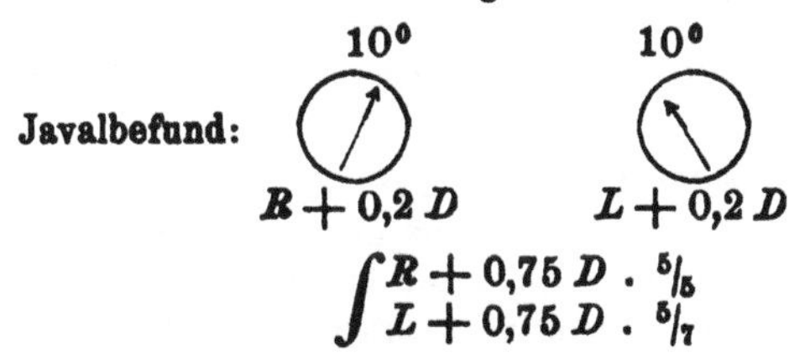

Ophth. norm. spontan kein Doppeltsehen. Am Blickfeld mit bunten Gläsern gleichnamige Bilder von 3° Seitenabstand.

16. X. 06. Links Rücklagerung des Rect. internus.

19. X. 06. Konvergenz von 18°.

+2.0	+2.0	—2.0

23. X. 06. Konvergenz von 10°. Dabei gekreuzte Doppelbilder mit bunten Gläsern:

Objektdistanz	Seitenabstand der Doppelbilder
40 cm	—7°
100 „	—6½°
165 „	—6½°
300 „	—8°.

17. XI. 06. Jetzt auch spontanes Doppeltsehen. Im Stereoskop bekommt sie bei Anwendung Krollscher Bilder ein Sammelbild auf Grundlage der anomalen Projektion.

Konvergenz von 17°. Gleichnamige Diplopie.

+3.0

1. XII. 06. Sie sieht jetzt oft doppelt.

+2.0

17. XII. 06. Sie sieht jetzt niemals mehr einfach, sondern alles doppelt; seit 8 Tagen will sie auch mitunter von einem Gegenstand 3 Bilder wahrnehmen. Konvergenz 20°.

Versuche am Blickfeld:

1. Spontan erscheint ihr der weisse Papierstreifen in 3 Bildern.

2. Rechts grünes, links rotes Glas. Rechtsfixation. Sie sieht ein grünes und 2 rote Bilder, die letzteren gleichnamig, das rechte 3°, das linke 23° vom grünen Hauptbild entfernt,

also

+3.0
+23.0

3. Bei Linksfixation und Verschluss des rechten Auges besteht auch ausgeprägtes unokulares Doppeltsehen.

a) Das linke Auge fixiert den weissen, auf dem Nullpunkt stehenden Streifen. Ein Bild soll gerade vor ihr, ein zweites weit links stehen. Die Bilder eines roten, unter den weissen gestellten Papierstreifens erscheinen ihr an derselben Stelle. Dann wird der rote nach rechts geführt. Wenn er auf +20° steht, soll das linke rote Bild unter dem rechten weissen erscheinen.

b) Weisses Fixationsobjekt auf +20° über der Horizontallinie. Von den unokularen Doppelbildern wird das eine nach rechts, das andere geradeaus verlegt. Steht der rote Indikator am Nullpunkt unterhalb der Horizontallinie, so schliesst sich sein rechtes Bild an das linke des weissen Objektes an.

21. XII. 06. Sieht alles dreifach. Konvergenz von 20°. Linkes Auge fixiert, rechtes ist verbunden.

1. Ein Bild des im Nullpunkt stehenden weissen Streifens erscheint ihr in der Mitte, ein zweites 5° nach links. Der Streifen wird auch excentrisch 60° nach aussen und 55° nach innen doppelt gesehen.

2. Als Objekt dient eine 0-förmige weisse Figur im Nullpunkt unter der Horizontalen, deren oberer Pol am linken Auge fixiert wird; eine zweite gleiche Figur steht 5° weiter rechts über der Horizontalen. Zuerst sieht sie nur diese beiden Figuren, alsbald aber bemerkt sie 4 Figuren und zwar in der Mitte in Form einer 8, wie sie spontan angibt.

3. Rechts grünes, links rotes Glas. Rechtsfixation. Sie sieht ein

grünes Bild in der Mitte und 2 rote links davon, 4° und 9° vom grünen entfernt. Später beträgt deren Abstand auch einmal 4° und 17°.

5. I. 07. Konvergenz von ungefähr 20°.

1. Rechts grünes, links rotes Glas. Rechtsfixation. Ein grünes und 2 rote Bilder.

+3.0
+20.0

2. Linkes Auge allein. Sieht alles doppelt. Weisses Objekt am Nullpunkt wird fixiert. Der rote Streifen steht zunächst unter dem weissen. Beide erscheinen doppelt. Führt man den roten Streifen nun nach links, so erscheint sein rechtes Bild unter dem linken weissen, wenn er auf — 20° steht; führt man ihn nach rechts, so erscheint sein linkes Bild manchmal unter dem rechten weissen, wenn er auf + 20°, öfter, wenn er auf + 17° steht, 1 mal auch als er auf + 13° stand.

26. I. 07. Beim Sehen mit dem linken Auge allein, bei Abschluss des rechten keine Diplopie mehr, aber noch binokulare Triplopie. Rechts grünes, links rotes Glas. Rechtsfixation: ein grünes und 2 rote Bilder.

+3.0
+13.0

12. II. 07. Noch binokulare Triplopie, keine unokulare Diplopie mehr. Bietet man ihr im Stereoskop ein Bild mit einer Maus und einer Falle, so sieht sie die Maus in der Falle. Die Dahlfeldsche Zahlentafel liest sie richtig und prompt. Bei zwei Dahlfeldschen Tafeln mit Kreisen macht sie richtige, bei einer unrichtige Angaben bezüglich der Anordnung nach der Tiefe. Bei allen diesen stereoskopischen Versuchen steht das linke Auge in starker Konvergenz, wie aus der grossen Einstellungsbewegung hervorgeht, die es macht, wenn das rechte Auge verdeckt wird.

Ein im linken Auge erzeugtes transfoveales senkrechtes Nachbild erscheint ihr ungefähr 8° rechts von der vom rechten Auge fixierten Marke, ein im rechten Auge erzeugtes $10\frac{1}{2}$° links von der Marke, die das linke Auge ansieht.

7. Fall. Frau C. 31 Jahre alt.

12. I. 07. Strabism. diverg. dexter von etwa 20° seit dem 2. Lebensjahr. Vor 12 Jahren wurde sie auf dem rechten Auge mit gutem Erfolg operiert. 5 Jahre später wieder Auswärtsschielen, das aber den alten Grad nicht wieder erreichte:

$$\begin{cases} R - 4\,D \text{ sph.} \supset \text{cyl.} - 3\,D \longrightarrow\; = \frac{5}{50}, \\ L - 2{,}5\,D \text{ sph.} \supset \text{cyl.} - 2\,D \longrightarrow\; = \frac{5}{7}. \end{cases}$$

Die Netzhautlokalisation des rechten Auges ist verschieden. Bisweilen hat sie trotz Divergenz spontan gleichnamige Doppelbilder von geringem Abstand. Bei Verwendung von bunten Gläsern und Maddox meistens gleichnamige Doppelbilder. In seltenen Fällen, wenn vor dem linken Auge 2 grüne Gläser stehen, das rechte unbewaffnet ist, hat sie gekreuzte Doppelbilder von 15° Abstand.

12. I. 07. Rechts Rücklagerung des Rectus extern. und Vorlagerung des Rectus internus.
19. II. 07. Divergenz von etwa 10°.

Versuche: Immer Linksfixation.

1. Ohne Gläser immer gleichnamige Doppelbilder von ungefähr:

+2.0

2. Rechts grünes, links rotes Glas:

+2.0

3. Rechts rotes Glas, links nichts:

+2.0

4. Rechts 1 rotes Glas, links 2 grüne Gläser:

+2.0

5. Rechts nichts, links rotes Glas, ungleichnamige Doppelbilder:

—8. —1

6. Rechts nichts, links grünes Glas:

—8. —1

8. Fall. Wilhelm S. 8 Jahre alt.

30. I. 07. Strabism. converg. sin. von 20° seit dem 3. Lebensjahr.

$$\int \begin{matrix} R = {}^5/_5, \\ L = {}^5/_{20} \end{matrix}$$ (Gläser bessern nicht).

Am Blickfeld mit bunten Gläsern gleichnamige Doppelbilder von 2° Abstand, ohne Gläser keine Diplopie.

31. I. 07. Links Rücklagerung des Rect. intern.

2. II. 07. Unmittelbar nach Abnahme des Verbandes sieht er eine Flamme nicht doppelt; einige Minuten später erscheint ihm der weisse Streifen am Blickfeld in gekreuzten Doppelbildern.

Rechts grünes, links rotes Glas. Rechtsfixation. Das grüne Bild erscheint ihm in der Mitte, das rote rechts (gekreuzt)

— 14.0

Eine Ablenkung des linken Auges ist nicht zu konstatieren.

3. II. 07. Gekreuzte Diplopie bei scheinbar genauer Einstellung der Augen.

Im Stereoskop sieht er beide Bilder sofort, aber getrennt, das Bild des linken Auges rechts von dem des rechten.

Herings Fallversuch negativ.

4. II. 07. Sieht alles doppelt. Entlassen.

—8.0

9. II. 07. Während der ersten 3 Tage nach der Entlassung hat er noch doppelt gesehen, seit gestern nicht mehr.

Die Untersuchung ergibt normale Augenstellung. Spontan kein Doppeltsehen. Mit Maddox sofort, mit bunten Gläsern erst nach einer Weile gekreuzte Doppelbilder von 8° Abstand.

Im Stereoskop keine Verschmelzung.

16. II. 07. Derselbe Befund wie am 9. II. Ein vom rechten Auge fixiertes Objekt wird binokular spontan nicht doppelt gesehen. Es wird nun ein weisses Täfelchen von 1 qcm Grösse durch das Gesichtsfeld geführt, während das rechte Auge eine kleine Marke fixiert. In der Peripherie wird das Täfelchen noch in gekreuzten Doppelbildern gesehen. Das Gebiet des Einfachsehens erstreckt sich etwa 8° nach allen Richtungen vom Fixationspunkt aus.

2. III. Status idem.

16. III. Spontan kein Doppeltsehen. Jetzt besteht wieder mässige Konvergenz. Mit bunten Gläsern:

—3.0

28. III.

—4.0

Im Stereoskop Verschmelzung einzelner Dahlfeldscher Figuren, aber nicht der Kreise. Ein senkrechtes transfoveales Nachbild des linken Auges liegt ungefähr 6° rechts von dem Fixierpunkt des rechten Auges.

6. V. Mit bunten Gläsern noch gekreuzte Diplopie trotz Konvergenz.

Ein vertikales transfoveales Nachbild im rechten Auge liegt 9° links vom Fixierpunkt des linken Auges. Vertikales transfoveales Nachbild im linken Auge liegt 6° rechts vom Fixierpunkt des rechten Auges.

24. VI. 07. Die Prüfung mit dem Stereoskop ergibt einen grossen Fortschritt. Die Dahlfeldschen Zahlen liest er schnell und richtig, die Kreise werden verschmolzen, die Tiefenauslegung ist aber noch falsch. Ein transfoveales Nachbild im linken Auge wurde einmal der normalen Korrespondenz entsprechend, meistens aber wie früher anomal lokalisiert.

9. Fall. Otto M. 23 Jahre alt.

20. III. 07. Strabism. converg. sin. von 15° seit dem 4. Lebensjahr.

$$\int \begin{matrix} R = {}^5/_5, \\ L = {}^5/_{15} + 2\,Di \text{ sph.} \end{matrix}$$

1. Versuch am Blickfeld.

a. Rechts grünes, links rotes Glas. Rechtsfixation. Gleichnamige Doppelbilder von 4° Abstand bei einem Schielwinkel von 15° (anomal).

b. Rechts rotes, links grünes Glas. Linksfixation. Gleichnamige Doppelbilder von 10° Abstand, dem Schielwinkel entsprechend (normal).

2. Mit Nachbildern.

a. Transfoveales Nachbild im linken Auge, dessen Auffassung ihm zunächst Schwierigkeiten macht, liegt 6° rechts vom Fixierpunkt des rechten Auges.

b. Transfoveales Nachbild im rechten Auge, geht fast immer durch den Fixierpunkt des linken Auges, einmal erschien es auch etwas links davon.

20. III. Links Rücklagerung des Internus.

23. III. Bei Rechtsfixation eine Spur Konvergenz.

1. Am Blickfeld keine spontane Diplopie.

2. Rechts grünes, links rotes Glas. Rechtsfixation. Zunächst weiss er nicht recht, wo das rote Bild liegt; schliesslich lokalisiert er es immer nach links:

+ 2 — 2

3. Rechts nichts, links rotes Glas. Rechtsfixation. Gekreuzte Diplopie:

— 9 — 3

auch bei blitzschnellem Zu- und Abdecken des linken Auges. Wenn man nun eine Zeitlang das rote Glas schnell wegzieht und wieder vorsetzt, so gibt er schliesslich auch ohne Gläser mitunter gekreuzte Doppelbilder an.

4. Rechts rot, links nichts. Immer gleichnamige Bilder.

+ 5 — 2

Im Stereoskop keine Verschmelzung.

24. III. Die Lokalisation der Nachbilder ist normal.

1. Rechts grün, links nichts:

+ 4 — 2,5

2. Rechts nichts, links rotes Glas:

+ 3,5 — 3

3. Rechts nichts, links 2 rote Gläser, eine Zeitlang gekreuzte:

— 8 — 3

später gleichnamige Doppelbilder:

+ 3,5 — 3

4. Auch spontan bisweilen Doppelbilder:

+ 4 — 2

Geringe Konvergenz.

25. III. Mit bunten Gläsern nur noch einmal gekreuzte, sonst immer gleichnamige Diplopie gefunden:

+ 3,5 — 2

Ein weisses kreisrundes Scheibchen von $1^1/_2$ cm Durchmesser wird vom rechten Auge fixiert. Das linke Halbbild erscheint in der Nähe links und oben. Es wird nun versucht, mit Hilfe von Prismen in verschiedener Stellung die Bilder zur Verschmelzung zu bringen. Man kann sie einander wohl nähern, aber nie vereinigen.

26. III. 07. | +4 —4 |

9. IV. | +4,5 — 3 |

Nach Ausgleichung des Höhenunterschiedes mittels eines Prismas gelingt es ihm mit Mühe, die Dahlfeldschen Kreise zu vereinigen. Dabei keine richtige Tiefenangabe.

10. Fall. Walter M. 23 Jahre alter Lithograph.

10. IV. 07. Strabismus converg. dexter von 35°. Hat schon stereoskopische und Separatübungen des rechten Auges gemacht. Er besitzt die Fähigkeit, die Konvergenz des rechten Auges willkürlich fast zum Verschwinden zu bringen.

$$\int \begin{matrix} R = {}^5/_{35}, \text{ cyl.} + 1{,}75\, D \overset{10}{\nwarrow\!|} = {}^5/_{15}, \\ L = {}^5/_5, \text{ cyl.} + 0{,}75 \uparrow = {}^5/_5 - {}^5/_4. \end{matrix}$$

1. Rechts nichts, links grünes Glas. Linksfixation, gleichnamige Doppelbilder meist von 36° Abstand, bisweilen auch von 14°.

2. Rechts rotes, links grünes Glas, jetzt gleichnamige Doppelbilder von 7° oder 15° Abstand. Dabei schielt das rechte Auge 35° nach innen.

3. Nachbildversuch ergebnislos, da das Nachbild verschwindet, wenn das Auge in Schielstellung übergeht.

23. IV. 07. Rechts Rücklagerung des Internus und Faltung des Externus.

26. IV. 07. 1. Am Blickfeld trotz Konvergenz spontan gekreuzte Bilder, deren Abstand er auf 8—10° schätzt.

2. Rechts rotes, links grünes Glas. Gekreuzte Bilder, deren Distanz er auf 15—20° schätzt. Durch Führung des roten Indikators ist sie sehr schwer festzustellen. Bisweilen nur

| —7.0 |

3. Rechts grünes, links rotes Glas. Linksfixation, gekreuzte Bilder. Jetzt ist es leichter, den Abstand zu bestimmen.

| —20.0 |

Dabei deutliche Konvergenz.

4. Foveales Nachbild im linken Auge liegt 3½° rechts vom Fixierpunkt des rechten Auges, Nachbild im rechten Auge 13° links von dem des linken Auges.

28. IV. 07. Konvergenz bei Rechts- und Linksfixation.

1. Rechtsfixation.

a. Beide Augen frei: gleichnamige Bilder.

b. Rechts nichts, links Maddox, gleichnamige Bilder:

+8.0

c. Rechts grünes Glas, links Maddox gekreuzte Bilder:

—15.0

Nach Wegnahme des grünen Glases bleiben die Bilder zunächst gekreuzt, nach einer Weile sind sie aber wieder gleichnamig.

2. Linksfixation.

a. Beide Augen frei, gekreuzte Bilder:

—15.0

b. Rechts Maddox, links nichts:

—15.0

1. V. 07. Seit einigen Tagen sieht er fast nur gleichnamige Bilder, selten momentweise gekreuzte. Am Blickfeld:

+10.0

Er vermag das rechte Auge zur Einstellung zu bringen. Dann keine Diplopie mehr.

Im Stereoskop Verschmelzung der Bilder ohne richtige Tiefenwahrnehmung.

9. V. 07. Bei 2 Dahlfeldschen Kreisen richtige, bei 3 falsche Tiefenangabe.

Nachbild im linken Auge liegt meistens 2° rechts vom Fixierpunkt des rechten Auges, bisweilen auch noch weiter rechts, mitunter auch in ihm bei Aufforderung, die Augen einzustellen. Nachbild im rechten Auge geht nie durch den Fixierpunkt des linken Auges, sondern liegt ungefähr 17° links davon.

26. V. 07. Gibt an, sowohl bei Rechts- als bei Linksfixation fast nur noch gleichnamige Doppelbilder zu haben.

Patient schielt für gewöhnlich nicht. Er zwingt sich dazu, beide Augen einzustellen.

Wenn er aber scharf sehen will, so muss er das rechte Auge nach innen abweichen lassen. Er hat dann gleichnamige Doppelbilder. Durch Einstellung des rechten Auges kann er sie verschmelzen. Er sieht dann aber sehr undeutlich. Verdecke ich nun das rechte Auge, so bleibt die Sehschärfe des linken zentral eingestellten Auges auch weiter gegen die Norm herabgesetzt, solange das rechte Auge noch auf den Gegenstand gerichtet ist oder doch nur wenige Grade nach innen abweicht. Bei der Aufforderung, sich ein möglichst scharfes Bild zu verschaffen, lässt der Patient das rechte Auge ungefähr 15° nach innen schielen. Wenn er sich nun anstrengt, die erst weit distanten Doppelbilder zu vereinigen, so fängt die Sehschärfe des linken Auges an zu sinken, und zwar um so mehr, je mehr sich die Bilder nähern.

$\int$ Rechtes Auge schielt 12° nach innen, gleichnamige Doppelbilder,
Linkes Auge = $^5/_5$.

$\int$ Rechtes Auge schielt 6° „ „
Linkes Auge = $^5/_{20}$.

$\int$ Rechtes Auge } = $^5/_{25}$ fast, bei binokularer Einstellung. Doppelbilder
Linkes Auge } verschmolzen.

$\int$ Rechtes Auge. Blende. Geht kaum merklich nach innen,
Linkes Auge = $^5/_{35}$. Nach Abnahme der Blende nahe beieinander stehende gleichnamige Doppelbilder.

11. VI. 07. Bei 4 Dahlfeldschen Kreisen ist die Tiefenangabe richtig, bei einem falsch.

Herings Fallversuch negativ.

26. VI. 07. Die transfovealen Nachbilder, gleichgültig ob rechts oder links, stehen jetzt in unmittelbarer Nähe des Fixierpunkts des andern Auges.

8. IX. 07 schreibt mir der Patient, der den Untersuchungen grosses Interesse entgegengebracht hat, dass die Nachbilder jetzt richtig ständen. Mit der Sehschärfe verhalte es sich noch so wie früher, wenn er sich anstrenge, die Doppelbilder zu vereinigen.

11. Fall. Arthur B. 10 Jahre alt.

23. V. 07. Strabismus converg. dext. von 35° seit dem 3. Lebensjahr.

$$\int \begin{matrix} R = {}^5/_{20}, + 1{,}5\, D\,\text{sph.} = {}^5/_{15}, \\ L = {}^5/_5 + 1\, D\,\text{sph.} \end{matrix}$$

Kein spontanes Doppeltsehen. Am Blickfeld mit bunten Gläsern gleichnamige Doppelbilder. Abstand manchmal 2, manchmal 7° in wagerechter Richtung.

Rechts Rücklagerung des Internus und Vorlagerung des Externus.

29. V. 07. Konvergenz von 10°. Spontan keine Diplopie.

1. Rechts rotes Glas, links nichts. Linksfixation. Gekreuzte Doppelbilder. Wenn er aufgefordert wird, das rote Bild anzusehen, machen beide Augen eine Bewegung nach links, so dass er es excentrisch fixiert. Nach Verdecken des linken Auges stellt sich das rechte Auge nach einer kleinen Weile zentral auf das rote Bild ein.

2. Rechts rotes, links grünes Glas. Linksfixation:

—12.0

3. Rechts grünes, links rotes Glas. Rechtsfixation:

—10.0

Dabei immer Konvergenz.

4. Transfoveales Nachbild im rechten Auge liegt 15° links vom Fixierpunkt des linken Auges.

6. VI. Unter allen Versuchsbedingungen gekreuzte Doppelbilder von ungefähr 13° Abstand bei einer Konvergenz von 15°. Spontan keine Diplopie.

Verordnung eines roten Glases für das rechte Auge zu Übungen.

13. VI. 07. Immer Konvergenz des rechten Auges, die zwischen 5 und 15° schwankt. Am Blickfeld unter verschiedenen Abbildungsverhältnissen nur gleichnamige Bilder.

+5.0

20. VI. 07. Spontan keine Diplopie. Konvergenz. Bei Gebrauch des roten Glases gleichnamige Doppelbilder.

Die Dahlfeldschen Kreise werden rasch verschmolzen, die Tiefenangaben sind bei allen falsch.

Transfoveales Nachbild im rechten Auge liegt 8° links vom Fixierpunkt des linken Auges.

25. VI. 07. Mässige Konvergenz. Spontan kein Doppeltsehen.

Die Dahlfeldschen Zahlen und Kreise werden zu einem Sammelbild verschmolzen, bei einigen der letzteren schon richtige Tiefenwahrnehmung.

12. Fall. Karl H. 23 Jahre alt.

Strabism. diverg. alternans praecipue sin. von 35°.

$$\int \begin{matrix} R = {}^5/_5 + 0{,}75\ Di \\ L = {}^5/_5 + 0{,}75\ Di. \end{matrix}$$

Spontan keine Diplopie. Auch bei Anwendung bunter Gläser ist es ausserordentlich schwer, dem Patienten die Netzhautbilder des schielenden Auges zum Bewusstsein zu bringen. Als Abstand wird ermittelt manchmal 0, +2° und −2°.

28. V. 07. Links Rücklagerung des Extern. und Vorlagerung des Internus durch Faltung.

2. VI. 07. Spontan kein Doppeltsehen. Divergenz von 7—10°.

1. Rechts grünes, links rotes Glas. Rechtsfixation. Meist keine Diplopie, nur selten gleichnamige, die ganz flüchtig ist. Der Abstand wird von ihm auf etwa 14° geschätzt. Durch Verschiebung des roten Indikators ist der Abstand nicht zu ermitteln. Es gibt Stellen, wo er links, und andere, wo er rechts vom grünen Halbbild wahrgenommen wird, aber zwischen diesen gerade jene zu treffen, wo er gerade darunter gesehen wird, ist nicht möglich, weil in diesem mittleren Bezirk das Bild des roten Indikators verschwindet.

2. Rechts rotes, links grünes Glas. Linksfixation. Jetzt ist die Auffassung des Schielaugenhalbbildes leichter und es gelingt, den Abstand der Bilder durch Führung des Indikators zu bestimmen:

+17.0

3. VI. 07. Im Stereoskop sieht er trotz Divergenz die beiden Figuren in gleichnamigem Abstande. Spontan nie Diplopie.

Am Blickfeld unter verschiedenen Abbildungsverhältnissen immer gleichnamige Bilder:

+15.0

21. VI. 07. Divergenz von ungefähr 15°. Keine spontane Diplopie. Am Blickfeld gleichnamige Doppelbilder.

IV. Besprechung der Resultate.

Der Symptomenkomplex dieser theoretisch und praktisch wichtigen Anomalie ist ein äusserst mannigfaltiger. Kein Fall ist genau wie der andere. Von den hier beschriebenen Patienten standen 3 im ersten, 2 im zweiten, 5 im dritten und 2 im vierten Jahrzehnt. 10mal handelte es sich um Konvergenz, 2mal um Divergenz. In allen Fällen stammte das Schielen aus den ersten Jahren der Kindheit. Mit Rücksicht auf Schoen[1]) betone ich, dass mit Ausnahme des 4. Falles alle sichere zentrale Fixation des Schielauges besassen, da ja die Sehschärfe desselben meist ziemlich gut war.

Spontanes paradoxes Doppeltsehen wurde nur beim 7. Fall konstatiert. Die Diagnose der anomalen Netzhautlokalisation ist in 11 Fällen vor der Operation gestellt worden, nur im ersten Fall nicht, da dieser noch nicht mit allen Methoden untersucht wurde. Der letzte Patient machte wegen starker innerer Hemmung bedeutende Schwierigkeiten.

Beim 7., 9. und 10. Fall bestand schon vor der Operation Wettstreit zwischen anomaler und normaler Sehrichtungsgemeinschaft. Nicht verwunderlich ist das bei Nr. 10, wo die binokulare Einstellung vor der Operation noch für Augenblicke möglich war. Bei Nr. 9 war die anomale Lokalisation in Tätigkeit bei Fixation mit dem gewöhnlich führenden Auge, die normale bei zentraler Einstellung des gewöhnlich schielenden Auges, sowohl bei Untersuchung mit Nachbildern als mit bunten Gläsern.

Die Zeit nach der Operation lässt sich im allgemeinen in drei Perioden teilen[2]), die aber nicht alle bei jedem einzelnen Fall zur Beobachtung gelangen.

Da die relative Lokalisation nicht unter allen Bedingungen gleich ist, so konnten wir bei Abgrenzung der einzelnen Perioden nur das Verhalten bei Anwendung einer bestimmten Untersuchungsmethode zugrunde legen. Gewählt wurde dafür die Untersuchung auf Dop-

---

[1]) Schoen, Das Schielen. S. 138. 1906.

[2]) Vgl. Bielschowsky, Arch. f. Ophth. Bd. L. S. 456. Fall 17.

peltsehen, die gewöhnlich mit Zuhilfenahme von bunten Gläsern und farbigen Objekten vorgenommen wurde. Die Lokalisation der Nachbilder ist oft eine andere, als die der gewöhnlichen Doppelbilder. Die Nachbilder können noch anomal lokalisiert werden, wenn die Bilder farbiger Objekte schon auf dem Boden der normalen Korrespondenz verörtlicht werden, und umgekehrt. Ersteres ist häufiger als letzteres.

1. Periode: Alleinherrschaft der anomalen Lokalisation.

Die erste Periode ist dadurch charakterisiert, dass die anomale Lokalisation auch bei veränderter Stellung der Augen weiter besteht. Obgleich die anomale Sehrichtungsgemeinschaft als Anpassung der Netzhautbeziehungen an die Schielablenkung anzusehen ist, wird eine Änderung der Augenstellung im Gegensatz zum normalen Sehakt zunächst doch gewöhnlich nicht mit Doppeltsehen beantwortet. In der Regel macht nämlich die von Tschermak als „innere Hemmung" bezeichnete Entwertung des Schielaugenhalbbildes den Vorteil der veränderten Sehrichtungsgemeinschaft zum grössten Teil illusorisch.

Spontanes Doppeltsehen fehlte in der ersten Zeit bei den Fällen 1, 3, 4, 6, 9, 11 und 12, schwaches Doppeltsehen bestand sofort nach der Operation bei 2, 5, 7, 8 und 10. Albrecht v. Graefe, Bielschowsky und Adam haben indes Fälle beschrieben, bei denen die Diplopie sofort nach der Operation auftrat und sehr störend empfunden wurde. In der Mehrzahl der Fälle scheint es aber anders zu sein. Dafür sprechen nicht nur unsere Beobachtungen, sondern auch die Geschichte dieser Anomalie. Denn im Gegensatz zu der Häufigkeit der anomalen Projektion ist die Anzahl der in der Literatur niedergelegten Fälle in Vergleich zu andern Gebieten sehr gering, und die Mitteilungen datieren, wenn man von Javal, Albrecht und Alfred Graefe und wenigen andern Beobachtern absieht, erst aus den letzten zehn Jahren. Die anomale Projektion muss gesucht werden, sie drängt sich unter dem Bilde störender Diplopie meistens nicht auf. Daraus erklärt sich auch der noch jetzt bestehende Zweifel an dem Vorkommen der anomalen Lokalisation überhaupt. Mit geeigneten Untersuchungsmethoden kann man aber die paradoxen Doppelbilder immer nachweisen, wenn es auch manchmal sehr schwierig sein kann, wie beim 12. Fall.

Nach der Operation des Einwärtsschielens treten gewöhnlich gekreuzte, nach der des Auswärtsschielens gleichnamige Doppelbilder auf, wenn die Stellung der Augen erheblich verändert ist. Eine schematische Darstellung der Verhältnisse bei Stabism. converg. gibt Fig. 1, die bei Besprechung der Triplopie erläutert werden wird.

Die Annahme Schoens[1]), dass den paradoxen Doppelbildern schnelle, unbewusste Augenbewegungen zugrunde liegen sollen, scheint mir unverständlich. Seiner Forderung nach blitzschnellem Ver- und Abdecken des Schielauges bin ich nachgekommen. Aber bei meinen Patienten machte dieses Manöver aus paradoxen Doppelbildern keine normalen.

Allerdings spielen Bewegungen der Augen, nämlich der Übergang von der Rechtsfixation zur Linksfixation und umgekehrt, eine Rolle dabei, um den Patienten über die unnatürliche Lage der paradoxen Doppelbilder aufzuklären, und sie sind daher ein wichtiges Mittel, um die Umwandlung der anomalen Lokalisation in die normale zu beschleunigen, wie schon Javal erkannt hat. Handelt es sich nämlich z. B. um einen Strabism. converg. des rechten Auges, der durch die Operation zum grössten Teil beseitigt ist und nun mit gekreuzten Doppelbildern einhergeht, so muss der Patient, wenn er von der Linksfixation zur zentralen Einstellung des rechten Auges übergehen will, den Blick nicht nach links, wo ihm das paradoxe Scheinbild zu stehen scheint, sondern nach rechts wenden, als wenn gleichnamige Doppelbilder vorhanden wären. Im Fall 11, wo die obigen Verhältnisse zutrafen, konnte ich deutlich konstatieren, dass der Knabe die Augen erst nach links drehte, wenn er das Bild des rechten Auges ansehen sollte, und erst nach Verdecken des linken Auges zur zentralen Einstellung mit dem rechten Auge gelangte.

Bisweilen verschwindet die gleich vorhandene Diplopie durch Unterdrückung des Schielaugenhalbbildes wieder. Im 8. Falle waren in den ersten Tagen nach Abnahme des Verbandes spontan gekreuzte Doppelbilder vorhanden, trotzdem keine Ablenkung der Augen zu bemerken war. Später liessen sich Doppelbilder eines zentral fixierten Gegenstandes nie mehr nachweisen. Dass dies seinen Grund nicht in binokularer Verschmelzung beider Netzhauteindrücke hatte, ging daraus hervor, dass excentrisch gelegene Objekte auch jetzt noch in paradoxen Doppelbildern erschienen, desgleichen auch zentral fixierte, wenn man bunte Gläser vor die Augen stellte. Hier war die Exklusion auf ein zentrales Gebiet beschränkt. Bei den andern Fällen tritt das Schielaugenhalbbild, wenn die Aufmerksamkeit des Patienten darauf gelenkt wird, mehr und mehr ins Bewusstsein, so dass das

---

[1]) Schoen, Das Schielen. S. 130.

Doppeltsehen ein spontanes wird. Sicher ist aber, dass es niemals so störend empfunden wird und die Orientierung so beeinträchtigt, wie bei frischen Augenmuskellähmungen.

Auffallend ist, dass mitunter die Diplopie zunächst nur bei einigen Blickrichtungen auftritt, bei andern nicht. Fall 5 gab mit aller Bestimmtheit an, dass er zunächst nur beim Blick nach rechts doppelt gesehen habe, später auch beim Blick geradeaus, und noch später beim Blick nach links. Die Doppelbilder waren gekreuzt; dabei bestand immer Konvergenz, aber verschiedenen Grades, beim Blick nach rechts war sie am geringsten. Die Erklärung liegt wohl in der verschieden starken Exklusion der das Bild empfangenden einzelnen Netzhautbezirke.

Die Messung der Doppelbilderdistanz ergab auch bei gleichbleibendem Schielwinkel in allen Fällen ziemlich grosse Differenzen und bestätigte die Angabe Javals und Tschermaks, dass die anomalen Beziehungen weder die Präcision noch die Konstanz der normalen besitzen. Diese Schwankungen werden als Anklänge an die Schwankungen, die der Schielwinkel im Laufe des Wachstums gemacht hat, gedeutet. Diese Erklärung erscheint mir einigermassen zweifelhaft, denn sie setzt voraus, dass die einzelnen Phasen der anomalen Beziehungen von jahrelanger Dauer sein können, was für die anomalen Beziehungen als solche nach der Operation jedenfalls meistens nicht zutrifft. Die Inkonstanz des Anomaliewinkels findet sich bei allen Fällen, deshalb sollte der Ausdruck Ersatzmacula (vicarious fovea der amerikanischen Autoren) nicht mehr gebraucht werden.

Bei den Versuchen, die Distanz der Doppelbilder durch Führung des roten Indikators zu messen, findet oft eine anomale Lokalisation von grösseren Partien der Netzhaut statt, nur diejenige Stelle des Schielauges, die mit der Macula des führenden Auges anomale Sehrichtungsgemeinschaft besitzt, lässt sich in manchen Fällen zunächst gar nicht feststellen, wie bei Nr. 12. Nach einiger Zeit gelingt es aber. Diese Beobachtung findet ihre Erklärung durch die Feststellung Schlodtmanns[1]), dass gerade diese Stelle und die Fovea des Schielauges sich durch eine stärkere „innere Hemmung" auszeichnen, als die übrigen Netzhautbezirke, und dass diese Hemmung nach der Schieloperation allmählich verschwindet. Der Endausgang des paradoxen Doppeltsehens ist verschieden. Einmal kann das paradoxe Bild, wie der oben erwähnte Fall lehrt, schon nach kurzer Zeit durch

[1]) Arch. f. Ophth. Bd. LI, 2. S. 266 u. 268.

Exklusion verschwinden. Ferner ist es bei restierendem Schielen möglich, dass sich die Beziehungen der Netzhäute der veränderten Schielstellung wiederum anpassen, und sich eine neue Anomalie bildet, wie es Javal beobachtet hat. Wirkt man aber der Exklusion durch geeignete Übungen entgegen, so wird im weiteren Verlauf die anomale Lokalisation durch die normale ersetzt. Die Zeit, die bis zum Auftreten der normalen Lokalisation vergeht, ist sehr verschieden. Gewöhnlich vergehen einige Tage bis einige Wochen, selten lässt die normale Lokalisation auch viel länger auf sich warten. Beim 4. Fall war die anomale Projektion nach einem halben Jahre, beim 1. nach einem Jahre noch nicht überwunden. In beiden Fällen war der restierende Schielwinkel sehr gross.

2. Periode: Wettstreit zwischen anomaler und normaler Lokalisation.

Auf diesen Abschnitt der Alleinherrschaft der anomalen Lokalisation folgt ein gewöhnlich viel längerer des Kampfes der anomalen mit der normalen. In einzelnen Fällen setzt dieser Wettstreit auch schon sofort nach der Schieloperation ein und zwar nicht nur in solchen, bei denen sich schon vor der Operation ein Wechsel zwischen beiden Lokalisationen nachweisen liess, sondern auch da, wo vorher noch keine Spur von normaler Korrespondenz bemerkbar war.

Diese Periode des Kampfes ist theoretisch die interessanteste, da die Netzhaut des Schielauges bezüglich ihrer Lokalisation doppelwertig wird, so zwar, dass ein und dieselbe Erregung in 2 verschiedene Sehrichtungen verlegt wird, in die anomale und die normale. Der Wettstreit kann derart sein, dass bald die eine, bald die andere Lokalisation in Tätigkeit tritt (alternierender Wettstreit), wobei in den der Operation unmittelbar folgenden Tagen zunächst mehr die anomale, seltener die normale Projektion zu beobachten ist, während sich später das Verhältnis umkehrt.

Das Erwachen der normalen Lokalisation wird nicht selten durch eine gewisse Unsicherheit in der Ortsgebung eines Netzhauteindruckes angedeutet. Während man bei den ersten Untersuchungen ziemlich prompte Angaben im Sinne der anomalen Lokalisation von seiten der Patienten erhält, wird dieser eines Tages plötzlich schwankend, in welche Richtung er das Netzhautbild verlegen soll. Erst nach einer Weile bekommen wir eine bestimmte Angabe, und zwar gewöhnlich noch im Sinne der anomalen Beziehungen. Bald darauf setzt dann der typische Wettstreit ein. Der Sieg der normalen Lokalisation über die anomale erfolgt manchmal nicht gleichzeitig auf der ganzen Linie. Beim 3. Fall war die anomale Projektion beim Blick nach rechts und geradeaus durch die normale ersetzt, während beim Blick nach links noch Wettstreit bestand. Eine ähnliche Beobachtung hat Javal[1]) gemacht.

Binokulare Triplopie und unokulare Diplopie. In seltenen Fällen, mit sehr eingewurzelter anomaler Sehrichtungsgemeinschaft, kommt es zu gleichzeitiger Verwendung beider Sehrichtungen, der anomalen und der normalen. Die Folge davon war bei mehreren Fällen binokulares Dreifachsehen, bei einem unokulares Doppeltsehen.

Die Doppelwertigkeit der Netzhaut des Schielauges ist eher auslösbar, wenn das andere Auge mittätig ist. Das hat sich schon bei Tschermak gezeigt. Er sieht ein Bild des „Schielauges" unokular doppelt, wenn er die Absicht zu fixieren auf das andere, geschlossene Auge verlegt. Bielschowsky[2]) beschreibt einen Fall, wo ein dem schielenden Auge allein sichtbares Objekt in Doppelbildern erschien, wenn das andere Auge in einem Spiegel einen Lichtpunkt innerhalb eines sonst dunklen Sehfeldes fixierte. Binokulares Dreifachsehen habe ich 3mal beobachtet beim 2., 5. und 6. Fall. Beim 2. und 5. Fall bestand nur noch ein mässiger Grad von Konvergenz, beim 6. war der Schielwinkel nach der Operation meistens genau so gross wie vorher. Die beiden ersten hatten anfangs gekreuzte, ziemlich weit distante, der letzte manchmal auch gekreuzte, meistens aber gleichnamige Doppelbilder von sehr geringem Abstand. Nach einiger Zeit, bei Nr. 2 schon gleich nach der Operation, trat nun ein gleichnamiges, dem Grade der Konvergenz entsprechendes Bild dazu, und zwar waren zuzeiten, wenn auch nicht immer, gleichzeitig drei Bilder vorhanden, wie alle Patienten mit Bestimmtheit versicherten. Übereinstimmend gaben sie auch an, dass die beiden Scheinbilder nicht völlig gleichwertig seien. Dasjenige, dem ihre Aufmerksamkeit zugewandt war, erschien ihnen am deutlichsten.

Was nun die Beziehung der Bilder zu den beiden Augen angeht, so verhält es sich folgendermassen. Stellt man vor das gewöhnlich führende Auge ein grünes, vor das gewöhnlich schielende Auge ein rotes Glas, und lässt ersteres den weissen Gegenstand zentral fixieren, so sehen die Patienten ein grünes und zwei rote Bilder. Ähnlich verhält es sich, wenn das für gewöhnlich schielende Auge zentral eingestellt wird und das andere abweicht. Die beiden

---

[1]) Javal, Manuel du Strabisme. S. 296.

[2]) Bielschowsky, Arch. f. Ophth. Bd. L, 2. S. 455.

Trugbilder gehören also dem abgelenkten Auge an. Ist bei Konvergenz der restierende Schielwinkel kleiner als der Anomaliewinkel, wie bei Fall 2 und 5, so ist ein Bild gleichnamig und eins gekreuzt; ist der Schielwinkel grösser, wie es bei Nr. 6 meistens der Fall war, so sind beide Bilder gleichnamig. Der Abstand der gleichnamigen Bilder vom Hauptbild entsprach beim 2. und 5. Fall genau dem Grade der Konvergenz, beim 6. bei mehreren Messungen gleichfalls, bei einigen war er auch erheblich geringer. Die Differenz ist vielleicht auf Ermüdung der jugendlichen Patientin zurückzuführen.

Figur 1 gibt eine schematische Darstellung der Verhältnisse bei Strabism. converg., wie sie bei Nr. 2 am 25. IV. 06 zutrafen. Vor der Operation ergab die Prüfung mit der Maddoxscheibe bei einer Konvergenz von etwa 35—40° gleichnamige Doppelbilder von 2° Seitenabstand. Der Anomaliewinkel betrug also ungefähr 35°. Durch die Operation wurde die Konvergenz zum grössten Teil beseitigt; zunächst hatte der Patient gekreuzte, bald auch gleichnamige Doppelbilder und schliesslich Triplopie.

Die Verörtlichung der Eindrücke des Doppelauges geschieht nach Hering bekanntlich so, als wenn die Bilder auf der Netzhaut eines in der Gegend der Nasenwurzel gelegenen imaginären, sogenannten Cyklopenauges lägen. Die Richtungslinien dieses Auges bezeichnen die Sehrichtungen. In Figur 1 wird das grüne Auge zur Darstellung der normalen Sehrichtungen verwertet. Das zentrale Bild a des linken den Gegenstand AB fixierenden Auges muss auf a_0, das excentrische α des nach innen schielenden rechten Auges auf α_1 übertragen werden. Das Bild a erscheint also in der Richtung des grünen, das Bild α bei normaler Korrespondenz in der Richtung des zu α_1 gehörenden roten Pfeiles. Um nun das gekreuzte Bild zu verstehen, können wir uns das rote, die anomalen Sehrichtungen versinnbildende Auge in das grüne geschoben denken, aber nicht so, dass beide Gesichtslinien aufeinander fallen, sondern so, dass die des roten Auges GF nach links sieht und mit der des grünen einen Winkel von ungefähr 35°, den Anomaliewinkel, bildet. Die sich jetzt deckenden Stellen haben anomale Sehrichtungsgemeinschaft. Wenn diese tätig ist, muss also α auf α_2 übertragen werden, und der zu α_2 gehörige rote Pfeil gibt die Sehrichtung des gekreuzten anomalen Bildes an.

Der Winkel, den die beiden roten Pfeile einschliessen, ist ebenso wie der von den Gesichtslinien gebildete gleich dem Anomaliewinkel. Er ist in der ersten Zeit nach der Operation am grössten und wird im weiteren Verlaufe allmählich kleiner, ohne aber allmählich bis auf 0 zu sinken. Wenn er sich in mehr oder minder erheblichem Masse verkleinert hat, verschwindet das anomale Bild. Die Lokalisation der Nachbilder zeigt ein ähnliches Verhalten.

Viel seltener als das binokulare Dreifachsehen ist das unokulare Doppeltsehen im engeren Sinne, d. h. Doppeltsehen bei gänzlichem Ausschluss eines Auges vom Sehakt. Bisher sind nur wenige Fälle von Javal, Bielschowsky und Koster[1]) beschrieben worden. Es kam bei einem unserer 3 Fälle von binokularer Triplopie während mehrerer Wochen zur Beobachtung, und zwar beim 6. Fall. Um die unokulare Diplopie verständlich zu machen, geht man am besten von der binokularen Triplopie dieses Falles aus, wie sie sich am 17. XII. 06 darbot. Fixierte die Patientin mit dem rechten, ein grünes Glas tragenden Auge den Gegenstand AB, so schielte das linke mit rotem Glase versehene Auge ungefähr 20° nach innen. Sie gab nun an, ein grünes und 2 rote Bilder zu sehen. Letztere hatten vom grünen einen gleichnamigen Abstand von 3° und 23°. Das am nächsten gelegene rote Bild war das falsch lokalisierte, das entferntere entsprach seiner Lage nach dem Grade der Konvergenz. Die vom Punkte A getroffene Netzhautstelle α des linken Auges lag ein wenig nach innen von der Stelle π, welche mit a anomale Sehrichtungsgemeinschaft hatte. Der zu α_2 gehörende rote Pfeil gibt also die anomale Sehrichtung des Bildpunktes α an. Da aber die normale Lokalisation wieder erwacht war, so korrespondierte α auch noch mit α_1, es musste also auch in der Richtung des zu α_1, gehörenden Pfeiles gesehen werden.

Denkt man sich nun ein Objekt in der Richtung der linken Gesichtslinie aufgestellt, so wird es den normalen angeborenen Beziehungen gemäss gerade vorn wie das Objekt AB gesehen werden, die anomale Sehrichtung aber ist ungefähr 20° nach rechts, nach dem wahren Ort des zweiten Objektes gerichtet. So wäre die Lage bei der binokularen Triplopie. Diese beiden Sehrichtungen blieben hier auch nach Verdecken des rechten Auges in Tätigkeit, und wenn sich jetzt das linke Auge auf das Objekt AB einstellte, so erfuhren beide Sehrichtungen eine Verlagerung von ungefähr 20° nach links, die eine war also geradeaus, die andere 20° nach links gerichtet, wie Figur 3 zeigt. Die unokulären Doppelbilder hatten anfangs einen Abstand von etwa 20°, was dem Schielwinkel entsprach. Doch wurden auch geringere Distanzen beobachtet, was ja für den Ano-

[1]) Koster Gzn., Monoculaire diplopie na genezing van Strabismus divergens zonder physische oorzaak. Nederl. Tijdschr. v. Geneesk. I. p. 1437 u. II. p. 121. Refer. Jahresber. f. Ophth. S. 658. 1904.

maliewinkel charakteristisch ist. Die Doppelwertigkeit der Netzhaut erstreckte sich nasal und temporal fast bis an die Grenzen des Gesichtsfeldes.

Für die doppelte Verörtlichung der Schielaugeneindrücke in der Art, wie sie hier beschrieben worden sind, Brechungsfehler des Auges, z. B. perversen Astigmatismus und astigmatische Accommodation verantwortlich zu machen, wozu Schoen[1]), Snellen jun. und Rochat neigen, ist meines Erachtens nicht möglich. Zweifellos gibt es nach den Untersuchungen von Hummelsheim eine monokulare Diplopie als Folge von hohem Astigmatismus. Übrigens hat weder letzterer Autor noch die folgenden Diskussionsredner dieses Moment zur Erklärung des Doppeltsehens der Schielenden herangezogen. Diese physikalisch bedingte Diplopie unterscheidet sich von der rein funktionellen der Schielenden auch sehr erheblich. Vor allem sind für letztere die Schwankungen in der Distanz der Doppelbilder und die Vergänglichkeit des anomalen Bildes charakteristisch. Die Anhänger der physikalischen Erklärungsweise würden auch in Verlegenheit geraten, wenn man sie aufforderte, bei einer Reihe von Schielenden, bei denen sie die dioptrischen Verhältnisse, aber nicht die funktionellen Beziehungen der Netzhäute kännten, die nach der Operation zu erwartende Form der Diplopie vorauszusagen, während anderseits die auf dem Boden unserer Anschauung stehenden, orientiert über die vor der Operation obwaltenden Netzhautbeziehungen und über den nach der Operation restierenden Schielwinkel, das Verhältnis des anomalen Bildes zum normalen mit ziemlicher Sicherheit angeben könnten. Nur sind sie nicht in der Lage zu sagen, ob die beiden Sehrichtungen gleichzeitig oder alternierend in Funktion treten werden.

Der sechste Fall wies eine derartige Verwertung der anomalen Sehrichtungsgemeinschaft auf, dass sie als ein gewisser, wenn auch nicht vollwertiger Ersatz der normalen angesehen werden kann. Wie schon erwähnt, war der Schielwinkel durch die Operation fast gar nicht verändert, das Mädchen verschmolz aber die stereoskopischen Halbbilder zu einem Gesamtbild, das mit einer deutlichen Tiefenwahrnehmung verbunden war. Die Dahlfeldsche Zahlentafel las sie prompt, und bei mehreren Kreisen hatte sie richtige Tiefenvorstellung, was kein Zufall sein kann. Während es nämlich beim Fallversuch nur zwei Möglichkeiten gibt, sind bei den drei Kreisen sechs

[1]) Vgl. Schoen, Das Schielen. S. 140 u. 142. Hummelsheim, Über monokulares Doppeltsehen bei Astigmatikern. Ber. d. 29. Versamml. d. ophth. Gesellsch. Heidelberg 1901. S. 188.

vorhanden. Den Fallversuch bestand sie nicht. Die normale Lokalisation war zur Zeit dieser Versuche schon mit tätig. Dass die Verwertung der beiden Halbbilder aber nicht auf der Grundlage der normalen Korrespondenz erfolgte, ging daraus eindeutig hervor, dass das linke Auge bei Verdecken des rechten eine grosse, ungefähr 20° betragende Einstellungsbewegung machte.

Das unokulare Doppeltsehen erlischt vor dem binokularen Dreifachsehen, da es den Höhepunkt des Kampfes darstellt. Und wie der alternierende Wettstreit der Projektionen häufiger ist, als das gleichzeitige Vorkommen, so schliesst sich auch an das Stadium der binokularen Triplopie oft vor dem völligen Erlöschen noch ein solches alternierenden Wettstreites an, wobei die anomale Projektion immer seltener in die Erscheinung tritt und die normale mehr und mehr die Oberhand gewinnt.

Dauer. Was nun die Dauer dieser Periode angeht, so erklärt Bielschowsky, dass es bei anomaler Beziehung der Netzhäute stets einige Wochen dauere, bis das Binokularsehen erreicht werde. Von vornherein sei man in keinem Falle in der Lage, die Herstellung des binokularen Sehaktes als Endresultat mit Bestimmtheit zu erwarten. Unter der grossen Zahl der von ihm im Laufe der letzten drei Jahre untersuchten Schielenden sah er nur eine Patientin, bei der eine enorme Ablenkung bis auf einen minimalen Rest beseitigt war, bei welcher noch ein Jahr nach der Operation bald gleichseitige, bald gekreuzte Doppelbilder vorhanden waren, die mit Prismen nie zur Verschmelzung gebracht werden konnten. Bei dem bekannten von ihm mitgeteilten Fall von unokularer Diplopie war diese Periode des Wettstreites nach drei Jahren noch nicht überwunden.

In einzelnen unserer Fälle war dieser Abschnitt schon nach einigen Tagen zu Ende. Bei Nr. 9 war schon einige Tage nach der Operation keine Spur von anomaler Projektion bei Prüfung mit farbigen Objekten und komplementären Gläsern mehr zu bemerken, aber wohl mit Nachbildern. In andern dauerte es viel länger: einige Wochen oder Monate. Bei Nr. 5 wurde die binokulare Triplopie ein Jahr nach der Operation noch konstatiert. Aus dieser langen Dauer erhellt die Wichtigkeit der Diagnose vor der Operation, damit dem Patienten die richtige Prognose gestellt wird. Denn wenn die anomalen Doppelbilder anfangs auch wenig auffallen, oder gar erst mit Hilfe künstlicher Methoden zum Bewusstsein gebracht werden können, so werden sie doch im weiteren Verlaufe deutlicher und können lästig fallen.

Therapie. Dieser Umstand kann uns in die Notwendigkeit versetzen, auf Mittel zu sinnen, um diese Periode abzukürzen.

Die Ursachen, welche die Lokalisation beeinflussen, sind in vielen Fällen in Dunkel gehüllt, im einzelnen vermögen wir die Netzhautbeziehungen aber sehr wohl zu verändern. Bielschowsky und Schlodtmann sahen Schielende, welche noch die Fähigkeit besassen, die Augen zeitweilig einzustellen. In diesem Moment war die Lokalisation normal, sonst anomal. Schlodtmann beobachtete einen Fall, der foveale Glühliniennachbilder gewöhnlich getrennt lokalisierte, nur im Moment des Lidschlusses erfolgte die Lokalisation auf dem Boden der normalen Korrespondenz. Letzterer Autor hat auch nachgewiesen, dass die anomale Lokalisation, die auch unter gleichbleibenden Bedingungen in geringem Grade oscilliert, bei Veränderung der Abbildungsverhältnisse viel erheblichere Schwankungen zeigt, ganz unabhängig von der jeweiligen Schielstellung.

Unsere Beobachtungen bestätigen den Einfluss der Abbildungsverhältnisse auf die Lokalisation. Nr. 7 hatte unter gewöhnlichen Bedingungen trotz Divergenz gleichnamige, wenig distante Doppelbilder, ebenso wenn vor dem gewöhnlich schielenden rechten Auge ein rotes Glas stand. Sobald man aber das rechte Auge frei liess, und vor das linke weiter fixierende Auge ein buntes Glas setzte, trat prompt die normale Lokalisation in Gestalt von weit entfernten, gekreuzten Bildern hervor.

Die anomale Korrespondenz scheint um so länger zu bestehen, je ähnlicher die Bedingungen des Sehens nach der Operation denen vor der Operation sind. Deshalb spielt auch die Grösse des Schielwinkels eine Rolle. Je mehr sich die Augenstellung der normalen nähert, desto leichter kann die anomale Lokalisation in die normale übergehen. Die Fälle 1, 4 und 6, bei denen der Schielwinkel wenig oder gar nicht verändert war, hielten die anomale Projektion am längsten fest. Anderseits ist es auch bei unveränderter Schielstellung möglich, die normale Projektion zu wecken, wie Nr. 6 lehrt.

Die erste Aufgabe der Therapie ist, das Schielauge aus seinem Halbschlafe zu reissen, selbst auf die Gefahr hin, dass längere Zeit lästige Doppelbilder vorhanden sind. Überlässt man den Patienten mit restierendem Schielen sich selbst, so besteht die Gefahr, dass sich die Netzhautbeziehungen wieder der Stellung anpassen.

Von grossem Wert bei der Behandlug ist der schon von Javal hervorgehobene häufige Wechsel zwischen Rechts- und Linksfixation, wie bereits erwähnt ist. Weiter habe ich die Patienten angehalten, helle Gegenstände zu fixieren und das Schielauge abwechselnd zu verdecken und wieder frei zu geben.

Um ihnen die Perzeption des Schielaugenhalbbildes zu erleichtern, kann man sich der Apparate von Landolt, Javal, des Amblyoskopes von Worth[1]) oder des mit einem Satz grauer Gläser versehenen Stereoskopes von Senn[2]) bedienen. Diese Apparate sind konstruiert, um das Schielaugenbild über die Schwelle zu bringen, was ja auch bei unsern Fällen das erste Ziel ist. Ist das Schielauge wieder zu einer lebhafteren Tätigkeit erwacht, so lässt sich bei manchen Fällen nach einiger Zeit durch eine der Lage der Dinge angepasste Wahl der Abbildungsverhältnisse die normale Korrespondenz hervorrufen. So verordnete ich zwei Schielpatienten mit anomaler Projektion, von denen nur einer (Nr. 11) hier angeführt ist, eine Brille mit einem gewöhnlichen und einem roten Glase, bei welcher Anordnung die normale Projektion bei einem unter meinen Augen in Funktion trat. Hier war die Periode des Wettstreites auffallend kurz. Schon nach einigen Tagen war die anomale Lokalisation spurlos verschwunden.

Beziehungen zwischen Augenstellung und Lokalisationsart.

Von Bielschowsky ist nachgewiesen, dass der Schielwinkel, der immer ein wenig oscilliert, bei Veränderung der Versuchsbedingungen in beträchtlicherem Grade schwankt. Schlodtmann (loc. cit. S. 272), der die Schwankungen des Anomaliewinkels bei Variation der Abbildungsverhältnisse entdeckte, sagt, dass die Schwankungen des Anomaliewinkels und Schielwinkels gewöhnlich zugleich und in gleichem Sinne, aber nicht in gleichem Ausmass stattfänden. Schlodtmann hält die Änderung des Anomaliewinkels für das Primäre und fasst die Änderung des Schielwinkels als Korrektionsbewegung im Sinne Herings auf, die eine Analogie zu den normalen Fusionsbewegungen bedeute. Adam (loc. cit. S. 116) möchte das nicht so ohne weiteres unterschreiben. Er sah nämlich ebenso wie Bielschowsky einige periodisch Schielende, die bei normaler Augenstellung normal, während des Schielens aber anomal lokalisierten. Hier, meint Adam, sei sicher nicht die Änderung des Anomaliewinkels des Primäre gewesen. Im Gegenteil, infolge der Änderung des Schielwinkels oder wenigstens gleichzeitig von einer gemein-

[1]) Worth, Das Schielen, übersetzt von Oppenheimer. S. 78. 1905.
[2]) Senn, Arch. f. Augenheilk. Bd XLIV, 2. S. 118.

samen Ursache abhängig habe sich der Anomaliewinkel geändert. Wenn nun auch sicher ist, was Adam als Stütze seiner Ansicht anführt, dass die anomale Sehrichtungsgemeinschaft als Anpassung an die Schielstellung aufzufassen ist, so muss meines Erachtens doch im allgemeinen der Wiederherstellung der zentralen Einstellung der Augen das Erwachen richtiger Korrespondenz vorausgehen, es sei denn, dass die normale Augenstellung einmal zufällig durch die Operation erreicht wird, wie es bei Nr. 8 vorgekommen zu sein scheint. Ferner mag es auch manchen Schielenden möglich sein, den Schielwinkel willkürlich zu verändern, ohne dass die sensorischen Funktionen dabei helfen, wie es auch Gesunden möglich ist, eine Innervation zu finden, die Schielen hervorruft, ohne dass die sensorischen Funktionen der Netzhäute dies verhindern. Aber der gewöhnliche Gang der Dinge ist der, dass ein gewisser Schielgrad nach der Operation zurückbleibt, dass sich nach längerer oder kürzerer Zeit die anomale Lokalisation in die normale umwandelt, und endlich allmählich auch die Augenstellung normal wird, wenn das Fusionsvermögen lebhaft genug wird, dies zu erzwingen. Doch davon noch im nächsten Abschnitt.

3. Periode: Alleinherrschaft der normalen Lokalisation.

Das Stadium der alleinigen Gültigkeit der normalen Korrespondenz schliesst sich entweder an das vorhergehende des Wettstreites an, oder die anomale Projektion schlägt ganz unvermittelt — soweit wir sehen — in die normale um. Die Fälle 2, 3, 9, 10 und 11 waren bei Abschluss unserer Untersuchungen in diese Periode übergetreten.

Mit dem Beginn der Alleinherrschaft der normalen Korrespondenz tritt aber gewöhnlich ein normaler binokularer Sehakt auch dann noch nicht ein, wenn die restierende Schielstellung so gering ist, dass sie bei nie gestörter Korrespondenz spielend überwunden wird. Der mit binokularer Tiefenwahrnehmung verbundene Sehakt muss erst mühsam erworben werden.

Auffällig ist nämlich in allen hier angeführten Fällen zunächst das fast gänzliche Fehlen des Fusionszwanges. Bei Nr. 9, wo die anomale Lokalisation schon nach einigen Tagen verschwand, liessen sich die gleichzeitig wahrgenommenen und nur einige Grade voneinander entfernten Halbbilder mit Hilfe von Prismen bis auf Bruchteile eines Grades annähern, aber nie verschmelzen. Ähnlich war es beim 2. und 5. Fall. Ich habe dabei auch auf etwaige Abweichung des vertikal empfindenden Meridians gefahndet, aber auch wenn dieser in normaler Lage war, kam es trotzdem zunächst nicht zu einer Verschmelzung der Einzelbilder zu einem Gesamtbild.

Albrecht v. Graefe[1]) hat von Antipathien gegen das Einfachsehen gesprochen. Auch in einem unserer Fälle wurde das binokulare Einfachsehen lästig empfunden. Nr. 10 besass nämlich in der Periode, wo die anomale Projektion schon verschwunden war, die Fähigkeit, die gleichnamigen Doppelbilder zu verschmelzen und er zwang sich, für gewöhnlich die Augen einzustellen. Nur bei seiner Arbeit als Lithograph konnte er die normale Stellung nicht beibehalten, weil ihm die dabei vorhandene Sehschärfe nicht genügte. Als ich der Ursache nachforschte, ergab sich ein merkwürdiger Befund. Bei zwanglosem Blick schielt das rechte Auge, dessen zentrale Sehschärfe ohne Korrektion $^5/_{35}$ betrug, ungefähr 15° nach innen. Dabei bestanden gleichnamige Doppelbilder von entsprechendem Abstand, und die Sehschärfe des linken Auges war $^5/_5$. Wenn er sich nun anstrengte, die Bilder zu vereinigen, sank die Sehschärfe des fixierenden linken Auges mehr und mehr und bei Verschmelzung betrug sie nur $^5/_{25}$. Etwaige optische Minderwertigkeit des rechtsäugigen zentralen Eindruckes konnte nicht die Ursache der Abnahme der linksäugigen Sehschärfe sein, denn letztere blieb auch nach Vorsetzen einer Blende vor das rechte Auge herabgesetzt, solange der Patient die binokulare Einstellung aufrecht zu halten suchte.

Diese Beobachtung gehört wohl in das Kapitel der inneren Hemmung. Bei den übrigen Fällen handelt es sich nicht um Widerwillen, sondern um Gleichgültigkeit gegen Einfachsehen. Erst nach längeren stereoskopischen Übungen erlangten die Patienten die Fähigkeit, beide Halbbilder zu verschmelzen. Mit dem Gesamteindruck war aber zunächst noch keine richtige Tiefenvorstellung verbunden. Objekte waren immer die Dahlfeldschen Kreise. Die richtigen Angaben waren zunächst nicht häufiger als bei Einäugigen. Bei weiterem Üben konnte jedoch eine deutliche, wenn auch langsame Besserung konstatiert werden. Die Zahl der richtigen Angaben mehrte sich. Doch habe ich in keinem einzigen Falle die Genugtuung gehabt, den binokularen Sehakt zu einem ganz vollkommenen werden zu sehen, trotz grosser Beharrlichkeit der Patienten, und zwar auch da nicht, wo die Sehschärfe normal und die Augenstellung die denkbar beste war. Was nun die prinzipielle Frage angeht, ob

[1]) v. Graefe's Arch. Bd. I, 1. S. 117.

Schielende mit anomaler Sehrichtungsgemeinschaft einen normalen binokularen Sehakt erreichen können, so ist die Ansicht Schweiggers[1]), der gesagt hat: „Bei Schielenden, die eine neue Beziehung der Netzhäute erworben haben, kann nach der Operation der normale binokulare Sehakt nicht wieder erlernt werden, weil die Schielenden ein eigenartiges und für sie genügendes Binokularsehen besitzen", schon durch die Beobachtungen anderer Autoren widerlegt worden.

Wenn ich auch in der relativ kurzen Beobachtungszeit keine vollkommene Heilung gesehen habe, so spricht doch der ganze Verlauf dafür, dass viele Patienten bei Abschluss der Untersuchungen einen grossen Teil des Weges bereits zurückgelegt hatten und bei beharrlichem Fortsetzen der Übungen das ideale Ziel erreichen werden.

Erklärung der Abbildungen auf Taf. XXIV, Fig. 1—3.

Fig. 1. Binokulare Triplopie (Fall Nr. 2).
Fig. 2. Binokulare Triplopie, Rechtsfixation (beide Augen offen, Fall Nr. 6).
Fig. 3. Unokulare Diplopie, Linksfixation (rechtes Auge geschlossen, Fall Nr. 6).

---

[1]) Schweigger, Die Erfolge der Schieloperation. Arch. f. Augenheilk. Bd. XXIX. S. 208. 1894.

Aus der K. K. II. Universitäts-Augenklinik in Wien.
(Vorstand: Hofrat Prof. E. Fuchs.)

Die Cyklodialyse und ihr Einfluss auf die intraokulare Drucksteigerung.

Von

Dr. J. Meller,
Privatdozent und 1. Assistent.

Mit Taf. XXV, Fig. 1—3.

In der vorliegenden Arbeit berichte ich über die Erfahrungen, welche ich über die Cyklodialyse und ihre Wirkung gegen die Drucksteigerung gesammelt habe. Die Cyklodialyse ist eine junge Operation, welche Heine erdacht und vor etwas über zwei Jahren zum erstenmal veröffentlicht hat.

Die Operation wird in der Weise vorgenommen, dass man zunächst die Bindehaut des Augapfels — am besten aussen unten — nach gründlicher Kokainisierung einschneidet und die Sklera nach Durchtrennung der Tenonschen Kapsel in kurzer Strecke blosslegt, so dass man in einer Entfernung von ungefähr 5 mm vom Limbus einen Einschnitt durch dieselbe bequem ausführen kann. Dieser Schnitt durch die Sklera verläuft parallel zum Limbus und darf nicht länger als 2 mm sein. Man vollführt ihn am besten mit dem Lanzenmesser, indem man die Sklerallamellen in mehreren Strichen vorsichtig durchtrennt, wobei man senkrecht durch dieselben vordringt. Da auf jeden Fall eine Verletzung des darunter liegenden Uvealtraktes — bei einer Entfernung von 5 mm ist man noch im Bereiche des Ciliarkörpers — vermieden werden muss, hat man den Schnitt langsam auszuführen, ohne starken Druck und ohne die Spitze der Lanze selbst zum Vordringen zu verwenden. Es ist vielmehr besser, das vordere Ende der einen seitlichen Schneide der Lanze auf die Sklera aufzusetzen. Dass man durch die Sklera durchgedrungen ist, erkennt man erstens durch das Nachlassen des Widerstandes, den die noch ungetrennten Skleralfasern selbst in dünnster Schicht noch boten, zweitens durch die in der strichförmigen Wunde auftretende schwarze Farbe der Uvea, und drittens durch den Umstand, dass auch die leiseste Berührung des Ciliarkörpers mit dem Instrumente als sehr schmerzhaft empfunden wird, während der Schnitt durch die Sklera selbst für gewöhnlich ganz schmerzlos ist. Um den Schnitt sicher ausführen zu können, hält man sich das Auge mit einer Fixationspincette fixiert, während man den Patienten auffordert, kräftig nach innen oben zu blicken. Die Fixation des Auges ist auch bei einem gut haltenden Patienten notwendig, weil der Schnitt durch die Sklera dem Messer doch so viel Widerstand meistens bietet, dass das Auge allein der Lanze nicht ruhig standhält.

Sehr hinderlich kann bei der Ausführung des Schnittes die Blutung werden. Einträufeln von Adrenalin noch vor dem Einschnitt in die Bindehaut ist vorteilhaft, um eine Blutung aus den durchschnittenen Bindehautgefässen zu verhindern. Die Lage des Schnittes muss so gewählt werden, dass man dabei keines der vorderen Ciliargefässe verletzt, welche gerade in den zu dieser Operation kommenden Augen fast immer stark erweitert sind. Wird ein Ciliargefäss angeschnitten, so blutet es während der ganzen Operation weiter und macht die Ausführung des Schnittes, während welcher man gut sehen soll, sehr schwierig, und kann auch ausserdem noch unangenehm werden, weil das Blut, das nicht sorgsam und schnell genug vom Assistenten weggetupft werden kann, im späteren Verlaufe der Operation in das Auge selbst eingesaugt werden kann. Tritt eine Verletzung eines Ciliargefässes ein und ist die Blutung tatsächlich so störend, so stillt man dieselbe am besten dadurch, dass man die blutende Stelle mit einem feinen spitzen Thermokauter betupft. Übrigens ist die Sklera in diesen Augen immer sehr blutreich, und der Assistent hat oft genug zu tun, mit einem gut ausgedrückten zugespitzten Kochsalztupfer fort und fort die Wunde für einen Augenblick rein zu machen, während welches der Operateur einen neuerlichen Schnitt ausführt und besonders darauf achtet, ob die schwarze Farbe des Uvealtraktes schon sichtbar wird.

Bei der Ausführung zahlreicher Operationen dieser Art ist man überrascht, wie verschieden dick die Sklera bei den verschiedenen Individuen ist. Ich spreche hier nicht von Augen, in denen es infolge des Glaukoms bereits zu umschriebenen Ektasien der Sklera oder zur allgemeinen Verdünnung derselben wie beim Hydrophthalmus gekommen ist, sondern von der anscheinend normalen Sklera. Dies mag allerdings teilweise mit der verschiedenen Lage des Schnittes zusammenhängen. Befindet man sich z. B. etwas näher der Ausstrahlung einer Muskelsehne, so findet man die Sklera daselbst etwas dicker.

Der Schnitt selbst soll so lang sein, dass man mit einem gewöhnlichen Irisspatel eindringen kann. Dazu ist eine Länge von 2 mm mehr als genügend. Ein längerer Schnitt könnte das Auge in schwere Gefahren bringen, wie Klaffen der Wunde mit Vorfall des Ciliarkörpers u. dgl., Komplikationen, die bei einem Schnitte von 2 mm Länge einfach unmöglich sind.

Das Einführen des Spatels durch die Wunde und das Vorschieben desselben zwischen Sklera und Ciliarkörper nach vorne bilden den zweiten Hauptteil der Operation. Es kommt nicht so selten vor, dass man beim Schneiden mit der Lanze bereits das Nachlassen des Widerstandes der Sklera gefühlt hat und doch bei dem Versuche, den Spatel einzuführen, auf einen starken Widerstand stösst. Gewöhnlich handelt es sich um einzelne stehengebliebene Skleralfasern, so dass die Perforationsstelle selbst zu kurz ist, um dem Spatel freien Weg zu geben. In diesem Falle versuche man nicht, die Fasern mit dem Spatel stumpf zu durchstossen. Sie sind immer zu widerstandsfähig. Man hat vielmehr sorgfältigst die stehengebliebenen Skleralfasern mit der Lanze zu durchtrennen.

Der Spatel nun wird unter Fixation des Auges mit einer Pincette so eingeführt, dass man ihn ein wenig steil gehalten zunächst durch die Dicke der Skleralwunde vorschiebt und dann sofort, nachdem das Ende des Spatels die hintere Skleralwundlippe erreicht hat, parallel zur Skleralfläche umlegt, um ihn darauf langsam entlang der hinteren (inneren) Fläche der Sklera nach vorne zu führen, wobei seine Fläche selbst parallel ist zur Fläche der Sklera. Alsbald erscheint das Spatelende frei im Kammerwinkel.

Und nun folgt der dritte Teil der Operation: die Loslösung des Ciliarkörpers, die eigentliche Cyklodialyse. Durch eine entsprechende Seitenbewegung des Spatels (Drehung um eine senkrecht auf die Spatelrichtung durch den Perforationspunkt in der Sklera gehende Achse) löst man den Ciliarkörper nach unten los bis zum unteren Ende des vertikalen Meridians, und nach aussen resp. oben bis zum äusseren Ende des horizontalen Meridians, so dass ungefähr im ganzen ein Quadrant unterminiert wird. Der Spatel wird dabei nicht weiter in die Kammer vorgeschoben, als dass eben seine Spitze immer in der Kammerbucht sichtbar bleibt. Nach ausgeführter Unterminierung bringt man den Spatel in die ursprüngliche Lage zurück, wie er eingedrungen war, und zieht ihn langsam heraus.

Das Einführen des Spatels ist im allgemeinen keine schwierige Sache. Man hat sich natürlich auch hier wieder besonders vor einer Verletzung des Ciliarkörpers zu hüten. Man halte also den Spatel beim Einführen in die Wunde nicht etwa senkrecht gegen die Sklera, sondern schon schräg und lege ihn sofort parallel zur Sklera um, wenn man den hinteren Wundrand erreicht hat. Bei der Unterminierung selbst fühlt man in den allermeisten Fällen kaum einen merklichen Widerstand. Doch kann sich ein solcher ausnahmsweise einstellen:

1. Wenn einige wenige undurchschnittene Skleralfasern durch den vordringenden Spatel nach innen vorgedrängt werden und dann durch ihren Widerstand den Spatel aufhalten. In diesem Falle tritt der Widerstand gleich in der Wunde ein und der Spatel ist dabei kaum 1 mm weit nach vorne gekommen.

2. Durch ein aus dem Ciliarkörper zur Sklera ziehendes Blutgefäss oder einen Ciliarnerven. Dies führt mich auch gleich zur Besprechung zweier anderer Umstände: der Blutung bei der Unterminierung und dem Schmerze. In einer grossen Anzahl der Fälle verläuft die Unterminierung entweder ganz oder fast ganz ohne Blutung.

Ich habe schon früher die Blutung beim Ausführen des Schnittes erwähnt und möchte hier noch einmal hervorheben, dass man die Wunde selbst immer blutfrei halten soll, besonders beim Herausziehen des Spatels, weil sonst ein förmliches Einsaugen von Blut aus der Wunde in das Augeninnere stattfinden kann. Jetzt aber handelt es sich um die Blutung bei der Loslösung des Ciliarkörpers selbst. Wer so wie wir einen ganzen Quadranten oder noch mehr loslöst, bei dem wird es natürlich unvermeidlich sein, dass er gelegentlich dabei ein vorderes Ciliargefäss durchtrennt, worauf sich entweder noch während der Spatelbewegung, meistens aber in dem Momente des Herausziehens des Spatels aus dem Auge das Blut in die vordere Kammer ergiesst. Eine Blutung stellt immer eine unangenehme, die Wirkung der Operation entschieden herabsetzende Komplikation dar und soll womöglich vermieden werden. Letzteres kann durch einen unmittelbar nach dem Herausziehen des Spatels auf das Auge sofort ausgeübten Druck mit dem Finger und sogleich angelegten Druckverband erreicht werden. Eine starke Blutung in die vordere Kammer kann nicht nur selbst die Ursache einer neuerlichen Drucksteigerung sein, sondern ist insbesondere auch dadurch von Nachteil, dass infolge der in solchen kranken Augen oft verlangsamten Resorption des Blutes die Iris und die Pupille durch lange Zeit der Beobachtung entzogen bleiben. Wenn in manchen Fällen die Ursache der Blutung in einer direkten Verletzung des Ciliarkörpers gelegen ist, so ist dies als ein Fehler des Operateurs zu bezeichnen, der entweder beim Schnitte oder aber durch schlechte Haltung des Spatels die Verletzung erzeugt hat.

Der Druckverband soll nicht vor acht Stunden abgenommen werden.

Von keiner Bedeutung für den Erfolg ist die Begegnung des Spatels mit einem Ciliarnerven. Während manche Patienten angeben, dass der Eingriff, insbesondere das Unterminieren ihnen kaum einen nennenswerten Schmerz verursache, ist er für andere ganz ausserordentlich schmerzhaft. In letzteren Fällen kam der Spatel gewiss mit einem Nerven in Kontakt, der vielleicht auch bei der Bewegung des Spatels zerrissen oder gezerrt wurde. Ich spreche hier nur von der regelrechten Ausführung der Operation. Wer den Ciliarkörper selbst mit dem Spatel verletzt, wird gewiss den Patienten arge Schmerzen verursachen.

3. Kann ein Widerstand fühlbar werden, wenn der Spatel an den Ansatz der Ciliarmuskelfasern am Skleralsporn anlangt. In manchen Fällen spürt man vor dem Erscheinen des Spatels in der Kammerbucht einen nicht unbeträchtlichen Widerstand. Dies scheint dann der Fall zu sein, wenn bei gut entwickeltem Skleralsporn der Spatel, anstatt entlang seiner hinteren Seite, unter Durchtrennung der Muskelfasern in das Balkenwerk des Kammerwinkels hineinzugleiten, in das Gewebe des Skleralsporns selbst einzudringen versucht. Eine leichte Neigung des Spatels in dem Sinne, dass das Spatelende mehr gegen die Iris zu gerichtet wird, lässt den Widerstand sofort verschwinden.

Ein Widerstand beim Vordringen des Spatels kann 4. erzeugt sein durch das Eindringen des Spatels zwischen der Descemetschen Membran und dem Hornhautparenchym. Wird der Spatel sehr straff gegen die hintere Skleralfläche angedrückt gehalten, so kann es geschehen, dass das Spatelende, anstatt zwischen den Fasern des Ligamentum pectinatum, dieselben durchtrennend, frei im Kammerwinkel zu erscheinen, an die vordere Seite der Descemetschen Membran gelangt und nun zwischen derselben und dem Hornhautparenchym gefangen ist. Der dadurch bedingte Widerstand ist ein ziemlich starker. Das Zustandekommen eines solchen Ereignisses ist für denjenigen leicht verständlich, der an die anatomische Beziehung des Ligamentum pectinatum zur Descemetschen Membran denkt, welch letztere in die Fasern des Ligamentum übergeht. Durch ein leichtes Zurückziehen des Spatels befreit man denselben aus seiner Einklemmung und fühlt in demselben Momente den Widerstand verschwinden. Dieses unrichtige Vorschieben des Spatels kann nachträglich noch am Auge erkannt werden. Man sieht nämlich den losgelösten Rand der Descemetschen Membran bei seitlicher Beleuchtung als eine goldig glänzende Linie, zumal sich derselbe manchmal gegen die vordere Kammer zu aufrollt; entsprechend dieser Stelle entwickelt sich aus bekannten Gründen eine von der hinteren Hornhautwand ausgehende Hornhauttrübung, die allerdings gewöhnlich nur sehr zart ist, Dreiecksform hat, und über welcher das Hornhautepithel eine leichte Stichelung zeigt. Diese Hornhauttrübung geht nach mehrwöchentlicher Dauer langsam, aber vollständig zurück (siehe Fall 3). Es scheint durch Hinüberwuchern der Endothelzellen über die von der Descémetschen Membran entblössten Stelle der hinteren Hornhautfläche das Parenchym vor einer andauernden Schädigung durch das Kammerwasser geschützt zu werden. In einem meiner Fälle (3) erinnerte die entstandene Hornhauttrübung ganz an die felderförmige Hornhauttrübung, wie man sie gelegentlich nach Staroperationen beobachtet, d. h. sie bestand aus grauen Feldern, die durch gerade, dunkel erscheinende, weil durchsichtige Streifen voneinander getrennt sind. Diese Art der traumatischen Hornhauttrübung kann man nicht durch Faltenbildung der Descemetschen Membran erklären; sie beruht auf einer Veränderung des Hornhautparenchyms selbst, wahrscheinlich auf Quellungsvorgängen.

Die Ablösung der Descemetschen Membran scheint eine der häufigsten Komplikationen dieser Operation zu sein. Wenigstens habe ich in zwei von den drei anatomisch untersuchten Fällen eine weitgehende Ablösung konstatieren können. Die anatomischen Verhältnisse der Gegend machen dieses Ereignis gewiss verständlich. Es wäre aber gefehlt zu glauben, dass die Cyklodialyse jedesmal diese Folge haben müsse. In den meisten Fällen erscheint der Spatel sofort frei in der vorderen Kammer, nachdem er wie ein scharfes Instrument den Ansatz der Muskelfasern und das Balkenwerk im Kammerwinkel durchschnitten hat. Am besten dürfte sich dieser Zwischenfall, der übrigens keine klinischen Nachteile hat, dadurch vermeiden lassen, dass man das Spatelende etwas zuschärft, so dass es das Balkenwerk schon bei leiser Berührung durchschneidet, und nicht infolge seiner Stumpfheit das Ligamentum pectinatum vorschiebt und die Membran ablöst.

Nicht jede im Bereiche des Operationssektors auftretende Hornhauttrübung darf aber einer Ablösung der Descemetschen Membran zugeschrieben werden. Gelegentlich entsteht eine Trübung durch die blosse Berührung der hinteren Hornhautwand mit dem Spatel. Die Trübung ist in diesen Fällen äusserst zart und in wenigen Tagen vollständig verschwunden.

Ein fünfter Widerstand, den man zunächst in glaukomatösen Augen erwarten würde, spielt dagegen kaum eine Rolle. Ich meine den Widerstand, der durch die periphere Anlötung der Iriswurzel an die hintere Hornhautwand erzeugt werden könnte. Wenn man an Glaukom erblindete Augen mikroskopisch untersucht, so findet man eine innige Verbindung der Iriswurzel mit der hinteren Hornhautwand. Wenn man nun allerdings von diesem Gewebe keinen in Betracht kommenden Widerstand fühlt, so sollte man doch glauben, dass der Spatel hier nicht mehr den richtigen Weg zwischen Iris und Hornhaut finden und die angelötete Iriswurzel durchbohren würde, um in die vordere Kammer einzudringen. Dies ist zwar gelegentlich, aber durchaus nicht immer der Fall. Ich werde noch später auf die Möglichkeit der Erzeugung einer Iridodialyse bei dieser Operation eingehen, muss aber hier schon erwähnen, dass dieselbe eine sehr seltene Folge der Operation ist und dem Auge weiter keine Nachteile bringt. Die Verlötung dürfte also doch keine so innige sein, wie es dem anatomischen Aussehen nach zu erwarten wäre.

Damit komme ich nun auf ein anderes Gebiet, nämlich auf die Besprechung, wie sich die Iris und die andern Gebilde des Kammerwinkels bei dieser Operation verhalten. Wenn man einen meridionalen Durchschnitt durch ein Auge betrachtet, so ist es nicht schwer zu erkennen, dass der Spatel bei seinem Vordringen zwischen Sklera und Ciliarkörper durch das lockere, diese beiden Membranen verbindende Gewebe und bei seinem Erscheinen in der Kammerbucht 1. vor der Iriswurzel hervorkommt, welch letztere ihren Ursprung aus der vorderen Seite des Ciliarkörpers nimmt, während der Spatel entlang dessen äusserer Seite nach vorne gleitet, dass also damit bei normaler Kammerbucht die Gefahr einer Iridodialyse ausgeschlossen erscheint. Wie gerade oben des Näheren ausgeführt, wird eine solche für gewöhnlich nicht einmal bei der pathologischen Anlötung der Iriswurzel an die hintere Hornhautwand erzeugt.

Gelegentlich glaubt man wohl während der Operation eine Iridodialyse zu sehen, d. h. die betreffende Stelle des Kammerwinkels erscheint tief schwarz. Dies ist nämlich dann der Fall, wenn man mit dem Spatel die Iris samt dem Ciliarkörper ein wenig gegen das Augeninnere zu abdrängt, so dass die schwarze Farbe des Ciliarkörpers zum Vorschein kommt.

Ich habe eine Iridodialyse einmal auf eine Weise erzeugt, die nicht der Operationsmethode zur Last gelegt werden darf, nämlich in folgender Art (Fall 1): Beim Vorschieben des Spatels legten sich einige schlingenartig vorspringende Fasern der Iris in das Spatelende, und da sie bei weiterem Vordringen des Spatels nicht durchtrennt wurden, kam es infolge der Zerrung der Iriswurzel zu einer kleinen Iridodialyse. Nur in Fall 21 (Glauc. absol.) entstand die Iridodialyse in der Weise, wie sie von vornherein wahrscheinlich ist, nämlich beim Eindringen des Spatels in die vordere Kammer und dabei stattfindenden Durchtrennung der peripheren vorderen Synechie bei gleichzeitig bestehender hochgradiger Atrophie der Iris.

2. Zeigt sich, dass der Schlemmsche Kanal gegen eine Beschädigung von Seite des Spatels geschützt ist durch den Skleralsporn. Dieser Umstand war schon in der seinerzeitigen Diskussion der Heidelberger Gesellschaft in Betracht gezogen worden. Axenfeld, der ein Bedenken gegen diese Operation in der Beziehung aussprach, dass es durch eine Verletzung des Schlemmschen Kanales zu einer schweren intraokularen Blutung kommen könne, wurde von Fuchs erwidert, dass in dieser Beziehung nichts zu fürchten sei, da der Kanal durch den Skleralsporn wohl geschützt sei, entlang dessen hinterer Seite der Spatel in die vordere Kammer gleite. Allerdings muss ich hier sagen, dass es doch gelegentlich zu Blutungen aus dem Schlemmschen Kanal kommt. Wenn man bedenkt, dass die eine Wand des Schlemmschen Kanals von den Fasern des Ligamentum pectinatum gebildet wird, und dass diese Fasern bei der Operation vom Spatel grösstenteils durchtrennt werden, so ist es immerhin möglich, besonders wenn die die innere Wand des Schlemmschen Kanals bildenden Fasern des Ligamentum pectinatum von ihrem Hornhautansatz losgerissen werden, dass der Kanal dadurch eröffnet und eine Blutung erzeugt wird. Ich werde noch später auf dieses Ereignis zurückkommen.

3. Ist es klar, dass diese Operation Heines eigentlich eine

ideale Freimachung des Kammerwinkels ist. Zeichnung 1 zeigt den Unterschied in der Kammerbucht sehr deutlich. Während die Kammerbucht der rechten Seite durch die periphere Anlötung der Iris verschlossen und der Schlemmsche Kanal unzugänglich ist, hat der Kammerwinkel der linken, operierten Seite normale Konfiguration, die Iris ist in ihrem Ciliarteile sogar ein wenig nach rückwärts gesunken, und der Schlemmsche Kanal wie in einem normalen Auge freiliegend. In dem vorliegenden Falle war durch eine totale Verödung desselben ein Erfolg dieser Freilegung allerdings vereitelt worden.

Dass der Verschluss des Kammerwinkels bei der Entstehung des Glaukom eine ganz hervorragende Rolle spielt, weiss man seit langem und eine Reihe von Operationen zielen auf eine Freimachung desselben hin, wie z. B. die vordere Sklerotomie von v. Wecker, die Einschneidung des Kammerwinkels von de Vincentiis u. dgl. Man hat allen diesen Operationen zum Vorwurf gemacht, dass durch die der operativen Verletzung des Kammergewebes folgende Narbenbildung der Zustand nur verschlechtert werde. Heine setzte sich allerdings darüber sehr einfach hinweg, indem er annimmt, dass das bei seiner Operation verletzte Gewebe ebensowenig Tendenz zur Heilung resp. Narbenbildung zeigen werde, wie es bei einer Iridodialyse der Fall ist. Wenn ich dem nun auch nicht beistimmen kann — und tatsächlich haben auch schon einige Autoren gegen diese Annahme Heines Stellung genommen und, wenigstens am Tierauge, das Gegenteil nachgewiesen, nämlich eine narbige Verödung der unterminierten Partie —, so muss man denn doch die Erfahrung in dieser Frage entscheiden lassen. Und da wissen wir, dass z. B. eine vordere Sklerotomie oft von dem besten und dauernden Erfolge begleitet ist, wodurch der früher gemachte Einwurf sich als nicht stichhaltig erweist. Doch will ich hier noch nicht über die Erfolge der Operation sprechen.

Als 4. Punkt bleibt noch die eigentliche Ablösung des Ansatzes der Ciliarmuskelfasern von der Sklera zu besprechen. Das Wort Ablösung ist hier in weiterem Sinne angewendet. Denn es ist nicht möglich, die mit dem Skleralsporn verwobenen Muskelfasern von letzterem rein abzuschälen. Es handelt sich vielmehr um eine Abschneidung derselben von diesem Ansatze. Der vordringende Spatel muss die Fasern an ihrem Ansatze durchtrennen, um in die vordere Kammer zu gelangen. Diese Durchtrennung erzeugt kaum einen fühlbaren Widerstand. Nur wenn der Spatel sich gegen den

Skleralsporn selbst anstemmt, kann derselbe beträchtlich werden, wie vorher ausgeführt.

Zweier recht seltener Komplikationen der Operation habe ich noch zu gedenken: bei raschem, unvorsichtigem Durchschneiden der Sklera, besonders wenn letztere pathologisch verdünnt ist (Hydrophthalmus) und der Schnitt in einer grösseren Entfernung vom Limbus gemacht wurde, kann es geschehen, dass mit der Sklera zugleich auch die Uvea durchtrennt wird und Glaskörper in die Wunde sich einstellt. Bei der Kürze des Schnittes hat dieser Zufall keine Bedeutung, da die Wunde nicht klaffen kann und der Glaskörper in diesen Augen meistens eine so hohe Konsistenz hat, dass er nicht ausfliesst. Trotz dieses Ereignisses kann die Operation ungestört zu Ende geführt werden. Ein Vorfall der inneren Augenhäute nach Art einer expulsiven Hämorrhagie, wie er von einer Seite beschrieben wurde, ist doch wohl nur bei viel längerem Schnitte, als wir ihn machen, möglich.

Eine zweite Komplikation ist dadurch gegeben, dass der Operateur, anstatt entlang der inneren Wand der Sklera nach vorne zu gleiten, mit dem Spatel irgendwo die Uvea durchbohrt, so dass derselbe hinter die Iris zu liegen kommt, und nun entweder bei brüskem Vorschieben die Iris selbst perforiert, oder aber hinter der Iris in der Pupille zum Vorschein kommt. Selbst dieses Ereignis scheint keine bösen Konsequenzen zu haben. Dieser Zwischenfall lässt sich übrigens durch vorsichtiges Vorschieben des Spatels entlang der Sklera leicht vermeiden.

Lageveränderungen oder Verletzungen der Linse sind bei dieser Operation so gut wie ausgeschlossen.

Noch muss ich dem Verhalten des Kammerwassers einige Worte widmen. Es ist nicht schwer, die Operation so auszuführen, dass das Kammerwasser gar nicht abläuft. Wenn man die Fläche des Spatel immer parallel zur Fläche der Sklera hält, so fliesst das Kammerwasser selbst beim Herausziehsn des Spatels nicht oder nur in Spuren ab. Dreht man aber den Spatel so, dass seine Fläche schräg zur Sklera zu stehen kommt, d. h. kantet man ihn, so fliesst das Kammerwasser mehr weniger rasch aus der Skleralwunde heraus. Das kann gelegentlich auch unabsichtlich bei den seitlichen Unterminierungen zu stande kommen. Ich werde auf die Frage, ob man bei der Operation die Entleerung herbeiführen soll oder nicht, gleichzeitig bei Besprechung der Wirksamkeit der Operation eingehen, doch kann ich schon hier vorwegnehmen, dass der Abfluss des Kammerwassers auf die Dauerwirkung der Operation keinen Einfluss nimmt, sondern nur wie bei einer gewöhnlichen Punktion der vorderen Kammer eine augenblickliche resp. vorübergehende Herabsetzung des intraokularen Druckes zur Folge hat, die übrigens auch oft schon deswegen eine sehr geringe ist, weil die vordere Kammer ausserordentlich seicht und nur eine minimale Menge von Kammerwasser vorhanden war.

Nach dem Herausziehen des Spatels wird die Wunde in der Bindehaut durch eine Naht verschlossen und ein gewöhnlicher Schutzverband mit dem Fuchsschen Gitter oder der Snellenschen Schale angelegt.

Das andere Auge bleibt offen, Bettruhe ist nicht erforderlich. Ich habe die Operation auch ambulatorisch ohne Nachteil ausgeführt. Der Verband kann in längstens drei Tagen weggelassen und durch ein dunkles Schutzglas ersetzt werden.

Damit habe ich die wichtigsten Bemerkungen über die technische Seite der Operation erschöpft und ich wende mich nun zur Besprechung des Verhaltens des Auges nach der Cyklodialyse und damit zur Frage der Wirksamkeit der Operation, in letzter Linie zur Frage der Indikationsstellung.

Um den Einfluss der Cyklodialyse selbst auf die intraokulare Drucksteigerung kennen zu lernen, habe ich mich in meinen Operationen bemüht, dieselben unter Vermeidung des Abflusses von Kammerwasser auszuführen und so den die eigentliche Wirkung der Operation sicherlich wenigstens in ihren allerersten Anfängen verändernden Punktionsfaktor auszuschalten. Durch den Abfluss des Kammerwassers kommt es natürlich zu einer sofortigen — wenn auch nur manchmal sehr geringfügigen — Herabsetzung des intraokularen Druckes, die nicht auf Rechnung der Unterminierung des Ciliarkörpers zu setzen ist. Wie übrigens zu erwarten war, spielt jedoch dieser Punktionsfaktor keine irgendwie in Betracht kommende Rolle. Ebenso wie nach einer gewöhnlichen Punktion ist der Druck — auch bei den günstig verlaufenden Fällen — schon nach wenigen Stunden wieder erhöht.

Tatsächlich hat auch Wychodtzew[1]) in seinen experimentellen

[1]) A. Wychodtzew, Der Einfluss der Operation Cyklodialyse auf den Stoffwechsel der intraokularen Flüssigkeiten mit der Frage über die Bedeutung dieser Operation für die Behandlung des Glaukoms. Kaiserl. milit. med. Akademie in Petersburg. Dissertation 1907. (In russischer Sprache.)

Untersuchungen am Tierauge gefunden, dass sich die vordere Kammer schon in wenigen Stunden wieder herstellt, nebenbei bemerkt auch ein Beweis, dass schon nach kurzer Zeit kein Flüssigkeitsstrom von der Kammer nach rückwärts gehen dürfte, da sonst doch wohl durch die noch nicht genügend geschlossene Wunde etwas heraussickern und eine so schnelle Wiederherstellung der vorderen Kammer verhindern müsste. Das würde also darauf hindeuten, dass die Wirksamkeit der Operation nicht in der beabsichtigten Erzeugung eines Weges nach rückwärts in den Suprachorioidealraum beruht, sondern in der Freimachung der Kammerbucht.

Die eigentliche Wirkung der Cyklodialyse entwickelt sich nämlich allmählich und kommt erst nach einem bis drei Tagen zur vollen Ausbildung.

Nach dem Verhalten des Auges nach der Cyklodialyse kann man drei Gruppen von Fällen unterscheiden:

1. solche mit andauernd günstigem Erfolg,
2. solche mit vorübergehendem Erfolge, und
3. solche, bei denen die Operation ohne jeden Einfluss bleibt.

Ich beginne mit der ersten Gruppe, den Dauerheilungen. Wird die Operation vormittags durchgeführt, so findet man bei der Nachmittagsvisite, also ungefähr fünf bis sechs Stunden nachher, gewöhnlich noch denselben Zustand, das Auge ebenso hart wie vor der Operation. Am ersten Tage nach der Operation ist dagegen der Druck schon deutlich niedriger als vorher, wenn auch vielleicht noch höher als normal. Nur ausnahmsweise ist auch in günstig verlaufenden Fällen der Druck noch nicht vermindert. Am zweiten, spätestens am dritten Tage ist jede Drucksteigerung verschwunden, ja sogar Druckverringerung kann sich nun einstellen. Es ist vielleicht gerade für den erfahrenen Oculisten tatsächlich ein überraschendes Bild, das Auge, welches vorher den typischen Anblick eines an Glaukom erkrankten geboten hatte, nun in einem Zustande zu sehen, dass die Diagnose Glaukom unmöglich ist: die Hornhaut klar und glänzend, die vordere Kammer immer etwas tiefer als vor der Operation, wenn auch noch seichter als normal, die Pupille rund. Als einzig auffallendes Symptom bleibt fast immer die Pupillenerweiterung zurück, die auch auf Eserin nicht verschwindet und selbst dann bestehen bleibt, wenn das Auge ganz weich geworden ist. Das mag gewiss manchmal durch die schon eingetretene Atrophie der Iris bedingt sein, aber ich habe Fälle gesehen, wo die Iris normales Gewebe zeigte und doch die Pupille trotz ausgesprochener Weichheit des Auges auch auf Eserin sich nicht verengerte.

Ich möchte auch hier gleich nebenbei erwähnen, dass ich die Miotica in meinen Fällen meistens vollständig vermieden habe, besonders vor und in den ersten Tagen nach der Operation, um nicht durch ihren Einfluss auf eine etwaige Druckherabsetzung in der Beobachtung gestört zu sein.

Hier möchte ich übrigens einschalten, dass Czermak in der Heidelberger ophth. Gesellschaft schon darauf aufmerksam machte, dass der Gebrauch von Miotica unmittelbar nach der Operation sehr empfehlenswert sei, um die in ihrer Wurzel freigemachte Iris nun kräftig gegen das Pupillenzentrum zu ziehen und so frei zu erhalten, was für eine später auszuführende Iridektomie von grossem Vorteile wäre.

Die Augen sind nach der Operation nur wenig gereizt; besonders in den günstig verlaufenden Fällen verschwindet mit dem Zurückgehen der Drucksteigerung auch die starke ciliare Injektion, und nur die Gegend der Operationswunde bleibt längere Zeit gerötet.

Das bei der Cyklodialyse in die V. K. gelegentlich eingetretene Blut resorbiert sich gerade auch in solchen Augen rapid. Die Gegend des Ciliarkörpers ist in den ersten Tagen nach der Operation auf Druck etwas empfindlich, aber schon nach 3—4 Tagen nicht mehr. Dass mit dem Verschwinden der Drucksteigerung die Sehschärfe sich wieder hebt bis zu einer den Veränderungen im Augenhintergrund entsprechenden Höhe, braucht nicht eigens hervorgehoben zu werden. Es befindet sich das Auge in einem solchen Zustande, wie wenn ein akuter Glaukomanfall spontan vorübergegangen wäre; aber er kommt eben nicht wieder.

Ich habe nun Fälle, die ich vor einem Jahre, vor einem halben Jahre, vor mehreren Monaten operiert habe und die seither dauernd geheilt sind. Während diese Leute vorher an immer öfter und intensiver wiederkehrenden Glaukomanfällen litten (siehe Fall 2), die schliesslich auch durch Miotica nicht mehr zu beeinflussen waren, sind diese Anfälle seit der Operation nie mehr wiedergekehrt, obwohl keine Miotica mehr angewendet wurden.

Der Vollständigkeit halber möchte ich auch erwähnen, dass man bei der Untersuchung mit dem Augenspiegel in diesen Fällen gar nicht selten (siehe Fall 3, 4, 7, 12, 19) mehr oder weniger zahlreiche Blutungen in der Netzhaut entdeckt, die allerdings freilich schon früher bestanden haben mögen und nur infolge der Hornhauttrübung nicht zu sehen waren (siehe Fall 12), oder aber Blutungen, die vorher gewiss nicht bestanden hatten und erst unter dem Einfluss der Druckherabsetzung aufgetreten sind. Nach Glaukomiridektomie sind Netzhautblutungen etwas ziemlich gewöhnliches. Man bringt sie mit der plötzlichen Herabsetzung des intraokularen Druckes nach Ausführung des Schnittes in Zusammenhang. Es ist also immerhin bemerkenswert, dass auch in diesen Fällen von allmählich eintretender Druckverminderung doch auch solche Blutungen zu stande kommen können.

Um den Bericht über diese günstig verlaufenden Fälle von Cyklodialyse noch vollständig zu machen, insbesondere um den Wert der Operation richtig bemessen zu können, sollte ich nun eigentlich die Prozentzahl der Fälle angeben, bei welchen ein solcher gewiss tadellos zu nennender Erfolg zu verzeichnen war. Wenn ich dies aber tue — etwa 40% meiner Fälle —, so muss ich ausdrücklich hervorheben, dass diese Ziffer gewiss nicht den richtigen Wert der Operation angibt und zwar aus folgendem Grunde. Ich habe, im Anfange aus leicht begreiflichen Gründen, später aber auch aus andern Gründen, wie ich sie gleich berichten werde, besonders Fälle von absolutem Glaukom für diese Operation verwendet. Im Anfange deswegen, weil an den infolge des Glaukom bereits erblindeten Augen nichts weiter zu verlieren war und dieselben somit zu einem Eingriffe geeignet erschienen, über dessen Wert man im Unklaren war. Nun stellte sich alsbald heraus, dass — was übrigens auch schon Heine angegeben hat — die Cyklodialyse an Augen mit absolutem Glaukom sehr häufig im Stiche lässt. Tatsächlich betrifft ein Grossteil meiner vollen Erfolge noch sehende Augen, und ich müsste eigentlich die Fälle von absolutem Glaukom bei der perzentuellen Verwertung der Vollerfolge abziehen, um eine annähernd richtige Zahl zu bekommen. Dazu kommt noch, dass sich unter meinen Fällen mehrere befinden, welche von vornherein in der Berechnung ganz auszuschalten sind (Sarc. chor., Secl. pup.), da sie dieselbe in falschem Lichte erscheinen lassen. Anderseits hebe ich hier ausdrücklich hervor, dass in vielen meiner Fälle die Beobachtungsdauer noch viel zu kurz ist, um sie sicher unter die Dauerheilungen einrechnen zu können, und so mag es sein, dass die genannte Zahl als zu hoch gegriffen sich herausstellen kann.

Nun zur zweiten Gruppe, den Fällen mit vorübergehendem Erfolge.

Der Verlauf unmittelbar nach der Cyklodialyse kann entweder

ebenso sein wie bei der 1. Gruppe, d. h. es ist schon am Tage nachher eine wesentliche Herabsetzung des Druckes eingetreten, oder wie es häufiger zu sein pflegt, das Auge wird langsamer weich. So wurde im Falle 16 der Druck erst am fünften Tage nach der Operation normal, nachdem er langsam von + 2 auf + 1 gesunken war. Durchschnittlich dürfte aber auch in diesen Fällen der zweite bis dritte Tag die Zeit sein, wo die Verringerung des Druckes zweifellos zum Vorschein kommt. Die Druckherabsetzung in dieser Gruppe von Fällen dauert aber nur kurze Zeit, gewöhnlich nur mehrere Tage. Ja ich möchte fast sagen, dass jene Fälle, in denen die Herabsetzung des Druckes über eine Woche dauert, grosse Chancen für eine Dauerheilung bieten. Für gewöhnlich kehrt die Drucksteigerung nämlich schon nach zwei bis sieben Tagen wieder. Es befindet sich dann das Auge in demselben Zustande wie vor der Operation.

Über den Einfluss einer zweiten an demselben Auge vorgenommenen Cyklodialyse gegen diese neuerliche Drucksteigerung kann ich keine sichere Auskunft geben. In dem eigenen Falle versagte auch die zweite Operation, obwohl eine ausgiebige Unterminierung vorgenommen worden war. Doch will ich daraus keine Schlüsse ziehen, da es ein Fall von altem Glaucoma absolutum war.

Für besonders wichtig aber halte ich den Umstand, dass in diese zweite Gruppe ein nicht unbeträchtlicher Teil der Fälle von absolutem Glaukom hineingehört, dass also doch auch in diesen Fällen die Drucksteigerung vorübergehend durch die Operation beeinflusst wird. Ich werde auf die Bedeutung dieses Umstandes noch später hinzuweisen haben.

In diese Gruppe gehören etwa 30% meiner Fälle.

Und nun die letzte Gruppe: jene Fälle, welche durch die Operation in keiner Weise beeinflusst werden. Das Auge bleibt ebenso hart wie es früher war. Das ereignet sich besonders in Augen mit absolutem Glaukom. In einem meiner Fälle erklärte die histologische Untersuchung des Auges später, warum die Cyklodialyse so gar keinen Einfluss auf die intraokulare Drucksteigerung genommen hatte. Letztere war durch ein Melanosarkom der Chorioidea bedingt worden. Der Prozentsatz dieser Gruppe beträgt auch etwa 30%.

Ich habe bis jetzt immer im allgemeinen von der Drucksteigerung gesprochen. Indem ich nun auf die Indikationen der Cyklodialyse übergehe, kann ich gleich im vorhinein betonen, dass das über die Wirksamkeit der Operation Gesagte ebenso für das primäre wie für das sekundäre Glaukom gilt. Ausgenommen davon sind natürlich alle jene Fälle von Sekundärglaukom, welche durch einen Abschluss der vorderen von der hinteren Kammer bedingt sind, wie Seclusio pupillae, buckelförmige Vortreibung der Iris u. dgl. Denn da die Cyklodialyse keine Verbindung zwischen beiden Räumen herstellt, kann sie auch die durch diesen Abschluss bedingte Drucksteigerung nicht beiseite schaffen.

Aber ganz ausgezeichnete Dienste hat mir die Operation in den vielen andern Fällen von Sekundärglaukom geleistet. Als eine ganz besondere Indikation möchte ich jene Fälle von vorderer Synechie, sei es nach Verletzung oder nach geschwürigen Prozessen, insbesondere nach Ulcus serpens, vorschlagen, bei welchen trotz Ausführung einer Iridektomie gegen die Drucksteigerung, letztere doch wieder sich eingestellt hat. In solchen Fällen wäre eine neuerliche Iridektomie sehr schwer, oft geradezu unmöglich. Wenn eine breite Verwachsung der Iris an eine einen beträchtlichen Teil der Hornhaut ersetzende Narbe besteht, wenn schon eine breite Iridektomie ausgeführt worden war und nun eine neuerliche Drucksteigerung eintritt, so findet man in dem oft steinharten Auge nicht nur keine vordere Kammer, die dem Messer eine entsprechende Schnittführung erlauben würde — die Iris ist vielmehr an die hintere Hornhautwand angepresst —, sondern es ist auch kaum Iris zur Excision vorhanden. Ein Vorfall der Linse und des Glaskörpers wäre die zweifellose Folge eines grösseren Einschnittes am Limbus. Die gewöhnliche Erfolglosigkeit eines solchen Eingriffes, seine Gefahren — expulsive Blutung, Ektasie der Operationsnarbe — sind zu wohl bekannt, als dass ich hier darauf hinzuweisen brauchte. Gewöhnlich kommt ein solches Auge später nach Entwicklung eines Staphyloms zur Enucleation.

Die Cyklodialyse nun bietet uns die Möglichkeit, in einem solchen Auge den Druck gründlich herabzusetzen, ohne alle Gefahren für das Auge. Ich möchte hier besonders auf den Fall 38 hinweisen. Man ist von dem Vorhandensein oder Nichtbestehen einer vorderen Kammer vollständig unabhängig — es besteht keine Gefahr des Vorfalles von Teilen des Augeninnern, ja man kann sogar versuchen, mit dem Spatel wenigstens einen Teil der adhärenten Iris von der Narbe loszutrennen. Gerade in dem eben erwähnten Falle war der Einfluss der Operation ein geradezu überraschender. Obwohl unmittelbar nach der Operation das Auge ebenso hart war wie vorher — der Patient hatte kaum eine vordere Kammer —, so trat doch in den nächsten Tagen eine solche Herabsetzung des intraokularen Druckes ein, dass das Auge weit unter der Norm gespannt war und sich durch zwei

Wochen hindurch ganz weich erhielt. Darauf trat normale Spannung ein, welche bis jetzt, sieben Monate nach der Operation, noch anhält.

Einen andern Fall mit gleich gutem Erfolge, wenn auch nicht so starker Herabsetzung des intraokularen Druckes, ist Fall 41. Auch hier war vor Jahren eine Iridektomie gemacht worden, zunächst mit gutem Erfolge, während nun in der letzten Zeit die Patientin wieder Schmerzen bekam und das Auge andauernd hart war.

Zum mindesten würde aber auch in solchen Fällen unter dem Einfluss einer vorübergehenden Herabsetzung des Druckes, die mit Wiederherstellung der V. K. einhergeht, einem die Möglichkeit geboten werden, unter den nunmehr ungleich günstigeren Verhältnissen eine Iridektomie auszuführen.

Von ungünstigem Einflusse der Cyklodialyse muss ich berichten bei einem Falle von Sekundärglaukom im Verlaufe einer Iridocyklitis, die durch einen schweren entzündlichen Prozess in der Hornhaut hervorgerufen war (Fall 42). Der Zustand wurde durch die Operation entschieden verschlechtert, das Auge wurde steinhart, die V. K. füllte sich mit Blut, überdies bestanden während und nach der Operation starke Schmerzen. An dem Auge war schon vor Monaten wegen schwerer Anfälle von Drucksteigerung eine breite regelrechte Iridektomie nach oben ausgeführt worden. In diesem Falle brachte eine vordere Sklerotomie nach unten das Glaukom zum Stillstande.

Auch möchte ich es für selbstverständlich halten, dass bei schwerer Drucksteigerung im Verlaufe einer Iritis die Punktion der vorderen Kammer als die weniger eingreifende und doch fast immer ausreichende Operation der Cyklodialyse vorzuziehen ist.

Von ganz hervorragendem Werte erwies sich mir die Cyklodialyse in einem Falle von Drucksteigerung bei Luxation der Linse in den Glaskörper. Der Iridektomie stehen hier grosse Schwierigkeiten entgegen. Verlust des Glaskörpers ist unvermeidlich. Er stellt sich meist sofort nach dem Schnitte ein, und wenn dabei die Iris nicht zufällig mit in die Wunde gedrängt, sondern nach rückwärts umgeschlagen wird, so ist eine Iridektomie überhaupt unmöglich. Während daher die Iridektomie in diesen Fällen immer ein gefährlicher und, was den endgültigen Erfolg anbelangt, unsicherer Eingriff ist, muss dabei die Cyklodialyse als eine ganz ungefährliche, leicht auszuführende und sicher wirkende Operation bezeichnet werden (siehe Fall 35). Da der Glaskörper nach Luxation der Linse frei mit der vorderen Kammer in Verbindung steht, kann beim Zurückziehen des

Spatels etwas Glaskörper in der Wunde erscheinen; da dieselbe jedoch zu kurz ist, um klaffen zu können, so hat dieses Ereignis keine Bedeutung. In dem erwähnten Falle war die Druckherabsetzung eine sehr bedeutende und noch nach zwei Wochen war das Auge weicher als normal, während vor der Operation eine starke Drucksteigerung bestanden hatte.

Und ebenso wertvoll muss ich die Operation bei Fällen von Drucksteigerung nach Staroperation bezeichnen (siehe Fall 34). Ich möchte hier ein Beispiel anführen.

Ungefähr 3—4 Wochen nach einer regelrecht verlaufenen Extraktion mit Iridektomie bekam die Patientin bei tiefer Kammer und normal liegenden Colobomschenkeln schwere Glaukomanfälle, so dass die Patientin aus weiter Ferne wieder in die Klinik reisen musste. Als ich sie ungefähr einen Monat nach der Extraktion das erstemal wieder sah, war der Druck selbst normal und auch keine Anzeichen von abgelaufener Drucksteigerung vorhanden. Aber schon am nächsten Tage waren die Schmerzen wieder aufgetreten und der Druck beträchtlich erhöht. Eserin brachte den Anfall zum Schwinden; nun kehrten die Anfälle jeden Tag wieder und konnten schliesslich auch durch Eseringebrauch nicht mehr beseitigt werden. Ein Eingriff war unbedingt notwendig geworden. Ich versuchte die Cyklodialyse, die sich leicht ausführen liess. Der Erfolg liess nichts zu wünschen übrig. Die Drucksteigerung kehrte nicht wieder, obwohl absichtlich kein Mioticum angewendet wurde. Es sind seit der Operation nunmehr 6 Monate verstrichen, ohne dass die Patientin je wieder einen Anfall bekommen hätte.

Bedenkt man, dass man in solchen Fällen von Drucksteigerung nach Starextraktion früher fast nur auf die Iridektomie nach unten angewiesen war, durch welche immer eine bedeutende Sehstörung gesetzt wurde, so wird man gewiss den Vorteil der Cyklodialyse wohl einzuschätzen wissen.

Was nun das primäre Glaukom betrifft, so ist es nicht schwer, aus dem vorher Mitgeteilten die Indikationen zur Cyklodialyse abzuleiten und die Operation entsprechend zu bewerten. In kurzen Worten kann man folgendes sagen: Die Cyklodialyse kann bei primärem Glaukom mit Erfolg zur Beseitigung der Drucksteigerung verwendet werden. Aber man kann sie der Iridektomie auch nicht annähernd als gleichwertig anerkennen. Denn während letztere in der grössten Mehrzahl der Fälle die Drucksteigerung dauernd zum Verschwinden bringt, sind bei der Cyklodialyse Rezidive etwas sehr häufiges. Man darf also nicht sagen, dass die Cyklodialyse berufen sei, die Iridektomie zu ersetzen, und dass der Befund eines primären Glaukoms die Cyklodialyse indiziere. Gerade in den Anfangsstadien der Erkrankung bietet die Iridektomie die günstigsten Bedingungen zur sicheren Beseitigung des unheilvollen Prozesses. Der Cyklodialyse kommen allerdings im Vergleiche zur Iridektomie einige Vorteile zu: insbesondere die runde Pupille, die durch Eserin möglicherweise noch beeinflusst werden kann, während durch eine Glaukomiridektomie immer eine bedeutende Erweiterung der Pupille mit ihren störenden Blendungserscheinungen zurückbleibt, ganz abgesehen von dem unschönen Defekt in der Iris selbst. Es ist gewiss nichts dagegen einzuwenden, dass man in diesen Fällen zunächst von der Cyklodialyse Gebrauch macht, insbesondere bei jüngeren Individuen und bei Leuten, bei denen das Kosmetische doch auch in Betracht kommen könnte.

Aber die eigentliche Indikation zur Ausführung der Cyklodialyse bilden jene Fälle, in welchen die Ausführung der Iridektomie selbst als ein nicht nur sehr schwieriger, sondern auch gefahrvoller Eingriff erscheint. Das sind erstens Fälle von sehr hochgradiger Drucksteigerung und zweitens Fälle von weit vorgeschrittenem bzw. absolutem Glaukom. Wenn ein Auge steinhart ist, die Hornhaut hochgradig matt und trübe, die vordere Kammer ausserordentlich seicht, vielleicht fast ganz verschwunden, die Iris sehr atrophisch, die Pupille maximal weit, so ist eine Iridektomie eine sehr riskante Sache, die häufig den völligen Untergang des Auges herbeiführt. Ganz abgesehen von der grossen Gefahr, bei dem Schnitte mit dem Messer die Linse zu verletzen, kommt es nicht selten nach Ausführung des Schnittes zu einem starken Klaffen der Wunde, zu Vorfall von Linsensubstanz oder selbst Glaskörper. Die Bildung einer ektatischen Narbe mit neuerlichen Anfällen von Drucksteigerung ist sehr häufig der Ausgang eines solchen Eingriffes, bei welchem die regelrechte Ausschneidung der Iris selbst infolge hochgradiger Atrophie oft unmöglich war. Wegen Schmerzen wird schliesslich die Enucleation des erblindeten Auges notwendig, wenn nicht schon vielleicht während oder unmittelbar nach der Operation durch eine expulsive Blutung der sofortige Untergang des Auges herbeigeführt wurde.

Das sind die Fälle, in denen eine Iridektomie geradezu kontraindiziert ist, die Cyklodialyse dagegen ihren grossen Wert zeigt (siehe Fall 9).

Da bei der Patientin das eine Auge an Glaukom schon erblindet war, so hatte ich zunächst die Absicht, an dem von einer schweren Drucksteigerung befallenen andern Auge, um ganz sicher zu gehen, die Iridektomie auszuführen. Das Auge war stark injiziert, hochgradig schmerzhaft, steinhart. Das Sehvermögen auf Erkennen von Fingern vor dem Auge herabgesetzt. Eserin wurde wiederholt eingeträufelt, um die maximal erweiterte Pupille etwas enger zu bekommen, und aus diesem Grunde auch zur Anästhesierung an Stelle von Kokain Alypin verwendet. Als ich aber das Messer zur Hand nahm, um den Schnitt zu machen, war oben überhaupt keine Iris mehr zu sehen, unten nur ein schmaler Saum; so weit hatte sie sich hinter den Limbus retrahiert. Dabei bestand kaum eine vordere Kammer. Unter diesen Umständen beschloss ich, von der Iridektomie abzusehen und die Cyklodialyse auszuführen. Ich hatte bis dahin nur wenige Fälle von Cyklodialyse beobachtet, hatte aber doch schon soviel erkannt, dass die Operation fast immer eine in den nächsten Tagen sich entwickelnde und einige Zeit andauernde Herabsetzung des intraokularen Druckes herbeiführt. So vollführte ich die Cyklodialyse in der Absicht, nach einigen Tagen, wenn der Druck bedeutend niedriger geworden, durch eine Iridektomie die Patientin dauernd vom Glaukom zu befreien und ihr so das einzige Auge zu retten. Der Verlauf des Falles gestaltete sich nun ausserordentlich lehrreich. Noch am Nachmittage war das Auge ebenso steinhart wie vor der Operation, bei der kein Kammerwasser abgeflossen war, vermutlich weil keines da war. Nur die Schmerzen waren schon geringer. Aber schon am Tage nach der Operation war der Umschwung zu sehen: die Hornhaut bedeutend weniger matt, der Druck entschieden herabgesetzt, wenn auch noch etwas über der Norm, das Auge nicht gereizt. Am Nachmittage war der Zustand noch besser, und am zweiten Tage nach der Operation war die Hornhaut klar und glänzend, der Druck normal, die Pupille noch weit, aber die Iris überall wieder deutlich zu sehen, der Fundus gut sichtbar (totale Excavation), das Sehvermögen von Fingerzählen auf $^6/_{18}$ gehoben. Nebenbei sei bemerkt, dass das während der ganzen Tage zweimal täglich gegebene Eserin keine stärkere Verengerung der Pupille herbeiführen konnte. In den nächsten Tagen erhielt sich das Auge in dem gleichen Zustande, und jetzt empfahl ich der Patientin die Iridektomie, da ich bei dem einzigen Auge der Kranken doch ganz sicher gehen und die zur Ausführung einer Iridektomie jetzt so günstige Zeit nicht nutzlos verstreichen lassen wollte. Aber die Patientin war mit dem Erfolg der Operation so zufrieden, dass sie keinen weiteren Eingriff gestattete, obwohl ihr die Gefahr eines Rezidivs klargelegt wurde. Um nun die Patientin beim ersten neuerlichen Eintritt eines Glaukomanfalles sofort operieren zu können, setzte ich nach fünftägigem Gebrauche das Eserin aus in der Erwartung, dadurch das Wiederkehren des Glaukoms zu beschleunigen. Aber das Auge blieb normal. Mit Ausnahme der Pupillenerweiterung war an dem Auge nichts Krankhaftes zu sehen, und niemand hätte die Diagnose einer so schweren Erkrankung an Glaukom machen können. Ich behielt die Patientin 3 Wochen in der Klinik. Sie stellte sich nach 3 Monaten wieder vor, und der Zustand war noch immer derselbe, und es ist darüber bereits mehr als ein Jahr vergangen, ohne dass die Drucksteigerung wiederkehrte.

Ich habe über den Fall deswegen so ausführlich berichtet, weil er ein klassisches Beispiel ist für den Wert der Cyklodialyse in gewissen Fällen. Der höchst gefährliche, wahrscheinlich deletäre und überdies sehr schwierige Eingriff der Iridekomie auf der einen Seite, der gefahrlose, ausserordentlich günstig wirkende und technisch leichte Eingriff der Cyklodialyse auf der andern Seite: wer könnte die Überlegenheit der Cyklodialyse in diesem Falle leugnen?

Eine andere Reihe von Indikationen ergibt sich von selbst: wenn jemand ein Auge an einem Glaucoma malignum oder durch eine schwere Blutung nach der Iridektomie verloren hat, so wird bei Erkrankung des zweiten Auges, und ebenso in allen Fällen von hämorrhagischem Glaukom, gewiss immer in erster Linie die Cyklodialyse in Betracht kommen. Sie bietet wenigstens die Möglichkeit einer Heilung ohne Gefahr für das Auge (Fall 12). Bleibt sie ohne Erfolg, so kann die Iridektomie immer noch gemacht werden, ohne dass man dadurch nunmehr unter ungünstigeren Umständen operieren müsste.

Die Operation ist ferner sehr empfehlenswert bei alten gebrechlichen, hustenden, unruhigen Leuten; sie kann sogar, wie schon erwähnt, ambulatorisch ausgeführt werden. Jedenfalls ist Bettruhe durchaus nicht nötig.

Damit glaube ich die Indikationen der Cyklodialyse genügend gekennzeichnet zu haben, und es dürfte eine nicht unerwünschte Zugabe sein, wenn ich jetzt noch über den histologischen Befund der zur Enucleation gekommenen Augen berichte. Freilich muss ich zur Vermeidung von Missverständnissen gleich bemerken, dass wir dabei nicht Verhältnisse erwarten dürfen, wie sie Augen bieten würden, in welchen eine Cyklodialyse mit Erfolg ausgeführt worden ist. Diese Augen sind eben deswegen zur Enucleation gekommen, weil die Cyklodialyse ohne Einfluss blieb. Eine Aufklärung über die Frage, ob die Cyklodialyse eine dauernde Kommunikation zwischen vorderer Kammer und Suprachorioidealraum herstellt, oder im Gegenteil regelmässig zu Verwachsungen führt, ob der Schlemmsche Kanal jedesmal freigelegt wird oder nicht, und dergleichen werden wir daraus vielleicht nicht erhalten. Nichtsdestoweniger dürfte es aber doch möglich sein, aus einigen Befunden bestimmte Schlüsse zu ziehen.

I.

Fall 37. Cyklodialyse zwei Tage vor der Enucleation. Am enucleierten Auge sieht man nach der Härtung sehr genau den Einschnitt, der noch nicht geschlossen zu sein scheint, anderseits aber wegen seiner Kürze auch nicht klaffen kann. Er hat eine Länge von 2 mm und ist gut 7 mm vom Limbus entfernt, gerade in der Fortsetzung der Richtung der Insertion des äusseren geraden Augenmuskels gelegen, in einer Entfernung von 3 mm vom unteren Ende derselben beginnend. Es wird eine schräge Kuppe abgeschnitten, deren Ebene beiläufig senkrecht auf die Richtung des Schnittes für die Cyklodialyse liegt. Der Durchschnitt beginnt an dem oberen Ende der Insertion des Rectus externus und verläuft in der angegebenen Richtung nach innen oben. Von hier wurde der Bulbus in Serienschnitte zerlegt. Beim Durchschneiden des Auges sieht man rückwärts ein Sarkom der Chorioidea, die Netzhaut vollständig abgehoben, die Chorioidea überall an die Sklera angepresst. Nirgends Erscheinungen einer Abhebung oder zum mindesten Unterminierung. Erst beim Nachhärten des Auges in Alkohol zieht sich die Chorioidea durch Schrumpfung von der Sklera zurück, so dass zwischen beiden ein offener Zwischenraum entsteht.

In den Schnitten durch Pupille und Optikus sieht man knapp neben dem letzteren ein Sarkom der Chorioidea, die Netzhaut ist in toto abgehoben und, wie gewöhnlich in diesen Fällen, von der Ora serrata an buckelförmig nach vorn getrieben bis an die hintere Linsenfläche, welche dadurch entsprechende Einbuchtungen bekommen hat. Das Blut in der Pupille, an der hinteren Hornhautwand und auf der Iris rührt gewiss von der Operation her. Fig. 1 zeigt deutlich den Unterschied in der Formation des Kammerwinkels der operierten und der nicht operierten Seite. Auf letzterer ist die Iriswurzel in grosser Ausdehnung an die hintere Hornhautwand angelötet durch eine derbe fibröse Schicht, die sich in Form einer dünnen Membran auch über den Anfang des freien Iristeiles noch hinüberzieht. Der Schlemmsche Kanal ist dadurch von der Kammerbucht vollständig isoliert.

Operierte Seite: Kammerwinkel tief, Iriswurzel ein wenig nach rückwärts gesunken, Blut im Kammerwinkel. Ein Teil des verbindenden Gewebes blieb an der Iris haften, der Schlemmsche Kanal ist frei; allerdings ist sein Lumen fast ganz verödet.

Die Descemetsche Membran ist auf eine weite Strecke hin von der Hornhaut abgelöst worden.

In jenen Schnitten, welche bereits näher der Operationswunde sich befinden (siehe Fig. 2), ist der Weg, den der Spatel genommen, durch einen schmalen, mit Blut erfüllten Spalt gekennzeichnet, welcher die Iriswurzel und den Ciliarkörper von seinem Skleralansatze trennt. Dabei besteht eine Hämorrhagie nicht nur auf der Aussenseite des Ciliarkörpers, sondern auch hinter der Iris.

In der Operationswunde ist eine Zellenreihe der Pars ciliaris ret. eingeklemmt. Der Schnitt hatte nämlich knapp vor der Ora serrata die Uvea durchtrennt, deren reaktionslose Schnittenden sich etwas zurückgezogen haben. Eine geringe Blutung war sowohl zwischen Chorioidea, bzw. Ciliarkörper und Sklera, als auch in die Substanz des Ciliarkörpers selbst eingetreten.

Epikrise.

Durch die Operation wurde der Kammerwinkel im Bereiche der Unterminierung tatsächlich frei gemacht, die Iriswurzel von ihrer Anlötung an die hintere Hornhautwand losgelöst, allerdings nicht ohne Schädigung der Hornhaut selbst: es wurde die Descemetsche Membran in grosser Ausdehnung von der Hornhaut abgetrennt. Merkwürdigerweise hatte dieser Umstand in der kurzen Zeit bis zur Enucleation noch keine Hornhauttrübung zur Folge gehabt. Durch den hohen intraokularen Druck wurde aber der losgelöste Ciliarkörper so bald an die Sklera angepresst, dass der Spalt, den der Spatel erzeugt hatte, schon nach zwei Tagen kaum mehr sichtbar ist und nur durch eine blutige Linie angedeutet erscheint. Um so bemerkenswerter ist es, dass trotz der neuerlich eingetretenen Drucksteigerung nicht auch die Iriswurzel wieder an die hintere Hornhautwand angedrückt wurde. Hier ist der operativ geschaffene Spalt offen geblieben und der Weg zum Schlemmschen Kanale frei, so dass letzterer eine Strömung der intraokularen Flüssigkeit ermöglicht hätte, wenn der Kanal selbst nicht verödet gewesen wäre.

Trotzdem nun der Kammerwinkel frei und die Dehiscenz im Lig. pect. noch offen war, hatte sich doch das Kammerwasser aus der vorderen Kammer nicht in den Suprachorioidealraum ergossen. Im frischen Auge konnte man beim Durchschneiden desselben die Chorioidea an die Sklera angepresst sehen, und auch die histologische Untersuchung zeigt, dass sich mit Ausnahme von etwas Blut sonst nichts zwischen Sklera und Ciliarkörper befunden hatte.

Die Ablösung der Descemetschen Membran, ihre Entstehung und Bedeutung wurde bereits oben erörtert.

Die Verletzung des Uvealtraktes muss als Fehler der Schnittführung bezeichnet und darf nicht der Methode als solcher zur Last gelegt werden. Der Schnitt war zu tief gemacht worden. Das bei der Operation beobachtete Abfliessen von gelblicher Flüssigkeit war durch die Punktion des subretinalen Raumes bedingt worden. Dass sich die Drucksteigerung so bald wieder einstellte, kann bei dem Bestehen eines grossen intraokularen Tumors nicht wundernehmen.

II.

Fall 23. Cyklodialyse 34 Tage vor der Enucleation. Iridektomie nach unten 30 Tage vor der Enucleation. Der Bulbus wurde in senkrechte Schnitte zerlegt. In jenen Schnitten, welche durch das Colobom gehen, findet man die Wundränder der Iridektomie durch ein Granulationsgewebe auseinandergedrängt, in welches der Ciliarkörper eingeheilt ist. Im übrigen bietet das Auge die einem alten Glaukom entsprechenden Erscheinungen, der Ciliarkörper ist atrophisch, und zwar auf beiden Seiten des Schnittes in gleichem Grade, der Ciliarkörper an der Sklera adhärent, auf beiden Seiten in gleicher Weise. An vielen Schnitten zeigt eine durch Schrumpfung in der Fixationsflüssigkeit eingetretene Dehiscenz zwischen Ciliarkörper und Sklera, dass ersterer nicht etwa durch Narbengewebe an die Sklera fixiert gewesen sein konnte. Die Narbe der Cyklodialyse selbst durchsetzt als ein schmaler Zug jungen Bindegewebes mit Pigmentkörnchen die Sklera in senkrechter Richtung, geht an der Oberfläche in das episklerale Bindegewebe über, welches hier erweiterte Blutgefässe zeigt, und verbreitert sich auch ein wenig an der Oberfläche der Uvea, dieselbe an die Sklera ebendaselbst anlötend. Die Narbe befindet sich auf halbem Wege zwischen Limbus und Ora serrata. Die bindegewebige Anlötung bleibt aber nur auf die Stelle der Operation beschränkt und erstreckt sich nicht weiter nach vorne. Die in vielen Schnitten sichtbaren künstlichen Dehiscenzen hätten nicht entstehen können, wenn eine diffuse narbige Verbindung zwischen Ciliarkörper und Sklera bestanden hätte. Zwischen dem vorderen Teil des Ciliarkörpers, der in der Nähe der Iridektomiewunde sich befindet, und der Sklera in der Gegend des Spornes besteht wohl eine innige bindegewebige Verwachsung, doch halte ich dieselbe eher von den entzündlichen Prozessen infolge der Einheilung des Ciliarkörpers in der Wunde als von der Cyklodialyse hervorgerufen. Im übrigen bietet das Auge die Veränderungen einer plastischen Iridocyclitis, die von der Iridektomiewunde den Ausgang genommen hatte.

Epikrise.

Der Fall eignet sich wenig zur Demonstration der Verhältnisse bei der Cyklodialyse, da durch die Iridektomie gerade das Operationsgebiet der Cyklodialyse wesentlich betroffen wurde, und es ausserdem nach der Iridektomie zur Einheilung des Ciliarkörpers in die Wunde, zu dementsprechenden Veränderungen in seiner Umgebung und zur Entstehung einer plastischen Iridocyclitis gekommen war.

Aber immerhin kann man aus den Schnitten ersehen, erstens, dass die Narbe nur durch einen schmalen Bindegewebsstrang gebildet wird, und daher ebensowenig filtrationsfähig sein könnte, als die Narben nach Sclerotomia posterior.

Zweitens, dass zwar an der Operationsstelle selbst die mittlere Augenhaut durch das Bindegewebe an die Sklera fixiert erscheint, dass aber weiter nach vorne zu keine narbigen Verwachsungen zwischen den betroffenen Teilen entstanden sind, die der Cyklodialyse zuzuschreiben wären.

III.

Fall 14. Cyklodialyse drei Monate vor der Enucleation. Die Schnitte wurden schräg durch den Bulbus gelegt, beiläufig senkrecht auf die Richtung des Operationsschnittes, so dass die eine Seite des Schnittes in das Operationsgebiet fällt, und dadurch ein Vergleich mit der andern nicht von der Operation betroffenen Seite ermöglicht ist.

Der Bulbus bietet im allgemeinen die Erscheinungen eines alten Glaukoms. Die höchstgradig atrophische Iris ist in ihrer ganzen Länge an die hintere Hornhautwand angelötet, und mit ihrem Pupillarrande an die Kapsel der ganz nach vorne gerückten Linse. An den Schnitten besteht nicht der geringste Unterschied, was die Verhältnisse des Kammerwinkels anbelangt, zwischen der operierten und nichtoperierten Seite; ebensowenig was den Ciliarkörper selbst betrifft. Künstliche, durch Schrumpfung entstandene Dehiscenzen sind ein Beweis, dass keine Verwachsungen zwischen Ciliarkörper und Sklera sich ausgebildet hatten.

Die Operationsnarbe selbst stellt sich als ein zarter Zug Bindegewebsfasern dar, welche die Sklera senkrecht durchsetzen (Taf. XXV, Fig. 3). Der darunterliegende Uvealtract wurde nicht verletzt und ist nur an der Stelle der Perforation ein wenig angelötet, sicher aber nicht weiter nach vorne. Im Bereiche des episkleralen Bindegewebes ist es an Stelle der Operationsnarbe zu einer bindegewebigen Verdickung gekommen. Im Augeninnern ist aber nirgends neugebildetes Bindegewebe sichtbar.

Epikrise.

Mit Ausnahme der Operationsnarbe sind im Auge keine Zeichen der vorgenommenen Cyklodialyse zu entdecken. Die Verwachsung der Iris mit der hinteren Hornhautwand darf nach dem Beschriebenen nicht als eine Folge der Operation hingestellt werden, sondern gehört zu den durch das Glaukom bedingten Veränderungen.

Wie ich schon vor der Besprechung der Präparate erwähnt habe, ist es uns nicht möglich, aus den mitgeteilten histologischen Befunden die Ursache der Wirksamkeit der Cyklodialyse zu erkennen. Ich habe bis jetzt absichtlich nur Tatsachen vorgeführt. Ich habe Fälle, die nun schon über ein halbes Jahr mit gutem Erfolge operiert sind, und andere, die schon über ein Jahr von dem Glaukom befreit sind. Dass also die Cyklodialyse gelegentlich eine gegen das Glaukom wirksame, und in bestimmten Fällen sogar sehr wertvoll zu nennende Operation ist, kann nicht geleugnet werden.

Aber wie sie wirkt, das wissen wir ebensowenig sicher wie von der Iridektomie.

Wie in vielen Dingen, so haben sich auch in dieser Frage schon einige Leute auf das Theoretische der ganzen Frage geworfen und mussten naturgemäss zu ganz falschen Schlüssen kommen.

Gewiss war es eine Theorie, auf Grund deren Heine zunächst sein Operationsverfahren ausdachte.

Um die Sache ganz kurz zu skizzieren, ist der Sachverhalt folgender:

Nachdem Fuchs die Ablösung der Chorioidea nach Glaukomiridektomie und Starextraktion des Genaueren beschrieben, auf die dabei stets bestehende Druckherabsetzung hingewiesen und die Meinung ausgesprochen hatte, dass die Chorioidealablösung in der Weise zu stande komme, dass das Kammerwasser durch Dehiscenzen im Ligamentum pectinatum, welche bei der Operation erzeugt werden, nach hinten sickere, suchte Heine durch eine daselbst künstlich gesetzte Dehiscenz eine Kommunikation zwischen vorderer Kammer und Suprachorioidealraum, auf diese Weise eine Chorioidealablösung und damit auch eine Herabsetzung des intraokularen Druckes zu erzeugen, und erdachte für diese Zwecke die Cyklodialyse. Dabei setzte er voraus, 1. dass die künstlich gesetzte Dehiscenz nicht bald wieder spontan heile, und 2. dass der Suprachorioidealraum einen entweder schon natürlichen Weg für Cirkulation von Flüssigkeit, bzw. Abfuhr von Flüssigkeit aus dem Augeninnern bilde oder nun nach der Operation zu einem solchen Wege geschaffen werde.

Was nun den ersten Punkt anbelangt, so hat Heine nicht recht, wenn er die Meinung aussprach, eine Cyklodialyse habe, wenn sie gross genug ist, ebensowenig Neigung zur Spontanheilung wie eine Iridodialyse. Der Vergleich ist schlecht, weil er sich auf nichts anderes stützt, als die Gleichheit der Namen, die Heine willkürlich gewählt hat. Die anatomischen Verhältnisse lassen kaum einen Vergleich zu. Tatsächlich haben mehrere Autoren bereits an Tieraugen zu zeigen sich bemüht, dass die gesetzten Verletzungen im Ligamentum pectinatum grosse Tendenz haben, unter Narbenbildung auszuheilen.

Um den zweiten Punkt aber, um die Frage, ob der mit der vorderen Kammer durch die Operation in Kommunikation gesetzte Suprachorioidealraum nun als Ableitungsweg für den intraokularen Flüssigkeitsstrom wirklich in Funktion trete, und ob dieser Weg für die Dauer frei erhalten bleibe, ist eine heftige Diskussion losgebrochen. Gestützt auf die Theorie von Fuchs, die mit der Druckherabsetzung einhergehende Chorioidealablösung werde durch das in den Suprachorioidealraum gelangende Kammerwasser bedingt, erwartete Heine als Folge seiner Operation das Auftreten einer Chorioidealablösung. Da zeigte sich nun zum ersten Male, dass in der Berechnung etwas nicht stimme. Heine selbst hat, wenn ich nicht irre, in seinen zahlreichen Fällen Chorioidealablösung nur ein einziges Mal beobachtet.

Ich hebe hier ausdrücklich hervor, dass ich alle meine Fälle, besonders jene mit günstigem Verlaufe, des genauesten auf eine Chorioidealablösung untersucht habe, ohne je auch nur ein Anzeichen einer solchen zu entdecken. Dabei muss ich bemerken, dass die Untersuchung in den meisten Fällen infolge der Erweiterung der Pupille ungleich leichter war als z. B. in den Augen nach Staroperation, so dass auch geringe Grade von Abhebung kaum hätten entgehen können.

Freilich hat schon auf der Heidelberger ophth. Gesellschaft 1905 Axenfeld die darauf bezüglichen Bedenken zu zerstreuen versucht und die Behauptung aufgestellt, dass das ophthalmoskopische Nichtsichtbarsein einer Aderhautablösung nicht beweise, dass eine solche nicht da sei. Die cirkulären oder teilweisen Ablösungen des vordersten Teiles lägen oft vor der Grenze des ophthalmoskopischen Gesichtsfeldes. Er habe sich aus dem Verhalten der vorderen Kammer mit Sicherheit überzeugen können, dass eine Ablösung noch da sein musste, als man sie im Stadium der Rückbildung nicht mehr mit dem Spiegel sehen konnte. Die Ablösung der Chorioidea bzw. des flachen Teiles des Ciliarkörpers sei also viel häufiger als wir sie sehen.

Trotzdem glaube ich in diesen Fällen nicht an eine solche periphere Aderhautablösung, und zwar wegen des Verhaltens der Vorderkammer. Denn gerade in den günstig verlaufenden Fällen, wenn das Auge unter der Norm gespannt war, habe ich die vordere Kammer etwas tiefer werden gesehen (z. B. Fall 2, 3, 12, 18, 19, 21), manchmal bei einer Weichheit des Auges, bei der man, wenn sie nach Staroperation auftritt, eine enorme Ablösung der Aderhaut findet. Es ist auch nicht einzusehen, warum die Ablösung, wenn sie schon in geringem Grade vorhanden ist, nur auf die äussere Peripherie beschränkt bleiben sollte. Dies würde dem Verlaufe der Aderhautablösung widersprechen, wie man ihn sonst zu sehen gewohnt ist.

Übrigens wissen wir von der Aderhautablösung, dass sie in den meisten Fällen rasch verschwindet und mit ihr auch die Herabsetzung des intraokularen Druckes. Das hat schon seinerzeit Fuchs veranlasst, von entsprechenden Versuchen Abstand zu nehmen, weil eben derartige operative Versuche voraussichtlich nicht von dauerndem Erfolge begleitet sein könnten.

Und nun ist noch Krauss[1]) gekommen und hat in Tieraugen gefunden, dass die Cyklodialyse eine narbige Verwachsung zwischen den Teilen setze, die bei dem Eingriff operativ getrennt worden

[1]) Zeitschr. f. Augenheilk. April 1907.

waren. Ich muss dieser Angabe auf Grund der histologischen Befunde der von mir untersuchten Augen widersprechen. Wenn man auch von dem Weg, den der Spatel zurückgelegt hat, nichts mehr wahrnehmen konnte, so war es doch auch anderseits nicht zu einer narbigen Verwachsung gekommen. Das Tierauge scheint sich in dieser Hinsicht wesentlich verschieden zu verhalten.

Krauss spitzte die Frage der Wirksamkeit der Cyklodialyse gegen Drucksteigerung auf die Frage zu, ob es denn wirklich gelänge, auf dem von Heine angegebenen Wege eine dauernde Kommunikation zwischen vorderer Kammer und Suprachorioidealraum herzustellen. So konnte es nicht ausbleiben, dass alsbald gegenüber den günstigen Berichten Heines schwere Bedenken gegen die Operation geltend gemacht, ja dieselbe sogar als sehr gefährlich für das Auge geschildert wurde. Am weitesten in dieser Richtung ging Krauss. Er fand in seinen Tierversuchen unter andern: 1. Dass die Iris stets mit der Hornhaut in mehr oder weniger grosser Ausdehnung verwuchs; 2. dass der Kammerwinkel in allen Fällen durch Narbengewebe obliteriert war, die Irisbasis mit der Hornhaut stets durch ein ziemlich weit nach vorn reichendes Narbengewebe verwachsen war, und 3. dass die Vorderkammer auf der Seite der Cyklodialyse nicht tiefer, sondern im Gegenteil flacher erschien. Auf Grund dieser an sechs Kaninchen- und sechs Katzenaugen gewonnenen Erfahrungen erlaubt sich nun Krauss folgende Bemerkungen über den Wert der Cyklodialyse anzuschliessen: „Ob diese an ausgesuchtem Tiermaterial gewonnenen Resultate auf das menschliche Auge zu übertragen sind, ist Ansichtssache“ (!). „Ich wüsste nicht, warum sich der viel empfindlichere und feiner organisierte Uvealtract des Menschen in bezug auf diese Frage günstiger verhalten sollte, als der des Kaninchens und der Katze. Sind diese Resultate aber übertragbar, so ist der Cyklodialyse damit das Urteil gesprochen.“

Ich halte es denn doch nicht für gestattet, aus Laboratoriumsversuchen allein sich so weit gebende Schlüsse herauszunehmen und über eine Sache ein vernichtendes Urteil zu fällen, die doch von anderer, klinisch erfahrener Seite in besserem Lichte dargestellt wurde. Krauss hätte besser getan, nicht so weit zu gehen und aus seinen schlechten Resultaten an Katzenaugen doch nur das eine zu folgern: die Cyklodialyse ist nicht für die Katze. Hätte er sich eine reichere Erfahrung gesammelt, so hätte er sicher Fälle gesehen, in welchen 1. die Iris im Bereiche der Ablösung nicht mit der Hornhaut, auch nicht im geringsten verwachsen war, in welchen 2. der

Kammerwinkel nicht durch Narbengewebe obliteriert war, in welchen die Irisbasis nicht durch ein ziemlich weit nach vorn reichendes Narbengewebe mit der Hornhaut verwachsen war, und in welchen 3. die vordere Kammer gerade auf der Seite der Operation tiefer erschien, wie gerade früher erwähnt. Ich habe hier durchaus nicht die Absicht, und sehe mich dazu auch nicht berufen, Heine vor den Angriffen Krauss' zu schützen, aber das Eine halte ich doch für notwendig zu erklären, dass man zur Entscheidung einer klinischen Frage nicht beiträgt, wenn man mit ungenügenden klinischen Informationen darüber in einseitiger Weise urteilt, wie es Krauss auf Grund von meist theoretischen Erwägungen getan.

Nebenbei bemerkt war von den zwei klinischen Fällen, die Krauss im ganzen beobachtete, der eine überhaupt von vornherein wenig günstig für die Operation: Absolutes Glaukom nach Thrombose der Zentralvene, und sein zweiter Fall: Drucksteigerung bei einem jugendlichen Individuum mit zentralem Hornhautleukom von geradezu glänzendem Erfolge begleitet, indem der vor der Operation auf fast plus zwei erhöhte Druck noch nach 15 Tagen so herabgesetzt war, dass der Bulbus als ganz weich beschrieben wurde. In dem dann aus kosmetischen Gründen enucleierten Auge fand man eine Iridodialyse. Das benützt Krauss einfach dazu, um den Erfolg der Operation der Cyklodialyse abzusprechen und ihn auf Kosten der Iridodialyse zu setzen. Dazu hat er aber gar kein Recht. Eine Iridodialyse schützt nicht vor Drucksteigerung und ich verweise hier auf meinen eigenen Fall 1, wo der Patient nach der Cyklodialyse, die durch eine Iridodialyse kompliziert war, doch alsbald neuerliche Drucksteigerung bekam.

Krauss mag ja immerhin recht haben mit seiner Behauptung, dass die Cyklodialyse nicht im stande ist, eine dauernde Kommunikation zwischen vorderer Kammer und Suprachorioidealraum zu schaffen, aber das berechtigt noch nicht, der Operation jedwede Wirkung abzusprechen. Denn dass durch diese Operation Dauererfolge erzielt wurden, ist eine Tatsache. Dauererfolge, die gewiss nicht in jenen Faktoren zu suchen sind, die Krauss dafür anführt, nämlich:

1. In der Punktion der Vorderkammer. Ich habe schon eingangs erwähnt, dass ich meine Operationen meistens ohne Punktion der vorderen Kammer ausführte, um diesen Druck herabsetzenden Faktor vollkommen auszuschalten, obwohl von vornherein demselben keine wesentliche Bedeutung zuzumessen war. Tatsächlich tritt auch in den typischen Fällen die Druckherabsetzung erst am ersten bis

dritten, selbst bis fünften Tag allmählich ein. Übrigens sah auch Wychodtzew in seinen Tierversuchen die vordere Kammer in kürzester Zeit nach der Operation wieder hergestellt und damit die Punktionswirkung vollständig verschwunden.

2. In dem kürzer oder länger dauernden Vorhandensein der gewissermassen als Filtrationsventil für die Abfuhr der intraokularen Flüssigkeiten dienenden Öffnungen der Sklera. Es ist kaum ein Zweifel, dass die glatte Schnittwunde in der Sklera sehr bald solid geheilt ist, wie auch Wychodtzew in seinen Untersuchungen gefunden hat, dass schon nach kurzer Zeit von der vorderen Kammer aus kein Flüssigkeitsstrom mehr nach rückwärts erfolgt, so dass die Narbe, selbst wenn sie dazu fähig wäre, überhaupt nicht in die Lage kommt, einem Flüssigkeitsstrome als Weg zu dienen.

3. „In den durch die Operation veranlassten ernsteren Schädigungen des Auges, besonders in der im Anschluss an dieselbe eingetretenen Atrophie des Ciliarkörpers.“ Diese supponierten Schädigungen kommen im menschlichen Auge so gut wie nie vor. In den von mir beobachteten, insbesondere in den mit Herabsetzung des Druckes verlaufenden Fällen, wurden nie Symptome beobachtet, die uns berechtigen würden, eine Atrophie des Ciliarkörpers anzunehmen. Die in diesen Augen allfällig vorhandene Atrophie des Ciliarkörpers hat man auf Rechnung des Glaukoms zu setzen. Selbst in den wegen ungünstigen Ausganges zur Untersuchung gekommenen Fällen habe ich keine entsprechende Affektion des Ciliarkörpers sehen können, die nicht ebenso an von der Operation nicht berührten Teilen des Auges sich gefunden und nicht als ein Folgezustand des Glaukoms hätte betrachtet werden müssen.

4. „In einer statt der Cyklodialyse zu stande gekommenen Iridodialyse.“ Was man davon zu halten hat, habe ich schon zuvor erwähnt. Und während nun Krauss die Frage, ob es infolge der Operation in dem einen oder andern Falle nicht doch zu einer dauernden Freilegung des Kammerwinkels gekommen sein könne, nur damit abtut, dass er dies im höchsten Grade für zweifelhaft halte, glaube ich, dass doch gerade darin das Hauptgewicht der Frage liegt. Doch habe ich nicht die Absicht, mich heute damit zu beschäftigen.

Es kommt eben, nachdem nun einmal die Operationsmethode der Cyklodialyse existiert, gar nicht darauf an, ob die Voraussetzung Heines auf sicherer Basis beruhe oder nicht; es ist ganz gleichgültig, auf welcher Basis die Idee der Operation entstanden ist; es ist eine ganz und gar nicht berechtigte Forderung von Krauss, dass Heine zur Berechtigung der Operation den Nachweis zunächst zu führen habe, dass die Aderhautablösung bei Star- und Glaukomoperation auf dieselbe Ursache zurückzuführen sei, dass dieselbe von Dauer ist und ein Riss im Ligamentum pectinatum nicht wieder zuheilt, und dass auf dieser Aderhautablösung die Heilwirkung bei Glaukom beruhe.

Die Frage, die wir zu entscheiden haben, ist vielmehr nur die: Nützt die Operation, die wir als Cyklodialyse kennen gelernt haben, bei Glaukom, oder nützt sie nicht? oder schadet sie vielleicht sogar? Und wenn wir sagen, sowie es der Tatsache entspricht, ja, sie nützt, sie kann den gesteigerten Druck herabsetzen, dann müssen wir die Operation als berechtigt anerkennen, und es möge dann immerhin jemand mit der Frage sich beschäftigen, wie sie dies zu stande bringt. Wenn er dann auch eine andere Ursache der Heilwirkung findet, als Heine ursprünglich angenommen, so kann dies doch auf den Wert der Operation weiter keinen Einfluss haben. Wie oft wurde von unrichtigen Voraussetzungen aus etwas Gutes und Brauchbares geschaffen! Heine ist freilich zu weit gegangen, wenn er die Cyklodialyse der Iridektomie für gleichwertig oder sogar überlegen erklärte. Durch unzutreffende Anpreisung wird der Sache mehr geschadet als genützt. Mit der Iridektomie kann sich die Cyklodialyse nicht messen. v. Graefe ist noch immer der unerreichte glorreiche Sieger über den grimmen Feind Glaukom. Aber mit der Cyklodialyse haben wir eine neue wertvolle Waffe erhalten, die, im richtigen Momente geführt, gerade in jenen Fällen sich bewährt, wo alles andere im Stiche lässt.

Ich schliesse meinem Berichte die Krankengeschichten sämtlicher Fälle in den wichtigsten Grundrissen an, weil dadurch der Leser sich selbst unabhängig ein überzeugenderes Urteil bilden kann, als es der allgemeine Bericht eines andern vermag. Bei einer Reihe von Fällen ist in einer kurzen Epikrise das Bemerkenswerte noch ausdrücklich hervorgehoben.

Zur Erleichterung der Übersicht nehme man noch folgendes zur Kenntnis:

Nr. 1—4 sind Fälle von Glaucoma acutum. Nur in einem Falle kehrte die Drucksteigerung schon nach fünf Tagen wieder. In den drei andern Fällen wurde Dauerheilung erzielt. Beobachtungsdauer in zwei Fällen sieben Monate, in einem Falle ein Monat. Über das

Auftreten von Hypotonie in den mit Cyklodialyse behandelten Augen werde ich demnächst an anderer Stelle ausführlicher berichten.

In neun Fällen von Glauc. infl. chron. (Nr. 5—13) blieb die Operation nur einmal ohne jeden Einfluss auf die Drucksteigerung, viermal wurde der Druck nur für wenige Tage verringert, und in fünf Fällen eine dauernde Druckherabsetzung erzielt. Von letzteren Fällen ist einer über ein Jahr beobachtet, einer acht Monate, einer sechs Monate, zwei durch fünf Monate.

Die 17 folgenden Fälle (Nr. 14—30) betreffen Augen mit Glaucoma absolutum. Es wurden 19 Cyklodialysen ausgeführt. Kein Erfolg in sechs Fällen, eine bald vorübergehende Herabsetzung des Druckes in fünf Fällen, ein länger dauernder Erfolg, der übrigens wegen der Kürze der Beobachtungsdauer nur mit Vorsicht aufzunehmen ist (nur in einem Falle über drei Monate), in acht Fällen. An einem Auge wurde die Cyklodialyse zweimal vorgenommen, ohne bleibenden Erfolg.

Fall 31—33: Hydrophthalmus.

In Nr. 34—42 sind die Fälle von Sekundärglaukom zusammengestellt. Darüber wurde schon im Text genügend berichtet.

Die Gesamtzahl der ausgeführten Operationen beträgt 48.

Fall I. J. N. 63jähriger Mann. Glaucoma acutum o. s. Anamn. Erst seit zwei Tagen bemerkt der Patient eine leichte Entzündung des rechten Auges mit mässigen Schmerzen und Herabsetzung des Sehvermögens. Früher hatte er nie ähnliche Symptome beobachtet.

Stat. praes. Rechtes Auge: Geringe ciliare Injektion, Hornhaut deutlich matt, zart grau getrübt, vordere Kammer ziemlich seicht, Pupille über mittelweit, Tension + 1. Sehschärfe fast normal. Fundus normal.

17. IV. 07. Die Cyklodialyse wird von aussen unten ausgeführt. Während der Spatel in die vordere Kammer eindringt, verfängt sich die Spitze desselben an einigen vorspringenden Irisfasern. Es kommt dadurch beim Vorschieben des Instrumentes eine kleine Iridodialyse aussen unten zu stande. Doch trat keine Blutung ein. Kein Abfluss des Kammerwassers bei der Operation. Vorher war Eserin gegeben worden.

Am Nachmittage war die Kammer aussen unten etwas tiefer als im übrigen Bereiche, die Pupille sehr eng, entsprechend der Iridodialyse aussen unten ein wenig abgeflacht. Der Druck geringer als normal.

18. IV. 07. Tension — 1. Die Hornhaut glänzend, das Auge nicht gereizt.

19. IV. 07. Tension noch immer ein wenig herabgesetzt, Pupille sehr eng, obwohl der Patient seit der Operation kein Eserin mehr bekommen hat.

21. IV. 07. Druck normal.

22. IV. 07. Patient gibt an, in der Nacht sehr wenig geschlafen zu haben. Er verspürte in der Früh einen leichten Druck im rechten Auge und hat wieder Nebelsehen. Man findet die Hornhaut deutlich matt, zart getrübt, die vordere Kammer normal tief, die Pupille etwas erweitert, den Druck deutlich erhöht (+ 1).

23. IV. 07. Die Iridektomie wird vorgenommen, die einen normalen Verlauf nahm und das Glaukom dauernd beseitigte.

Epikrise.

Der Fall ist in mancher Beziehung lehrreich. Die Iridodialyse kam hier nicht etwa dadurch zu stande, dass die Iriswurzel an die Hornhaut befestigt gewesen und von hier durch den Spatel abgetrennt worden wäre; hier handelt es sich vielmehr um eine ganz zufällige Verletzung der Iris, die nichts mit der eigentlichen Cyklodialyse zu tun hat. Der Fall zeigt aber, dass eine Iridodialyse durchaus nicht im stande ist, ein bestehendes Glaukom zu beseitigen.

Fall II. K. K. 39 Jahre alte Frau. Glaucoma acutum o. d. Anamnese. Hat schon vor neun Jahren ohne jegliche Prodrome einen leichten Glaukomanfall gehabt. Seither traten hie und da leichte Schmerzen in diesem Auge auf, die sie auf Rat eines Spezialisten mit Tropfen behandelte. Seit drei Tagen besteht im Anschluss an eine influenzaartige Erkrankung neuerlich ein schwerer akuter Anfall, der auf Tropfen nicht mehr zurückgeht.

Stat. praes. Rechtes Auge: Bulbus stark injiziert, Hornhaut intensiv matt, dicht diffus getrübt, vordere Kammer sehr leicht, Iris weit retrahiert, starker Linsenreflex, Tension + 2. Visus: Fingerzählen in 20 cm.

Nach der Kokainisierung ist die Iris maximal retrahiert, obwohl die Patientin schon seit einem Tage stündlich Eserin bekommt. Eine Iridektomie wäre kaum auszuführen, besonders oben ist die Iris kaum vor dem Limbus sichtbar.

21. III. 07. Cyklodialyse. Von dem gewöhnlichen Einschnitte aussen unten wird mit dem Spatel der ganze äussere untere Quadrant abgelöst. Dabei tritt keine Blutung auf. Die vordere Kammer hebt sich nicht auf, sondern wird dabei sogar tiefer. Erst, als der Spatel herausgezogen wird, ergiesst sich Blut in das Kammerwasser, welches nicht abfliesst. Es gerinnt sofort zu wolkigen Bildungen. Druckverband. Derselbe wird nach sechs Stunden abgenommen. Die vordere Kammer ist gerade im Pupillarbereiche von einer wolkigen Blutmasse erfüllt. Die Hornhaut ist nur mehr ein wenig matt, die Tension bedeutend herabgesetzt, aber noch immer etwas über der Norm. Die Kammer tiefer als vor der Operation. Eserin.

22. III. 07. Hornhaut glänzend, Tension normal. Vordere Kammer von ungefähr normaler Tiefe. Die vor der Operation bestandenen

Schmerzen sind vollständig verschwunden. Die Pupille ist noch immer stark erweitert.

24. III. 07. Das Auge ist heute entschieden weniger gespannt als normal. Eserin wird nicht mehr angewendet.

29. III. 07. Druck andauernd normal.

1. IV. 07. Hornhaut klar, vordere Kammer von normaler Tiefe, Pupille weit, Medien rein, Fundus leicht sichtbar, ist normal, Tension — 2. Sehvermögen $^6/_{60}$ (in der Pupille noch etwas Blut).

13. IV. 07. Druck andauernd etwas geringer als am andern Auge. Aussen unten ist in der Hornhaut beiläufig dort, wo der Spatel zuerst in die vordere Kammer eindrang, eine zarte Trübung sichtbar.

20. IV. 07. Bulbus vollständig reizlos, Tension normal.

4. V. 07. Druck — $^1/_2$.

9. V. 07. Druck normal, Sehvermögen mit — 4 D. sph. $^6/_9$. Jg_2 25 cm. Tension normal.

15. VII. 07. Befund unverändert.

23. X. 07. Vorstellung der Patientin in der Wiener ophth. Gesellschaft. V. K. Seicht, Pupille weit, sonst normaler Befund, Tension — 1. Sehvermögen $^6/_9$.

Epikrise.

Während eine Iridektomie in dem Auge kaum auszuführen gewesen wäre, gestaltete sich die Cyklodialyse zu einem leichten Eingriffe, der die Drucksteigerung dauernd beseitigte.

Fall III. L. E. 59jähriger Mann. Glauc. infl. acut. o. d. Anamn. Vor acht Tagen entzündete sich plötzlich das rechte Auge; dabei bestehen starke Schmerzen sowie Nebelsehen.

Stat. praes. Rechtes Auge: Hornhaut matt, zart getrübt, vordere Kammer seicht, Pupille mittelweit, aus der Pupille ein graugrüner Reflex, zentraler Gefässtrichter, Tension + 2. Sieht mit dem Auge Finger in 4 m.

12. IV. 07. Rechtes Auge: Cyklodialyse. Aus den strotzend gefüllten Skleralgefässen, welche sich trotz Adrenalin nicht kontrahiert haben, blutet es während des Schnittes ziemlich stark. Doch tritt in die vordere Kammer nur sehr wenig Blut. Die Pupille war nach der Kokainisierung des Auges sehr weit geworden. Der ganze untere äussere Quadrant wird unterminiert.

Am Nachmittage sieht man aussen unten in der Hornhaut eine dreieckige Trübung. Die Hornhaut ist noch matt, der Druck noch deutlich erhöht, aber nicht so stark wie vor der Operation, Pupille mittelweit. Kein Mioticum.

13. IV. 07. Auge nur wenig gereizt, auch auf Druck nur wenig empfindlich. Die Trübung aussen unten in der Hornhaut ist ganz tief gelegen, besteht aus grauen Streifen, und beiläufig im horizontalen Meridian aussen sieht man einen goldig glänzenden, kurzen, senkrecht zum Limbus verlaufenden Strich, wahrscheinlich einen Rissrand der Descemet-

schen Membran. Über der Hornhauttrübung ist die Oberfläche ein wenig gestichelt, sonst normal glänzend. Vordere Kammer seicht, aber tiefer als vor der Operation. Pupille mittelweit, stellt ein senkrechtes Oval dar, ist aussen ein wenig abgeflacht. Kein Blut in der vorderen Kammer. Tension normal. Blutungen am oberen und unteren Rand der Papille.

16. IV. 07. Rechtes Auge: Geringe ciliare Injektion. Hornhaut glänzend, nur aussen unten ein wenig gestichelt. Daselbst besteht entsprechend dem bei der Operation berührten Sektor der hinteren Hornhautfläche eine tiefe Trübung, die jedoch nur zart ist. An ihrem oberen Ende, das ist knapp unter dem horizontalen Meridian, bildet eine zum Limbus senkrecht verlaufende, goldglänzende, gerade Linie ihre Grenze (Rupturrand der Descemetschen Membran). Diese goldglänzende Linie erscheint etwas nach rückwärts von der hinteren Hornhautfläche, was wohl dadurch bedingt ist, dass der Rupturrand der Membran sich nach rückwärts gegen die vordere Kammer zu aufgerollt hat. Die Hornhauttrübung erinnert an die felderförmige Hornhauttrübung, wie man sie gelegentlich nach Staroperationen sieht, d. h. sie besteht aus grauen, polygonalen Feldern von homogenem Aussehen, zwischen denen dunkle, weit durchsichtige Linien verlaufen. Vordere Kammer eine Spur tiefer als am andern Auge. Pupille über mittelweit (Patient hat während der ganzen Zeit seines Aufenthaltes kein Mioticum bekommen). Tension etwas unter der Norm. Blutungen am oberen und unteren Rand der Papille, von streifigem Aussehen, Venen stärker gefüllt und geschlängelt. Peripherie des Fundus normal.

1. V. 07. Patient stellt sich in der Klinik wieder vor. Das Auge ist aussen unten noch eine Spur injiziert. Die Gegend des Einschnittes noch andeutungsweise vorgewölbt. Die Hornhauttrübung ist fast gänzlich verschwunden. Vordere Kammer seicht, in der Gegend der Cyklodialyse deutlich etwas tiefer als in der übrigen Ausdehnung. Aussen unten eine schmale hintere Synechie. Pupille über mittelweit, auf Licht wenig reagierend. Tension deutlich etwas geringer als normal. Blutungen im Augenhintergrunde fast vollständig resorbiert. Papille nicht excaviert. Visus $^6/_{12}$.

13. XI. 07. Vorstellung des Patienten in der Wiener ophth. Gesellschaft. Patient gibt an, seit der Operation nie mehr einen ähnlichen Anfall gehabt zu haben. Das Auge ist blass, die Narbe in der Sklera kaum mehr sichtbar. Die Hornhaut allenthalben klar und glänzend. Vordere Kammer seicht, Pupille etwas über mittelweit, auf Licht träge reagierend. Augenhintergrund normal. Visus $^6/_{12}$. Tension normal.

Epikrise.

Es ist wohl sicher, dass in diesem Falle bei der Unterminierung die Descemetsche Membran von der Hornhaut abgelöst wurde, worauf sich der Rupturrand aufrollte. Trotzdem ist die dadurch zunächst veranlasste Trübung der Hornhaut in kurzer Zeit vollständig verschwunden. So war es auch in ähnlichen Fällen, so dass man dieser Komplikation keine besondere Bedeutung beilegen darf.

Fall IV. A. E. 59jährige Frau. Glauc. acut. o. d. Anamn. Vor fünf Tagen bekam sie das erstemal plötzlich heftige Kopfschmerzen in der rechten Seite mit starker Entzündung des rechten Auges und fast gänzlicher Vernichtung des Sehvermögens dieses Auges.

Stat. praes. Rechtes Auge: Starke ciliare Injektion, Hornhaut matt. Vordere Kammer fast aufgehoben, Iris auf einen schmalen Saum reduziert, Tension + 3. L. E. in 6 m. Projektion richtig. Retinitis pigmentosa.

14. IX. 07. Cyklodialyse. Am Schlusse der Operation kommt es zu einer beträchtlichen Blutung in die vordere Kammer.

15. IX. 07. Hornhaut glänzend, Blut teilweise resorbiert, Pupille weit, Tension normal. Schmerzen verschwunden.

16. IX. 07. Tension etwas geringer als normal. Iris ist etwas breiter geworden.

17. IX. 07. Tension andauernd unter der Norm (— 1).

20. IX. 07. Mässige Injektion, Hornhaut glänzend, ungefähr im Zentrum derselben eine aus einzelnen Streifchen bestehende Trübung in den tiefen Schichten, Blut fast vollständig resorbiert, Druck etwas geringer als normal. Papille nicht excaviert, am unteren Rande derselben mehrere Blutungen, auch sonst im übrigen Fundus, besonders unten in der Peripherie sieht man grössere Netzhauthämorrhagien. In der Peripherie die typischen Veränderungen der Retinitis pigmentosa.

Der Druck blieb auch in den folgenden Tagen fortwährend unter der Norm.

Als die Patientin am 27. IX. 07 das Spital verliess, wurde folgender Stat. praes. aufgenommen: Auge fast blass, Hornhaut spiegelnd, tiefe Trübung in derselben noch vorhanden, aber weniger intensiv als anfänglich, Pupille weit, Kammer normal tief, Tension — 1. Visus — 2 $^6/_{60}$. Die Netzhautblutungen in Resorption begriffen. Unten ist in der Netzhaut eine Blutung von 6—8 PD Länge und 3 PD Breite inmitten der Pigmentdegeneration zu sehen.

10. X. 07. Befund noch unverändert. Druck geringer als normal.

Epikrise.

Auch hier war uns die Cyklodialyse eine sehr erwünschte Operation. In dem steinharten Auge, das keine Vorderkammer hatte, bei kaum sichtbarer Iris wäre eine Iridektomie ein sehr gewagter Eingriff gewesen. Die Herabsetzung des Druckes war eine sehr starke, das Auge war noch nach fast einem Monate ganz weich. Das Eintreten von Netzhauthämorrhagien trotz der langsamen Herabsetzung des Druckes ist gleichfalls von Bedeutung. Eine Iridektomie mit rascher Verminderung des intraokularen Druckes hätte da schwere Blutungen zur Folge haben können.

Fall V. A. Z. 71 Jahre alt. Glaucoma infl. chron. (fere absol.) o. u. Iridocyclitis. Anamn. vom 11. VII. 06. Soweit aus der dementen

Patientin herauszubringen ist, leidet sie seit Februar an andauernden Entzündungen beider Augen mit Kopfschmerzen und hochgradiger Abnahme der Sehkraft.

Bei ihrer Aufnahme am 11. Juli vormittags sind beide Augen stark ciliar injiziert, die Hornhaut matt, gestichelt, die vordere Kammer sehr seicht, die Pupillen über mittelweit, nicht reagierend. Druck + 2. Das Sehvermögen ist auf Fingerzählen in 2 m beschränkt. Der Fundus ist nicht zu sehen.

Es wird sofort beiderseits von aussen unten die Cyklodialyse ohne Zwischenfall vorgenommen. Obwohl das Kammerwasser nicht ganz abfliesst, merkt man sofort das Hellerwerden der Hornhaut.

Am 12. VII. 06 morgens sind die Augen nur wenig gereizt, der Druck rechts sicher normal, links vielleicht eine Spur höher als normal, aber viel weniger als tags vorher. Durch die jetzt durchsichtig gewordene Hornhaut sieht man an beiden Augen zahlreiche, alte, braune Präcipitate und mehrere hintere Synechien. Es wird kein Mioticum eingetropft. Die Spiegeluntersuchung ergibt rechts eine totale, links eine die äussere Papillenhälfte einnehmende glaukomatöse Excavation. Der normale Druck dauert bis zum 15. VII. 06 unverändert an, während welcher Zeit die Augen gar nicht gereizt sind.

Am 15. VII. 06 nachmittags ist dagegen im rechten Auge der Druck neuerlich gesteigert (+ 1). Da die Drucksteigerung anhält und am 18. VII. 06 auch links der Druck erhöht ist, wird an diesem Tage beiderseits die Iridektomie vorgenommen, welche einen normalen Verlauf nahm und den gewünschten Erfolg hatte.

Fall VI. J. K. 76 jähriger Mann. Glaucoma o. d. infl. chron. Patient wurde am 10. IV. 07 aufgenommen mit den deutlichen Erscheinungen einer Drucksteigerung im rechten Auge. Die Hornhaut war matt, die vordere Kammer sehr seicht, die Pupille etwas erweitert, der Druck + 1. Da gleichzeitig eine Tränensackblennorrhöe bestand, beschränkte man sich auf das Einträufeln von Eserin und nahm sofort die Exstirpation des Sackes vor. Das Eserin hatte tatsächlich den Erfolg, dass die Hornhaut klar und die Pupille eng wurde, der Druck blieb allerdings dabei noch immer eine Spur höher als normal.

Aber am 17. IV. 07 war das Auge trotz wiederholter Eserineinträufelungen steinhart, die Hornhaut wurde ganz matt, die vordere Kammer ausserordentlich seicht, die Pupille weit.

Es wurde daher am 18. IV. 07 die Cyklodialyse vorgenommen, die ohne Zwischenfall verlief. Am Nachmittage hatte sich der Zustand noch nicht wesentlich verändert. Eserin wurde weiter angewendet.

Am 19. IV. 07 war das Auge bedeutend gebessert, die Hornhaut klar und glänzend, vordere Kammer normal tief, die Pupille bedeutend enger als vorher, der Druck vielleicht nur um eine Spur höher.

Am 20. IV. 07 hält sich das Auge unter Eseringebrauch an der Grenze der Drucksteigerung.

Am 21. IV. 07 ist der Druck wieder deutlich erhöht.

Am 22. IV. 07 starke Drucksteigerung. Die Pupille bleibt trotz Eserin stark erweitert. Es wird daher die Iridektomie vorgenommen, die einen normalen Verlauf nahm und die Drucksteigerung dauernd beseitigte. Das Sehvermögen war infolge einer beginnenden Katarakt auf Fingerzählen in 3 m herabgesetzt. Letztere verhinderte auch die ophthalmoskopische Untersuchung des Augenhintergrundes.

Fall VII. A. B. 66jähriger Mann. Glauc. infl. chron. o. s. Anamn. Schon seit längerer Zeit sieht Patient auf dem linken Auge in Anfällen nebelig, dabei auch Regenbogenfarben um die Flammen. Dabei bestehen auch leichte Kopfschmerzen. Seit einer Woche sind dieselben Erscheinungen in viel stärkerer Weise aufgetreten und dauern ununterbrochen an. Das Sehvermögen ist dabei auf Erkennen von Fingern vor dem Auge herabgesunken.

Stat. praes. Rechtes Auge: Seichte Kammer, sonst normal. Linkes Auge: Sehr starke Injektion, Hornhaut diffus matt, vordere Kammer sehr seicht, Pupille weit, starr, Tension + 3. Fingerzählen vor dem Auge.

15. V. 07. Linkes Auge: Cyklodialyse. Schon während des Unterminierens tritt eine leichte Blutung in die vordere Kammer ein, die nach Herausziehen des Spatels noch stärker wird, obwohl sich die Kammer dabei nicht aufhebt. Das Auge ist nach der Operation ebenso hart wie vorher. Druckverband.

Am Nachmittage ist der Druck von + 3 auf + 1 gesunken.

16. V. 07. Die Hornhaut klar und glänzend, das Blut hat sich auf die Gegend der Pupille zusammengezogen, welche viel enger ist als vor der Operation, obwohl kein Mioticum eingeträufelt wurde. Tension + $^1/_2$.

17. V. 07. Druck fast schon normal. Das Blut hat sich resorbiert. Im Fundus sieht man unten in der Peripherie mehrere fleckige Netzhautblutungen.

18. V. 07. Druck normal. Das Sehvermögen ist auf Fingerzählen in 1 m gestiegen.

21. V. 07. Das Auge ist fast etwas weicher als das rechte auch wenig gespannte Auge. Hornhaut klar und glänzend, vordere Kammer ebenso tief wie am andern Auge, Pupille nur eine Spur weiter als die des andern. Papille fast total excaviert.

23. V. 07. Auge ganz blass, Pupille mittelweit, Druck deutlich etwas herabgesetzt.

28. V. 07. Druck andauernd etwas unter der Norm. Während der ganzen Zeit wurde kein Mioticum angewendet. Das Sehvermögen ist auf $^6/_{60}$ gestiegen.

13. XI. 07. Auge reizlos, Hornhaut klar und glänzend, vordere Kammer eine Spur seichter als am andern Auge, Pupille mittelweit, träge reagierend, Tension normal.

Fall VIII. B. A. 60jährige Frau. Glauc. infl. chron. o. u. (fere absol. o. s.) Anamn. Seit drei Jahren Abnahme der Sehschärfe beider

Augen, mit gelegentlichen Anfällen im rechten Auge. Schon seit einem Jahre wendet sie Tropfen an.

Stat. praes. Rechtes Auge: Hornhaut glänzend, Druck normal. Linkes Auge: Hornhaut eine Spur matt. In beiden Augen ist die vordere Kammer seichter als normal, Pupille über mittelweit, rund, träg reagierend. Links der Druck + 1. Das Sehvermögen rechts $^2/_{18}$, links Fingerzählen in 1 m ohne Besserung durch Gläser. In beiden Augen die Papille total excaviert.

Rechtes Auge: Iridektomie. Fünf Tage später Auftreten einer ausgedehnten Chorioidealabhebung, besonders in der unteren Bulbushälfte und in der Peripherie auf beiden Seiten weit hinaufreichend. Vier Tage später war dieselbe wieder verschwunden. Die Iridektomie war mit der Lanze ausgeführt worden und hatte einen normalen Verlauf genommen.

18. II. 07. Linkes Auge: Cyklodialyse. Der Ciliarkörper wird in grosser Ausdehnung von aussen unten abgelöst, wobei das Kammerwasser abfliesst. Kleine Blutung in die vordere Kammer.

19. II. 07. Hornhaut glänzend, Kammer normal tief, Tension normal.

22. II. 07. Bulbus fast reizlos, Pupille eng, ohne Gebrauch von Miotica, Tension normal.

5. IX. 07. Linkes Auge: Hornhaut klar, vordere Kammer seicht, Druck normal, Skleranarbe kaum sichtbar. Fingerzählen in 2 m.

23. X. 07. Vorstellung der Patientin in der ophth. Gesellschaft. Befund unverändert, Druck normal.

Epikrise.

Der Fall ist bemerkenswert, weil in dem rechten Auge nach einer ohne Komplikation verlaufenen Iridektomie eine ausgedehnte Chorioidealablösung eintrat, während im linken Auge, wo nach den Anschauungen Heines die Bedingungen zur Entstehung einer Aderhautabhebung viel günstigere gewesen wären, keine sich entwickelte. Ich muss hier noch bemerken, dass der Fundus leicht zu sehen war und vergeblich nach einer Aderhautablösung gefahndet wurde. Trotzdem hatte die Operation einen tadellosen Erfolg, auch was die Dauer desselben anbelangt. Daraus geht hervor, dass die Wirkung der Cyklodialyse nicht durch eine Ableitung der Kammerflüssigkeit in den Suprachorioidealraum bedingt ist, dass es demgemäss auch ziemlich gleichgültig sein dürfte, ob derselbe narbig verödet oder nicht, sondern dass die Wirkung der Operation in irgend einem andern Faktor zu suchen ist.

Fall IX. A. S. 70 jährige Frau. Glauc. infl. o. s. Anamn. Seit zwei Jahren Anfälle von Glaukom im rechten Auge, welche zur Erblindung des Auges führten. Vor neun Tagen erster glaukomatöser Anfall im linken Auge mit starken Kopfschmerzen und intensiver Entzündung des Auges.

Stat. praes. Rechtes Auge: Typisches Bild des Glaucoma abs. Tension + 3. Linkes Auge: Starke Injektion, Hornhaut matt, vordere Kammer fast aufgehoben, Iris besonders oben ausserordentlich schmal, Pupille starr und sehr erweitert. Tension + 3. Fingerzählen vor dem Auge.

Am 3. X. 06 soll die Iridektomie gemacht werden. Trotz Anwendung von Alypin zur Anästhesierung ist die Pupille so maximal erweitert, dass man oben überhaupt keine Iris mehr sieht, unten nur einen sehr schmalen Saum; dabei besteht kaum eine vordere Kammer, das Auge ist steinhart und höchstgradig schmerzhaft. Es wird daher mit Rücksicht auf die Gefährlichkeit und Schwierigkeit einer Iridektomie an Stelle derselben eine Cyklodialyse vorgenommen. Dieselbe nimmt einen glatten Verlauf. Es fliesst kein Kammerwasser ab, so dass unmittelbar nach der Operation der Druck derselbe ist wie vorher.

Auch am selben Nachmittage hat sich der Befund noch nicht geändert, doch sind die Schmerzen schon verschwunden.

4. X. 06. Die Hornhaut bedeutend weniger matt, die Tension entschieden herabgesetzt, wenn auch noch etwas über der Norm, Auge nicht gereizt. Nachmittags ist der Zustand noch besser.

5. X. 06. Druck normal. Keine Schmerzen. Hornhaut klar und glänzend, so dass nun zum erstenmale Einblick in den Fundus mit dem Augenspiegel möglich ist; totale Excavation.

6. X. 06. Tension normal, Iris wird etwas breiter. Bis nun war täglich Eserin angewendet worden, welches aber von heute ab ausgesetzt wird.

7. X. 06. Tension normal. Bulbus ganz reizlos.

15. X. 06. Tension andauernd normal. Das Sehvermögen hat sich auf $^6/_{18}$ gehoben.

Als die Patientin am 18. X. 06 die Klinik verliess, war die Hornhaut klar und glänzend, die vordere Kammer seicht, die Pupille noch über mittelweit, die Tension normal.

Am 30. XII. 06 stellte sich die Patientin wieder vor mit gleichem Befunde. Ebenso am 20. V. 07.

3. X. 07. Also genau ein volles Jahr nach der Operation. Stat. praes.: Hornhaut spiegelnd, vordere Kammer seicht, Pupille infolge Atrophie der Iris etwas über mittelweit, Druck normal. Sehvermögen $^6/_{18}$. Patientin hat seit der Operation nie mehr einen Anfall von Drucksteigerung gehabt.

Fall X. J. S. 63jähriger Mann. Glauc. infl. chron. o. s. Anamn. Während das rechte Auge schon seit sieben Jahren an Glaukom erblindet ist, trat die Verschlechterung des Sehvermögens am linken Auge erst seit vier Monaten auf. Das Nebligsehen stellt sich in Anfällen ein unter Schmerzen und Entzündung des Auges. Seit drei Tagen ist der Patient fast erblindet.

Stat. praes. Linkes Auge: Hornhaut matt, vordere Kammer mitteltief, Pupille weit, reaktionslos. Beginnende Katarakt in der hinteren Corticalis. Tension + 2, Arterienpuls, flache Excavation, welche das innere Viertel der Papille noch nicht betrifft. Fingerzählen vor dem Auge.

8. IV. 07. Linkes Auge: Cyklodialyse, wobei nur eine Spur von Blut in die vordere Kammer tritt. Schon nachmittags ist der Druck fast normal.

9. IV. 07. Hornhaut ganz klar, vordere Kammer von normaler Tiefe, das Blut vollständig resorbiert, Pupille etwas enger als früher, obwohl keine Miotica angewendet worden waren. Tension normal.

11. IV. 07. Das Sehvermögen ist auf $^6/_{60}$ gestiegen, der Druck bleibt normal. Versuchshalber wird Eserin eingeträufelt, ohne dass jedoch dadurch die Pupille bedeutend verengert würde.

13. IV. 07. Druck normal, Hornhaut glänzend, Pupille mittelweit. Die nichtgenügende Verbesserung der Sehschärfe ist durch ein zentrales Skotom bedingt, infolge einer Neuritis retrobulbaris (starker Raucher). Die Papille ist blass infolge Atrophie des Sehnerven, die vor der Operation bestandene flache Excavation ist verschwunden.

17. IV. 07. Patient wird aus dem Spitale entlassen, der Druck ist normal, das Auge nicht gereizt, auch auf Druck nicht empfindlich.

1. IX. 07. Auge blass, Hornhaut vollständig klar und glänzend, vordere Kammer mitteltief, Pupille ein wenig über mittelweit, Iris von gut erhaltener Struktur. Druck normal, eher ein wenig herabgesetzt. Der Optikus ist nicht excaviert, aber blass, besonders in der lateralen Hälfte, und die Gefässe eng. Kann in der Nähe mit +-Gläsern gewöhnlichen kleinen Zeitungsdruck lesen (andere Sehproben äusserer Umstände nicht möglich). Hat seit der Operation nie mehr einen Glaukomanfall gehabt.

Epikrise.

Der Fall verdient auch Beachtung wegen des Verschwindens einer allerdings nur flachen und noch nicht total gewesenen glaukomatösen Excavation.

Fall XI. C. G. 31jähriger Mann. Glauc. infl. chron. o. d. Anamn. Patient wurde vor drei Monaten wegen Glaukom anderwärts iridektomiert.

Stat. praes. vom 20. IX. 07. Rechtes Auge: Starke Füllung der Ciliargefässe, Operationsnarbe teilweise cystisch, Hornhaut matt, diffus leicht getrübt, vordere Kammer sehr seicht, Iris verwaschen, Colobom nach innen oben, beide Schenkel in der Narbe. Tension + 1, totale Excavation, Fingerzählen in 1 m.

23. IX. 07. Rechtes Auge: Iridektomie nach unten aussen. Durch einige Tage nach der Operation hielt sich der Druck normal.

Aber schon am 29. IX. 07 setzte wieder die Drucksteigerung ein und verschwand trotz Eseringebrauch nicht mehr, so dass am

7. X. 07 die Cyklodialyse vorgenommen wurde.

8. X. 07. Hornhaut klarer, Kammer tiefer, Tension + 2.

10. X. 07. Bulbus nicht so stark gespannt. In den nächsten Tagen

hielt der Druck sich an der Grenze unter gleichzeitigem Eseringebrauch, aber am

13. X. 07 war neuerlich der Druck so bedeutend erhöht, dass eine Iridektomie unabweisbar war. Sie wurde nach innen unten vorgenommen und brachte den Druck endgültig auf die Norm.

Fall XII. J. R. 73 jährige Frau. Glaucoma inflammatorium chronic. o. s. (haemorrhagicum). Anamnese vom 23. IV. 07. Seit einem Jahre Anfälle von Nebelsehen und Auftreten von Regenbogenfarben um die Lichter auf dem linken Auge. Schmerzen bestehen erst seit kurzer Zeit. Dieselben sind von mässiger Stärke und haben keinen typischen Charakter.

Stat. praes. Linkes Auge: Mässige Injektion von düsterer Farbe, ciliare Venen etwas erweitert, Hornhaut intensiv matt, grob gestichelt, vordere Kammer seicht, Iris durch die trübe Hornhaut verwaschen durchscheinend. Pupille weit, starr. Starker Linsenreflex, Tension + 2. Unsichere Lichtempfindung vor dem Auge, Fundus nicht sichtbar. Rechts normale Verhältnisse.

24. IV. 07. Links: Cyklodialyse von aussen unten. Das Vorschieben des Spatels und die Ablösung des Ciliarkörpers gelingen leicht; es blutet ein wenig in die vordere Kammer, die sich nicht aufhebt. Während des Anlegens der Bindehautnaht, die infolge der hochgradigen Zerreisslichkeit derselben sehr erschwert ist, kommt es zu einer ausgiebigen Blutung in die vordere Kammer, so dass dieselbe davon ganz ausgefüllt wird. Anlegen eines Druckverbandes.

Letzterer wird nach fünf Stunden abgenommen. Die vordere Kammer ist voll mit Blut, so dass man die Iris nicht sieht. Die Hornhaut ist schon glänzend. Der Druck, wenn auch noch erhöht, ist doch schon entschieden geringer als früher. Pilokarpin.

25. IV. 07. Druck nahe der Norm. Das Blut hat sich gesenkt und erfüllt mehr als die Hälfte der vorderen Kammer. Pupille noch über mittelweit, aber etwas enger als vor der Operation. Pilokarpin.

26. IV. 07. Das Blut in schneller Resorption begriffen, bedeckt noch in dünner Schicht die Pupille. Hornhaut glänzend, die vordere Kammer normal tief. Tension normal. Keine Tropfen mehr.

28. IV. 07. Der Druck ist etwas geringer als normal. Der Fundus, zum erstenmale sichtbar, von zahlreichen Hämorrhagien bedeckt, besonders in der Umgebung der nicht excavierten Papille.

In den nächsten Tagen befindet sich das Auge andauernd in einem Zustande einer leichten Hypotension.

Als die Patientin am 3. V. 07 entlassen wird, konnte folgender Befund erhoben werden: Auge noch mässig injiziert, Hornhaut klar und glänzend, vordere Kammer deutlich tiefer als am rechten Auge, Pupille bedeutend über mittelweit, rund. Blut aus der Kammer resorbiert. Arterien des Fundus verengt. Im ganzen Fundus zahlreiche Netzhautblutungen, von denen eine besonders grosse das ganze Gebiet der Macula einnimmt. Tension ein wenig unter der Norm.

Derselbe Zustand wurde auch am 25. IX. 07 vorgefunden, als sich Patientin wieder in der Klinik vorstellte.

Epikrise.

Wie schon die schlechte Lichtempfindung vor der Operation andeutete, waren die Blutungen schon vor letzterer vorhanden und entweder durch die Drucksteigerung selbst hervorgerufen: Glaucoma haemorrhagicum, oder es war nach Auftreten der Blutungen: Thrombose der Zentralvene zur Drucksteigerung gekommen. Jedenfalls ist der Erfolg der Cyklodialyse in diesem Falle ein ausserordentlich hoch zu schätzender. Die Iridektomie gibt erfahrungsgemäss in solchen hämorrhagischen Fällen eine recht ungünstige Prognose. Dieselbe kann durch schwere Blutungen, selbst expulsive Hämorrhagie kompliziert sein. Diesen Gefahren ist man bei Ausführung der Cyklodialyse so gut wie nicht ausgesetzt.

Fall XIII. J. M. 53jähriger Mann. Glauc. chron. o. u. Anamnese vom 12. X. 07. Im März dieses Jahres trat zum erstenmale Flimmern und Nebelsehen auf unter gleichzeitiger Abnahme der Sehkraft. Tropfen erzielten eine scheinbare Besserung. Hatte nie Kopfschmerzen.

Stat. praes. Rechtes Auge: Injizierte vordere ciliare Gefässe. Hornhaut glänzend, vordere Kammer sehr seicht, Irisstruktur deutlich, Pupille künstlich verengert (Pilokarpin). Papille total excaviert. Tension + 1. Sehvermögen rechts $^6/_{12}$, links $^6/_{60}$. Gesichtsfeld hochgradig eingeschränkt (nur 10° gross).

14. X. 07. Rechts: Iridektomie mit dem Messer nach oben. Die Operation verläuft ohne Zwischenfall. Doch ist das Auge auch unmittelbar nachher noch hart.

Links: Cyklodialyse von aussen unten, Schnitt 7 mm vom Limbus entfernt. Die Unterminierung lässt sich leicht ausführen, wobei nur eine geringe Blutung eintritt. Etwas Kammerwasser fliesst ab. Das Auge ist unmittelbar nach der Operation etwas geringer gespannt als vorher, fast normal.

15. X. 07. Rechts: Hornhaut matt, keine vordere Kammer. Tension + 2. Wunde vorgewölbt.

Links: Auge kaum gereizt, auf Druck nicht empfindlich, Hornhaut matt, Kammer seicht, Pupille über mittelweit, kein Blut in der vorderen Kammer. Druck etwas höher als normal, aber nicht so hoch wie am rechten Auge. Eserin wird im rechten Auge zweimal täglich, im linken einmal täglich angewendet.

16. X. 07. Rechts: Wunde noch mehr vorgewölbt, Hornhaut matt, keine vordere Kammer. Das Auge bietet das Bild eines Glaucoma malignum.

Links: Hornhaut klar, vordere Kammer seicht. Pupille sehr eng, Tension normal.

18. X. 07. Rechts: Noch immer keine vordere Kammer, Bulbus steinhart. Fingerzählen in 4 m.

Links: Pupille eng, Tension normal, $^{6}/_{36}$.

Der Zustand beider Augen bleibt in den nächsten Tagen der gleiche.

25. X. 07. Rechts: Noch immer keine vordere Kammer, Wunde stark ektatisch, Tension + 2. Bulbus stark gereizt.

Links: Bulbus fast reizlos, Hornhaut klar und glänzend, vordere Kammer sehr seicht, Tension an der Grenze. $^{6}/_{36}$. Das Sehvermögen des rechten Auges ist bis auf Fingerzählen vor dem Auge gesunken.

Als der Patient am 30. X. 07 die Klinik verliess, war der Befund in beiden Augen noch derselbe.

Epikrise.

Der Fall zeigt den Vorteil der Cyklodialyse gegenüber der Iridektomie in Fällen von Glaucoma malignum. Wenn man auch nicht behaupten darf, dass das Auge durch die Cyklodialyse von dem Glaukom geheilt worden sei, so hat sich die Cyklodialyse doch immerhin als eine harmlose Operation erwiesen, während die Iridektomie einen deletären Einfluss hatte. Ereignisse, wie Klaffen der Wunde, Ektasie derselben, Vorgedrängtwerden oder selbst Spontanaustritt der Linse, ein Nichtwiederherstellen der vorderen Kammer, können bei der Cyklodialyse sich nicht einstellen. Auch was den Druck selbst anbelangt, hatte die Cyklodialyse einen günstigen Einfluss genommen.

Fall XIV. A. P. 84 jährige Frau. Glaucoma absolutum o. s. Anamnese. Die Erkrankung des linken Auges soll vor mehreren Monaten mit heftigen Schmerzen und Entzündungserscheinungen begonnen haben.

Stat. praes. Linkes Auge: Bulbus stark injiziert, Hornhaut grob gestichelt, diffus getrübt, vordere Kammer sehr seicht, Pupille weit, starr. Tension + 3. Amaurose. Totale glaukomatöse Excavation.

16. IV. 07. Cyklodialyse von aussen unten. Kein Zwischenfall. Keine Blutung in die vordere Kammer, die sich nicht aufhebt. Nachmittags zeigt das Auge noch keine Veränderungen und bietet das gleiche Bild des absoluten Glaukoms. Auch in den nächsten Tagen tritt keine wesentliche Veränderung ein, doch sind die Schmerzen verschwunden. Eserin wird täglich zweimal eingetropft.

24. IV. 07. Hornhaut glänzend, der Druck noch immer hoch, keine Schmerzen.

Als die Patientin am 26. IV. 07 entlassen wurde, befand sich das Auge noch immer im selben Zustande: Hornhaut ein wenig matt, Pupille weit, das Auge hart, doch schmerzlos.

Erst anfangs Juli stellten sich neuerdings heftige Schmerzen im Auge ein.

Als die Patientin am 16. VII. 07 wieder in die Klinik aufgenommen wurde, bot das linke Auge folgenden Befund: Ciliarvenen hochgradig überfüllt, Hornhaut sehr matt, grob gestichelt, vordere Kammer sehr seicht, fast aufgehoben, Iris atrophisch, Linse getrübt, Pupille weit, Tension + 2. Amaurose.

Am 17. VII. 07 wurde die Enucleation vorgenommen. Über den histologischen Befund siehe S. 499.

Fall XV. R. F. 80 jährige Frau. Glaucoma absolutum o. u. Anamnese. Patientin kam vor vier Wochen mit vollständig erblindeten Augen nach Wien, nachdem sie in ihrer Heimat (Ungarn) von einem Arzt längere Zeit mit Atropin behandelt worden war. Sie wurde hier von einem Augenarzte auf beiden Augen iridektomiert. Nach der Operation hörten die Schmerzen im rechten Auge auf, während sie im linken weiterbestehen.

Stat. praes. Linkes Auge: Ciliare Injektion, Hornhaut matt, vordere Kammer seicht, Iris stark atrophisch, breites regelrechtes Colobom nach oben, Linse vollständig getrübt. Tension + 3.

Am 17. IV. 07 wird am linken Auge eine Cyklodialyse vorgenommen. Schnitt von aussen unten. Der Spatel dringt zuerst hinter der Iris vor, wird aber dann richtig vorgeschoben. Keine Blutung in die vordere Kammer, welche sich nicht aufhebt. Ausgiebige Unterminierung des Ciliarkörpers.

Schon nachmittags gibt Patientin an, weniger Schmerzen zu haben, der Druck etwas geringer.

Am 18. IV. 07 ist der Druck deutlich herabgesetzt, das Auge nicht mehr schmerzhaft.

Am 19. IV. 07 ist die Hornhaut fast normal glänzend, die vordere Kammer, wenn auch noch immer seicht, doch nicht in dem Grade wie früher, die Schmerzen vollständig verschwunden, der Druck eine Spur geringer als normal. Eserin wurde täglich zweimal eingeträufelt, ohne übrigens im nicht operierten Auge einen Einfluss auf die Drucksteigerung zu nehmen.

Da nach einer Woche der Zustand noch immer gleich günstig war, wurde Patientin aus der Klinik entlassen.

Fall XVI. K. H. 70 Jahre alt. Glaucoma absolutum o. s. Anamnese. Vor einigen Monaten bekam die Patientin wiederholt am linken Auge Anfälle von Nebelsehen und Sehen von farbigen Ringen. Vor 14 Tagen erster typischer Anfall mit sehr heftigen Schmerzen und vollständiger Vernichtung des Sehvermögens dieses Auges.

Stat. praes. Links: Düsterrote ciliare Injektion, Hornhaut matt, gestichelt, diffus trüb, vordere Kammer sehr seicht, Pupille weit, starr. Druck + 2, Amaurose, totale Excavation.

25. VI. 06. Cyklodialyse von aussen unten. Bei der Operation kommt es zu einer leichten Blutung in die vordere Kammer.

26. VI. 06 Druck nicht verringert, Hornhaut matt, Iris und Pupille von Blut bedeckt.

27. VI. 06. Hornhaut etwas heller, Druck ein wenig verringert.

Die Abnahme des Druckes hält auch in den nächsten Tagen noch an, so dass am 30. VI. 06 der Druck fast normal ist.

Erst am 5. VII. 06 ist wieder eine leichte Erhöhung des Druckes zu konstatieren.

Als die Patientin am 6. VII. 06 das Spital verliess, war der Druck + 1. Das Blut hatte sich noch nicht ganz resorbiert.

Fall XVII. S. Z. 65 Jahre alt. Glaucoma absolutum o. s. Anamnese. Das rechte Auge ist infolge Glaukom schon über neun Jahre blind, das linke Auge ist seit einem Monate vollständig erblindet, nachdem der Patient längere Zeit zuvor an Kopfschmerzen, Nebelsehen usw. gelitten hatte.

Stat. praes. Linkes Auge: Starke ciliare Injektion. Hornhaut matt, zart diffus getrübt, vordere Kammer sehr seicht, Pupille etwas erweitert, starr, Iris von normaler Struktur. Tension + 2. Angeblich keine Lichtempfindung, Fundus nicht sichtbar.

23. II. 07. Links: Cyklodialyse von aussen unten. Incision 5 mm vom Limbus entfernt. Es wird der ganze äussere untere Quadrant des Ciliarkörperansatzes losgelöst. Die vordere Kammer hebt sich nicht ganz auf. Keine Blutung in die Kammer. Nach der Operation der Bulbus fast ebenso hart wie vorher. Vor der Operation bekam der Patient Eserin, zur Anästhesierung wurde Alypin verwendet.

23. II. 07. Nachmittags. Links: Hornhaut etwas klarer, nicht so matt wie vor der Operation. Vordere Kammer seicht, Pupille mittelweit, Tension + 1.

24. II. 07. Hornhaut klar, glänzend, vordere Kammer normal tief, Tension + 1. Keine Schmerzen.

In der Nacht vom 24. auf den 25. II. 07 treten neuerlich Schmerzen im linken Auge auf.

25. II. 07. Links: Hornhaut matt, getrübt, vordere Kammer nicht seichter als gestern, Pupille wieder erweitert. Tension + 2. Noch am selben Tage wird eine Cyklodialyse von aussen oben ausgeführt. Einschnitt 5 mm vom Limbus entfernt. Beim Einführen des Spatels tritt etwas Blut in die vordere Kammer, welche sich nicht ganz aufhebt. Unmittelbar nach der Operation ist das Auge bedeutend weicher als normal. Am Nachmittag desselben Tages ist die Kammer normal tief, die Hornhaut klar und glänzend, die Tension deutlich ein wenig gesteigert. Das Blut hat sich in Form eines Hyphäma gesenkt. Keine Schmerzen. Keine Tropfen.

26. II. 07. Links: Druck noch immer etwas erhöht.

27. II. 07. Links: Druck + 1.

1. III. 07. Druck noch immer etwas erhöht, allerdings viel weniger als vor der ersten Operation. Hornhaut glänzend, Kammer normal tief, Pupille weit. Fundus schon seit der ersten Operation sichtbar, totale Excavation.

6. III. 07. Der Patient wird entlassen, da die Schmerzen nicht mehr auftraten. Doch ist der Druck noch immer etwas erhöht. Während der Spitalsbehandlung wurde nie ein Mioticum verabreicht.

Fall XVIII. F. S. 53 Jahre alt. Glaucoma absolutum o. d. Anamnese. Das rechte Auge des Patienten ist schon seit mehr als fünf Jahren an Glaukom vollständig erblindet.

Stat. praes. Rechtes Auge: Bulbus reizlos, Hornhaut matt, diffus getrübt, vordere Kammer seicht, Pupille weit, aus der Pupille ein graugrünlicher Reflex. Druck + 2. Totale Excavation.

15. III. 07. Rechts: Cyklodialyse von aussen unten. Normaler Operationsverlauf, keine Blutung.

16. III. 07. Druck etwas herabgesetzt, Hornhaut glänzend, vordere Kammer etwas tiefer als vor der Operation.

17. III. 07. Druck normal, Hornhaut vollständig klar und glänzend, Pupille etwas über mittelweit, rund. Das Auge hat das glaukomatöse Aussehen ganz verloren.

Auch in den nächsten Tagen bis zur Entlassung des Patienten am 23. III. 07 bleibt das Auge in dem gleichen Zustande, der Druck normal.

Fall XIX. E. D. 50jährige Frau. Glaucoma infl. chron. o. u., absol. o. d. Anamnese. Angeblich erst seit zwei Monaten seien die Erscheinungen von Glaukom zuerst am rechten, dann auch am linken Auge aufgetreten.

Stat. praes. Rechtes Auge: Ciliare Injektion, Hornhaut matt und leicht trübe, vordere Kammer seicht, Iris nicht atrophisch, Pupille weit, starr, Tension + 2. Totale Excavation.

Linkes Auge: Seichte Kammer, mittelweite Pupille, Tension eine Spur erhöht. Excavation noch nicht ganz total. Sehvermögen normal. In diesem Auge wurde eine Iridektomie mit gutem Erfolge ausgeführt. Am rechten Auge, welches nur mehr excentrisch Finger erkennen konnte, wurde eine Cyklodialyse vorgenommen, wobei es zu einer minimalen Blutung in die vordere Kammer kam.

Einen Tag später, am 23. IV. 07, wurde folgender Befund behoben. Pupille bedeutend verengert, obwohl kein Mioticum angewendet worden war. Hornhaut klar und glänzend, vordere Kammer tiefer als zuvor, kein Blut in derselben. Druck deutlich geringer als normal. Das Auge ist auf Berührung nicht empfindlich. Im Augenhintergrunde findet man ausgedehnte Blutungen, nicht nur in der Nähe der Papille, sondern auch in der Peripherie.

24. IV. 07. Das Auge macht äusserlich einen ganz normalen Eindruck, nur die Pupille ist etwas über mittelweit. Zarte Trübung der Hornhaut, entsprechend der Cyklodialyse. Das Auge ist weich, der Druck — 2.

27. IV. 07. Andauernd Druck unter der Norm. Kammer deutlich tiefer als vorher. Patientin verlässt die Klinik.

2. V. 07. Derselbe Befund.

Fall XX. M. H. 64 jähriger Mann. Glauc. infl. o. u., abs. o. d. Anamnese. Vor fünf Wochen bemerkte er eines Abends einen farbigen Ring um das Lampenlicht und eine Verschlechterung des Sehvermögens des rechten Auges. Dieser Anfall wiederholte sich dann noch einigemal. Vor 14 Tagen ein neuerlicher Anfall, nach welchem er auf dem Auge nichts mehr sah. Das linke Auge soll einen gleichen Anfall gehabt haben, ohne eine wesentliche Störung des Sehvermögens davon zu tragen.

Stat. praes. Linkes Auge: Äusserlich normal, Hornhaut klar und glänzend, vordere Kammer seicht, Druck normal. Sehvermögen und Fundus normal.

Rechtes Auge: Typisches Aussehen eines absoluten Glaukoms. Hornhaut matt gestichelt, Kammer seicht, Iris sehr schmal, aus der Pupille ein matt grünlicher Reflex, Tension + 3, totale Excavation, Handbewegung vor dem Auge.

3. VII. 07. Rechtes Auge: Cyklodialyse mit normalem Verlaufe. Miotica werden nicht angewendet.

4. VII. 07. Hornhaut klar und glänzend, Pupille noch sehr weit, Druck normal.

6. VII. 07. Patient muss wegen Pleuritis auf eine interne Abteilung transferiert werden.

12. VII. 07. Rechtes Auge blass, Hornhaut klar und glänzend, vordere Kammer seicht, Pupille noch etwas erweitert, Tension etwas geringer als normal. In der Peripherie des Fundus ausgedehnte Veränderung entsprechend einer abgelaufenen peripheren Chorioiditis.

Fall XXI. A. K. 61 jährige Frau. Glauc. abs. o. d. Anamnese. Abnahme des Sehvermögens seit zwei Jahren, ohne charakteristische Beschwerden.

Stat. praes. Rechtes Auge: Ciliarvenen erweitert, Hornhaut matt, vordere Kammer fast aufgehoben, Iris sehr atrophisch, Pupille stark erweitert, nicht reagierend, Druck + 2.

14. VII. 07. Cyklodialyse. Ein Ciliargefäss blutet trotz Adrenalin so heftig, dass es mit dem Thermokauter verschorft werden muss. Der Spatel gelangt tadellos in die vordere Kammer. Erst während die seitlichen Bewegungen ausgeführt werden, entsteht aussen unten eine kleine Iridodialyse. Da es in die Kammer zu bluten beginnt, wird sofort ein Druckverband angelegt. Acht Stunden später wird derselbe abgenommen. Die Kammer ist tiefer als vor der Operation, fast gar kein Blut in ihr, nur eine grössere Flocke bedeckt den unteren Pupillarrand. Druck normal. Hornhaut glänzend, Pupille enger als vor der Operation. Kein Mioticum weder vor noch nach der Operation.

15. VII. 07. Blut ganz resorbiert. Druck normal.

19. VII. 07. Stat. exit. Bulbus reizlos, Hornhaut klar und glänzend, vordere Kammer nur wenig seichter als normal. Druck normal. Sehvermögen infolge totaler Excavation der Papille auf Handbewegung herabgesetzt.

23. X. 07. Vorstellung des Patienten in der Wiener ophth. Gesellschaft. Befund wie am 19. VII. 07.

Fall XXII. S. S. 48jähriger Mann (taubstumm). Glauc. infl. o. s., abs. o. d. Anamnese. Das rechte Auge ist angeblich schon seit acht Monaten ganz erblindet. Das linke Auge, welches Finger in 3 m zählt, soll auch schon seit mehreren Monaten erkrankt sein.

Stat. praes. Rechtes Auge: Hornhaut glänzend, Kammer sehr seicht, die Pupille über mittelweit, nicht reagierend, Tension + 2, deutlicher Arterienpuls.

Linkes Auge: Typisches entzündliches Glaukom. Ciliare Injektion, matte Hornhaut, sehr seichte vordere Kammer, Pupille erweitert, starr, Iris hyperämisch, Druck + 2. Fundus infolge der Hornhauttrübung nicht sichtbar.

13. VII. 07. Cyklodialyse auf beiden Augen. Beim Herausziehen des Spatels tritt in beiden Augen eine Blutung in die vordere Kammer ein, sofortiger Druckverband.

Nachmittags. Linkes Auge: Vordere Kammer fast voll mit Blut, Druck erhöht, Eserin.

Rechtes Auge: Auf der Iris unten etwas Blut, Pupille mittelweit, Hornhaut glänzend, Druck normal, Kammer tiefer als vor der Operation, kein Eserin.

14. VII. 07. Linkes Auge: Blut in Resorption begriffen, oben wird die Iris bereits sichtbar, Druck normal, Eserin.

Rechtes Auge: Druck normal.

15. VII. 07. Linkes Auge: Hornhaut etwas matt, Druck eine Spur erhöht, Eserin.

17. VII. 07. Rechtes Auge: Druck normal.

Linkes Auge: Neuerliche Drucksteigerung, daher am 18. VII. 07 Iridektomie mit normalem Verlaufe und dauernder Beseitigung des Glaukoms.

23. VII. 07. Rechtes Auge: Hornhaut etwas matt, vordere Kammer seicht, Tension wieder etwas erhöht. Da das Auge blind und nicht schmerzhaft ist, wird von einer Iridektomie Abstand genommen.

Als der Patient am 3. VIII. 07 die Klinik verliess, war folgender Befund zu erheben: Rechtes Auge: Tension + 3, keine Schmerzen. Linkes Auge blass, Hornhaut klar und glänzend, vordere Kammer normal tief, Druck normal. Das Sehvermögen beträgt Fingerzählen in 5 m, da infolge eines irregulären Astigmatismus eine Besserung durch Gläser nicht möglich ist. Der Augenhintergrund ist normal.

Fall XXIII. A. R. 52jähriger Mann. Glaucoma abs. o. d. Anamnese. Schon seit mehr als einem Jahre Abnahme der Sehschärfe des rechten Auges, welches seit einem halben Jahre vollständig erblindet ist. Erst seit zwei Monaten ist das Auge entzündet und schmerzhaft geworden.

Stat. praes. Rechtes Auge: Ciliare Injektion, Hornhaut matt, vordere Kammer sehr seicht, Pupille weit, reaktionslos, Tension + 3, Amaurose, totale glaukomatöse Excavation.

Linkes Auge: Normal.

14. IX. 07. Rechtes Auge: Cyklodialyse. Es fliesst bei der Operation kein Kammerwasser ab.

15. IX. 07. Die Hornhaut ist zwar etwas klarer, aber immer noch

matt. Vordere Kammer normal tief, 3 mm hohes Hyphäma, Tension + 3. Wenig Schmerzen. Eserin.

16. IX. 07. Druck in gleicher Höhe.

17. IX. 07. Von nun an wieder andauernd starke Schmerzen trotz dreimal täglicher Anwendung von Eserin. Tension + 3.

20. IX. 07. Iridektomie wegen andauernder starker Drucksteigerung. Die Ausschneidung der Iris wird nach unten vorgenommen, weil oben die Iris zu schmal ist. Die Operation hatte den gewünschten Erfolg, indem der Druck normal wurde und die Schmerzen aufhörten.

Nach wenigen Wochen aber stellte sich der frühere Zustand wieder ein, so dass am 18. X. 07 die Enucleation des Auges vorgenommen werden musste. Der histologische Befund siehe S. 498. Von dem klinischen Befunde sei nur hervorgehoben, dass die Iridektomienarbe stark ektatisch war, während von der Incision in der Sklera zur Cyklodialyse nichts zu sehen war.

Fall XXIV. M. H. 64 jähriger Mann. Glauc. infl. abs. o. d. Anamnese. Vor vier Wochen erster schwerer Glaukomanfall im rechten Auge mit starker Schädigung des Sehvermögens, seither mehrere andere Anfälle mit vollständiger Vernichtung der Sehkraft.

Stat. praes. Rechtes Auge: Starke Injektion, Hornhaut matt, Epithel stellenweise blasenförmig abgehoben, vordere Kammer sehr seicht, Iris atrophisch, Pupille weit, starr. Tension + 2. Totale Excavation. Amaurosis.

23. IV. 07. Cyklodialyse mit normalem Verlaufe.

24. IV. 07. Hornhaut etwas klarer, vordere Kammer etwas tiefer, Tension + 2.

Der Druck bleibt auch in den nächsten Tagen hoch.

Als der Patient am 29. IV. 07 die Klinik verliess, bestanden zwar keine Schmerzen, aber der Druck war noch immer + 2.

Am 2. V. 07 kehrten aber die Schmerzen mit grosser Heftigkeit wieder, so dass die Iridektomie vorgenommen werden musste, wobei es zum Verluste von Glaskörper kam.

Fall XXV. I. B. 58 jähriger Mann. Glauc. abs. o. s. Anamnese. Schon seit einem Jahre ist das Auge vollständig blind, aber erst seit vier Wochen ist es schmerzhaft geworden.

Stat. praes. Rechtes Auge: Normal.

Linkes Auge: Ciliare Injektion, Hornhaut grob gestichelt, vordere Kammer sehr seicht, Iris atrophisch. Tension + 3. Amaurosis.

30. IV. 07. Cyklodialyse.

1. V. 07. Druck ein wenig herabgesetzt. Keine Schmerzen.

3. V. 07. Vordere Kammer tiefer als vor der Operation, Hornhaut etwas klarer, Tension noch immer + 1. Die ihm vorgeschlagene Iridektomie verweigert der Patient und verlässt das Spital.

Fall XXVI. R. F. 60 jährige Frau. Glauc. abs. o. d. Anamnese. Seit zehn Wochen ist die Sehkraft des rechten Auges bis auf Lichtschein gesunken ohne charakteristische Anfälle.

Stat. praes. Rechtes Auge: Ciliare Injektion, Hornhaut matt, im unteren Abschnitte etwas trübe. Diese Trübung erklärt sich aus einem zarten Beschlage an der Hinterfläche, welcher in Form einer dreieckigen Wolke auf der Hornhaut liegt und in der einzelne saturiertere feinste Pünktchen sich abheben. Vordere Kammer seicht, die Iris geschwollen, ihre Zeichnung besonders im Ciliarteil verwischt, die Pupille mittelweit, leicht entrundet, fast lichtstarr, aus der Tiefe ein grünlicher Reflex. Tension + 1. Handbewegung vor dem Auge. Totale Excavation der Papille.

17. XI. 05. Rechtes Auge: Cyklodialyse. Zuerst erscheint der Spatel, hinter der Iris hervorkommend, in der Pupille. Infolgedessen wird er zurückgezogen, wobei einige Tropfen einer klaren Flüssigkeit abfliessen, und in anderer Richtung zwischen Sklera und Chorioidea durchgeführt, und darauf die regelrechte Ablösung des Ciliarkörpers vorgenommen.

18. XI. 05. In der vorderen Kammer ein 3 mm hohes Hyphäma, Hornhaut gestichelt, Pupille eng, Tension noch nicht verringert.

19. XI. 05. Druck etwas geringer als vor der Operation.

20. XI. 05. Hornhaut noch etwas matt, Kammer tiefer, Druck nicht mehr erhöht.

21. XI. 05. Hornhaut matt, Blut fast resorbiert, Druck eine Spur gesteigert.

24. XI. 05. Hornhaut glänzend, Tension — 1.

27. XI. 05. Neuerliche Drucksteigerung, Hornhaut getrübt, Schmerzen in der rechten Schläfe. Eserin.

30. XI. 05. Druck andauernd etwas erhöht.

1. XII. 05. Patientin verlässt das Spital. Der Befund ist folgender: Rechtes Auge: Bulbus blass, Hornhaut klar und glänzend, vordere Kammer sehr seicht, unten ein Blutrest, Irisstruktur deutlich, Pupille eng, nicht reagierend, Tension + 1, Handbewegung vor dem Auge.

Fall XXVII. J. C. 63jährige Frau. Glauc. abs. o. d. Anamn. Das Sehvermögen des rechten Auges war seit einem im neunten Lebensjahre überstandenen Hornhautgeschwür immer stark herabgesetzt. Angeblich schon vor 20 Jahren soll das Auge vollständig blind gewesen sein. Doch traten erst vor wenigen Tagen das erstemal heftige Schmerzen im Auge und in der rechten Kopfhälfte auf.

Stat. praes. Ciliare Injektion, Hornhaut matt, in der unteren Hälfte eine intensiv weisse Narbe, vordere Kammer seicht, Irisstruktur verwaschen, Pupille erweitert, Tension + 1, Fundus nicht sichtbar, Amaurose.

7. XII. 05. Cyklodialyse. Normaler Operationsverlauf.

8. XII. 05. Vordere Kammer normal tief, Tension normal.

9. XII 05. Hornhaut glänzend, Tension etwas vermindert.

10. XII. 05. Tension — 1.

12. XII. 05. Hornhaut klar, Druck deutlich herabgesetzt.

15. XII. 05. Tension wieder gesteigert, weitere Beobachtungen fehlen.

Fall XXVIII. F. K. 65jährige Frau. Glauc. abs. o. u. Anamn. Seit 3 Monaten wiederholte Anfälle von Glaukom am rechten Auge, die schon vor 3 Wochen das Sehvermögen fast vollständig zerstört hatten.

Stat. praes. Beide Augen: Starke Erweiterung der vorderen Ciliarvenen, Hornhaut grob gestichelt und getrübt, vordere Kammer sehr seicht. Pupille über mittelweit, Tension + 2. Handbewegung vor dem Auge, Fundus nicht sichtbar.

10. I. 06. Rechtes Auge: Cyklodialyse. Die Frau war bei der Operation ausserordentlich ungebärdig. Der Spatel kam hinter der Iris in der Pupille zum Vorschein und es gelang auch bei wiederholten Versuchen nicht, mit dem Spatel im Kammerwinkel herauszukommen. Keine Blutung.

11. I. 06. Rechtes Auge: Hornhaut glänzend, ganz klar, Pupille eng, rund, Tension normal. Das Auge sieht äusserlich eigentlich ganz normal aus, während das andere unverändert trüb ist.

13. I. 06. Tension andauernd normal. Fundus leicht sichtbar, Papille total excaviert.

15. I. 06. Tension normal, kein Gebrauch von Miotica. Weitere Beobachtungen fehlen.

Epikrise.

Wenn etwas, so spricht dieser Fall gegen die Cyklodialyse. Obwohl nämlich gar keine Unterminierung des Ciliarkörpers vorgenommen wurde, war doch der Erfolg wenigstens für die fünf Tage der Beobachtung ein sehr guter. Mangels weiterer Beobachtungen ist es allerdings nicht möglich, den Fall weiter zu verwerten.

Fall XXIX. S. Z. 50jährige Patientin. Glauc. absol. o. d. Anamnese. Schon im Jahre 1896 wurde das rechte Auge wegen Glaucoma abs. iridektomiert. Der Druck wurde durch die Operation auf die Norm gebracht und die Schmerzen beseitigt. Erst seit 2 Monaten begann das Auge neuerdings schmerzhaft zu werden.

Stat. praes. Vom 18. IV. 07. Rechtes Auge: Erweiterte vordere Ciliargefässe, oben in der Sklera $1\frac{1}{2}$ mm vom Limbus entfernt eine Operationsnarbe. Hornhaut matt, vordere Kammer seicht, Iris atrophisch, regelrechtes Colobom nach oben, Linse getrübt, Tension + 2.

19. IV. 07. Cyklodialyse. Normaler Operationsverlauf.

20. IV. 07. Tension etwas herabgesetzt, aber noch höher als normal.

21. IV. 07. Tension normal, Auge nicht gereizt.

In den nächsten Tagen bleibt der Druck andauernd normal ohne Gebrauch von Miotica.

Als am 2. V. 07 die Patientin das Spital verlässt, ist der Druck noch immer normal.

Fall XXX. A. G. 62jährige Frau. Glauc. absol. o. u. Anamnese vom 28. X. 07. Seit August dieses Jahres Anfälle von Nebelsehen, anfänglich am rechten, später auch am linken Auge, mit fortschreitender Abnahme des Sehvermögens. Schon seit September völlige Erblindung.

Stat. praes. Beide Augen: Stark erweiterte vordere Ciliargefässe, Hornhaut grob matt, rauchig getrübt, vordere Kammer sehr seicht, Iriszeichnung verwaschen, Pupillen über mittelweit, starr, starker Linsenreflex, rechts Tension + 3, Amaurose, links + 2, Handbewegung vor dem Auge, beiderseits totale glaukomatöse Excavation.

29. X. 07. Links: Iridektomie. Schnitt mit dem v. Graefeschen Messer. Gleich nach Vollendung des Schnittes beginnt die Wunde zu klaffen, die Iris wölbt sich vor und wird ausgeschnitten. Von der Reposition musste Abstand genommen werden, weil der Lappen umzuklappen droht.

Rechts: Cyklodialyse. Schnitt aussen unten 7 mm vom Limbus entfernt. Der Spatel erscheint in der Kammer, zuerst von einer dünnen Irisschicht bedeckt; nach leichtem Zurückziehen gelangte er an die richtige Stelle und nun wird nach oben und unten bis zum senkrechten Meridian, also die ganze äussere Hälfte unterminiert. Am Schlusse der Operation gerät etwas Blut in die vordere Kammer, die sich nicht aufhebt. Tension nach der Cyklodialyse unverändert. 3 Stunden später sickert unter dem Verbande des linken, iridektomierten Auges Blut hervor. Man findet an dem Verbande haftend eine schwarzbraune Masse mit etwas Glaskörper, in der Lidspalte liegt die Linse, in der klaffenden Wunde Blut.

30. X. 07. Rechts: Hornhaut klar und glänzend, aussen unten eine leichte Trübung derselben, vordere Kammer tiefer als vor der Cyklodialyse, Pupille enger als vorher, aber noch über mittelweit, Tension + $^1/_2$. Kleines Hyphäma.

Links: Wunde weit klaffend, Glaskörper, vielleicht auch Chorioidea in ihr vorliegend. Tension —.

31. X. 07. Rechts: Hornhaut glänzend, Kammer normal tief, Blut in Resorption, Pupille mittelweit, Tension normal. Patientin erkennt Handbewegung.

1. XI. 07. Rechts: Druck etwas geringer als normal. Medien bis auf eine geringe Cataracta senilis incip. normal. Keine Blutungen im Fundus.

2. XI. 07. Rechts: Tension — 1. Ebenso in den folgenden Tagen. Nie wurden Miotica angewendet.

13. XI. 07. Vorstellung der Patientin in der Wiener ophth. Ges. Das Auge bietet äusserlich mit Ausnahme einer etwas seichten Kammer und für das Alter der Patientin etwas zu weiten Pupille keine Erscheinungen eines Glaukom. Druck — 1.

16. XI. 07. Patientin verlässt die Klinik. R. Tn.

Fall XXXI. A. N. 3jähriges Kind. Hydrophthalmus o. d. Anamnese. Seit $1^1/_2$ Jahren merken die Eltern des Kindes die Vergrösserung des rechten Auges.

Stat. praes. Rechtes Auge: Typisches Bild des Hydrophthalmus, Hornhaut im ganzen vergrössert, matt und diffus zart getrübt, Sklera verdünnt und bläulich durchscheinend, vordere Kammer sehr tief, Iris schlotternd, Tension deutlich erhöht.

10. I. 06. Rechtes Auge: Cyklodialyse, normaler Operationsverlauf.

11. I. 06. Hornhaut unverändert, geringe Mengen Blut in der vorderen Kammer.

13. I. 06. Hornhaut ist klar geworden, Blut resorbiert. Tension normal.

29. I. 06. Druck andauernd normal, Hornhaut klar. Weitere Beobachtungen fehlen.

Fall XXXII. J. N. $1^1/_2$ Jahr altes Kind. Hydrophthalmus o. u. Schon seit einem Jahre bemerken die Eltern die Vergrösserung beider Augen.

Stat. praes. Beide Augen: Cornea in allen Dimensionen vergrössert, matt, Sklera bläulich durchscheinend, vordere Kammer sehr tief, Tension stark erhöht.

5. X. 05. Cyklodialyse an beiden Augen. Im rechten Auge kommt es beim Herausziehen des Spatels zu einer Blutung in die vordere Kammer. Im linken Auge stellt sich beim Einschnitt durch die Sklera eine Glaskörperblase in die Wunde ein, doch verläuft im übrigen die Operation ohne Zwischenfall.

6. X. 05. Rechtes Auge: reizlos, Hornhaut im ganzen etwas klarer, Pupille eng, Tension noch etwas höher als normal, doch geringer als vor der Operation.

Linkes Auge: reizlos, Hornhaut klar, Tension stark herabgesetzt.

7. X. 05. Rechtes Auge: Hornhaut neuerdings matt, Tension etwas gesteigert. Blut in der Vorderkammer resorbiert.

Linkes Auge: Hornhaut klar glänzend, Tension — 1. Entsprechend der Stelle der Operation hat sich in der Hornhaut aussen unten eine umschrieben tiefliegende Trübung entwickelt, welche sektorenförmig vom Limbus bis gegen das Hornhautzentrum reicht.

8. X. 05. Rechtes Auge: Tension etwas gesteigert, Hornhaut matt.

Linkes Auge: Tension — 1, die Hornhauttrübung ist geringer geworden.

12. X. 05. Rechtes Auge: Tension gesteigert.

13. X. 05. Rechtes Auge: Cyklodialyse. Normaler Operationsverlauf, keine Blutung. Unmittelbar nach der Operation hat der Bulbus normale Tension.

16. X. 05. Stat. ex. Rechtes Auge: Tension etwas erhöht, Hornhaut matt, doch ist der Druck entschieden geringer als vor der Operation.

Linkes Auge: Hornhaut klar, Tension normal.

Fall XXXIII. J. A. 2jähriges Kind. Hydrophthalmus o. u.

Stat. praes. vom 3. XI. 05. Beide Augen stark vergrössert, Tension + 1, Hornhäute klar. Das Kind soll angeblich sehen. Es wird in Narkose beiderseits die Cyklodialyse ambulatorisch ausgeführt. Einschnitt aussen unten, etwa 7 mm vom Hornhautrande. Im rechten Auge gestaltete sich die Ablösung des Ciliarkörpers sehr leicht, es trat etwas

Blut in die vordere Kammer ein, die Pupille blieb rund. Im linken Auge stellte sich nach Vollendung der Operation eine Perle Glaskörper in die Wunde ein. Keine Blutung in die Kammer.

7. XI. 05. Am rechten Auge, wo bei der Operation kein Glaskörper ausgetreten war, findet sich in der Wunde eine grosse Glaskörperblase; das Auge ist ganz weich, die Kammer ungewöhnlich tief.

Das linke Auge ist nur etwas weicher als normal, Hornhaut klar, Kammer tief wie zuvor, im unteren Teil der Kammer ein wenig Blut.

9. XI. 05. Linkes Auge: Blut aus der Kammer verschwunden, Tension normal.

15. XI. 05. Rechtes Auge: Glaskörper abgestossen, Hornhaut glänzend, Kammer tief, Pupille etwas längsoval.

Linkes Auge: Hornhaut leicht trübe, Kammer tief, Pupille rund.

Beide Augen etwas weicher.

12. I. 06. Linkes Auge: Hornhaut klar, Auge normal gespannt.

Rechtes Auge: Hornhaut leicht matt, auch fleckig getrübt, Tension + 1.

12. XI. 06. Beiderseits Hornhäute nur etwas matt, aber beide Augen hart.

18. XI. 06. Das Kind greift beim Sehen sowohl mit dem rechten als linken Auge nach vorgehaltenen Gegenständen.

Rechtes Auge: Papille anscheinend excaviert, wegen Trübung der Hornhaut nicht sicher zu erkennen.

Linkes Auge: Totale Excavation, Tension beiderseits + 2.

Rechtes Auge: Iridektomie mit glattem Verlaufe.

5. I. 07. Die Iridektomie heilte gut, doch ist heute die Hornhaut doch ein wenig trübe. Die Spannung nicht deutlich erhöht.

Linkes Auge: Hornhaut stärker getrübt als am rechten Auge, Tension + 1. Weitere Beobachtungen fehlen.

Epikrise.

Eine Komplikation, die bei den übrigen Operationen fast nie vorkommt, ist hier auffällig: die Verletzung des Glaskörpers. Bei der Dünnheit der Sklera und der darunter liegenden Augenhäute erfordert der Schnitt die grösste Vorsicht, und doch kann gelegentlich dabei die Lanze zu tief kommen. Übrigens scheint dieser Umstand an und für sich keine weiteren Folgen nach sich zu ziehen.

Leider ist die Beobachtungszeit meiner Fälle zu kurz, um daraus sichere Schlüsse ziehen zu können. Aber das eine steht schon fest, dass durch die Cyklodialyse auch hier der intraokulare Druck wesentlich herabgesetzt werden und für längere Zeit (ein Fall beobachtet durch fast drei Wochen, ein anderer durch zwei Monate) in diesem Zustande erhalten werden kann. Bei der grossen Gefahr, welche die Iridektomie für die hydrophthalmischen Augen besonders bei Vorhandensein einer stärkeren Drucksteigerung hat, käme daher die Cyklodialyse zum mindesten als eine Voroperation in Betracht.

Fall XXXIV. S. B. 62 jährige Frau. Glaukom nach Kataraktextraktion. Anamnese. Das rechte Auge wurde am 23. III. 07 an Katarakt mit Iridektomie operiert. Der Verlauf der Operation sowie der Heilung war ein ganz normaler. Pat. wurde nach 14 Tagen geheilt entlassen und bekam noch Atropin zum Einträufeln nach Hause. Am 12. IV. 07 trat nun der erste Glaukomanfall auf, wobei sich heftige Schmerzen im Auge und im Kopfe einstellten, Erbrechen auftrat, und die Lider stark anschwollen. Das Sehvermögen war sofort schwer geschädigt. Das Atropin wurde von diesem Tage an nicht mehr eingetropft. Nach einigen Tagen besserte sich der Zustand allmählich, so dass die Patientin fähig war, die Reise nach Wien anzutreten.

Am 22. IV. 07 wurde folgender Befund erhoben: Rechtes Auge: Mässige ciliare Injektion. Hornhaut normal glänzend und klar, vordere Kammer tief, regelmässiges Colobom nach oben, wenig Secundaria, Druck normal. Visus + 10 sph. ◯ 4 cyl. $^{6}/_{18}$. Fundus normal. Die Patientin bekommt keine Tropfen.

23. IV. 07. Druck deutlich erhöht, Schmerzen. Eserin. Einige Stunden später ist der Druck wieder normal, die Hornhaut glänzend.

In den nächsten Tagen wiederholen sich nun trotz andauernden Gebrauches von Pilokarpin öfters die Drucksteigerungen, die allerdings immer nur wenige Stunden anhielten.

Es wird daher am 27. IV. 07 die Cyklodialyse von aussen unten in der gewöhnlichen Weise vorgenommen. Man spürt dabei während des Unterminierens viel weniger Widerstand als sonst. Ein grosser Teil des Kammerwassers fliesst ab. Der ganze äussere untere Quadrant wird unterminiert. Keine Blutung in die vordere Kammer.

Von diesem Tage an kehrten die Glaukomanfälle nicht wieder, obwohl absichtlich kein Mioticum weiter angewendet wurde.

Am 2. V. 07 verliess die Patientin die Klinik.

20. X. 07. Auge reizlos, Druck etwas geringer als der des andern Auges.

Fall XXXV. J. L. 72 jähriger Mann. Glaucoma secundarium o. d. Luxatio lentis in corpus vitreum. Anamnese vom 30. IV. 07. Vor drei Wochen Verletzung durch ein anfliegendes Holzstück. Erst seit drei Tagen höchstgradige Schmerzen.

Stat. praes. Rechtes Auge: Hornhaut grob matt, mit Blasenbildung. Vordere Kammer sehr tief, Iris schlotternd, Pupille schwarz, Tension + 2. Fundus infolge der Hornhauttrübung nicht sichtbar.

1. V. 07. Cyklodialyse von aussen unten. Das Vorschieben des Spatels scheint sehr schmerzhaft zu sein, geht aber leicht vor sich. Ohne Blutung sowie ohne Verlust des Kammerwassers wird der äussere untere Sektor unterminiert. Beim Herausziehen des Spatels geht aber die Iris ein wenig mit, so dass die Pupille nun etwas nach unten und aussen

verzogen ist. Auch erscheint in der Wunde eine Spur schleimigen Glaskörpers, zweifellos dadurch, dass der in der vorderen Kammer befindliche Glaskörper entlang dem Spatel vordrang. Unmittelbar nach der Operation ist das Auge ebenso hart wie früher.

Sechs Stunden später. Hornhaut klar und glänzend, nur aussen unten entsprechend dem Sektor der Unterminierung eine zarte Hornhauttrübung. Vordere Kammer tief, Tension höchstens nur mehr eine Spur erhöht. Nach der Operation hatte der Patient durch vier Stunden mässige Schmerzen. Jetzt ist das Auge nicht mehr schmerzhaft. Pupille tief schwarz, nach aussen unten etwas verzogen.

2. V. 07. Auge reizlos, Hornhaut glänzend. Tension eher etwas geringer als normal.

3. V. 07. In der Nacht soll der Patient von selbst heftige Schmerzen bekommen haben. Das Auge war durch einen Gitterverband geschützt. Die halbe Kammer ist mit einem Hyphäma gefüllt. Der Druck an der Grenze.

5. V. 07. Der Druck ist wieder geringer geworden. Das Blut beginnt sich zu resorbieren.

11. V. 07. Das Blut resorbiert. Druck deutlich geringer als normal.

16. V. 07. Patient verlässt das Spital. Das Auge hat eine bedeutende Hypotension. Der Fundus wegen dichter Glaskörpertrübungen nicht sichtbar. Das Auge ganz reizlos.

Fall XXXVI. J. St. 67jähriger Mann. Glauc. sec. o. d. Aphakie. Anamnese. Vor 14 Jahren wurde am rechten Auge eine Staroperation ausgeführt, nach welcher das Auge gute Sehschärfe hatte. Seit 14 Tagen bemerkt Patient Nebel vor dem Auge, welcher abwechselnd stärker und schwächer auftritt.

Stat. praes. Rechtes Auge: Starke Überfüllung der vorderen Ciliarvenen. Hornhaut matt und diffus trübe, mit einzelnen blasigen Erhebungen. Vordere Kammer tief, breites Colobom der Iris nach oben, dessen Schenkel oben in der Peripherie an die hintere Hornhautwand ziehen. Zarte Secundaria. Tension nur wenig erhöht. Fingerzählen in $^1/_2$ m ohne Besserung durch Gläser wegen der dichten Hornhauttrübung. Fundus eben noch sichtbar, keine glaukomatöse Excavation.

13. V. 07. Rechtes Auge: Cyklodialyse von aussen unten. Mit dem Spatel stösst man auf eine Resistenz im Kammerwinkel, welche erst beim dritten Versuche überwunden werden konnte. Keine Blutung.

14. V. 07. Hornhauttrübung unverändert, Druck unter der Norm.

23. V. 07. Das Auge ist andauernd weicher als normal. Doch hat sich die Hornhauttrübung nicht gebessert.

20. IX. 07. Druck andauernd normal. Die Hornhauttrübung scheint durch einen primären degenerativen Prozess bedingt zu sein.

Fall XXXVII. K. E. 43jähriger Mann. Ablatio ret. o. d. Glauc. sec. Sarc. chlor. Anamnese. Seit den letzten Jahren eine allmähliche Abnahme der Sehschärfe des rechten Auges ohne sonstige Beschwerden. Vor einem halben Jahre wurde bereits eine Netzhautabhebung konstatiert.

Vor acht Tagen traten zum ersten Male heftige Schmerzen infolge Druck steigerung ein.

Stat. praes. Rechtes Auge: Starke Injektion, Hornhaut matt, vordere Kammer tief, zahlreiche neugebildete Gefässe auf der Iris. Pupille weit, aus ihr ein graugrüner Reflex. Tension + 2. Amaurose.

Linkes Auge: Normal.

18. II. 07. Rechtes Auge: Cyklodialyse. Einschnitt aussen unten in einem Abstande von beiläufig 8 mm vom Limbus. Ausgiebige Loslösung des Ciliarkörpers in der Ausdehnung eines Quadranten. Beim Einführen des Spatels durch die Wunde fliesst eine Menge gelblicher Flüssigkeit ab (subretinale Flüssigkeit?). Beim Herausziehen des Spatels tritt eine dünne Schicht Blut in die vordere Kammer ein, welche die Iris ringsum bedeckt. Die Kammer hatte sich während der Operation nicht vollständig aufgehoben. Unmittelbar nach der Operation war das Auge bedeutend weicher.

19. II. 07. Patient hat den gestrigen Nachmittag und die Nacht ohne Schmerzen verbracht und ist auch jetzt vollkommen schmerzfrei. Das Auge ist nur wenig gereizt, die Hornhaut fast normal glänzend, klar, die vordere Kammer etwas seichter als links, Pupille mittelweit, 3 mm hohes Hyphäma am Boden der vorderen Kammer. Tension + $^1/_2$.

20. II. 07. In der Nacht neuerliches Auftreten von heftigen Schmerzen. Bulbus steinhart. Daher Enucleation. Beim Durchschneiden des Auges findet man ein Sarkom der Chorioidea. Die Netzhaut ganz abgehoben, die Chorioidea überall an die Sklera angepresst. Der histologische Befund siehe S. 496.

Fall XXXVIII. M. L. 48jähriger Mann. Cataracta traum. o. d. Glauc. sec. o. d. Anamnese. Vor vier Wochen Verletzung des rechten Auges durch ein Holzstück. Patient hat seither starke Kopfschmerzen und Schmerzen im Bereiche des rechten Auges.

Stat. praes. Rechtes Auge: Hornhaut matt, vordere Kammer fast aufgehoben, Iris schmal, stark atrophisch, Linse ganz getrübt, Tension + 1. Lichtempfindung in 4 m, Projektion unrichtig.

11. IV. 07. Rechtes Auge: Cyklodialyse mit normalem Verlaufe. Keine Blutung.

12. IV. 07. Bei Berührung ist das Auge ziemlich empfindlich. Die Schmerzen sind heute verschwunden. Der Drück ist noch immer fast ebenso hoch wie vor der Operation. Die Kammer ist nur spurenweise vorhanden.

15. IV. 07. Da der Druck noch immer hoch ist, wird, obwohl der Patient keine Schmerzen hat, die Iridektomie nach oben vorgenommen, wobei gleichzeitig etwas weiche Corticalis aus dem Auge entfernt wird.

16. IV. 07. Wunde geschlossen, Kammer sehr seicht, regelrechtes Colobom nach oben, Druck normal, der auch weiterhin normal bleibt.

Epikrise.

Der Fall zeigt, wie man bei der Wahl der Cyklodialyse als Operation gegen das Glaucoma secundarium vorsichtig zu sein hat. In der Ursache des Glaukoms in diesem Falle, nämlich in der Vortreibung der Iris durch die quellende Linse, konnte die Cyklodialyse keine Änderung und damit auch nicht die Beseitigung des Glaukoms herbeiführen. Es wäre gefehlt, den Misserfolg der Operation der Cyklodialyse als solcher zuzuschreiben.

Fall XXXIX. J. W. 43jähriger Mann. Glaucoma secundarium o. s. Leuc. adh. Anamnese. Vor drei Monaten hatte der Patient ein Ulcus serpens des rechten Auges gehabt, welches mit breiter Einheilung der Iris in die die untere Hornhauthälfte ersetzende Narbe ausheilte. Zwei Monate später kam der Patient mit einer Drucksteigerung in diesem Auge, welche durch eine Iridektomie nach oben beseitigt wurde. Aber schon 14 Tage später war das Auge wiederum schmerzhaft geworden, weshalb er neuerdings die Klinik aufsucht.

Stat. praes. Rechtes Auge: Starke ciliare Injektion. Die untere Hälfte der Hornhaut ist von einer dichten weissen, ektatischen Narbe eingenommen. Die übrige Hornhaut ist matt. Vordere Kammer sehr seicht. Unten steht die Iris in Verbindung mit der Narbe. Regelrechtes Colobom nach oben. Tension + 2. Fundus undeutlich sichtbar. Handbewegung vor dem Auge.

30. III. 07. Cyklodialyse. Rechtes Auge: Einschnitt aussen unten. Sehr geringe Blutung bei der Operation. Da der Patient sehr unruhig war, konnte die beabsichtigte Loslösung der Iris von der Narbe mit Hilfe des Spatels nicht ausgeführt werden. Schon Nachmittag ist das Auge weicher, und in den nächsten Tagen wird der Bulbus vollkommen weich. Auffallend ist der ausgezeichnete Einfluss auf die Narbe, welche in wenigen Tagen ganz flach wurde.

13. IV. 07. Rechtes Auge: Ciliar injiziert, Narbe flach, Hornhaut zeigt nach oben Falten, Tension — 2.

25. IV. 07. Druck andauernd normal. Narbe nicht ektatisch.

5. X. 07. Druck normal.

Fall XL. J. P. 72jähriger Mann. Glauc. sec. o. d. Anamnese. Am 2. VII. 07 wurde ein Ulcus serpens des rechten Auges kauterisiert, worauf unter Bildung einer vorderen Synechie eine allmähliche Vernarbung des Geschwüres eintrat.

Ungefähr drei Wochen später kam es dann plötzlich zur Drucksteigerung, gegen welche am 25. VII. 07 eine Cyklodialyse versucht wurde. Tatsächlich wurde dadurch der Druck geringer und die Schmerzen liessen nach, aber schon vier Tage später war eine neuerliche Drucksteigerung eingetreten, gegen welche nun eine Iridektomie mit Erfolg ausgeführt wurde.

Epikrise.

Dieser Fall ist besonders lehrreich im Vergleiche zu Fall XXXIX. Auch er zeigt wieder, dass man von der Cyklodialyse nicht in allen Fällen von Sekundärglaukom einen Einfluss auf die Drucksteigerung erwarten darf. Wie soll denn auch, bei vollständiger Anheilung der Iris an eine Hornhautnarbe, durch die Cyklodialyse in den die Drucksteigerung bedingenden Verhältnissen etwas geändert werden? In diesen Fällen muss zuerst die Kommunikation zwischen vorderer und hinterer Kammer hergestellt werden, und das vermag eben nur eine Iridektomie.

Fall XLI. M. H. 28 jährige Patientin. Glaucoma sec. o. s. Leuc. adh. Anamnese. Im Jahre 1889 Entzündung des linken Auges mit Hinterlassung einer Hornhautnarbe und Iriseinheilung. Im Jahre 1902 das erste Mal Drucksteigerung, weswegen eine Iridektomie ausgeführt wurde, die den gewünschten Erfolg hatte, die Drucksteigerung und die Schmerzen beseitigte. Anfangs Juli 1907 traten die Schmerzen jedoch wieder auf, so dass die Patientin neuerdings die Klinik aufsuchen musste.

Stat. praes. vom 13. VII. 07. Linkes Auge: Der innere obere Quadrant der Hornhaut ist von einer etwas ektatischen Narbe eingenommen, deren Mitte bläulich durchscheint. Die Iris zieht von innen unten in die Narbe hinein, während nach oben ein breites Colobom besteht. Die vordere Kammer sehr seicht, Tension + 2.

13. VII. 07. Cyklodialyse von aussen unten. Trotz der ektatisch verdünnten Sklera verläuft die Operation ohne Zwischenfall. Ausgiebige Unterminierung bis nach innen zu gegen die Narbe, und nach aussen bis zum horizontalen Meridian. Abfluss des Kammerwassers, geringe Blutung in die vordere Kammer. Die Operation wurde ambulatorisch ausgeführt.

14. VII. 07. Tension normal. Schmerzen verschwunden, Blut fast vollständig resorbiert. Kammer bedeutend tiefer als vor der Operation. In den nächsten Tagen bleibt der Druck andauernd normal.

Am 30. VII. 07 stellte sich die Patientin das letzte Mal vor. Das Auge war ganz reizlos, schmerzfrei, der Druck normal.

Epikrise.

Dieser Fall ist ganz analog dem Falle XXXIX. Auch er beweist den grossen Vorteil der Cyklodialyse in Fällen von Drucksteigerung bei Leukoma adherens, wenn schon früher eine Iridektomie ausgeführt worden ist.

Fall XLII. J. R. 62 jähriger Mann. Glauc. sec. o. s. Anamnese. Patient erkrankte vor einem halben Jahre an einer Hornhautentzündung des linken Auges, in deren Verlaufe alsbald eine so heftige Drucksteigerung eintrat, dass er schon 14 Tage später anderwärts iridektomiert wurde. Drei Wochen später war das Auge schmerzfrei, aber bald wurde die Entzündung neuerdings schlechter. In der letzten Zeit intensive Schmerzen.

Stat. praes. Linkes Auge: Starke ciliare Injektion. Oben am Limbus die Operationsnarbe. Hornhaut matt, gestichelt, in der Mitte eine scheibenförmige Infiltration, wahrscheinlich eine Keratitis disciformis. Vordere Kammer fast normal tief, Iris grünlich verfärbt, regelrechtes Colobom nach oben. Fundus nicht sichtbar. Tension nur ein wenig erhöht. Fingerzählen in $^1/_2$ m.

18. VII. 07. Cyklodialyse mit normalem Verlaufe. Die Unterminierung angeblich sehr schmerzhaft. Eine Stunde nach der Operation treten intensive Schmerzen auf mit Brechreiz. Das Auge ist steinhart. Morphiuminjektion. Am Abende lassen die Schmerzen wieder etwas nach, auch der Druck wird geringer.

19. VII. 07. Auge noch immer hart, trotz Eseringebrauch.

20. VII. 07. Druck noch nicht verringert, doch weniger Schmerzen.

23. VII. 07. Neuerdings heftige Schmerzen. Daher vordere Sklerotomie mit andauernder Beseitigung der Drucksteigerung.

Epikrise.

Dies ist der einzige Fall, wo die Operation zweifellos einen schlechten Einfluss ausübte, indem der Druck danach entschieden höher wurde. Aber der Mann hatte eine Iridocyclitis, und es war vielleicht die mechanische Reizung des Ciliarkörpers, welche die Verschlechterung erzeugte.

Der Einfluss des Jodkalium auf die Cataracta incipiens.

Von
Privatdozent Dr. v. Pflugk,
Augenarzt in Dresden.

II. Klinischer Teil.

In dem I. Teil dieser Arbeit habe ich berichtet, dass die ersten Stufen der Naphthalinveränderungen des Linsenepithels beim Kaninchen durch die Behandlung mit subconjunctivalen Jodkaliumeinspritzungen beeinflusst werden konnten und dass ein nicht unerheblicher Prozentsatz (31% sehr gute, 37% gute Erfolge) der Linsenepithelien gebessert worden war, dass aber unter den vielen mit Jodkalium behandelten Naphthalinaugen fast kein einziges sich befand, welches nicht im grossen und ganzen günstig durch die Jodkaliumeinspritzungen sich beeinflusst zeigte. Aus den Veröffentlichungen Badals und seiner Schüler geht aber unzweifelhaft hervor, dass durch die Jodkaliumbehandlung auch beginnende Linsentrübungen beim Menschen günstig beeinflusst werden konnten, insofern als während der Jodkaliumverabreichung in Form von Augentropfen oder Augenbädern ein hoher Prozentsatz der behandelten Augen sich nicht zum Schlechten änderte, ja dass sogar ein nicht unerheblicher Prozentsatz dieser Augen wesentlich gebessert werden konnte.

Die Beobachtungen, dass wirklich vorhandene Linsentrübungen sich wieder aufhellten, sind schon alt, um so mehr ist es zu verwundern, dass noch heute Stimmen laut werden, welche die Richtigkeit dieser Beobachtungen anzweifeln. Dass aber von jeher diese Zweifel von verschiedensten Seiten erwartet wurden, geht aus folgender Stelle aus Arlts bekanntem Lehrbuch über „Die Krankheiten des Auges" hervor: „Ich übersehe nicht, indem ich dies niederschreibe, dass mancher Leser hier Täuschung vermuten wird. Hier kann nur eigene, unbefangene und beharrliche Prüfung zur Überzeugung führen; a priori lässt sich in solchen Fällen nicht absprechen.“ [Arlt(34) II. Bd. S. 297. Schluss des Kapitels über die medikamentöse Aufhellung von Linsentrübungen.] In der neueren Literatur haben aber nicht nur Arlt, der sich auf eine ganze Reihe von Gewährsmännern beruft (Rau, Sichel, Walther, dann Jaksch und Waller), sondern auch kein geringerer als O. Becker(35) in seiner Pathologie und Therapie des Linsensystems ausdrücklich die Möglichkeit der Aufhellung bereits bestehender Linsentrübungen anerkannt (S. 308): „Ich besitze aber auch eine für mich durchaus überzeugende Beobachtung, dass sich die von mir selbst diagnostizierte Katarakt in beiden Augen der 60jährigen Frau eines Kollegen vollständig wieder zurückgebildet hat.“ [Vgl. dazu auch (35) S. 307—311 und das dazu gehörige Literaturverzeichnis.]

In der neuesten Literatur werden diese Beobachtungen der Aufhellung wirklich bestandener Linsentrübungen von einzelnen Autoren auch ausdrücklich anerkannt, so dass Hess (25, S. 51) sogar schreibt: „Wenn solche Fälle für den Altersstar auch gewiss zu den grössten Seltenheiten gehören, so besteht, wie ich glaube, doch kein Zweifel an ihrem Vorkommen“, und Peters (36, S. 465) in richtiger Würdigung der Badalschen Beobachtungen: „und deshalb ist a priori der Gedanke nicht von der Hand zu weisen, dass die Trübung von Lücken und Spalten, die durch den Starprozess entstanden sind und anfangs klar bleiben, eine Zeitlang hintangehalten werden kann.“

Ich werde deshalb auf eine eingehende Aufzählung aller Beobachtungen von Aufhellung von Linsentrübungen in der neuesten Literatur verzichten, da über dieselben an verschiedenen Stellen berichtet worden ist; die Fälle von Aufhellung traumatisch entstandener Linsentrübungen (Cataracta traumatica fugax) behandeln Sacher (37) und Bondi (38). Die Rückbildung traumatisch entstandener Linsentrübungen halte ich sogar für durchaus nicht selten, ich glaube, dass wohl jeder beschäftigte Praktiker sich eines oder einiger Fälle aus der eigenen Praxis erinnert, dass traumatische Linsentrübungen sich auf nur einen Teil der anfänglich bestehenden Trübungszone zurückzogen. In ganz hervorragender Weise aber zeigt uns die Vergleichung mit den Beobachtungen von Linsentrübungen bei einzelnen Tiergattungen, wie ausserordentlich regenerationsfähig das Linsengewebe ist. So führt, wie bekannt, z. B. einmalige Verabreichung einer mittelstarken Naphthalindosis bei Kaninchen fast ausnahmslos zu mehr oder weniger intensiver Trübung der Linsenoberfläche (anatomisch als Untergang der Epithelzellen der Linse mit Zellwucherung und Vakuolenbildung innerhalb der Linsenfasern gekennzeichnet), aber nur ausnahmsweise zu Totalkatarakt. Auch die Beobachtungen der Linsentrübungen bei Fröschen durch Kochsalz und andere Mittel (Chlorkalium, salpetersaures Natrium, salpetersaures Kalium usw. Heubel (39, S. 137) ergaben, dass die dadurch erzeugten Linsentrübungen sich, wenn auch nicht innerhalb weniger Stunden, so doch immerhin schnell und vollständig zurückbilden können. In dasselbe Kapitel gehören schliesslich auch die interessanten Beobachtungen G. Wolffs über vollständige Regeneration der zerstörten Linsen der Urodelen (40 u. 41).

Wenn wir also die Pathologie der Menschenlinse (und der Tierlinse) überblicken, so muss ohne jeden Zweifel zugegeben werden, dass durch Beobachtungen einer grossen Reihe vollständig einwandfreier Forscher festgestellt worden ist, dass getrübte Linsen — besonders im Beginn der Trübungen, bevor es zu weitgehendem Zerfall und Zerklüftung der Linsensubstanz kommt — in hohem Grade regenerationsfähig sind; es ist deshalb auffallend, dass die ersten Nachrichten Badals über die durch Behandlung mit Jodkaliumpräparaten erreichten Aufhellungen von Linsentrübungen auf fast allgemeinen Unglauben stiessen. Und doch sind Jodkalium und seine Präparate schon jahrzehntelang zur Aufhellung von Linsentrübungen mit Erfolg verwendet worden. Lafon (13) berichtete kürzlich noch über die ältere Literatur der Jodkaliumverwendung zur Behandlung von Linsentrübungen und citiert Gondret, der schon 1828 Jodkalium innerlich gegen beginnenden grauen Star beim Menschen verordnete, ebenso Pugliatti 1845, Guépin 1853, Desmarres 1858, Martin 1863. In der deutschen Literatur sind es besonders Arlt, der von günstigem Heilerfolge nach Behandlung mit Jodkaliumsalbe spricht, und unter Arlts Einfluss H. Pagenstecher (42).

Im Augustheft 1901 der Clinique ophtalmologique de Bordeaux hat nun Badal (1) veröffentlicht, dass es ihm gelungen war, durch Augentropfen, Augenbäder mit Jodkalium oder Jodnatrium und Einspritzungen von Jodkalium unter die Bindehaut beginnende Linsentrübungen (Cataractes commençantes) über Jahre hinaus aufzuhalten. Diesem ersten kurzen Aufsatz folgte eine ganze Reihe von Artikeln in verschiedenen Zeitschriften, ebenso ein Vortrag in der Sitzung 1902 der Société française d'ophtalmologie.

Später hat Badal die Behandlung mit Jodnatrium fallen lassen und empfiehlt ausschliesslich Jodkalium als Collyrium (0,25 : 10,0) und als Augenbad (7,5 : 300,0), letzteres in allmählich steigender Konzentration.

Von den Einspritzungen von Jodkaliumlösungen unter die Bindehaut hat Badal bald abgesehen, einesteils wegen der Verwendung des Kokains, das er zur Vermeidung der Schmerzhaftigkeit der Jodkaliumlösung zusetzen zu müssen glaubte, anderseits erklärte er diese Methode der Jodkaliumanwendung als unbequem, da sie den Patienten zu abhängig vom Arzt macht. Wir werden später sehen, dass gerade diese von Badal fast verlassene Methode diejenige ist, die Verderau und mir die grössten Besserungen erzeugen half.

Im allgemeinen hat Badal, wie Lafon ausdrücklich hervorhebt, nur solche Fälle als aussichtsreich in Behandlung genommen, die eine Sehschärfe von mindestens noch $^1/_{10}$ besassen; die besten Erfolge hatte er bei der Cataracta senilis incipiens ohne schwere Augenkomplikationen oder besondere Störungen des Allgemeinbefindens, wenn er auch hervorhebt, dass bei diesen Linsentrübungen die Jodkaliumbehandlung nicht ohne Wert ist [Il est bon de dire cependant, que même dans ces cas la médication jodique ne semble pas avoir eu de moins bons résultats que dans les cataractes purement séniles — Lafon (13) S. 403]. Unter Cataractes purement séniles (d. i. commençantes) versteht Badal offenbar, wie aus den veröffentlichten Krankengeschichten hervorgeht, die als „subkapsulären Rindenstar" allgemein bezeichnete Starform, die Hess (25, S. 43) wie folgt schildert: „Die weitaus häufigste Form des Altersstares ist durch krankhafte Veränderungen in der äussersten Rindenschicht der Linse gekennzeichnet; der Kern kann dabei vollständig normal erscheinen, wie zuerst Malgaigne (1841) erwähnt, später insbesondere von Förster (1857) gezeigt wird. Wir wollen diese Form im folgenden als den subkapsulären Rindenstar bezeichnen."

Auch Römer (43) schliesst sich in seinen Studien über die Pathogenese der Katarakt dieser Hessschen Definition an; wenn also in den folgenden Tabellen der Zustand der Linse als Cataracta incipiens oder Cataracte commençante bezeichnet ist, so soll (wenn nicht ausdrücklich anders erwähnt ist) darunter die häufigste Form des beginnenden Altersstares, der „subkapsuläre Rindenstar" verstanden sein.

Um nun die Resultate der durch die verschiedenartigen Anwendungsformen der Jodkaliumpräparate (Augentropfen, Bäder, subconjunctivale Einspritzungen) und die von den verschiedenen Autoren erreichten Resultate vergleichen zu können, hielt ich es für nötig, alle bisher seit

August 1901 veröffentlichten Fälle von Jodkaliumbehandlung bei Linsentrübungen in Form einer Tabelle zusammenzustellen. Diese Arbeit wurde ausserordentlich erschwert durch die in Deutschland fast unerreichbaren Zeitschriften usw., in welchen die Veröffentlichungen sich befanden; ich habe mich aber bemüht, alle Krankengeschichten in den Originalveröffentlichungen einzusehen, und es ist mir dies auch bis auf einige wenige (Picquénard und Verderau 1904) möglich gewesen. Einzelne Krankengeschichten sind nur ausserordentlich summarisch publiziert worden, ich habe dann versucht, den Kern derselben möglichst wortgetreu darzustellen.

Der Übersicht aus der Literatur schliesse ich 28 von mir bisher beobachtete und noch nicht veröffentlichte Fälle an.

Autor	Name	Alter	Stand	Diagnose	Auge	Erster Visus	Therapie	Auge	Letzter Visus	Beobachtungszeit	Resultat	Anmerkung
1. Badal (1) S. 11	Mme B.	47	Institutrice	Cataracte striée	R. L.	1 1/10	nicht behand. Collure 0,25 : 10,0 Bains 1 : 40	R. L.	3/4 1/10	6 Mon.	Schlechter Stationär	nicht behandelt
2. Badal (1) S. 12	Mme B.	75	Rentière	Cataracte striée	R. L.	1/3 1/4	Collure et bains wie bei 1	R. L.	1/3 1/4	18 Mon.	Stationär Stationär	
3. Badal (1) S. 12	Mme D.	59	Rentière	Cataracte commençante. Opacités cristaliniennes assez irrégulièrement reparties	R. L.	2/3 1/2	Collure et bains	R. L.	2/3 1/2	3 Jahre	Stationär Stationär	
4. Etiévant (7) S. 200	Mr. L. B.	65	Officier	„Opacités cristaliniennes assez irrégulièrement réparties dont nous dessinons la Topographie"	R. L.	1/2 norm.	Collure 0,25 : 10,0 et bains 7,5 : 300	R. L.	1/2 norm.	1 1/2 Jahr	Stationär norm.	

Autor	Name	Alter	Stand	Diagnose	Auge	Erster Visus	Therapie	Auge	Letzter Visus	Beobachtungszeit	Resultat	Anmerkung
5. Etiévant (7) S. 200	Mr. X.	53		„Cristallin qui n'a que [illegible] [illegible]es [illegible]"	R. L.	1/6 —	[illegible]re et [illegible]ins	R. L.	1/6 —	1 Jahr	Stationär —	
6. Etiévant (7) S. 201	[illegible]e ?	59		Cataracte bi [illegible]rale	R. L.	1/3 1/3	Coll[illegible] et bains	R. L.	1/3 1/3	1 Jahr	Stationär Stationär	
7. Etiévant (7) S. 201	Mr. D.	48	Professeur	—	R. L	1/2 1/2	[illegible]llure et bains	R. L.	1/2 1/2	6 Mon.	Stationär Stationär	
8. Badal (2) S. 86	Mr. B.	84	Commerçant	Cataracte senile demi-dure	R. L.	1/10 1/10	Bains 7,5 : 300	R L.	1/10 1/10	9 Mon.	Stationär [illegible]är	
9. Badal (2) S. 86	Mme N.	68	Cultivatrice	[illegible] [illegible]te commenç; [illegible]at nuageux du cristallin; [illegible]ies régulièrement distribuées	R. L.	1/3 1/6	Collure	R. L.	1/3 1/6	10 [illegible]	[illegible]är [illegible] [illegible]är	
10. Badal (2) S. 429	[illegible]e B.	42	Femme de chambre	[illegible]io retin. C[illegible]ar. com	R. L.	— 1/4	[illegible]ns	R. L.	— 1/4	12 [illegible]	— Stationär	
11. [illegible] b. Dufour Observ. VII, S. 56	Mme D.	64	Rentière	Leger trouble diffus des couches corticales	R. L.	ungef. 2/3 ungef. 2/3	[illegible]re et [illegible]ns 1 : 40	R. L.	2/3 1/2	4½ Jahr	[illegible] [illegible]är [illegible]er	
12 Badal b. Dufour Observ. VIII, S. 56	[illegible]e N.	69	Propriétaire	[illegible]te étoilée	R. L.	1/3 1/6	Bains	R. L.	1/2 1/4	18 Mon.	Stationär Besserung	
13. [illegible] b. Dufour [illegible]v. IX, S. 57	Mme A.	65	[illegible]nde	Catar. commenç.	R. L.	— 1,0 1/4 1/3	[illegible]ns Innerl. Jodk.	R. L.	1/4 1/3	25 [illegible]	[illegible] [illegible]är Stationär	
[illegible] [illegible]art (44) S. 12.	[illegible] des environs de St. [illegible]in			[illegible]ités du cristallin.			[illegible]nt de Badal			[illegible] mois	[illegible] Disparition [illegible] [illegible]	
15. Verderau (9) S. 359.	Frau N.	70		[illegible]acte sénile	R. L.	1/10 1/10	Subconj. Jodkal. 5%	R. L.	1/2 1/3		Besserung Besserung	

16. Verderau (9) S. 360	N. N.			Catar. diabetic	R. L.	Finger in 1 m	Subconj. beiders.	R. L.	Finger in 2 m	Besserung Besserung	
17. Verderau (9) S. 360	N. N.			Catar. diabetic	R. L.	Licht-empfind.	Subconj. beiders.	R. L.	Finger in 1,50 m	Besserung Besserung	
18. Verderau (9) S. 360	N. N.			Traum. Catar.	R. L.	Nach 2 subconj. Einspritzungen Sehschärfe verdoppelt. Aus der Behandlung weggeblieben.				Besserung Besserung	
19. Verderau (9) S. 360	I[illegible]me nevro-l[illegible]he	75		Catar. senile	R. L.	Fing in 2 m Licht-empfind.	Subconj. 5% beiders.	R. L.	$^1/_{10}$ —	Besserung Besserung	
20. Verderau (9) S. 360.	Josefa Aulaso	64	Witwe	Cataracte senile [illegible]te périnucl.	R. L.	$^1/_6$ $^1/_4$	Subconj. $2^1/_2$%	R. L.	$^2/_3$ $^2/_3$	gr. Bessg. gr. Bessg.	
21. Verderau b. Boisseuil (12) S. 49	Mr. A.	64		Opacités irradiées du noyau des deux cristallins	R. L.	$^1/_6$ $^1/_4$	Subconj. $2^1/_2$%	R. L.	$^2/_3$ $^2/_3$	gr. Bessg. gr. Bessg.	
22. Verderau b. Boisseuil (12) S. 49	Mme X.	70		[illegible]	R. L.	$^1/_{10}$ $^1/_{10}$	Subconj. et bains	R. L.	$^1/_8$ $^1/_8$	Besserung („Guérison complète") Besserung	
23. Picquénard b. Boisseuil (12) S. 49)	Mr. X.	53		Royau de cataracte d'aspect floconneux	R. L.	Visus sehr gering	Collure 0,5 : 10,0	R. L.	„il lit et écrit très bien."	Besserung Besserung	„A l' [illegible]rage oblique les al[illegible]s cristalliniennes ont di[illegible]ru"
24. Verderau (10) Observ. III	Tomás D.	85	Dr.	R. Catar. matura L. wenig vorgeschritten	R. L.	Licht-empfind. [illegible] kerze in 1 m Finger in $1^1/_2$ m.	Subconj. $2^1/_2$%	R. L.	— Sehsch. $^1/_3$	— gr. Bessg.	

Autor	Name	Alter	Stand	Diagnose	Auge	Erster Visus	Therapie	Auge	Letzter Visus	Beobachtungszeit	Resultat	Anmerkung
25. Verderau (10) Observ. IV	Esperanza P.	80	Witwe	R. Catar. matura L. Catar. capulo tentical. vorgerückt	R. L.	Licht-empfind. Visus 1/10	Subconj.	R. L.	— Visus 1/3		— gr. Bessg.	
26. Verderau (10) Observ. V	CatatinaL.	60		R. Extract. L. Cataracta senile perinucl.	R. L.	— 1/10	Subconj.	R. L.	— 2/3		— gr. Bessg.	
27. Verderau (10) Observ. VI	Sra R. de M.	65		Catar. senile incip.	R. L.	(— 3,5) 1/4 (— 4) 1/4	Subconj.	R. L.	(— 3,5) 1/2 (— 4) 1/2		gr. Bessg. gr. Bessg.	
28. Verderau (10) Observ. VIII	Mr. J. M.	56	Weber	R. zarte Trübungen L. vorgeschritten. Catar.	R. L.	1/3 1/10	Subconj.	R. L.	1/3 1/6		Stationär, Besserung	
29. Verderau (10) Observ. IX	Mr. A. M.	62	Ing.	Catar. incip.	R. L.	1/10 1/4	Subconj.	R. L.	1/10 2/3		Stationär gr. Bessg.	
30. Verderau (10) Observ. X	D. Jermin S. M.	90		Punktförm. Linsentrübungen Catar. perinucl.	R. L.	1/3 1/10	Subconj.	R. L.	1/3 1/4		Besserung Besserung	
31. Verderau (10) Observ. XI	Mr. Antonio S.	70	Fabrikant	R. Catar. incip. L. vorgeschritt. Catar.	R. L.	1/3 1/10	Subconj.	R. L.	2/3 1/4		gr. Bessg. Besserung	
32. Verderau (10) Observ. XII	Thomas S.	75	Landwirt	R. Catar. vorgeschritten. L. Catar. reif	R L.	1/10 Handbew. in 0,50 m	Subconj.	R. L.	1/4 —		Besserung —	
33. Verderau (10) Observ. XIII	Gregorio C.	65	Seemann	Catar. cortical	R. L.	Finger in 2,50 m Handbew.	Subconj.	R. L.	1/3 —		gr. Bessg. —	

34. Verderau (10) Observ. XIV	Victoria X.	54		Catar. perinucl.	R.	1/4	Subconj.	R.	2/3		gr. Bessg.
					L	1/8		L.	2/3		gr. Bessg.
35. Verderau (10) Observ. XV	Candido A.	59	Hafen-arbeiter	Catar. cortical.	R.	Finger in 50 cm	Subconj.	R.	—		—
					L.	1/8		L.	2/3		gr. Bessg.
36. Verderau (10) Observ. XVI	Antonio M.	68	Beamter	R. Catar. mat.	R.	Finger in 1 m	Subconj.	R.	—		—
				L. Catar. incip.	L.	(— 6,0) Visus 1/8		L.	(— 6,0) Visus 2/3		gr. Bessg.
37. Verderau (10) Observ. XVII	Francisco O.	76	Militär-pensionär	R. Catar. perinucl. vorgeschritten.	R.	= 0	Subconj.	R.	—		—
				L. Leucoma adherense	L.	1/4		L.	2/3		gr. Bessg.
38. Verderau (10) Observ. XVIII	Ramón Q.	56		R. Catar. cort.	R.	1/6	Subconj.	R.	2/3		gr. Bessg.
				L. Catar. mat.	L.	Finger in 50 cm		L.	—		—
39. Verderau (10) Observ. XIX	Pablo S.	57	Kaufmann	Catar. cortic.	R.	(— 6,0) Visus 1/6	Subconj.	R.	(— 6,0) Visus 2/3		gr. Bessg.
					L.	Finger in 50 cm		L.	—		
40. Verderau b. Dr. Delmiro de Caralt (15) Observ. XX	José H.	53		Catar. cortic.	R.	3/20	Subconj. 2 1/2 %	R.	4/7·5		gr. Bessg.
				Streifig	L.	4/10		L.	4/5		gr. Bessg.
41. v. Pflugk (15) S. 403	Frl. Sch.	47	Privata	R. Catar. incip. ambl. astigm.	R.	6/20	Erst Trait. Bad.: Verschlechterg. Dann Inj. 1%	R.	6/36	4 Jahre	Besserung
				L. Catar. incip.	L.	6/12		L.	6/6		gr. Bessg.
42. v. Pflugk (15) S. 403	Frl. H.	60	Privata	Catar. incip.	R.	(+ 1,25) Visus 6/12	Injekt. 1%	R.	(+0,75) 6/6	2 Jahre	gr. Bessg.
					L.	(+ 1,75) Visus 6/9		L.	(+ 1,0) 6/5		Besserung

Autor	Name	Alter	Stand	Diagnose	Auge	Erster Visus	Therapie	Auge	Letzter Visus	Beobachtungszeit	Resultat	Anmerkung
43. Marquiz Palma. Wochenschrift f. Th. u. Hyg. Febr. 1907	I. Fall			Catar. senilis immatura	R. L.	Finger in 0,25 m	Injekt. 5%	R. L.		1 Mon.	Stationär Stationär	
44. Marquiz Palma. Wochenschrift f. Th. u. Hyg. Febr. 1907	II. Fall			Catar. senilis immatura	R. L.	Finger in 3,5 m	Injekt. 5%	R. L.	Finger in 4 m	3–4 Woch.	ger. Bessg. ger. Bessg.	
45. Marquiz Palma. Wochenschrift f. Th. u. Hyg. Febr. 1907	III. Fall			Catar. senilis immatura	R. L.	Finger in 0,2 m	Injekt. 5%	R. L.	Finger in 0,15 m	1 Mon.		
46. v. Pflugk	Herr B.	64	Beamter	R. Catar. incip.	R.	(+ 1,5) Visus $^{6}/_{6}$	Injekt. 1%	R.	(+ 1,5) $^{6}/_{5}$	1 Jahr	Besserung	
				L. Catar. nucl.	L.	(— 5,0) Visus $^{6}/_{60}$		L.	(— 7,0) $^{6}/_{60}$		Stationär	
47. v. Pflugk	Frau Schl.	71	Witwe	Catar. incip.	R.	(— 3,0) Visus $^{6}/_{18}$	Injekt. 1%	R.	(— 3,0) $^{6}/_{12}$	1½ Jahr	Besserung	† Diabetica
					L.	(— 3,0) Visus $^{6}/_{36}$		L.	(— 3,0) $^{6}/_{36}$		Stationär	
48. v. Pflugk	Frau H.	70	Arbeiterin	Catar. incip.	R.	(— 3,0) Visus $^{6}/_{24}$	Erst Trait. Badal: Verschlechterg. Dann Inj. 1%	R.	(— 1,5) $^{6}/_{9}$	1 Jahr	gr. Bessg.	
					L.	(+ 1,5) Visus $^{6}/_{5}$		L.	(+ 1,5) $^{6}/_{5}$		Stationär	
49. v. Pflugk	Frau R.	66	Privata	Catar. incip. viel Glaskörperflock.	R.	(— 2,0) Visus $^{6}/_{36}$	Erst Trait. Badal: Station. Dann Inj. 1%	R.	(— 2,5) $^{6}/_{12}$	1,5 Mon.	gr. Bessg.	Skizzen Abnahme der Speichen
					L.	(— 2,0) Visus $^{6}/_{36}$		L.	(— 2,5) $^{6}/_{12}$		gr. Bessg.	

50. v. Pflugk	Frau Sch.	49	Ehefrau	Catar. incip.	R.	⁶/₁₂	Injekt. 1%	R.	⁶/₉	1 Jahr	Besserung	
					L.	⁶/₁₈		L.	⁶/₉		gr. Bessg.	
51. v. Pflugk	Herr L.	55	Brauer	Catar. incip.	R.	E ⁶/₁₂	Injekt. 1%	R.	E. ⁶/₆	6 Mon.	gr. Bessg.	
					L.	(— 1,5) ⁶/₂₄		L.	E. ⁶/₉		gr. Bessg.	
52. v. Pflugk	Frl. H.	65	Privata	Catar. incip.	R.	(+ 1,0) Visus ⁶/₁₂	Injekt. 1%	R.	(+ 1,0) ⁶/₅	6 Mon.	gr. Bg.	
					L.	(+ 1,0) Visus ⁶/₁₂		L.	(+ 1,0) ⁶/₁₂		Stationär	
53. v. Pflugk	Frau K.	46	Witwe	Catar. incip.	R.	E. ⁶/₁₈	Injekt. 1%	R.	E. ⁶/₆	6 Mon.	gr. Bessg.	
					L.	E. ⁶/₁₂		L.	E. ⁶/₅		gr. Bessg.	
54. v. Pflugk	Herr G.	54	Fleischer	Catar. incip.	R.	⁶/₁₂	Injekt. 1%	R.	⁵/₆	6 Mon.	gr. Bessg.	
					L.	⁶/₁₂		L.	⁵/₆		gr. Bessg.	
55. v. Pflugk	Frau P.	65	Arzt-Witwe	Catar. incip.	R.	(+ 1,25) Visus ⁶/₉	Injekt. 1%	R.	(+ 1,5) ⁶/₅	9 Mon.	gr. Bessg.	
					L.	(+ 1,25) Visus ⁶/₉		L.	(+ 1,5) ⁶/₅		gr. Bessg.	
56. v. Pflugk	Prau B.	73	Witwe	R. Catar. incip. L. Catar. in mac.	R.	abl.	[illegible]dit. in mac.	R.	Dass.	4 Mon.	—	
					L.	(— 7,0) Visus ⁶/₁₈	Injekt. 1%	L.	(— 7,0) ⁶/₁₂		Besserung	
57. v. Pflugk	Frl. P. E.	63	Privata	R. Catar. matur. L. Catar. incip.	R.	Finger	Erst Trait. Bad.: ger. Besserung. Dann Injekt 1%	R.	—	6 Mon.	—	
					L.	(— 2,5 m) Visus ⁶/₁₈		L.	(— 2,5) ⁶/₉		gr. Bessg.	
58. v. Pflugk	Herr G.	55	Beamter	Catar. incip.	R.	(— 1,0) Visus ⁶/₁₈	Erst Trait. Bad.: Verschlchtg. Dann Injekt. 1%	R.	(— 0,75) ⁶/₆	8 Mon.	gr Bessg.	Abnahme d. Speich. Kontrolle d. Skizzen
					L.	(— 4,0) Visus ⁶/₁₈		L.	(— 4,0) ⁶/₈		gr. Bessg.	
59. v. Pflugk	Herr R.	61	Lehrer	Catar. incip.	R.	(— 9,0) Visus ⁶/₁₈	Erst Trait. Bad.: Verschlchtg. Dann Injekt. 1%	R.	(— 9,0) ⁶/₉	3 Mon.	gr. Bessg.	
					L.	(— 9,0) Visus ⁶/₁₂		L.	(— 9,0) ⁶/₆		gr. Bessg.	

Autor	Name	Alter	Stand	Diagnose	Auge	Erster Visus	Therapie	Auge	Letzter Visus	Beobachtungszeit	Resultat	Anmerkung
60. v. Pflugk	Herr H.	46	Maler	Catar. incip.	R.	(+ 1,5) Visus $^{6}/_{18}$	Injekt. 1%	R.	(+1,5) $^{6}/_{6}$	$1^{1}/_{2}$ Mon.	gr. Bessg.	
					L.	(+ 1,75) Visus $^{6}/_{18}$		L.	(+1,5) $^{6}/_{6}$		gr. Bessg.	
61. v. Pflugk	Frau H.	59	Ehefrau	Catar. incip.	R.	(+ 1,75) Visus $^{5}/_{6}$	Erst collyr.: Verschlechterung. Dann Injekt. 1%	R.	(+1,75) $^{6}/_{5}$	3 Mon.	gr. Bessg.	
					L.	(+1,25) Visus $^{5}/_{9}$		L.	(+1,25) $^{6}/_{5}$		gr. Bessg.	
62. v. Pflugk	Herr G.	63	Beamter	R. Catar. incip. L. Catar. incip. u. Chor. in mac.	R.	(− 6,0) Visus $^{6}/_{18}$	Jodkal.-Salbe und Tropfen	R.	(−6,0) $^{6}/_{12}$	6 Mon.	Besserung	
					L.	(− 7,0) Visus $^{6}/_{18}$		L.	(−7,0) $^{6}/_{24}$		Verschlechtg.	Wegen Fortschr. der Chorioiditis
63. v. Pflugk	Frau Z.	27	Ehefrau	Catar. polar. poster Chorioretinit.	R.	$^{1}/_{100}$	Injekt. 1%	R.	$^{1}/_{100}$	$1^{1}/_{2}$ Jahr	Stationär	Skizzen. Die Linse des linken Auges hat sich wesentlich aufgehellt.
					L.	$^{1}/_{50}$		L.	$^{1}/_{50}$		Stationär	
64. v. Pflugk	Frau Sch.	35	Ehefrau	Catar. incip.	R.	+ cyl. 1,5) (Visus $^{6}/_{60}$	Erst Collyr. Dann Injekt. 1%	R.	(+cyl. 1,5) $^{6}/_{18}$	5 Mon.	Besserung	
					L.	(+cyl. 0,75) Visus $^{6}/_{9}$		L.	(+ cyl. 0,75) $^{6}/_{9}$		Stationär	
65. v. Pflugk	Herr St.	84	Beamter	Catar. in mac. Glaskörpertrübungen	R.	Ambl.	—	R.	Ambl.	6 Mon.	—	
					L.	(− 6,0) $^{6}/_{60}$	Injekt. 1%	L.	siehe Anm.		Besserung	Infolge Zunahme der Aderhautentzündg. u. Glaskörpertrübg. hat d. Sehschärfe abgenommen

66. v. Pflugk	Frl. E.	61	Privata	Catar. incip. Chorioid. senil. in mac.	R.	(+ 0,5) Visus 6/8	Erst bds. Collyrien: Stat. idem. Dann Injekt. 1% damit Bessg.	R.	(+ 0,5) 6/5	8 Mon.	gr. Bessg	Skizzen. Abnahme d. Trübg.
					L.	(— 3,0) Visus 6/36		L.	(—4,0) 6/18		Besserung	
67. v. Pflugk	Herr B.	62	Beamter	Catar. incip.	R.	(schw. Hyp.) 6/9	Collyrien 0,15:10	R.	6/6	3 Mon.	gr. Bessg.	
					L.	(schw. Hyp.) 6/24		L.	6/18		Besserung	
68. v. Pflugk	Frl. A. R.	64	Schneider	Catar. incip.	R.	Ambl.	—	R.	Ambl.	9 Mon.	—	Skizzen. Abnahme d.Speichen
					L.	(— 1,5) Visus 6/12	Injekt. 1%	L.	(—1,25) 6/8		Besserung	
69. v. Pflugk	Frau A.	49	Handelsfrau	R. Catar. incip. L. Catar. mat.	R.	(schw. Hyp.) 6/24	Erst T mit Bad.: Damit Verschlechtg., dann Jodkal. 1% Spritzen: Besserung	R.	6/6	4 Mon.	gr. Bessg.	
					L.	Ambl.	—	L.	1/12		Besserung	
70. v. Pflugk	Herr M.	75	Maurer	Catar. incip.	R.	(+ 2,5) Visus 6/24	Collyrien und Bäder	R.	(+2,5) 6/18	1 Mon.	Besserung	
					L.	(+ 2,5) Visus 6/24		L.	(+2,5) 6/18		Besserung	
71. v. Pflugk	Frau H.	70	Privata	Catar. incip.	R.	E. 5/8	Ausschliessl. Einträufel. 0,15:10,0	R.	E. 6/5	6 Mon.	gr. Bessg.	
					L.	+ 0,5 5/8		L.	(+0,5) 6/5		gr. Bessg.	
72. v. Pflugk	Herr K.	60	Lehrer	Catar. perinucl. in subcaps.	R.	E. 6/36	Ausschliessl. Einträufel. 0,15:10,0	R.	6/18	2 Mon.	Besserung	
					L.	geringe Hyp. 6/28		L.	6/12		Besserung	
73. v. Pflugk	Frau H.	66	Offizierswitwe	Catar. caps. u. subcaps.	R.	— 7,0 6/18	Erst Bäder u. Tropfen, Stat., dann Spritzen 1%	R.	(—7,0) 6/12	3 Mon.	Besserung	
					L.	Ablatio		L.	—		—	

Ausser diesen 73 mehr oder weniger vollständig mir vorliegenden Krankengeschichten ist in der Literatur noch an verschiedenen Stellen summarisch über ganze Reihen von Patienten berichtet, die mit Jodkaliumpräparaten (zum Teil ausdrücklich nach den Badalschen Vorschriften) behandelt worden sind.

So berichtete Dufour (6) 1902 S. 58: Nous pourrions encore citer de nombreuses observations et en particulier celles d'une vingtaine de malades qui pendant cette dernière année ont été soumis à la Clinique Ophtalmologique de Bordeaux au Traitement ioduré" usw. Auch Dransart (44, S. 12, 13) berichtet, dass die Resultate, welche er mit der Jodkaliumbehandlung erreicht hat, verschieden waren, ein an derselben Stelle citierter günstiger Fall findet sich in der Tabelle als Nr. 14. Dransart schliesst das Kapitel „Guérison de la Cataracte sans Opération" mit den Worten: „Toutefois, chez quelques sujets j'ai constaté l'état stationnaire des opacités cristalliniennes."

1906 schrieb Boisseuil (12) S. 50: „Les observations recueillies par le professeur Badal dans sa clientèle privée qu'il a bien voulu nous communiquer portent aujourd'hui sur plusieurs centaines de cas traités; un grand nombre n'ont pas été suivis un temps assez long pour qu'il soit permis de les considérer comme concluantes. Cela tient surtout à ce que beaucoup de malades, après quelques mois de traitement sous la direction de l'oculiste, ayant constaté que leur état ne s'aggrave pas ou même s'est amélioré, s'en tiennent à la medication prescrite et ne se représentent plus pour les raisons faciles à comprendre. Il serait fastidieux de reproduire les observations dans tous les détails; elles se ressemblent beaucoup."

[Hier sind wohl auch die 21 Fälle von Cataracta incipiens, die Wilkinson (45) drei Jahre beobachtete, einzurechnen; kein einziger derselben erfuhr in dieser Zeit eine bemerkbare Verschlechterung des Visus. Für die Behandlung der Trübungen empfiehlt der Autor in erster Linie Lithionquellen, Jodkalium und Jodnatrium.]

Im Anschluss an den summarischen Bericht Boisseuils aus der Badalschen Klinik (siehe oben) schildert er etwas ausführlicher die Resultate der Jodkaliumbehandlung der letzten 50 Fälle aus der Badalschen Klinik. Alle diese 50 Kranken hatten mindestens $^{1}/_{10}$ Visus, Stare von verschiedener Entwicklung und verschiedenen Sitzes in den Linsen ohne ernste Komplikationen. Ihre Behandlung bestand ausschliesslich in Bädern mit Jodkalium in steigenden Dosen zu 5, 10, 15, 20, 30 g auf 300 g Wasser, selten ging die Konzentration über 25 g hinaus, zweimal täglich war ein Bad 2—5 Minuten lang auf jedes Auge verordnet.

Die Resultate der Jodkaliumbehandlung dieser 50 Fälle sind, wie folgt, zusammengestellt:

amélioration assez sensible	5	Cas	10%
„ „ légère	8	„	16%
état stationnaire	29	„	58%
marche lente	5	„	10%
cataractes arrivées à maturité	3	„	6%

Die Beobachtungsdauer wird angegeben:

5 Jahre	5 Fälle
4 „	4 „
3 „	9 „
2	13 „
1	19 „
i. S.:	50 Fälle.

In bezug auf die Form der Aufhellung berichtet derselbe Autor, dass Badal niemals intensive Trübungen hat verschwinden sehen; die Aufhellung erfolgte stets in den zarten diffus getrübten Linsenpartien. Badal befindet sich bei dieser Beobachtung in Übereinstimmung mit H. Pagenstecher (42), der S. 408 ausdrücklich schreibt: „Dass unter Umständen sich diffuse Linsentrübungen wieder aufhellen und dass dadurch oft eine nicht unerhebliche Besserung der Sehschärfe erzielt wird, ist eine für mich ganz feststehende Tatsache."

Einzelne Beobachtungen sprechen aber dafür, dass auch wirkliche Speichen sich wieder klären können; so berichtete Dr. Leartus Connor, Detroit (49) 1907 „über sechs Fälle, in denen beobachtet wurde, dass Linsenstreifen wieder verschwanden, teilweise oder gänzlich. Um Irrtümer zu vermeiden, wurden Zeichnungen der Linsentrübungen gemacht, um über genaue Vergleiche verfügen zu können". Derselbe Bericht weiter: „In diesen Fällen kommen noch Beobachtungen von 50 Ophthalmologen, die dartun, dass in ungefähr 143 Fällen die Trübungen beginnender Katarakt ihre Durchsichtigkeit ganz oder teilweise wiedergewinnen. In der Diskussion teilt unter andern Dr. Hermann Knapp, New York, mit, dass Absorption einer Katarakt nicht so ganz selten sei. Dr. Tiffany, Kansas City, beobachtete einen Fall von Linsenopacitäten bei einer jungen Frau nach einem Grippeanfall, die sich später wieder aufhellten."

Ich habe mich bemüht, bei den von mir behandelten Fällen durch Skizzen den Verlauf der Behandlung festzustellen. Aus äusseren Gründen war eine regelmässige Kontrolle im allgemeinen aber nur bei den stationär behandelten Kranken möglich. Trotzdem ist es mir aber gelungen, bei fünf Kranken (Fälle 49, 58, 65, 66 und 68 der Tabelle) durch fortlaufende Zeichnungen das Verschwinden von Trübungen zu kontrollieren. Bei allen fünf Fällen gingen stärkere Trübungen in zarte über, bzw. wurden zarte Trübungen so undeutlich, dass sie bei der Kontrolle fast völlig verschwunden schienen. Nach allem halte ich die Beobachtungen, dass auch intensive Linsentrübungen sich völlig aufklären können, auch beim Menschen für durchaus nicht unwahrscheinlich, wie auch die auf den Seiten 537—538 zusammengestellten Beobachtungen von durchaus einwandfreien Autoren beweisen. Da die Jodkaliumbehandlung der beginnenden Cataracta auf Grund der bisherigen durchaus zufriedenstellenden Erfolge von mir fortgeführt wird, kann eine spätere Zusammenstellung der mit Skizzen verfolgten Fälle eingehender mit der Frage der Aufhellung auch der intensiven Linsentrübungen sich befassen.

Zur Erleichterung der Skizzierung der Linsentrübungen habe ich mir von Karl Bofinger (Stempelfabrik in Stuttgart) Gummistempel nach der beifolgenden Zeichnung anfertigen lassen; diese Stempel können zum Preis von je 2,50 Mk. von der Firma bezogen werden.

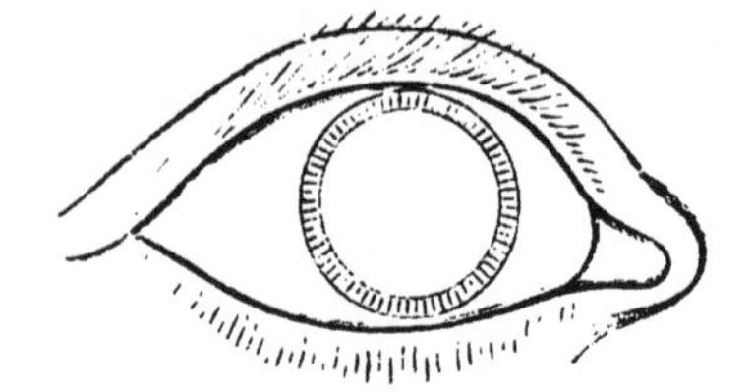
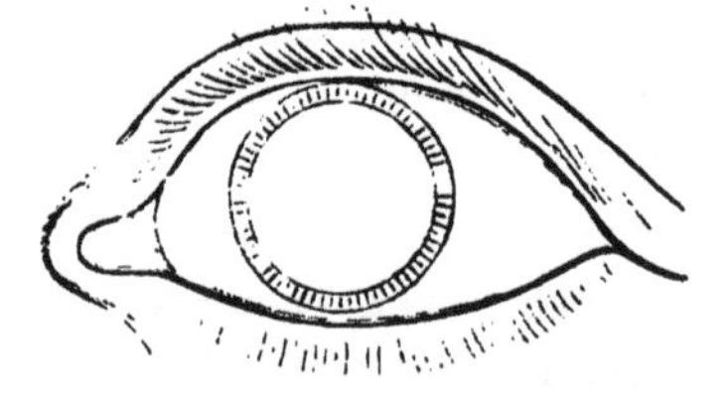

Was folgt nun aus der Vergleichung sämtlicher in der Literatur genauer beschriebenen und in den Tabellen zusammengefassten Krankengeschichten von Jodkaliumbehandlung beginnender Linsentrübungen?

Die von Badal summarisch zusammengefassten Fälle sind ausschliesslich mit dem „Traitement Badal“ (Collyrien und Bäder) behandelt worden, man wird nicht sehr unrecht gehen, wenn man die Resultate im grossen und ganzen etwa den Resultaten der 50 Fälle in der Boisseuilschen Arbeit (12, S. 51) gleichstellt. Badal teilte seine Resultate ein in Amélioration assez sensible und Amélioration assez légère, ohne näher zu beschreiben, welchen Grad von Besserung er in diesen beiden Abteilungen zusammenstellt. Um aber die von den verschiedenen Autoren erhaltenen Resultate bei der grossen Abweichung der einzelnen Fälle untereinander vergleichen zu können, ist es nötig, eine Skala aufzustellen, etwa nach denselben Gesichtspunkten wie Badal. Leider war mir kein rechnerisches Verfahren bekannt, das vergleichen lehrt die Aufbesserung des Sehvermögens eines Auges von $^2/_3$ auf $^6/_6$, mit einem zweiten Auge, das von 0 bis $^1/_3$ gewonnen hat. Beide Augen sind scheinbar um denselben Wert, d. i. $^1/_3$ Sehschärfe gestiegen, und doch besteht ein ungeheuerer Unterschied zwischen dem Gewinn an Sehleistung der beiden Augen! Bis zu einem gewissen Grad eine Vergleichsskala herzustellen, ist mir nun auf folgende Weise gelungen: [ich möchte aber ausdrücklich noch dazu bemerken, dass ich die gefundenen Werte nur aus rein rechnerischen Gründen in ein Verhältnis gebracht habe, in Wirklichkeit ist die Besserung der Sehschärfe von so ausserordentlich individueller Bedeutung, je nach dem Stand und der Beschäftigung des an beginnendem Star Leidenden, so dass sie nicht ohne weiteres rechnerisch in gegenseitige Beziehung gebracht werden kann].

Es wurden alle in den Arbeiten gefundenen Notizen nach der bekannten Formel $V = \frac{d}{D}$ notiert und in Dezimalbrüche umgerechnet, so dass dadurch eine fortlaufende Reihe entstand von

$$S\,^6/_{60} = 0{,}1 \text{ bis } S\,^6/_5 = 1{,}2.$$

Die für die gefundenen Werte der Sehschärfe in den einzelnen Zeitabschnitten vor und nach der Behandlung notierten Brüche in Form von Dezimalzahlen wurden dann durch Subtraktion miteinander in Beziehung gebracht, z. B. Fall 51 der Tabelle:

Rechtes Auge:

Vor Beginn der Kur $^6/_{12} = 0{,}5$
Nach Beendigung der Kur $^6/_6 = 1{,}0$.

Die Differenz zwischen beiden Werten = 0,5.

Linkes Auge:

Vor Beginn der Kur $^6/_{24} = 0{,}25$
Nach Beendigung der Kur $^6/_9 = 0{,}67$.

Die Differenz beträgt 0,42.

Sobald die Differenz der beiden notierten Werte 0,33 oder mehr als 0,33 betrug, wurde „grosse Besserung“ in die Resultatreihe eingetragen; war die Differenz kleiner als 0,33, so wurde einfach „Besserung“ angenommen. Ich leugne durchaus nicht, dass dieses Verfahren etwas Gewaltsames und Unkorrektes darstellt, aber es hat sich mir als nicht ungeeignet bewiesen insofern als mit „grosser Besserung“ eine Zunahme der Sehleistung um zwei bis drei Reihen der Snellenschen Tafeln ausgedrückt wird.

Unter Zugrundelegung dieser Berechnung ergibt sich folgendes:

I. Die ersten Badalschen 9 Fälle (1, 2, 3, 8, 9, 10, 11, 12, 13 der Tabelle):

9 Personen mit 16 behandelten Augen:

Grosse Besserung	— Auge	—%
Besserung	1 „	6%
Stationär	14 Augen	88%
Nicht behandelt	2 „	
Während der Behandlung Weiterentwicklung der Katarakt	1 „	6%
	18 Augen	100%

II. Die Badalsche Serie der 50 Augen (Boisseuil[12] S. 51):

Grosse Besserung	5 Fälle	10%
Besserung	8 „	16%
Stationär	29 „	58%
Während der Behandlung Weiterentwicklung der Katarakt	8 „	16%
	50 Fälle	100%

III. Die 10 Fälle von

Etiévant	4, 5, 6, 7,
Dransart	14,
Picquénard	23,
Caralt	40,
M. Palma	43, 44, 45.

Von diesen 10 Fällen sind behandelt 18 Augen, diese mit Resultaten:

Grosse Besserung	2 Augen	11%
Besserung	6 „	33%
Stationär	10 „	56%
	18 Augen	100%.

IV. 24 Fälle von Verderau mit 48 Augen (Fälle 15, 16, 17, 18, 19, 20, 21, 22, 24, 25, 26, 27, 28, 29, 30, 31, 32, 33, 34, 35, 36, 37, 38, 39).

Davon sind behandelt worden 38 Augen. Also:

Grosse Besserung	17 Augen	45%
Besserung	19 „	49%
Stationär	2 „	6%
	38 Augen	100%.

V. 30 eigene Fälle aus meiner Praxis mit 60 Augen.

Davon behandelt 55. Resultat:

Grosse Besserung	29 Augen	53 %
Besserung	18 „	33 %
Stationär	7	12 %
Abnahme der Sehschärfe während der Behandlung (Fall 62)	1 „	2 %
	55 Augen	100 %.

Dieser Fall 62 ist eigentlich nicht mitzuzählen; es bestand eine Chorioiditis in macula, welche im Lauf der 6 Monate der Behandlung zunahm und das Sehvermögen schädigte; die Linsentrübung nahm während der Behandlung sicher nicht zu.

Die Behandlung der Fälle war die aus der Tabelle ersichtliche:

I. und II. Badal ausschliesslich mit Jodkali-Einträufelungen und Bäder.

III. 10 Fälle mit verschiedener Behandlung, Traitement Badal, Jodkalium in 5 und $2\frac{1}{2}$ % Lösung, subconjunctival.

IV. Verderau ausschliesslich Resultate durch subconjunctivale Einspritzung von 5 % und $2\frac{1}{2}$ % Jodkalium.

V. Eigene Fälle (bis auf 66 ein Auge, 67, 70, 71, 72), alle mit Einspritzungen von 1 % Jodkaliumlösung und 2 % *NaCl* subconjunctival behandelt.

Eine Vergleichung dieser Serien I bis V ergibt die folgende Übersicht:

Autoren	Anzahl d. behandelten Augen	Grosse Besserung	Besserung	Stationär	Schlechter während der Behandlung
I	18	—%	6%	88%	6%
II	100	10	16	58	16
III	18	11	33	56	—
IV	48	45	49	6	—
V	55	53	33	14	—

i. S.: Behandelte Augen 239.

Während also die Badalschen Resultate der Behandlung mit Bädern und Einträufelungen bei insgesamt 59 Fällen wie folgt waren:

Grosse Besserung	8,63 %
Besserung	14,65 %
Stationär	62,06 %
während der Behandlung Verschlechterung	14,65 %

ergaben die ausschliesslich mit Einspritzungen behandelten Fälle Verderaus 38 Augen und 46 Augen aus meiner Praxis:

Grosse Besserung	54,25 %
Besserung	28,21 %
Stationär	15,19 %

Auffallend ist die Verschiebung der Resultate der mit Traitement Badal und der mit Jodkaliumeinspritzungen behandelten Fälle!

Kein einziger dieser Fälle ist nach der Jodkaliumbehandlung als wesentlich verschlechtert notiert, wohl aber sind ganz ausserordentliche Besserungen zu beobachten, Besserungen, wie sie bisher als unerreichbar hingestellt worden sind und die uns berechtigen, das Verfahren der Jodkaliumbehandlung der Cataracta incipiens mit allen Mitteln der Technik und der Beobachtung weiter auszubilden.

Was die Dauer der Haltbarkeit der erreichten Resultate betrifft, so kann erst eine längere Beobachtungszeit unter Vergleich der Skizzen über die einzelnen Etappen der Entwicklung der Linsentrübungen vollständige Sicherheit geben.

Die Beobachtungszeit Badals erstreckte sich nach Boisseuil(12) S. 51 über:

5 Jahre	bei	5	Fällen
4 „	„	4	„
3 „	„	9	„
2 „	„	13	„
1 Jahr	„	19	„

Ich habe durch mehr oder weniger ausführliche Notizen den Ablauf der Trübungen bzw. ihren Stillstand verfolgen können über einen

Zeitraum	von		4 Jahren	in	1 Fall
„	„	fast	3 „	„	1 „
„	„	mehr als	1 Jahr	„	6 Fällen
„	„	weniger als	1 „	„	22 „

Nach der Zusammenstellung der Resultate auf S. 554 ergab sich ein ganz besonderes Überwiegen der guten Resultate der Einspritzungen, es dürfte sich also etwa ein Behandlungsplan der beginnenden Linsentrübungen nach folgendem Schema daraus ableiten lassen:

Fall X. kommt in die Sprechstunde wegen Abnahme der Sehschärfe infolge Cataracta incipiens:

Genaue Anamnese.
Untersuchung des Körpers auf Allgemeinleiden.
Sehprüfung.
Skizze des Linsenbefundes.
Korrektion der event. Refraktionsanomalie.
Allgemeine Verhaltungsmassregeln.

Verordnung des Traitement Badal, in leichten Fällen ein bis zweimal am Tage Einträufelungen von Jodkalium 0,25 : 10. 3 Tropfen.

Schwerere Fälle werden mit Augenbädern behandelt in steigender Konzentration von 7,5 : 300 bis 20 : 300 zweimal täglich im Augenwännchen 2—5 Minuten lang. Man erwärme im Wasserbad die Jodkaliumlösung und das Wännchen.

Eine nach einigen Wochen ausgeführte Kontrolluntersuchung ergibt weitere Fingerzeige für die Fortführung der Jodkaliumtherapie. Wenn die Linsentrübung bzw. die Sehschärfe sich gebessert haben, so ist trotzdem die Jodkaliumbehandlung fortzuführen mindestens einige Monate. Zeigt dann die Untersuchung nach einer behandlungsfreien Zeit Stillstand der Veränderungen in der Linse, so möchte ich auf Grund meiner Beobachtungen nach etwa drei Monaten wieder eine mehrwöchige leichte Jodkaliumkur anraten. Hat nach der ersten Verordnung der Jodkaliumtherapie im Verlauf einiger Monate die Sehschärfe abgenommen und zeigen die Linsentrübungen Zunahme, die bei erweiterter Pupille mit dem Lupenspiegel ausserordentlich leicht auf Grund der Skizzen festgestellt werden können, so empfehle ich unverzüglich die Einleitung einer Einspritzungskur mit 1% Jodkaliumlösung nach der von mir in den Klinischen Monatsblättern 1906 eingehend geschilderten Methode am wirksamsten in klinischer Behandlung. Nach etwa 10—12 Einspritzungen kann man entsprechend den oben angeführten Tabellen mit grosser Wahrscheinlichkeit auf eine wesentliche Besserung der Sehschärfe, und wie sich im Verlauf der Beobachtung zeigen wird, auf eine Klärung der Linsentrübungen rechnen.

Die von Badal verlassenen Einspritzungen unter die Bindehaut können, wenn sie genau entsprechend der von mir reichlich erprobten Technik ausgeführt werden, als völlig schmerzlos wieder aufgenommen werden. Bei dem Einstechen der Spritze empfehle ich das Aufheben der kokainisierten Bindehaut in Form einer Falte mit der Pincette. Sollten sich nach der Einspritzung Schmerzen einstellen, so ist die Bindehaut über der eingespritzten Jodkaliumlösung, mit einigen Tropfen 1% Acoinöles zu beträufeln, wie ich es in meiner kürzlich (Dezemberheft 1907 der Klinischen Monatsblätter) erschienenen Abhandlung „Über ölige Collyrien insbesondere Acoinöl“ empfohlen habe (50).

Die monatelange Anwendung der Jodtherapie hat im allgemeinen bei den von mir behandelten Kranken Anklang gefunden, ich habe abweichend von Badal nur in verschwindend geringer Anzahl von Fällen Bindehautreizung und Absonderung erlebt. Diejenigen der Herren Kollegen, die die Jodtherapie bereit wären anzuwenden, die aber vielleicht an den langweilig werdenden Verordnungen Anstoss nehmen, möchte ich kurz an die von Erlenmeyer empfohlene Jodtherapie der Arteriosklerose erinnern (in 51).

Cramer schreibt über die Jodtherapie der Arteriosklerose: „Denn eine Kur kann nur Erfolg haben, wenn sie möglichst lange fortgesetzt wird, mit ein paar Wochen ist hier nichts getan; das wichtigste ist, dass Jod jahrelang, wenn auch mit kurzen 8—14 tägigen Pausen, die alle sechs Wochen eingeschaltet werden, gegeben werden kann. Darauf hat schon vor längerer Zeit Erlenmeyer hingewiesen.“

Meine im vorigen Jahre ausgesprochene Empfehlung der Anwendung der Jodkaliumpräparate für die Behandlung der beginnenden Linsentrübungen halte ich also nicht nur aufrecht, sondern auf Grund der im I. Teil dieser Arbeit ausgeführten anatomischen Befunde bei den Tierexperimenten, auf Grund meiner grösseren Erfahrung in der Jodkaliumbehandlung seit der Veröffentlichung in den Klinischen Monatsblättern 1906, ganz besonders aber auf Grund des Studiums der Literatur, wie es die Tabelle der 73 Fälle sowie die summarisch angeführten Krankengeschichten ergeben — bin ich jetzt mehr als zuvor von der Heilsamkeit und den Erfolgen der Jodtherapie überzeugt. Insbesondere empfehle ich die Anwendung der schwächeren Jodkaliumlösungen in Form subconjunctivaler Einspritzungen.

Ich halte deshalb die Jodkaliumbehandlung nicht nur angebracht bei den in meiner früheren Arbeit angeführten Fällen (15) S. 404: „Einäugigkeit, Verlust eines Auges durch Extraktion, nicht zu beseitigende Angst vor operativem Eingriff, innere Erkrankungen, welche die Operation erschweren bzw. unmöglich machen können: Herzschwäche, schweres Asthma usw.“, sondern ich meine, angesichts der ausserordentlich günstigen Resultate, wie sie aus der Literatur zu ersehen sind, sind wir nicht nur berechtigt, sondern verpflichtet, jedem Kranken, der wegen beginnender Linsentrübungen unsere Hilfe aufsucht, das als durchaus unschädlich erprobte Verfahren Badals mit Jodkaliumeinträufelungen und Jodkaliumbädern anzuordnen.

In leichteren Fällen wird man mit dem Traitement Badal selbst ausreichen, für die hartnäckigeren oder weiter vorgeschrittenen Fälle aber empfehle ich aufs wärmste die subconjunctivalen Einspritzungen der 1% Jodkaliumlösungen, die mit Hilfe der von mir ausgebildeten Anästhesierung der Bindehaut durch Wattetampons und Verabreichung von 1% Acoinöl nach der Einspritzung wirklich völlig schmerzlos ausgeführt werden können.

Ich schliesse mich voll Badal an: „Je n'ai jamais cherché à guérir les cataractes complètes; mais j'ai essayé d'arrêter le développement des opacités commençantes, et je crois y avoir réussi." (13, S. 404.)

Zusammenfassung der Resultate (I. und II. Teil).

1. Die über der vorderen Linsennaht beim Kaninchen liegenden Epithelzellen der Linsenkapsel weichen sowohl im anatomischen Bau wie in ihrer physiologischen Tätigkeit von den Epithelzellen in ihrer Umgebung ab.

2. Mit Hilfe der Palladiumchlorürreaktion ist es möglich, die Eintrittswege der unter die Bindehaut gespritzten Jodkaliumlösungen in die Linse festzustellen bei Kaninchen, Katze, Hund, Meerschweinchen, Frosch. Die Reaktion tritt am frühesten und deutlichsten ein in der Linie der vorderen Linsennaht in Form eines scharfen, schwärzlichen Striches (Taf. IX, Fig. 7 und 9), erst später erfolgt der Durchtritt des Jodkalium durch Osmose gleichmässig in der Vorderfläche der Linse.

3. Die ersten anatomischen Veränderungen des Epithels der Linsenkapsel finden sich beim Naphthalinkaninchen $1\frac{1}{2}$—2 Stunden nach der Verabreichung der Emulsion. Diese Veränderungen sind am stärksten ausgeprägt in der Linie der vorderen Linsennaht.

4. Durch Einspritzung von schwachen Jodkaliumlösungen im geeigneten Zeitpunkt war es möglich, den Eintritt der Naphthalinveränderungen des Epithels der Kaninchenlinse um mehrere Stunden hinauszuschieben.

5. Bei mehrtägiger Verabreichung von Jodkaliumlösungen konnte eine ausgesprochene Hemmung der Wucherung des Kapselepithels der Naphthalinlinse des Kaninchens beobachtet werden.

6. Bei dem anerkannten Parallelismus der Naphthalinkatarakt des Kaninchens mit dem menschlichen Altersstar sind die Aufbesserungen der Sehschärfe nach Verabreichung von Jodkaliumpräparaten (Augentropfen, Bädern, Einspritzungen unter die Bindehaut), wie sie von einer grossen Reihe von Beobachtern (Badal, Dufour, Etiévant, Verderau, Picquénard, Boisseuil, Dransart, Lafon, v. Pflugk) festgestellt werden konnten, vermutlich auf Beeinflussungen des Linsenepithels und seiner Umgebung durch das in die Linse eindringende Jodkalium zurückzuführen.

7. Berichte über Aufhellungen sicher beobachteter Linsentrübungen sind von völlig einwandsfreien Beobachtern in grosser Anzahl

in der Literatur zu finden; da demnach die Möglichkeit der Aufhellung bewiesen ist, so sind die Zweifel an der Richtigkeit der Beobachtungen Badals und seiner Schüler über Aufhellungen von Linsentrübungen und Besserungen der Sehschärfe durchaus unberechtigt.

8. Die Zusammenstellung aller bisher veröffentlichten Krankengeschichten von Jodkaliumbehandlung bei beginnenden Linsentrübungen des Menschen ergibt, dass von 239 behandelten Augen eine grosse Anzahl ganz hervorragende Besserungen der Sehschärfe erhielten.

9. Die Beobachtungsdauer erstreckte sich bei Badal für einzelne Fälle bis fünf Jahre, die 30 veröffentlichten Fälle des Verfassers sind verschieden lange, bis vier Jahre, kontrolliert worden.

10. Da die völlige Unschädlichkeit des Traitement Badal durch eine ausserordentlich grosse Anzahl von beobachteten Fällen sichergestellt werden konnte, ist die möglichst allgemeine Einführung der Jodkaliumbehandlung beginnender Linsentrübungen zu erstreben.

11. Eine Übersicht der von den verschiedenen Seiten veröffentlichten Fälle von Jodkaliumbehandlung bei beginnenden Linsentrübungen ergibt, dass mit subconjunctivalen Jodkaliumeinspritzungen wesentlich höhere Grade von Aufbesserungen der Sehschärfe erzielt werden konnten, als durch die Einträufelungen und Bäder mit gleichstarken Jodkaliumlösungen.

12. Mit Hilfe der vom Verfasser angegebenen Anästhesierung der Bindehaut und der Anwendung von Acoin als Zusatz zur Injektionsflüssigkeit, sowie des Acoinöles nach der Einspritzung ist es möglich, die subconjunctivalen Jodkaliumeinspritzungen völlig schmerzlos auszuführen.

Dem Dozenten der physiologischen Chemie an der Hochschule, Herrn Dr. Scheunert, möchte ich auch noch an dieser Stelle meinen aufrichtigen Dank für seine Unterstützung bei den mikrochemischen Untersuchungen aussprechen.

Literaturverzeichnis zum II. Teil.

34) Arlt, Die Krankheiten des Auges. 3 Bände. Prag 1858, 1859, 1860.
35) Becker, O., Pathologie und Therapie des Linsensystems. Graefe-Saemisch, Handbuch 1. Aufl. Bd. V. S. 157 ff.
36) Peters, „Die Pathologie der Linse" in Lubarsch-Ostertag 1906.
37) Sacher, Magnetextraktion eines Eisensplitters aus der Linse ohne Kataraktbildung. Zeitschr. f. Augenheilk. Bd. VI. S. 292.

38) Bondi, Spontane Aufhellung einer Cataracta traumatica. Wochenschr. f. Therapie und Hygiene des Auges. 1902. Nr. 29.
39) Heubel, Über die Wirkung wasseranziehender Stoffe, insbesondere auf die Krystallinse. Pflügers Arch. Bd. XX. S. 114. 1879.
40) Wolff, G., Bemerkungen zum Darwinismus mit einem experimentellen Beitrag zur Physiologie der Entwicklung. Biolog. Zentralbl. Bd. XIV. 1894.
41) — Die Regeneration der Urodelenlinse. Arch. f. Entwicklungsmechanik. Bd I. Heft 3. 1895.
42) Pagenstecher, H., Über die Anwendung von grossen Dosen Jod in der Augenheilkunde. Klin. Monatsbl. Bd. XXXV. 1897.
43) Röhrer, Die Pathogenese der Cataracta senilis vom Standpunkt der Serumforschung. v. Graefe's Arch. Bd. LX, 2.
44) Dransart, De la cécité dans le Nord de la France. Douai 1903.
45) Wilkinson, The preventive treatment of senile Cataract. Bericht in der Wochenschr. f. Therapie u. Hygiene Jahrg IX. Nr. 33.
46) Fernandez, J. Santos, Contribucion al estudio del Tratamiento de las Cataratas por el iodure de potasico. Archivos de Oft. Hisp.-Americ. Junio 1907.
47) Menacho, El tratamiento de la Catarata por las injecciones subconjunctivales de ioduro potasico. Ebenda.
48) Pour y Marquiz Palma, Contribucion al tratamiento de la Catarata por las injecciones de ioduro potasio. Dasselbe Arch. Dic. 1906. Citiert nach Wolffbergs Wochenschr. X, Nr. 20.
49) Bericht über die Sitzung der ophthalm. Abteilung der American medical Association Atlantic City, New Jersey, 4.—7. Juni 1907. Citiert nach Wolffbergs Wochenschr. X, Nr. 50.
50) v. Pflugk, Über ölige Collyrien, insbesondere Acoinöl. Klin. Monatsbl. Bd. XLV. S. 505ff. 1907.
51) Cramer, Die Behandlung der arterio-sklerotischen Atrophie des Grosshirns. Deutsche med. Wochenschr. Nr. 47. 1907.

Druck von Poeschel & Trepte in Leipzig.

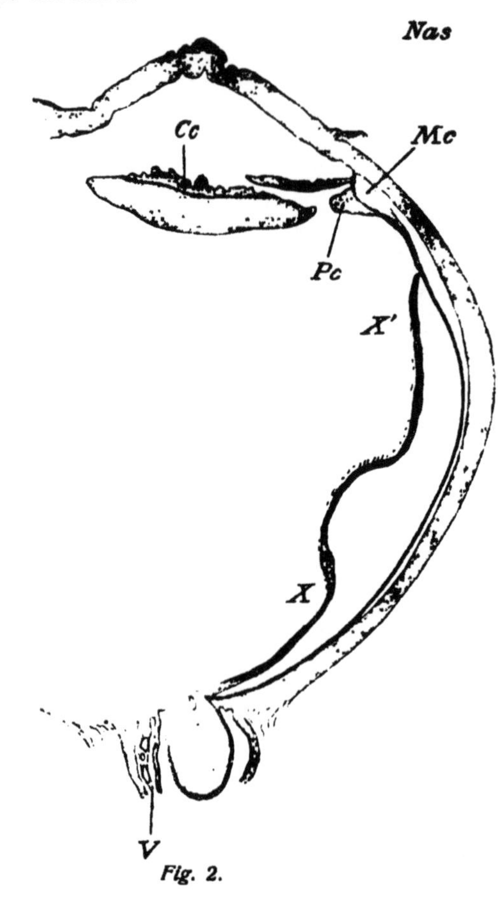

Fig. 2.

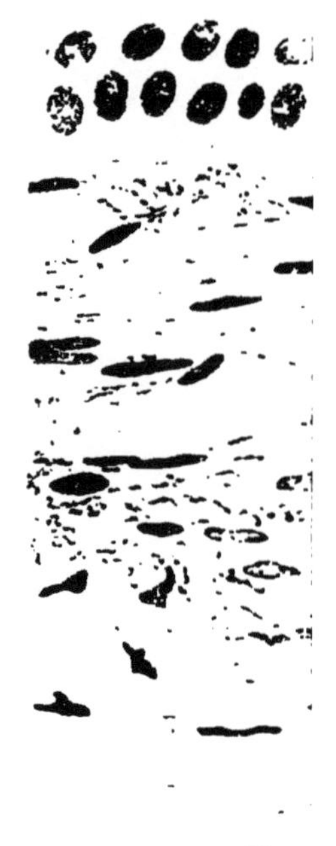

Fig. 3

A

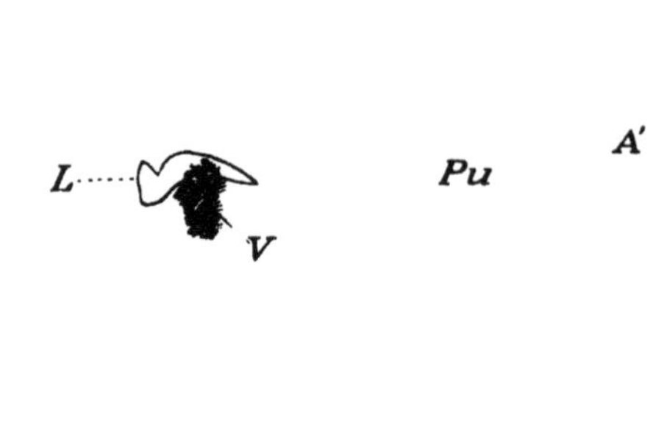

Fig. 5.

Verla von Wilhelm

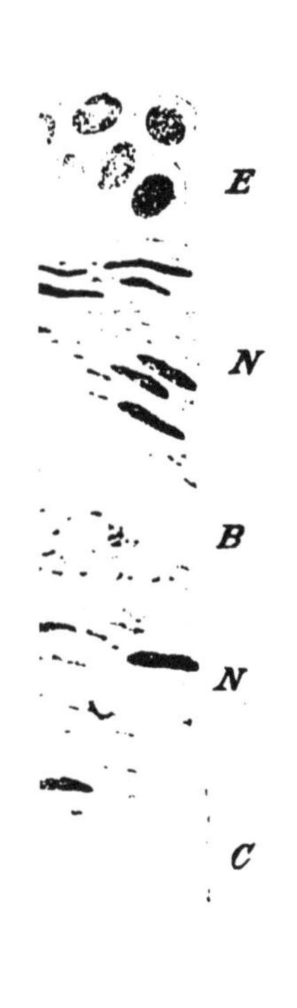

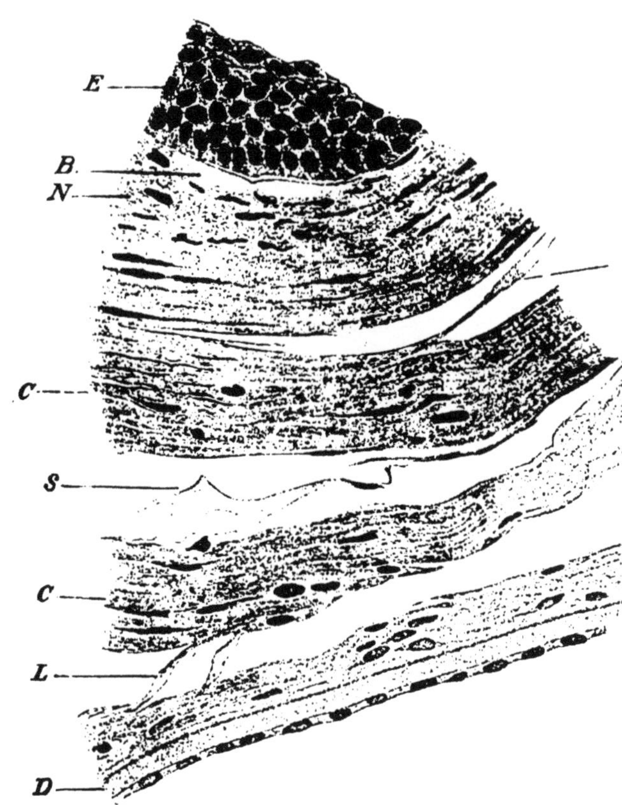

Fig. 4.

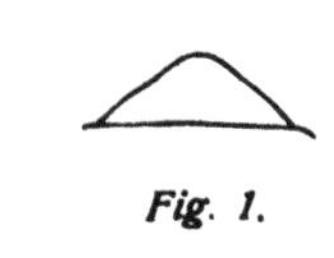

Fig. 1.

ig. 7.

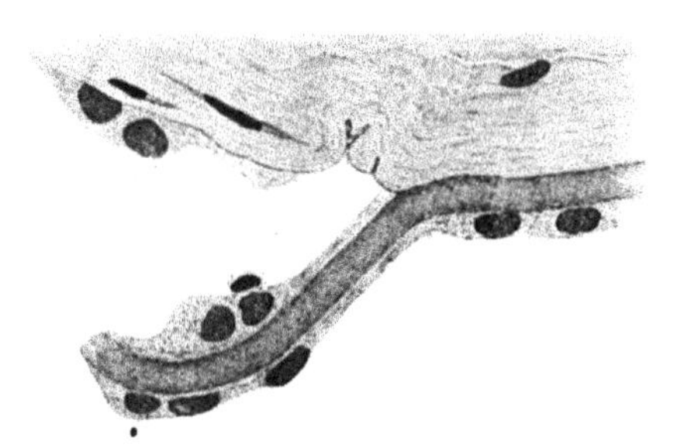

Fig. 6.

relmann in Lei

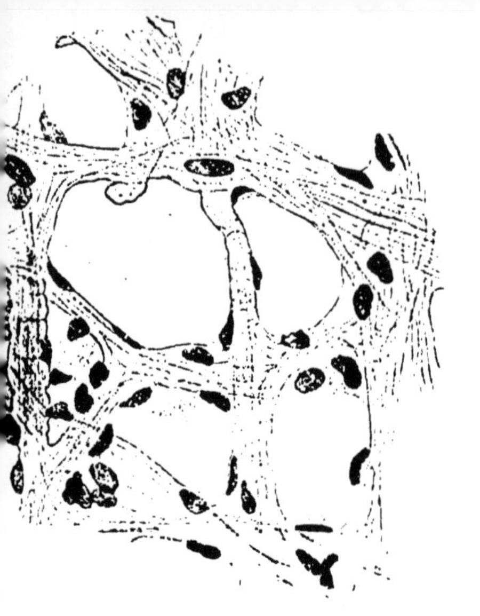

Fig. 11.

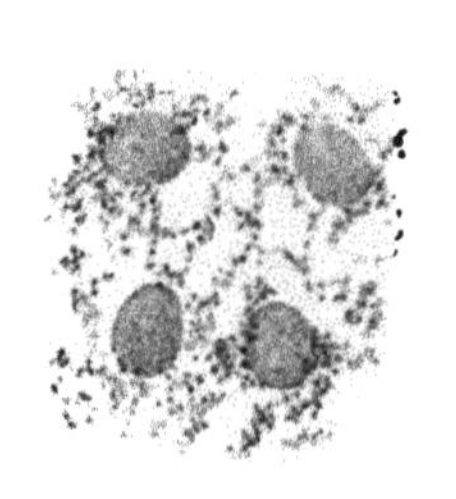

Fig. 9.

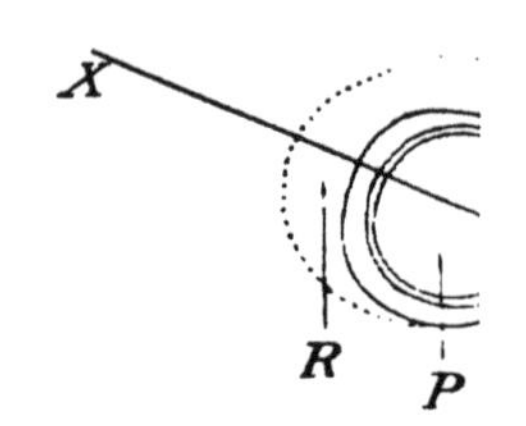

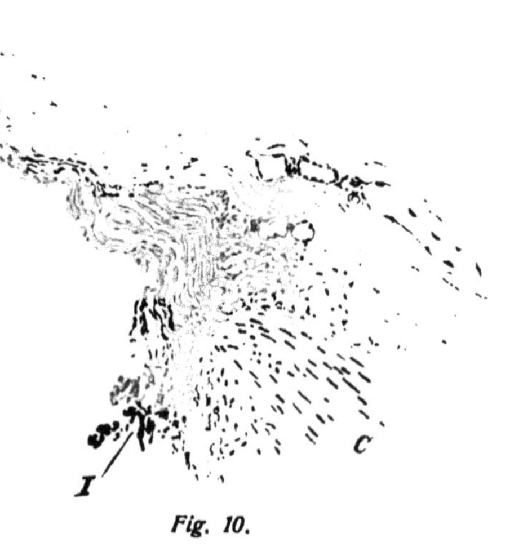

Fig. 10.

Verlag von Wilhelm E

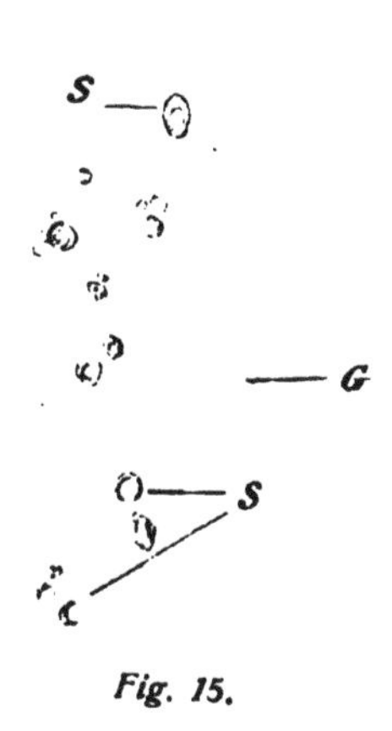

Fig. 15.

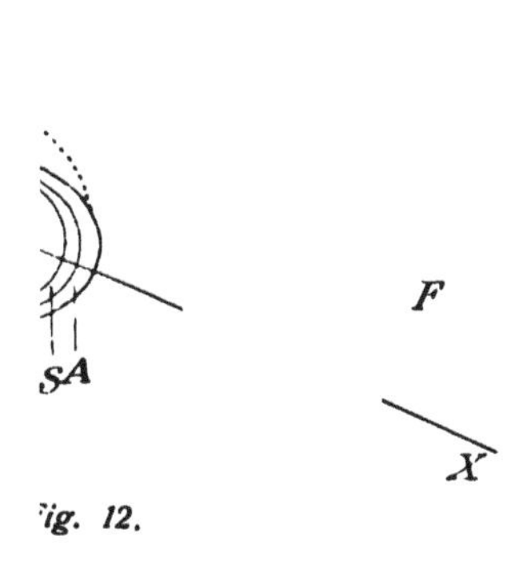

ig. 12.

ig. 8.

elmann in Leipzig.

Fig. 13.

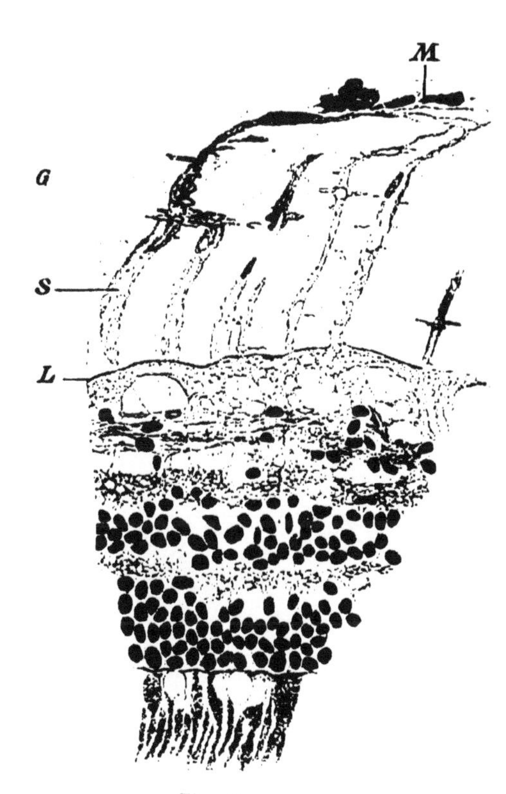

Fig. 14.

Fig. 1.

Fig 2.

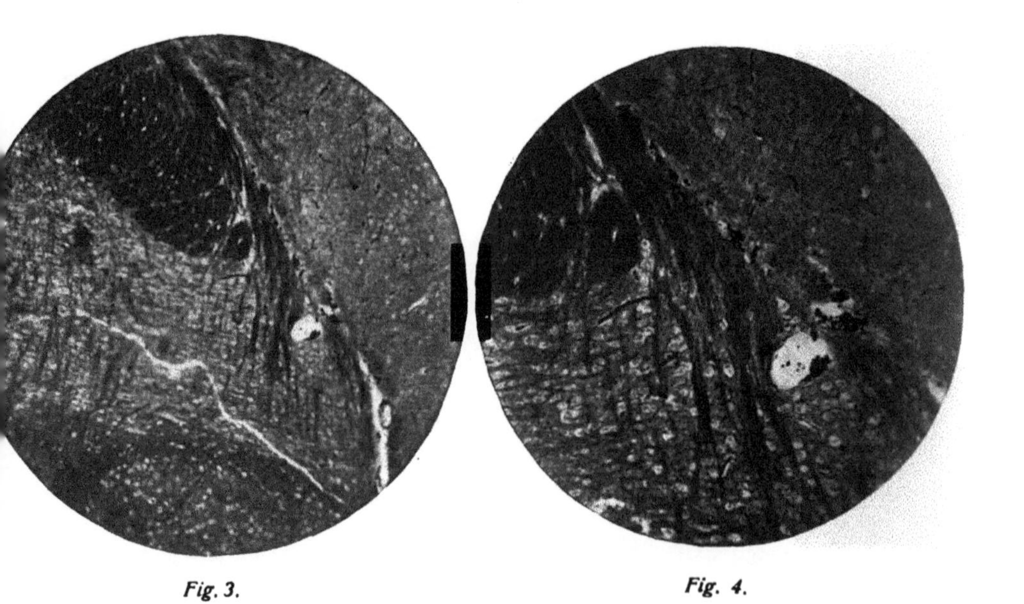

Fig. 3.

Fig. 4.

Verlag von Wilhelm

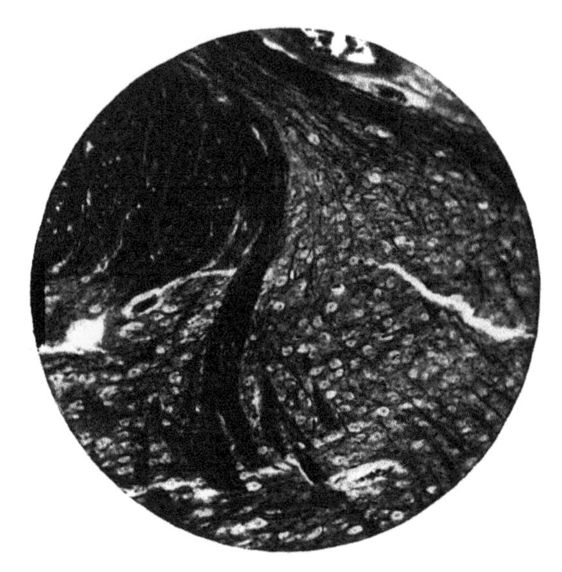

Fig. 5.

Fig. 6.

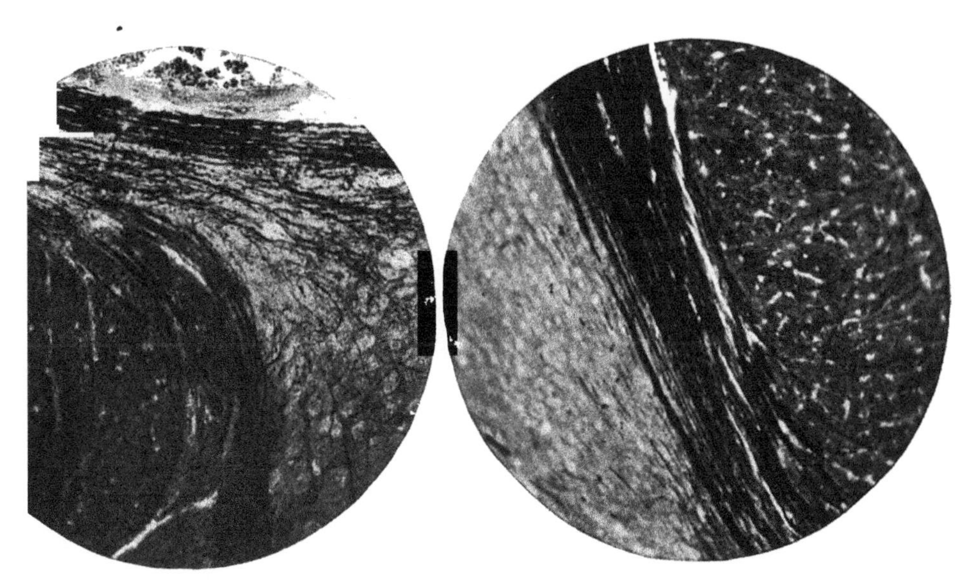

Fig. 7.

Fig. 8.

Fig. 1.

←—

a

b

c

von rechts nach links zu lesen.

a) Induktionsapparat *b) Magnetinduktor.* *c) v. Freischer Apparat.*

Die feinen Teilstriche bezeichnen ein Intervall von $^1/_{340}$ sec.

Verlag von Wilhelm Engelmann in Leipzig.

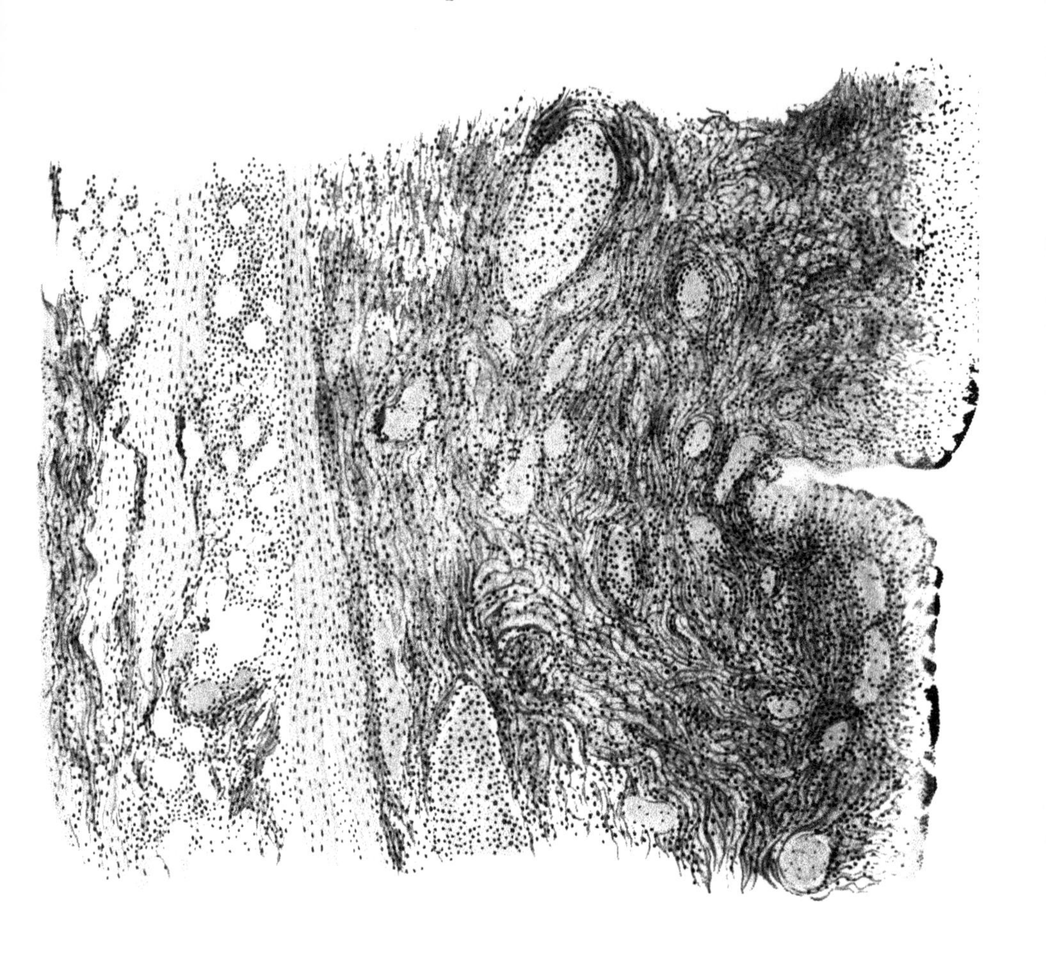

Fig. 1.

Verlag v. Wilhelm E

Fig. 2.

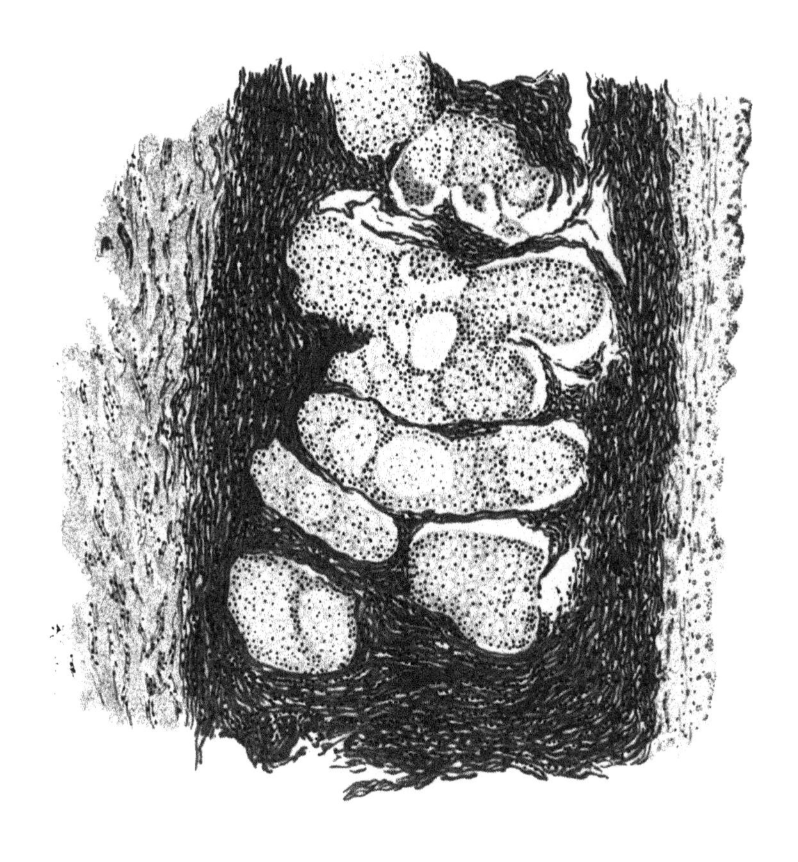

nn in Leipzig

Lith Anst v E A Funke Leipzig

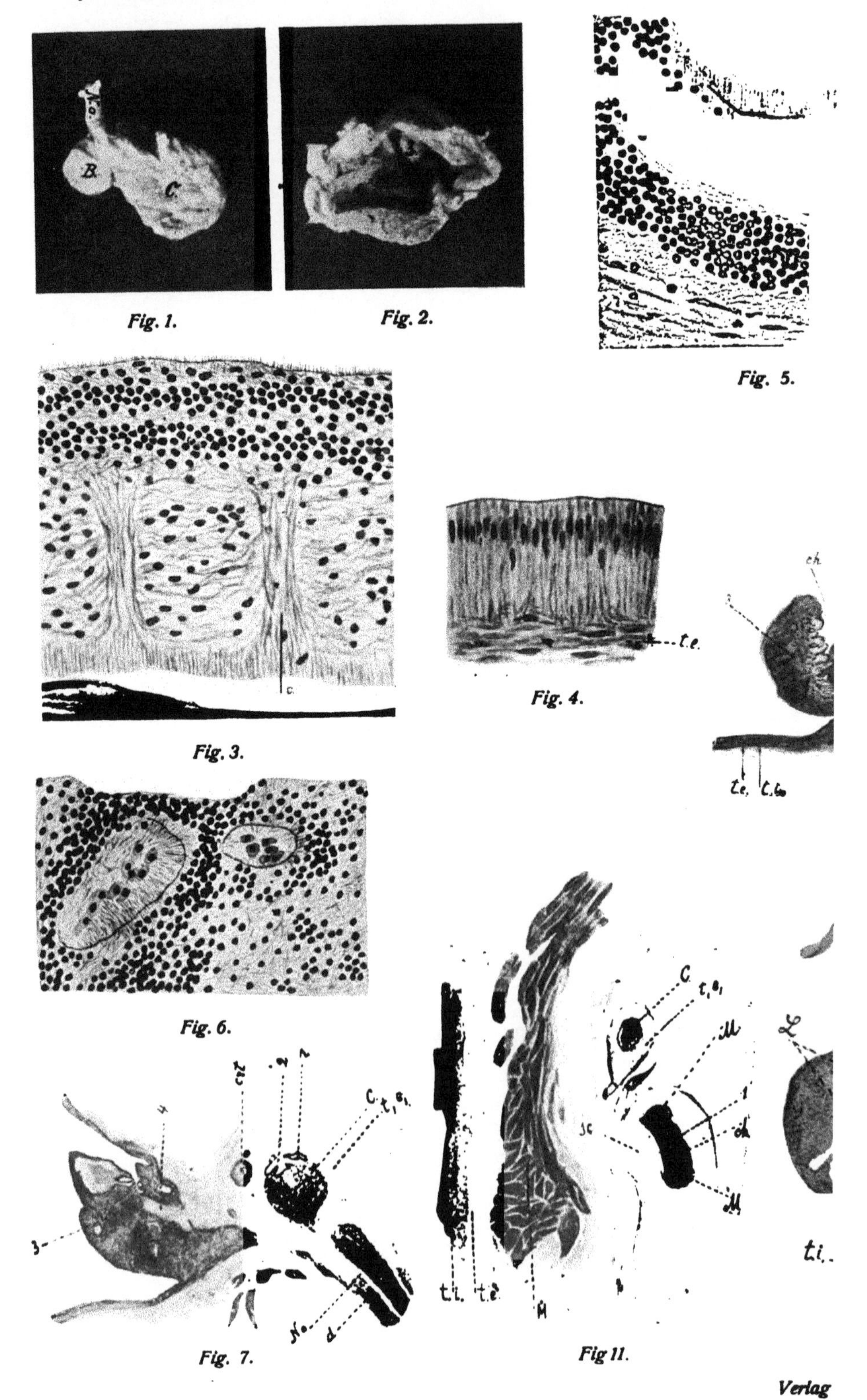

Fig. 1.

Fig. 2.

Fig. 5.

Fig. 3.

Fig. 4.

Fig. 6.

Fig. 7.

Fig 11.

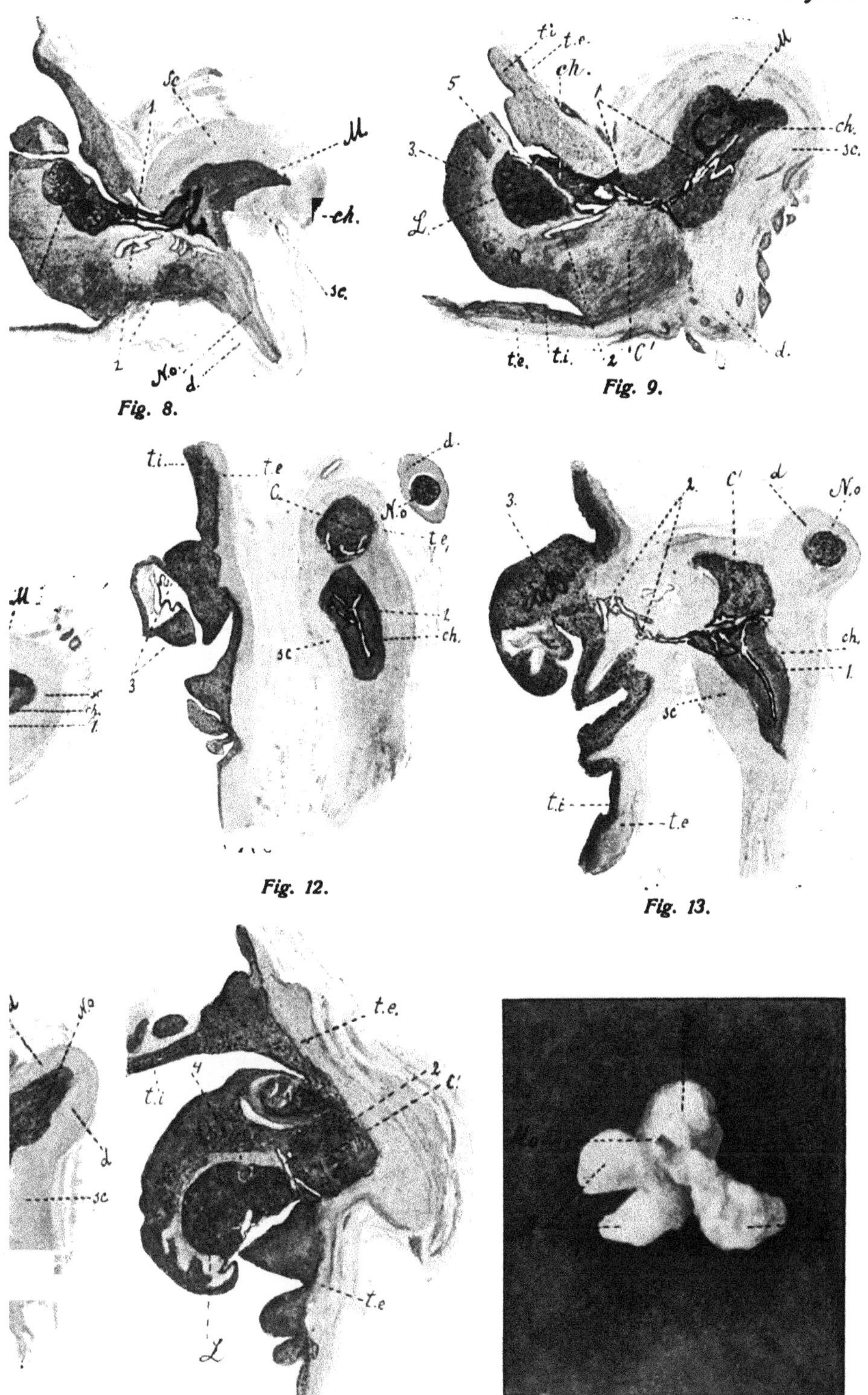

Fig. 8.

Fig. 9.

Fig. 12.

Fig. 13.

Fig. 15.

Fig. 16.

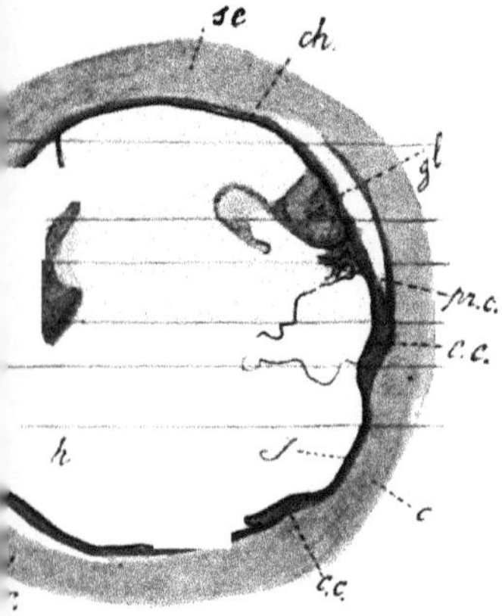

Fig. 17.

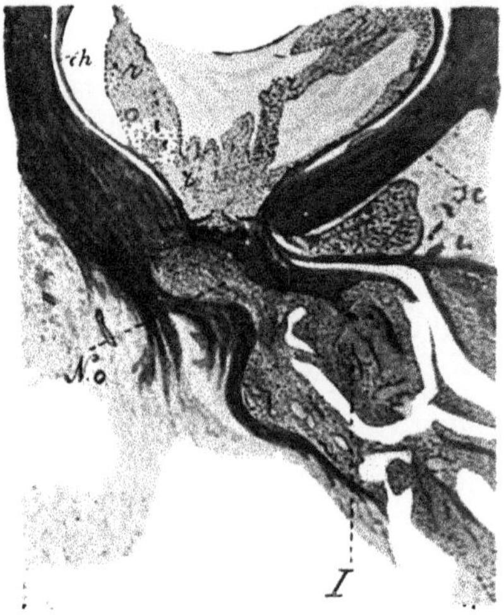

Fig. 19.

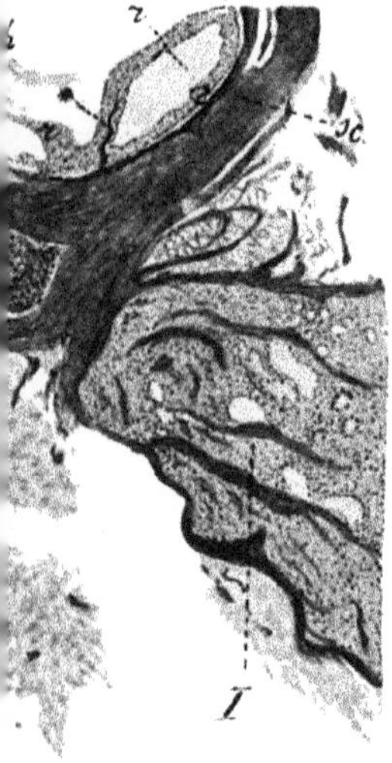

Fig. 18.

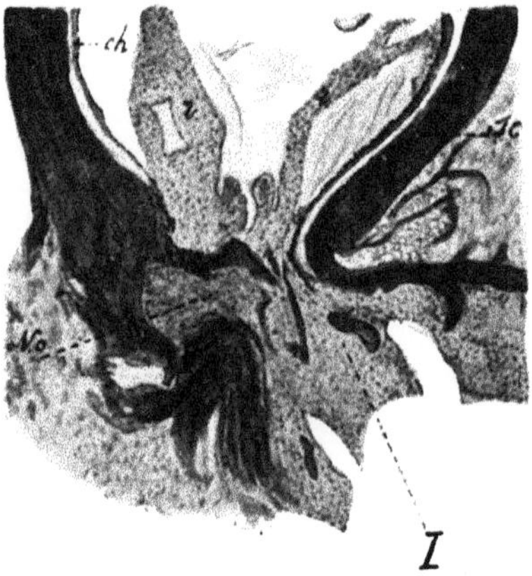

Fig. 20.

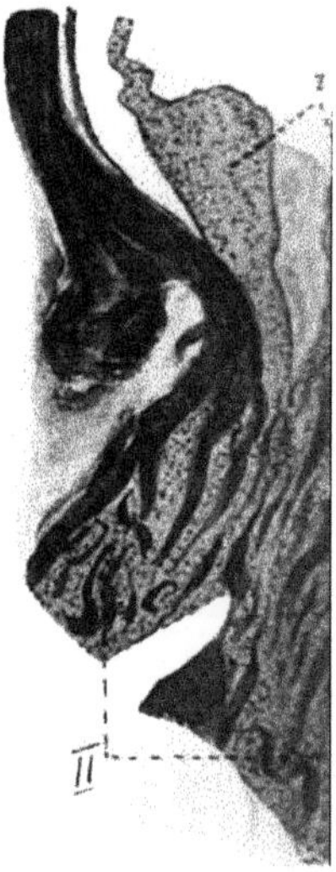

Fig

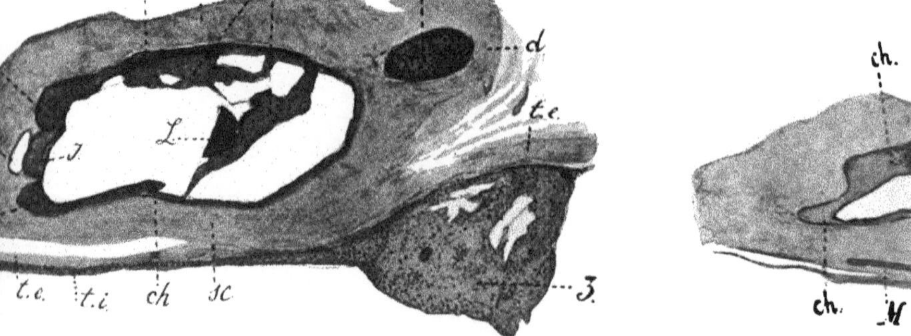

Fig. 28.

Verlag von Wilhelm

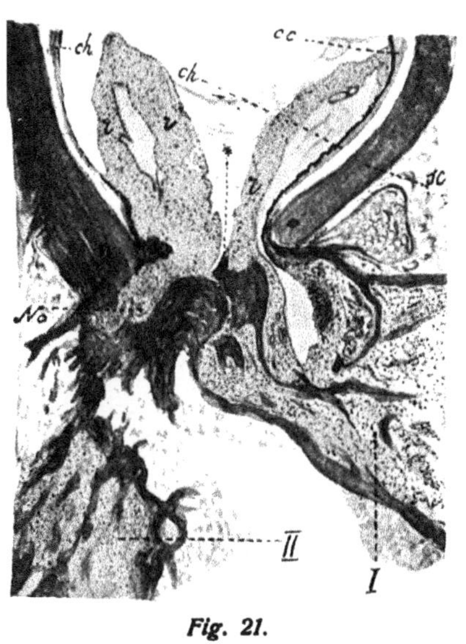

Fig. 21.

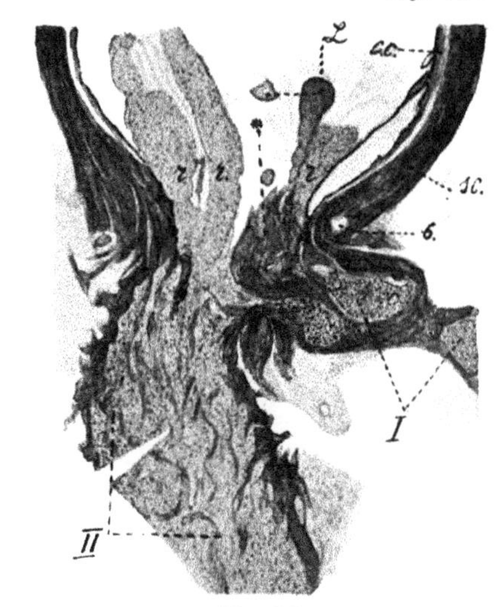

Fig. 22.

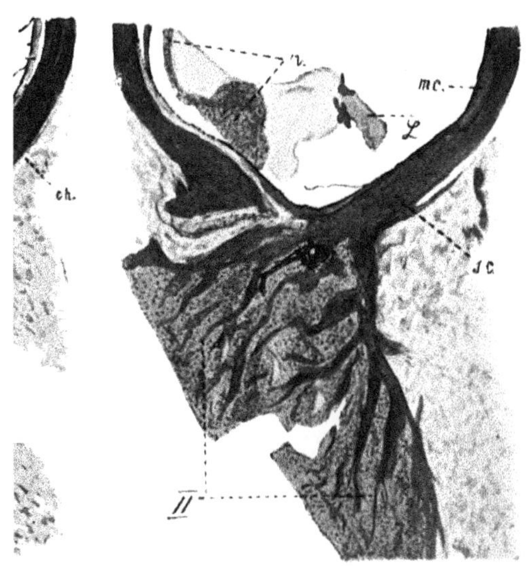

Fig. 24.

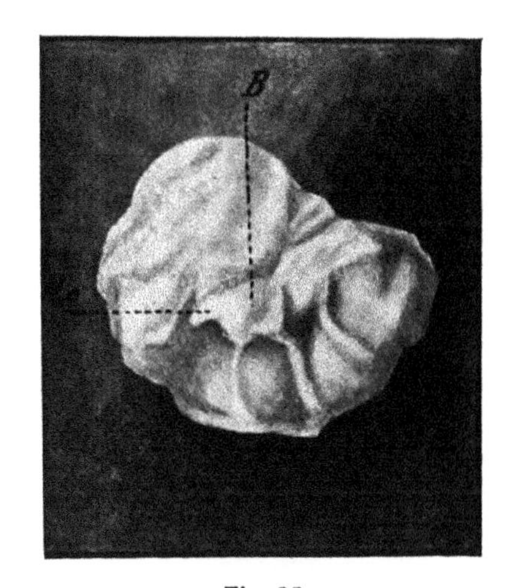

Fig. 25.

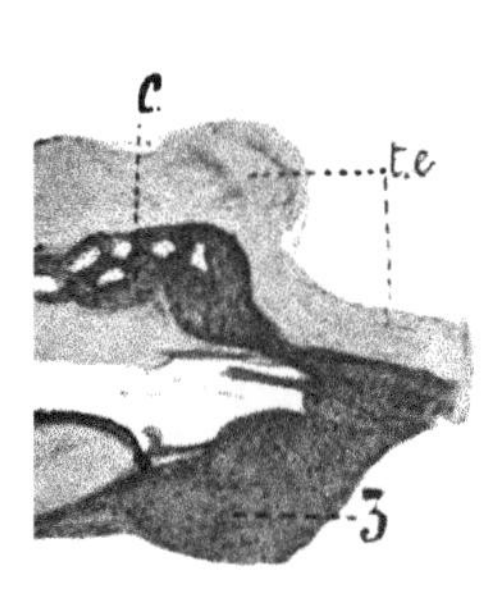

Fig. 26.

Leipzig.

Übe

Normale Linsenkapsel mit Epithel vom Kaninchen.
(Halbschematisch)

Fig. 1.

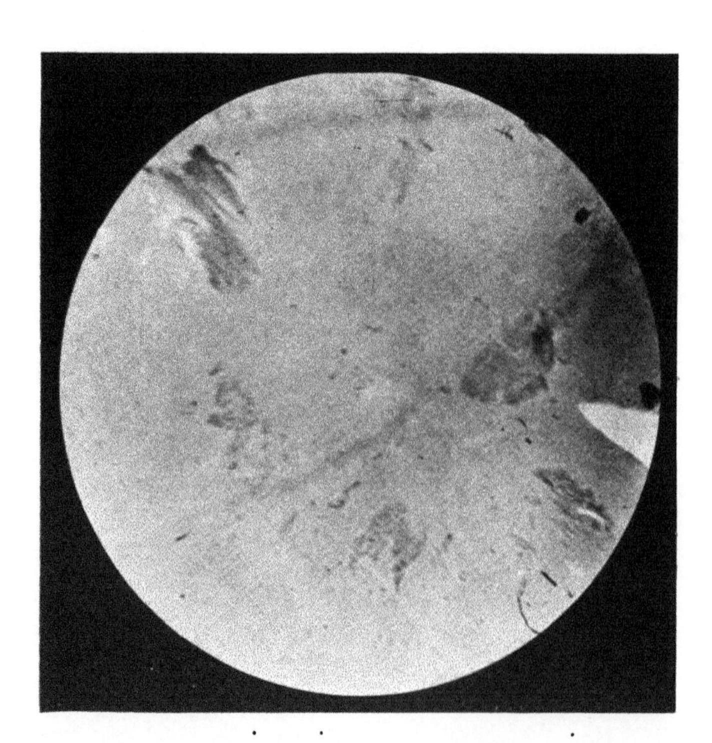

Normale Linsenkapsel. Zeiss DD Oc_2.

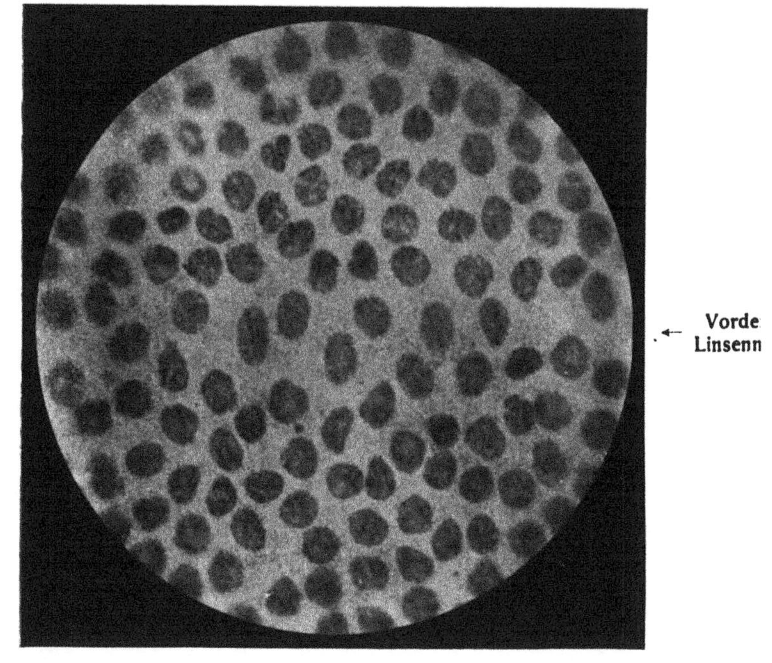

Fig. 4.

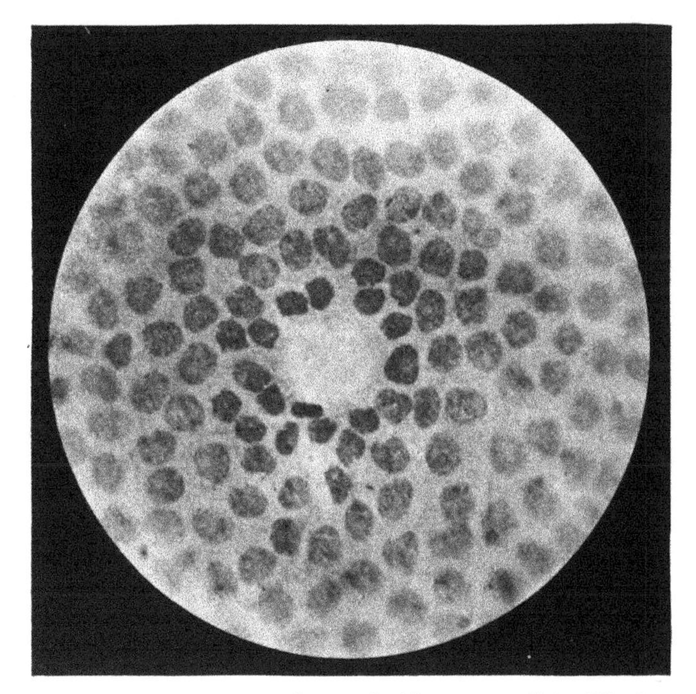

„Stoma" S. 10 Zeiss DD Oc_2.

Fig. 5.

Kaninchen 90.
L. Auge.

P.-Reaktion der
normalen Linse.

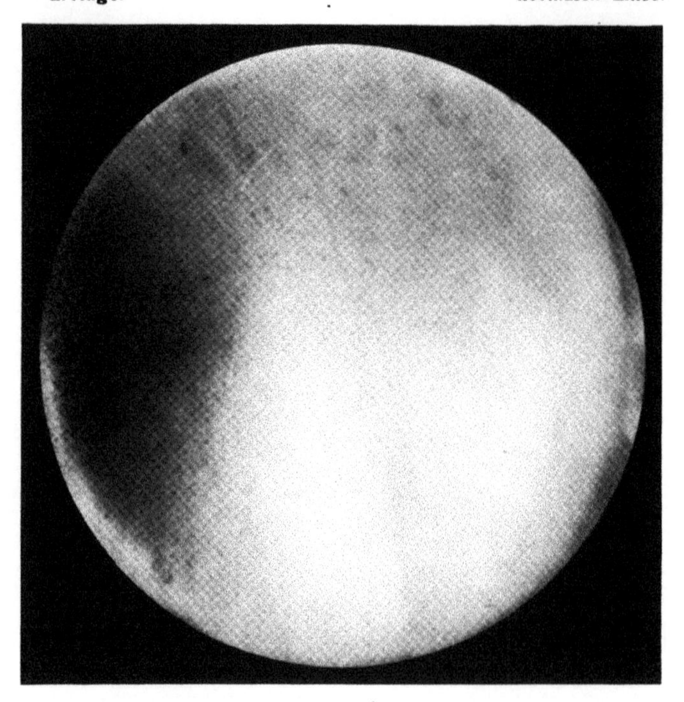

Vordere Linsennaht.

Fig. 6.

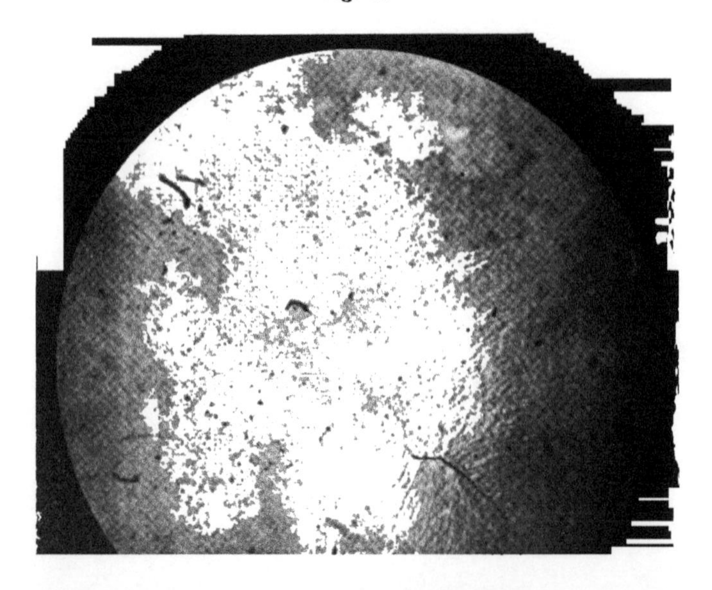

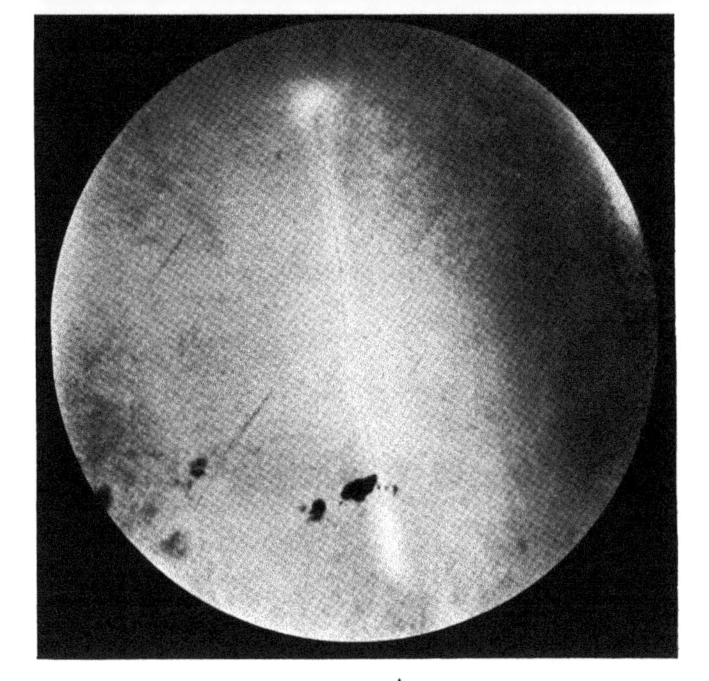

↑
Vordere Linsennaht.

Fig. 7.

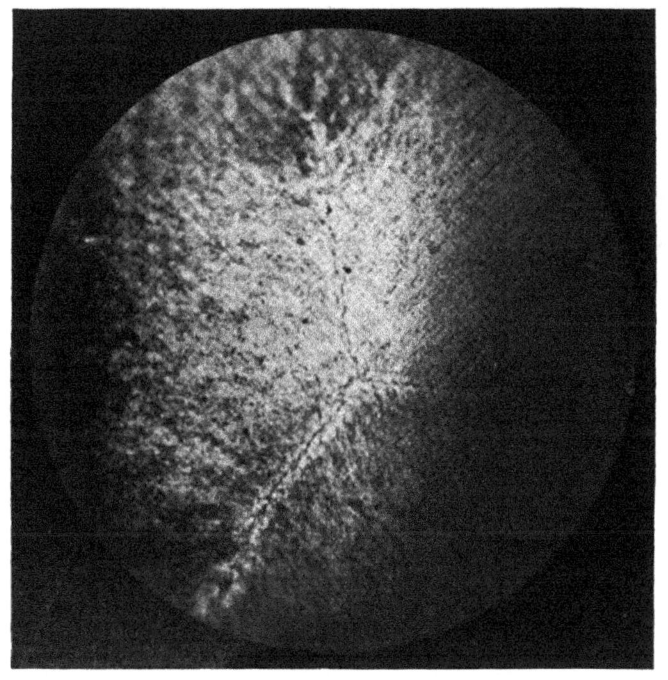

Kätzchen 14.
R. Auge.

Vordere Linsennaht.

P.-Reaktion nach subconj. Einspritzung von JK.

Fig. 9

n in Leipzig.

Naphth. Kaninchen 49.
L. Auge.

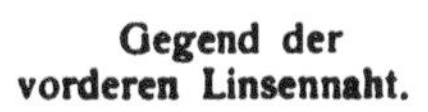
Gegend der
vorderen Linsennaht.

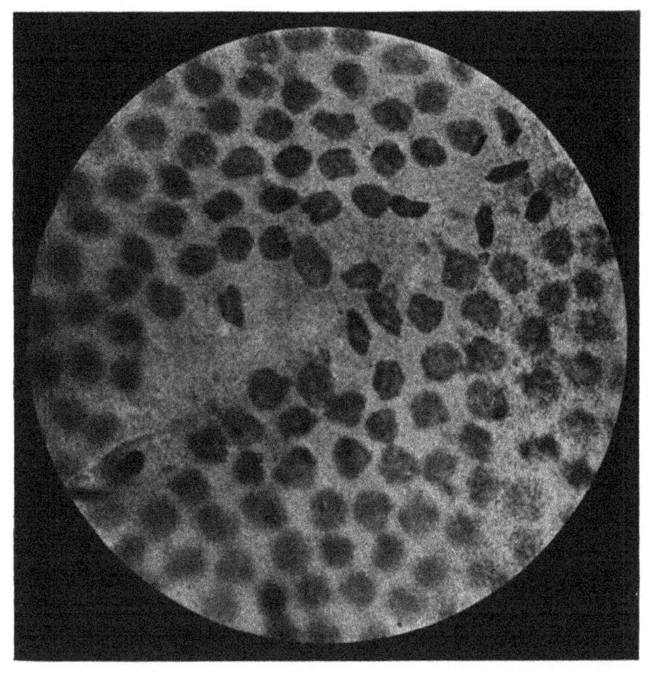

Fig. 10. Zeiss DD Oc_3

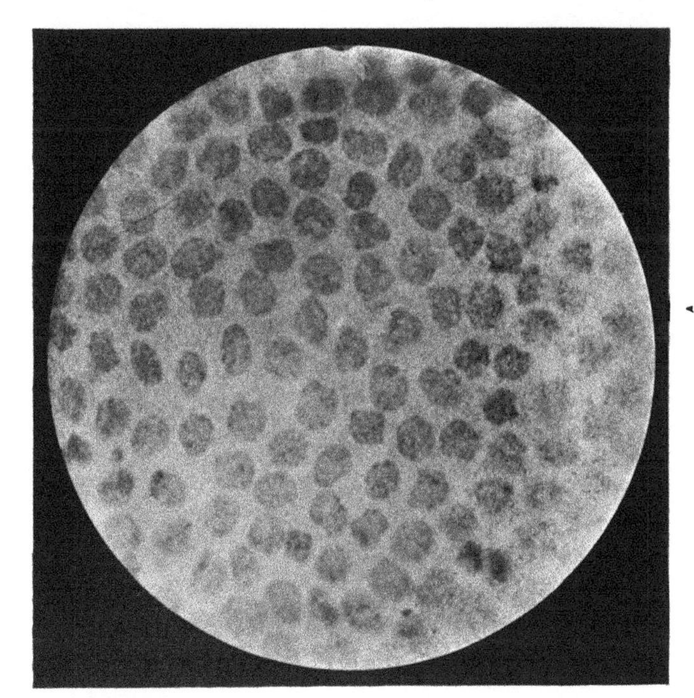

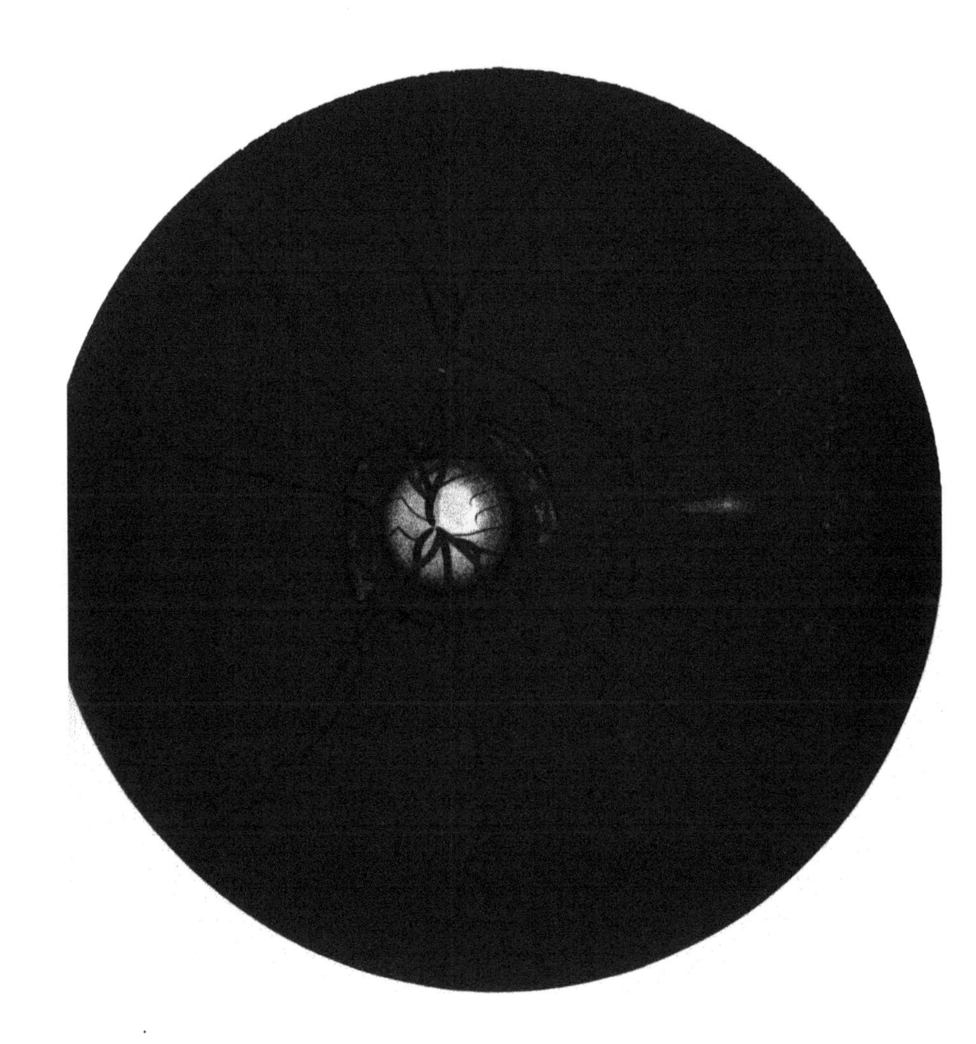

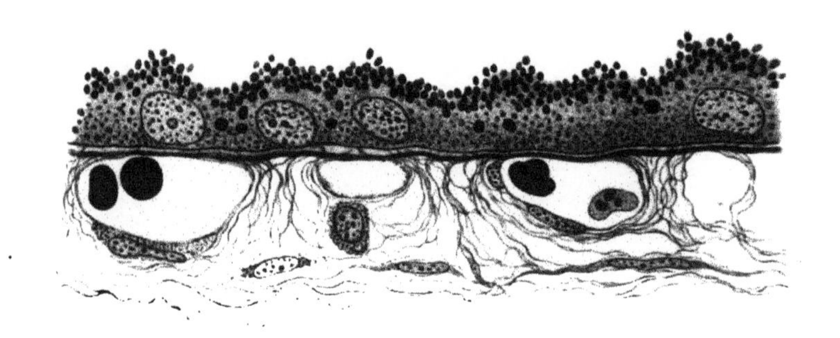

2.

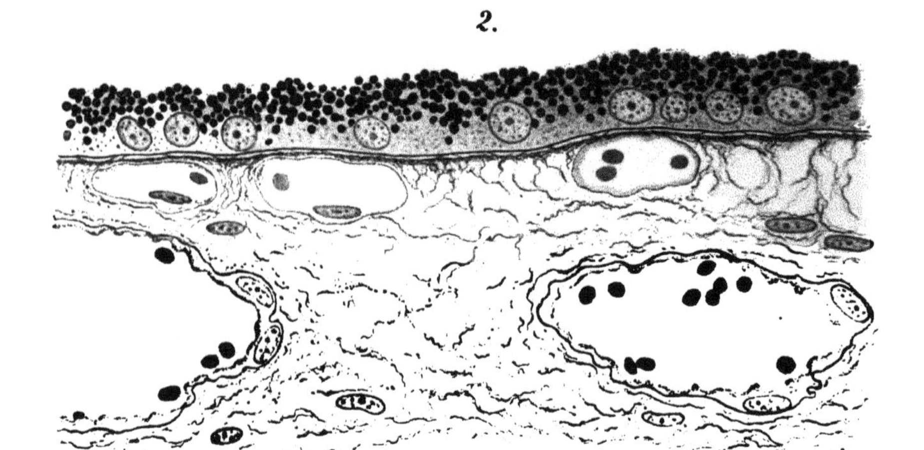

6.

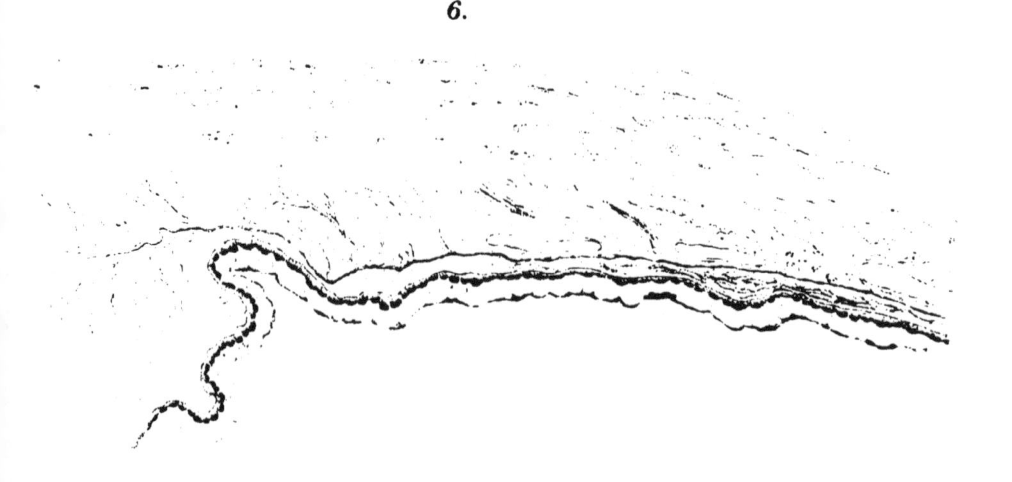

8.

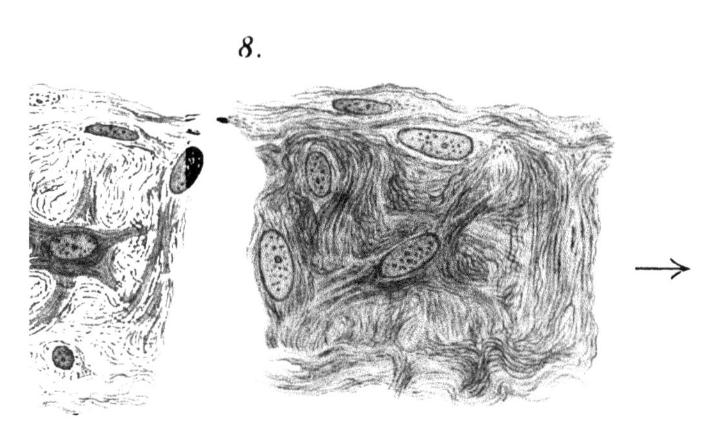

9.

Lith Anst v E A Funke Leipzig

Fig. 3.

Fig. 4.

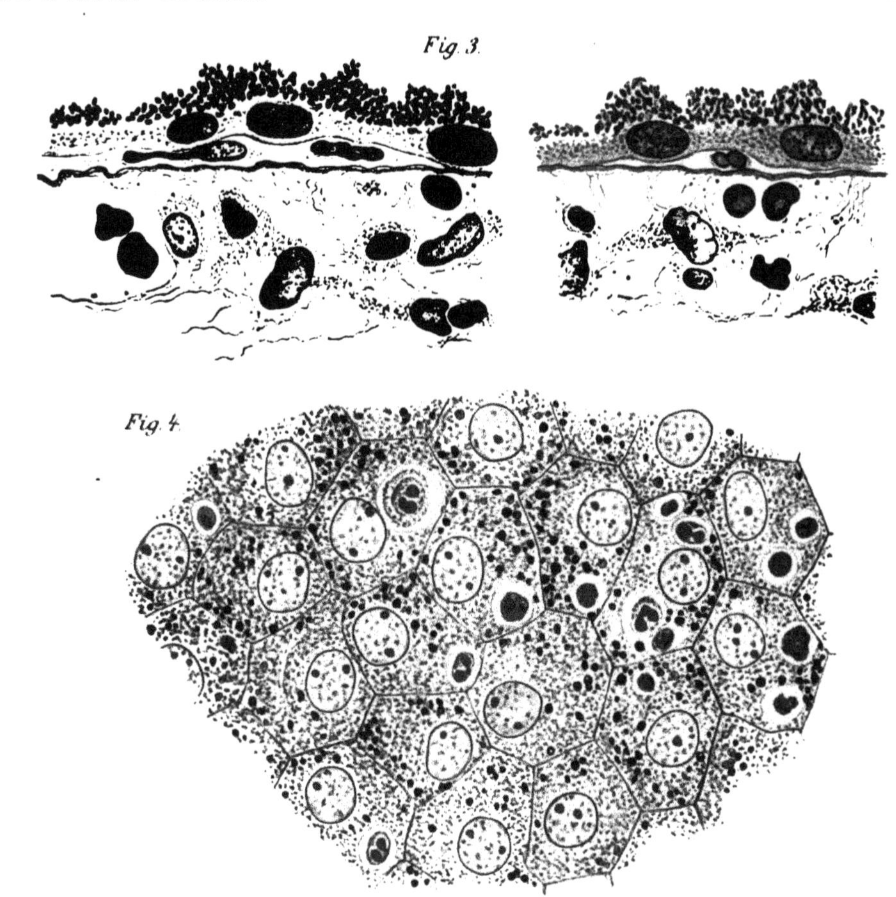

Fig. 5.

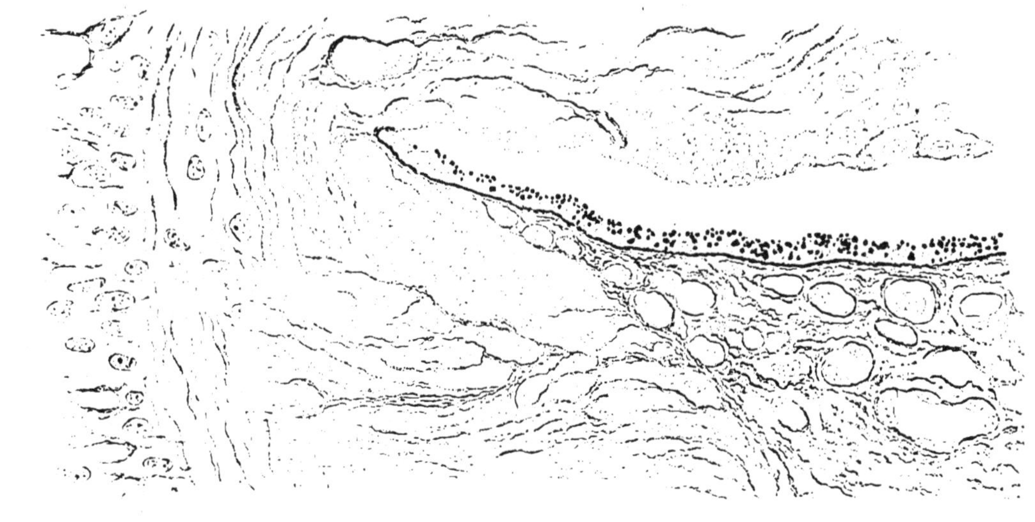

Wilhelm Engelmann

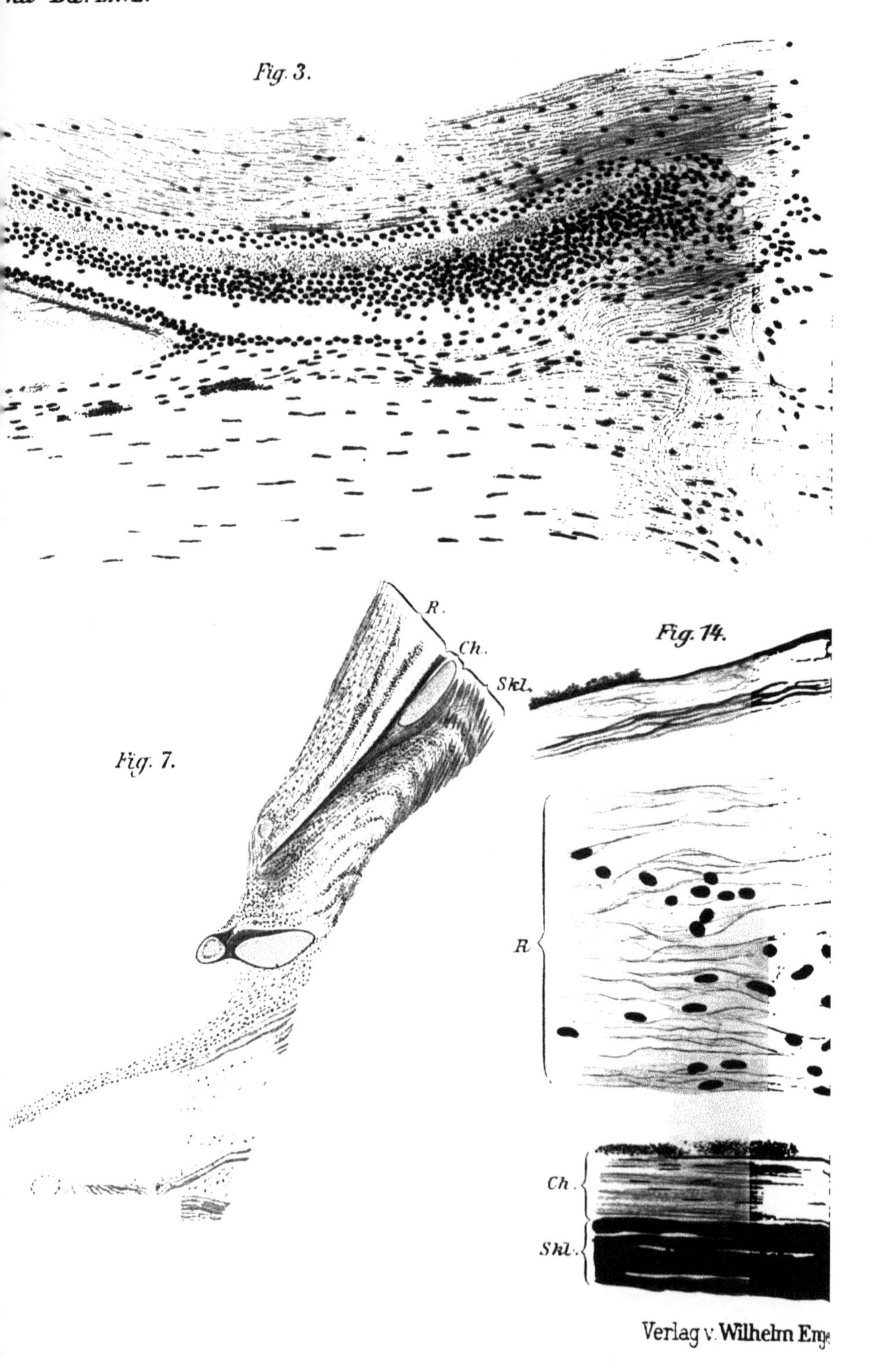

Verlag v. Wilhelm Eng

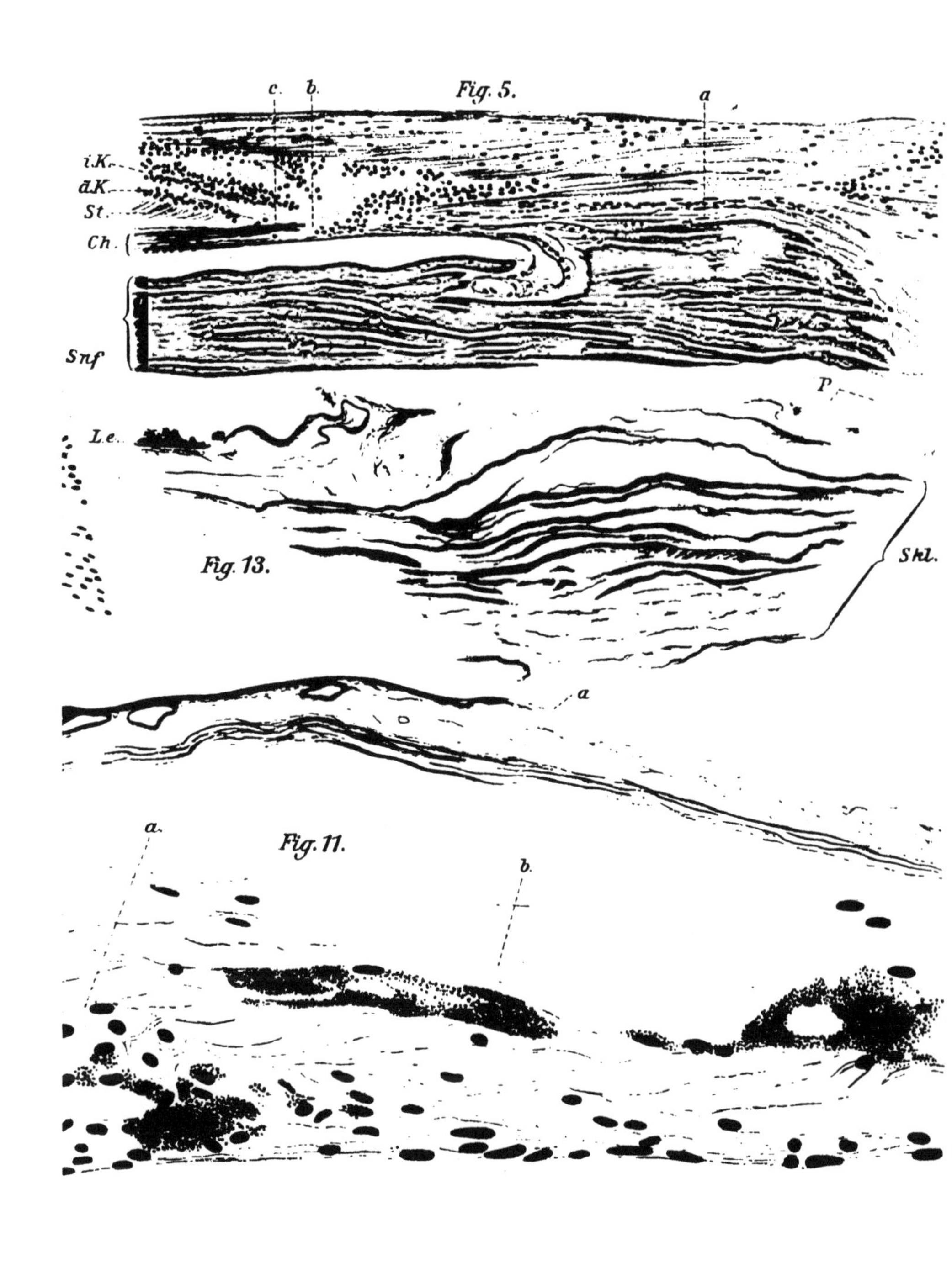

gelmann in Leipzig

Lith.Anst.v.

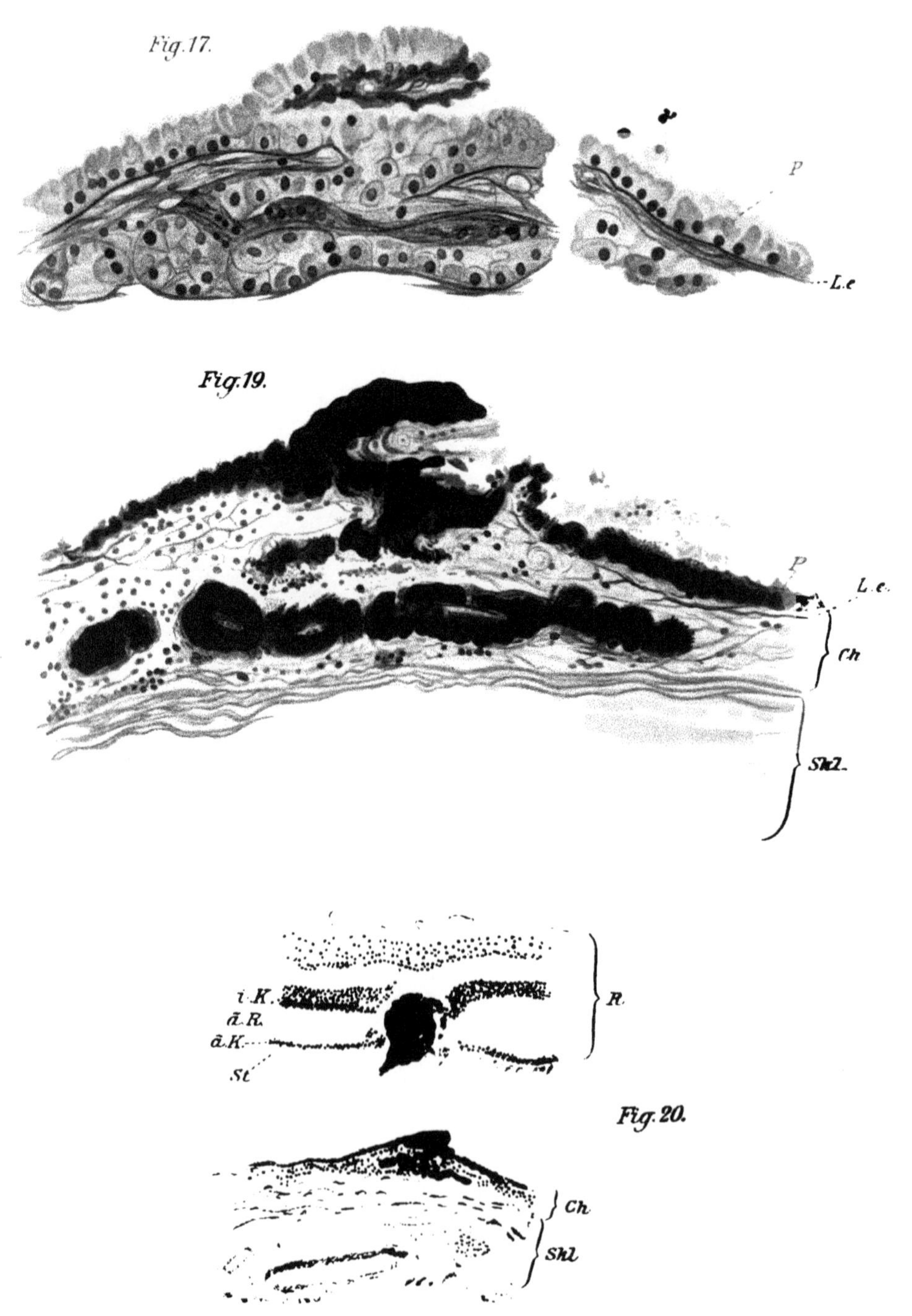

Verlag v. Wilhelm E

Fig. 18.

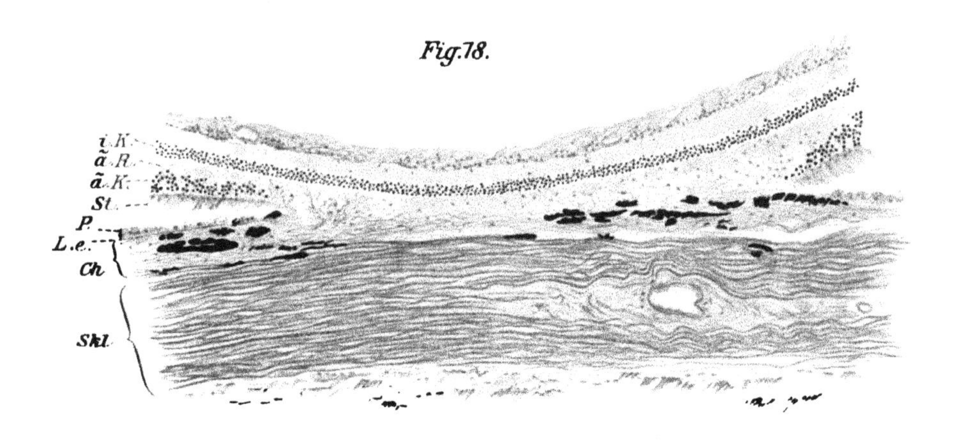

Fig. 21.

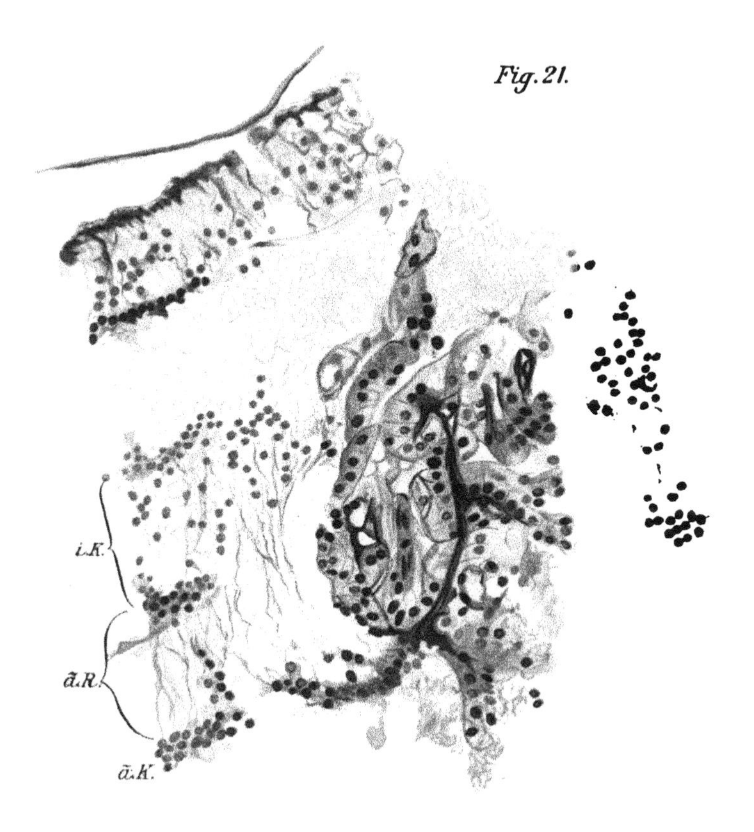

gelmann in Leipzig

Lith Anst. v E. A. Funke Leipzig

Fig. 22.

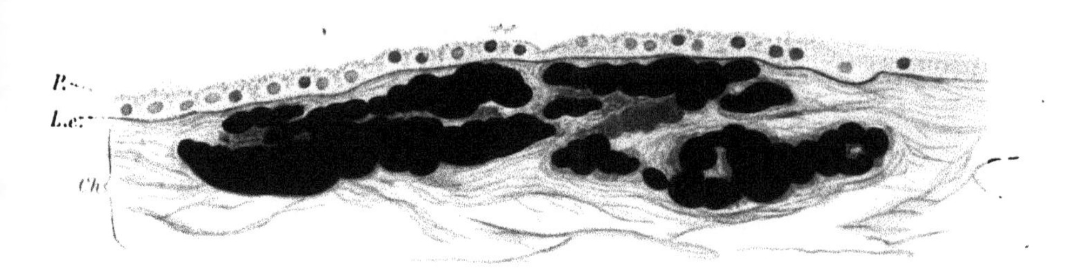

Fig. 24.

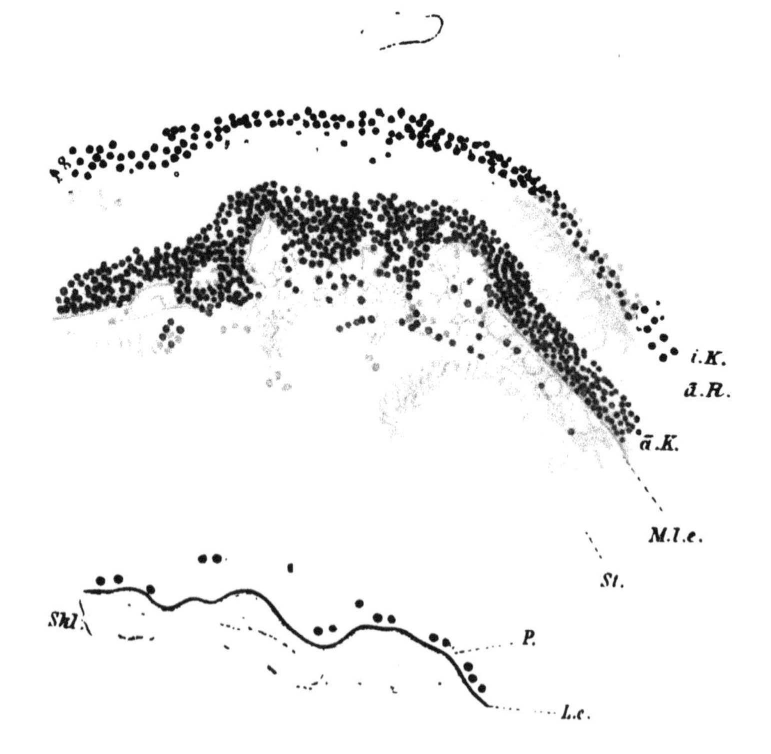

Fig. 23.

Fig. 25.

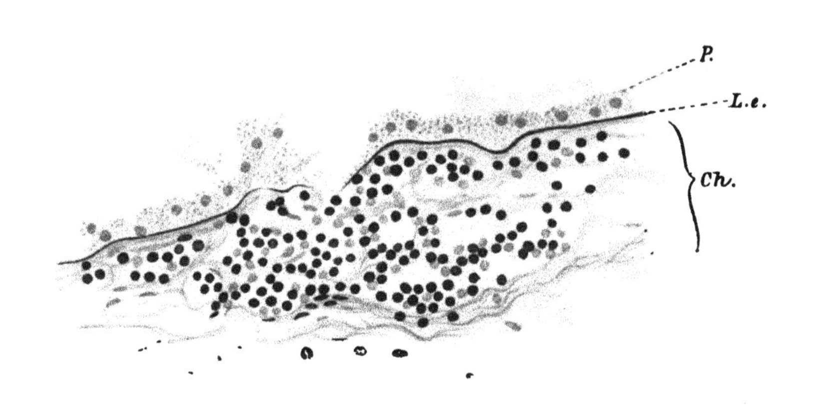

mann in Leipzig

Lith. Anst. v. E. A. Funke Leipzig

Fig. 29.

Fig. 28.

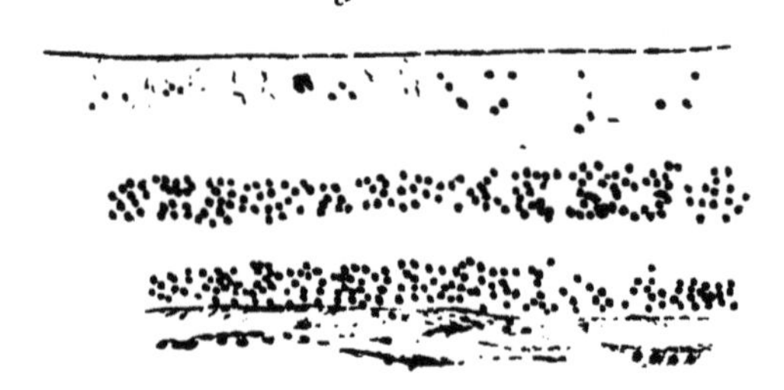

Verlag v Wilhelm E

Fig. 30.

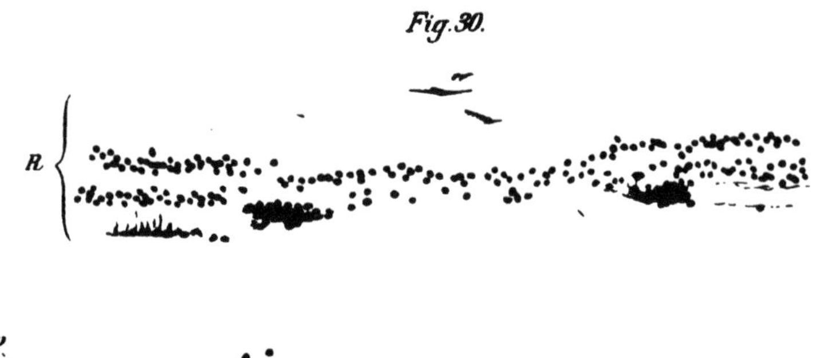

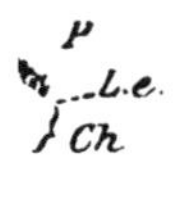

Fig. 31.

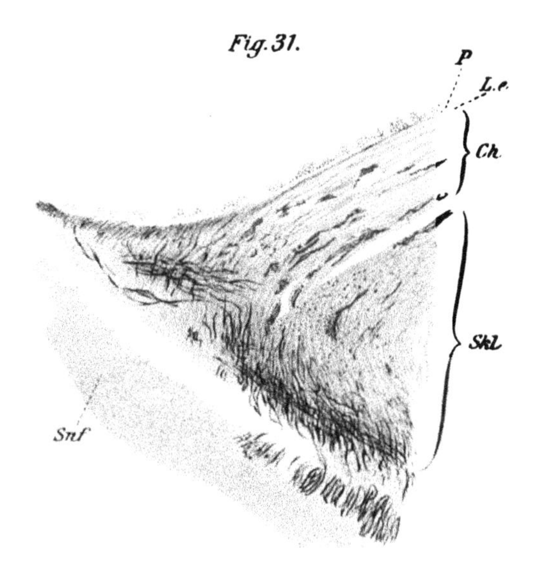

…ngelmann in Leipzig.

Lith. Anst. v. E. A. Funke, Leipzig

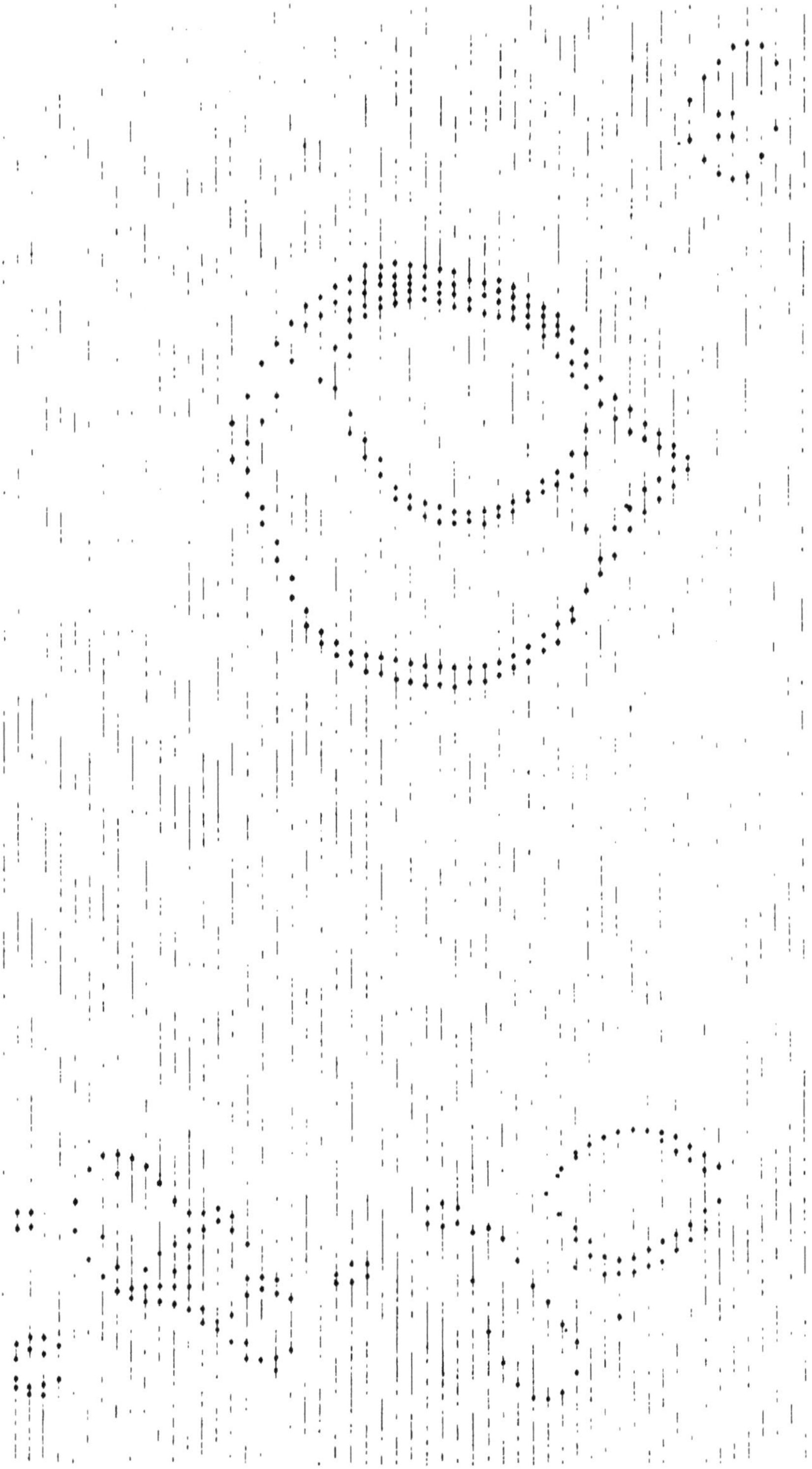

Fig. 32.

Verlag v Wilhelm Engelmann in Leipzig

Lith. Anst. v E. A. Funke, Leipzig

Fig. 12.

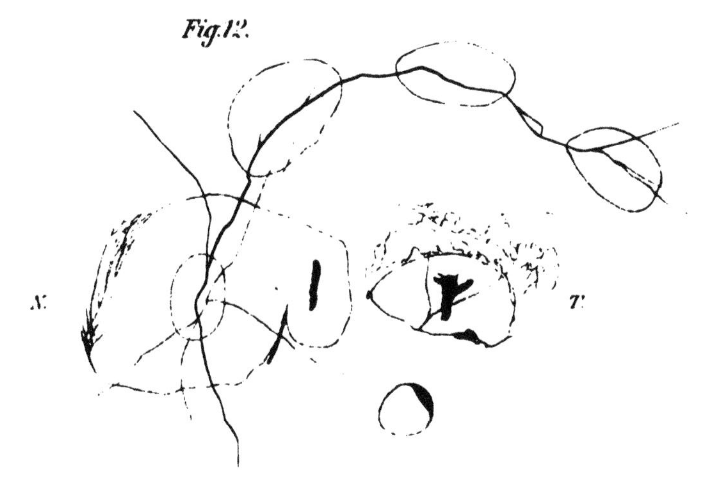

Fig. 33.

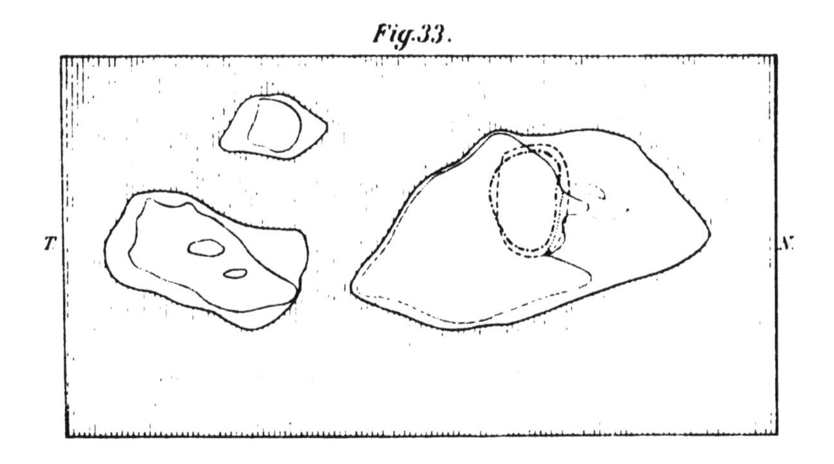

Fig. 34.

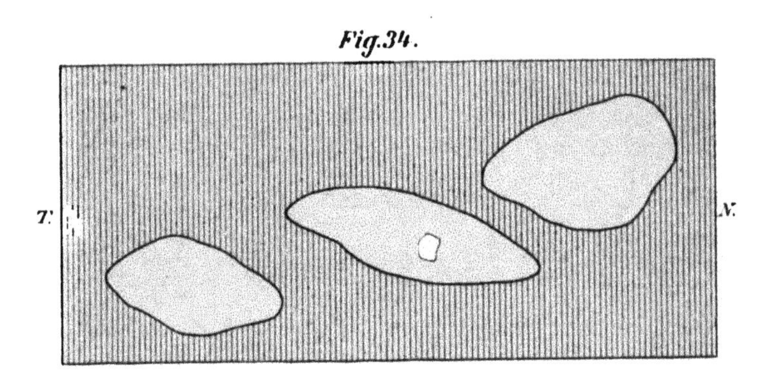

Fig. 15.

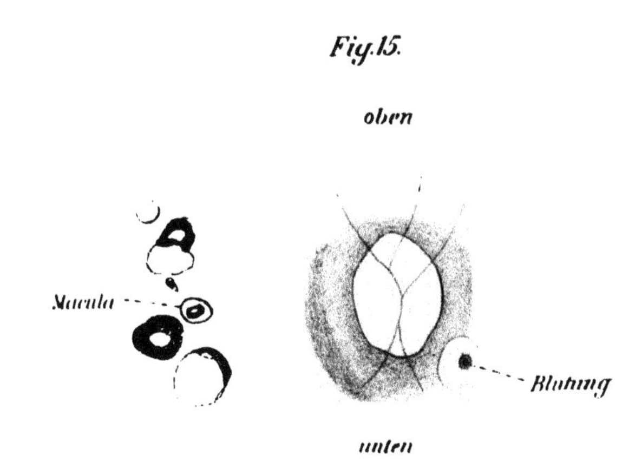

Fig. 35.

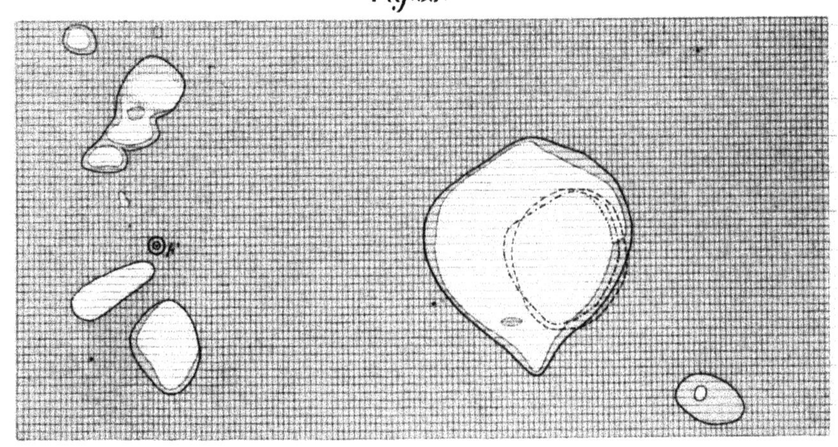

Verlag v Wilhelm Engelmann in Leipzig. Lith Anst v E. A. Funke Leipzig

Lightning Source UK Ltd.
Milton Keynes UK
UKHW020246090119
334943UK00007B/1065/P